2024年版
モデル賃金実態資料

産労総合研究所　編
SANRO Research Institute

2024年版 CONTENTS

モデル賃金実態資料
産労総合研究所 編

- 本書利用の手引き ……… 4

第1部 2023年度モデル賃金・年間賃金の実態

調査結果の概要と集計表一覧

1 モデル賃金調査結果 …………………………………… 7
モデル賃金調査　集計表一覧 ……………………………… 17

【集計表】
モデル賃金の内訳…18
モデル賃金のばらつき…30
モデル賃金の分散係数…42
産業別にみたモデル賃金…43
全年齢記入企業におけるモデル賃金(大学卒・総合職)…49
モデル条件別にみた役付手当・家族手当…52

2 モデル年間賃金調査結果 …………………………… 55
モデル年間賃金調査　集計表一覧 ………………………… 61

【集計表】
モデル年間賃金の内訳…62
モデル年間賃金のばらつき…74
モデル年間賃金の分散係数…86
産業別にみたモデル年間賃金…87

3 管理職・非管理職別モデル賃金／役職者賃金の実態……93

【集計表】
管理職モデル・非管理職モデルの比較（所定内賃金の水準とばらつき）…99
管理職モデル・非管理職モデルの比較（年間賃金の水準とばらつき）…105
役職別賃金（部長、次長、課長）の平均とばらつき…111

4 ［付帯調査］賃金カーブの現状と今後のあり方……113

5 モデル賃金・年間賃金　企業別実態一覧［180社］……117

食品…118
繊維…124
木材・木製品…126
紙・パルプ…127
化学…130
石油・石炭…138
ゴム・タイヤ…139
窯業・土石…141
鉄鋼…143
非鉄金属…147
金属製品…151
機械製品…152
電気機器…160
輸送用機器…172
精密機器…182
その他製造…187
建設…192
卸売…206
小売…222
その他商業…237
銀行・信用金庫…239
不動産…243
鉄道・バス…246
陸・海・空運…248
倉庫…265
マスコミ関連…266
学校…267
農協・生協…272
ソフトウェア等…276
建物設計・地質調査…282
コンサルタント…286
その他サービス…287

（資料）2023年度モデル賃金、賞与・一時金調査　調査票……298

第2部 関連資料

1 賃金センサスを自社賃金の検討に活かす――コム情報センタ　所長　尾上友章

［1］個別賃金傾向値表による1歳1年キザミの標準者賃金の推計…304
賃金センサスに基づく標準労働者の個別賃金推計値表一覧…317
［2］賃金センサスでみる地域別賃金格差の動向…366

2 2023年度　決定初任給――産労総合研究所…372

3 新規学卒者初任給情報（2023年春季卒業者）――厚生労働省…385

―――――――――― 本書利用の手引き ――――――――――

■発行の目的

　本書は2023年の賃金交渉後の賃金の実態を把握し，来るべき2024年の賃金交渉のための基礎資料を労使担当者に提供するため，産労総合研究所が独自の調査を実施し，その結果をまとめたものです。

　ここに紹介する資料は，産労総合研究所が2023年7～8月に実施した「2023年度モデル賃金，賞与・一時金調査」結果を中心に，利用者の便を考え，また来るべき2024年春闘・賃金交渉の資料として，より効果的に役立つよう編集に工夫をこらし，調査の集計結果と個別企業の実態を紹介しました。

■本書の構成

　本書は，第1部「2023年度モデル賃金・年間賃金の実態編」，第2部「関連資料編」の2部構成となっています。

　第1部では，産労総合研究所の「2023年度モデル賃金，賞与・一時金調査結果」から「モデル賃金」「モデル年間賃金」「管理職・非管理職別モデル賃金／役職者賃金」の集計結果，およびその集計のベースとなった個別企業ごとに，それぞれのモデル賃金・モデル年間賃金の実態をまとめました。なお，本書に掲載した個別企業の実態は，当社の集計における設定条件にあわせた金額に変更している場合があり，ご回答いただいた金額とは異なった数値となっている企業事例もあります。

　また，個別企業の実態にはモデル賃金の算定方法や2023年の賃上げ状況，労務構成，役付手当，家族手当，諸手当，時間あたり賃金についても収録しました。「時間あたり賃金」は所定内賃金，賞与，年間所定労働時間の各項についての各社の回答をもとに，産労総合研究所で算出したものです。

　算定式は次のとおりです。

年間賃金ベース：(所定内賃金×12＋年間賞与)
　　　　　　　÷年間労働時間
月例賃金ベース：所定内賃金×12÷年間労働時間

　また，第2部では，賃金構造基本統計をもとにした「賃金センサスの活用」と，産労総合研究所の「2023年度決定初任給調査結果」，厚生労働省の「新規学卒者初任給情報」を掲載しました。

■モデル賃金利用上の留意点

　モデル賃金は，設定された各種の条件のもとで年齢別の賃金をみる「個別賃金」の一種です。この場合の設定条件とは，「学校卒業後，ただちに入社し，その後標準的に昇進・昇格した者」をまず第一に，年齢，勤続年数，学歴，扶養家族数などが加えられます。これらの条件は，年功賃金の性格が依然として強いわが国では重要な賃金決定要因であり，それぞれの条件に合致する者の賃金カーブは，その企業の賃金格差構造の骨格をなしています。これによって，一企業における賃金格差構造や，同一条件のもとでの他社との賃金比較が可能となります。

　モデル賃金の算定方法には，①理論モデル，②実在者モデル，③両者の併用，の3種類があります。賃金表をもとに自社の標準的な昇進・昇格ルートを基準にして賃金をみる「理論モデル」は，その企業の基本的なカーブをみるには有意義ですが，必ずしも実在者がその賃金カーブに乗っているとはいえず，理論モデルは「実在者モデル」よりも高いレベルにあります。また賃金表や昇格基準などが整備されていないため，理論モデルを試算できない企業も多いこと，特定年齢の従業員がいない場合，理論モデルも実在者モデルも設定できないケースも多いことなどから，本書で紹介しているモデル賃金の集計結果は，①，②，③のケースを混在して計算しています。

2024年版
モデル賃金実態資料

第1部

2023年度モデル賃金・年間賃金の実態

調査結果の概要と集計表一覧

1 モデル賃金調査結果 …… 7

［集計表］
モデル賃金の内訳／ばらつき／分散係数／産業別モデル賃金／全年齢記入企業のモデル賃金／モデル条件別にみた役付手当・家族手当

2 モデル年間賃金調査結果 …… 55

［集計表］
モデル年間賃金の内訳／ばらつき／分散係数／産業別モデル年間賃金

3 管理職・非管理職別モデル賃金／役職別賃金の実態 …… 93

［集計表］
管理職モデル・非管理職モデルの比較（所定内賃金の水準とばらつき）
管理職モデル・非管理職モデルの比較（年間賃金の水準とばらつき）
役職別賃金（部長、次長、課長）の平均とばらつき

4 ［付帯調査］賃金カーブの現状と今後のあり方 …… 113

5 モデル賃金・年間賃金 企業別実態一覧［180社］ …… 117

モデル賃金・年間賃金水準、賃上げ、賞与・一時金、諸手当、年間所定労働時間、時間あたり賃金等の実態

（資料）2023年度モデル賃金、賞与・一時金調査　調査票 …… 298

調査の概要

調査名　2023年度　モデル賃金，賞与・一時金調査
調査機関　産労総合研究所
調査対象　全国1・2部上場企業および過去に本調査に回答のあった当社会員企業から任意に抽出した約4,000社
調査期間　2023年7月中旬に調査票を発送し，8月末までに回答のあった189社について集計（集計企業の内訳は下表参照）

用語の説明

■「総合職」に対応する職務系統
　広域勤務（勤務地非限定）コース，基幹的・判断的職務（コース）など。

■「一般職」に対応する職務系統
　勤務地限定コース，定型的・補助的職務（コース）など。

■所定労働時間内賃金
　所定労働時間働いた場合に支払われる現金給与。具体的には，(a)基本賃金(b)役付手当(c)家族手当(d)その他の手当（通勤手当は除く）の合計額で，時間外・休日労働手当，宿日直手当，賞与・一時金，現物給与などは含まれない。

■基本賃金（基本給部分）
　一般にいう本給，本人給，職能給，能力給，職務給，勤続給，年齢給，経験給，職種給，資格給，役割給などを総称したもの。

■役付手当
　役職者に対して支払われる手当。なお，部下をもたない専門職等に支給される賃金・手当は基本賃金に分類した。

■役割給
　仕事を基準として決められる賃金のひとつ。職責（責任や権限の大きさ）レベルに達成目標のレベルを加味した役割のレベルごとに基準額を設定して決められる賃金で，職能給や年齢給とは異なるもの。基本賃金に含めた。

■家族手当
　扶養家族の有無，人数に応じて支払われる手当。「住宅家族手当」のように，ほかの手当と分離できないものは「その他の手当」に分類した。

※調査票は298頁に掲載

集計企業の内訳

（単位：％，（　）内社数）

区分	産業計	製造業	非製造業
規模計	100.0（189）	41.8（79）	58.2（110）
1,000人以上	20.1（38）	9.5（18）	10.6（20）
300～999人	31.7（60）	12.2（23）	19.6（37）
299人以下	48.1（91）	20.1（38）	28.0（53）

集計企業におけるモデル賃金の算定方法の内訳

（単位：％，（　）内社数）

区分	合計	理論モデル	実在者モデル 平均	実在者モデル 中位	実在者モデル その他	無記入
合計	100.0（189）	54.5（103）	21.2（40）	14.8（28）	4.8（9）	4.8（9）
全従業員モデル	67.2（127）	39.7（75）	14.3（27）	11.6（22）	1.6（3）	―
非管理職モデル	22.8（43）	12.7（24）	6.3（12）	3.2（6）	0.5（1）	―
その他	5.3（10）	2.1（4）	―（1）	―	2.6（5）	―
無回答	4.8（9）	―	―	―	―	4.8（9）

2024年版 モデル賃金実態資料

第1部 2023年度 モデル賃金・年間賃金の実態

1 モデル賃金調査結果

調査結果の概要 **P.8**
集計表一覧 **P.17**

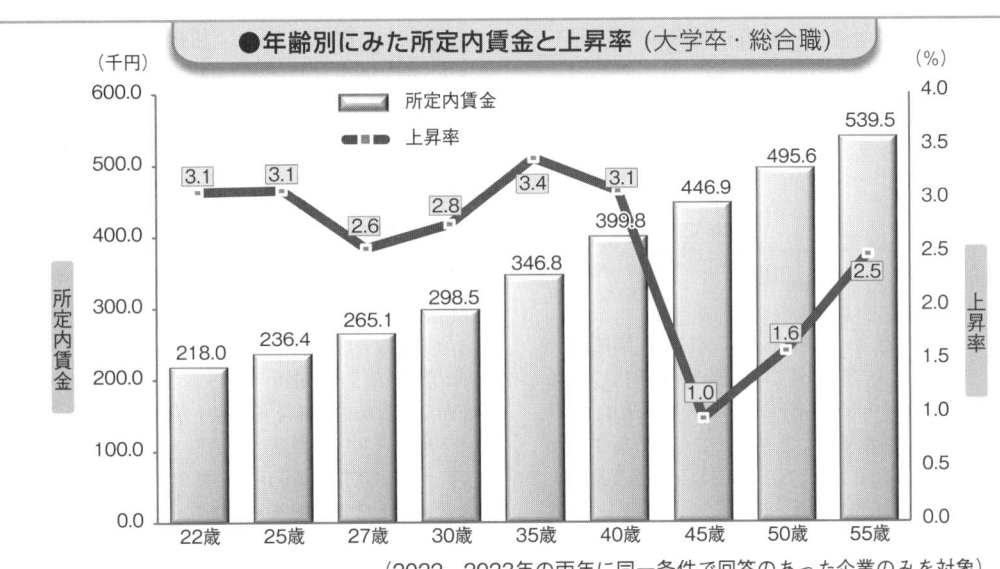

●年齢別にみた所定内賃金と上昇率（大学卒・総合職）

（2022, 2023年の両年に同一条件で回答のあった企業のみを対象）

●所定内賃金の年齢間格差の推移（大学卒・総合職）

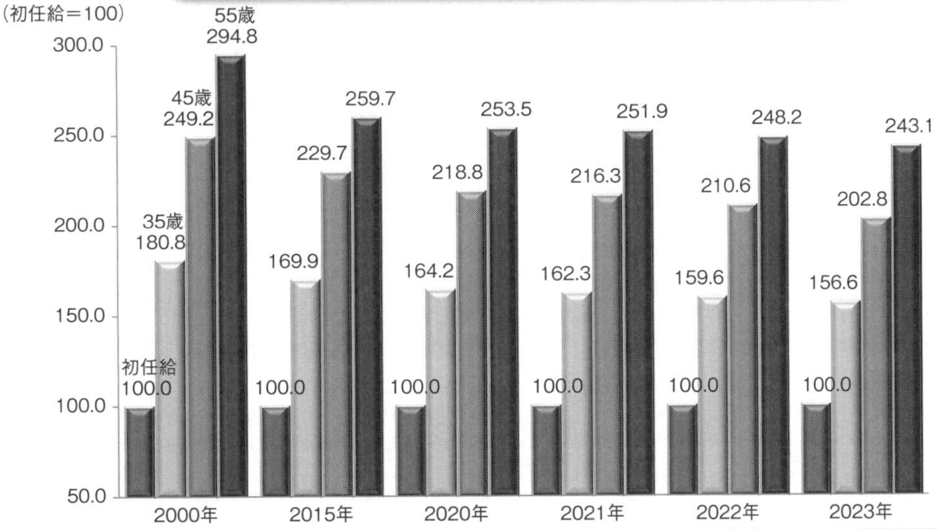

産労総合研究所では，例年，全国の企業を対象に「モデル賃金・モデル年間賃金調査」を行っている。このたび，2023年度の調査結果がまとまったので紹介する。

今回の調査の集計対象は189社。集計企業の内訳および調査の概要等については6頁を，モデル賃金・年間賃金についての説明と活用にあたっては，本頁下欄を参照されたい。

◆

まずは足元の経済動向をみていく。

7月20日公表の内閣府年央試算によると，政府は「賃金と物価の好循環」と人への投資，グリーン，経済安全保障など国内投資の持続的な拡大等により，「成長と分配の好循環」の実現を目指す。また，第2次補正予算，「物価・賃金・生活総合対策本部」で取りまとめたエネルギー・食料品等に関する追加策，当初予算を迅速かつ着実に実行していくとしている。それらにより2023年度の経済は，輸出の減速等は見込まれるが，サービス消費や個人消費の回復，設備投資の増加が期待され，GDP成長率は実質で1.3％程度，名目で4.4％程度と見込まれ，消費者物価上昇率（総合）は2.6％程度と見込まれるとしている。

2023年春闘の賃上げ率は前年の2.20％を上回り3.60％と，コロナ禍前の2019年の2.18％も大きく上回った（厚生労働省「民間主要企業春季賃上げ要求・妥結状況調査」）。

一方，地域別最低賃金は，中央最低賃金審議会が全国一律41円引上げの目安を示した結果，10月からは全国加重平均が43円上がり1,004円，4.47％の上昇となった。

本調査においても，回答企業全体の賃上げ率は

モデル賃金・モデル年間賃金について

●モデル賃金とは

モデル賃金とは，「最短年数で進学し，学校卒業後直ちに入社し，その後標準的に昇進・昇格した場合の正規従業員の賃金」を指す。あらかじめ年齢，勤続，学歴，扶養家族，職種などに一定の条件を設定し，各企業においてこれに合致する場合の賃金額を調査するものである。

モデル賃金は「銘柄別の個別賃金」「設定条件別賃金」などとも呼ばれ，日本では，一企業における賃金格差構造や同一条件下での企業間の賃金比較のツールとして，広く労使実務家，研究者，コンサルタントらに使われてきた。その特徴は，賃金センサスと比較すると理解しやすい。賃金センサスが実際に支払われた賃金を集計して「事後的に」賃金構造をとらえるのに対し，モデル賃金は原則として，実在者がいない年齢ポイントであっても，その企業が想定する賃金ラインを標準例（モデル）として「事前的に」とらえる。そのため，賃金カーブにひずみが生じにくくなり，年齢ポイントごとの賃金相場を知るうえでは有用性が高い。代表的なモデル賃金調査としては，当所調査のほか，中労委「賃金事情調査」，経団連・東京経営者協会「定期賃金調査」，東京都「中小企業の賃金事情調査」などがある（いずれも毎年調査）。

●モデル年間賃金とは

モデル年間賃金は，理論的には「2023年度モデル所定内賃金×12カ月」に「年間賞与・一時金」を加算した賃金額で表される。ただし本調査では，調査時期の関係で，年間賞与・一時金を，代用的に「2022年度の年末賞与・一時金＋2023年度の夏季賞与・一時金」として調査している。

また，全回答企業のうち，「各年齢ともモデル所定内賃金および夏季・年末の賞与・一時金のすべての項目に回答のあった企業」のみを対象に集計を行っている。このため，集計対象企業の違いから，モデル賃金の「所定内賃金」とモデル年間賃金の「モデル所定内賃金（1カ月平均所定内賃金）」とは，金額は一致しない。

●活用にあたっての留意点

モデル賃金は，原則的には賃金表などに基づいた「理論上の年齢ポイント別賃金」であるが，実際には賃金表や昇格基準などが整備できておらず理論モデルを試算できない企業も少なからず存在する。そのため，実際上のモデル賃金の算定方法としては，①理論モデル（賃金表や昇給表などから，実在者の有無にかかわらず賃金額を計算），②実在者モデル（実在者のなかから設定条件に合致する者の賃金を調べたもの），③両者の併用，の3通りの方法がある。

理論モデルは，その企業の基本的な賃金カーブをみるには有意義だが，必ずしも実在者の賃金がその賃金カーブ上にあるとはかぎらず，実態から乖離し

3.39％と前年の2.06％を上回った。また，ベースアップを行った企業は65.6％と前年の47.4％を大きく上回っている。大学卒・総合職の所定内賃金における，年齢別の月例モデル賃金上昇率は，9つの年齢ポイントの内4つで3.0％を超え，1.0％台の年齢ポイントは2つだけであった。

集計表1－1－(1)「モデル賃金の内訳－（全産業・規模計）」で主な年齢ポイント別に所定内賃金をみると，大学卒・総合職では22歳219,354円，25歳237,350円，35歳343,424円，45歳444,774円，55歳533,309円。同様に高校卒・総合職では22歳205,788円，25歳222,179円，35歳315,055円，45歳405,094円，55歳473,493円であった。

参考表　賃金改定状況の推移（全産業・規模計）
（単位：％）

年　度	賃上げあり ベア実施	賃上げあり 定昇のみ実施	賃金制度を改定	その他
2012	14.1	67.2	2.1	7.3
2013	21.8	60.6	2.6	9.0
2014	38.5	46.4	2.2	7.3
2015	40.0	43.3	1.7	8.3
2016	38.5	48.0	0.6	6.7
2017	37.6	51.6	1.1	2.7
2018	42.9	49.7	1.1	4.0
2019	44.0	44.6	1.7	6.9
2020	34.0	55.3	―	7.5
2021	30.1	52.8	1.2	9.2
2022	47.4	40.6	1.1	8.6
2023	65.6	23.8	2.6	6.3

（注）「凍結」「ベースダウン」「無回答」は省略している。

調査結果の概要

1 賃上げ状況

■ベア実施は65.6％，定昇のみは23.8％

2023年の賃上げ状況は，「賃上げあり」が89.4％

てしまう可能性がある点に留意が必要である（通常，理論モデルの賃金は実在者モデルよりも若干高くなる）。他方，実在者モデルでは，実在者のなかでだれを標準者とするか，実在者がいない年齢ポイントをどうするかといった問題が生じ得る。モデル賃金調査を活用する際には，こうした算定方法の特性も，頭の片隅においておくとよいであろう。

本調査の集計結果には，上記①～③のケースが混在している。2023年度調査における回答企業のモデル賃金算定方法の内訳は，6頁の表のとおりである。

● 「2022, 2023年度に同一条件で回答のあった企業」について

モデル賃金統計は，毎年同一企業が集計対象になるとはかぎらないため，各年の平均額の結果を直接比較したのでは統計上の誤差が生じる。また，2年続けて回答があっても，企業によっては該当する役職が前年と異なる設定で記入されるケースもある。そこで役職，所定内賃金，基本賃金などが2022年度と2023年度に同一の条件で回答があった企業のみを対象として年齢別の上昇率を計算したのが表3である。

理論モデルではなく実在者モデルで回答している企業の場合は，完全な形でモデル賃金の上昇率を算定することは難しいが，ここでは，とりあえず役職や所定内賃金などの設定条件が2022, 2023年度に同一で回答のあった企業を抽出して集計している。

● 「全年齢記入企業」の抽出について

モデル賃金調査は，"学校を卒業して直ちに入社し，標準的に昇進・昇格を重ねていった場合にたどる昇給基準線"といった賃金の軌跡を調査するものである。その場合，標準的昇給のなかには，年齢の高まりに伴う世帯形成（結婚や子どもの誕生）の標準的な広がりも含まれている。

これを検討する場合，全部の年齢に記入のあることが年齢別賃金の比較にあたって望ましいことはいうまでもない。しかし，集計結果にみるように年齢ごとに回答企業数が異なるため，入社から定年までの同質的な連続性の把握はできない。そこで年齢別の賃金構造の展開を連続的にとらえる方法として，大学卒・総合職について，22～60歳のすべてにモデル賃金額の記入があり，さらに役職設定のうえでも標準的に最高役職位まで昇進・昇格するように設定している企業のみを対象として集計したものが，表4である。

年齢と対応する役職は必ずしも同一ではないが，この集計分についてみると，30歳→主任クラス，35歳→係長クラス，45歳→課長クラス，50歳→次長クラス，55歳→部長クラス，という昇進・昇格ケースが最も多くなっている。

しかし，なかには40歳以降はモデルのうえでも役職をはずれるケースを設定したり，基本賃金を据え置く措置をとっている企業も含んでいる。

で，そのうち「ベースアップを実施」は65.6％，「定昇のみ」23.8％だった（表１）。賃上げした企業は前年の88.0％と比べると増加し，なかでもベア実施は18.2ポイント増加した（参考表）。「賃上げなし」は前年の2.3％から1.6％に減少している。

賃上げ額と率は，全体平均で9,810円（前年5,863円），3.39％（同2.06％）で，前年より3,947円，1.33ポイント増加した（表２）。この賃上げ額のうち，定期昇給相当額は5,062円（同4,352円），1.77％（同1.53％）であった。結果，ベースアップは額で4,748円（同1,511円），率で1.62％（同0.53％）となる。

2　年齢ポイント別にみた上昇率

■４つの年齢ポイントでは上昇率が３％を超える

本調査では前年比をみるために，2022年度と2023年度に続けて回答のあった企業のうち，同一の設定条件および役職で回答のあった企業を抽出して，全体集計とは別に集計している（大学卒・総合職のみ）。これは，回答企業が毎回同じとはかぎらないため，単純に集計結果を比較しても，誤差が生じてしまうためである。

なお，ここでの上昇率は，同一年齢を比較しているので，定期昇給分などは含まれず，ベースアップと諸手当などの改定分が反映されている。以上を踏まえて表３をみると，大学卒・総合職の所定内賃金の上昇率が３％を超える年齢ポイントは22歳，25歳，35歳，40歳となり，他の年齢ポイントもすべて1.0％以上となった。

表１　集計企業における2023年賃金改定状況

（単位：％，（　）内社数）

規模・産業	合計	賃上げ有り		凍結（定期昇給・ベアなし含む）	ベースダウン	賃金制度を改定	その他	無回答
		ベースアップを実施	定期昇給のみ実施					
規模計	100.0(189)	65.6	23.8	1.6	—	2.6	6.3	—
1,000人以上	100.0(38)	76.3	13.2	—	—	2.6	7.9	—
300～999人	100.0(60)	70.0	20.0	—	—	3.3	6.7	—
299人以下	100.0(91)	58.2	30.8	3.3	—	2.2	5.5	—
製造業計	100.0(79)	73.4	21.5	1.3	—	—	3.8	—
1,000人以上	100.0(18)	83.3	5.6	—	—	—	11.1	—
300～999人	100.0(23)	78.3	17.4	—	—	—	4.3	—
299人以下	100.0(38)	65.8	31.6	2.6	—	—	—	—
非製造業計	100.0(110)	60.0	25.5	1.8	—	4.5	8.2	—
1,000人以上	100.0(20)	70.0	20.0	—	—	5.0	5.0	—
300～999人	100.0(37)	64.9	21.6	—	—	5.4	8.1	—
299人以下	100.0(53)	52.8	30.2	3.8	—	3.8	9.4	—

表２　集計企業における2023年賃上げ状況

規模・産業	賃上げ額（円）	率（％）	定期昇給額（円）	率（％）	所定労働時間内賃金（円）	基本賃金（円）	賃上げ前の所定労働時間内賃金（円）	平均年齢（歳）	平均勤続（年）	１年間の所定労働時間（時間：分）
規模計	9,810	3.39	5,062	1.77	323,949	293,271	314,468	41.2	14.9	1,912：25
1,000人以上	12,834	4.24	6,078	2.06	350,687	328,394	336,492	39.8	14.5	1,889：03
300～999人	9,231	3.21	4,357	1.56	321,790	297,766	311,391	39.8	14.2	1,900：02
299人以下	8,985	3.18	5,092	1.80	315,582	277,630	308,331	42.7	15.5	1,929：49
製造業計	9,345	3.13	4,492	1.64	310,180	288,310	300,564	41.3	15.9	1,914：43
1,000人以上	12,125	3.70	5,357	2.00	326,642	309,483	316,139	39.7	15.5	1,898：29
300～999人	8,946	3.10	4,072	1.52	319,753	301,919	308,067	39.6	15.3	1,892：04
299人以下	8,324	2.91	4,359	1.57	296,911	270,352	289,078	43.1	16.6	1,937：01
非製造業計	10,160	3.59	5,482	1.88	333,763	297,182	324,594	41.2	14.1	1,910：48
1,000人以上	13,501	4.75	6,639	2.12	370,223	345,954	353,029	39.9	13.5	1,880：10
300～999人	9,427	3.29	4,538	1.59	323,235	294,503	313,829	40.0	13.6	1,904：58
299人以下	9,466	3.38	5,674	2.00	328,295	283,046	321,724	42.5	14.7	1,924：58

（注）賃上げ額・率，定昇額・率，所定労働時間内賃金，賃上げ前の所定労働時間内賃金，平均年齢，平均勤続，年間の所定労働時間の各項目は，集計対象社数がそれぞれ異なる。

3 モデル所定内賃金，基本賃金の年齢間格差

■長期的縮小傾向を続く

年齢間格差は長期的にみると縮小傾向にあり，2023年は2022年から２～８ポイント格差が縮まった。**表４**左の「モデル賃金の格差（全体計)」が，全回答企業における年齢間格差である。大学卒・総合職の22歳を100として，35歳156.6（前年159.6），40歳182.0（同184.8），50歳224.9（同231.6)，55歳243.1（同248.2）となった。

また，すべての年齢に記入があり，最高役職位まで昇進・昇格するように設定している企業を抽出して集計を行ったのが，**表４**右の全年齢記入企業におけるモデル賃金の「年齢間格差」である。銘柄別の個別賃金をみるという点で理想的なのが「全従業員対象の理論モデル」だが，同表はこれに近いものである。

表において，年齢と対応する役職位の目安は，「30歳：主任級」「35歳：係長級」「40～45歳：課長級」「45～50歳：次長級」「55歳：部長級」となる。22歳を100とした所定内賃金の年齢間格差をみると，35歳157.6（前年159.2)，40歳184.3（同185.1），50歳231.2（同235.8），55歳245.4（同251.2）となった。なお，基本賃金の１歳あたり昇給ピッチは，22歳から40歳の間が8,242（同7,655円）と前年より上がり8,000円台となった。

表３　モデル賃金の上昇率（2022・2023年が同一条件で回答のあった企業のみを対象）

（単位：円）

年齢	規模計（126社）			1,000人以上（22社）			300～999人（41社）			299人以下（63社）		
	2022年	2023年	上昇率	2022年	2023年	上昇率	2022年	2023年	上昇率	2022年	2023年	上昇率
大学卒・総合職・所定内賃金												
22歳	211,433	217,962	3.1	217,879	228,105	4.7	213,962	220,483	3.0	206,800	211,802	2.4
25	229,253	236,366	3.1	243,527	254,529	4.5	230,700	236,975	2.7	221,843	227,899	2.7
27	258,442	265,052	2.6	278,589	286,369	2.8	260,064	268,345	3.2	247,259	251,923	1.9
30	290,463	298,546	2.8	315,948	319,285	1.1	295,396	306,898	3.9	275,296	282,927	2.8
35	335,390	346,787	3.4	366,371	372,532	1.7	337,596	357,996	6.0	320,146	326,578	2.0
40	387,805	399,792	3.1	434,975	443,848	2.0	401,322	422,522	5.3	360,260	366,697	1.8
45	442,634	446,907	1.0	488,487	487,448	△0.2	465,581	473,269	1.7	410,617	414,172	0.9
50	487,872	495,649	1.6	543,121	544,388	0.2	516,480	528,139	2.3	450,565	457,854	1.6
55	526,398	539,531	2.5	592,989	590,880	△0.4	556,215	568,250	2.2	479,820	499,319	4.1
大学卒・総合職・基本賃金												
22歳	202,604	210,384	3.8	212,334	222,333	4.7	208,737	215,983	3.5	193,821	201,094	3.8
25	220,143	228,027	3.6	238,313	247,862	4.0	225,655	232,211	2.9	207,849	216,036	3.9
27	235,071	243,919	3.8	259,162	266,816	3.0	238,851	247,709	3.7	220,184	229,609	4.3
30	257,646	266,515	3.4	288,948	292,199	1.1	263,479	275,277	4.5	239,187	248,368	3.8
35	293,007	305,195	4.2	333,175	338,262	1.5	299,262	316,718	5.8	270,512	281,548	4.1
40	337,032	351,263	4.2	392,639	400,284	1.9	356,097	378,662	6.3	302,278	312,902	3.5
45	380,915	387,182	1.6	442,059	441,298	△0.2	412,100	420,683	2.1	337,794	344,714	2.0
50	416,582	427,691	2.7	488,125	487,213	△0.2	455,108	467,934	2.8	367,276	381,153	3.8
55	453,747	466,719	2.9	525,241	522,497	△0.5	492,305	502,731	2.1	398,831	419,427	5.2

（注）2022年，2023年の両方の調査に回答があり，設定条件が同一の企業126社を抽出して集計したものである。

表４　全年齢記入企業における大学卒・総合職のモデル賃金（全産業・調査計）

（単位：円）

年齢（歳）	モデル賃金の格差（全体計）		全年齢記入企業における大学卒・総合職のモデル賃金（全産業）							
	所定内賃金	年齢間格差（22歳=100）	所定内賃金	基本賃金	年齢間ピッチ	役付手当	家族手当	その他の手当	年齢間格差（22歳=100）所定内賃金	年齢間格差（22歳=100）基本賃金部分
22	219,354	100.0	219,341	211,912		168	―	7,261	100.0	100.0
25	237,350	108.2	237,375	229,391	5,826	353	―	7,631	108.2	108.2
27	263,688	120.2	264,141	244,711	7,660	739	8,482	10,208	120.4	115.5
30	296,931	135.4	296,802	267,094	7,461	4,465	13,768	11,475	135.3	126.0
35	343,424	156.6	345,636	306,568	7,895	9,377	18,185	11,506	157.6	144.7
40	399,195	182.0	404,353	360,262	10,739	16,582	16,151	11,358	184.3	170.0
45	444,774	202.8	453,809	399,574	7,862	27,822	15,326	11,087	206.9	188.6
50	493,286	224.9	507,014	443,266	8,738	40,899	11,247	11,602	231.2	209.2
55	533,309	243.1	538,154	473,111	5,969	45,280	6,871	12,893	245.4	223.3
60	521,205	237.6	522,817	462,545	−2,113	41,117	6,489	12,666	238.4	218.3

4 企業規模間格差

■40～50歳で最も大きくなる

企業規模による賃金格差は，22歳から35歳で少しずつ広がり，40～50歳で最も大きくなる（表6）。ただし，昨年は「高校卒・総合職」の「300～999人」は多くの年齢ポイントで「1,000人以上」を上回ったが今年はその傾向はなくなった。

5 モデル賃金のばらつき

■年齢とともに広がる

モデル賃金のばらつきを四分位分散係数でみたものが表7である。これは，数値が大きいほどばらつきが大きいことを示している。おおむね年齢が上がるにつれて数値が大きくなる傾向がある。

6 時間あたり賃金

■月例賃金ベースで2,048円

本調査では補足的事項として，所定内賃金の全体平均および年間所定労働時間などについても記入を求めており，これを基に，回答のあった企業について，時間あたり賃金を試算している。算定方法としては，年間賃金ベースと月例賃金ベースの二とおりがある。表8は各社の時間あたり賃金を集計した平均値で，月例賃金ベースで2,048円（前年2,012円），年間賃金ベースで2,760円（同

表5　モデル賃金と年齢間格差の推移

①モデル賃金　（単位：円）

年齢	2023年	2022年	2021年	2020年	2019年	2018年	2017年	2016年	2015年	2014年	2013年	2010年	2005年
大学卒・総合職													
22歳	219,354	212,079	209,668	210,103	208,211	206,753	205,571	206,293	204,955	204,845	203,731	203,261	199,167
25	237,350	230,285	228,802	230,493	227,671	227,668	225,378	225,897	225,339	224,999	223,388	224,997	218,694
30	296,931	290,871	289,840	293,557	290,461	289,282	290,279	293,144	295,266	292,680	290,276	292,427	286,339
35	343,424	338,541	340,375	344,968	340,596	344,219	345,026	345,924	348,137	348,099	343,889	349,073	344,856
40	399,195	391,996	396,006	403,130	390,239	404,538	396,579	405,262	408,251	411,334	411,746	411,005	406,702
45	444,774	446,580	453,569	459,759	450,953	460,052	453,463	468,646	470,820	470,438	464,109	470,561	468,079
50	493,286	491,205	498,296	504,155	502,521	514,917	497,509	522,201	520,279	519,725	521,020	517,227	522,438
55	533,309	526,361	528,074	532,564	514,649	525,131	518,838	542,486	532,353	543,505	542,991	542,794	551,275
高校卒・総合職													
18歳	181,039	173,870	169,499	171,904	168,558	169,461	166,056	167,649	166,475	165,584	164,631	165,164	161,766
22	205,788	199,258	194,977	194,454	194,254	195,763	193,868	191,721	191,198	191,696	193,211	191,591	184,272
25	222,179	216,357	212,725	215,974	212,856	213,760	212,144	211,247	209,818	210,925	213,966	212,221	202,405
30	276,528	268,350	268,761	269,881	271,207	269,381	271,056	270,345	273,885	273,976	273,708	272,493	263,928
35	315,055	308,254	307,987	313,243	320,457	321,520	317,490	315,512	324,191	323,207	319,681	314,137	315,038
40	348,628	350,560	367,591	366,029	362,605	363,612	359,923	369,268	376,268	375,874	383,513	373,382	368,610
45	405,094	401,649	399,393	404,943	421,581	416,336	415,578	425,475	431,599	425,393	431,856	420,507	422,324
50	435,376	433,305	437,999	444,062	464,664	451,138	464,944	470,951	470,080	485,556	476,044	461,578	470,238
55	473,493	469,132	469,344	469,122	475,617	476,252	479,711	473,677	487,341	503,179	502,466	495,199	496,370

②年齢間格差（初任給=100）

年齢	2023年	2022年	2021年	2020年	2019年	2018年	2017年	2016年	2015年	2014年	2013年	2010年	2005年
大学卒・総合職													
22歳	100.0	100.0	100.0	100.0	100.0	100.0	100.0	100.0	100.0	100.0	100.0	100.0	100.0
25	108.2	108.6	109.1	109.7	109.3	110.1	109.6	109.5	109.9	109.8	109.6	110.7	109.8
30	135.4	137.2	138.2	139.7	139.5	139.9	141.2	142.1	144.1	142.9	142.5	143.9	143.8
35	156.6	159.6	162.3	164.2	163.6	166.5	167.8	167.7	169.9	169.9	168.8	171.7	173.1
40	182.0	184.8	188.9	191.9	187.4	195.7	192.9	196.4	199.2	200.8	202.1	202.2	204.2
45	202.8	210.6	216.3	218.8	216.6	222.5	220.6	227.2	229.7	229.7	227.8	231.5	235.0
50	224.9	231.6	237.7	240.0	241.4	249.0	242.0	253.1	253.9	253.7	255.7	254.5	262.3
55	243.1	248.2	251.9	253.5	247.2	254.0	252.4	263.0	259.7	265.3	266.5	267.0	276.8
高校卒・総合職													
18歳	100.0	100.0	100.0	100.0	100.0	100.0	100.0	100.0	100.0	100.0	100.0	100.0	100.0
22	113.7	114.6	115.0	113.1	115.2	115.5	116.7	114.4	114.9	115.8	117.4	116.0	113.9
25	122.7	124.4	125.5	125.6	126.3	126.1	127.8	126.0	126.0	127.4	130.0	128.5	125.1
30	152.7	154.3	158.6	157.0	160.9	159.0	163.2	161.3	164.5	165.5	166.3	165.0	163.2
35	174.0	177.3	181.7	182.2	190.1	189.7	191.2	188.2	194.7	195.2	194.2	190.2	194.7
40	192.6	201.6	216.9	212.9	215.1	214.6	216.7	220.3	226.0	227.0	233.0	226.1	227.9
45	223.8	231.0	235.6	235.6	250.1	245.7	250.3	253.8	259.3	256.9	262.3	254.6	261.1
50	240.5	249.2	258.4	258.3	275.7	266.2	280.0	280.9	282.4	293.2	289.2	279.5	290.7
55	261.5	269.8	276.9	272.9	282.2	281.0	288.9	282.5	292.7	303.9	305.2	299.8	306.8

2,766円）で，どちらも前年とほぼ同じである。

7 役付手当（管理職手当）

■課長手当は47千から67千円

役付手当の制度がある企業は，全体の78.3％（前年72.9％）で（表9），手当ではないが役割給を導入している企業は28.8％（同29.6％）であった（表11）。役付手当の平均支給額は，課長でみると幅がある場合の下位は46,802円，同上位は67,180円で，定額の場合は50,471円（表10）。同様に課長の役割給は，幅がある場合の下位79,294円，同上位126,294円で，定額119,500円となった（表12）。

8 家族手当

■管理職へ支給しないは32.3％

家族手当制度のある企業は84.0％（前年84.6％）で前年とほぼ同じであった。手当額は配偶者12,733円（同13,307円），第1子6,188円（同5,951円），第2子5,649円（同5,427円）と子への手当が微増した（表13）。なお，管理職へ家族手当を支給しない企業は32.3％（同31.0％）であった（表14）。

表6　モデル賃金の規模間格差（所定内賃金）
（1,000人以上企業=100）

年齢（歳）	1,000人以上	大学卒・総合職		高校卒・総合職	
		300～999人	299人以下	300～999人	299人以下
18	—	—	—	97.1	97.1
20	—	—	—	98.7	97.0
22	100.0	96.5	94.3	98.3	95.2
25	100.0	93.5	91.5	97.4	94.2
27	100.0	93.1	90.2	96.5	95.1
30	100.0	94.9	90.6	97.9	94.1
35	100.0	93.3	89.4	93.1	90.4
40	100.0	90.9	83.0	90.6	85.2
45	100.0	90.2	84.1	89.0	87.7
50	100.0	87.3	81.4	87.9	82.0
55	100.0	90.3	84.4	94.0	85.2
60	100.0	100.0	87.0	94.5	94.5

表7　モデル賃金のばらつき

（単位：％）

年齢（歳）	大学卒・総合職				高校卒・総合職			
	規模計	1,000人以上	300～999人	299人以下	規模計	1,000人以上	300～999人	299人以下
18	—	—	—	—	5.5	5.3	4.2	6.5
20	—	—	—	—	5.2	5.3	3.1	6.4
22	4.5	4.5	4.4	4.2	5.7	7.7	3.9	6.2
25	6.0	5.9	5.1	4.2	6.0	6.8	5.4	5.9
27	6.3	8.9	6.2	5.4	5.5	5.4	4.1	5.6
30	6.6	8.5	7.1	6.5	7.7	10.3	6.4	6.0
35	9.3	11.9	8.5	9.6	9.6	9.2	5.2	10.3
40	13.9	15.1	12.3	11.8	14.8	11.2	10.6	12.0
45	13.9	11.6	14.5	13.4	13.0	10.2	9.6	17.6
50	15.4	10.9	16.6	13.3	16.1	11.6	13.8	20.2
55	15.8	14.8	15.4	13.9	16.8	16.0	15.4	21.7
60	16.5	16.3	15.0	18.8	17.7	17.6	17.4	16.5

（注）ばらつきの度合いは四分位分散係数による。

$$四分位分散係数=\frac{第3四分位-第1四分位}{中位数\times 2}\times 100$$

表8　時間あたり賃金

（単位：円，（　）内社数）

規模・産業	年間賃金ベース			月例賃金ベース		
	2023年	2022年	2021年	2023年	2022年	2021年
規模計	2,760(147)	2,766(130)	2,722(127)	2,048(160)	2,012(142)	2,019(136)
1,000人以上	3,051(27)	3,232(26)	3,132(23)	2,238(29)	2,212(27)	2,189(26)
300～999人	2,870(49)	2,806(45)	2,747(45)	2,040(53)	2,015(48)	2,013(47)
299人以下	2,573(71)	2,529(59)	2,542(59)	1,984(78)	1,929(67)	1,954(63)
製造業計	2,679(59)	2,668(53)	2,643(49)	1,955(66)	1,956(60)	1,968(52)
1,000人以上	3,053(12)	2,934(13)	2,994(13)	2,069(13)	2,052(14)	2,117(15)
300～999人	2,874(20)	2,898(17)	2,823(18)	2,031(22)	2,043(19)	2,041(18)
299人以下	2,368(27)	2,348(23)	2,211(18)	1,852(31)	1,846(27)	1,781(19)
非製造業計	2,815(88)	2,833(77)	2,771(78)	2,114(94)	2,052(82)	2,051(84)
1,000人以上	3,049(15)	3,529(13)	3,312(10)	2,374(16)	2,385(13)	2,287(11)
300～999人	2,868(29)	2,751(28)	2,697(27)	2,046(31)	1,997(29)	1,996(29)
299人以下	2,700(44)	2,646(36)	2,687(41)	2,070(47)	1,985(40)	2,029(44)

（注）時間あたり賃金の計算方法は，以下のとおりである。
年間賃金ベース：（所定内賃金×12＋年間賞与）÷年間所定労働時間
月例賃金ベース：所定内賃金×12÷年間所定労働時間

表9　役付手当（管理職手当）制度の導入状況

【有効回答ベース】　　　　　　　　　　　　　　　　　　　　　　　　　　　　（単位：％，（　）内社数）

規模・産業	役付手当（管理職手当）制度				時間外手当が不支給となるクラス					
	合計		あり	なし	合計		部長クラスから	次長クラスから	課長クラスから	それ以下のクラスから
規模計	100.0	(184)	78.3	21.7	100.0	(184)	4.9	4.3	79.3	11.4
1,000人以上	100.0	(34)	61.8	38.2	100.0	(35)	5.7	2.9	77.1	14.3
300～999人	100.0	(60)	75.0	25.0	100.0	(60)	5.0	6.7	76.7	11.7
299人以下	100.0	(90)	86.7	13.3	100.0	(89)	4.5	3.4	82.0	10.1
製造業計	100.0	(76)	75.0	25.0	100.0	(76)	2.6	1.3	84.2	11.8
1,000人以上	100.0	(16)	50.0	50.0	100.0	(17)	—	—	88.2	11.8
300～999人	100.0	(23)	69.6	30.4	100.0	(23)	—	4.3	82.6	13.0
299人以下	100.0	(37)	89.2	10.8	100.0	(36)	5.6	—	83.3	11.1
非製造業計	100.0	(108)	80.6	19.4	100.0	(108)	6.5	6.5	75.9	11.1
1,000人以上	100.0	(18)	72.2	27.8	100.0	(18)	11.1	5.6	66.7	16.7
300～999人	100.0	(37)	78.4	21.6	100.0	(37)	8.1	8.1	73.0	10.8
299人以下	100.0	(53)	84.9	15.1	100.0	(53)	3.8	5.7	81.1	9.4

表10　役付手当（管理職手当）の平均支給額

【有効回答ベース】　　　　　　　　　　　　　　　　　　　　　　　　　　　　（単位：円，（　）内社数）

規模・産業	平均支給額（上位）					平均支給額（下位）				
	部長	次長	課長	係長	主任	部長	次長	課長	係長	主任
規模計	118,746	87,546	67,180	29,007	17,608	82,465	65,777	46,802	18,404	14,894
	(46)	(22)	(48)	(17)	(9)	(46)	(22)	(47)	(16)	(8)
1,000人以上	112,144	100,500	64,900	31,333	7,500	75,744	70,000	51,400	26,500	—
300～999人	102,229	84,102	58,338	20,000	—	74,439	59,478	39,029	14,000	—
299人以下	125,352	84,885	70,735	29,163	18,871	86,765	66,900	48,319	17,497	14,894
製造業計	99,857	80,000	64,478	16,458	8,554	65,656	52,813	38,502	10,808	7,113
1,000人以上	52,500	60,000	45,000	20,000	7,500	32,500	30,000	20,000	—	—
300～999人	85,000	77,500	53,333	20,000	—	43,333	31,250	23,333	14,000	—
299人以下	112,519	85,000	72,521	15,446	8,818	77,772	66,000	45,613	10,351	7,113
非製造業計	128,821	91,858	68,292	43,125	28,925	91,430	73,185	49,975	26,000	22,675
1,000人以上	129,186	114,000	71,533	37,000	—	88,100	83,333	56,633	26,500	—
300～999人	112,566	88,503	60,483	—	—	93,102	78,297	45,756	—	—
299人以下	133,194	84,813	69,970	45,167	28,925	92,261	67,463	49,479	25,833	22,675

規模・産業	定額の場合				
	部長	次長	課長	係長	主任
規模計	80,704	64,380	50,471	19,252	11,102
	(76)	(61)	(76)	(75)	(61)
1,000人以上	84,000	89,250	56,714	18,444	10,750
300～999人	88,019	67,435	52,812	19,804	11,636
299人以下	75,841	59,388	48,148	19,075	10,813
製造業計	79,031	60,385	51,129	20,543	12,259
1,000人以上	67,500	—	53,333	24,250	15,000
300～999人	95,625	66,429	51,250	15,909	10,700
299人以下	74,045	57,130	50,813	22,350	12,853
非製造業計	81,920	66,329	49,910	18,123	10,053
1,000人以上	95,000	89,250	59,250	13,800	9,333
300～999人	84,816	67,875	53,547	22,660	12,417
299人以下	77,636	60,786	44,950	15,800	8,336

表11　役割給の導入状況

【有効回答ベース】　　　　　　　　　　　　　　　　　　　　　　　　　　　　（単位：％，（　）内社数）

規模・産業	「役割給」の導入			役割給の導入対象クラス				
	合計	導入している	導入していない	合計	部長クラス以上	次長クラス以上	課長クラス以上	それ以下のクラスから
規　模　計	100.0(184)	28.8	71.2	100.0 (53)	1.9	7.5	41.5	49.1
1,000人以上	100.0(34)	41.2	58.8	100.0 (14)	—	7.1	50.0	42.9
300〜999人	100.0(60)	33.3	66.7	100.0 (20)	—	15.0	30.0	55.0
299 人 以 下	100.0(90)	21.1	78.9	100.0 (19)	5.3	—	47.4	47.4
製 造 業 計	100.0(76)	30.3	69.7	100.0 (23)	—	—	43.5	56.5
1,000人以上	100.0(16)	56.3	43.8	100.0 (9)	—	—	55.6	44.4
300〜999人	100.0(23)	39.1	60.9	100.0 (9)	—	—	33.3	66.7
299 人 以 下	100.0(37)	13.5	86.5	100.0 (5)	—	—	40.0	60.0
非製造業計	100.0(108)	27.8	72.2	100.0 (30)	3.3	13.3	40.0	43.3
1,000人以上	100.0(18)	27.8	72.2	100.0 (5)	—	20.0	40.0	40.0
300〜999人	100.0(37)	29.7	70.3	100.0 (11)	—	27.3	27.3	45.5
299 人 以 下	100.0(53)	26.4	73.6	100.0 (14)	7.1	—	50.0	42.9

表12　役割給の平均支給額

（単位：円，（　）内社数）

規模・産業	平均支給額（上位）					平均支給額（下位）				
	部長	次長	課長	係長	主任	部長	次長	課長	係長	主任
規　模　計	142,241 (11)	119,800 (5)	126,294 (9)	233,000 (2)	175,825 (2)	93,841 (11)	73,200 (5)	79,294 (9)	87,500 (2)	117,325 (2)
1,000人以上	178,333	158,000	139,000	176,000	—	108,667	93,667	83,000	5,000	—
300〜999人	134,825	—	107,325	—	81,650	103,125	—	82,325	—	71,650
299 人 以 下	126,667	62,500	126,250	290,000	270,000	83,333	42,500	75,000	170,000	163,000
製 造 業 計	134,500	50,000	154,333	290,000	270,000	79,500	10,000	87,667	170,000	163,000
1,000人以上	50,000	50,000	50,000	—	—	10,000	10,000	10,000	—	—
300〜999人	98,000	—	83,000	—	—	68,000	—	53,000	—	—
299 人 以 下	195,000	—	330,000	290,000	270,000	120,000	—	200,000	170,000	163,000
非製造業計	146,664	137,250	112,275	176,000	81,650	102,036	89,000	75,108	5,000	71,650
1,000人以上	242,500	212,000	183,500	176,000	—	158,000	135,500	119,500	5,000	—
300〜999人	171,650	—	131,650	—	81,650	138,250	—	111,650	—	71,650
299 人 以 下	92,500	62,500	58,333	—	—	65,000	42,500	33,333	—	—

規模・産業	定額の場合				
	部長	次長	課長	係長	主任
規　模　計	170,143 (7)	144,333 (6)	119,500 (8)	91,800 (5)	60,800 (5)
1,000人以上	70,000	—	70,000	8,000	5,000
300〜999人	215,800	191,500	166,600	190,000	131,500
299 人 以 下	42,000	50,000	26,500	35,500	18,000
製 造 業 計	192,250	162,000	120,600	89,000	65,000
1,000人以上	—	—	—	8,000	5,000
300〜999人	192,250	162,000	145,750	170,000	125,000
299 人 以 下	—	—	20,000	—	—
非製造業計	140,667	126,667	117,667	93,667	58,000
1,000人以上	70,000	—	70,000	—	—
300〜999人	310,000	280,000	250,000	210,000	138,000
299 人 以 下	42,000	50,000	33,000	35,500	18,000

表13　家族手当（扶養手当）制度の有無と平均支給額

【有効回答ベース】　（単位：%，（　）内社数）

規模・産業	合　計	あ　り	な　し	平均支給額（円）			
				配偶者	第１子	第２子	第３子
規　模　計	100.0(188)	84.0(158)	16.0(30)	12,733(134)	6,188(157)	5,649(155)	5,917(138)
1,000人以上	100.0(38)	84.2(32)	15.8(6)	14,879(24)	7,453(31)	7,052(31)	7,848(27)
300 ～ 999 人	100.0(60)	83.3(50)	16.7(10)	13,031(45)	6,181(50)	5,725(50)	5,826(47)
299 人 以 下	100.0(90)	84.4(76)	15.6(14)	11,734(65)	5,676(76)	5,011(74)	5,169(64)
製 造 業 計	100.0(78)	85.9(67)	14.1(11)	12,418(55)	6,536(67)	6,014(66)	6,063(60)
1,000人以上	100.0(18)	88.9(16)	11.1(2)	15,442(12)	7,922(16)	7,550(16)	8,043(14)
300 ～ 999 人	100.0(23)	82.6(19)	17.4(4)	12,471(17)	6,928(19)	6,691(19)	6,353(19)
299 人 以 下	100.0(37)	86.5(32)	13.5(5)	10,988(26)	5,609(32)	4,806(31)	4,833(27)
非 製 造 業 計	100.0(110)	82.7(91)	17.3(19)	12,952(79)	5,929(90)	5,379(89)	5,804(78)
1,000人以上	100.0(20)	80.0(16)	20.0(4)	14,317(12)	6,953(15)	6,520(15)	7,638(13)
300 ～ 999 人	100.0(37)	83.8(31)	16.2(6)	13,371(28)	5,723(31)	5,132(31)	5,468(28)
299 人 以 下	100.0(53)	83.0(44)	17.0(9)	12,231(39)	5,725(44)	5,158(43)	5,414(37)

表14　家族手当への支給条件

（単位：%，（　）内社数）

規模・産業	管理職への支給			支給する子の上限年齢			
	合計	支給する	支給しない	合計	18歳以下	19～22歳以下	23歳以上
規　模　計	100.0 (126)	67.7	32.3	100.0 (141)	48.2	40.4	11.3
1,000 人 以 上	100.0 (20)	48.4	51.6	100.0 (27)	48.1	33.3	18.5
300 ～ 999 人	100.0 (42)	59.2	40.8	100.0 (45)	55.6	35.6	8.9
299 人 以 下	100.0 (64)	81.3	18.7	100.0 (69)	43.5	46.4	10.1
製 造 業 計	100.0 (46)	59.1	40.9	100.0 (60)	50.0	31.7	18.3
1,000 人 以 上	100.0 (12)	37.5	62.5	100.0 (14)	57.1	14.3	28.6
300 ～ 999 人	100.0 (16)	38.9	61.1	100.0 (18)	44.4	44.4	11.1
299 人 以 下	100.0 (18)	81.3	18.8	100.0 (28)	50.0	32.1	17.9
非 製 造 業 計	100.0 (80)	74.2	25.8	100.0 (81)	46.9	46.9	6.2
1,000 人 以 上	100.0 (8)	60.0	40.0	100.0 (13)	38.5	53.8	7.7
300 ～ 999 人	100.0 (26)	71.0	29.0	100.0 (27)	63.0	29.6	7.4
299 人 以 下	100.0 (46)	81.4	18.6	100.0 (41)	39.0	56.1	4.9

表15　モデル条件別にみた役付手当・家族手当（全産業）

設定条件		大学卒・総合職（事務・技術系）				高校卒・総合職（事務・技術系）			
		役付手当		家族手当		役付手当		家族手当	
年齢（歳）	扶養家族（人）	社数（社）	手当額（円）	社数（社）	手当額（円）	社数（社）	手当額（円）	社数（社）	手当額（円）
30	2	36	19,468	122	16,933	18	15,711	64	16,698
35	3	56	22,765	116	22,323	27	17,552	66	21,950
40	3	71	34,709	107	21,976	31	26,965	65	21,134
45	3	83	44,921	95	22,303	41	38,899	59	21,885
50	2	84	64,226	92	17,580	48	45,100	65	16,769
55	1	79	72,396	75	12,208	46	60,583	54	11,926
60	1	58	77,195	65	11,251	34	59,774	44	10,766

（注）　手当支給企業のみの集計。

2023年度　モデル賃金・年間賃金の実態

モデル賃金調査　集計表一覧

[掲載頁]

集計表1-1-(1)	モデル賃金の内訳（全産業, 規模計）	18
集計表1-1-(2)	モデル賃金の内訳（全産業, 1,000人以上）	19
集計表1-1-(3)	モデル賃金の内訳（全産業, 300〜999人）	20
集計表1-1-(4)	モデル賃金の内訳（全産業, 299人以下）	21
集計表1-2-(1)	モデル賃金の内訳（製造業, 規模計）	22
集計表1-2-(2)	モデル賃金の内訳（製造業, 1,000人以上）	23
集計表1-2-(3)	モデル賃金の内訳（製造業, 300〜999人）	24
集計表1-2-(4)	モデル賃金の内訳（製造業, 299人以下）	25
集計表1-3-(1)	モデル賃金の内訳（非製造業, 規模計）	26
集計表1-3-(2)	モデル賃金の内訳（非製造業, 1,000人以上）	27
集計表1-3-(3)	モデル賃金の内訳（非製造業, 300〜999人）	28
集計表1-3-(4)	モデル賃金の内訳（非製造業, 299人以下）	29
集計表2-1-(1)	モデル賃金のばらつき（全産業, 規模計）	30
集計表2-1-(2)	モデル賃金のばらつき（全産業, 1,000人以上）	31
集計表2-1-(3)	モデル賃金のばらつき（全産業, 300〜999人）	32
集計表2-1-(4)	モデル賃金のばらつき（全産業, 299人以下）	33
集計表2-2-(1)	モデル賃金のばらつき（製造業, 規模計）	34
集計表2-2-(2)	モデル賃金のばらつき（製造業, 1,000人以上）	35
集計表2-2-(3)	モデル賃金のばらつき（製造業, 300〜999人）	36
集計表2-2-(4)	モデル賃金のばらつき（製造業, 299人以下）	37
集計表2-3-(1)	モデル賃金のばらつき（非製造業, 規模計）	38
集計表2-3-(2)	モデル賃金のばらつき（非製造業, 1,000人以上）	39
集計表2-3-(3)	モデル賃金のばらつき（非製造業, 300〜999人）	40
集計表2-3-(4)	モデル賃金のばらつき（非製造業, 299人以下）	41
集計表2-4	モデル賃金の分散係数	42
集計表3	産業別にみたモデル賃金	43〜48
集計表4	全年齢記入企業における大学卒・総合職のモデル賃金	49〜51
集計表5	モデル条件別にみた役付手当・家族手当	52〜54

モデル賃金調査結果集計表

集計表1−1−(1)　モデル賃金の内訳（全産業，規模計）

(単位：円)

設定条件			社数	所定内賃金合計	基本賃金部分	役付手当	家族手当	その他の手当
年齢(歳)	勤続年数(年)	扶養家族(人)	(社)	(a+b+c+d)	(a)	(b)	(c)	(d)
大学卒・総合職（事務・技術系）								
22	0	0	160	219,354	211,311	175	—	7,868
25	3	0	152	237,350	228,546	655	—	8,150
27	5	1	145	263,688	243,122	755	8,534	11,277
30	8	2	149	296,931	266,019	4,704	13,865	12,343
35	13	3	141	343,424	303,181	9,042	18,365	12,836
40	18	3	144	399,195	352,954	17,113	16,330	12,799
45	23	3	140	444,774	390,174	26,632	15,134	12,834
50	28	2	139	493,286	431,119	38,813	11,636	11,719
55	33	1	130	533,309	468,603	43,995	7,043	13,669
60	38	1	110	521,205	460,845	40,703	6,648	13,009
大学卒・一般職（事務・技術系）								
22	0	0	52	199,342	191,292	—	—	8,050
25	3	0	52	214,700	205,264	429	—	9,007
27	5	0	47	222,449	213,793	309	—	8,347
30	8	0	50	238,991	228,464	2,500	—	8,028
35	13	0	48	265,070	251,221	4,229	—	9,620
40	18	0	50	292,290	281,029	4,754	—	6,507
45	23	0	45	321,197	305,743	8,600	—	6,854
短大卒・一般職（事務・技術系）								
20	0	0	59	186,562	177,800	—	—	8,762
22	2	0	52	195,328	185,260	—	—	10,067
25	5	0	52	208,911	198,037	231	—	10,643
30	10	0	51	235,979	223,992	2,289	—	9,698
35	15	0	54	260,645	245,716	3,860	—	11,069
40	20	0	55	297,230	280,185	6,665	—	10,379
高校卒・総合職（事務・技術系）								
18	0	0	82	181,039	174,628	—	—	6,411
20	2	0	78	191,431	185,218	64	—	6,148
22	4	0	80	205,788	197,810	188	—	7,791
25	7	0	79	222,179	212,025	905	—	9,249
27	9	1	73	248,431	225,935	1,242	9,201	12,052
30	12	2	77	276,528	246,369	3,673	13,879	12,607
35	17	3	79	315,055	278,094	5,999	18,338	12,624
40	22	3	83	348,628	311,647	10,071	16,551	10,359
45	27	3	77	405,094	357,380	20,712	16,769	10,233
50	32	2	89	435,376	388,577	24,324	12,247	10,229
55	37	1	79	473,493	422,038	35,276	8,152	8,027
60	42	1	67	463,624	416,950	30,333	7,070	9,272
高校卒・一般職（事務・技術系）								
18	0	0	49	175,913	168,932	—	—	6,981
20	2	0	46	184,588	177,315	—	—	7,273
22	4	0	47	192,505	184,547	—	—	7,958
25	7	0	46	207,108	197,395	261	—	9,452
30	12	0	43	231,890	219,681	1,744	—	10,464
35	17	0	44	255,920	242,650	3,091	—	10,179
40	22	0	47	289,156	273,243	5,894	—	10,019
高校卒・現業系								
18	0	0	56	177,419	172,514	—	—	4,906
20	2	0	55	187,891	182,986	196	—	4,708
22	4	0	50	196,997	189,854	216	—	6,927
25	7	0	56	213,002	205,523	321	—	7,157
27	9	1	51	236,664	216,941	549	7,892	11,281
30	12	2	53	258,530	234,194	2,189	12,754	9,393
35	17	3	50	290,077	260,444	3,920	16,733	8,979
40	22	3	54	316,148	286,000	6,259	15,938	7,951
45	27	3	48	341,554	310,042	8,625	15,826	7,060
50	32	2	50	365,510	336,223	10,438	12,049	6,801
55	37	1	48	393,370	358,415	20,479	7,886	6,590
60	42	1	35	347,661	321,988	11,886	6,549	7,238

集計表1－1－(2)　モデル賃金の内訳（全産業，1,000人以上）

（単位：円）

設定条件			社 数	所定内賃金合計				
年齢	勤続年数	扶養家族			基本賃金部分	役付手当	家族手当	その他の手当
（歳）	（年）	（人）	（社）	（a＋b＋c＋d）	（a）	（b）	（c）	（d）
大学卒・総合職（事務・技術系）								
22	0	0	30	228,071	219,389	—	—	8,681
25	3	0	30	252,754	242,846	1,000	—	8,908
27	5	1	29	282,729	261,693	517	8,683	11,836
30	8	2	29	315,758	287,575	2,138	13,993	12,052
35	13	3	27	369,508	333,296	5,476	18,196	12,539
40	18	3	25	449,495	412,718	15,732	15,012	6,033
45	23	3	23	499,408	462,508	17,816	12,091	6,992
50	28	2	23	569,011	525,176	28,000	8,900	6,935
55	33	1	23	596,493	545,394	34,783	6,187	10,129
60	38	1	19	551,801	516,480	22,158	5,211	7,953
大学卒・一般職（事務・技術系）								
22	0	0	12	199,446	188,988	—	—	10,458
25	3	0	11	216,003	201,564	—	—	14,439
27	5	0	11	223,428	212,701	—	—	10,727
30	8	0	12	234,108	223,650	1,250	—	9,208
35	13	0	9	266,877	251,489	3,667	—	11,722
40	18	0	10	325,935	320,385	2,200	—	3,350
45	23	0	8	356,798	342,111	11,500	—	3,188
短大卒・一般職（事務・技術系）								
20	0	0	12	185,249	173,624	—	—	11,625
22	2	0	11	199,996	188,224	—	—	11,773
25	5	0	11	213,787	202,696	—	—	11,091
30	10	0	11	240,844	230,707	2,091	—	8,045
35	15	0	11	262,404	250,267	4,091	—	8,045
40	20	0	11	330,790	318,472	4,545	—	7,773
高校卒・総合職（事務・技術系）								
18	0	0	14	185,506	177,044	—	—	8,462
20	2	0	15	194,944	186,957	—	—	7,987
22	4	0	14	211,728	203,142	—	—	8,586
25	7	0	14	230,537	221,745	129	—	8,664
27	9	1	14	257,307	231,318	929	11,357	13,704
30	12	2	16	285,900	253,737	1,856	16,025	14,281
35	17	3	16	337,505	296,518	4,344	22,738	13,906
40	22	3	17	386,776	351,534	9,559	19,635	6,048
45	27	3	15	447,229	410,261	12,143	20,253	4,571
50	32	2	16	499,087	465,843	14,050	13,806	5,388
55	37	1	16	518,585	484,765	21,125	8,531	4,163
60	42	1	14	484,785	456,996	13,929	6,657	7,203
高校卒・一般職（事務・技術系）								
18	0	0	11	182,376	166,424	—	—	15,951
20	2	0	11	188,435	173,348	—	—	15,086
22	4	0	11	203,054	188,751	—	—	14,303
25	7	0	11	218,006	203,974	—	—	14,032
30	12	0	9	249,012	230,108	2,222	—	16,681
35	17	0	10	273,141	252,601	3,000	—	17,540
40	22	0	9	338,927	318,060	10,000	—	10,867
高校卒・現業系								
18	0	0	14	183,941	176,580	—	—	7,361
20	2	0	15	197,154	190,054	—	—	7,100
22	4	0	15	210,823	204,183	—	—	6,640
25	7	0	15	227,664	220,661	133	—	6,870
27	9	1	14	259,862	235,191	571	9,750	14,350
30	12	2	15	287,061	258,321	1,467	14,640	12,633
35	17	3	14	319,911	288,825	3,071	17,943	10,071
40	22	3	15	357,486	327,372	3,267	16,413	10,433
45	27	3	11	405,039	382,294	1,636	17,609	3,500
50	32	2	12	424,512	403,920	1,000	13,300	6,292
55	37	1	10	437,399	420,949	1,100	10,700	4,650
60	42	1	6	362,187	341,737	3,333	8,283	8,833

集計表1—1—(3) モデル賃金の内訳（全産業，300～999人）

（単位：円）

年齢（歳）	勤続年数（年）	扶養家族（人）	社数（社）	所定内賃金合計 (a+b+c+d)	基本賃金部分 (a)	役付手当 (b)	家族手当 (c)	その他の手当 (d)
大学卒・総合職（事務・技術系）								
22	0	0	59	220,187	213,810	339	—	6,038
25	3	0	57	236,206	229,356	789	—	6,060
27	5	1	56	263,141	243,586	1,009	9,114	9,432
30	8	2	55	299,716	269,222	5,809	14,481	10,205
35	13	3	55	344,625	305,201	10,927	18,763	9,734
40	18	3	52	408,654	364,987	17,519	15,538	10,610
45	23	3	53	450,707	399,172	26,519	14,971	10,045
50	28	2	52	496,653	437,947	38,971	11,133	8,601
55	33	1	50	538,566	477,959	44,916	6,472	9,219
60	38	1	44	551,746	486,114	49,916	6,389	9,327
大学卒・一般職（事務・技術系）								
22	0	0	15	193,524	186,491	—	—	7,033
25	3	0	14	205,608	198,144	—	—	7,464
27	5	0	14	215,758	209,365	—	—	6,393
30	8	0	16	235,718	226,561	4,688	—	4,469
35	13	0	17	262,770	249,113	7,059	—	6,598
40	18	0	15	283,592	272,225	8,000	—	3,367
45	23	0	16	310,679	294,895	11,875	—	3,909
短大卒・一般職（事務・技術系）								
20	0	0	22	186,293	181,452	—	—	4,841
22	2	0	21	193,193	186,920	—	—	6,273
25	5	0	22	208,228	201,695	—	—	6,533
30	10	0	21	233,552	224,758	2,679	—	6,115
35	15	0	24	263,209	251,327	4,083	—	7,798
40	20	0	24	293,983	281,540	7,067	—	5,376
高校卒・総合職（事務・技術系）								
18	0	0	32	180,070	176,461	—	—	3,609
20	2	0	29	192,392	187,616	172	—	4,603
22	4	0	29	208,189	202,585	517	—	5,086
25	7	0	28	224,479	217,757	893	—	5,829
27	9	1	28	248,193	231,941	893	8,643	6,716
30	12	2	28	279,940	252,314	6,396	12,968	8,262
35	17	3	29	314,245	280,850	8,334	17,817	7,243
40	22	3	29	350,566	315,173	12,231	13,903	9,258
45	27	3	28	398,198	357,444	19,946	14,275	6,533
50	32	2	30	438,781	397,530	22,383	11,330	7,538
55	37	1	28	487,618	434,460	40,200	7,386	5,571
60	42	1	24	458,003	419,191	28,179	6,221	4,413
高校卒・一般職（事務・技術系）								
18	0	0	16	174,688	170,938	—	—	3,749
20	2	0	15	184,289	180,232	—	—	4,057
22	4	0	16	191,806	185,199	—	—	6,607
25	7	0	18	207,306	198,473	—	—	8,833
30	12	0	17	234,356	225,112	1,765	—	7,479
35	17	0	16	264,728	252,734	4,688	—	7,306
40	22	0	17	289,493	273,820	6,765	—	8,909
高校卒・現業系								
18	0	0	23	176,352	173,828	—	—	2,524
20	2	0	22	185,835	182,832	—	—	3,003
22	4	0	19	193,328	187,536	—	—	5,793
25	7	0	23	209,848	202,824	—	—	7,024
27	9	1	22	231,977	214,838	—	7,160	9,979
30	12	2	21	245,925	226,049	1,810	11,064	7,002
35	17	3	21	279,948	253,396	3,619	15,570	7,364
40	22	3	22	302,853	277,330	5,455	14,340	5,729
45	27	3	22	324,170	294,872	7,955	13,976	7,368
50	32	2	21	356,603	330,585	9,857	10,540	5,621
55	37	1	20	393,559	357,056	23,550	7,051	5,902
60	42	1	18	368,105	347,436	9,722	7,278	3,669

集計表1－1－(4)　モデル賃金の内訳（全産業，299人以下）

（単位：円）

設定条件			社数	所定内賃金合計	基本賃金部分	役付手当	家族手当	その他の手当
年齢	勤続年数	扶養家族						
(歳)	(年)	(人)	(社)	(a＋b＋c＋d)	(a)	(b)	(c)	(d)
大学卒・総合職（事務・技術系）								
22	0	0	71	214,980	205,821	113	—	9,045
25	3	0	65	231,245	221,235	377	—	9,633
27	5	1	60	254,995	233,713	633	7,920	12,729
30	8	2	65	286,174	253,693	4,913	13,286	14,282
35	13	3	59	330,368	287,517	8,915	18,071	15,864
40	18	3	67	373,085	321,314	17,313	17,436	17,021
45	23	3	64	420,227	356,727	29,894	16,363	17,243
50	28	2	64	463,338	391,770	42,570	13,027	15,971
55	33	1	57	503,203	429,409	46,904	7,889	19,001
60	38	1	47	480,244	414,697	39,574	7,472	18,500
大学卒・一般職（事務・技術系）								
22	0	0	25	202,782	195,279	—	—	7,503
25	3	0	27	218,884	210,463	827	—	7,594
27	5	0	22	226,217	217,158	659	—	8,401
30	8	0	22	244,036	232,473	1,591	—	9,972
35	13	0	22	266,109	252,741	2,273	—	11,095
40	18	0	25	284,052	270,570	3,827	—	9,655
45	23	0	21	315,648	300,154	5,000	—	10,494
短大卒・一般職（事務・技術系）								
20	0	0	25	187,429	176,591	—	—	10,838
22	2	0	20	195,002	181,888	—	—	13,114
25	5	0	19	206,878	191,103	632	—	15,143
30	10	0	19	235,846	219,257	1,974	—	14,615
35	15	0	19	256,388	235,993	3,445	—	16,950
40	20	0	20	282,669	257,502	7,350	—	17,817
高校卒・総合職（事務・技術系）								
18	0	0	36	180,162	172,058	—	—	8,104
20	2	0	34	189,061	182,407	—	—	6,654
22	4	0	37	201,659	192,049	—	—	9,610
25	7	0	37	217,277	204,009	1,208	—	12,060
27	9	1	31	244,637	218,079	1,700	8,732	16,126
30	12	2	33	269,088	237,751	2,242	13,612	15,482
35	17	3	34	305,181	267,074	4,785	16,712	16,610
40	22	3	37	329,581	290,558	8,614	17,208	13,202
45	27	3	34	392,183	333,996	25,124	17,285	15,778
50	32	2	43	409,294	353,580	29,500	12,307	13,907
55	37	1	35	441,580	383,424	37,806	8,591	11,758
60	42	1	29	458,060	395,762	40,034	7,972	14,291
高校卒・一般職（事務・技術系）								
18	0	0	22	173,572	168,726	—	—	4,846
20	2	0	20	182,698	177,310	—	—	5,388
22	4	0	20	187,263	181,714	—	—	5,549
25	7	0	17	199,846	191,998	706	—	7,142
30	12	0	17	220,359	208,730	1,471	—	10,158
35	17	0	18	238,522	228,158	1,722	—	8,642
40	22	0	21	267,552	253,569	3,429	—	10,554
高校卒・現業系								
18	0	0	19	173,906	167,927	—	—	5,979
20	2	0	18	182,683	177,283	600	—	4,800
22	4	0	16	188,393	179,174	675	—	8,544
25	7	0	18	204,813	196,357	889	—	7,567
27	9	1	15	221,887	202,993	1,333	7,233	10,327
30	12	2	17	248,926	222,967	3,294	13,176	9,488
35	17	3	15	276,410	243,824	5,133	17,233	10,220
40	22	3	17	296,881	260,716	9,941	17,588	8,635
45	27	3	15	320,495	279,308	14,733	17,233	9,220
50	32	2	17	334,865	295,400	17,818	13,029	8,618
55	37	1	18	368,699	325,182	27,833	7,250	8,433
60	42	1	11	306,285	269,575	20,091	4,409	12,209

集計表1-2-(1) モデル賃金の内訳（製造業，規模計）

(単位：円)

設定条件			社数	所定内賃金合計	基本賃金部分	役付手当	家族手当	その他の手当
年齢 (歳)	勤続 年数 (年)	扶養 家族 (人)	(社)	(a+b+c+d)	(a)	(b)	(c)	(d)
大学卒・総合職（事務・技術系）								
22	0	0	64	218,983	212,742	—	—	6,240
25	3	0	63	235,015	228,152	230	—	6,633
27	5	1	61	262,306	241,764	574	7,946	12,022
30	8	2	63	292,368	262,189	2,317	13,648	14,213
35	13	3	62	337,298	297,762	7,578	17,545	14,413
40	18	3	60	391,668	347,125	12,913	16,183	15,447
45	23	3	61	433,560	379,956	24,791	14,504	14,308
50	28	2	59	485,244	425,050	38,629	10,635	10,931
55	33	1	55	507,916	448,975	39,673	5,929	13,340
60	38	1	46	498,994	443,895	40,174	5,376	9,548
大学卒・一般職（事務・技術系）								
22	0	0	19	197,099	191,442	—	—	5,658
25	3	0	19	212,944	205,585	1,175	—	6,184
27	5	0	16	214,759	208,384	906	—	5,469
30	8	0	17	226,103	218,603	1,176	—	6,324
35	13	0	17	253,695	243,367	2,059	—	8,269
40	18	0	17	270,956	261,416	4,040	—	5,500
45	23	0	15	288,884	279,517	3,800	—	5,567
短大卒・一般職（事務・技術系）								
20	0	0	22	184,659	174,932	—	—	9,727
22	2	0	19	191,014	179,725	—	—	11,289
25	5	0	19	204,674	191,126	632	—	12,916
30	10	0	19	225,878	213,223	1,408	—	11,247
35	15	0	20	257,732	242,161	2,773	—	12,798
40	20	0	21	281,954	263,199	5,933	—	12,821
高校卒・総合職（事務・技術系）								
18	0	0	37	180,784	173,939	—	—	6,845
20	2	0	36	189,402	182,776	—	—	6,626
22	4	0	38	199,548	191,795	—	—	7,753
25	7	0	37	217,018	208,015	508	—	8,494
27	9	1	33	242,164	219,073	1,000	8,085	14,006
30	12	2	34	269,911	239,939	1,376	13,379	15,216
35	17	3	36	304,643	268,669	3,033	18,347	14,593
40	22	3	39	331,999	294,953	7,505	17,154	12,387
45	27	3	35	373,639	328,723	16,504	17,943	10,470
50	32	2	43	401,627	358,434	19,905	11,626	11,663
55	37	1	39	445,269	392,366	37,149	7,521	8,234
60	42	1	31	430,518	384,607	31,355	5,661	8,895
高校卒・一般職（事務・技術系）								
18	0	0	23	174,746	170,531	—	—	4,215
20	2	0	23	182,133	178,077	—	—	4,056
22	4	0	23	187,438	183,424	—	—	4,015
25	7	0	21	202,945	196,214	571	—	6,160
30	12	0	21	223,917	214,642	952	—	8,323
35	17	0	21	247,195	237,281	1,952	—	7,962
40	22	0	22	273,266	260,232	3,045	—	9,989
高校卒・現業系								
18	0	0	38	177,287	172,281	—	—	5,006
20	2	0	38	186,608	181,543	—	—	5,065
22	4	0	34	193,963	187,917	—	—	6,046
25	7	0	38	212,310	204,805	316	—	7,190
27	9	1	36	235,843	215,591	694	8,361	11,196
30	12	2	34	256,029	231,224	2,147	12,801	9,857
35	17	3	35	289,373	259,998	3,829	17,356	8,190
40	22	3	37	312,877	280,847	6,324	16,769	8,936
45	27	3	31	335,376	301,501	8,258	17,725	7,892
50	32	2	34	358,627	327,704	10,147	12,684	8,092
55	37	1	34	387,103	349,304	22,324	7,971	7,504
60	42	1	24	345,871	321,377	10,958	6,321	7,214

集計表1－2－(2)　モデル賃金の内訳（製造業，1,000人以上）

（単位：円）

設定条件			社数	所定内賃金合計	基本賃金部分	役付手当	家族手当	その他の手当
年齢	勤続年数	扶養家族						
（歳）	（年）	（人）	（社）	（a＋b＋c＋d）	(a)	(b)	(c)	(d)
大学卒・総合職（事務・技術系）								
22	0	0	14	229,184	225,045	—	—	4,139
25	3	0	14	252,603	248,218	—	—	4,386
27	5	1	14	286,804	267,430	714	8,857	9,803
30	8	2	14	321,939	296,546	571	14,321	10,500
35	13	3	12	377,735	343,451	6,071	17,833	10,379
40	18	3	11	456,267	427,542	8,392	14,545	5,788
45	23	3	10	502,439	473,150	14,778	8,980	5,531
50	28	2	10	579,077	544,887	22,500	6,290	5,400
55	33	1	10	576,513	541,551	24,500	4,750	5,713
60	38	1	7	569,723	544,037	21,429	2,314	1,943
大学卒・一般職（事務・技術系）								
22	0	0	3	191,403	190,737	—	—	667
25	3	0	3	202,770	202,103	—	—	667
27	5	0	3	215,200	214,533	—	—	667
30	8	0	4	213,663	211,913	1,250	—	500
35	13	0	2	240,880	235,880	4,000	—	1,000
40	18	0	2	276,465	270,465	5,000	—	1,000
45	23	0	2	298,765	291,765	6,000	—	1,000
短大卒・一般職（事務・技術系）								
20	0	0	4	178,515	176,765	—	—	1,750
22	2	0	3	191,547	190,880	—	—	667
25	5	0	3	202,960	202,293	—	—	667
30	10	0	3	223,430	221,097	1,667	—	667
35	15	0	3	245,423	242,090	2,667	—	667
40	20	0	3	271,643	267,643	3,333	—	667
高校卒・総合職（事務・技術系）								
18	0	0	6	182,219	180,225	—	—	1,994
20	2	0	6	193,340	191,122	—	—	2,218
22	4	0	6	203,470	201,185	—	—	2,285
25	7	0	6	226,658	223,893	300	—	2,466
27	9	1	6	259,245	231,853	2,167	12,167	13,059
30	12	2	6	293,790	258,274	1,117	20,233	14,167
35	17	3	6	344,421	298,621	4,250	27,550	14,000
40	22	3	7	359,829	318,099	6,786	23,614	11,330
45	27	3	5	395,757	347,254	12,429	27,060	9,014
50	32	2	6	465,094	426,805	15,800	15,317	7,173
55	37	1	6	438,713	406,111	18,333	7,917	6,352
60	42	1	5	465,791	440,483	13,000	3,240	9,069
高校卒・一般職（事務・技術系）								
18	0	0	4	185,656	174,915	—	—	10,741
20	2	0	4	189,838	180,226	—	—	9,612
22	4	0	4	196,494	187,786	—	—	8,708
25	7	0	4	211,791	201,952	—	—	9,839
30	12	0	3	246,226	223,348	1,667	—	21,211
35	17	0	4	270,466	246,241	2,000	—	22,225
40	22	0	3	300,898	272,798	3,333	—	24,767
高校卒・現業系								
18	0	0	8	185,978	176,409	—	—	9,569
20	2	0	8	196,229	186,229	—	—	10,000
22	4	0	8	206,058	196,920	—	—	9,138
25	7	0	8	227,956	218,388	—	—	9,569
27	9	1	8	258,975	230,925	625	10,188	17,238
30	12	2	8	288,349	257,211	2,500	13,825	14,813
35	17	3	8	322,400	290,250	5,125	17,275	9,750
40	22	3	8	351,528	315,065	5,125	17,275	14,063
45	27	3	5	389,016	356,676	3,600	22,340	6,400
50	32	2	6	414,053	386,870	2,000	15,017	10,167
55	37	1	5	412,148	390,748	1,600	13,400	6,400
60	42	1	2	373,110	347,010	4,000	12,350	9,750

集計表1-2-(3) モデル賃金の内訳(製造業,300〜999人)

(単位:円)

設定条件			社 数	所定内賃金合 計	基本賃金部分	役付手当	家族手当	その他の手当
年齢(歳)	勤続年数(年)	扶養家族(人)	(社)	(a+b+c+d)	(a)	(b)	(c)	(d)
大学卒・総合職(事務・技術系)								
22	0	0	22	221,331	214,743	—	—	6,588
25	3	0	20	234,791	228,806	—	—	5,986
27	5	1	21	262,335	241,959	—	7,810	12,566
30	8	2	22	292,130	262,469	2,455	13,938	13,269
35	13	3	22	338,761	301,274	6,409	17,730	13,347
40	18	3	22	399,221	359,174	10,795	16,535	12,716
45	23	3	22	434,528	391,329	15,000	15,808	12,391
50	28	2	22	480,621	431,359	27,573	10,334	11,355
55	33	1	21	504,837	461,319	25,690	5,281	12,546
60	38	1	19	513,965	462,257	35,316	5,574	10,817
大学卒・一般職(事務・技術系)								
22	0	0	5	195,052	188,952	—	—	6,100
25	3	0	4	206,665	199,040	—	—	7,625
27	5	0	4	214,890	207,265	—	—	7,625
30	8	0	4	228,390	220,765	—	—	7,625
35	13	0	5	260,183	247,469	—	—	12,714
40	18	0	4	290,600	283,975	—	—	6,625
45	23	0	4	307,700	301,075	—	—	6,625
短大卒・一般職(事務・技術系)								
20	0	0	8	186,950	177,975	—	—	8,975
22	2	0	6	189,617	181,817	—	—	7,800
25	5	0	7	208,300	200,000	—	—	8,300
30	10	0	7	229,736	222,029	179	—	7,529
35	15	0	8	268,110	257,240	625	—	10,245
40	20	0	8	288,975	279,831	950	—	8,194
高校卒・総合職(事務・技術系)								
18	0	0	13	179,997	172,613	—	—	7,385
20	2	0	12	190,442	181,097	—	—	9,344
22	4	0	12	201,129	193,838	—	—	7,292
25	7	0	12	221,224	212,999	417	—	7,808
27	9	1	12	241,419	225,990	417	5,508	9,504
30	12	2	12	271,354	245,459	758	10,525	14,611
35	17	3	13	300,898	270,039	1,131	17,654	12,074
40	22	3	12	343,421	309,156	3,267	15,542	15,457
45	27	3	13	364,384	331,741	3,308	17,654	11,682
50	32	2	13	397,939	365,008	5,815	11,331	15,784
55	37	1	13	466,371	418,994	31,638	5,854	9,885
60	42	1	12	387,695	368,195	6,417	4,925	8,158
高校卒・一般職(事務・技術系)								
18	0	0	8	177,763	172,264	—	—	5,499
20	2	0	8	186,698	181,091	—	—	5,606
22	4	0	8	194,036	188,323	—	—	5,714
25	7	0	8	213,688	203,688	—	—	10,000
30	12	0	8	238,408	230,139	—	—	8,269
35	17	0	7	272,317	260,417	2,143	—	9,757
40	22	0	7	301,150	288,514	2,143	—	10,493
高校卒・現業系								
18	0	0	16	176,061	172,932	—	—	3,129
20	2	0	16	185,553	181,925	—	—	3,629
22	4	0	13	195,337	190,871	—	—	4,466
25	7	0	16	213,500	206,590	—	—	6,910
27	9	1	16	239,100	220,159	—	8,407	10,534
30	12	2	14	253,341	231,471	571	13,153	8,146
35	17	3	15	288,838	262,350	1,067	17,818	7,603
40	22	3	15	316,681	289,627	2,667	17,051	7,336
45	27	3	14	342,628	314,499	3,214	16,841	8,074
50	32	2	15	366,894	342,882	5,133	11,543	7,336
55	37	1	14	408,173	371,527	21,143	7,644	7,860
60	42	1	13	375,450	358,907	4,231	7,847	4,465

集計表1−2−(4)　モデル賃金の内訳（製造業，299人以下）

(単位：円)

設定条件			社数	所定内賃金合計	基本賃金部分	役付手当	家族手当	その他の手当
年齢(歳)	勤続年数(年)	扶養家族(人)	(社)	(a+b+c+d)	(a)	(b)	(c)	(d)
大学卒・総合職（事務・技術系）								
22	0	0	28	212,037	205,019	—	—	7,018
25	3	0	29	226,679	218,013	500	—	8,166
27	5	1	26	249,092	227,787	962	7,565	12,778
30	8	2	27	277,228	244,146	3,111	13,063	16,907
35	13	3	28	318,818	275,422	9,143	17,275	16,979
40	18	3	27	359,197	304,545	16,481	16,563	21,607
45	23	3	29	409,075	339,193	35,672	15,421	18,790
50	28	2	27	454,258	375,525	53,611	12,489	12,633
55	33	1	24	482,029	399,600	58,229	6,988	17,213
60	38	1	20	460,017	391,402	51,350	6,260	11,005
大学卒・一般職（事務・技術系）								
22	0	0	11	199,584	192,765	—	—	6,818
25	3	0	12	217,580	208,637	1,860	—	7,083
27	5	0	9	214,554	206,832	1,611	—	6,111
30	8	0	9	230,616	220,616	1,667	—	8,333
35	13	0	10	253,014	242,814	2,700	—	7,500
40	18	0	11	262,811	251,567	5,335	—	5,909
45	23	0	9	278,325	267,214	5,000	—	6,111
短大卒・一般職（事務・技術系）								
20	0	0	10	185,284	171,764	—	—	13,520
22	2	0	10	191,693	175,123	—	—	16,570
25	5	0	9	202,424	180,502	1,333	—	20,589
30	10	0	9	223,694	203,750	2,278	—	17,667
35	15	0	9	252,609	228,780	4,718	—	19,111
40	20	0	10	279,431	248,561	10,700	—	20,170
高校卒・総合職（事務・技術系）								
18	0	0	18	180,874	172,802	—	—	8,072
20	2	0	18	187,397	181,114	—	—	6,283
22	4	0	20	197,423	187,753	—	—	9,670
25	7	0	19	211,317	199,854	632	—	10,832
27	9	1	15	235,927	208,427	1,000	8,513	17,987
30	12	2	16	259,874	228,924	1,938	12,950	16,063
35	17	3	17	293,468	257,051	4,059	15,629	16,729
40	22	3	20	315,406	278,331	10,300	15,860	10,915
45	27	3	17	374,212	320,965	27,794	15,482	9,971
50	32	2	24	387,759	337,780	28,563	10,863	10,554
55	37	1	20	433,520	370,935	46,375	8,485	7,725
60	42	1	14	454,626	378,719	59,286	7,157	9,464
高校卒・一般職（事務・技術系）								
18	0	0	11	168,585	167,676	—	—	909
20	2	0	11	176,013	175,104	—	—	909
22	4	0	11	179,347	178,275	—	—	1,073
25	7	0	9	189,464	187,019	1,333	—	1,111
30	12	0	10	205,632	199,632	1,500	—	4,500
35	17	0	10	220,301	217,501	1,800	—	1,000
40	22	0	12	250,092	240,592	3,500	—	6,000
高校卒・現業系								
18	0	0	14	173,722	169,179	—	—	4,543
20	2	0	14	182,316	178,430	—	—	3,886
22	4	0	13	185,145	179,422	—	—	5,723
25	7	0	14	202,009	195,002	857	—	6,150
27	9	1	12	216,079	199,279	1,667	7,083	8,050
30	12	2	12	237,620	213,612	3,750	11,708	8,550
35	17	3	12	268,024	236,891	6,417	16,833	7,883
40	22	3	14	286,716	251,887	10,929	16,179	7,721
45	27	3	12	304,564	263,348	16,083	16,833	8,300
50	32	2	13	323,507	282,884	19,692	12,923	8,008
55	37	1	15	359,089	314,749	30,333	6,467	7,540
60	42	1	9	297,092	261,470	22,222	2,778	10,622

集計表1－3－(1)　モデル賃金の内訳（非製造業，規模計）

（単位：円）

設定条件			社数	所定内賃金合計				
年齢（歳）	勤続年数（年）	扶養家族（人）	（社）	（a＋b＋c＋d）	基本賃金部分（a）	役付手当（b）	家族手当（c）	その他の手当（d）
大学卒・総合職（事務・技術系）								
22	0	0	96	219,602	210,357	292	—	8,953
25	3	0	89	239,003	228,825	955	—	9,224
27	5	1	84	264,691	244,108	887	8,961	10,736
30	8	2	86	300,273	268,825	6,452	14,023	10,973
35	13	3	79	348,232	307,434	10,190	19,009	11,599
40	18	3	84	404,571	357,117	20,113	16,435	10,907
45	23	3	79	453,432	398,064	28,053	15,620	11,695
50	28	2	80	499,218	435,596	38,949	12,374	12,300
55	33	1	75	551,930	482,996	47,164	7,860	13,910
60	38	1	64	537,168	473,027	41,083	7,563	15,496
大学卒・一般職（事務・技術系）								
22	0	0	33	200,632	191,206	—	—	9,427
25	3	0	33	215,711	205,079	—	—	10,632
27	5	0	31	226,418	216,585	—	—	9,833
30	8	0	33	245,631	233,544	3,182	—	8,905
35	13	0	31	271,308	255,528	5,419	—	10,361
40	18	0	33	303,281	291,133	5,121	—	7,026
45	23	0	30	337,354	318,857	11,000	—	7,497
短大卒・一般職（事務・技術系）								
20	0	0	37	187,694	179,506	—	—	8,188
22	2	0	33	197,811	188,448	—	—	9,364
25	5	0	33	211,350	202,016	—	—	9,334
30	10	0	32	241,977	230,386	2,813	—	8,778
35	15	0	34	262,359	247,807	4,500	—	10,052
40	20	0	34	306,665	290,677	7,118	—	8,871
高校卒・総合職（事務・技術系）								
18	0	0	45	181,248	175,194	—	—	6,053
20	2	0	42	193,169	187,312	119	—	5,738
22	4	0	42	211,434	203,251	357	—	7,825
25	7	0	42	226,726	215,557	1,255	—	9,914
27	9	1	40	253,601	231,596	1,443	10,123	10,440
30	12	2	43	281,759	251,452	5,488	14,274	10,545
35	17	3	43	323,772	285,985	8,481	18,330	10,975
40	22	3	44	363,367	326,445	12,345	16,016	8,561
45	27	3	42	431,306	381,260	24,219	15,790	10,036
50	32	2	46	466,924	416,754	28,454	12,828	8,887
55	37	1	40	501,011	450,968	33,450	8,768	7,826
60	42	1	36	492,132	444,800	29,453	8,283	9,596
高校卒・一般職（事務・技術系）								
18	0	0	26	176,945	167,517	—	—	9,427
20	2	0	23	187,043	176,554	—	—	10,489
22	4	0	24	197,361	185,624	—	—	11,736
25	7	0	25	210,604	198,388	—	—	12,217
30	12	0	22	239,500	224,492	2,500	—	12,508
35	17	0	23	263,886	247,553	4,130	—	12,203
40	22	0	25	303,139	284,694	8,400	—	10,046
高校卒・現業系								
18	0	0	18	177,698	173,004	—	—	4,694
20	2	0	17	190,757	186,210	635	—	3,912
22	4	0	16	203,446	193,971	675	—	8,800
25	7	0	18	214,462	207,039	333	—	7,089
27	9	1	15	238,635	220,181	200	6,767	11,487
30	12	2	19	263,004	239,509	2,263	12,668	8,563
35	17	3	15	291,718	261,485	4,133	15,280	10,820
40	22	3	17	323,269	297,216	6,118	14,129	5,806
45	27	3	17	352,821	325,618	9,294	12,365	5,544
50	32	2	16	380,136	354,324	11,056	10,700	4,056
55	37	1	14	408,589	380,539	16,000	7,679	4,371
60	42	1	11	351,568	323,323	13,909	7,045	7,291

集計表1-3-(2) モデル賃金の内訳（非製造業，1,000人以上）

(単位：円)

設定条件			社数	所定内賃金合計	基本賃金部分	役付手当	家族手当	その他の手当
年齢(歳)	勤続年数(年)	扶養家族(人)	(社)	(a+b+c+d)	(a)	(b)	(c)	(d)
大学卒・総合職（事務・技術系）								
22	0	0	16	227,097	214,440	—	—	12,656
25	3	0	16	252,885	238,146	1,875	—	12,864
27	5	1	15	278,926	256,339	333	8,520	13,733
30	8	2	15	309,988	279,202	3,600	13,687	13,500
35	13	3	15	362,927	325,173	5,000	18,487	14,267
40	18	3	14	444,174	401,070	21,500	15,379	6,226
45	23	3	13	497,076	454,322	20,154	14,485	8,115
50	28	2	13	561,268	510,015	32,231	10,908	8,115
55	33	1	13	611,861	548,351	42,692	7,292	13,526
60	38	1	12	541,346	500,405	22,583	6,900	11,458
大学卒・一般職（事務・技術系）								
22	0	0	9	202,127	188,405	—	—	13,722
25	3	0	8	220,965	201,362	—	—	19,603
27	5	0	8	226,514	212,014	—	—	14,500
30	8	0	8	244,331	229,519	1,250	—	13,563
35	13	0	7	274,305	255,948	3,571	—	14,786
40	18	0	8	338,302	332,865	1,500	—	3,938
45	23	0	6	376,143	358,893	13,333	—	3,917
短大卒・一般職（事務・技術系）								
20	0	0	8	188,616	172,054	—	—	16,563
22	2	0	8	203,165	187,228	—	—	15,938
25	5	0	8	217,848	202,848	—	—	15,000
30	10	0	8	247,374	234,311	2,250	—	10,813
35	15	0	8	268,771	253,334	4,625	—	10,813
40	20	0	8	352,970	337,533	5,000	—	10,438
高校卒・総合職（事務・技術系）								
18	0	0	8	187,971	174,659	—	—	13,313
20	2	0	9	196,014	184,181	—	—	11,833
22	4	0	8	217,921	204,609	—	—	13,313
25	7	0	8	233,446	220,134	—	—	13,313
27	9	1	8	255,854	230,916	—	10,750	14,188
30	12	2	10	281,166	251,016	2,300	13,500	14,350
35	17	3	10	333,355	295,255	4,400	19,850	13,850
40	22	3	10	405,639	374,939	11,500	16,850	2,350
45	27	3	10	472,965	441,765	12,000	16,850	2,350
50	32	2	10	519,482	489,266	13,000	12,900	4,317
55	37	1	10	566,508	531,958	22,800	8,900	2,850
60	42	1	9	495,337	466,170	14,444	8,556	6,167
高校卒・一般職（事務・技術系）								
18	0	0	7	180,501	161,572	—	—	18,929
20	2	0	7	187,633	169,419	—	—	18,214
22	4	0	7	206,803	189,303	—	—	17,500
25	7	0	7	221,557	205,129	—	—	16,429
30	12	0	6	250,405	233,488	2,500	—	14,417
35	17	0	6	274,925	256,842	3,667	—	14,417
40	22	0	6	357,942	340,692	13,333	—	3,917
高校卒・現業系								
18	0	0	6	181,225	176,808	—	—	4,417
20	2	0	7	198,211	194,425	—	—	3,786
22	4	0	7	216,269	212,484	—	—	3,786
25	7	0	7	227,330	223,258	286	—	3,786
27	9	1	6	261,045	240,879	500	9,167	10,500
30	12	2	7	285,589	259,589	286	15,571	10,143
35	17	3	6	316,593	286,926	333	18,833	10,500
40	22	3	7	364,295	341,438	1,143	15,429	6,286
45	27	3	6	418,392	403,642	—	13,667	1,083
50	32	2	6	434,970	420,970	—	11,583	2,417
55	37	1	5	462,649	451,149	600	8,000	2,900
60	42	1	4	356,725	339,100	3,000	6,250	8,375

集計表1－3－(3)　モデル賃金の内訳（非製造業，300～999人）

（単位：円）

設定条件			社数	所定内賃金合計	基本賃金部分	役付手当	家族手当	その他の手当
年齢 （歳）	勤続 年数 （年）	扶養 家族 （人）	（社）	(a+b+c+d)	(a)	(b)	(c)	(d)
大学卒・総合職（事務・技術系）								
22	0	0	37	219,507	213,256	541	—	5,711
25	3	0	37	236,970	229,653	1,216	—	6,100
27	5	1	35	263,625	244,562	1,614	9,897	7,551
30	8	2	33	304,774	273,724	8,045	14,842	8,162
35	13	3	33	348,535	307,819	13,939	19,452	7,326
40	18	3	30	415,573	369,250	22,450	14,807	9,066
45	23	3	31	462,189	404,738	34,694	14,377	8,380
50	28	2	30	508,409	442,779	47,330	11,720	6,581
55	33	1	29	562,990	490,008	58,838	7,334	6,810
60	38	1	25	580,459	504,246	61,012	7,008	8,194
大学卒・一般職（事務・技術系）								
22	0	0	10	192,760	185,260	—	—	7,500
25	3	0	10	205,185	197,785	—	—	7,400
27	5	0	10	216,105	210,205	—	—	5,900
30	8	0	12	238,160	228,493	6,250	—	3,417
35	13	0	12	263,848	249,798	10,000	—	4,050
40	18	0	11	281,043	267,952	10,909	—	2,182
45	23	0	12	311,673	292,835	15,833	—	3,004
短大卒・一般職（事務・技術系）								
20	0	0	14	185,918	183,439	—	—	2,479
22	2	0	15	194,623	188,961	—	—	5,662
25	5	0	15	208,194	202,486	—	—	5,708
30	10	0	14	235,460	226,123	3,929	—	5,408
35	15	0	16	260,759	248,371	5,813	—	6,575
40	20	0	16	296,486	282,395	10,125	—	3,967
高校卒・総合職（事務・技術系）								
18	0	0	19	180,120	179,095	—	—	1,025
20	2	0	17	193,768	192,217	294	—	1,257
22	4	0	17	213,172	208,760	882	—	3,529
25	7	0	16	226,919	221,326	1,250	—	4,344
27	9	1	16	253,273	236,404	1,250	10,994	4,625
30	12	2	16	286,379	257,454	10,625	14,800	3,500
35	17	3	16	325,090	289,634	14,188	17,950	3,319
40	22	3	17	355,609	319,421	18,559	12,747	4,882
45	27	3	15	427,504	379,721	34,367	11,347	2,070
50	32	2	17	470,014	422,399	35,053	11,329	1,232
55	37	1	15	506,031	447,865	47,620	8,713	1,833
60	42	1	12	528,312	470,187	49,942	7,517	667
高校卒・一般職（事務・技術系）								
18	0	0	8	171,613	169,613	—	—	2,000
20	2	0	7	181,536	179,250	—	—	2,286
22	4	0	8	189,575	182,075	—	—	7,500
25	7	0	10	202,200	194,300	—	—	7,900
30	12	0	9	230,756	220,644	3,333	—	6,778
35	17	0	9	258,826	246,759	6,667	—	5,400
40	22	0	10	281,334	263,534	10,000	—	7,800
高校卒・現業系								
18	0	0	7	177,017	175,874	—	—	1,143
20	2	0	6	186,587	185,253	—	—	1,333
22	4	0	6	188,975	180,308	—	—	8,667
25	7	0	7	201,500	194,214	—	—	7,286
27	9	1	6	212,983	200,650	—	3,833	8,500
30	12	2	7	231,093	215,207	4,286	6,886	4,714
35	17	3	6	257,725	231,008	10,000	9,950	6,767
40	22	3	7	273,221	250,979	11,429	8,529	2,286
45	27	3	8	291,869	260,525	16,250	8,963	6,131
50	32	2	6	330,875	299,842	21,667	8,033	1,333
55	37	1	6	359,458	323,292	29,167	5,667	1,333
60	42	1	5	349,010	317,610	24,000	5,800	1,600

集計表1-3-(4) モデル賃金の内訳（非製造業，299人以下）

(単位：円)

設定条件			社数	所定内賃金合計	基本賃金部分	役付手当	家族手当	その他の手当
年齢(歳)	勤続年数(年)	扶養家族(人)	(社)	(a+b+c+d)	(a)	(b)	(c)	(d)
大学卒・総合職（事務・技術系）								
22	0	0	43	216,896	206,344	186	—	10,366
25	3	0	36	234,923	223,830	278	—	10,816
27	5	1	34	259,509	238,244	382	8,191	12,691
30	8	2	38	292,530	260,475	6,193	13,445	12,417
35	13	3	31	340,799	298,442	8,710	18,790	14,857
40	18	3	40	382,459	332,633	17,875	18,025	13,926
45	23	3	35	429,466	371,256	25,106	17,143	15,962
50	28	2	37	469,964	403,624	34,514	13,419	18,407
55	33	1	33	518,602	451,089	38,667	8,545	20,302
60	38	1	27	495,228	431,954	30,852	8,370	24,052
大学卒・一般職（事務・技術系）								
22	0	0	14	205,295	197,254	—	—	8,041
25	3	0	15	219,927	211,924	—	—	8,003
27	5	0	13	234,292	224,306	—	—	9,986
30	8	0	13	253,327	240,682	1,538	—	11,106
35	13	0	12	277,021	261,014	1,917	—	14,090
40	18	0	14	300,741	285,501	2,643	—	12,598
45	23	0	12	343,641	324,860	5,000	—	13,781
短大卒・一般職（事務・技術系）								
20	0	0	15	188,860	179,809	—	—	9,050
22	2	0	10	198,310	188,653	—	—	9,657
25	5	0	10	210,886	200,644	—	—	10,242
30	10	0	10	246,783	233,214	1,700	—	11,869
35	15	0	10	259,790	242,484	2,300	—	15,006
40	20	0	10	285,908	266,444	4,000	—	15,464
高校卒・総合職（事務・技術系）								
18	0	0	18	179,450	171,315	—	—	8,135
20	2	0	16	190,932	183,861	—	—	7,071
22	4	0	17	206,643	197,104	—	—	9,539
25	7	0	18	223,568	208,396	1,817	—	13,356
27	9	1	16	252,803	227,127	2,356	8,938	14,382
30	12	2	17	277,760	246,059	2,529	14,235	14,936
35	17	3	17	316,894	277,098	5,512	17,794	16,490
40	22	3	17	346,258	304,942	6,629	18,794	15,893
45	27	3	17	410,155	347,028	22,453	19,088	21,586
50	32	2	19	436,497	373,538	30,684	14,132	18,142
55	37	1	15	452,326	400,077	26,380	8,733	17,135
60	42	1	15	461,266	411,669	22,067	8,733	18,797
高校卒・一般職（事務・技術系）								
18	0	0	11	178,559	169,776	—	—	8,783
20	2	0	9	190,869	180,007	—	—	10,862
22	4	0	9	196,937	185,918	—	—	11,019
25	7	0	8	211,526	197,599	—	—	13,928
30	12	0	7	241,396	221,727	1,429	—	18,241
35	17	0	8	261,299	241,479	1,625	—	18,195
40	22	0	9	290,832	270,872	3,333	—	16,627
高校卒・現業系								
18	0	0	5	174,420	164,420	—	—	10,000
20	2	0	4	183,970	173,270	2,700	—	8,000
22	4	0	3	202,467	178,100	3,600	—	20,767
25	7	0	4	214,625	201,100	1,000	—	12,525
27	9	1	3	245,117	217,850	—	7,833	19,433
30	12	2	5	276,060	245,420	2,200	16,700	11,740
35	17	3	3	309,955	271,555	—	18,833	19,567
40	22	3	3	344,317	301,917	5,333	24,167	12,900
45	27	3	3	384,217	343,150	9,333	18,833	12,900
50	32	2	4	371,778	336,078	11,725	13,375	10,600
55	37	1	3	416,750	377,350	15,333	11,167	12,900
60	42	1	2	347,650	306,050	10,500	11,750	19,350

集計表2－1－(1)　モデル賃金のばらつき（全産業，規模計）

（単位：円）

年齢（歳）	勤続年数（年）	扶養家族（人）	社数（社）	平均	最低	第1四分位	中位数	第3四分位	最高
大学卒・総合職（事務・技術系）									
22	0	0	160	219,354	173,080	208,450	217,950	228,000	340,000
25	3	0	152	237,350	178,000	222,438	233,065	250,425	400,000
27	5	1	145	263,688	207,720	244,290	258,600	277,000	430,000
30	8	2	149	296,931	215,000	272,500	291,000	311,000	500,000
35	13	3	141	343,424	225,000	307,800	335,600	370,100	640,000
40	18	3	144	399,195	230,000	334,788	386,470	441,923	670,000
45	23	3	140	444,774	228,930	374,175	435,750	495,150	710,000
50	28	2	139	493,286	289,170	412,650	478,606	560,350	830,000
55	33	1	130	533,309	307,171	437,735	538,900	608,050	875,000
60	38	1	110	521,205	200,800	430,213	536,825	607,495	875,000
大学卒・一般職（事務・技術系）									
22	0	0	52	199,342	169,000	186,828	197,655	207,570	267,000
25	3	0	52	214,700	187,040	200,908	210,650	221,300	312,000
27	5	0	47	222,449	184,300	208,976	219,600	231,100	342,000
30	8	0	50	238,991	169,750	222,375	236,550	251,471	375,000
35	13	0	48	265,070	198,700	241,706	263,737	277,988	400,000
40	18	0	50	292,290	205,400	255,375	284,600	306,573	496,500
45	23	0	45	321,197	222,950	270,500	301,700	342,000	557,500
短大卒・一般職（事務・技術系）									
20	0	0	59	186,562	160,000	177,500	186,910	194,350	231,840
22	2	0	52	195,328	169,000	187,335	192,445	204,156	248,400
25	5	0	52	208,911	183,580	198,150	208,400	217,438	246,050
30	10	0	51	235,979	174,200	219,970	232,980	250,000	347,000
35	15	0	54	260,645	198,700	241,133	258,950	276,210	338,100
40	20	0	55	297,230	204,200	258,500	283,000	315,000	534,100
高校卒・総合職（事務・技術系）									
18	0	0	82	181,039	150,000	170,000	180,500	190,000	223,560
20	2	0	78	191,431	159,000	180,150	190,600	200,000	248,400
22	4	0	80	205,788	166,000	194,800	203,583	218,024	250,000
25	7	0	79	222,179	173,000	210,350	219,500	236,550	264,000
27	9	1	73	248,431	185,000	236,900	245,500	264,000	320,580
30	12	2	77	276,528	197,800	253,500	273,900	295,500	457,000
35	17	3	79	315,055	206,000	280,700	310,900	340,600	504,000
40	22	3	83	348,628	216,600	293,740	341,300	394,900	594,000
45	27	3	77	405,094	222,950	350,000	402,421	454,630	682,500
50	32	2	89	435,376	275,580	354,325	431,600	492,950	779,100
55	37	1	79	473,493	284,500	389,740	457,036	542,928	830,600
60	42	1	67	463,624	185,000	388,150	464,000	552,200	799,000
高校卒・一般職（事務・技術系）									
18	0	0	49	175,913	144,000	164,000	178,000	183,150	223,560
20	2	0	46	184,588	147,200	171,120	185,250	194,025	248,400
22	4	0	47	192,505	150,400	183,800	193,300	200,615	228,315
25	7	0	46	207,108	155,200	196,183	205,720	217,913	257,600
30	12	0	43	231,890	163,200	213,850	230,770	247,700	319,377
35	17	0	44	255,920	171,200	231,910	256,138	272,133	361,352
40	22	0	47	289,156	179,200	252,720	282,200	322,475	496,500
高校卒・現業系									
18	0	0	56	177,419	144,000	169,730	175,750	184,175	223,560
20	2	0	55	187,891	147,200	176,957	186,600	195,080	248,400
22	4	0	50	196,997	150,400	185,525	198,550	205,263	237,000
25	7	0	56	213,002	155,200	199,427	212,929	225,175	256,200
27	9	1	51	236,664	158,400	214,500	238,300	256,300	301,900
30	12	2	53	258,530	163,200	235,880	258,700	281,900	333,900
35	17	3	50	290,077	171,200	264,531	293,500	317,414	402,000
40	22	3	54	316,148	179,200	279,973	323,333	342,525	496,500
45	27	3	48	341,554	187,200	293,750	342,927	368,700	557,530
50	32	2	50	365,510	191,000	311,688	360,255	401,140	623,500
55	37	1	48	393,370	193,000	333,213	386,400	436,125	675,500
60	42	1	35	347,661	185,000	275,450	358,668	408,215	500,000

集計表2－1－(2)　モデル賃金のばらつき（全産業，1,000人以上）

（単位：円）

設定条件 年齢（歳）	勤続年数（年）	扶養家族（人）	社数（社）	平均	最低	第１四分位	中位数	第３四分位	最高
大学卒・総合職（事務・技術系）									
22	0	0	30	228,071	173,080	219,625	227,250	240,000	256,300
25	3	0	30	252,754	187,540	235,343	252,000	265,133	346,180
27	5	1	29	282,729	207,720	258,947	269,000	307,000	377,600
30	8	2	29	315,758	236,460	286,380	309,000	338,900	390,800
35	13	3	27	369,508	257,260	325,829	371,110	413,850	477,500
40	18	3	25	449,495	309,120	379,546	450,520	516,000	620,000
45	23	3	23	499,408	228,930	455,020	475,100	565,330	682,500
50	28	2	23	569,011	375,500	501,780	560,600	623,710	787,091
55	33	1	23	596,493	307,171	500,150	593,630	676,110	865,310
60	38	1	19	551,801	258,500	466,466	535,950	641,250	837,450
大学卒・一般職（事務・技術系）									
22	0	0	12	199,446	178,280	188,125	197,905	208,525	231,000
25	3	0	11	216,003	189,200	204,105	217,900	227,763	246,050
27	5	0	11	223,428	197,300	209,576	219,600	236,004	253,450
30	8	0	12	234,108	169,750	222,150	235,860	253,052	276,850
35	13	0	9	266,877	231,100	240,702	260,200	287,345	308,600
40	18	0	10	325,935	245,000	261,429	301,867	331,200	496,500
45	23	0	8	356,798	250,000	266,204	312,910	430,788	557,500
短大卒・一般職（事務・技術系）									
20	0	0	12	185,249	160,000	167,038	188,705	195,213	213,300
22	2	0	11	199,996	171,400	187,315	193,800	217,500	226,500
25	5	0	11	213,787	183,580	200,205	208,651	227,785	246,050
30	10	0	11	240,844	202,400	217,780	233,000	254,850	292,000
35	15	0	11	262,404	221,100	241,410	253,160	286,350	308,600
40	20	0	11	330,790	235,600	263,475	309,600	344,500	534,100
高校卒・総合職（事務・技術系）									
18	0	0	14	185,506	158,120	174,300	184,975	193,750	211,500
20	2	0	15	194,944	165,500	182,625	197,350	203,500	223,038
22	4	0	14	211,728	173,080	195,005	217,025	228,375	237,000
25	7	0	14	230,537	185,380	216,986	236,025	249,313	255,000
27	9	1	14	257,307	207,340	240,883	252,715	268,275	301,900
30	12	2	16	285,900	232,680	257,535	288,150	317,000	333,900
35	17	3	16	337,505	261,550	303,891	326,918	363,721	477,500
40	22	3	17	386,776	260,000	327,500	391,000	415,000	545,000
45	27	3	15	447,229	290,460	372,518	428,750	459,949	682,500
50	32	2	16	499,087	367,500	419,142	478,750	530,570	779,100
55	37	1	16	518,585	295,557	412,638	487,250	568,533	791,660
60	42	1	14	484,785	258,500	391,210	467,400	556,155	799,000
高校卒・一般職（事務・技術系）									
18	0	0	11	182,376	150,000	173,928	183,150	192,475	209,265
20	2	0	11	188,435	160,000	177,140	192,550	196,175	218,790
22	4	0	11	203,054	173,900	190,655	197,700	221,750	228,315
25	7	0	11	218,006	184,700	202,026	224,050	233,900	246,050
30	12	0	9	249,012	201,400	217,900	232,980	276,850	319,377
35	17	0	10	273,141	220,100	245,550	251,480	304,625	361,352
40	22	0	9	338,927	234,500	257,550	327,200	356,463	496,500
高校卒・現業系									
18	0	0	14	183,941	164,100	176,725	183,525	193,500	205,100
20	2	0	15	197,154	170,400	184,838	196,900	206,250	243,250
22	4	0	15	210,823	180,000	202,788	209,900	222,550	237,000
25	7	0	15	227,664	195,200	215,718	226,000	242,450	255,000
27	9	1	14	259,862	216,400	244,068	264,425	276,368	301,900
30	12	2	15	287,061	216,900	269,060	292,000	301,700	333,900
35	17	3	14	319,911	230,500	304,178	321,978	341,125	402,000
40	22	3	15	357,486	239,600	325,860	350,600	382,470	496,500
45	27	3	11	405,039	255,000	348,660	383,820	437,630	557,530
50	32	2	12	424,512	270,870	354,350	417,915	476,325	623,500
55	37	1	10	437,399	282,700	383,918	436,685	478,700	675,500
60	42	1	6	362,187	258,500	314,600	336,700	413,415	495,000

集計表2−1−(3)　モデル賃金のばらつき（全産業，300〜999人）

（単位：円）

設定条件 年齢（歳）	勤続年数（年）	扶養家族（人）	社数（社）	平均	最低	第1四分位	中位数	第3四分位	最高
大学卒・総合職（事務・技術系）									
22	0	0	59	220,187	191,500	210,000	218,500	229,270	260,000
25	3	0	57	236,206	199,900	223,905	232,000	247,700	283,000
27	5	1	56	263,141	220,000	246,902	259,500	279,200	336,900
30	8	2	55	299,716	237,860	274,800	291,000	316,100	457,000
35	13	3	55	344,625	244,350	311,400	335,700	368,370	510,000
40	18	3	52	408,654	271,005	349,393	387,170	444,850	635,650
45	23	3	53	450,707	313,500	386,691	428,600	511,000	664,300
50	28	2	52	496,653	315,000	412,850	482,950	572,860	742,400
55	33	1	50	538,566	342,955	446,730	542,100	613,750	809,700
60	38	1	44	551,746	200,800	480,840	547,500	645,125	738,000
大学卒・一般職（事務・技術系）									
22	0	0	15	193,524	169,000	187,500	195,000	201,100	207,900
25	3	0	14	205,608	189,000	194,975	206,500	214,950	222,800
27	5	0	14	215,758	184,300	201,350	221,750	226,295	240,000
30	8	0	16	235,718	189,500	219,825	238,760	244,225	295,200
35	13	0	17	262,770	198,700	250,800	264,200	271,400	339,900
40	18	0	15	283,592	205,400	267,988	284,200	303,450	366,000
45	23	0	16	310,679	222,950	281,150	297,700	330,925	443,600
短大卒・一般職（事務・技術系）									
20	0	0	22	186,293	168,000	180,500	184,875	191,325	210,000
22	2	0	21	193,193	169,000	188,300	193,500	202,000	207,900
25	5	0	22	208,228	189,200	203,100	208,550	216,900	225,700
30	10	0	21	233,552	174,200	225,500	235,400	248,500	293,400
35	15	0	24	263,209	198,700	254,475	262,550	277,175	338,100
40	20	0	24	293,983	204,200	273,450	283,750	312,050	449,000
高校卒・総合職（事務・技術系）									
18	0	0	32	180,070	150,000	171,500	178,550	186,550	212,500
20	2	0	29	192,392	167,150	183,640	191,000	195,600	226,000
22	4	0	29	208,189	189,000	198,200	204,900	214,000	250,000
25	7	0	28	224,479	192,150	214,000	219,650	237,525	264,000
27	9	1	28	248,193	194,450	237,650	243,500	257,470	312,000
30	12	2	28	279,940	197,800	257,025	274,450	292,000	457,000
35	17	3	29	314,245	206,000	290,400	313,000	323,000	504,000
40	22	3	29	350,566	216,600	304,700	341,300	376,985	594,000
45	27	3	28	398,198	222,950	352,975	383,770	426,425	604,000
50	32	2	30	438,781	304,600	373,775	422,650	490,525	611,510
55	37	1	28	487,618	350,100	413,005	447,750	550,800	830,600
60	42	1	24	458,003	200,800	385,775	442,700	540,250	680,190
高校卒・一般職（事務・技術系）									
18	0	0	16	174,688	160,000	167,100	176,850	181,050	190,000
20	2	0	15	184,289	167,150	180,500	184,500	191,015	195,000
22	4	0	16	191,806	169,200	185,025	195,250	200,150	202,000
25	7	0	18	207,306	173,700	200,275	206,000	213,563	257,600
30	12	0	17	234,356	189,500	226,100	234,000	242,500	275,350
35	17	0	16	264,728	206,000	253,075	263,500	272,133	311,100
40	22	0	17	289,493	216,600	264,300	283,700	320,100	356,000
高校卒・現業系									
18	0	0	23	176,352	163,565	170,210	176,000	180,475	201,200
20	2	0	22	185,835	167,150	176,729	185,800	192,508	222,350
22	4	0	19	193,328	169,200	186,200	195,600	199,875	224,350
25	7	0	23	209,848	173,700	200,537	211,000	218,850	256,200
27	9	1	22	231,977	186,500	216,353	234,539	243,775	295,800
30	12	2	21	245,925	189,500	226,840	248,514	266,700	281,900
35	17	3	21	279,948	206,000	268,000	283,100	305,500	321,000
40	22	3	22	302,853	216,600	278,000	306,657	330,000	359,100
45	27	3	22	324,170	222,950	296,625	337,657	359,500	393,100
50	32	2	21	356,603	262,400	332,000	359,730	391,100	415,700
55	37	1	20	393,559	303,000	349,350	379,310	419,525	669,862
60	42	1	18	368,105	200,800	318,313	371,551	414,725	500,000

集計表2-1-(4)　モデル賃金のばらつき（全産業，299人以下）

(単位：円)

設定条件			社数	平均	最低	第1四分位	中位数	第3四分位	最高
年齢(歳)	勤続年数(年)	扶養家族(人)	(社)						
大学卒・総合職（事務・技術系）									
22	0	0	71	214,980	178,000	203,650	210,375	221,288	340,000
25	3	0	65	231,245	178,000	219,000	228,000	238,000	400,000
27	5	1	60	254,995	210,000	236,830	250,300	263,650	430,000
30	8	2	65	286,174	215,000	261,407	281,810	298,100	500,000
35	13	3	59	330,368	225,000	292,200	317,860	353,325	640,000
40	18	3	67	373,085	230,000	320,600	370,569	408,250	670,000
45	23	3	64	420,227	250,000	350,670	425,383	464,725	710,000
50	28	2	64	463,338	289,170	400,125	467,175	524,125	830,000
55	33	1	57	503,203	310,700	423,200	505,000	563,600	875,000
60	38	1	47	480,244	208,000	386,500	501,100	574,550	875,000
大学卒・一般職（事務・技術系）									
22	0	0	25	202,782	174,140	187,000	200,000	210,400	267,000
25	3	0	27	218,884	187,040	204,000	212,790	228,100	312,000
27	5	0	22	226,217	184,890	210,225	219,500	231,144	342,000
30	8	0	22	244,036	205,900	225,275	232,600	252,663	375,000
35	13	0	22	266,109	215,200	240,510	256,200	276,793	400,000
40	18	0	25	284,052	212,129	251,060	282,200	295,200	425,000
45	23	0	21	315,648	237,999	270,000	301,700	342,000	500,000
短大卒・一般職（事務・技術系）									
20	0	0	25	187,429	167,600	177,000	187,000	194,700	231,840
22	2	0	20	195,002	171,400	185,225	190,500	203,219	248,400
25	5	0	19	206,878	192,070	197,850	200,000	215,350	230,000
30	10	0	19	235,846	189,026	217,220	228,000	246,500	347,000
35	15	0	19	256,388	215,200	240,285	257,200	269,370	299,359
40	20	0	20	282,669	221,967	253,625	282,600	310,750	410,000
高校卒・総合職（事務・技術系）									
18	0	0	36	180,162	152,000	168,525	180,607	191,930	223,560
20	2	0	34	189,061	159,000	175,294	189,875	199,635	248,400
22	4	0	37	201,659	166,000	190,000	202,900	215,300	238,780
25	7	0	37	217,277	173,000	204,200	215,900	229,510	256,000
27	9	1	31	244,637	185,000	231,200	242,300	258,250	320,580
30	12	2	33	269,088	201,000	253,500	266,400	285,500	377,830
35	17	3	34	305,181	232,810	271,323	305,790	334,326	422,830
40	22	3	37	329,581	230,000	288,290	318,400	365,000	464,830
45	27	3	34	392,183	260,530	316,530	400,350	457,700	513,000
50	32	2	43	409,294	275,580	324,850	405,400	488,683	621,150
55	37	1	35	441,580	284,500	355,875	423,200	539,628	608,300
60	42	1	29	458,060	185,000	407,000	469,240	562,000	618,800
高校卒・一般職（事務・技術系）									
18	0	0	22	173,572	144,000	160,399	172,125	183,650	223,560
20	2	0	20	182,698	147,200	168,898	185,290	192,328	248,400
22	4	0	20	187,263	150,400	179,838	191,795	197,480	214,000
25	7	0	17	199,846	155,200	193,590	200,700	216,500	230,000
30	12	0	17	220,359	163,200	197,500	226,100	237,200	265,685
35	17	0	18	238,522	171,200	213,183	243,630	266,500	299,359
40	22	0	21	267,552	179,200	242,000	279,800	295,200	354,578
高校卒・現業系									
18	0	0	19	173,906	144,000	168,050	171,800	178,800	223,560
20	2	0	18	182,683	147,200	169,750	180,900	189,558	248,400
22	4	0	16	188,393	150,400	183,520	186,300	198,500	220,500
25	7	0	18	204,813	155,200	197,333	206,050	219,075	251,150
27	9	1	15	221,887	158,400	199,775	215,500	249,100	286,150
30	12	2	17	248,926	163,200	211,500	250,000	281,400	324,550
35	17	3	15	276,410	171,200	239,000	295,000	315,300	353,850
40	22	3	17	296,881	179,200	261,000	292,950	327,100	442,350
45	27	3	15	320,495	187,200	275,725	314,000	352,350	495,600
50	32	2	17	334,865	191,000	280,800	321,000	377,800	521,500
55	37	1	18	368,699	193,000	298,038	379,400	410,543	561,050
60	42	1	11	306,285	185,000	213,350	288,200	407,050	410,000

集計表2−2−(1) モデル賃金のばらつき（製造業，規模計）

(単位：円)

設定条件			社 数 (社)	平　　均	最　　低	第1四分位	中位数	第3四分位	最　　高
年齢 (歳)	勤続年数 (年)	扶養家族 (人)							
大学卒・総合職（事務・技術系）									
22	0	0	64	218,983	178,000	208,966	220,100	228,000	250,800
25	3	0	63	235,015	178,000	222,060	232,950	247,270	295,350
27	5	1	61	262,306	213,900	244,290	258,947	275,500	336,900
30	8	2	63	292,368	215,000	263,500	288,900	311,543	390,800
35	13	3	62	337,298	225,000	305,842	335,155	365,640	451,500
40	18	3	60	391,668	230,000	327,054	372,950	441,923	635,650
45	23	3	61	433,560	228,930	359,355	425,520	487,000	680,000
50	28	2	59	485,244	300,000	397,865	474,000	561,050	720,000
55	33	1	55	507,916	307,171	412,315	499,000	588,046	793,300
60	38	1	46	498,994	200,800	413,785	515,400	591,700	760,000
大学卒・一般職（事務・技術系）									
22	0	0	19	197,099	178,400	188,050	193,500	200,600	240,120
25	3	0	19	212,944	189,200	202,905	210,000	218,025	253,967
27	5	0	16	214,759	184,890	206,068	214,750	223,978	240,900
30	8	0	17	226,103	169,750	214,800	227,200	235,900	260,900
35	13	0	17	253,695	231,100	244,200	250,800	268,220	278,850
40	18	0	17	270,956	212,129	249,600	276,870	291,100	320,100
45	23	0	15	288,884	237,999	268,550	291,100	310,638	330,430
短大卒・一般職（事務・技術系）									
20	0	0	22	184,659	165,100	171,800	184,800	190,800	231,840
22	2	0	19	191,014	171,400	184,000	188,600	193,150	248,400
25	5	0	19	204,674	185,600	195,655	203,000	209,750	229,270
30	10	0	19	225,878	189,026	214,150	228,000	233,825	253,550
35	15	0	20	257,732	219,520	239,825	255,950	268,225	329,860
40	20	0	21	281,954	221,967	258,000	281,400	306,900	410,000
高校卒・総合職（事務・技術系）									
18	0	0	37	180,784	152,000	173,000	179,500	186,500	223,560
20	2	0	36	189,402	159,000	179,000	188,413	196,225	248,400
22	4	0	38	199,548	166,000	189,475	195,950	209,325	238,780
25	7	0	37	217,018	173,000	204,040	215,300	229,700	255,580
27	9	1	33	242,164	185,000	232,500	241,500	249,400	301,900
30	12	2	34	269,911	201,000	248,850	265,050	283,115	352,732
35	17	3	36	304,643	220,400	270,460	310,250	326,985	402,000
40	22	3	39	331,999	230,000	281,076	320,100	366,018	524,410
45	27	3	35	373,639	260,530	323,660	367,100	427,125	501,500
50	32	2	43	401,627	275,580	334,740	389,600	469,600	567,640
55	37	1	39	445,269	295,557	367,020	424,900	503,250	830,600
60	42	1	31	430,518	185,000	384,450	431,600	505,675	619,800
高校卒・一般職（事務・技術系）									
18	0	0	23	174,746	144,000	160,798	176,000	182,505	223,560
20	2	0	23	182,133	147,200	168,465	183,710	190,825	248,400
22	4	0	23	187,438	150,400	181,255	191,310	195,800	228,315
25	7	0	21	202,945	155,200	194,000	201,100	213,917	257,600
30	12	0	21	223,917	163,200	200,530	226,840	234,000	319,377
35	17	0	21	247,195	171,200	220,000	254,100	268,240	361,352
40	22	0	22	273,266	179,200	242,250	277,250	308,498	356,463
高校卒・現業系									
18	0	0	38	177,287	144,000	170,975	176,150	183,850	223,560
20	2	0	38	186,608	147,200	176,729	185,800	194,425	248,400
22	4	0	34	193,963	150,400	185,525	196,300	202,718	224,600
25	7	0	38	212,310	155,200	200,170	212,475	221,625	256,200
27	9	1	36	235,843	158,400	219,588	237,550	249,760	301,900
30	12	2	34	256,029	163,200	238,335	256,685	278,150	333,900
35	17	3	35	289,373	171,200	269,828	292,000	309,300	402,000
40	22	3	37	312,877	179,200	279,630	323,540	337,600	442,350
45	27	3	31	335,376	187,200	304,353	344,220	363,550	442,350
50	32	2	34	358,627	191,000	322,400	360,255	391,700	545,500
55	37	1	34	387,103	193,000	351,270	386,400	425,588	669,862
60	42	1	24	345,871	185,000	256,420	379,477	409,498	477,700

集計表2－2－(2) モデル賃金のばらつき（製造業，1,000人以上）

（単位：円）

設定条件 年齢（歳）	勤続年数（年）	扶養家族（人）	社数（社）	平均	最低	第1四分位	中位数	第3四分位	最高
大学卒・総合職（事務・技術系）									
22	0	0	14	229,184	197,300	221,075	231,500	240,750	250,800
25	3	0	14	252,603	218,920	233,510	258,880	267,908	295,350
27	5	1	14	286,804	244,290	260,610	284,600	311,170	336,300
30	8	2	14	321,939	258,100	287,288	321,400	355,353	390,800
35	13	3	12	377,735	257,260	324,998	391,175	430,196	451,500
40	18	3	11	456,267	309,120	410,213	462,500	493,750	620,000
45	23	3	10	502,439	228,930	462,988	487,306	567,370	680,000
50	28	2	10	579,077	452,180	550,119	575,125	617,940	720,000
55	33	1	10	576,513	307,171	544,225	599,296	639,960	740,000
60	38	1	7	569,723	295,000	515,400	600,961	650,650	760,000
大学卒・一般職（事務・技術系）									
22	0	0	3	191,403	178,400	—	—	—	198,900
25	3	0	3	202,770	189,200	—	—	—	217,900
27	5	0	3	215,200	197,300	—	—	—	240,900
30	8	0	4	213,663	169,750	—	—	—	260,900
35	13	0	2	240,880	231,100	—	—	—	250,660
40	18	0	2	276,465	245,500	—	—	—	307,430
45	23	0	2	298,765	267,100	—	—	—	330,430
短大卒・一般職（事務・技術系）									
20	0	0	4	178,515	165,100	—	—	—	194,500
22	2	0	3	191,547	174,800	—	—	—	210,330
25	5	0	3	202,960	185,600	—	—	—	229,270
30	10	0	3	223,430	202,400	—	—	—	251,790
35	15	0	3	245,423	221,100	—	—	—	262,010
40	20	0	3	271,643	235,600	—	—	—	309,930
高校卒・総合職（事務・技術系）									
18	0	0	6	182,219	164,100	174,000	180,450	185,513	209,265
20	2	0	6	193,340	173,800	182,588	189,800	200,013	223,038
22	4	0	6	203,470	180,000	191,311	201,072	214,513	231,625
25	7	0	6	226,658	196,000	216,986	228,970	238,813	250,924
27	9	1	6	259,245	228,530	238,714	244,275	285,792	301,900
30	12	2	6	293,790	247,740	262,800	295,575	327,451	333,900
35	17	3	6	344,421	308,560	310,109	335,743	371,124	402,000
40	22	3	7	359,829	260,000	297,834	404,250	413,193	432,500
45	27	3	5	395,757	290,460	385,364	425,500	428,750	448,712
50	32	2	6	465,094	391,528	431,138	463,900	484,238	560,000
55	37	1	6	438,713	295,557	422,703	451,048	479,134	532,877
60	42	1	5	465,791	318,230	415,250	439,800	535,877	619,800
高校卒・一般職（事務・技術系）									
18	0	0	4	185,656	157,900	—	—	—	209,265
20	2	0	4	189,838	164,300	—	—	—	218,790
22	4	0	4	196,494	173,900	—	—	—	228,315
25	7	0	4	211,791	184,700	—	—	—	242,604
30	12	0	3	246,226	201,400	—	—	—	319,377
35	17	0	4	270,466	220,100	—	—	—	361,352
40	22	0	3	300,898	234,500	—	—	—	356,463
高校卒・現業系									
18	0	0	8	185,978	164,100	179,990	184,450	192,550	205,100
20	2	0	8	196,229	173,800	186,420	196,030	208,813	213,560
22	4	0	8	206,058	180,000	202,718	204,435	212,550	224,600
25	7	0	8	227,956	196,000	215,333	231,010	242,025	251,900
27	9	1	8	258,975	220,950	243,463	256,040	271,965	301,900
30	12	2	8	288,349	254,670	268,258	285,475	300,380	333,900
35	17	3	8	322,400	247,950	300,168	321,150	344,525	402,000
40	22	3	8	351,528	301,150	326,490	348,780	360,568	432,500
45	27	3	5	389,016	336,600	381,870	383,820	410,530	432,260
50	32	2	6	414,053	326,600	354,268	417,915	436,983	545,500
55	37	1	5	412,148	316,600	419,970	427,460	445,910	450,800
60	42	1	2	373,110	311,800	—	—	—	434,420

（注） 集計社数が4社以下の場合は最低と最高のみとした。以下同じ。

集計表2－2－(3)　モデル賃金のばらつき（製造業，300～999人）

（単位：円）

設定条件 年齢（歳）	勤続年数（年）	扶養家族（人）	社数（社）	平均	最低	第１四分位	中位数	第３四分位	最高
大学卒・総合職（事務・技術系）									
22	0	0	22	221,331	205,310	215,125	223,100	227,525	240,600
25	3	0	20	234,791	218,600	226,226	232,700	244,809	254,000
27	5	1	21	262,335	220,000	252,000	256,400	269,250	336,900
30	8	2	22	292,130	237,860	272,750	289,050	296,180	390,000
35	13	3	22	338,761	244,350	311,313	335,205	355,805	449,600
40	18	3	22	399,221	271,005	344,525	367,900	413,435	635,650
45	23	3	22	434,528	330,100	383,625	397,090	481,000	660,300
50	28	2	22	480,621	340,100	396,183	458,260	558,871	713,300
55	33	1	21	504,837	350,100	412,350	474,000	571,000	793,300
60	38	1	19	513,965	200,800	424,025	534,560	594,570	726,000
大学卒・一般職（事務・技術系）									
22	0	0	5	195,052	181,300	192,800	193,500	200,200	207,460
25	3	0	4	206,665	193,300	—	—	—	218,860
27	5	0	4	214,890	200,800	—	—	—	226,460
30	8	0	4	228,390	214,800	—	—	—	237,860
35	13	0	5	260,183	247,500	250,800	264,000	268,220	270,395
40	18	0	4	290,600	271,100	—	—	—	320,100
45	23	0	4	307,700	287,300	—	—	—	330,100
短大卒・一般職（事務・技術系）									
20	0	0	8	186,950	169,300	183,250	186,150	189,750	208,200
22	2	0	6	189,617	177,300	188,375	190,700	193,325	197,200
25	5	0	7	208,300	189,300	204,500	208,500	212,800	225,700
30	10	0	7	229,736	203,300	228,550	231,600	233,825	248,500
35	15	0	8	268,110	239,300	254,475	260,050	271,440	329,860
40	20	0	8	288,975	272,700	280,175	283,600	291,975	320,100
高校卒・総合職（事務・技術系）									
18	0	0	13	179,997	166,565	176,800	179,400	184,000	195,000
20	2	0	12	190,442	177,600	185,300	189,350	193,800	215,800
22	4	0	12	201,129	189,000	194,475	198,300	205,338	228,000
25	7	0	12	221,224	204,040	211,188	219,000	229,050	242,400
27	9	1	12	241,419	211,640	237,575	241,000	246,600	270,890
30	12	2	12	271,354	226,840	250,550	265,900	278,463	352,732
35	17	3	13	300,898	220,400	274,435	305,500	317,100	380,180
40	22	3	12	343,421	275,700	314,750	338,050	350,150	524,410
45	27	3	13	364,384	278,600	336,956	365,100	383,000	467,780
50	32	2	13	397,939	304,600	354,750	381,900	413,700	546,832
55	37	1	13	466,371	350,100	391,000	424,900	457,700	830,600
60	42	1	12	387,695	200,800	378,130	387,700	428,150	539,000
高校卒・一般職（事務・技術系）									
18	0	0	8	177,763	167,300	176,000	178,550	181,250	183,100
20	2	0	8	186,698	175,500	184,250	186,850	191,008	194,350
22	4	0	8	194,036	183,700	188,325	195,800	200,608	201,060
25	7	0	8	213,688	194,400	203,305	209,875	215,113	257,600
30	12	0	8	238,408	212,100	228,460	232,385	245,150	275,350
35	17	0	7	272,317	242,100	257,200	268,220	285,200	311,100
40	22	0	7	301,150	264,300	279,200	298,800	322,475	341,600
高校卒・現業系									
18	0	0	16	176,061	163,565	172,100	176,500	180,113	187,000
20	2	0	16	185,553	171,800	181,979	185,800	191,523	195,600
22	4	0	13	195,337	179,810	192,600	195,900	199,750	205,900
25	7	0	16	213,500	195,100	203,559	211,750	218,625	256,200
27	9	1	16	239,100	211,640	230,025	237,550	246,400	295,800
30	12	2	14	253,341	225,600	239,020	251,200	267,285	281,900
35	17	3	15	288,838	245,200	276,625	290,400	307,105	321,000
40	22	3	15	316,681	269,700	304,035	323,100	333,005	359,100
45	27	3	14	342,628	283,229	331,575	349,767	361,840	393,100
50	32	2	15	366,894	299,700	343,160	367,114	391,500	415,700
55	37	1	14	408,173	314,200	365,975	386,400	429,775	669,862
60	42	1	13	375,450	200,800	358,668	379,614	418,900	477,700

集計表2-2-(4) モデル賃金のばらつき（製造業，299人以下）

(単位：円)

設定条件			社数	平均	最低	第1四分位	中位数	第3四分位	最高
年齢(歳)	勤続年数(年)	扶養家族(人)	(社)						
大学卒・総合職（事務・技術系）									
22	0	0	28	212,037	178,000	202,900	210,188	221,315	241,500
25	3	0	29	226,679	178,000	219,000	225,500	236,700	255,580
27	5	1	26	249,092	213,900	233,075	247,920	263,150	286,150
30	8	2	27	277,228	215,000	255,370	274,125	297,500	341,120
35	13	3	28	318,818	225,000	289,875	311,500	348,263	395,500
40	18	3	27	359,197	230,000	314,000	340,600	414,490	481,500
45	23	3	29	409,075	250,000	342,910	421,500	464,300	549,500
50	28	2	27	454,258	300,000	375,663	458,000	529,150	598,000
55	33	1	24	482,029	343,000	402,250	468,500	565,150	626,500
60	38	1	20	460,017	208,000	392,200	470,270	569,500	626,500
大学卒・一般職（事務・技術系）									
22	0	0	11	199,584	180,000	188,050	192,000	201,400	240,120
25	3	0	12	217,580	195,750	205,500	214,385	221,338	253,967
27	5	0	9	214,554	184,890	210,900	216,000	223,150	231,800
30	8	0	9	230,616	212,400	225,000	230,740	232,700	253,550
35	13	0	10	253,014	233,200	241,050	251,800	264,980	278,850
40	18	0	11	262,811	212,129	247,415	263,000	284,050	296,540
45	23	0	9	278,325	237,999	258,430	273,500	296,000	317,220
短大卒・一般職（事務・技術系）									
20	0	0	10	185,284	167,600	171,800	179,500	191,975	231,840
22	2	0	10	191,693	171,400	183,500	186,650	190,500	248,400
25	5	0	9	202,424	192,070	197,300	200,000	209,500	218,150
30	10	0	9	223,694	189,026	213,800	225,000	230,740	253,550
35	15	0	9	252,609	219,520	237,000	240,570	268,240	298,500
40	20	0	10	279,431	221,967	243,788	258,500	307,525	410,000
高校卒・総合職（事務・技術系）									
18	0	0	18	180,874	152,000	168,175	182,800	191,850	223,560
20	2	0	18	187,397	159,000	170,598	188,413	196,000	248,400
22	4	0	20	197,423	166,000	186,125	194,600	208,595	238,780
25	7	0	19	211,317	173,000	199,065	209,500	224,755	255,580
27	9	1	15	235,927	185,000	211,430	240,000	253,000	286,150
30	12	2	16	259,874	201,000	228,238	263,585	282,905	324,550
35	17	3	17	293,468	232,810	251,900	289,600	323,980	376,280
40	22	3	20	315,406	230,000	275,450	295,320	348,900	442,350
45	27	3	17	374,212	260,530	315,000	351,340	442,350	501,500
50	32	2	24	387,759	275,580	305,313	351,663	450,250	567,640
55	37	1	20	433,520	298,000	343,470	399,600	541,300	608,300
60	42	1	14	454,626	185,000	415,400	462,120	553,875	618,800
高校卒・一般職（事務・技術系）									
18	0	0	11	168,585	144,000	152,190	161,596	180,125	223,560
20	2	0	11	176,013	147,200	159,105	169,330	186,675	248,400
22	4	0	11	179,347	150,400	168,700	185,260	192,975	198,500
25	7	0	9	189,464	155,200	177,000	194,000	200,700	218,150
30	12	0	10	205,632	163,200	194,775	199,015	226,055	253,550
35	17	0	10	220,301	171,200	191,601	215,455	247,306	278,850
40	22	0	12	250,092	179,200	214,538	249,500	282,625	354,578
高校卒・現業系									
18	0	0	14	173,722	144,000	164,000	172,400	180,700	223,560
20	2	0	14	182,316	147,200	167,925	179,235	191,188	248,400
22	4	0	13	185,145	150,400	182,380	186,200	196,700	212,600
25	7	0	14	202,009	155,200	188,075	200,050	216,238	251,150
27	9	1	12	216,079	158,400	191,000	212,850	230,375	286,150
30	12	2	12	237,620	163,200	205,688	247,850	261,375	324,550
35	17	3	12	268,024	171,200	237,750	284,500	300,450	353,850
40	22	3	14	286,716	179,200	250,050	280,565	324,635	442,350
45	27	3	12	304,564	187,200	272,638	308,925	346,450	442,350
50	32	2	13	323,507	191,000	280,800	321,000	371,600	492,950
55	37	1	15	359,089	193,000	295,250	376,000	407,530	561,050
60	42	1	9	297,092	185,000	211,200	241,600	407,000	410,000

集計表2-3-(1) モデル賃金のばらつき（非製造業，規模計）

(単位：円)

設定条件			社数	平　均	最　低	第1四分位	中位数	第3四分位	最　高
年齢 (歳)	勤続 年数 (年)	扶養 家族 (人)	(社)						
大学卒・総合職（事務・技術系）									
22	0	0	96	219,602	173,080	208,450	216,399	228,500	340,000
25	3	0	89	239,003	187,540	222,600	233,180	250,940	400,000
27	5	1	84	264,691	207,720	245,138	258,091	277,700	430,000
30	8	2	86	300,273	220,000	276,055	292,150	310,535	500,000
35	13	3	79	348,232	250,000	312,855	337,600	370,605	640,000
40	18	3	84	404,571	265,000	343,300	397,700	441,950	670,000
45	23	3	79	453,432	303,160	381,900	448,000	507,710	710,000
50	28	2	80	499,218	289,170	421,800	487,270	557,150	830,000
55	33	1	75	551,930	310,700	478,250	551,186	611,600	875,000
60	38	1	64	537,168	250,000	447,525	553,000	609,737	875,000
大学卒・一般職（事務・技術系）									
22	0	0	33	200,632	169,000	187,000	200,000	208,600	267,000
25	3	0	33	215,711	187,040	200,000	211,300	222,800	312,000
27	5	0	31	226,418	184,300	209,650	224,700	233,500	342,000
30	8	0	33	245,631	189,500	225,936	241,700	255,000	375,000
35	13	0	31	271,308	198,700	241,371	267,500	289,250	400,000
40	18	0	33	303,281	205,400	264,875	290,610	330,000	496,500
45	23	0	30	337,354	222,950	279,850	314,110	380,493	557,500
短大卒・一般職（事務・技術系）									
20	0	0	37	187,694	160,000	180,000	188,600	196,000	213,300
22	2	0	33	197,811	169,000	189,200	195,000	206,430	226,500
25	5	0	33	211,350	183,580	200,000	209,260	221,400	246,050
30	10	0	32	241,977	174,200	222,550	239,718	253,275	347,000
35	15	0	34	262,359	198,700	245,035	260,050	277,525	338,100
40	20	0	34	306,665	204,200	266,610	288,900	324,950	534,100
高校卒・総合職（事務・技術系）									
18	0	0	45	181,248	150,000	169,460	182,000	195,000	212,500
20	2	0	42	193,169	165,500	181,360	191,529	204,250	226,000
22	4	0	42	211,434	173,080	202,913	208,700	221,675	250,000
25	7	0	42	226,726	185,380	215,075	222,882	240,675	264,000
27	9	1	40	253,601	194,450	237,177	251,265	265,613	320,580
30	12	2	43	281,759	197,800	256,542	277,500	297,250	457,000
35	17	3	43	323,772	206,000	296,450	314,000	343,490	504,000
40	22	3	44	363,367	216,600	317,825	351,725	399,118	594,000
45	27	3	42	431,306	222,950	364,050	422,493	490,825	682,500
50	32	2	46	466,924	276,300	399,544	469,400	520,005	779,100
55	37	1	40	501,011	284,500	414,588	486,800	564,000	791,660
60	42	1	36	492,132	258,500	400,630	502,950	584,455	799,000
高校卒・一般職（事務・技術系）									
18	0	0	26	176,945	150,000	167,010	180,000	183,788	203,100
20	2	0	23	187,043	160,000	179,500	189,000	195,000	213,300
22	4	0	24	197,361	169,200	188,475	196,570	204,656	226,500
25	7	0	25	210,604	173,700	200,400	207,000	220,000	246,050
30	12	0	22	239,500	189,500	226,100	236,850	253,600	292,000
35	17	0	23	263,886	206,000	246,925	262,600	281,665	310,000
40	22	0	25	303,139	216,600	257,550	284,740	330,000	496,500
高校卒・現業系									
18	0	0	18	177,698	164,000	167,780	174,150	188,288	201,200
20	2	0	17	190,757	167,150	179,800	187,275	197,350	243,250
22	4	0	16	203,446	169,200	187,575	202,718	221,463	237,000
25	7	0	18	214,462	173,700	199,050	217,800	226,300	255,000
27	9	1	15	238,635	186,500	210,025	242,350	266,725	293,000
30	12	2	19	263,004	189,500	235,350	269,320	297,750	320,000
35	17	3	15	291,718	206,000	246,000	302,900	333,200	380,000
40	22	3	17	323,269	216,600	281,000	323,125	356,500	496,500
45	27	3	17	352,821	222,950	271,450	338,800	385,600	557,530
50	32	2	16	380,136	253,000	306,008	369,800	422,600	623,500
55	37	1	14	408,589	282,700	329,638	382,850	478,500	675,500
60	42	1	11	351,568	258,500	295,100	337,850	378,750	500,000

集計表2－3－(2)　モデル賃金のばらつき（非製造業，1,000人以上）

（単位：円）

設定条件			社数	平均	最低	第1四分位	中位数	第3四分位	最高
年齢（歳）	勤続年数（年）	扶養家族（人）	（社）						
大学卒・総合職（事務・技術系）									
22	0	0	16	227,097	173,080	219,125	225,580	237,000	256,300
25	3	0	16	252,885	187,540	237,825	250,700	259,315	346,180
27	5	1	15	278,926	207,720	258,141	266,100	297,037	377,600
30	8	2	15	309,988	236,460	288,840	306,264	333,087	370,000
35	13	3	15	362,927	270,960	328,499	360,000	388,450	477,500
40	18	3	14	444,174	319,620	379,263	428,253	525,375	581,652
45	23	3	13	497,076	341,440	454,650	465,300	557,500	682,500
50	28	2	13	561,268	375,500	476,800	560,600	623,500	787,091
55	33	1	13	611,861	393,000	477,700	593,630	759,000	865,310
60	38	1	12	541,346	258,500	441,885	516,030	611,575	837,450
大学卒・一般職（事務・技術系）									
22	0	0	9	202,127	178,280	190,000	203,765	208,600	231,000
25	3	0	8	220,965	193,769	210,225	220,383	234,339	246,050
27	5	0	8	226,514	208,651	217,250	224,000	233,945	253,450
30	8	0	8	244,331	225,000	228,999	244,720	253,052	276,850
35	13	0	7	274,305	234,000	250,451	284,090	296,273	308,600
40	18	0	8	338,302	245,000	277,143	308,907	369,348	496,500
45	23	0	6	376,143	250,000	271,485	355,870	459,663	557,500
短大卒・一般職（事務・技術系）									
20	0	0	8	188,616	160,000	175,085	190,750	201,263	213,300
22	2	0	8	203,165	171,400	188,780	204,400	220,875	226,500
25	5	0	8	217,848	183,580	206,850	217,326	229,425	246,050
30	10	0	8	247,374	215,000	229,600	243,850	260,463	292,000
35	15	0	8	268,771	235,000	242,115	257,825	303,475	308,600
40	20	0	8	352,970	255,000	275,895	318,400	395,475	534,100
高校卒・総合職（事務・技術系）									
18	0	0	8	187,971	158,120	180,713	189,300	197,250	211,500
20	2	0	9	196,014	165,500	187,275	200,000	205,000	221,500
22	4	0	8	217,921	173,080	214,323	226,500	229,250	237,000
25	7	0	8	233,446	185,380	227,730	239,775	250,550	255,000
27	9	1	8	255,854	207,340	248,925	259,575	266,825	293,000
30	12	2	10	281,166	232,680	251,861	288,150	303,775	320,000
35	17	3	10	333,355	261,550	298,791	323,600	356,195	477,500
40	22	3	10	405,639	316,100	333,088	375,945	476,125	545,000
45	27	3	10	472,965	350,000	376,383	448,815	534,442	682,500
50	32	2	10	519,482	367,500	417,027	481,934	597,815	779,100
55	37	1	10	566,508	353,500	425,600	519,260	738,125	791,660
60	42	1	9	495,337	258,500	388,000	495,000	560,400	799,000
高校卒・一般職（事務・技術系）									
18	0	0	7	180,501	150,000	173,928	183,150	189,700	203,100
20	2	0	7	187,633	160,000	177,140	193,500	196,175	213,300
22	4	0	7	206,803	180,120	193,850	209,800	221,750	226,500
25	7	0	7	221,557	200,400	205,326	226,000	233,900	246,050
30	12	0	6	250,405	215,600	230,745	243,990	271,388	292,000
35	17	0	6	274,925	239,000	246,388	275,450	304,625	308,600
40	22	0	6	357,942	248,000	274,963	335,750	441,650	496,500
高校卒・現業系									
18	0	0	6	181,225	166,000	170,050	180,575	192,038	197,800
20	2	0	7	198,211	170,400	184,138	197,350	204,100	243,250
22	4	0	7	216,269	188,800	206,918	220,000	227,125	237,000
25	7	0	7	227,330	195,200	220,043	226,000	237,511	255,000
27	9	1	6	261,045	216,400	249,679	266,725	276,250	293,000
30	12	2	7	285,589	216,900	280,660	297,500	301,700	320,000
35	17	3	6	316,593	230,500	305,864	321,978	338,950	380,000
40	22	3	7	364,295	239,600	325,163	356,500	403,570	496,500
45	27	3	6	418,392	255,000	343,730	400,760	528,875	557,530
50	32	2	6	434,970	270,870	369,888	437,926	478,775	623,500
55	37	1	5	462,649	282,700	371,900	488,000	495,147	675,500
60	42	1	4	356,725	258,500	—	—	—	495,000

集計表2－3－⑶　モデル賃金のばらつき（非製造業，300～999人）

（単位：円）

設定条件			社数	平均	最低	第1四分位	中位数	第3四分位	最高
年齢（歳）	勤続年数（年）	扶養家族（人）	（社）						
大学卒・総合職（事務・技術系）									
22	0	0	37	219,507	191,500	210,000	215,000	231,000	260,000
25	3	0	37	236,970	199,900	222,494	232,000	250,940	283,000
27	5	1	35	263,625	221,200	243,773	262,410	280,400	327,300
30	8	2	33	304,774	255,108	278,310	294,820	317,800	457,000
35	13	3	33	348,535	256,531	312,800	337,600	370,000	510,000
40	18	3	30	415,573	297,068	353,868	410,250	463,053	594,000
45	23	3	31	462,189	313,500	415,759	448,000	516,300	664,300
50	28	2	30	508,409	315,000	452,830	503,700	587,775	742,400
55	33	1	29	562,990	342,955	511,300	572,100	614,000	809,700
60	38	1	25	580,459	302,500	515,528	607,560	663,000	738,000
大学卒・一般職（事務・技術系）									
22	0	0	10	192,760	169,000	186,250	195,250	201,500	207,900
25	3	0	10	205,185	189,000	194,113	205,200	214,950	222,800
27	5	0	10	216,105	184,300	200,750	225,100	229,250	240,000
30	8	0	12	238,160	189,500	219,500	240,950	250,040	295,200
35	13	0	12	263,848	198,700	246,175	264,300	280,650	339,900
40	18	0	11	281,043	205,400	260,688	278,400	303,450	366,000
45	23	0	12	311,673	222,950	277,025	291,500	340,050	443,600
短大卒・一般職（事務・技術系）									
20	0	0	14	185,918	168,000	178,500	183,325	193,575	210,000
22	2	0	15	194,623	169,000	188,685	195,000	204,100	207,900
25	5	0	15	208,194	189,200	201,700	209,260	216,899	222,800
30	10	0	14	235,460	174,200	223,550	239,768	249,850	293,400
35	15	0	16	260,759	198,700	251,725	262,750	277,175	338,100
40	20	0	16	296,486	204,200	263,200	285,900	322,075	449,000
高校卒・総合職（事務・技術系）									
18	0	0	19	180,120	150,000	167,750	177,480	190,000	212,500
20	2	0	17	193,768	167,150	183,640	191,500	197,800	226,000
22	4	0	17	213,172	190,000	201,200	208,200	218,500	250,000
25	7	0	16	226,919	192,150	215,775	223,200	239,975	264,000
27	9	1	16	253,273	194,450	239,075	249,400	264,675	312,000
30	12	2	16	286,379	197,800	261,825	276,755	297,200	457,000
35	17	3	16	325,090	206,000	300,550	314,150	329,025	504,000
40	22	3	17	355,609	216,600	293,000	347,600	393,400	594,000
45	27	3	15	427,504	222,950	378,350	422,600	493,750	604,000
50	32	2	17	470,014	305,000	391,900	486,700	525,000	611,510
55	37	1	15	506,031	388,480	437,500	513,700	571,050	652,770
60	42	1	12	528,312	262,700	482,375	539,850	609,375	680,190
高校卒・一般職（事務・技術系）									
18	0	0	8	171,613	160,000	163,350	168,250	180,250	190,000
20	2	0	7	181,536	167,150	174,200	183,000	188,600	195,000
22	4	0	8	189,575	169,200	183,175	192,500	196,625	202,000
25	7	0	10	202,200	173,700	195,650	204,200	209,213	220,000
30	12	0	9	230,756	189,500	221,500	236,500	242,500	275,000
35	17	0	9	258,826	206,000	250,000	262,600	271,400	310,000
40	22	0	10	281,334	216,600	258,325	277,700	303,450	356,000
高校卒・現業系									
18	0	0	7	177,017	164,000	167,710	173,500	182,500	201,200
20	2	0	6	186,587	167,150	171,265	182,750	193,500	222,350
22	4	0	6	188,975	169,200	172,975	184,750	197,500	224,350
25	7	0	7	201,500	173,700	187,975	197,500	218,000	227,350
27	9	1	6	212,983	186,500	196,113	207,300	233,375	242,350
30	12	2	7	231,093	189,500	210,150	226,500	253,175	275,000
35	17	3	6	257,725	206,000	244,500	258,500	269,763	310,000
40	22	3	7	273,221	216,600	260,550	281,000	281,925	330,000
45	27	3	8	291,869	222,950	252,638	299,250	317,763	360,000
50	32	2	6	330,875	262,400	304,338	322,425	368,000	396,500
55	37	1	6	359,458	303,000	329,638	341,050	382,125	450,000
60	42	1	5	349,010	262,700	302,000	337,850	342,500	500,000

集計表2-3-(4) モデル賃金のばらつき（非製造業，299人以下）

(単位：円)

設定条件			社数	平均	最低	第1四分位	中位数	第3四分位	最高
年齢 (歳)	勤続 年数 (年)	扶養 家族 (人)	(社)						
大学卒・総合職（事務・技術系）									
22	0	0	43	216,896	190,000	205,950	213,500	221,138	340,000
25	3	0	36	234,923	200,000	219,900	229,800	243,060	400,000
27	5	1	34	259,509	210,000	237,550	251,950	264,275	430,000
30	8	2	38	292,530	220,000	268,368	285,550	298,540	500,000
35	13	3	31	340,799	250,000	294,375	321,000	354,500	640,000
40	18	3	40	382,459	265,000	328,650	379,250	407,625	670,000
45	23	3	35	429,466	303,160	366,000	429,200	464,600	710,000
50	28	2	37	469,964	289,170	414,080	470,100	521,500	830,000
55	33	1	33	518,602	310,700	474,530	512,000	563,600	875,000
60	38	1	27	495,228	250,000	386,500	538,800	574,550	875,000
大学卒・一般職（事務・技術系）									
22	0	0	14	205,295	174,140	188,525	203,500	213,100	267,000
25	3	0	15	219,927	187,040	200,800	212,790	228,100	312,000
27	5	0	13	234,292	198,040	210,000	224,000	244,000	342,000
30	8	0	13	253,327	205,900	226,100	239,000	270,790	375,000
35	13	0	12	277,021	215,200	240,670	271,085	294,895	400,000
40	18	0	14	300,741	227,900	270,455	292,805	330,500	425,000
45	23	0	12	343,641	239,500	299,230	330,500	373,492	500,000
短大卒・一般職（事務・技術系）									
20	0	0	15	188,860	170,200	183,000	189,400	195,500	204,000
22	2	0	10	198,310	180,700	190,523	198,050	206,219	214,000
25	5	0	10	210,886	196,400	198,210	206,750	225,766	230,000
30	10	0	10	246,783	205,900	221,525	239,600	256,500	347,000
35	15	0	10	259,790	215,200	246,355	258,100	269,750	299,359
40	20	0	10	285,908	227,900	274,130	285,500	306,300	334,841
高校卒・総合職（事務・技術系）									
18	0	0	18	179,450	155,100	169,595	178,207	193,625	202,790
20	2	0	16	190,932	168,800	179,944	190,750	202,230	211,000
22	4	0	17	206,643	180,380	202,900	203,874	218,900	226,000
25	7	0	18	223,568	202,800	215,075	219,600	229,895	256,000
27	9	1	16	252,803	220,800	235,475	250,146	260,075	320,580
30	12	2	17	277,760	242,800	254,464	276,380	288,500	377,830
35	17	3	17	316,894	245,850	287,700	307,800	339,000	422,830
40	22	3	17	346,258	238,225	305,780	347,350	383,704	464,830
45	27	3	17	410,155	279,800	372,900	407,000	467,794	513,000
50	32	2	19	436,497	276,300	397,700	436,700	497,915	621,150
55	37	1	15	452,326	284,500	406,450	460,000	518,143	607,300
60	42	1	15	461,266	275,500	371,935	494,830	549,615	607,300
高校卒・一般職（事務・技術系）									
18	0	0	11	178,559	159,700	169,270	181,613	183,300	196,000
20	2	0	9	190,869	170,200	187,480	191,557	199,000	204,000
22	4	0	9	196,937	180,180	190,940	197,140	203,874	214,000
25	7	0	8	211,526	193,590	201,045	211,470	220,055	230,000
30	12	0	7	241,396	222,810	228,540	237,200	253,500	265,685
35	17	0	8	261,299	226,570	249,005	260,350	272,875	299,359
40	22	0	9	290,832	238,070	281,000	284,740	317,000	335,000
高校卒・現業系									
18	0	0	5	174,420	166,100	170,000	170,200	174,800	191,000
20	2	0	4	183,970	179,800	—	—	—	187,480
22	4	0	3	202,467	183,900	—	—	—	220,500
25	7	0	4	214,625	203,700	—	—	—	226,400
27	9	1	3	245,117	206,550	—	—	—	270,200
30	12	2	5	276,060	244,200	249,900	287,000	298,000	301,200
35	17	3	3	309,955	240,466	—	—	—	352,200
40	22	3	3	344,317	292,950	—	—	—	396,400
45	27	3	3	384,217	271,450	—	—	—	495,600
50	32	2	4	371,778	253,000	—	—	—	521,500
55	37	1	3	416,750	298,150	—	—	—	541,500
60	42	1	2	347,650	288,200	—	—	—	407,100

集計表2−4　モデル賃金の分散係数

（単位：%）

設定条件			全産業				製造業				非製造業			
年齢（歳）	勤続年数（年）	扶養家族（人）	規模計	1,000人以上	300~999人	299人以下	規模計	1,000人以上	300~999人	299人以下	規模計	1,000人以上	300~999人	299人以下
大学卒・総合職（事務・技術系）														
22	0	0	4.5	4.5	4.4	4.2	4.3	4.2	2.8	4.4	4.6	4.0	4.9	3.6
25	3	0	6.0	5.9	5.1	4.2	5.4	6.6	4.0	3.9	6.1	4.3	6.1	5.0
27	5	1	6.3	8.9	6.2	5.4	6.0	8.9	3.4	6.1	6.3	7.3	7.0	5.3
30	8	2	6.6	8.5	7.1	6.5	8.3	10.6	4.1	7.7	5.9	7.2	6.7	5.3
35	13	3	9.3	11.9	8.5	9.6	8.9	13.4	6.6	9.4	8.6	8.3	8.5	9.4
40	18	3	13.9	15.1	12.3	11.8	15.4	9.0	9.4	14.8	12.4	17.1	13.3	10.4
45	23	3	13.9	11.6	14.5	13.4	15.0	10.7	12.3	14.4	14.0	11.1	11.2	11.5
50	28	2	15.4	10.9	16.6	13.3	17.2	5.9	17.8	16.8	13.9	13.1	13.4	11.4
55	33	1	15.8	14.8	15.4	13.9	17.6	8.0	16.7	17.4	12.1	23.7	9.0	8.7
60	38	1	16.5	16.3	15.0	18.8	17.3	11.3	16.0	18.9	14.7	16.4	12.1	17.5
大学卒・一般職（事務・技術系）														
22	0	0	5.2	5.2	3.5	5.9	3.2	—	1.9	3.5	5.4	4.6	3.9	6.0
25	3	0	4.8	5.4	4.8	5.7	3.6	—	—	3.7	5.4	5.5	5.1	6.4
27	5	0	5.0	6.0	5.6	4.8	4.2	—	—	2.8	5.3	3.7	6.3	7.6
30	8	0	6.2	6.6	5.1	5.9	4.6	—	—	1.7	6.0	4.9	6.3	9.3
35	13	0	6.9	9.0	3.9	7.1	4.8	—	3.3	4.8	8.9	8.1	6.5	10.0
40	18	0	9.0	11.6	6.2	7.8	7.5	—	—	7.0	11.2	14.9	7.7	10.3
45	23	0	11.8	26.3	8.4	11.9	7.2	—	—	6.9	16.0	26.4	10.8	11.2
短大卒・一般職（事務・技術系）														
20	0	0	4.5	7.5	2.9	4.7	5.1	—	1.7	5.6	4.2	6.9	4.1	3.3
22	2	0	4.4	7.8	3.5	4.7	2.4	—	1.3	1.9	4.4	7.9	4.0	4.0
25	5	0	4.6	6.6	3.3	4.4	3.5	—	2.0	3.1	5.1	5.2	3.6	6.7
30	10	0	6.4	8.0	4.9	6.4	4.3	—	1.1	3.8	6.4	6.3	5.5	7.3
35	15	0	6.8	8.9	4.3	5.7	5.5	—	3.3	6.5	6.2	11.9	4.8	4.5
40	20	0	10.0	13.1	6.8	10.1	8.7	—	2.1	12.3	10.1	18.8	10.3	5.6
高校卒・総合職（事務・技術系）														
18	0	0	5.5	5.3	4.2	6.5	3.8	3.2	2.0	6.5	7.0	4.4	6.3	6.7
20	2	0	5.2	5.3	3.1	6.4	4.6	4.6	2.2	6.7	6.0	4.4	3.7	5.8
22	4	0	5.7	7.7	3.9	6.2	5.1	5.8	2.7	5.8	4.5	3.3	4.2	3.9
25	7	0	6.0	6.8	5.4	5.9	6.0	4.8	4.1	6.1	5.7	4.8	5.4	3.4
27	9	1	5.5	5.4	4.1	5.6	3.5	9.6	1.9	8.7	5.7	3.4	5.1	4.9
30	12	2	7.7	10.3	6.4	6.0	6.5	10.9	5.2	10.4	7.3	9.0	6.4	6.2
35	17	3	9.6	9.2	5.2	10.3	9.1	9.1	7.0	12.4	7.5	8.9	4.5	8.3
40	22	3	14.8	11.2	10.6	12.0	13.3	14.3	5.2	12.4	11.6	19.0	14.4	11.2
45	27	3	13.0	10.2	9.6	17.6	14.1	5.1	6.3	18.1	15.0	17.6	13.7	11.7
50	32	2	16.1	11.6	13.8	20.2	17.3	5.7	7.7	20.6	12.8	18.8	13.7	11.5
55	37	1	16.8	16.0	15.4	21.7	16.0	6.3	7.8	24.8	15.3	30.1	13.0	12.1
60	42	1	17.7	17.6	17.4	16.5	14.0	13.7	6.5	15.0	18.3	17.4	11.8	18.0
高校卒・一般職（事務・技術系）														
18	0	0	5.4	5.1	3.9	6.8	6.2	—	1.5	8.6	4.7	4.3	5.0	3.9
20	2	0	6.2	4.9	2.8	6.3	6.1	—	1.8	8.1	4.1	4.9	3.9	3.0
22	4	0	4.3	7.9	3.9	4.6	3.8	—	3.1	6.6	4.1	6.6	3.5	3.3
25	7	0	5.3	7.1	3.2	5.7	5.0	—	2.8	6.1	4.7	6.3	3.3	4.5
30	12	0	7.3	12.7	3.5	8.8	7.4	—	3.6	7.9	5.8	8.3	4.4	5.3
35	17	0	7.9	11.7	3.6	10.9	9.5	—	5.2	12.9	6.6	10.6	4.1	4.6
40	22	0	12.4	15.1	9.8	9.5	11.9	—	7.2	13.6	12.7	24.8	8.1	6.3
高校卒・現業系														
18	0	0	4.1	4.6	2.9	3.1	3.7	3.4	2.3	4.8	5.9	6.1	4.3	1.4
20	2	0	4.9	5.4	4.2	5.5	4.8	5.7	2.6	6.5	4.7	5.1	6.1	—
22	4	0	5.0	4.7	3.5	4.0	4.4	2.4	1.8	3.8	8.4	4.6	6.6	—
25	7	0	6.0	5.9	4.3	5.3	5.0	5.8	3.6	7.0	6.3	3.9	7.6	—
27	9	1	8.8	6.1	5.8	11.4	6.4	5.6	3.4	9.2	11.7	5.0	9.0	—
30	12	2	8.9	5.6	8.0	14.0	7.8	5.6	5.6	11.2	11.6	3.5	9.5	8.4
35	17	3	9.0	5.7	6.6	12.9	6.8	6.9	5.2	11.0	14.4	5.1	4.9	—
40	22	3	9.7	8.1	8.5	11.3	9.0	4.9	4.5	13.3	11.7	11.0	3.8	—
45	27	3	10.9	11.6	9.3	12.2	8.6	3.7	4.3	11.9	16.8	23.1	10.9	—
50	32	2	12.4	14.6	8.2	15.1	9.6	9.9	6.6	14.1	15.8	12.4	9.9	—
55	37	1	13.3	10.9	9.3	14.8	9.6	3.0	8.3	14.9	19.4	12.6	7.7	—
60	42	1	18.5	14.7	13.0	33.6	20.2	—	7.9	40.5	12.4	—	6.0	—

集計表3−1　産業別にみたモデル賃金（所定労働時間内賃金）

（単位：円，（　）内は社数）

年齢（歳）	勤続年数（年）	扶養家族（人）	全産業	製造業計	食品	繊維	木材・木製品・紙・パルプ
大学卒・総合職（事務・技術系）							
22	0	0	(160) 219,354	(64) 218,983	(3) 213,200	(1) 195,000	(4) 204,425
25	3	0	(152) 237,350	(63) 235,015	(3) 230,283	(2) 215,625	(4) 221,433
27	5	1	(145) 263,688	(61) 262,306	(2) 269,175	(2) 226,517	(4) 239,968
30	8	2	(149) 296,931	(63) 292,368	(4) 267,935	(2) 293,005	(4) 264,875
35	13	3	(141) 343,424	(62) 337,298	(4) 299,273	(1) 268,300	(4) 308,650
40	18	3	(144) 399,195	(60) 391,668	(4) 337,223	(1) 287,470	(4) 348,263
45	23	3	(140) 444,774	(61) 433,560	(5) 345,377	(1) 334,360	(4) 400,378
50	28	2	(139) 493,286	(59) 485,244	(4) 402,833	(2) 360,565	(3) 456,200
55	33	1	(130) 533,309	(55) 507,916	(4) 453,708	(1) 393,320	(3) 487,467
60	38	1	(110) 521,205	(46) 498,994	(2) 473,000	(1) 249,890	(3) 480,733
大学卒・一般職（事務・技術系）							
22	0	0	(52) 199,342	(19) 197,099	(3) 187,033	(1) 180,000	(2) 186,150
25	3	0	(52) 214,700	(19) 212,944	(3) 223,139	(1) 195,750	(2) 201,650
27	5	0	(47) 222,449	(16) 214,759	(2) 204,020	(1) 202,070	(2) 208,400
30	8	0	(50) 238,991	(17) 226,103	(2) 242,145	(1) 215,400	(2) 219,900
35	13	0	(48) 265,070	(17) 253,695	(2) 273,545	(1) 233,200	(2) 245,400
40	18	0	(50) 292,290	(17) 270,956	(3) 266,590	(1) 245,230	(2) 269,600
45	23	0	(45) 321,197	(15) 288,884	(2) 304,160	(1) 258,430	(2) 290,600
短大卒・一般職（事務・技術系）							
20	0	0	(59) 186,562	(22) 184,659	(2) 169,000	(1) 170,000	(2) 180,150
22	2	0	(52) 195,328	(19) 191,014	(3) 180,567	(1) 179,330	(2) 184,150
25	5	0	(52) 208,911	(19) 204,674	(3) 205,150	(1) 192,070	(2) 199,650
30	10	0	(51) 235,979	(19) 225,878	(3) 224,439	(1) 208,630	(2) 214,150
35	15	0	(54) 260,645	(20) 257,732	(2) 273,545	(1) 219,520	(2) 239,650
40	20	0	(55) 297,230	(21) 281,954	(3) 276,762	(1) 228,970	(2) 263,850
高校卒・総合職（事務・技術系）							
18	0	0	(82) 181,039	(37) 180,784	(3) 176,217	(1) 160,000	(2) 177,000
20	2	0	(78) 191,431	(36) 189,402	(3) 183,767	(1) 169,330	(2) 185,000
22	4	0	(80) 205,788	(38) 199,548	(3) 199,900	(1) 178,810	(3) 194,137
25	7	0	(79) 222,179	(37) 217,018	(3) 230,283	(1) 188,250	(3) 212,243
27	9	1	(73) 248,431	(33) 242,164	(3) 246,117	(1) 211,860	(2) 238,450
30	12	2	(77) 276,528	(34) 269,911	(3) 277,913	(1) 220,730	(3) 260,190
35	17	3	(79) 315,055	(36) 304,643	(3) 315,030	(1) 232,810	(2) 302,700
40	22	3	(83) 348,628	(39) 331,999	(4) 330,473	(1) 244,650	(3) 322,663
45	27	3	(77) 405,094	(35) 373,639	(4) 353,775	(1) 260,530	(3) 378,080
50	32	2	(89) 435,376	(43) 401,627	(5) 374,358	(1) 275,580	(3) 414,120
55	37	1	(79) 473,493	(39) 445,269	(4) 429,666	(1) 299,240	(3) 419,047
60	42	1	(67) 463,624	(31) 430,518	(2) 473,000	(1) 190,780	(2) 455,450
高校卒・一般職（事務・技術系）							
18	0	0	(49) 175,913	(23) 174,746	(2) 161,623	(1) 160,000	(2) 155,650
20	2	0	(46) 184,588	(23) 182,133	(2) 169,000	(1) 169,330	(2) 161,350
22	4	0	(47) 192,505	(23) 187,438	(2) 178,350	(1) 178,810	(2) 167,050
25	7	0	(46) 207,108	(21) 202,945	(2) 207,725	(1) 188,250	(2) 174,800
30	12	0	(43) 231,890	(21) 223,917	(3) 226,430	(1) 200,530	(2) 187,650
35	17	0	(44) 255,920	(21) 247,195	(3) 245,475	(1) 210,910	(2) 206,650
40	22	0	(47) 289,156	(22) 273,266	(4) 300,063	(1) 219,650	(2) 221,750
高校卒・現業系							
18	0	0	(56) 177,419	(38) 177,287	(2) 165,825	—　—	(3) 170,633
20	2	0	(55) 187,891	(38) 186,608	(3) 170,167	—　—	(3) 179,200
22	4	0	(50) 196,997	(34) 193,963	(3) 185,567	—　—	(3) 189,633
25	7	0	(56) 213,002	(38) 212,310	(3) 211,150	—　—	(3) 202,033
27	9	1	(51) 236,664	(36) 235,843	(2) 235,575	—　—	(3) 211,633
30	12	2	(53) 258,530	(34) 256,029	(3) 254,430	—　—	(3) 228,000
35	17	3	(50) 290,077	(35) 289,373	(3) 278,030	—　—	(3) 253,667
40	22	3	(54) 316,148	(37) 312,877	(3) 318,630	—　—	(3) 279,967
45	27	3	(48) 341,554	(31) 335,376	(3) 325,523	—　—	(3) 299,567
50	32	2	(50) 365,510	(34) 358,627	(3) 344,443	—　—	(3) 321,633
55	37	1	(48) 393,370	(34) 387,103	(4) 381,381	—　—	(3) 340,300
60	42	1	(35) 347,661	(24) 345,871	(2) 301,000	—　—	(3) 306,233

集計表3−2　産業別にみたモデル賃金（所定労働時間内賃金）

（単位：円，（　）内は社数）

設定条件			製造業計	化　学	ゴム・タイヤ・窯業・土石	鉄鋼・非鉄金属	金属製品
年齢（歳）	勤続年数（年）	扶養家族（人）					
大学卒・総合職（事務・技術系）							
22	0	0	(64) 218,983	(9) 231,230	(4) 199,953	(7) 222,695	— —
25	3	0	(63) 235,015	(7) 250,981	(4) 210,259	(7) 240,368	(1) 225,100
27	5	1	(61) 262,306	(8) 279,277	(4) 244,476	(6) 265,803	(1) 232,100
30	8	2	(63) 292,368	(9) 312,373	(3) 265,265	(7) 297,861	— —
35	13	3	(62) 337,298	(9) 354,780	(4) 311,096	(7) 332,880	— —
40	18	3	(60) 391,668	(9) 446,226	(3) 326,841	(6) 393,918	(1) 304,500
45	23	3	(61) 433,560	(9) 482,316	(4) 371,056	(6) 457,943	(1) 457,250
50	28	2	(59) 485,244	(9) 524,119	(4) 401,336	(6) 534,598	(1) 468,350
55	33	1	(55) 507,916	(8) 578,900	(3) 398,321	(5) 525,080	(1) 380,000
60	38	1	(46) 498,994	(6) 516,258	(3) 406,455	(6) 580,839	— —
大学卒・一般職（事務・技術系）							
22	0	0	(19) 197,099	(1) 196,910	— —	(1) 192,800	— —
25	3	0	(19) 212,944	(1) 201,210	— —	(1) 208,500	— —
27	5	0	(16) 214,759	(1) 207,400	— —	(1) 218,800	— —
30	8	0	(17) 226,103	(1) 213,600	— —	(1) 235,900	— —
35	13	0	(17) 253,695	(2) 260,528	— —	(1) 264,000	— —
40	18	0	(17) 270,956	(1) 307,430	— —	(1) 287,000	— —
45	23	0	(15) 288,884	(1) 330,430	— —	(1) 302,200	— —
短大卒・一般職（事務・技術系）							
20	0	0	(22) 184,659	(1) 186,910	— —	(1) 186,200	— —
22	2	0	(19) 191,014	(1) 189,510	— —	(1) 192,800	— —
25	5	0	(19) 204,674	(1) 194,010	— —	(1) 208,500	— —
30	10	0	(19) 225,878	(1) 216,100	— —	(1) 235,900	— —
35	15	0	(20) 257,732	(2) 291,510	— —	(1) 264,000	— —
40	20	0	(21) 281,954	(2) 297,715	— —	(1) 287,000	— —
高校卒・総合職（事務・技術系）							
18	0	0	(37) 180,784	(6) 186,061	(1) 162,000	(5) 180,097	(1) 195,000
20	2	0	(36) 189,402	(5) 195,948	(1) 168,000	(5) 188,108	(1) 197,100
22	4	0	(38) 199,548	(5) 206,365	(1) 168,000	(5) 197,616	(1) 207,600
25	7	0	(37) 217,018	(5) 228,725	(1) 173,000	(5) 213,442	(1) 213,200
27	9	1	(33) 242,164	(5) 259,693	(1) 185,000	(4) 247,910	— —
30	12	2	(34) 269,911	(5) 309,558	(1) 201,000	(4) 265,659	— —
35	17	3	(36) 304,643	(6) 326,099	(1) 239,000	(5) 297,623	— —
40	22	3	(39) 331,999	(5) 400,946	(1) 243,000	(5) 306,326	(1) 278,600
45	27	3	(35) 373,639	(6) 420,476	(1) 314,000	(4) 374,489	(1) 316,200
50	32	2	(43) 401,627	(6) 467,569	(2) 377,000	(5) 353,070	(1) 339,100
55	37	1	(39) 445,269	(6) 495,580	(1) 376,000	(5) 534,260	(1) 537,800
60	42	1	(31) 430,518	(4) 375,335	(1) 410,000	(5) 477,520	(1) 486,350
高校卒・一般職（事務・技術系）							
18	0	0	(23) 174,746	(4) 188,919	(1) 149,000	(1) 179,400	— —
20	2	0	(23) 182,133	(4) 196,963	(1) 151,000	(1) 187,700	— —
22	4	0	(23) 187,438	(4) 205,321	(2) 171,130	(1) 195,600	— —
25	7	0	(21) 202,945	(4) 228,679	(1) 167,000	(1) 212,500	— —
30	12	0	(21) 223,917	(4) 267,782	(1) 177,000	(1) 240,700	— —
35	17	0	(21) 247,195	(4) 307,078	(1) 187,000	(1) 269,500	— —
40	22	0	(22) 273,266	(4) 333,661	(1) 182,000	(1) 298,800	— —
高校卒・現業系							
18	0	0	(38) 177,287	(2) 178,650	(4) 167,840	(6) 175,961	— —
20	2	0	(38) 186,608	(2) 185,830	(4) 174,036	(6) 188,100	— —
22	4	0	(34) 193,963	(1) 204,550	(4) 180,726	(6) 198,256	— —
25	7	0	(38) 212,310	(2) 239,660	(4) 193,454	(6) 209,297	— —
27	9	1	(36) 235,843	(2) 282,135	(4) 222,041	(6) 231,855	— —
30	12	2	(34) 256,029	(1) 294,840	(3) 238,998	(6) 254,337	— —
35	17	3	(35) 289,373	(1) 337,900	(3) 276,508	(6) 292,173	— —
40	22	3	(37) 312,877	(2) 361,700	(4) 290,614	(6) 317,940	— —
45	27	3	(31) 335,376	(1) 410,530	(3) 338,225	(5) 356,875	— —
50	32	2	(34) 358,627	(1) 437,790	(4) 352,156	(6) 379,422	— —
55	37	1	(34) 387,103	(1) 450,800	(4) 385,946	(6) 455,555	— —
60	42	1	(24) 345,871	— —	(3) 397,271	(5) 395,280	— —

集計表3－3　産業別にみたモデル賃金（所定労働時間内賃金）

（単位：円，（　）内は社数）

設定条件			製造業				
年齢（歳）	勤続年数（年）	扶養家族（人）	機械製品	電気機器	輸送用機器	精密機器	その他製造
大学卒・総合職（事務・技術系）							
22	0	0	(8) 214,800	(9) 218,744	(10) 222,432	(5) 218,854	(4) 229,289
25	3	0	(8) 226,403	(9) 235,943	(9) 238,463	(5) 243,690	(4) 248,305
27	5	1	(8) 251,716	(9) 255,149	(8) 268,667	(5) 277,197	(4) 291,253
30	8	2	(8) 281,581	(9) 289,585	(8) 295,500	(5) 294,210	(4) 328,944
35	13	3	(8) 352,138	(10) 343,901	(7) 326,917	(5) 353,480	(3) 377,660
40	18	3	(8) 389,219	(9) 399,236	(7) 384,429	(5) 411,090	(3) 450,935
45	23	3	(8) 426,950	(9) 443,653	(6) 412,297	(5) 472,014	(3) 504,043
50	28	2	(8) 497,165	(9) 462,384	(5) 495,413	(5) 532,176	(3) 551,088
55	33	1	(8) 489,704	(9) 489,668	(5) 464,701	(5) 601,860	(3) 591,950
60	38	1	(6) 505,183	(8) 437,948	(5) 442,880	(4) 609,625	(2) 663,050
大学卒・一般職（事務・技術系）							
22	0	0	(3) 189,600	(4) 206,175	(3) 215,493	— —	(1) 201,800
25	3	0	(3) 199,867	(3) 216,300	(3) 228,387	— —	(2) 217,048
27	5	0	(3) 207,067	(3) 221,767	(2) 233,680	— —	(1) 229,175
30	8	0	(3) 216,667	(3) 230,067	(2) 249,380	(1) 169,750	(1) 246,050
35	13	0	(3) 243,500	(4) 247,300	(1) 268,220	— —	(1) 268,750
40	18	0	(3) 245,933	(3) 265,900	(1) 320,100	— —	(2) 286,010
45	23	0	(3) 259,533	(3) 277,967	(1) 330,100	— —	(1) 310,075
短大卒・一般職（事務・技術系）							
20	0	0	(4) 187,025	(5) 184,240	(4) 199,535	(1) 167,550	(1) 186,100
22	2	0	(4) 187,050	(4) 193,958	(3) 211,200	— —	— —
25	5	0	(4) 204,275	(4) 209,693	(2) 203,300	— —	(1) 217,000
30	10	0	(4) 219,888	(4) 236,448	(2) 227,800	— —	(1) 248,500
35	15	0	(4) 240,200	(4) 262,003	(2) 265,610	— —	(2) 260,835
40	20	0	(5) 259,350	(4) 303,725	(2) 316,550	— —	(1) 306,900
高校卒・総合職（事務・技術系）							
18	0	0	(4) 181,150	(5) 175,920	(6) 184,693	(1) 186,050	(2) 187,053
20	2	0	(4) 187,313	(5) 184,240	(6) 195,508	(1) 201,050	(2) 198,963
22	4	0	(4) 195,588	(7) 202,871	(5) 194,289	(1) 216,050	(2) 218,228
25	7	0	(4) 215,675	(6) 210,308	(5) 217,103	(1) 238,550	(2) 234,090
27	9	1	(4) 236,725	(5) 230,380	(5) 244,938	(1) 246,550	(2) 259,580
30	12	2	(4) 253,625	(5) 253,300	(5) 270,956	(1) 322,350	(2) 286,188
35	17	3	(4) 283,150	(5) 292,700	(5) 325,283	(2) 305,875	(2) 332,940
40	22	3	(4) 326,100	(7) 332,136	(4) 337,067	(2) 332,125	(2) 356,803
45	27	3	(4) 343,025	(5) 395,180	(3) 335,308	(1) 428,750	(2) 416,915
50	32	2	(5) 380,530	(7) 417,770	(3) 430,543	(3) 391,917	(2) 460,983
55	37	1	(4) 410,938	(6) 435,970	(3) 367,564	(3) 401,670	(2) 482,300
60	42	1	(4) 413,600	(5) 429,988	(3) 351,636	(2) 517,525	(1) 618,800
高校卒・一般職（事務・技術系）							
18	0	0	(3) 173,300	(4) 174,800	(2) 200,630	(1) 193,550	(2) 163,315
20	2	0	(3) 179,683	(4) 181,670	(2) 215,950	(1) 192,550	(2) 171,155
22	4	0	(3) 184,500	(5) 190,886	(1) 189,300	(1) 192,450	(1) 192,650
25	7	0	(3) 195,500	(4) 198,042	(1) 204,040	(1) 224,050	(1) 207,575
30	12	0	(3) 214,133	(4) 214,243	(1) 226,840	— —	(1) 232,100
35	17	0	(3) 232,733	(3) 226,233	(1) 268,220	(1) 245,450	(1) 255,075
40	22	0	(4) 252,050	(3) 241,633	(1) 320,100	— —	(1) 279,800
高校卒・現業系							
18	0	0	(7) 175,731	(4) 169,488	(5) 192,612	(3) 188,367	(2) 186,350
20	2	0	(6) 183,635	(5) 182,296	(4) 210,590	(3) 196,717	(2) 200,400
22	4	0	(5) 191,964	(5) 189,896	(3) 206,567	(3) 199,513	(1) 224,600
25	7	0	(7) 208,836	(5) 202,775	(3) 231,613	(3) 224,850	(2) 237,100
27	9	1	(6) 232,313	(5) 224,202	(3) 265,330	(3) 237,483	(2) 258,700
30	12	2	(5) 252,996	(5) 241,076	(3) 292,580	(3) 266,983	(2) 285,400
35	17	3	(6) 287,610	(5) 271,535	(3) 344,873	(3) 281,183	(2) 325,500
40	22	3	(6) 309,077	(5) 276,014	(3) 369,697	(3) 311,283	(2) 354,850
45	27	3	(6) 327,609	(5) 297,556	(2) 381,180	(2) 351,450	(1) 393,100
50	32	2	(6) 347,945	(5) 316,659	(2) 442,800	(3) 366,628	(1) 415,700
55	37	1	(6) 350,853	(5) 328,456	(2) 388,780	(2) 456,000	(1) 450,200
60	42	1	(4) 340,230	(4) 297,366	(1) 200,800	(1) 388,000	(1) 472,800

集計表3－4　産業別にみたモデル賃金（所定労働時間内賃金）

（単位：円，（　）内は社数）

設定条件 年齢（歳）	設定条件 勤続年数（年）	設定条件 扶養家族（人）	全　産　業	非製造業計	建　設　業	商　　業	商業 小　　売
大学卒・総合職（事務・技術系）							
22	0	0	(160) 219,354	(96) 219,602	(14) 228,250	(26) 222,324	(12) 213,224
25	3	0	(152) 237,350	(89) 239,003	(13) 244,487	(24) 245,056	(13) 237,114
27	5	1	(145) 263,688	(84) 264,691	(12) 272,751	(23) 273,868	(11) 268,179
30	8	2	(149) 296,931	(86) 300,273	(13) 299,836	(24) 315,895	(11) 316,889
35	13	3	(141) 343,424	(79) 348,232	(12) 343,644	(21) 366,132	(11) 358,714
40	18	3	(144) 399,195	(84) 404,571	(12) 379,252	(27) 414,587	(12) 409,377
45	23	3	(140) 444,774	(79) 453,432	(12) 447,146	(24) 460,135	(12) 460,732
50	28	2	(139) 493,286	(80) 499,218	(12) 498,912	(24) 496,513	(11) 508,664
55	33	1	(130) 533,309	(75) 551,930	(11) 547,672	(22) 567,057	(12) 548,013
60	38	1	(110) 521,205	(64) 537,168	(9) 539,721	(20) 544,918	(10) 565,729
大学卒・一般職（事務・技術系）							
22	0	0	(52) 199,342	(33) 200,632	(8) 201,772	(10) 207,520	(3) 190,367
25	3	0	(52) 214,700	(33) 215,711	(8) 211,962	(11) 227,351	(3) 217,892
27	5	0	(47) 222,449	(31) 226,418	(6) 227,665	(11) 235,885	(3) 216,733
30	8	0	(50) 238,991	(33) 245,631	(7) 242,952	(11) 261,468	(3) 250,440
35	13	0	(48) 265,070	(31) 271,308	(7) 269,192	(9) 290,701	(2) 303,700
40	18	0	(50) 292,290	(33) 303,281	(6) 283,951	(12) 314,173	(3) 327,570
45	23	0	(45) 321,197	(30) 337,354	(6) 318,402	(9) 366,583	(2) 351,950
短大卒・一般職（事務・技術系）							
20	0	0	(59) 186,562	(37) 187,694	(5) 193,240	(9) 191,967	(4) 186,175
22	2	0	(52) 195,328	(33) 197,811	(5) 200,634	(7) 200,517	(4) 196,780
25	5	0	(52) 208,911	(33) 211,350	(6) 211,460	(6) 213,916	(3) 212,099
30	10	0	(51) 235,979	(32) 241,977	(4) 241,975	(7) 260,519	(3) 252,312
35	15	0	(54) 260,645	(34) 262,359	(5) 260,800	(7) 273,377	(3) 293,146
40	20	0	(55) 297,230	(34) 306,665	(4) 281,350	(8) 323,473	(3) 333,360
高校卒・総合職（事務・技術系）							
18	0	0	(82) 181,039	(45) 181,248	(10) 185,326	(16) 188,781	(11) 183,682
20	2	0	(78) 191,431	(42) 193,169	(9) 202,464	(15) 198,008	(11) 194,180
22	4	0	(80) 205,788	(42) 211,434	(9) 220,678	(15) 213,264	(10) 211,521
25	7	0	(79) 222,179	(42) 226,726	(8) 238,477	(16) 228,362	(10) 231,181
27	9	1	(73) 248,431	(40) 253,601	(8) 265,161	(14) 261,023	(10) 262,830
30	12	2	(77) 276,528	(43) 281,759	(8) 292,332	(14) 301,516	(10) 307,510
35	17	3	(79) 315,055	(43) 323,772	(9) 335,113	(15) 341,272	(10) 353,489
40	22	3	(83) 348,628	(44) 363,367	(8) 378,138	(15) 382,476	(10) 400,312
45	27	3	(77) 405,094	(42) 431,306	(7) 462,010	(15) 442,026	(10) 450,552
50	32	2	(89) 435,376	(46) 466,924	(9) 460,627	(17) 487,944	(11) 483,067
55	37	1	(79) 473,493	(40) 501,011	(8) 517,248	(15) 516,102	(11) 523,185
60	42	1	(67) 463,624	(36) 492,132	(7) 575,233	(14) 511,835	(10) 499,118
高校卒・一般職（事務・技術系）							
18	0	0	(49) 175,913	(26) 176,945	(5) 176,480	(5) 182,640	(1) 159,700
20	2	0	(46) 184,588	(23) 187,043	(4) 189,050	(6) 189,720	(1) 170,200
22	4	0	(47) 192,505	(24) 197,361	(4) 200,700	(5) 198,868	(1) 180,700
25	7	0	(46) 207,108	(25) 210,604	(5) 215,810	(5) 209,412	(1) 197,700
30	12	0	(43) 231,890	(22) 239,500	(4) 241,975	(5) 233,722	(1) 226,100
35	17	0	(44) 255,920	(23) 263,886	(5) 262,526	(5) 255,116	(1) 267,500
40	22	0	(47) 289,156	(25) 303,139	(4) 277,850	(6) 289,223	(1) 295,200
高校卒・現業系							
18	0	0	(56) 177,419	(18) 177,698	(3) 187,600	(2) 174,150	(1) 174,800
20	2	0	(55) 187,891	(17) 190,757	(3) 198,492	(4) 198,458	(2) 214,925
22	4	0	(50) 196,997	(16) 203,446	(3) 216,945	(3) 203,417	(2) 215,375
25	7	0	(56) 213,002	(18) 214,462	(3) 231,695	(4) 212,443	(2) 224,286
27	9	1	(51) 236,664	(15) 238,635	(3) 272,141	(3) 226,217	(1) 258,600
30	12	2	(53) 258,530	(19) 263,004	(3) 295,607	(5) 271,390	(2) 293,275
35	17	3	(50) 290,077	(15) 291,718	(3) 341,319	(3) 280,555	(1) 352,200
40	22	3	(54) 316,148	(17) 323,269	(3) 364,875	(3) 355,180	(2) 394,270
45	27	3	(48) 341,554	(17) 352,821	(2) 400,760	(4) 407,270	(2) 526,565
50	32	2	(50) 365,510	(16) 380,136	(2) 440,376	(4) 409,028	(2) 498,300
55	37	1	(48) 393,370	(14) 408,589	(1) 488,000	(3) 457,216	(2) 518,324
60	42	1	(35) 347,661	(11) 351,568	(1) 495,000	(2) 374,800	(1) 407,100

集計表3－5　産業別にみたモデル賃金（所定労働時間内賃金）

（単位：円，（　）内は社数）

設定条件			非製造業				
年齢（歳）	勤続年数（年）	扶養家族（人）	商業 卸売・その他商業	金融・保険業	銀行・信用金庫	証券・保険・その他	不動産
大学卒・総合職（事務・技術系）							
22	0	0	(14) 230,125	(5) 213,600	(4) 206,250	(1) 243,000	(3) 228,000
25	3	0	(11) 254,441	(5) 235,920	(4) 224,150	(1) 283,000	(3) 246,733
27	5	1	(12) 279,083	(3) 243,900	(3) 243,900	— —	(3) 271,700
30	8	2	(13) 315,053	(3) 270,100	(3) 270,100	— —	(3) 304,933
35	13	3	(10) 374,291	(3) 384,033	(3) 384,033	— —	(3) 356,333
40	18	3	(15) 418,755	(3) 451,667	(3) 451,667	— —	(3) 436,567
45	23	3	(12) 459,537	(3) 512,000	(3) 512,000	— —	(3) 536,700
50	28	2	(13) 486,232	(3) 542,333	(3) 542,333	— —	(3) 599,167
55	33	1	(10) 589,910	(3) 544,000	(3) 544,000	— —	(3) 611,600
60	38	1	(10) 524,106	(2) 525,000	(2) 525,000	— —	(2) 612,350
大学卒・一般職（事務・技術系）							
22	0	0	(7) 214,871	(1) 200,000	(1) 200,000	— —	(2) 191,550
25	3	0	(8) 230,899	(1) 206,000	(1) 206,000	— —	(2) 202,600
27	5	0	(8) 243,068	(1) 210,000	(1) 210,000	— —	(2) 210,450
30	8	0	(8) 265,604	(1) 216,000	(1) 216,000	— —	(2) 230,450
35	13	0	(7) 286,987	(1) 235,000	(1) 235,000	— —	(2) 261,900
40	18	0	(9) 309,708	(1) 245,000	(1) 245,000	— —	(2) 351,000
45	23	0	(7) 370,764	(1) 268,750	(1) 268,750	— —	(2) 356,800
短大卒・一般職（事務・技術系）							
20	0	0	(5) 196,600	— —	— —	— —	(2) 174,700
22	2	0	(3) 205,500	— —	— —	— —	(2) 191,550
25	5	0	(3) 215,733	— —	— —	— —	(2) 202,600
30	10	0	(4) 266,675	— —	— —	— —	(2) 230,450
35	15	0	(4) 258,550	— —	— —	— —	(2) 261,900
40	20	0	(5) 317,540	— —	— —	— —	(2) 381,000
高校卒・総合職（事務・技術系）							
18	0	0	(5) 200,000	(3) 161,667	(3) 161,667	— —	(1) 190,000
20	2	0	(4) 208,535	(3) 180,000	(3) 180,000	— —	(1) 200,000
22	4	0	(5) 216,750	(3) 206,667	(3) 206,667	— —	(1) 230,000
25	7	0	(6) 223,662	(2) 216,250	(2) 216,250	— —	(1) 250,400
27	9	1	(4) 256,508	(2) 235,350	(2) 235,350	— —	(1) 266,100
30	12	2	(4) 286,530	(2) 254,150	(2) 254,150	— —	(1) 298,800
35	17	3	(5) 316,838	(1) 273,000	(1) 273,000	— —	(1) 360,000
40	22	3	(5) 346,803	(2) 287,290	(2) 287,290	— —	(1) 545,000
45	27	3	(5) 424,974	(2) 410,000	(2) 410,000	— —	(1) 682,500
50	32	2	(6) 496,887	(2) 415,000	(2) 415,000	— —	(1) 779,100
55	37	1	(4) 496,625	— —	— —	— —	(1) 769,100
60	42	1	(4) 543,625	— —	— —	— —	(1) 662,500
高校卒・一般職（事務・技術系）							
18	0	0	(4) 188,375	— —	— —	— —	(1) 150,000
20	2	0	(5) 193,624	— —	— —	— —	(1) 160,000
22	4	0	(4) 203,410	— —	— —	— —	(1) 190,000
25	7	0	(4) 212,340	— —	— —	— —	(1) 207,000
30	12	0	(4) 235,628	— —	— —	— —	(1) 255,000
35	17	0	(4) 252,020	— —	— —	— —	(1) 308,600
40	22	0	(5) 288,028	— —	— —	— —	(1) 474,100
高校卒・現業系							
18	0	0	(1) 173,500	— —	— —	— —	— —
20	2	0	(2) 181,990	— —	— —	— —	— —
22	4	0	(1) 179,500	— —	— —	— —	— —
25	7	0	(2) 200,600	— —	— —	— —	— —
27	9	1	(2) 210,025	— —	— —	— —	— —
30	12	2	(3) 256,800	— —	— —	— —	— —
35	17	3	(2) 244,733	— —	— —	— —	— —
40	22	3	(1) 277,000	— —	— —	— —	— —
45	27	3	(2) 287,975	— —	— —	— —	— —
50	32	2	(2) 319,755	— —	— —	— —	— —
55	37	1	(1) 335,000	— —	— —	— —	— —
60	42	1	(1) 342,500	— —	— —	— —	— —

集計表3－6　産業別にみたモデル賃金（所定労働時間内賃金）

（単位：円，（　）内は社数）

設定条件			非製造業				
年齢（歳）	勤続年数（年）	扶養家族（人）	運輸・倉庫・通信	鉄道・バス，陸・海・空運	倉庫	サービス業	その他サービス
大学卒・総合職（事務・技術系）							
22	0	0	(18) 210,916	(17) 212,146	(1) 190,000	(30) 218,580	(30) 218,580
25	3	0	(17) 225,070	(16) 226,637	(1) 200,000	(27) 239,469	(27) 239,469
27	5	1	(17) 246,334	(16) 248,605	(1) 210,000	(26) 266,447	(26) 266,447
30	8	2	(17) 282,196	(16) 286,083	(1) 220,000	(26) 300,836	(26) 300,836
35	13	3	(15) 328,225	(14) 333,812	(1) 250,000	(25) 342,135	(25) 342,135
40	18	3	(15) 387,943	(14) 393,510	(1) 310,000	(24) 406,470	(24) 406,470
45	23	3	(14) 441,814	(13) 448,108	(1) 360,000	(23) 438,291	(23) 438,291
50	28	2	(15) 489,085	(14) 494,019	(1) 420,000	(23) 490,147	(23) 490,147
55	33	1	(14) 533,370	(14) 533,370	― ―	(22) 543,689	(22) 543,689
60	38	1	(12) 515,857	(12) 515,857	― ―	(19) 534,629	(19) 534,629
大学卒・一般職（事務・技術系）							
22	0	0	(4) 178,285	(4) 178,285	― ―	(8) 204,407	(8) 204,407
25	3	0	(4) 193,023	(4) 193,023	― ―	(7) 219,804	(7) 219,804
27	5	0	(4) 200,573	(4) 200,573	― ―	(7) 232,148	(7) 232,148
30	8	0	(4) 209,660	(4) 209,660	― ―	(8) 251,683	(8) 251,683
35	13	0	(4) 226,365	(4) 226,365	― ―	(8) 280,706	(8) 280,706
40	18	0	(4) 241,385	(4) 241,385	― ―	(8) 327,743	(8) 327,743
45	23	0	(4) 268,943	(4) 268,943	― ―	(8) 356,605	(8) 356,605
短大卒・一般職（事務・技術系）							
20	0	0	(7) 177,713	(6) 177,332	(1) 180,000	(14) 189,813	(14) 189,813
22	2	0	(8) 185,686	(7) 185,070	(1) 190,000	(11) 204,763	(11) 204,763
25	5	0	(7) 197,841	(6) 197,482	(1) 200,000	(12) 219,350	(12) 219,350
30	10	0	(7) 213,677	(6) 212,623	(1) 220,000	(12) 249,590	(12) 249,590
35	15	0	(7) 236,234	(6) 233,940	(1) 250,000	(13) 271,164	(13) 271,164
40	20	0	(7) 264,563	(6) 256,990	(1) 310,000	(13) 315,346	(13) 315,346
高校卒・総合職（事務・技術系）							
18	0	0	(6) 172,767	(6) 172,767	― ―	(9) 174,531	(9) 174,531
20	2	0	(5) 185,690	(5) 185,690	― ―	(9) 183,594	(9) 183,594
22	4	0	(6) 204,283	(6) 204,283	― ―	(8) 202,432	(8) 202,432
25	7	0	(7) 215,579	(7) 215,579	― ―	(8) 221,119	(8) 221,119
27	9	1	(7) 239,064	(7) 239,064	― ―	(8) 244,773	(8) 244,773
30	12	2	(8) 259,460	(8) 259,460	― ―	(10) 267,299	(10) 267,299
35	17	3	(7) 291,597	(7) 291,597	― ―	(10) 311,291	(10) 311,291
40	22	3	(8) 305,450	(8) 305,450	― ―	(10) 366,272	(10) 366,272
45	27	3	(7) 363,850	(7) 363,850	― ―	(10) 420,094	(10) 420,094
50	32	2	(7) 431,429	(7) 431,429	― ―	(10) 440,869	(10) 440,869
55	37	1	(6) 450,133	(6) 450,133	― ―	(10) 469,103	(10) 469,103
60	42	1	(5) 370,700	(5) 370,700	― ―	(9) 445,382	(9) 445,382
高校卒・一般職（事務・技術系）							
18	0	0	(7) 167,891	(7) 167,891	― ―	(8) 184,965	(8) 184,965
20	2	0	(4) 175,473	(4) 175,473	― ―	(8) 193,198	(8) 193,198
22	4	0	(6) 182,537	(6) 182,537	― ―	(8) 206,787	(8) 206,787
25	7	0	(6) 193,913	(6) 193,913	― ―	(8) 221,065	(8) 221,065
30	12	0	(5) 216,576	(5) 216,576	― ―	(7) 256,374	(7) 256,374
35	17	0	(5) 242,250	(5) 242,250	― ―	(7) 280,187	(7) 280,187
40	22	0	(7) 258,750	(7) 258,750	― ―	(7) 349,484	(7) 349,484
高校卒・現業系							
18	0	0	(8) 175,365	(8) 175,365	― ―	(5) 176,910	(5) 176,910
20	2	0	(6) 184,970	(6) 184,970	― ―	(4) 185,938	(4) 185,938
22	4	0	(6) 193,125	(6) 193,125	― ―	(4) 208,825	(4) 208,825
25	7	0	(7) 204,029	(7) 204,029	― ―	(4) 221,813	(4) 221,813
27	9	1	(5) 218,920	(5) 218,920	― ―	(4) 247,463	(4) 247,463
30	12	2	(7) 237,936	(7) 237,936	― ―	(4) 271,938	(4) 271,938
35	17	3	(5) 264,910	(5) 264,910	― ―	(4) 296,400	(4) 296,400
40	22	3	(7) 277,443	(7) 277,443	― ―	(4) 348,325	(4) 348,325
45	27	3	(7) 293,721	(7) 293,721	― ―	(4) 377,825	(4) 377,825
50	32	2	(6) 321,892	(6) 321,892	― ―	(4) 408,493	(4) 408,493
55	37	1	(6) 346,750	(6) 346,750	― ―	(4) 445,025	(4) 445,025
60	42	1	(4) 297,688	(4) 297,688	― ―	(4) 357,975	(4) 357,975

集計表4-1　全年齢記入企業における大学卒・総合職のモデル賃金（全産業）

(単位：円)

| 設定条件 | | | 社数 | 所定内賃金 | | | | |
年齢 (歳)	勤続 年数 (年)	扶養 家族 (人)	(社)	合　計 (a+b+c+d)	基本賃金部分 (a)	役付手当 (b)	家族手当 (c)	その他の手当 (通勤手当は除く) (d)
規模計								
22	0	0	119	219,341	211,912	168	—	7,261
25	3	0	119	237,375	229,391	353	—	7,631
27	5	1	119	264,141	244,711	739	8,482	10,208
30	8	2	119	296,802	267,094	4,465	13,768	11,475
35	13	3	119	345,636	306,568	9,377	18,185	11,506
40	18	3	119	404,353	360,262	16,582	16,151	11,358
45	23	3	119	453,809	399,574	27,822	15,326	11,087
50	28	2	119	507,014	443,266	40,899	11,247	11,602
55	33	1	119	538,154	473,111	45,280	6,871	12,893
60	38	1	105	522,817	462,545	41,117	6,489	12,666
1,000人以上								
22	0	0	23	224,527	216,638	—	—	7,889
25	3	0	23	250,023	241,230	217	—	8,575
27	5	1	23	277,300	259,233	652	8,317	9,097
30	8	2	23	310,010	285,084	2,696	13,361	8,870
35	13	3	23	364,931	331,835	6,429	17,904	8,763
40	18	3	23	442,343	411,410	12,753	13,970	4,210
45	23	3	23	499,408	462,508	17,816	12,091	6,992
50	28	2	23	569,011	525,176	28,000	8,900	6,935
55	33	1	23	596,493	545,394	34,783	6,187	10,129
60	38	1	19	551,801	516,480	22,158	5,211	7,953
300〜999人								
22	0	0	48	221,019	214,416	417	—	6,187
25	3	0	48	236,539	229,856	521	—	6,162
27	5	1	48	264,135	245,072	729	8,800	9,534
30	8	2	48	297,917	267,324	6,542	13,718	10,334
35	13	3	48	347,730	308,313	11,938	17,791	9,688
40	18	3	48	412,007	368,318	18,854	14,468	10,367
45	23	3	48	458,302	407,244	28,656	14,010	8,392
50	28	2	48	508,704	447,725	42,219	10,072	8,688
55	33	1	48	543,986	481,994	46,663	6,159	9,171
60	38	1	43	553,554	486,931	51,077	6,305	9,241
299人以下								
22	0	0	48	215,178	207,144	—	—	8,033
25	3	0	48	232,150	223,253	250	—	8,646
27	5	1	48	257,843	237,392	792	8,244	11,415
30	8	2	48	289,358	258,244	3,236	14,015	13,863
35	13	3	48	334,297	292,717	8,229	18,713	14,639
40	18	3	48	378,496	327,697	16,146	18,879	15,773
45	23	3	48	427,466	361,748	31,781	18,192	15,745
50	28	2	48	475,618	399,559	45,760	13,546	16,753
55	33	1	48	504,368	429,592	48,927	7,910	17,939
60	38	1	43	479,275	414,328	39,535	7,237	18,174

集計表4-2　全年齢記入企業における大学卒・総合職のモデル賃金（製造業）

(単位：円)

設定条件			社数	所定内賃金合計	基本賃金部分	役付手当	家族手当	その他の手当（通勤手当は除く）
年齢（歳）	勤続年数（年）	扶養家族（人）	（社）	(a+b+c+d)	(a)	(b)	(c)	(d)
規模計								
22	0	0	50	217,761	212,718	―	―	5,043
25	3	0	50	234,351	228,857	240	―	5,254
27	5	1	50	261,620	242,875	700	7,904	10,141
30	8	2	50	289,882	262,080	2,220	13,187	12,395
35	13	3	50	337,362	299,654	8,577	17,285	11,846
40	18	3	50	394,979	352,284	14,296	15,669	12,729
45	23	3	50	440,402	390,015	25,606	14,335	10,446
50	28	2	50	496,785	435,161	41,122	9,959	10,544
55	33	1	50	515,263	455,887	42,640	5,722	11,014
60	38	1	43	496,791	441,174	40,651	5,054	9,912
1,000人以上								
22	0	0	10	225,927	223,133	―	―	2,794
25	3	0	10	249,276	246,136	―	―	3,140
27	5	1	10	280,971	263,547	1,000	9,150	7,274
30	8	2	10	315,201	293,051	800	14,250	7,100
35	13	3	10	372,712	339,572	7,286	18,750	7,105
40	18	3	10	450,294	421,397	9,231	13,300	6,367
45	23	3	10	502,439	473,150	14,778	8,980	5,531
50	28	2	10	579,077	544,887	22,500	6,290	5,400
55	33	1	10	576,513	541,551	24,500	4,750	5,713
60	38	1	7	569,723	544,037	21,429	2,314	1,943
300〜999人								
22	0	0	20	220,493	214,113	―	―	6,380
25	3	0	20	234,791	228,806	―	―	5,986
27	5	1	20	262,452	242,207	―	7,701	12,544
30	8	2	20	289,354	261,116	2,700	12,832	12,707
35	13	3	20	338,927	302,817	7,050	16,354	12,707
40	18	3	20	398,949	360,151	11,875	15,039	11,884
45	23	3	20	438,537	397,529	16,500	13,864	10,644
50	28	2	20	490,774	440,847	30,330	8,492	11,105
55	33	1	20	506,379	461,835	26,975	5,046	12,523
60	38	1	18	516,185	462,883	37,278	5,328	10,696
299人以下								
22	0	0	20	210,946	206,116	―	―	4,830
25	3	0	20	226,448	220,268	600	―	5,580
27	5	1	20	251,114	233,207	1,250	7,485	9,172
30	8	2	20	277,750	247,560	2,450	13,010	14,730
35	13	3	20	318,123	276,533	10,750	17,485	13,355
40	18	3	20	363,351	309,861	19,250	17,485	16,755
45	23	3	20	411,250	340,935	40,125	17,485	12,705
50	28	2	20	461,651	374,611	61,225	13,260	12,555
55	33	1	20	493,521	407,106	67,375	6,885	12,155
60	38	1	18	449,035	379,463	51,500	5,844	12,228

集計表4-3　全年齢記入企業における大学卒・総合職のモデル賃金（非製造業）

(単位：円)

設定条件			社 数	所定内賃金合計	基本賃金部分	役付手当	家族手当	その他の手当（通勤手当は除く）
年齢 (歳)	勤続 年数 (年)	扶養 家族 (人)	(社)	(a+b+c+d)	(a)	(b)	(c)	(d)
規模計								
22	0	0	69	220,486	211,328	290	—	8,868
25	3	0	69	239,566	229,779	435	—	9,353
27	5	1	69	265,969	246,042	768	8,901	10,257
30	8	2	69	301,817	270,727	6,092	14,190	10,808
35	13	3	69	351,632	311,579	9,957	18,836	11,261
40	18	3	69	411,146	366,043	18,239	16,500	10,364
45	23	3	69	463,523	406,500	29,428	16,043	11,552
50	28	2	69	514,426	449,140	40,738	12,180	12,369
55	33	1	69	554,742	485,592	47,193	7,703	14,254
60	38	1	62	540,868	477,367	41,440	7,484	14,576
1,000人以上								
22	0	0	13	223,450	211,642	—	—	11,808
25	3	0	13	250,597	237,457	385	—	12,756
27	5	1	13	274,476	255,915	385	7,677	10,500
30	8	2	13	306,017	278,956	4,154	12,677	10,231
35	13	3	13	358,946	325,884	5,769	17,254	10,038
40	18	3	13	436,226	403,729	15,462	14,485	2,551
45	23	3	13	497,076	454,322	20,154	14,485	8,115
50	28	2	13	561,268	510,015	32,231	10,908	8,115
55	33	1	13	611,861	548,351	42,692	7,292	13,526
60	38	1	12	541,346	500,405	22,583	6,900	11,458
300～999人								
22	0	0	28	221,395	214,632	714	—	6,049
25	3	0	28	237,787	230,606	893	—	6,288
27	5	1	28	265,337	247,118	1,250	9,586	7,384
30	8	2	28	304,033	271,758	9,286	14,350	8,640
35	13	3	28	354,017	312,238	15,429	18,818	7,533
40	18	3	28	421,334	374,151	23,839	14,061	9,283
45	23	3	28	472,420	414,184	37,339	14,114	6,783
50	28	2	28	521,511	452,639	50,711	11,200	6,961
55	33	1	28	570,848	496,393	60,725	6,954	6,777
60	38	1	25	580,459	504,246	61,012	7,008	8,194
299人以下								
22	0	0	28	218,200	207,879	—	—	10,322
25	3	0	28	236,223	225,386	—	—	10,837
27	5	1	28	262,650	240,382	464	8,786	13,018
30	8	2	28	297,650	265,876	3,798	14,732	13,244
35	13	3	28	345,851	304,277	6,429	19,589	15,556
40	18	3	28	389,313	340,437	13,929	19,875	15,072
45	23	3	28	439,049	376,614	25,821	18,696	17,916
50	28	2	28	485,594	417,378	34,714	13,750	19,752
55	33	1	28	512,116	445,653	35,750	8,643	22,070
60	38	1	25	501,047	439,431	30,920	8,240	22,456

集計表5－1　モデル条件別にみた役付手当・家族手当（全産業）
(手当支給企業のみ)

設定条件			規模計		1,000人以上		300～999人		299人以下	
年齢 (歳)	勤続 年数 (年)	扶養 家族 (人)	社　数 (社)	手当額 (円)	社　数 (社)	手当額 (円)	社　数 (社)	手当額 (円)	社　数 (社)	手当額 (円)
【役付手当】										
大学卒・総合職（事務・技術系）										
30	8	2	36	19,468	6	10,333	11	29,045	19	16,807
35	13	3	56	22,765	9	16,429	19	31,632	28	18,786
40	18	3	71	34,709	10	39,331	22	41,409	39	29,744
45	23	3	83	44,921	9	45,531	27	52,056	47	40,706
50	28	2	84	64,226	10	64,400	27	75,056	47	57,968
55	33	1	79	72,396	10	80,000	29	77,441	40	66,838
60	38	1	58	77,195	7	60,143	23	95,491	28	66,429
大学卒・一般職（事務・技術系）										
30	8	0	7	17,857	2	7,500	2	37,500	3	11,667
35	13	0	12	16,917	3	11,000	2	60,000	7	7,143
40	18	0	15	15,845	2	11,000	2	60,000	11	8,698
45	23	0	15	25,800	2	46,000	4	47,500	9	11,667
短大卒・一般職（事務・技術系）										
30	10	0	11	10,614	3	7,667	3	18,750	5	7,500
35	15	0	16	13,029	4	11,250	4	24,500	8	8,183
40	20	0	16	22,913	3	16,667	5	33,920	8	18,375
高校卒・総合職（事務・技術系）										
27	9	1	9	10,078	3	4,333	3	8,333	3	17,567
30	12	2	18	15,711	5	5,940	5	35,820	8	9,250
35	17	3	27	17,552	6	11,583	7	34,529	14	11,621
40	22	3	31	26,965	4	40,625	13	27,285	14	22,764
45	27	3	41	38,899	5	36,429	12	46,542	24	35,592
50	32	2	48	45,100	4	56,200	15	44,767	29	43,741
55	37	1	46	60,583	5	67,600	15	75,040	26	50,892
60	42	1	34	59,774	4	48,750	12	56,358	18	64,500
高校卒・一般職（事務・技術系）										
30	12	0	6	12,500	3	6,667	1	30,000	2	12,500
35	17	0	9	15,111	3	10,000	2	37,500	4	7,750
40	22	0	14	19,786	2	45,000	4	28,750	8	9,000
高校卒・現業系										
30	12	2	11	10,545	3	7,333	2	19,000	6	9,333
35	17	3	14	14,000	4	10,750	4	19,000	6	12,833
40	22	3	20	16,900	4	12,250	9	13,333	7	24,143
45	27	3	21	19,714	2	9,000	10	17,500	9	24,556
50	32	2	22	23,723	2	6,000	9	23,000	11	27,536
55	37	1	26	37,808	2	5,500	10	47,100	14	35,786
60	42	1	13	32,000	2	10,000	6	29,167	5	44,200
【家族手当】										
大学卒・総合職（事務・技術系）										
30	8	2	122	16,933	22	18,445	45	17,699	55	15,702
35	13	3	116	22,323	20	24,565	44	23,454	52	20,504
40	18	3	107	21,976	15	25,020	35	23,085	57	20,495
45	23	3	95	22,303	11	25,282	33	24,045	51	20,533
50	28	2	92	17,580	10	20,470	31	18,675	51	16,347
55	33	1	75	12,208	10	14,230	27	11,986	38	11,834
60	38	1	65	11,251	9	11,000	24	11,713	32	10,975
高校卒・総合職（事務・技術系）										
30	12	2	64	16,698	14	18,314	20	18,155	30	14,973
35	17	3	66	21,950	15	24,253	21	24,605	30	18,940
40	22	3	65	21,134	14	23,843	18	22,400	33	19,294
45	27	3	59	21,885	13	23,369	16	24,981	30	19,590
50	32	2	65	16,769	12	18,408	18	18,883	35	15,120
55	37	1	54	11,926	9	15,167	16	12,925	29	10,369
60	42	1	44	10,766	8	11,650	13	11,485	23	10,052
高校卒・現業系										
30	12	2	40	16,899	10	21,960	15	15,489	15	14,933
35	17	3	37	22,613	9	27,911	16	20,436	12	21,542
40	22	3	39	22,068	9	27,356	16	19,717	14	21,357
45	27	3	35	21,705	7	27,671	16	19,217	12	21,542
50	32	2	36	16,734	7	22,800	15	14,756	14	15,821
55	37	1	31	12,210	6	17,833	13	10,847	12	10,875
60	42	1	20	11,461	4	12,425	11	11,910	5	9,700

集計表5−2　モデル条件別にみた役付手当・家族手当（製造業）
（手当支給企業のみ）

設定条件			規模計		1,000人以上		300～999人		299人以下	
年齢（歳）	勤続年数（年）	扶養家族（人）	社　数（社）	手当額（円）	社　数（社）	手当額（円）	社　数（社）	手当額（円）	社　数（社）	手当額（円）
【役付手当】										
大学卒・総合職（事務・技術系）										
30	8	2	10	14,600	1	8,000	3	18,000	6	14,000
35	13	3	27	17,402	4	18,214	8	17,625	15	17,067
40	18	3	29	26,718	4	23,077	8	29,688	17	26,176
45	23	3	37	40,872	4	36,945	9	36,667	24	43,104
50	28	2	37	61,597	4	56,250	9	67,400	24	60,313
55	33	1	33	66,121	4	61,250	9	59,944	20	69,875
60	38	1	23	80,348	3	50,000	6	111,833	14	73,357
大学卒・一般職（事務・技術系）										
30	8	0	2	10,000	1	5,000	—	—	1	15,000
35	13	0	5	7,000	1	8,000	—	—	4	6,750
40	18	0	8	8,585	1	10,000	—	—	7	8,383
45	23	0	6	9,500	1	12,000	—	—	5	9,000
短大卒・一般職（事務・技術系）										
30	10	0	5	5,350	1	5,000	1	1,250	3	6,833
35	15	0	8	6,933	1	8,000	1	5,000	6	7,077
40	20	0	8	15,575	1	10,000	1	7,600	6	17,833
高校卒・総合職（事務・技術系）										
27	9	1	5	6,600	3	4,333	1	5,000	1	15,000
30	12	2	8	5,850	2	3,350	2	4,550	4	7,750
35	17	3	14	7,800	3	8,500	3	4,900	8	8,625
40	22	3	16	18,294	2	23,750	6	6,533	8	25,750
45	27	3	19	30,402	3	20,714	4	10,750	12	39,375
50	32	2	23	37,213	2	47,400	6	12,600	15	45,700
55	37	1	23	62,991	2	55,000	5	82,260	16	57,969
60	42	1	18	54,000	2	32,500	5	15,400	11	75,455
高校卒・一般職（事務・技術系）										
30	12	0	2	10,000	1	5,000	—	—	1	15,000
35	17	0	4	10,250	1	8,000	1	15,000	2	9,000
40	22	0	7	9,571	1	10,000	1	15,000	5	8,400
高校卒・現業系										
30	12	2	7	10,429	2	10,000	1	8,000	4	11,250
35	17	3	12	11,167	3	13,667	3	5,333	6	12,833
40	22	3	14	16,714	3	13,667	5	8,000	6	25,500
45	27	3	14	18,286	2	9,000	5	9,000	7	27,571
50	32	2	15	23,000	2	6,000	5	15,400	8	32,000
55	37	1	18	42,167	1	8,000	6	49,333	11	41,364
60	42	1	9	29,222	1	8,000	4	13,750	4	50,000
【家族手当】										
大学卒・総合職（事務・技術系）										
30	8	2	51	16,860	10	20,050	17	18,038	24	14,696
35	13	3	49	22,199	8	26,750	16	24,379	25	19,348
40	18	3	45	21,577	6	26,667	15	24,251	24	18,633
45	23	3	41	21,580	3	29,933	14	24,841	24	18,633
50	28	2	37	16,958	2	31,450	12	18,945	23	14,661
55	33	1	29	11,245	3	15,833	10	11,091	16	10,481
60	38	1	24	10,305	2	8,100	9	11,768	13	9,631
高校卒・総合職（事務・技術系）										
30	12	2	28	16,246	6	20,233	8	15,788	14	14,800
35	17	3	30	22,017	6	27,550	9	25,500	15	17,713
40	22	3	31	21,581	6	27,550	8	23,313	17	18,659
45	27	3	28	22,429	5	27,060	9	25,500	14	18,800
50	32	2	30	16,663	4	22,975	8	18,413	18	14,483
55	37	1	25	11,732	3	15,833	6	12,683	16	10,606
60	42	1	18	9,750	2	8,100	6	9,850	10	10,020
高校卒・現業系										
30	12	2	26	16,740	5	22,120	11	16,740	10	14,050
35	17	3	27	22,499	5	27,640	12	22,273	10	20,200
40	22	3	28	22,160	5	27,640	12	21,314	11	20,591
45	27	3	25	21,979	4	27,925	11	21,434	10	20,200
50	32	2	26	16,586	4	22,525	11	15,740	11	15,273
55	37	1	22	12,319	4	16,750	9	11,890	9	10,778
60	42	1	13	11,670	2	12,350	8	12,751	3	8,333

集計表5-3　モデル条件別にみた役付手当・家族手当（非製造業）
(手当支給企業のみ)

設定条件			規模計		1,000人以上		300～999人		299人以下	
年齢(歳)	勤続年数(年)	扶養家族(人)	社数(社)	手当額(円)	社数(社)	手当額(円)	社数(社)	手当額(円)	社数(社)	手当額(円)
【役付手当】										
大学卒・総合職（事務・技術系）										
30	8	2	26	21,340	5	10,800	8	33,188	13	18,103
35	13	3	29	27,759	5	15,000	11	41,818	13	20,769
40	18	3	42	40,226	6	50,167	14	48,107	22	32,500
45	23	3	46	48,178	5	52,400	18	59,750	23	38,204
50	28	2	47	66,296	6	69,833	18	78,883	23	55,522
55	33	1	46	76,898	6	92,500	20	85,315	20	63,800
60	38	1	35	75,123	4	67,750	17	89,724	14	59,500
大学卒・一般職（事務・技術系）										
30	8	0	5	21,000	1	10,000	2	37,500	2	10,000
35	13	0	7	24,000	2	12,500	2	60,000	3	7,667
40	18	0	7	24,143	1	12,000	2	60,000	4	9,250
45	23	0	9	36,667	1	80,000	4	47,500	4	15,000
短大卒・一般職（事務・技術系）										
30	10	0	6	15,000	2	9,000	2	27,500	2	8,500
35	15	0	8	19,125	3	12,333	3	31,000	2	11,500
40	20	0	8	30,250	2	20,000	4	40,500	2	20,000
高校卒・総合職（事務・技術系）										
27	9	1	4	14,425	—	—	2	10,000	2	18,850
30	12	2	10	23,600	3	7,667	3	56,667	4	10,750
35	17	3	13	28,054	3	14,667	4	56,750	6	15,617
40	22	3	15	36,213	2	57,500	7	45,071	6	18,783
45	27	3	22	46,236	2	60,000	8	64,438	12	31,808
50	32	2	25	52,356	2	65,000	9	66,211	14	41,643
55	37	1	23	58,174	3	76,000	10	71,430	10	39,570
60	42	1	16	66,269	2	65,000	7	85,614	7	47,286
高校卒・一般職（事務・技術系）										
30	12	0	4	13,750	2	7,500	1	30,000	1	10,000
35	17	0	5	19,000	2	11,000	1	60,000	2	6,500
40	22	0	7	30,000	1	80,000	3	33,333	3	10,000
高校卒・現業系										
30	12	2	4	10,750	1	2,000	1	30,000	2	5,500
35	17	3	2	31,000	1	2,000	1	60,000	—	—
40	22	3	6	17,333	1	8,000	4	20,000	1	16,000
45	27	3	7	22,571	—	—	5	26,000	2	14,000
50	32	2	7	25,271	—	—	4	32,500	3	15,633
55	37	1	8	28,000	1	3,000	4	43,750	3	15,333
60	42	1	4	38,250	1	12,000	2	60,000	1	21,000
【家族手当】										
大学卒・総合職（事務・技術系）										
30	8	2	71	16,986	12	17,108	28	17,493	31	16,481
35	13	3	67	22,413	12	23,108	28	22,925	27	21,574
40	18	3	62	22,266	9	23,922	20	22,210	33	21,848
45	23	3	54	22,852	8	23,538	19	23,458	27	22,222
50	28	2	55	17,998	8	17,725	19	18,505	28	17,732
55	33	1	46	12,815	7	13,543	17	12,512	22	12,818
60	38	1	41	11,805	7	11,829	15	11,680	19	11,895
高校卒・総合職（事務・技術系）										
30	12	2	36	17,050	8	16,875	12	19,733	16	15,125
35	17	3	36	21,894	9	22,056	12	23,933	15	20,167
40	22	3	34	20,726	8	21,063	10	21,670	16	19,969
45	27	3	31	21,394	8	21,063	7	24,314	16	20,281
50	32	2	35	16,860	8	16,125	10	19,260	17	15,794
55	37	1	29	12,093	6	14,833	10	13,070	13	10,077
60	42	1	26	11,469	6	12,833	7	12,886	13	10,077
高校卒・現業系										
30	12	2	14	17,193	5	21,800	4	12,050	5	16,700
35	17	3	10	22,920	4	28,250	4	14,925	2	28,250
40	22	3	11	21,836	4	27,000	4	14,925	3	24,167
45	27	3	10	21,020	3	27,333	5	14,340	2	28,250
50	32	2	10	17,120	3	23,167	4	12,050	3	17,833
55	37	1	9	11,944	2	20,000	4	8,500	3	11,167
60	42	1	7	11,071	2	12,500	3	9,667	2	11,750

2024年版 モデル賃金実態資料

第1部 2023年度 モデル賃金・年間賃金の実態

2 モデル年間賃金調査結果

調査結果の概要 ……………………… P.56
集計表一覧 …………………………… P.61

●年齢別にみた年間賃金と賞与・一時金比率（大学卒・総合職）

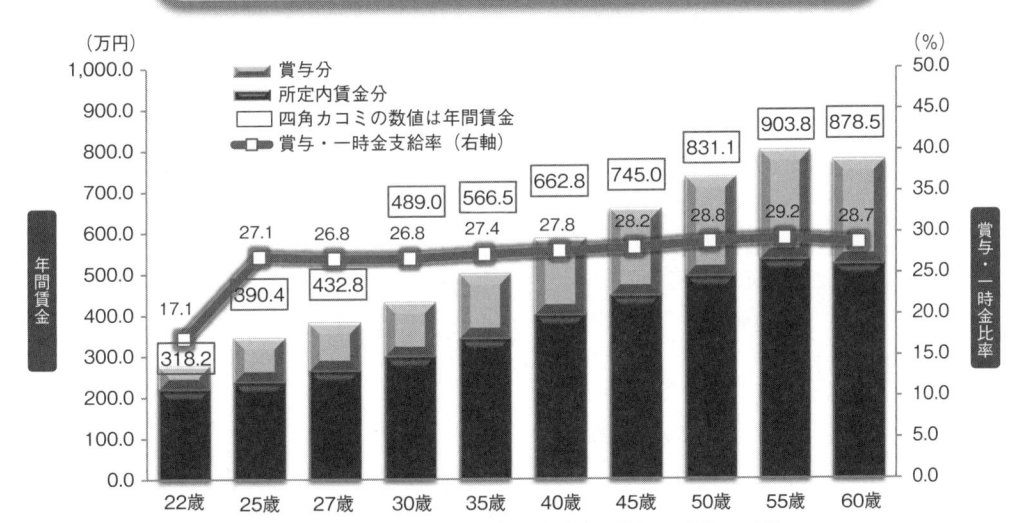

年齢	22歳	25歳	27歳	30歳	35歳	40歳	45歳	50歳	55歳	60歳
年間賃金（万円）	318.2	390.4	432.8	489.0	566.5	662.8	745.0	831.1	903.8	878.5
賞与・一時金支給率（%）	17.1	27.1	26.8	26.8	27.4	27.8	28.2	28.8	29.2	28.7

（注）年間賃金とは「モデル所定内賃金×12＋2023年夏季および2022年年末の賞与・一時金」の合計。

●2022, 2023年回答企業の年間賃金と上昇率（大学卒・総合職）

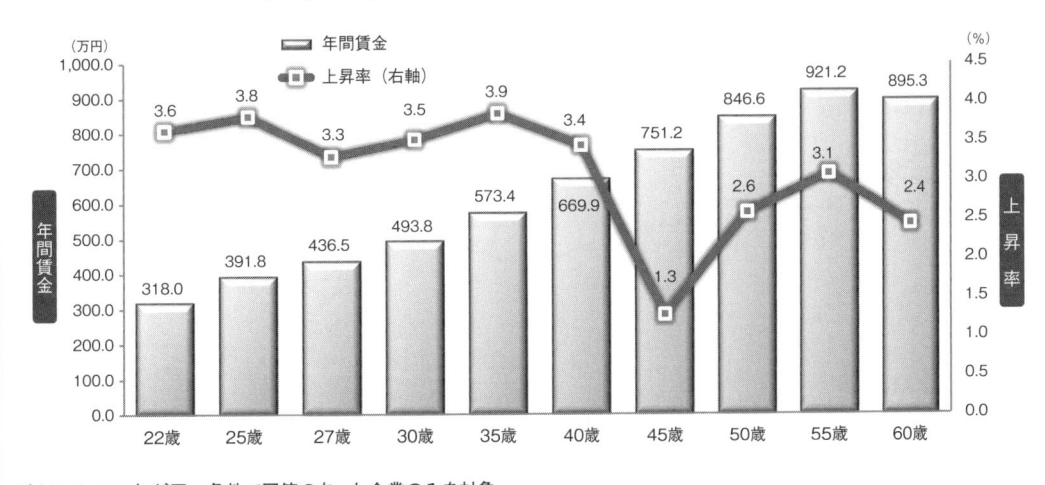

年齢	22歳	25歳	27歳	30歳	35歳	40歳	45歳	50歳	55歳	60歳
年間賃金（万円）	318.0	391.8	436.5	493.8	573.4	669.9	751.2	846.6	921.2	895.3
上昇率（%）	3.6	3.8	3.3	3.5	3.9	3.4	1.3	2.6	3.1	2.4

（注）2022・2023年が同一条件で回答のあった企業のみを対象。

調査結果の概要

ここでは，前掲の「モデル賃金調査」にあわせて実施している「モデル賞与・一時金」の集計結果から算出した，「モデル年間賃金」の結果について紹介する。ここでいう「2023年度モデル年間賃金」は，「2023年度モデル賃金」×12カ月＋「2022年年末賞与・一時金」＋「2023年夏季賞与・一時金」で集計したものである。

なお，モデル年間賃金の算定のベースとなるモデル賃金は，賞与・一時金にも回答があった企業のみで集計したものである。前掲で紹介しているモデル賃金とは異なる数値であることに注意していただきたい。

1　年間賃金の動向

■大学卒・総合職30歳489.0万円，40歳662.8万円

年間賃金を主な年齢でみると，大学卒・総合職は，25歳390.4万円（前年379.0万円），30歳489.0万円（同474.4万円），35歳566.5万円（同553.0万円），40歳662.8万円（同644.6万円），50歳831.1万円（同827.8万円）である（表2）。

図1をみるとおおむね所定内賃金の上昇率が年間賃金の上昇率を上回っている。今春闘の賃上げ率が高かったことと2023年夏季賞与が大手で伸びなかったことが原因である。

表1　2023年度　モデル年間賃金比較対象企業数

(単位：社)

区　　分	規模計	1,000人以上	300～999人	299人以下
総　合　職　計	91	20	36	35
大学卒・総合職	90	20	36	34
高校卒・総合職	49	9	17	23

(注) 2022年と2023年の両年に回答のあった企業である。

表2　モデル年間賃金の内訳（全産業・規模計）

(単位：千円)

年齢(歳)	社数(社)	年間賃金（年俸制含まず） (A) (a)×12+(b)+(c)	1カ月平均所定内賃金 (a)	2023年夏季賞与・一時金 (b)	2022年年末賞与・一時金 (c)	賞与・一時金支給率(%) (b)+(c)/(A)×100
大学卒・総合職（事務・技術系）						
22	68	3,182.4	219.7	112.7	432.9	17.1
25	116	3,903.6	237.3	512.2	544.0	27.1
27	113	4,327.9	263.9	558.2	602.4	26.8
30	111	4,889.7	298.1	631.1	681.6	26.8
35	108	5,665.1	342.9	746.9	803.3	27.4
40	105	6,628.0	399.0	884.5	955.3	27.8
45	103	7,449.7	446.0	1,007.5	1,090.5	28.2
50	100	8,311.2	492.8	1,153.7	1,243.4	28.8
55	97	9,037.5	532.9	1,266.9	1,375.9	29.2
60	80	8,785.0	521.7	1,193.4	1,331.3	28.7
高校卒・総合職（事務・技術系）						
18	37	2,566.2	179.7	84.1	326.1	16.0
20	57	3,094.9	190.7	397.0	409.9	26.1
22	57	3,349.5	206.6	432.1	438.7	26.0
25	59	3,608.8	223.0	459.5	473.0	25.8
27	56	4,010.1	249.1	502.4	518.4	25.5
30	59	4,430.0	274.3	562.6	575.9	25.7
35	58	5,169.3	317.7	676.3	680.3	26.2
40	60	5,653.7	346.7	728.5	765.0	26.4
45	56	6,577.0	403.9	848.8	881.6	26.3
50	62	7,172.8	436.3	966.6	970.9	27.0
55	58	7,911.5	479.4	1,074.2	1,084.2	27.3
60	50	7,654.7	460.3	1,066.4	1,065.0	27.8

図1　年齢別にみた所定内賃金と年間賃金の上昇率（大学卒・総合職・規模計）

(単位：%)

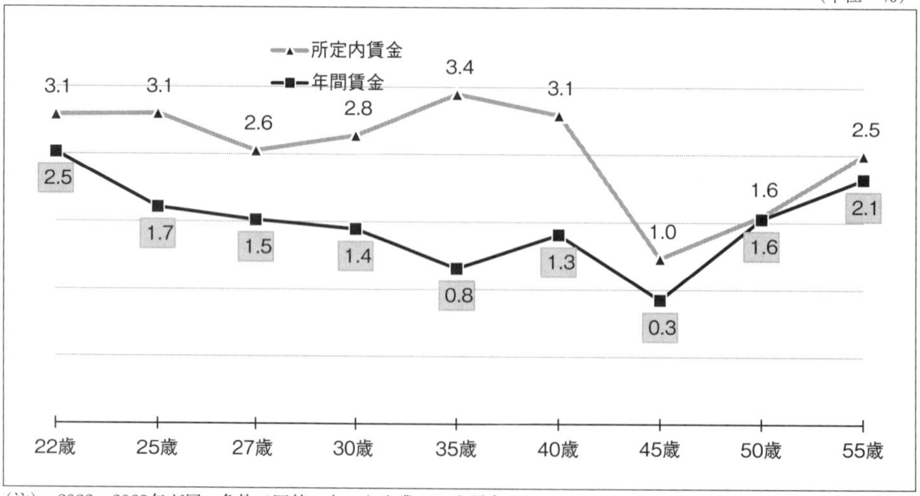

年齢	所定内賃金	年間賃金
22歳	3.1	2.5
25歳	3.1	1.7
27歳	2.6	1.5
30歳	2.8	1.4
35歳	3.4	0.8
40歳	3.1	1.3
45歳	1.0	0.3
50歳	1.6	1.6
55歳	2.5	2.1

(注) 2022・2023年が同一条件で回答のあった企業のみを対象。

2022年度と2023年度の両年に回答があり，同一設定条件の企業のみを抽出してみたのが表4である。上昇率は大学卒・総合職での45歳1.3％，50歳2.6％，60歳2.4％を除き3％を超えている。高校卒・総合職では25歳2.7％，40歳2.3％，45歳2.6％，55歳2.4％が2％台。一方20歳4.4％，22歳4.4％と若年層の伸び率が大きい。これは，初任給上昇の影響と考えられる。

　定年延長や再雇用等が絡み，対応も各社で異なる年齢ポイントである60歳においては，前回は大学卒の前年比は0.7％，高校卒の前年比は3.6％であったが，今回はそれぞれ2.4％と1.1％であった。

　業種別では，大学卒の製造業はすべての年齢ポイントでプラスとなった。非製造業では1つの年齢ポイントを除きプラスとなった。高校卒では製造業，

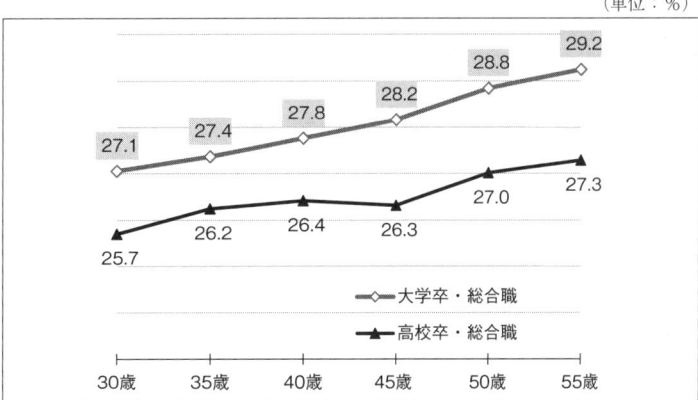

図2　年齢ポイントでみた年間賃金に占める賞与割合 (単位：％)

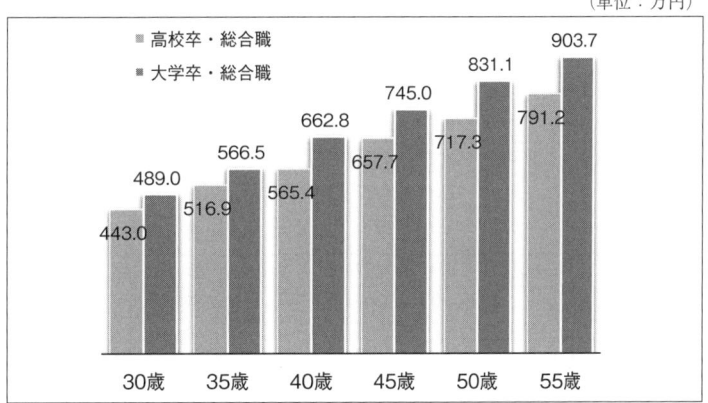

図3　年齢ポイントでみた年間賃金の比較 (単位：万円)

表3　モデル年間賃金のばらつき（全産業・規模計）

年齢 (歳)	社数 (社)	金額（単位：千円）						平均＝100					
		平均	最低	第1四分位	中位数	第3四分位	最高	平均	最低	第1四分位	中位数	第3四分位	最高
大学卒・総合職（事務・技術系）													
22	68	3,182	2,536	2,896	3,128	3,384	4,118	100.0	79.7	91.0	98.3	106.3	129.4
25	116	3,904	2,897	3,548	3,841	4,231	6,775	100.0	74.2	90.9	98.4	108.4	173.6
27	113	4,328	3,102	3,865	4,237	4,663	7,025	100.0	71.7	89.3	97.9	107.7	162.3
30	111	4,890	3,081	4,377	4,789	5,243	7,900	100.0	63.0	89.5	97.9	107.2	161.6
35	108	5,665	3,658	4,950	5,472	6,142	10,758	100.0	64.6	87.4	96.6	108.4	189.9
40	105	6,628	3,978	5,608	6,286	7,320	12,346	100.0	60.0	84.6	94.8	110.4	186.3
45	103	7,450	4,389	6,238	7,060	8,482	14,805	100.0	58.9	83.7	94.8	113.9	198.7
50	100	8,311	4,188	6,646	8,045	9,328	15,965	100.0	50.4	80.0	96.8	112.2	192.1
55	97	9,037	4,756	7,031	8,650	10,225	17,264	100.0	52.6	77.8	95.7	113.1	191.0
60	80	8,785	2,516	6,823	8,772	10,429	17,744	100.0	28.6	77.7	99.9	118.7	202.0
高校卒・総合職（事務・技術系）													
18	37	2,566	2,127	2,380	2,495	2,646	3,576	100.0	82.9	92.7	97.2	103.1	139.4
20	57	3,095	2,226	2,797	3,057	3,297	4,693	100.0	71.9	90.4	98.8	106.5	151.6
22	57	3,349	2,324	3,028	3,334	3,674	4,849	100.0	69.4	90.4	99.5	109.7	144.8
25	59	3,609	2,478	3,295	3,613	3,936	5,326	100.0	68.7	91.3	100.1	109.1	147.6
27	56	4,010	2,533	3,641	4,010	4,353	5,847	100.0	63.2	90.8	100.0	108.6	145.8
30	59	4,430	2,574	3,954	4,460	4,899	6,931	100.0	58.1	89.3	100.7	110.6	156.5
35	58	5,169	2,672	4,566	5,021	5,673	10,758	100.0	51.7	88.3	97.1	109.7	208.1
40	60	5,654	2,799	4,612	5,494	6,243	12,346	100.0	49.5	81.6	97.2	110.4	218.4
45	56	6,577	2,875	5,692	6,464	7,276	14,805	100.0	43.7	86.5	98.3	110.6	225.1
50	62	7,173	3,912	6,147	6,866	8,109	15,309	100.0	54.5	85.7	95.7	113.1	213.4
55	58	7,912	4,146	6,551	7,299	8,837	17,264	100.0	52.4	82.8	92.3	111.7	218.2
60	50	7,655	2,240	6,350	7,244	8,846	17,744	100.0	29.3	83.0	94.6	115.6	231.8

表４　モデル年間賃金の上昇率（2022・2023年が同一条件で回答のあった企業のみを対象）

（単位：千円，上昇率（％）=2023/2022）

年齢（歳）	企業規模計 年間賃金	企業規模計 上昇率	1,000人以上 年間賃金	1,000人以上 上昇率	300～999人 年間賃金	300～999人 上昇率	299人以下 年間賃金	299人以下 上昇率	製造業計 年間賃金	製造業計 上昇率	非製造業計 年間賃金	非製造業計 上昇率
大学卒・総合職												
22	3,180.2	3.6	3,381.2	6.4	3,240.1	2.8	2,989.1	3.4	3,119.5	3.6	3,208.5	3.7
25	3,918.3	3.8	4,233.5	4.4	3,950.3	3.4	3,679.8	3.9	3,892.5	3.2	3,934.6	4.2
27	4,365.2	3.3	4,769.9	3.1	4,474.8	4.0	3,961.3	2.6	4,401.0	3.2	4,342.3	3.3
30	4,938.1	3.5	5,367.0	1.3	5,091.3	5.0	4,433.3	3.5	4,950.0	2.8	4,930.6	4.0
35	5,733.9	3.9	6,290.6	1.6	5,932.4	6.2	5,142.1	2.6	5,842.0	5.2	5,664.1	3.0
40	6,699.0	3.4	7,688.8	2.8	7,056.2	5.2	5,760.6	1.6	6,862.4	4.1	6,601.7	3.1
45	7,512.1	1.3	8,266.1	2.4	8,026.4	1.8	6,606.5	△0.1	7,709.0	3.4	7,392.2	△0.0
50	8,465.7	2.6	9,231.0	4.6	9,177.8	2.4	7,347.5	1.7	8,673.1	4.4	8,359.8	1.7
55	9,211.9	3.1	10,155.9	2.7	9,894.0	2.5	7,999.6	4.1	9,191.1	2.5	9,222.8	3.4
60	8,952.8	2.4	9,169.0	△2.0	10,084.4	5.1	7,492.5	1.3	8,531.6	0.1	9,163.5	3.6
高校卒・総合職												
18	2,538.7	3.4	2,446.4	4.4	2,524.3	3.7	2,570.2	3.0	2,361.0	2.8	2,594.3	3.6
20	3,065.2	4.4	3,139.3	7.6	3,120.8	5.1	2,985.3	2.4	2,962.1	2.8	3,121.1	5.2
22	3,298.2	4.4	3,328.5	8.1	3,427.3	4.9	3,181.1	2.6	3,152.9	3.3	3,397.2	5.1
25	3,539.9	2.7	3,676.6	6.8	3,619.6	1.0	3,429.7	2.9	3,447.0	3.5	3,593.6	2.3
27	3,937.5	3.8	4,113.5	3.8	4,002.1	3.9	3,818.3	3.7	3,873.2	3.5	3,975.0	4.0
30	4,342.6	3.3	4,630.5	5.3	4,419.7	4.5	4,143.6	1.3	4,225.8	2.5	4,408.0	3.8
35	5,056.9	3.6	5,248.6	2.2	5,242.3	5.1	4,775.5	2.7	5,014.6	4.2	5,079.6	3.2
40	5,554.9	2.3	5,890.6	5.7	5,792.7	3.2	5,181.4	△0.4	5,280.5	1.9	5,719.6	2.5
45	6,413.0	2.6	6,812.9	6.6	6,572.6	2.5	6,098.3	0.8	5,984.1	3.4	6,618.8	2.3
50	7,043.7	4.0	7,296.5	8.4	7,647.4	3.0	6,428.9	3.0	6,363.1	4.1	7,488.8	4.0
55	7,738.0	2.4	7,962.7	5.4	8,343.7	2.2	7,095.5	0.9	6,963.2	1.1	8,243.2	3.1
60	7,607.0	1.1	7,895.0	7.6	8,097.7	△3.8	7,060.9	2.1	7,108.3	2.6	7,901.7	0.2

（注）　2022年，2023年の両方の調査に回答があり，設定条件が同一の企業を抽出して集計したものである。

表５　モデル年間賃金の規模・産業別比較（大学卒・総合職）

年齢（歳）	年間賃金額（単位：千円，（　）内は社数）						全規模　22歳＝100					
	全規模	1,000人以上	300～999人	299人以下	製造業計	非製造業計	全規模	1,000人以上	300～999人	299人以下	製造業計	非製造業計
22	3,182（ 68）	3,451	3,220	2,979	3,148	3,206	100.0	108.5	101.2	93.6	98.9	100.8
25	3,904（116）	4,235	3,953	3,656	3,898	3,907	122.7	133.1	124.2	114.9	122.5	122.8
27	4,328（113）	4,762	4,392	3,980	4,329	4,327	136.0	149.6	138.0	125.1	136.0	136.0
30	4,890（111）	5,374	4,991	4,457	4,862	4,909	153.6	168.9	156.8	140.1	152.8	154.2
35	5,665（108）	6,411	5,722	5,144	5,658	5,670	178.0	201.4	179.8	161.6	177.8	178.2
40	6,628（105）	7,990	6,800	5,808	6,532	6,692	208.3	251.1	213.7	182.5	205.3	210.3
45	7,450（103）	8,907	7,605	6,652	7,385	7,494	234.1	279.9	239.0	209.0	232.1	235.5
50	8,311（100）	9,815	8,524	7,387	8,175	8,402	261.2	308.4	267.8	232.1	256.9	264.0
55	9,037（ 97）	10,675	9,314	7,963	8,651	9,286	284.0	335.5	292.7	250.2	271.8	291.8
60	8,785（ 80）	9,307	9,639	7,444	8,268	9,130	276.1	292.4	302.9	233.9	259.8	286.9

表６　賞与・一時金の支給状況の推移（全産業・規模計）

年度	夏季		年末	
	金額（円）	月数（月）	金額（円）	月数（月）
2012	586,619	2.04	608,815	2.14
2013	596,774	2.05	624,572	2.22
2014	624,631	2.19	674,786	2.22
2015	660,336	2.17	672,429	2.14
2016	651,440	2.12	667,640	2.19
2017	658,133	2.15	681,218	2.26
2018	670,193	2.21	676,852	2.31
2019	677,005	2.28	688,844	2.28
2020	635,522	2.08	658,425	2.18
2021	645,707	2.12	669,547	2.23
2022	710,989	2.19	693,914	2.37
2023	665,818	2.24	—	—

（注）　集計にあたり1,000万円を超える企業は除いた。

非製造業ともすべての年齢ポイントでプラスとなっている

2　賞与・一時金の支給状況

■2022年年末は693,914円，2.37カ月
2023年夏季は665,818円，2.24カ月

賞与・一時金は，現在，年収の約４分の１，月数で４カ月以上を占めており，賃金においては重要な一部であり，当然労働者の生計費に組み込まれている。一方，経営側は「業績の配分は賃上げではなく一時金で」と主張しており，業績連動型制度により労使交渉の対象にしない企業も増加している。また，年齢ポイントが高くなるほど賞

与・一時金の比率は高くなる。

回答企業の賞与・一時金の支給状況をみると，2022年年末は693,914円（前年669,547円），2.37カ月（同2.23カ月），2023年夏季は665,818円（同710,989円），2.24カ月（同2.19カ月）。

前年の結果と単純に比較すると，年末は24,367円増，夏季は45,171円減少となった。夏季が減少しているのは前年ほど大手企業が伸びなかったことと集計企業の違いによるものである。

上記とは別に，増減率に記入のあった回答を集計したものが表7の「前年比」の欄である。2022年年末8.82％増（前年3.69％増），2023年夏季は9.87％（同4.71％増）となった。

3　年間賃金に占める賞与・一時金の割合

■25歳時で大卒で27.1％，高卒は25.8％

年間賃金に占める賞与・一時金の割合は，25歳時で，大学卒は27.1％（前年26.8％），高校卒では25.8％（同25.9％）であった。40歳時では大学卒27.8％（同27.4％），高校卒26.4％（同25.4％），50歳時では大学卒28.8％（同27.7％），高校卒27.0％（同26.1％）と，各年齢ポイントとも例年同様に大学卒のほうが賞与・一時金の割合が高い傾向となっている（図2，表8）。

また，支給月数では，大学卒では25歳以降4.4カ月以上であるが，高校卒では20歳以降でほぼ4カ月を超える程度である。

表7　賞与・一時金の平均支給額，月数

規模	全産業						製造業						非製造業					
	2023年夏季			2022年年末			2023年夏季			2022年年末			2023年夏季			2022年年末		
	金額（千円）	月数（月）	前年比（%）	金額（千円）	月数（月）	前年比（%）	金額（千円）	月数（月）	前年比（%）	金額（千円）	月数（月）	前年比（%）	金額（千円）	月数（月）	前年比（%）	金額（千円）	月数（月）	前年比（%）
規模計	665.8	2.2	9.87	693.9	2.4	8.82	669.7	2.3	11.16	701.8	2.4	9.24	663.1	2.2	9.03	688.7	2.3	8.54
1,000人以上	863.1	2.7	3.28	851.5	2.6	18.46	931.3	2.7	9.02	931.2	2.8	15.44	794.9	2.6	△1.75	776.7	2.5	20.92
300～999人	716.5	2.4	12.80	788.7	2.7	6.19	766.9	2.6	△0.20	783.2	2.7	6.01	686.9	2.3	19.68	791.7	2.6	6.29
299人以下	560.3	2.0	10.45	569.6	2.1	7.05	491.8	1.9	18.71	543.3	2.1	8.62	606.4	2.1	5.00	586.5	2.0	6.01

（注）「前年比」は，金額の記入があった回答から集計したものである。

表8　規模別にみたモデル年間賃金と賞与比率，月数

年齢（歳）	企業規模計			1,000人以上			300～999人			299人以下		
	年間賃金計（千円）	賞与・一時金比率（%）	賞与・一時金月数（月）	年間賃金計（千円）	賞与・一時金比率（%）	賞与・一時金月数（月）	年間賃金計（千円）	賞与・一時金比率（%）	賞与・一時金月数（月）	年間賃金計（千円）	賞与・一時金比率（%）	賞与・一時金月数（月）
大学卒・総合職												
22	3,182	17.1	2.48	3,451	18.5	2.73	3,220	18.0	2.64	2,979	14.9	2.10
25	3,904	27.1	4.45	4,235	28.2	4.71	3,953	28.5	4.78	3,656	24.6	3.92
27	4,328	26.8	4.40	4,762	28.5	4.79	4,392	28.1	4.68	3,980	23.9	3.77
30	4,890	26.8	4.40	5,374	29.0	4.89	4,991	28.2	4.70	4,457	23.4	3.67
35	5,665	27.4	4.52	6,411	29.4	5.00	5,722	28.7	4.83	5,144	24.0	3.79
40	6,628	27.8	4.61	7,990	31.0	5.39	6,800	29.2	4.94	5,808	23.9	3.77
45	7,450	28.2	4.70	8,907	31.3	5.47	7,605	29.4	5.01	6,652	24.7	3.93
50	8,311	28.8	4.86	9,815	30.8	5.35	8,524	30.3	5.21	7,387	25.7	4.15
55	9,037	29.2	4.96	10,675	31.4	5.49	9,314	30.5	5.27	7,963	26.2	4.26
60	8,785	28.7	4.84	9,307	29.7	5.07	9,639	30.1	5.17	7,444	25.9	4.19
高校卒・総合職												
18	2,566	16.0	2.28	2,787	17.9	2.62	2,538	15.5	2.20	2,526	15.8	2.25
20	3,095	26.1	4.23	3,239	27.7	4.59	3,173	27.5	4.54	2,948	23.7	3.73
22	3,349	26.0	4.22	3,528	28.1	4.68	3,490	28.2	4.70	3,154	23.0	3.58
25	3,609	25.8	4.18	3,880	28.7	4.83	3,706	27.8	4.63	3,429	22.9	3.56
27	4,010	25.5	4.10	4,311	28.0	4.67	4,051	27.1	4.46	3,847	22.7	3.52
30	4,430	25.7	4.15	4,849	28.6	4.80	4,443	27.4	4.53	4,218	22.5	3.49
35	5,169	26.2	4.27	5,771	28.9	4.87	5,166	27.9	4.65	4,859	22.8	3.55
40	5,654	26.4	4.31	6,734	30.1	5.17	5,576	27.9	4.65	5,207	22.7	3.51
45	6,577	26.3	4.28	7,958	30.9	5.37	6,444	26.8	4.40	6,123	23.3	3.65
50	7,173	27.0	4.44	8,416	30.0	5.15	7,357	28.4	4.75	6,503	24.0	3.80
55	7,912	27.3	4.50	9,251	29.2	4.94	8,154	28.6	4.81	7,065	24.7	3.93
60	7,655	27.8	4.63	8,437	30.0	5.14	7,813	28.6	4.80	7,140	25.9	4.20

（注）1．年間賃金とは「モデル賃金×12ヵ月＋2023年夏季および2022年年末の賞与・一時金」の合計額。
2．「賞与一時金月数」は，年間賃金集計で算出されたモデル所定内賃金で上記の年間賞与・一時金を除した月数。

■前年比分布でみる賞与・一時金は増加傾向

各期の支給額の前年に対する増減差の分布をみると（表９），2022年年末の「前年比増」の企業は64.0％（前年58.7％）とおよそ８ポイント増加した。2023年夏季も67.1％（同60.3％）と７ポイント近く増加している。これは，コロナ禍も落ちつき経済も上向きになってきたためであろう。

続いて，回答のあった企業から支給月数の分布をみると，最も多いのは，各期ともに「２カ月以上2.49カ月以下」の企業で，2022年年末は33.7％（同31.4％），2023年夏季は35.8％（同33.5％）となっている，次いで2022年末は「2.5カ月～2.99カ月」21.1％（同24.4％），夏季も「2.5カ月～2.99カ月」の17.6％（同16.1％）となった。また，２カ月以上支給した企業は，2022年年末71.1％（同66.7％），2023年夏季67.3％（同63.9％）であった（表10）。

表９　賞与・一時金前年比分布

（単位：％）

規模・産業	合　計（社）	前年より減少								100.0	前年より増加					
		支給しない	0.01～49.99	50.00～59.99	60.00～69.99	70.00～79.99	80.00～89.99	90.00～99.99	【再掲】減少計		【再掲】増加計	100.01～109.99	110.00～119.99	120.00～129.99	130.00～139.99	140.0以上
2022年年末																
調　査　計	100.0(161)	—	0.6	0.6	1.2	1.2	2.5	20.5	26.7	9.3	64.0	39.8	11.2	5.0	1.2	6.8
1,000人以上	100.0(29)	—	—	—	—	—	3.4	20.7	24.1	10.3	65.5	41.4	10.3	3.4	—	10.3
300～999人	100.0(54)	—	—	1.9	—	—	3.7	25.9	31.5	7.4	61.1	38.9	5.6	9.3	—	7.4
299人以下	100.0(78)	—	1.3	—	2.6	2.6	1.3	16.7	24.4	10.3	65.4	39.7	15.4	2.6	2.6	5.1
製造業計	100.0(63)	—	—	—	1.6	1.6	3.2	20.6	27.0	7.9	65.1	38.1	12.7	4.8	1.6	7.9
非製造業計	100.0(98)	—	1.0	1.0	1.0	1.0	2.0	20.4	26.5	10.2	63.3	40.8	10.2	5.1	1.0	6.1
2023年夏季																
調　査　計	100.0(134)	0.6	0.6	—	1.2	1.2	3.7	17.4	24.8	8.1	67.1	44.7	12.4	2.5	1.9	5.6
1,000人以上	100.0(23)	—	—	—	3.3	3.3	3.3	20.0	30.0	6.7	63.3	46.7	10.0	3.3	—	3.3
300～999人	100.0(47)	1.9	—	—	1.9	—	5.7	13.2	22.6	3.8	73.6	54.7	9.4	—	3.8	5.7
299人以下	100.0(64)	—	1.3	—	—	1.3	2.6	19.2	24.4	11.5	64.1	37.2	15.4	3.8	1.3	6.4
製造業計	100.0(46)	—	—	—	1.6	1.6	7.9	14.3	25.4	6.3	68.3	42.9	14.3	4.8	—	6.3
非製造業計	100.0(88)	—	1.0	—	1.0	1.0	1.0	19.4	23.5	9.2	66.3	45.9	11.2	1.0	3.1	5.1

（注）　賞与・一時金制度のある企業のみの集計。表10も同じ。

表10　賞与・一時金支給月数分布

（単位：％）

規模・産業	合　計（社）	支給しない	0.01～0.49	0.50～0.99	1.00～1.49	1.50～1.99	2.00～2.49	2.50～2.99	3.00～3.49	3.50～3.99	4.00カ月以上	【再掲】2カ月以上計
2022年年末												
調　査　計	100.0 (166)	—	2.4	1.8	10.8	13.9	33.7	21.1	6.6	4.8	4.8	71.1
1,000人以上	100.0 (32)	—	3.1	—	—	9.4	46.9	21.9	—	9.4	9.4	87.5
300～999人	100.0 (55)	—	1.8	—	3.6	12.7	25.5	36.4	10.9	3.6	5.5	81.8
299人以下	100.0 (79)	—	2.5	3.8	20.3	16.5	34.2	10.1	6.3	3.8	2.5	57.0
製造業計	100.0 (70)	—	—	1.4	12.9	10.0	28.6	27.1	7.1	10.0	2.9	75.7
非製造業計	100.0 (96)	—	4.2	2.1	9.4	16.7	37.5	16.7	6.3	1.0	6.3	67.7
2023年夏季												
調　査　計	100.0 (165)	0.6	1.2	1.8	13.9	15.2	35.8	17.6	5.5	3.0	5.5	67.3
1,000人以上	100.0 (32)	—	—	—	9.4	6.3	43.8	18.8	—	3.1	18.8	84.4
300～999人	100.0 (54)	1.9	—	—	5.6	14.8	33.3	29.6	9.3	3.7	1.9	77.8
299人以下	100.0 (79)	—	2.5	3.8	21.5	19.0	34.2	8.9	5.1	2.5	2.5	53.2
製造業計	100.0 (70)	—	—	1.4	14.3	12.9	40.0	15.7	7.1	4.3	4.3	71.4
非製造業計	100.0 (95)	1.1	2.1	2.1	13.7	16.8	32.6	18.9	4.2	2.1	6.3	64.2

（注）「0.01～0.49」は「0.01カ月以上0.49カ月以下」の意味である。

2023年度　モデル賃金・年間賃金の実態

モデル年間賃金調査　集計表一覧

[掲載頁]

集計表1-1-(1)	モデル年間賃金の内訳(全産業,規模計)	62
集計表1-1-(2)	モデル年間賃金の内訳(全産業,1,000人以上)	63
集計表1-1-(3)	モデル年間賃金の内訳(全産業,300〜999人)	64
集計表1-1-(4)	モデル年間賃金の内訳(全産業,299人以下)	65
集計表1-2-(1)	モデル年間賃金の内訳(製造業,規模計)	66
集計表1-2-(2)	モデル年間賃金の内訳(製造業,1,000人以上)	67
集計表1-2-(3)	モデル年間賃金の内訳(製造業,300〜999人)	68
集計表1-2-(4)	モデル年間賃金の内訳(製造業,299人以下)	69
集計表1-3-(1)	モデル年間賃金の内訳(非製造業,規模計)	70
集計表1-3-(2)	モデル年間賃金の内訳(非製造業,1,000人以上)	71
集計表1-3-(3)	モデル年間賃金の内訳(非製造業,300〜999人)	72
集計表1-3-(4)	モデル年間賃金の内訳(非製造業,299人以下)	73
集計表2-1-(1)	モデル年間賃金のばらつき(全産業,規模計)	74
集計表2-1-(2)	モデル年間賃金のばらつき(全産業,1,000人以上)	75
集計表2-1-(3)	モデル年間賃金のばらつき(全産業,300〜999人)	76
集計表2-1-(4)	モデル年間賃金のばらつき(全産業,299人以下)	77
集計表2-2-(1)	モデル年間賃金のばらつき(製造業,規模計)	78
集計表2-2-(2)	モデル年間賃金のばらつき(製造業,1,000人以上)	79
集計表2-2-(3)	モデル年間賃金のばらつき(製造業,300〜999人)	80
集計表2-2-(4)	モデル年間賃金のばらつき(製造業,299人以下)	81
集計表2-3-(1)	モデル年間賃金のばらつき(非製造業,規模計)	82
集計表2-3-(2)	モデル年間賃金のばらつき(非製造業,1,000人以上)	83
集計表2-3-(3)	モデル年間賃金のばらつき(非製造業,300〜999人)	84
集計表2-3-(4)	モデル年間賃金のばらつき(非製造業,299人以下)	85
集計表2-4	モデル年間賃金の分散係数	86
集計表3	産業別にみたモデル年間賃金	87〜92

モデル年間賃金調査結果集計表

集計表1－1－(1)　モデル年間賃金の内訳（全産業，規模計）

（単位：円）

設定条件 年齢（歳）	勤続年数（年）	扶養家族（人）	社数（社）	年間賃金（年俸制含まず）(A) (a)×12+(b)+(c)	1カ月平均所定内賃金 (a)	2023年夏季賞与・一時金 (b)	2022年年末賞与・一時金 (c)	賞与・一時金支給率（%） $\frac{(b)+(c)}{(A)}\times100$
大学卒・総合職（事務・技術系）								
22	0	0	68	3,182,359	219,729	112,721	432,895	17.1
25	3	0	116	3,903,606	237,285	512,161	544,024	27.1
27	5	1	113	4,327,896	263,943	558,204	602,370	26.8
30	8	2	111	4,889,666	298,079	631,067	681,648	26.8
35	13	3	108	5,665,146	342,910	746,919	803,313	27.4
40	18	3	105	6,628,009	399,021	884,497	955,259	27.8
45	23	3	103	7,449,749	445,982	1,007,501	1,090,467	28.2
50	28	2	100	8,311,206	492,838	1,153,706	1,243,449	28.8
55	33	1	97	9,037,457	532,890	1,266,910	1,375,870	29.2
60	38	1	80	8,784,973	521,693	1,193,386	1,331,271	28.7
大学卒・一般職（事務・技術系）								
22	0	0	24	2,762,939	192,728	96,985	353,221	16.3
25	3	0	39	3,396,165	210,713	418,853	448,756	25.5
27	5	0	37	3,547,893	219,168	434,520	483,352	25.9
30	8	0	40	3,842,586	234,812	489,362	535,479	26.7
35	13	0	38	4,292,975	261,454	545,955	609,571	26.9
40	18	0	37	4,717,324	285,458	613,444	678,378	27.4
45	23	0	34	5,208,739	313,347	676,364	772,211	27.8
短大卒・一般職（事務・技術系）								
20	0	0	31	2,634,263	183,090	105,669	331,519	16.6
22	2	0	40	3,105,526	194,000	381,226	396,302	25.0
25	5	0	43	3,366,085	209,333	417,870	436,214	25.4
30	10	0	42	3,754,203	234,587	458,256	480,898	25.0
35	15	0	47	4,221,879	260,331	527,881	570,032	26.0
40	20	0	45	4,804,024	294,239	615,361	657,799	26.5
高校卒・総合職（事務・技術系）								
18	0	0	37	2,566,162	179,668	84,056	326,095	16.0
20	2	0	57	3,094,856	190,661	396,977	409,948	26.1
22	4	0	57	3,349,450	206,551	432,143	438,697	26.0
25	7	0	59	3,608,797	223,026	459,486	473,003	25.8
27	9	1	56	4,010,076	249,113	502,363	518,359	25.5
30	12	2	59	4,430,047	274,294	562,580	575,934	25.7
35	17	3	58	5,169,270	317,722	676,319	680,282	26.2
40	22	3	60	5,653,652	346,678	728,471	765,048	26.4
45	27	3	56	6,576,984	403,877	848,848	881,611	26.3
50	32	2	62	7,172,778	436,274	966,570	970,914	27.0
55	37	1	58	7,911,539	479,426	1,074,249	1,084,178	27.3
60	42	1	50	7,654,739	460,276	1,066,407	1,065,020	27.8
高校卒・一般職（事務・技術系）								
18	0	0	25	2,471,969	172,197	80,009	325,596	16.4
20	2	0	34	2,906,146	182,444	341,697	375,120	24.7
22	4	0	36	3,082,501	192,032	374,165	403,953	25.2
25	7	0	36	3,339,005	207,046	407,177	447,275	25.6
30	12	0	32	3,761,455	233,392	461,738	499,009	25.5
35	17	0	34	4,188,827	257,599	521,874	575,770	26.2
40	22	0	32	4,716,502	287,203	598,146	671,918	26.9
高校卒・現業系								
18	0	0	25	2,542,611	177,392	75,839	338,065	16.3
20	2	0	42	3,094,378	187,790	414,705	426,198	27.2
22	4	0	38	3,268,987	198,150	442,916	448,266	27.3
25	7	0	43	3,544,271	213,976	482,641	493,913	27.6
27	9	1	41	3,935,092	239,179	525,191	539,752	27.1
30	12	2	40	4,239,462	259,008	557,955	573,409	26.7
35	17	3	39	4,821,778	291,119	658,016	670,329	27.5
40	22	3	42	5,291,905	318,390	723,793	747,429	27.8
45	27	3	37	5,751,447	344,880	796,890	816,003	28.0
50	32	2	38	6,299,759	373,436	902,538	915,994	28.9
55	37	1	36	6,720,249	399,195	956,942	972,966	28.7
60	42	1	28	5,763,158	346,744	795,378	806,847	27.8

（注）賞与・一時金が1,000万円を超える企業を除いて集計した。以下同じ。

集計表1−1−(2)　モデル年間賃金の内訳（全産業，1,000人以上）

(単位：円)

設定条件			社数	年間賃金（年俸制含まず）				賞与・一時金支給率（％）
年齢（歳）	勤続年数（年）	扶養家族（人）	(社)	(A) (a)×12+(b)+(c)	1ヵ月平均所定内賃金 (a)	2023年夏季賞与・一時金 (b)	2022年年末賞与・一時金 (c)	$\frac{(b)+(c)}{(A)} \times 100$
大学卒・総合職（事務・技術系）								
22	0	0	13	3,451,396	234,274	116,430	523,681	18.5
25	3	0	25	4,235,051	253,493	619,007	574,131	28.2
27	5	1	25	4,762,053	283,645	693,973	664,344	28.5
30	8	2	25	5,374,249	318,183	788,533	767,526	29.0
35	13	3	23	6,410,531	377,191	962,586	921,653	29.4
40	18	3	19	7,989,658	459,453	1,267,075	1,209,152	31.0
45	23	3	17	8,906,732	509,778	1,405,280	1,384,117	31.3
50	28	2	17	9,814,782	565,796	1,544,323	1,480,910	30.8
55	33	1	17	10,675,462	610,247	1,693,494	1,659,001	31.4
60	38	1	14	9,306,656	545,058	1,407,551	1,358,405	29.7
大学卒・一般職（事務・技術系）								
22	0	0	3	2,489,147	182,227	65,173	237,253	12.1
25	3	0	9	3,580,672	218,169	504,497	458,148	26.9
27	5	0	9	3,726,352	225,645	529,834	488,774	27.3
30	8	0	10	3,922,167	237,070	560,658	516,671	27.5
35	13	0	7	4,563,954	273,891	676,948	600,315	28.0
40	18	0	7	5,569,057	318,974	883,731	857,642	31.3
45	23	0	5	6,192,031	359,971	946,312	926,062	30.2
短大卒・一般職（事務・技術系）								
20	0	0	5	2,620,688	181,536	97,504	344,752	16.9
22	2	0	9	3,195,800	199,494	431,013	370,853	25.1
25	5	0	9	3,483,074	214,628	479,404	428,136	26.1
30	10	0	9	3,906,260	244,464	499,666	473,021	24.9
35	15	0	9	4,266,890	265,920	563,444	512,406	25.2
40	20	0	8	5,325,592	317,458	770,110	745,993	28.5
高校卒・総合職（事務・技術系）								
18	0	0	5	2,787,055	190,683	71,210	427,649	17.9
20	2	0	11	3,239,186	195,213	469,272	427,364	27.7
22	4	0	10	3,528,140	211,490	522,515	467,747	28.1
25	7	0	10	3,879,930	230,573	584,525	528,532	28.7
27	9	1	10	4,311,136	258,656	628,815	578,447	28.0
30	12	2	12	4,848,941	288,543	714,379	672,049	28.6
35	17	3	12	5,770,848	342,163	860,110	804,780	28.9
40	22	3	12	6,733,807	392,137	1,012,034	1,016,129	30.1
45	27	3	10	7,958,477	458,280	1,249,581	1,209,533	30.9
50	32	2	11	8,415,981	490,588	1,276,131	1,252,793	30.0
55	37	1	11	9,251,101	546,018	1,356,723	1,342,156	29.2
60	42	1	10	8,436,567	492,326	1,287,932	1,240,724	30.0
高校卒・一般職（事務・技術系）								
18	0	0	6	2,578,718	178,020	97,471	345,005	17.2
20	2	0	9	2,980,623	188,230	374,452	347,411	24.2
22	4	0	9	3,243,760	203,609	422,056	378,390	24.7
25	7	0	9	3,527,525	219,251	469,723	426,796	25.4
30	12	0	7	4,087,249	256,172	537,378	475,803	24.8
35	17	0	8	4,464,925	279,682	595,880	512,867	24.8
40	22	0	6	5,640,390	336,086	804,047	803,318	28.5
高校卒・現業系								
18	0	0	6	2,721,163	184,887	83,633	418,890	18.5
20	2	0	13	3,221,055	197,310	432,088	421,247	26.5
22	4	0	13	3,459,248	209,455	481,539	464,254	27.3
25	7	0	13	3,771,840	226,521	533,450	520,140	27.9
27	9	1	12	4,298,156	258,388	602,084	595,422	27.9
30	12	2	13	4,720,075	285,892	651,534	637,842	27.3
35	17	3	12	5,364,729	315,333	793,367	787,362	29.5
40	22	3	13	6,036,937	355,705	889,833	878,648	29.3
45	27	3	9	6,929,027	405,990	1,033,164	1,023,982	29.7
50	32	2	10	7,294,129	421,339	1,132,237	1,105,825	30.7
55	37	1	9	7,446,509	431,776	1,150,261	1,114,932	30.4
60	42	1	5	5,502,218	335,624	752,544	722,186	26.8

集計表1−1−(3)　モデル年間賃金の内訳（全産業，300〜999人）

(単位：円)

設定条件			社数	年間賃金（年俸制含まず）				賞与・一時金支給率（％）
年齢(歳)	勤続年数(年)	扶養家族(人)	(社)	(A) (a)×12+(b)+(c)	1カ月平均所定内賃金 (a)	2023年夏季賞与・一時金 (b)	2022年年末賞与・一時金 (c)	$\frac{(b)+(c)}{(A)}\times 100$
大学卒・総合職（事務・技術系）								
22	0	0	32	3,219,543	219,927	130,995	449,429	18.0
25	3	0	48	3,952,813	235,634	524,033	601,172	28.5
27	5	1	48	4,391,815	263,315	568,293	663,747	28.1
30	8	2	47	4,990,573	298,754	649,170	756,356	28.2
35	13	3	47	5,721,728	340,061	758,727	882,272	28.7
40	18	3	45	6,799,788	401,378	918,777	1,064,473	29.2
45	23	3	46	7,605,055	447,218	1,046,489	1,191,946	29.4
50	28	2	45	8,523,576	495,271	1,200,686	1,379,640	30.3
55	33	1	43	9,314,110	539,424	1,322,214	1,518,813	30.5
60	38	1	37	9,638,637	561,299	1,333,274	1,569,781	30.1
大学卒・一般職（事務・技術系）								
22	0	0	9	2,827,960	192,796	109,296	405,117	18.2
25	3	0	13	3,314,515	205,270	385,838	465,437	25.7
27	5	0	13	3,466,192	213,893	399,753	499,723	25.9
30	8	0	15	3,848,987	233,099	469,473	582,329	27.3
35	13	0	16	4,311,492	259,818	527,674	666,001	27.7
40	18	0	14	4,617,751	280,277	557,593	696,837	27.2
45	23	0	15	5,105,194	307,391	619,521	796,977	27.7
短大卒・一般職（事務・技術系）								
20	0	0	14	2,695,255	184,457	130,930	350,839	17.9
22	2	0	17	3,129,141	192,900	392,183	422,157	26.0
25	5	0	20	3,382,263	208,135	428,519	456,120	26.2
30	10	0	19	3,752,889	232,589	467,394	494,431	25.6
35	15	0	22	4,338,827	262,642	551,999	635,128	27.4
40	20	0	22	4,817,336	294,176	612,371	674,849	26.7
高校卒・総合職（事務・技術系）								
18	0	0	16	2,537,527	178,678	96,910	296,483	15.5
20	2	0	23	3,172,993	191,798	428,244	443,172	27.5
22	4	0	22	3,490,343	208,949	491,871	491,088	28.2
25	7	0	22	3,705,606	222,850	506,481	524,924	27.8
27	9	1	22	4,050,745	246,078	534,636	563,176	27.1
30	12	2	22	4,442,702	268,835	597,735	618,944	27.4
35	17	3	23	5,165,798	310,238	725,618	717,323	27.9
40	22	3	23	5,575,685	334,974	765,675	790,317	27.9
45	27	3	22	6,444,400	392,875	849,690	880,206	26.8
50	32	2	24	7,357,010	439,146	1,070,232	1,017,028	28.4
55	37	1	23	8,154,360	485,139	1,215,661	1,117,035	28.6
60	42	1	19	7,812,669	465,052	1,169,333	1,062,717	28.6
高校卒・一般職（事務・技術系）								
18	0	0	9	2,414,840	170,200	64,465	307,975	15.4
20	2	0	12	2,988,084	182,275	369,992	430,792	26.8
22	4	0	12	3,128,323	189,805	398,491	452,172	27.2
25	7	0	15	3,354,741	205,259	414,550	477,078	26.6
30	12	0	14	3,743,478	229,985	462,423	521,235	26.3
35	17	0	14	4,284,570	258,182	539,751	646,634	27.7
40	22	0	14	4,719,446	287,182	597,603	675,657	27.0
高校卒・現業系								
18	0	0	13	2,544,654	178,403	77,354	326,468	15.9
20	2	0	20	3,111,508	186,066	424,922	453,798	28.2
22	4	0	16	3,236,654	193,964	443,330	465,754	28.1
25	7	0	21	3,500,299	209,773	477,078	505,945	28.1
27	9	1	20	3,827,541	230,962	517,571	538,425	27.6
30	12	2	19	3,989,587	243,260	514,043	556,425	26.8
35	17	3	19	4,564,046	276,853	611,966	629,844	27.2
40	22	3	20	4,969,241	300,078	657,310	711,001	27.5
45	27	3	20	5,326,830	320,519	724,286	756,314	27.8
50	32	2	19	5,968,221	355,207	827,839	877,899	28.6
55	37	1	18	6,561,973	390,910	915,173	955,883	28.5
60	42	1	16	6,050,401	357,731	860,282	897,349	29.0

集計表1－1－(4)　モデル年間賃金の内訳（全産業，299人以下）

（単位：円）

設定条件			社数	年間賃金（年俸制含まず）				賞与・一時金支給率（%）
年齢	勤続年数	扶養家族		(A)	1カ月平均所定内賃金	2023年夏季賞与・一時金	2022年年末賞与・一時金	$\frac{(b)+(c)}{(A)} \times 100$
(歳)	(年)	(人)	(社)	(a)×12+(b)+(c)	(a)	(b)	(c)	
大学卒・総合職（事務・技術系）								
22	0	0	23	2,978,561	211,232	85,201	358,577	14.9
25	3	0	43	3,655,976	229,705	436,789	462,727	24.6
27	5	1	40	3,979,844	252,385	461,242	489,984	23.9
30	8	2	39	4,457,430	284,379	508,310	536,567	23.4
35	13	3	38	5,144,010	325,684	601,779	634,027	24.0
40	18	3	41	5,808,462	368,429	669,581	717,732	23.9
45	23	3	40	6,651,928	417,446	793,610	848,966	24.7
50	28	2	38	7,387,063	457,317	923,322	975,936	25.7
55	33	1	37	7,963,344	489,754	1,006,639	1,079,661	26.2
60	38	1	29	7,443,967	459,882	911,519	1,013,866	25.9
大学卒・一般職（事務・技術系）								
22	0	0	12	2,782,621	195,302	95,705	343,290	15.8
25	3	0	17	3,360,923	210,928	398,758	431,029	24.7
27	5	0	15	3,511,625	219,854	407,464	465,910	24.9
30	8	0	15	3,783,132	235,020	461,720	501,168	25.5
35	13	0	15	4,146,767	257,395	504,324	553,700	25.5
40	18	0	16	4,431,816	275,329	544,065	583,799	25.4
45	23	0	14	4,968,504	303,077	640,857	690,729	26.8
短大卒・一般職（事務・技術系）								
20	0	0	12	2,568,762	182,141	79,600	303,465	14.9
22	2	0	14	3,018,818	191,803	335,915	381,266	23.8
25	5	0	14	3,267,767	207,642	363,099	412,970	23.7
30	10	0	14	3,658,233	230,950	419,234	467,595	24.2
35	15	0	16	4,035,758	254,009	474,714	512,940	24.5
40	20	0	15	4,506,331	281,947	537,214	585,756	24.9
高校卒・総合職（事務・技術系）								
18	0	0	16	2,525,769	177,215	75,216	323,971	15.8
20	2	0	23	2,947,691	187,347	331,135	368,394	23.7
22	4	0	25	3,153,989	202,465	343,433	380,972	23.0
25	7	0	27	3,429,496	220,373	374,884	410,132	22.9
27	9	1	24	3,847,356	247,919	420,091	452,239	22.7
30	12	2	25	4,217,842	272,259	458,781	491,951	22.5
35	17	3	23	4,858,875	312,455	531,130	578,286	22.8
40	22	3	25	5,206,907	335,624	558,132	621,281	22.7
45	27	3	24	6,122,897	391,294	681,105	746,265	23.3
50	32	2	27	6,502,527	411,594	748,309	815,085	24.0
55	37	1	24	7,064,871	443,430	809,262	934,451	24.7
60	42	1	21	7,139,550	440,693	867,794	983,435	25.9
高校卒・一般職（事務・技術系）								
18	0	0	10	2,459,336	170,500	83,522	329,810	16.8
20	2	0	13	2,778,949	178,594	292,903	342,913	22.9
22	4	0	15	2,949,088	186,867	325,969	380,716	24.0
25	7	0	12	3,177,945	200,126	351,052	425,381	24.4
30	12	0	11	3,577,010	223,232	412,733	485,490	25.1
35	17	0	12	3,893,061	242,196	451,681	535,031	25.3
40	22	0	12	4,251,124	262,787	495,828	601,855	25.8
高校卒・現業系								
18	0	0	6	2,359,631	167,708	64,763	282,368	14.7
20	2	0	9	2,873,334	177,869	366,890	372,018	25.7
22	4	0	9	3,051,647	189,264	386,392	394,081	25.6
25	7	0	9	3,318,160	205,664	422,229	427,958	25.6
27	9	1	9	3,690,010	231,828	439,601	468,476	24.6
30	12	2	8	4,051,920	252,725	510,179	509,041	25.2
35	17	3	8	4,619,468	288,681	564,359	590,934	25.0
40	22	3	9	4,932,778	305,187	631,696	638,842	25.8
45	27	3	8	5,488,214	337,031	712,588	731,251	26.3
50	32	2	9	5,894,816	358,692	805,014	785,495	27.0
55	37	1	9	6,310,541	383,184	847,161	865,167	27.1
60	42	1	7	5,292,986	329,576	677,620	660,457	25.3

集計表1－2－(1) モデル年間賃金の内訳（製造業，規模計）

（単位：円）

設定条件 年齢（歳）	設定条件 勤続年数（年）	設定条件 扶養家族（人）	社数（社）	年間賃金（年俸制含まず）（A） (a)×12+(b)+(c)	1カ月平均所定内賃金 (a)	2023年夏季賞与・一時金 (b)	2022年年末賞与・一時金 (c)	賞与・一時金支給率（%） $\frac{(b)+(c)}{(A)}\times100$
大学卒・総合職（事務・技術系）								
22	0	0	28	3,148,094	220,072	91,724	415,507	16.1
25	3	0	45	3,898,108	237,228	513,788	537,580	27.0
27	5	1	46	4,329,220	263,970	569,146	592,430	26.8
30	8	2	45	4,861,635	296,807	637,319	662,636	26.7
35	13	3	44	5,657,986	343,830	751,331	780,696	27.1
40	18	3	42	6,532,164	396,203	873,051	904,676	27.2
45	23	3	42	7,384,775	444,138	1,008,700	1,046,415	27.8
50	28	2	40	8,175,198	488,374	1,147,388	1,167,318	28.3
55	33	1	38	8,651,076	513,321	1,217,765	1,273,463	28.8
60	38	1	32	8,267,515	500,366	1,104,942	1,158,179	27.4
大学卒・一般職（事務・技術系）								
22	0	0	9	2,630,512	189,696	63,951	290,215	13.5
25	3	0	12	3,304,522	207,686	373,436	438,856	24.6
27	5	0	11	3,458,965	215,444	385,406	488,235	25.3
30	8	0	12	3,618,406	224,455	423,345	501,601	25.6
35	13	0	12	4,061,614	252,697	473,275	555,973	25.3
40	18	0	11	4,313,263	271,127	480,632	579,104	24.6
45	23	0	10	4,594,616	285,143	527,910	644,992	25.5
短大卒・一般職（事務・技術系）								
20	0	0	13	2,548,805	181,608	67,851	301,662	14.5
22	2	0	15	2,953,750	188,071	340,562	356,340	23.6
25	5	0	16	3,274,262	206,093	389,424	411,720	24.5
30	10	0	16	3,644,380	228,489	438,493	464,021	24.8
35	15	0	18	4,139,213	257,402	494,940	555,454	25.4
40	20	0	17	4,577,953	283,172	553,038	626,853	25.8
高校卒・総合職（事務・技術系）								
18	0	0	15	2,536,041	178,070	75,853	323,348	15.7
20	2	0	25	3,052,573	188,944	378,856	406,385	25.7
22	4	0	27	3,249,410	200,998	408,370	429,063	25.8
25	7	0	27	3,572,256	219,599	450,855	486,215	26.2
27	9	1	25	3,969,673	245,652	498,335	523,518	25.7
30	12	2	25	4,317,475	269,577	524,678	557,872	25.1
35	17	3	25	5,026,666	311,421	628,524	661,091	25.7
40	22	3	27	5,319,080	332,485	631,816	697,439	25.0
45	27	3	25	5,969,433	374,217	694,636	784,195	24.8
50	32	2	28	6,453,989	400,397	814,127	835,100	25.6
55	37	1	27	7,347,293	456,034	925,235	949,648	25.5
60	42	1	23	7,083,906	436,000	896,124	955,783	26.1
高校卒・一般職（事務・技術系）								
18	0	0	10	2,440,831	170,922	66,405	323,368	16.0
20	2	0	15	2,836,652	178,839	314,643	375,946	24.3
22	4	0	16	3,011,372	186,893	354,606	414,045	25.5
25	7	0	14	3,306,804	204,825	387,660	461,249	25.7
30	12	0	13	3,711,330	228,119	444,708	529,195	26.2
35	17	0	14	4,095,687	251,927	495,443	577,117	26.2
40	22	0	13	4,473,738	272,720	536,071	665,024	26.8
高校卒・現業系								
18	0	0	18	2,536,911	176,671	73,041	343,813	16.4
20	2	0	30	3,110,433	186,701	424,012	446,003	28.0
22	4	0	27	3,256,529	195,849	441,090	465,254	27.8
25	7	0	30	3,597,414	214,779	497,184	522,884	28.4
27	9	1	30	3,991,250	240,360	539,296	567,637	27.7
30	12	2	27	4,289,423	259,988	567,506	602,061	27.3
35	17	3	28	4,878,729	293,682	663,882	690,659	27.8
40	22	3	29	5,288,030	318,548	708,863	756,587	27.7
45	27	3	24	5,705,831	341,482	780,321	827,729	28.2
50	32	2	27	6,172,785	367,764	862,284	897,331	28.5
55	37	1	25	6,622,352	395,477	918,519	958,109	28.3
60	42	1	19	5,973,757	359,821	810,737	845,171	27.7

集計表1-2-(2) モデル年間賃金の内訳（製造業，1,000人以上）

(単位：円)

設定条件			社数	年間賃金（年俸制含まず）				賞与・一時金支給率（％）
年齢	勤続年数	扶養家族		(A)	1カ月平均所定内賃金	2023年夏季賞与・一時金	2022年年末賞与・一時金	$\frac{(b)+(c)}{(A)} \times 100$
(歳)	(年)	(人)	(社)	(a)×12+(b)+(c)	(a)	(b)	(c)	
大学卒・総合職（事務・技術系）								
22	0	0	6	3,406,594	232,758	95,804	517,690	18.0
25	3	0	12	4,306,471	255,314	620,291	622,412	28.9
27	5	1	12	4,956,004	292,609	722,334	722,364	29.2
30	8	2	12	5,625,512	330,093	828,756	835,639	29.6
35	13	3	10	6,731,750	395,032	991,300	1,000,061	29.6
40	18	3	8	8,256,210	475,805	1,298,372	1,248,179	30.8
45	23	3	7	9,377,232	538,897	1,455,028	1,455,436	31.0
50	28	2	7	10,100,795	577,216	1,624,286	1,549,912	31.4
55	33	1	7	10,557,628	600,387	1,698,090	1,654,889	31.8
60	38	1	4	9,933,025	597,940	1,463,012	1,294,731	27.8
大学卒・一般職（事務・技術系）								
22	0	0	1	2,526,000	178,400	40,000	345,200	15.2
25	3	0	2	3,561,050	203,550	542,100	576,350	31.4
27	5	0	2	3,942,400	219,100	637,200	676,000	33.3
30	8	0	3	3,730,633	213,683	571,900	594,533	31.3
35	13	0	1	4,187,200	231,100	724,000	690,000	33.8
40	18	0	1	4,504,000	245,500	798,000	760,000	34.6
45	23	0	1	4,915,200	267,100	876,000	834,000	34.8
短大卒・一般職（事務・技術系）								
20	0	0	1	2,366,400	165,100	40,000	345,200	16.3
22	2	0	2	3,222,180	192,565	453,850	457,550	28.3
25	5	0	2	3,566,220	207,435	537,150	539,850	30.2
30	10	0	2	3,971,340	227,095	623,200	623,000	31.4
35	15	0	2	4,243,810	241,555	673,550	671,600	31.7
40	20	0	2	4,455,000	252,500	714,400	710,600	32.0
高校卒・総合職（事務・技術系）								
18	0	0	3	2,659,758	186,472	68,684	353,415	15.9
20	2	0	5	3,244,959	195,498	447,007	451,980	27.7
22	4	0	5	3,462,693	205,964	493,995	497,135	28.6
25	7	0	5	3,850,352	228,112	554,630	558,383	28.9
27	9	1	5	4,401,741	265,388	606,727	610,353	27.6
30	12	2	5	4,982,028	303,000	670,875	675,150	27.0
35	17	3	5	5,814,662	351,594	792,658	802,881	27.4
40	22	3	6	6,277,740	376,051	875,238	889,894	28.1
45	27	3	4	6,954,948	422,082	963,060	926,909	27.2
50	32	2	5	7,287,574	446,112	980,232	953,993	26.5
55	37	1	5	7,724,286	467,345	1,071,543	1,044,608	27.4
60	42	1	4	8,306,403	502,682	1,173,717	1,100,505	27.4
高校卒・一般職（事務・技術系）								
18	0	0	2	2,670,111	183,583	82,462	384,660	17.5
20	2	0	3	3,007,462	191,880	330,025	374,877	23.4
22	4	0	3	3,200,933	198,222	398,186	424,087	25.7
25	7	0	3	3,529,305	217,118	449,602	474,287	26.2
30	12	0	2	4,366,525	260,389	606,113	635,750	28.4
35	17	0	3	4,521,794	275,634	623,227	590,959	26.9
40	22	0	2	5,035,226	295,482	718,068	771,380	29.6
高校卒・現業系								
18	0	0	4	2,699,445	183,380	72,875	426,010	18.5
20	2	0	8	3,283,998	196,229	467,148	462,105	28.3
22	4	0	8	3,497,239	206,058	514,113	510,436	29.3
25	7	0	8	3,885,564	227,956	574,609	575,480	29.6
27	9	1	8	4,388,041	258,975	640,213	640,129	29.2
30	12	2	8	4,853,170	288,349	696,543	696,443	28.7
35	17	3	8	5,542,700	322,400	833,285	840,615	30.2
40	22	3	8	6,008,365	351,528	891,893	898,143	29.8
45	27	3	5	6,861,836	389,016	1,093,086	1,100,558	32.0
50	32	2	6	7,227,863	414,053	1,135,205	1,124,018	31.3
55	37	1	5	7,357,680	412,148	1,220,948	1,190,956	32.8
60	42	1	2	6,407,495	373,110	979,785	950,390	30.1

集計表1－2－(3)　モデル年間賃金の内訳（製造業，300～999人）

(単位：円)

設定条件			社数	年間賃金（年俸制含まず）				賞与・一時金支給率（％）
年齢（歳）	勤続年数（年）	扶養家族（人）	(社)	(A) (a)×12+(b)+(c)	1カ月平均所定内賃金 (a)	2023年夏季賞与・一時金 (b)	2022年年末賞与・一時金 (c)	$\frac{(b)+(c)}{(A)} \times 100$
大学卒・総合職（事務・技術系）								
22	0	0	13	3,187,842	220,431	104,174	438,495	17.0
25	3	0	16	4,036,420	234,114	603,846	623,212	30.4
27	5	1	17	4,434,033	261,072	634,089	667,079	29.3
30	8	2	18	4,920,751	291,506	696,596	726,078	28.9
35	13	3	18	5,775,718	338,771	837,119	873,345	29.6
40	18	3	18	6,671,124	391,324	961,207	1,014,024	29.6
45	23	3	18	7,452,281	431,843	1,120,011	1,150,150	30.5
50	28	2	18	8,301,619	478,828	1,268,293	1,287,387	30.8
55	33	1	17	8,752,407	501,618	1,342,283	1,390,709	31.2
60	38	1	15	9,076,525	524,371	1,365,909	1,418,161	30.7
大学卒・一般職（事務・技術系）								
22	0	0	4	2,790,314	193,765	51,138	413,997	16.7
25	3	0	4	3,650,860	206,665	494,510	676,370	32.1
27	5	0	4	3,790,124	214,890	510,707	700,738	32.0
30	8	0	4	4,017,540	228,390	539,083	737,777	31.8
35	13	0	5	4,518,453	260,183	604,939	791,319	30.9
40	18	0	4	5,130,247	290,600	685,091	957,956	32.0
45	23	0	4	5,420,609	307,700	721,578	1,006,631	31.9
短大卒・一般職（事務・技術系）								
20	0	0	7	2,687,152	186,486	79,336	369,988	16.7
22	2	0	6	3,184,734	189,617	439,350	469,984	28.6
25	5	0	7	3,519,359	208,300	489,708	530,051	29.0
30	10	0	7	3,887,320	229,736	542,178	588,314	29.1
35	15	0	8	4,611,485	268,110	633,570	760,595	30.2
40	20	0	8	4,973,060	288,975	678,445	826,915	30.3
高校卒・総合職（事務・技術系）								
18	0	0	7	2,578,240	179,566	89,353	334,090	16.4
20	2	0	9	3,285,736	190,811	464,721	531,281	30.3
22	4	0	9	3,500,976	201,106	523,934	563,775	31.1
25	7	0	9	3,837,995	219,332	565,913	640,095	31.4
27	9	1	9	4,136,189	238,538	611,181	662,554	30.8
30	12	2	9	4,420,262	256,645	632,678	707,844	30.3
35	17	3	10	5,169,865	302,104	744,326	800,297	29.9
40	22	3	9	5,433,544	319,561	723,818	874,992	29.4
45	27	3	10	5,910,535	349,970	759,674	951,226	28.9
50	32	2	10	6,578,330	384,327	957,953	1,008,453	29.9
55	37	1	10	7,870,382	463,172	1,170,576	1,141,742	29.4
60	42	1	9	6,892,874	402,249	996,803	1,069,084	30.0
高校卒・一般職（事務・技術系）								
18	0	0	5	2,539,336	175,280	60,810	375,166	17.2
20	2	0	6	3,198,535	185,258	427,537	547,898	30.5
22	4	0	6	3,312,879	191,843	442,912	567,847	30.5
25	7	0	6	3,669,538	212,815	489,494	626,264	30.4
30	12	0	6	4,080,652	236,332	549,236	695,435	30.5
35	17	0	6	4,601,057	265,853	616,584	794,233	30.7
40	22	0	6	5,081,971	294,408	672,872	876,199	30.5
高校卒・現業系								
18	0	0	10	2,590,033	178,512	79,316	368,578	17.3
20	2	0	15	3,216,152	186,453	468,578	510,139	30.4
22	4	0	12	3,370,063	196,631	481,183	529,303	30.0
25	7	0	15	3,698,572	214,316	540,980	585,805	30.5
27	9	1	15	4,085,652	238,756	591,791	628,787	29.9
30	12	2	13	4,263,955	252,253	583,745	653,176	29.0
35	17	3	14	4,863,984	287,418	692,460	722,504	29.1
40	22	3	14	5,353,819	315,643	740,331	825,773	29.3
45	27	3	13	5,825,620	341,187	833,321	898,054	29.7
50	32	2	14	6,303,204	367,406	908,916	985,419	30.1
55	37	1	13	6,972,365	409,971	993,599	1,059,111	29.4
60	42	1	12	6,441,574	373,220	950,907	1,012,023	30.5

集計表1－2－(4)　モデル年間賃金の内訳（製造業，299人以下）

（単位：円）

設定条件 年齢（歳）	勤続年数（年）	扶養家族（人）	社数（社）	年間賃金（年俸制含まず）(A) (a)×12+(b)+(c)	1カ月平均所定内賃金 (a)	2023年夏季賞与・一時金 (b)	2022年年末賞与・一時金 (c)	賞与・一時金支給率（%） $\frac{(b)+(c)}{(A)}\times100$
大学卒・総合職（事務・技術系）								
22	0	0	9	2,918,348	211,096	71,020	314,181	13.2
25	3	0	17	3,479,674	227,394	353,849	397,103	21.6
27	5	1	17	3,781,970	246,653	396,071	426,064	21.7
30	8	2	15	4,179,595	276,538	413,036	448,103	20.6
35	13	3	16	4,854,436	317,519	504,839	539,364	21.5
40	18	3	16	5,513,811	361,891	561,214	609,910	21.2
45	23	3	17	6,492,875	418,138	707,059	768,157	22.7
50	28	2	15	7,124,881	458,370	779,750	844,691	22.8
55	33	1	14	7,574,756	483,998	826,402	940,379	23.3
60	38	1	13	6,821,578	442,645	693,651	816,183	22.1
大学卒・一般職（事務・技術系）								
22	0	0	4	2,496,838	188,450	82,751	152,687	9.4
25	3	0	6	2,988,121	209,745	236,499	234,682	15.8
27	5	0	5	3,000,664	214,424	184,449	243,127	14.2
30	8	0	5	3,231,763	227,770	241,623	256,900	15.4
35	13	0	6	3,659,983	250,058	321,769	337,515	18.0
40	18	0	6	3,736,818	262,417	291,431	296,387	15.7
45	23	0	5	3,869,706	270,706	303,357	317,879	16.1
短大卒・一般職（事務・技術系）								
20	0	0	5	2,391,600	178,080	57,343	197,297	10.6
22	2	0	7	2,679,070	185,461	223,519	230,013	16.9
25	5	0	7	2,945,748	203,503	246,933	256,781	17.1
30	10	0	7	3,308,022	227,640	282,035	294,306	17.4
35	15	0	8	3,640,793	250,655	311,657	321,276	17.4
40	20	0	7	4,161,531	285,303	363,613	374,284	17.7
高校卒・総合職（事務・技術系）								
18	0	0	5	2,402,732	170,934	61,256	290,268	14.6
20	2	0	11	2,774,355	184,438	277,624	283,473	20.2
22	4	0	13	2,993,217	199,014	295,431	309,620	20.2
25	7	0	13	3,281,323	216,509	331,287	351,925	20.8
27	9	1	11	3,637,038	242,501	356,736	370,291	20.0
30	12	2	11	3,931,306	264,965	369,860	381,860	19.1
35	17	3	10	4,489,470	300,652	430,655	450,990	19.6
40	22	3	12	4,753,902	320,396	441,104	468,048	19.1
45	27	3	11	5,664,608	378,855	537,902	580,452	19.7
50	32	2	13	6,037,732	395,175	639,605	656,022	21.5
55	37	1	12	6,754,306	445,373	659,823	750,003	20.9
60	42	1	10	6,766,835	439,703	694,476	795,923	22.0
高校卒・一般職（事務・技術系）								
18	0	0	3	2,123,803	155,217	65,026	196,177	12.3
20	2	0	6	2,389,365	165,898	194,058	204,527	16.7
22	4	0	7	2,671,696	177,796	260,237	277,911	20.1
25	7	0	5	2,738,021	187,860	228,293	255,408	17.7
30	12	0	5	3,006,067	205,356	254,712	287,083	18.0
35	17	0	5	3,233,579	220,992	273,403	308,272	18.0
40	22	0	5	3,519,262	237,590	299,110	369,072	19.0
高校卒・現業系								
18	0	0	4	2,241,571	165,363	57,520	199,701	11.5
20	2	0	7	2,685,530	176,346	279,216	290,166	21.2
22	4	0	7	2,786,803	182,840	288,904	303,819	21.3
25	7	0	7	3,051,334	200,711	314,851	327,946	21.1
27	9	1	7	3,335,484	222,521	311,473	353,754	19.9
30	12	2	6	3,592,943	238,933	360,272	365,472	20.2
35	17	3	6	4,027,840	270,008	371,328	416,412	19.6
40	22	3	7	4,333,214	286,669	436,752	456,439	20.6
45	27	3	6	4,482,952	302,508	404,851	448,001	19.0
50	32	2	7	5,007,591	328,804	535,089	526,851	21.2
55	37	1	7	5,447,095	356,651	563,064	604,214	21.4
60	42	1	5	4,677,500	322,346	406,708	402,640	17.3

集計表1－3－(1)　モデル年間賃金の内訳（非製造業，規模計）

(単位：円)

設定条件			社数	年間賃金（年俸制含まず）				賞与・一時金支給率（％）
年齢（歳）	勤続年数（年）	扶養家族（人）	(社)	(A) (a)×12+(b)+(c)	1カ月平均所定内賃金 (a)	2023年夏季賞与・一時金 (b)	2022年年末賞与・一時金 (c)	$\frac{(b)+(c)}{(A)} \times 100$
大学卒・総合職（事務・技術系）								
22	0	0	40	3,206,345	219,488	127,420	445,066	17.9
25	3	0	71	3,907,091	237,321	511,130	548,109	27.1
27	5	1	67	4,326,987	263,925	550,692	609,194	26.8
30	8	2	66	4,908,778	298,947	626,804	694,612	26.9
35	13	3	64	5,670,069	342,277	743,886	818,862	27.6
40	18	3	63	6,691,905	400,900	892,128	988,980	28.1
45	23	3	61	7,494,485	447,251	1,006,676	1,120,798	28.4
50	28	2	60	8,401,878	495,813	1,157,918	1,294,202	29.2
55	33	1	59	9,286,312	545,494	1,298,562	1,441,827	29.5
60	38	1	48	9,129,944	535,911	1,252,349	1,446,666	29.6
大学卒・一般職（事務・技術系）								
22	0	0	15	2,842,395	194,547	116,806	391,024	17.9
25	3	0	27	3,436,895	212,058	439,038	453,157	26.0
27	5	0	26	3,585,517	220,744	455,300	481,285	26.1
30	8	0	28	3,938,663	239,251	517,655	549,999	27.1
35	13	0	26	4,399,757	265,496	579,499	634,309	27.6
40	18	0	26	4,888,272	291,522	669,635	720,379	28.4
45	23	0	24	5,464,623	325,099	738,220	825,219	28.6
短大卒・一般職（事務・技術系）								
20	0	0	18	2,695,982	184,160	132,982	353,082	18.0
22	2	0	25	3,196,592	197,557	405,624	420,279	25.8
25	5	0	27	3,420,499	211,254	434,726	450,729	25.9
30	10	0	26	3,821,786	238,340	470,418	491,283	25.2
35	15	0	29	4,273,189	262,149	548,327	579,080	26.4
40	20	0	28	4,941,282	300,958	653,199	676,588	26.9
高校卒・総合職（事務・技術系）								
18	0	0	22	2,586,700	180,757	89,649	327,968	16.1
20	2	0	32	3,127,890	192,002	411,135	412,731	26.3
22	4	0	30	3,439,487	211,548	453,538	447,367	26.2
25	7	0	32	3,639,628	225,917	466,769	461,856	25.5
27	9	1	31	4,042,660	251,904	505,612	514,198	25.2
30	12	2	34	4,512,821	277,763	590,450	589,215	26.1
35	17	3	33	5,277,302	322,496	712,527	694,821	26.7
40	22	3	33	5,927,392	358,290	807,551	820,364	27.5
45	27	3	31	7,066,944	427,796	973,213	960,172	27.4
50	32	2	34	7,764,723	465,821	1,092,111	1,082,762	28.0
55	37	1	31	8,402,979	499,800	1,204,035	1,201,350	28.6
60	42	1	27	8,141,004	480,956	1,211,462	1,158,073	29.1
高校卒・一般職（事務・技術系）								
18	0	0	15	2,492,728	173,047	89,079	327,082	16.7
20	2	0	19	2,961,009	185,290	363,056	374,468	24.9
22	4	0	20	3,139,405	196,143	389,812	395,880	25.0
25	7	0	22	3,359,497	208,460	419,598	438,383	25.5
30	12	0	19	3,795,750	237,000	473,391	478,356	25.1
35	17	0	20	4,254,024	261,568	540,376	574,827	26.2
40	22	0	19	4,882,604	297,113	640,618	676,634	27.0
高校卒・現業系								
18	0	0	7	2,557,268	179,246	83,034	323,286	15.9
20	2	0	12	3,054,243	190,510	391,436	376,687	25.1
22	4	0	11	3,299,567	203,800	447,399	406,567	25.9
25	7	0	13	3,421,633	212,125	449,078	427,057	25.6
27	9	1	11	3,781,935	235,959	486,723	463,702	25.1
30	12	2	13	4,135,696	256,973	538,119	513,901	25.4
35	17	3	11	4,676,813	284,595	643,085	618,582	27.0
40	22	3	13	5,300,548	318,038	757,096	726,999	28.0
45	27	3	13	5,835,661	351,152	827,478	794,356	27.8
50	32	2	11	6,611,423	387,356	1,001,341	961,805	29.7
55	37	1	11	6,942,742	407,645	1,044,267	1,006,733	29.5
60	42	1	9	5,318,559	319,139	762,953	725,939	28.0

集計表1－3－(2)　モデル年間賃金の内訳（非製造業，1,000人以上）

（単位：円）

年齢（歳）	勤続年数（年）	扶養家族（人）	社数（社）	年間賃金（年俸制含まず）(A) (a)×12+(b)+(c)	1カ月平均所定内賃金 (a)	2023年夏季賞与・一時金 (b)	2022年年末賞与・一時金 (c)	賞与・一時金支給率（%） (b)+(c)/(A)×100
大学卒・総合職（事務・技術系）								
22	0	0	7	3,489,798	235,573	134,110	528,817	19.0
25	3	0	13	4,169,125	251,811	617,823	529,565	27.5
27	5	1	13	4,583,021	275,370	667,794	610,787	27.9
30	8	2	13	5,142,314	307,188	751,403	704,652	28.3
35	13	3	13	6,163,440	363,467	940,498	861,339	29.2
40	18	3	11	7,795,803	447,560	1,244,313	1,180,769	31.1
45	23	3	10	8,577,383	489,395	1,370,456	1,334,193	31.5
50	28	2	10	9,614,573	557,801	1,488,348	1,432,608	30.4
55	33	1	10	10,757,946	617,149	1,690,277	1,661,879	31.2
60	38	1	10	9,056,109	523,906	1,385,367	1,383,875	30.6
大学卒・一般職（事務・技術系）								
22	0	0	2	2,470,720	184,140	77,760	183,280	10.6
25	3	0	7	3,586,278	222,346	493,753	424,376	25.6
27	5	0	7	3,664,624	227,515	499,158	435,281	25.5
30	8	0	7	4,004,253	247,093	555,840	483,302	26.0
35	13	0	6	4,626,747	281,023	669,106	585,367	27.1
40	18	0	6	5,746,566	331,219	898,019	873,915	30.8
45	23	0	4	6,511,239	383,189	963,890	949,078	29.4
短大卒・一般職（事務・技術系）								
20	0	0	4	2,684,260	185,645	111,880	344,640	17.0
22	2	0	7	3,188,262	201,474	424,488	346,083	24.2
25	5	0	7	3,459,318	216,683	462,905	396,217	24.8
30	10	0	7	3,887,666	249,427	464,371	430,169	23.0
35	15	0	7	4,273,484	272,881	531,985	466,922	23.4
40	20	0	6	5,615,790	339,110	788,679	757,791	27.5
高校卒・総合職（事務・技術系）								
18	0	0	2	2,978,000	197,000	75,000	539,000	20.6
20	2	0	6	3,234,375	194,975	487,825	406,850	27.7
22	4	0	5	3,593,586	217,016	551,034	438,360	27.5
25	7	0	5	3,909,508	233,034	614,420	498,680	28.5
27	9	1	5	4,220,531	251,924	650,903	546,540	28.4
30	12	2	7	4,753,880	278,216	745,452	669,834	29.8
35	17	3	7	5,739,552	335,427	908,289	806,137	29.9
40	22	3	6	7,189,873	408,223	1,148,830	1,142,363	31.9
45	27	3	6	8,627,497	482,413	1,440,595	1,397,948	32.9
50	32	2	6	9,356,321	527,651	1,522,714	1,501,793	32.3
55	37	1	6	10,523,447	611,580	1,594,373	1,590,113	30.3
60	42	1	6	8,523,344	485,422	1,364,076	1,334,204	31.7
高校卒・一般職（事務・技術系）								
18	0	0	4	2,533,022	175,239	104,976	325,178	17.0
20	2	0	6	2,967,204	186,405	396,666	333,679	24.6
22	4	0	6	3,265,173	206,303	433,992	355,542	24.2
25	7	0	6	3,526,635	220,317	479,783	403,050	25.0
30	12	0	5	3,975,539	254,486	509,884	411,824	23.2
35	17	0	5	4,430,804	282,110	579,472	466,012	23.6
40	22	0	4	5,942,973	356,388	847,036	819,286	28.0
高校卒・現業系								
18	0	0	2	2,764,600	187,900	105,150	404,650	18.4
20	2	0	5	3,120,347	199,040	375,994	355,874	23.5
22	4	0	5	3,398,464	214,890	429,422	390,362	24.1
25	7	0	5	3,589,883	224,224	467,595	431,595	25.0
27	9	1	4	4,118,386	257,213	525,828	506,008	25.1
30	12	2	5	4,507,123	281,960	579,521	544,081	24.9
35	17	3	4	5,008,788	301,200	713,531	680,856	27.8
40	22	3	5	6,082,651	362,388	886,538	847,458	28.5
45	27	3	4	7,013,015	427,208	958,263	928,263	26.9
50	32	2	4	7,393,528	432,268	1,127,784	1,078,534	29.8
55	37	1	4	7,557,546	456,312	1,061,903	1,019,903	27.5
60	42	1	3	4,898,700	310,633	601,050	570,050	23.9

集計表1−3−(3)　モデル年間賃金の内訳（非製造業，300〜999人）

(単位：円)

設定条件			社 数	年間賃金（年俸制含まず）				賞与・一時金支給率（％）
年齢（歳）	勤続年数（年）	扶養家族（人）	（社）	(A) (a)×12+(b)+(c)	1カ月平均所定内賃金 (a)	2023年夏季賞与・一時金 (b)	2022年年末賞与・一時金 (c)	$\frac{(b)+(c)}{(A)} \times 100$
大学卒・総合職（事務・技術系）								
22	0	0	19	3,241,234	219,581	149,347	456,910	18.7
25	3	0	32	3,911,009	236,394	484,127	590,152	27.5
27	5	1	31	4,368,664	264,544	532,212	661,920	27.3
30	8	2	29	5,033,911	303,252	619,733	775,149	27.7
35	13	3	29	5,688,217	340,861	710,070	887,813	28.1
40	18	3	27	6,885,564	408,081	890,491	1,098,106	28.9
45	23	3	28	7,703,267	457,102	999,225	1,218,815	28.8
50	28	2	27	8,671,546	506,232	1,155,614	1,441,142	29.9
55	33	1	26	9,681,377	564,143	1,309,092	1,602,573	30.1
60	38	1	22	10,021,896	586,476	1,311,022	1,673,158	29.8
大学卒・一般職（事務・技術系）								
22	0	0	5	2,858,076	192,020	155,822	398,014	19.4
25	3	0	9	3,165,028	204,650	337,540	371,688	22.4
27	5	0	9	3,322,223	213,450	350,440	410,383	22.9
30	8	0	11	3,787,695	234,811	444,160	525,803	25.6
35	13	0	11	4,217,418	259,652	492,554	609,038	26.1
40	18	0	10	4,412,753	276,148	506,593	592,390	24.9
45	23	0	11	4,990,497	307,279	582,409	720,739	26.1
短大卒・一般職（事務・技術系）								
20	0	0	7	2,703,357	182,429	182,524	331,690	19.0
22	2	0	11	3,098,817	194,691	366,456	396,070	24.6
25	5	0	13	3,308,442	208,047	395,571	416,311	24.5
30	10	0	12	3,674,471	234,253	423,770	439,666	23.5
35	15	0	14	4,183,022	259,517	505,386	563,432	25.6
40	20	0	14	4,728,351	297,149	574,614	587,954	24.6
高校卒・総合職（事務・技術系）								
18	0	0	9	2,505,861	177,987	102,788	267,233	14.8
20	2	0	14	3,100,516	192,433	404,795	386,530	25.5
22	4	0	13	3,482,982	214,378	469,674	440,767	26.1
25	7	0	13	3,613,952	225,285	465,336	445,191	25.2
27	9	1	13	3,991,592	251,298	481,644	494,376	24.5
30	12	2	13	4,458,237	277,275	573,544	557,397	25.4
35	17	3	13	5,162,669	316,495	711,227	653,497	26.4
40	22	3	14	5,667,061	344,883	792,582	735,884	27.0
45	27	3	12	6,889,286	428,630	924,703	821,023	25.3
50	32	2	14	7,913,210	478,302	1,150,431	1,023,153	27.5
55	37	1	13	8,372,804	502,036	1,250,341	1,098,029	28.0
60	42	1	10	8,640,484	521,574	1,324,610	1,056,986	27.6
高校卒・一般職（事務・技術系）								
18	0	0	4	2,259,220	163,850	69,034	223,986	13.0
20	2	0	6	2,777,633	179,292	312,448	313,686	22.5
22	4	0	6	2,943,767	187,767	354,069	336,498	23.5
25	7	0	9	3,144,876	200,222	364,588	377,621	23.6
30	12	0	8	3,490,598	225,225	397,313	390,585	22.6
35	17	0	8	4,047,205	252,429	482,126	535,934	25.2
40	22	0	8	4,447,551	281,763	541,151	525,250	24.0
高校卒・現業系								
18	0	0	3	2,393,392	178,040	70,812	186,100	10.7
20	2	0	5	2,797,577	184,904	293,953	284,776	20.7
22	4	0	4	2,836,428	185,963	329,771	275,108	21.3
25	7	0	6	3,004,618	198,417	317,323	306,295	20.8
27	9	1	5	3,053,208	207,580	294,909	267,338	18.4
30	12	2	6	3,395,123	223,775	363,023	346,800	20.9
35	17	3	5	3,724,218	247,270	386,583	370,395	20.3
40	22	3	6	4,071,894	263,758	463,594	443,200	22.3
45	27	3	7	4,400,505	282,136	521,794	493,083	23.1
50	32	2	5	5,030,269	321,050	600,824	576,844	23.4
55	37	1	5	5,494,957	341,350	711,265	687,491	25.5
60	42	1	4	4,876,883	311,263	588,407	553,326	23.4

集計表1－3－(4)　モデル年間賃金の内訳（非製造業，299人以下）

（単位：円）

設定条件 年齢（歳）	設定条件 勤続年数（年）	設定条件 扶養家族（人）	社数（社）	年間賃金（年俸制含まず）（A）(a)×12+(b)+(c)	1カ月平均所定内賃金 (a)	2023年夏季賞与・一時金 (b)	2022年年末賞与・一時金 (c)	賞与・一時金支給率（%） $\frac{(b)+(c)}{(A)}\times 100$
大学卒・総合職（事務・技術系）								
22	0	0	14	3,017,270	211,320	94,317	387,117	16.0
25	3	0	26	3,771,251	231,216	491,018	505,636	26.4
27	5	1	23	4,126,098	256,621	509,413	537,229	25.4
30	8	2	24	4,631,077	289,280	567,857	591,857	25.0
35	13	3	22	5,354,610	331,621	672,281	702,872	25.7
40	18	3	25	5,997,039	372,614	738,936	786,737	25.4
45	23	3	23	6,769,489	416,934	857,582	908,694	26.1
50	28	2	23	7,558,052	456,630	1,016,956	1,061,531	27.5
55	33	1	23	8,199,877	493,257	1,116,348	1,164,441	27.8
60	38	1	16	7,949,658	473,886	1,088,537	1,174,484	28.5
大学卒・一般職（事務・技術系）								
22	0	0	8	2,925,513	198,728	102,183	438,591	18.5
25	3	0	11	3,564,269	211,573	487,263	538,127	28.8
27	5	0	10	3,767,106	222,569	518,972	577,301	29.1
30	8	0	10	4,058,816	238,646	571,768	623,302	29.4
35	13	0	9	4,471,290	262,287	626,027	697,823	29.6
40	18	0	10	4,848,815	283,077	695,645	756,246	29.9
45	23	0	9	5,578,947	321,060	828,357	897,868	30.9
短大卒・一般職（事務・技術系）								
20	0	0	7	2,695,306	185,042	95,498	379,299	17.6
22	2	0	7	3,358,567	198,145	448,311	532,518	29.2
25	5	0	7	3,589,787	211,780	479,266	569,159	29.2
30	10	0	7	4,008,445	234,261	556,432	640,884	29.9
35	15	0	8	4,430,724	257,362	637,772	704,604	30.3
40	20	0	8	4,808,031	279,010	689,115	770,795	30.4
高校卒・総合職（事務・技術系）								
18	0	0	11	2,581,694	180,070	81,561	339,290	16.3
20	2	0	12	3,106,583	190,013	380,187	446,239	26.6
22	4	0	12	3,328,159	206,205	395,434	458,271	25.7
25	7	0	14	3,567,085	223,962	415,367	464,180	24.7
27	9	1	13	4,025,317	252,503	473,699	521,580	24.7
30	12	2	14	4,442,978	277,990	528,647	578,451	24.9
35	17	3	13	5,143,032	321,534	608,418	676,205	25.0
40	22	3	13	5,625,066	349,682	666,158	762,727	25.4
45	27	3	13	6,510,680	401,820	802,277	886,568	25.9
50	32	2	14	6,934,122	426,841	849,248	962,786	26.1
55	37	1	12	7,375,435	441,486	958,701	1,118,899	28.2
60	42	1	11	7,478,382	441,594	1,025,356	1,153,900	29.1
高校卒・一般職（事務・技術系）								
18	0	0	7	2,603,135	177,050	91,449	387,081	18.4
20	2	0	7	3,112,878	189,477	377,627	461,530	27.0
22	4	0	8	3,191,806	194,804	383,485	470,671	26.8
25	7	0	7	3,492,175	208,887	438,737	546,791	28.2
30	12	0	6	4,052,796	238,129	544,418	650,828	29.5
35	17	0	7	4,364,119	257,341	579,022	697,001	29.2
40	22	0	7	4,773,882	280,784	636,341	768,128	29.4
高校卒・現業系								
18	0	0	2	2,595,750	172,400	79,250	447,700	20.3
20	2	0	2	3,530,650	183,200	673,750	658,500	37.7
22	4	0	2	3,978,600	211,750	727,600	710,000	36.1
25	7	0	2	4,252,050	223,000	798,050	778,000	37.1
27	9	1	2	4,930,850	264,400	888,050	870,000	35.7
30	12	2	2	5,428,850	294,100	959,900	939,750	35.0
35	17	3	2	6,394,350	344,700	1,143,450	1,114,500	35.3
40	22	3	2	7,031,250	370,000	1,314,000	1,277,250	36.9
45	27	3	2	8,504,000	440,600	1,635,800	1,581,000	37.8
50	32	2	2	9,000,100	463,300	1,749,750	1,690,750	38.2
55	37	1	2	9,332,600	476,050	1,841,500	1,778,500	38.8
60	42	1	2	6,831,700	347,650	1,354,900	1,305,000	38.9

集計表2−1−(1)　モデル年間賃金のばらつき（全産業，規模計）

※年俸制の企業は含まず（単位：円）

設定条件 年齢（歳）	勤続年数（年）	扶養家族（人）	社数（社）	平均	最低	第1四分位	中位数	第3四分位	最高
大学卒・総合職（事務・技術系）									
22	0	0	68	3,182,359	2,536,000	2,895,650	3,128,064	3,383,688	4,117,600
25	3	0	116	3,903,606	2,897,294	3,548,176	3,840,925	4,230,623	6,775,000
27	5	1	113	4,327,896	3,102,050	3,864,550	4,237,200	4,662,800	7,025,000
30	8	2	111	4,889,666	3,080,500	4,377,432	4,788,700	5,243,300	7,900,000
35	13	3	108	5,665,146	3,658,000	4,950,000	5,471,670	6,141,523	10,758,000
40	18	3	105	6,628,009	3,978,000	5,608,160	6,286,000	7,319,750	12,346,000
45	23	3	103	7,449,749	4,388,520	6,238,350	7,060,160	8,481,566	14,805,000
50	28	2	100	8,311,206	4,187,640	6,645,930	8,045,250	9,327,517	15,965,000
55	33	1	97	9,037,457	4,756,000	7,031,160	8,650,312	10,225,000	17,264,000
60	38	1	80	8,784,973	2,516,000	6,823,270	8,771,950	10,428,960	17,744,000
大学卒・一般職（事務・技術系）									
22	0	0	24	2,762,939	2,316,062	2,500,500	2,792,400	2,940,200	3,410,000
25	3	0	39	3,396,165	2,505,800	3,069,469	3,294,065	3,678,950	4,396,940
27	5	0	37	3,547,893	2,533,400	3,163,000	3,430,350	3,831,600	4,659,000
30	8	0	40	3,842,586	2,573,600	3,400,650	3,728,700	4,355,602	5,109,000
35	13	0	38	4,292,975	2,672,000	3,681,850	4,264,400	4,921,650	5,824,500
40	18	0	37	4,717,324	2,799,200	3,878,000	4,543,583	5,446,600	8,646,000
45	23	0	34	5,208,739	2,875,400	4,220,052	4,936,300	5,973,661	9,734,600
短大卒・一般職（事務・技術系）									
20	0	0	31	2,634,263	2,020,000	2,339,503	2,685,800	2,768,100	3,437,600
22	2	0	40	3,105,526	2,506,547	2,738,791	3,022,800	3,411,500	4,085,000
25	5	0	43	3,366,085	2,505,800	3,015,770	3,308,416	3,670,209	4,377,600
30	10	0	42	3,754,203	2,573,600	3,419,479	3,749,840	4,081,948	4,893,000
35	15	0	47	4,221,879	2,672,000	3,688,900	4,202,000	4,651,145	5,824,500
40	20	0	45	4,804,024	2,799,200	4,120,800	4,655,400	5,430,267	8,646,000
高校卒・総合職（事務・技術系）									
18	0	0	37	2,566,162	2,126,727	2,380,000	2,494,820	2,646,000	3,576,000
20	2	0	57	3,094,856	2,226,000	2,796,856	3,057,000	3,297,000	4,693,000
22	4	0	57	3,349,450	2,324,000	3,027,886	3,333,600	3,674,000	4,849,000
25	7	0	59	3,608,797	2,478,000	3,295,099	3,612,900	3,936,100	5,326,000
27	9	1	56	4,010,076	2,533,400	3,640,687	4,009,760	4,353,225	5,847,000
30	12	2	59	4,430,047	2,573,600	3,953,945	4,460,000	4,899,232	6,931,000
35	17	3	58	5,169,270	2,672,000	4,566,370	5,021,280	5,673,070	10,758,000
40	22	3	60	5,653,652	2,799,200	4,612,470	5,493,500	6,243,203	12,346,000
45	27	3	56	6,576,984	2,875,400	5,692,050	6,463,916	7,276,025	14,805,000
50	32	2	62	7,172,778	3,911,940	6,147,178	6,866,430	8,109,303	15,309,000
55	37	1	58	7,911,539	4,146,000	6,551,460	7,299,077	8,837,214	17,264,000
60	42	1	50	7,654,739	2,240,000	6,350,343	7,243,671	8,845,920	17,744,000
高校卒・一般職（事務・技術系）									
18	0	0	25	2,471,969	1,900,000	2,241,582	2,437,888	2,640,782	3,267,200
20	2	0	34	2,906,146	2,016,640	2,645,468	2,891,255	3,099,151	3,890,600
22	4	0	36	3,082,501	2,060,480	2,828,950	3,004,230	3,286,350	4,085,000
25	7	0	36	3,339,005	2,126,240	2,985,985	3,282,015	3,669,463	4,377,600
30	12	0	32	3,761,455	2,235,840	3,305,043	3,724,365	4,191,717	5,080,250
35	17	0	34	4,188,827	2,345,440	3,651,828	4,129,200	4,827,368	5,824,500
40	22	0	32	4,716,502	2,455,040	3,879,000	4,640,005	5,455,373	8,646,000
高校卒・現業系									
18	0	0	25	2,542,611	1,972,800	2,377,000	2,538,900	2,702,000	3,005,600
20	2	0	42	3,094,378	2,016,640	2,947,250	3,086,823	3,328,490	3,960,200
22	4	0	38	3,268,987	2,060,480	3,069,430	3,318,300	3,532,250	4,329,200
25	7	0	43	3,544,271	2,126,240	3,269,501	3,621,664	3,866,600	4,746,800
27	9	1	41	3,935,092	2,170,080	3,659,700	3,959,881	4,385,000	5,361,800
30	12	2	40	4,239,462	2,235,840	3,905,428	4,263,600	4,781,650	5,916,800
35	17	3	39	4,821,778	2,345,440	4,379,093	4,887,200	5,415,800	7,299,800
40	22	3	42	5,291,905	2,455,040	4,578,343	5,252,070	5,917,500	8,646,000
45	27	3	37	5,751,447	2,564,640	4,649,500	5,728,600	6,437,400	10,526,300
50	32	2	38	6,299,759	2,674,240	5,292,770	6,104,650	7,008,350	11,193,000
55	37	1	36	6,720,249	2,783,840	5,723,339	6,549,520	7,405,870	11,930,000
60	42	1	28	5,763,158	2,240,000	4,919,980	5,665,700	6,682,378	8,703,000

集計表2−1−(2)　モデル年間賃金のばらつき（全産業，1,000人以上）

※年俸制の企業は含まず（単位：円）

設定条件			社数	平均	最低	第1四分位	中位数	第3四分位	最高
年齢（歳）	勤続年数（年）	扶養家族（人）	（社）						
大学卒・総合職（事務・技術系）									
22	0	0	13	3,451,396	2,860,000	3,182,000	3,378,600	3,819,200	4,117,600
25	3	0	25	4,235,051	2,974,310	3,805,000	4,321,400	4,572,378	5,326,000
27	5	1	25	4,762,053	3,265,610	4,128,604	4,806,817	5,346,600	6,097,520
30	8	2	25	5,374,249	3,739,540	4,880,000	5,238,000	5,865,762	6,940,700
35	13	3	23	6,410,531	4,239,960	5,497,611	6,211,680	7,024,840	10,758,000
40	18	3	19	7,989,658	5,026,690	6,681,600	7,530,140	9,423,350	12,346,000
45	23	3	17	8,906,732	5,602,420	7,274,400	7,671,841	10,742,563	14,805,000
50	28	2	17	9,814,782	5,923,000	8,418,361	9,081,600	11,552,884	15,309,000
55	33	1	17	10,675,462	6,223,000	8,713,600	10,140,000	12,825,480	17,264,000
60	38	1	14	9,306,656	3,462,000	8,010,420	8,617,200	9,259,665	17,744,000
大学卒・一般職（事務・技術系）									
22	0	0	3	2,489,147	2,380,000	—	—	—	2,561,440
25	3	0	9	3,580,672	2,894,000	3,219,400	3,714,900	3,904,278	3,957,800
27	5	0	9	3,726,352	3,045,200	3,523,600	3,683,736	4,114,100	4,361,200
30	8	0	10	3,922,167	2,716,200	3,556,869	3,962,850	4,373,256	4,714,900
35	13	0	7	4,563,954	3,851,232	4,217,700	4,422,400	5,059,875	5,118,900
40	18	0	7	5,569,057	4,057,152	4,713,900	5,318,248	5,767,099	8,646,000
45	23	0	5	6,192,031	4,216,272	4,915,200	5,253,230	6,840,854	9,734,600
短大卒・一般職（事務・技術系）									
20	0	0	5	2,620,688	2,020,000	2,366,400	2,561,440	2,718,000	3,437,600
22	2	0	9	3,195,800	2,690,000	2,841,600	2,901,920	3,567,700	4,085,000
25	5	0	9	3,483,074	2,894,000	3,013,440	3,308,416	3,956,240	4,377,600
30	10	0	9	3,906,260	3,166,950	3,564,130	3,727,680	4,277,880	4,867,000
35	15	0	9	4,266,890	3,492,750	3,933,600	4,105,100	4,420,420	5,118,900
40	20	0	8	5,325,592	4,120,800	4,489,900	4,987,136	5,453,550	8,646,000
高校卒・総合職（事務・技術系）									
18	0	0	5	2,787,055	2,343,600	2,380,000	2,549,162	3,086,513	3,576,000
20	2	0	11	3,239,186	2,579,000	2,898,883	3,110,600	3,540,100	4,693,000
22	4	0	10	3,528,140	2,742,228	3,228,619	3,523,850	3,662,735	4,849,000
25	7	0	10	3,879,930	2,943,858	3,512,014	3,851,540	3,990,053	5,326,000
27	9	1	10	4,311,136	3,258,594	3,735,352	4,176,930	4,678,149	5,847,000
30	12	2	12	4,848,941	3,678,318	4,137,724	4,886,932	5,280,932	6,931,000
35	17	3	12	5,770,848	4,075,100	4,928,435	5,479,573	5,783,355	10,758,000
40	22	3	12	6,733,807	4,169,900	5,278,820	6,115,606	7,592,325	12,346,000
45	27	3	10	7,958,477	5,579,826	6,694,354	7,202,577	7,724,890	14,805,000
50	32	2	11	8,415,981	6,223,793	6,835,518	7,701,448	8,588,060	15,309,000
55	37	1	11	9,251,101	6,465,000	7,248,387	8,378,960	10,101,269	17,264,000
60	42	1	10	8,436,567	3,462,000	6,428,589	8,095,700	8,841,037	17,744,000
高校卒・一般職（事務・技術系）									
18	0	0	6	2,578,718	1,900,000	2,303,422	2,482,444	2,942,967	3,267,200
20	2	0	9	2,980,623	2,330,000	2,712,480	2,941,000	3,112,300	3,890,600
22	4	0	9	3,243,760	2,690,000	2,841,920	3,109,400	3,567,700	4,085,000
25	7	0	9	3,527,525	2,894,000	3,165,400	3,488,600	3,933,916	4,377,600
30	12	0	7	4,087,249	3,189,516	3,595,150	3,727,680	4,711,500	5,080,250
35	17	0	8	4,464,925	3,743,520	3,905,850	4,151,700	5,112,075	5,687,582
40	22	0	6	5,640,390	4,120,800	4,649,423	5,502,545	5,654,688	8,646,000
高校卒・現業系									
18	0	0	6	2,721,163	2,343,600	2,545,320	2,724,290	2,963,725	3,005,600
20	2	0	13	3,221,055	2,443,536	3,080,790	3,220,490	3,357,900	3,784,520
22	4	0	13	3,459,248	2,779,620	3,357,310	3,467,700	3,567,700	4,005,200
25	7	0	13	3,771,840	2,894,952	3,621,664	3,765,260	3,957,800	4,375,040
27	9	1	12	4,298,156	3,217,943	4,009,833	4,300,550	4,580,625	5,233,240
30	12	2	13	4,720,075	3,217,414	4,393,250	4,867,000	4,912,600	5,760,380
35	17	3	12	5,364,729	3,916,050	4,925,265	5,281,955	5,755,438	7,020,800
40	22	3	13	6,036,937	3,537,576	5,420,970	5,791,200	6,746,680	8,646,000
45	27	3	9	6,929,027	4,649,500	5,935,200	6,263,260	7,878,360	9,734,600
50	32	2	10	7,294,129	4,544,310	5,903,450	6,918,000	8,798,460	10,904,400
55	37	1	9	7,446,509	4,119,620	6,461,800	7,392,220	7,718,764	11,930,000
60	42	1	5	5,502,218	3,462,000	5,583,800	5,637,600	5,650,300	7,177,390

集計表2−1−(3)　モデル年間賃金のばらつき（全産業，300〜999人）

※年俸制の企業は含まず（単位：円）

設定条件 年齢（歳）	勤続年数（年）	扶養家族（人）	社数（社）	平均	最低	第1四分位	中位数	第3四分位	最高
大学卒・総合職（事務・技術系）									
22	0	0	32	3,219,543	2,643,000	2,997,463	3,173,655	3,477,500	3,930,000
25	3	0	48	3,952,813	3,100,100	3,644,830	3,876,725	4,201,311	6,775,000
27	5	1	48	4,391,815	3,146,900	4,037,500	4,283,730	4,638,725	7,025,000
30	8	2	47	4,990,573	3,918,357	4,497,800	4,745,460	5,277,542	7,900,000
35	13	3	47	5,721,728	4,300,963	5,191,007	5,464,500	6,040,608	9,085,000
40	18	3	45	6,799,788	4,884,330	5,946,400	6,297,400	7,338,240	10,415,000
45	23	3	46	7,605,055	5,117,401	6,376,040	6,978,040	8,722,600	11,921,400
50	28	2	45	8,523,576	5,204,000	6,724,000	8,052,000	9,622,300	15,965,000
55	33	1	43	9,314,110	5,878,140	7,306,208	9,240,000	10,277,685	16,565,000
60	38	1	37	9,638,637	4,025,240	8,015,418	9,718,800	11,487,000	17,740,000
大学卒・一般職（事務・技術系）									
22	0	0	9	2,827,960	2,321,000	2,779,800	2,898,500	2,954,000	3,241,880
25	3	0	13	3,314,515	2,505,800	3,143,300	3,286,200	3,495,755	4,396,940
27	5	0	13	3,466,192	2,533,400	3,163,000	3,423,600	3,776,000	4,530,547
30	8	0	15	3,848,987	2,573,600	3,489,900	3,696,600	4,246,562	4,755,140
35	13	0	16	4,311,492	2,672,000	4,018,388	4,329,650	4,576,893	5,544,265
40	18	0	14	4,617,751	2,799,200	4,009,350	4,621,192	5,075,075	6,376,886
45	23	0	15	5,105,194	2,875,400	4,431,625	4,957,400	5,826,770	7,499,200
短大卒・一般職（事務・技術系）									
20	0	0	14	2,695,255	2,231,600	2,612,850	2,732,075	2,792,350	3,100,630
22	2	0	17	3,129,141	2,654,700	2,992,600	3,057,700	3,315,700	3,582,904
25	5	0	20	3,382,263	2,505,800	3,257,575	3,465,578	3,650,700	3,762,112
30	10	0	19	3,752,889	2,573,600	3,447,808	3,854,100	4,074,896	4,733,350
35	15	0	22	4,338,827	2,672,000	4,096,763	4,325,875	4,784,167	5,636,940
40	20	0	22	4,817,336	2,799,200	4,434,375	4,677,100	5,463,950	6,816,000
高校卒・総合職（事務・技術系）									
18	0	0	16	2,537,527	2,251,000	2,416,291	2,536,910	2,627,506	2,871,310
20	2	0	23	3,172,993	2,732,500	2,958,000	3,127,000	3,319,860	3,739,510
22	4	0	22	3,490,343	2,890,400	3,283,440	3,465,980	3,736,635	4,105,400
25	7	0	22	3,705,606	2,505,800	3,493,800	3,718,463	3,950,475	4,240,900
27	9	1	22	4,050,745	2,533,400	3,841,700	4,063,190	4,336,045	4,703,300
30	12	2	22	4,442,702	2,573,600	4,279,725	4,471,500	4,733,145	5,223,000
35	17	3	23	5,165,798	2,672,000	4,848,310	5,028,000	5,676,775	6,399,400
40	22	3	23	5,575,685	2,799,200	4,943,350	5,712,000	6,263,450	7,174,000
45	27	3	22	6,444,400	2,875,400	5,891,418	6,463,916	7,114,900	8,720,000
50	32	2	24	7,357,010	4,929,900	6,386,510	7,289,717	8,303,525	10,485,000
55	37	1	23	8,154,360	6,471,300	7,031,070	7,922,192	8,836,600	12,586,400
60	42	1	19	7,812,669	4,025,240	6,624,515	7,638,400	9,203,600	11,346,000
高校卒・一般職（事務・技術系）									
18	0	0	9	2,414,840	2,150,000	2,224,078	2,411,800	2,622,900	2,646,000
20	2	0	12	2,988,084	2,529,800	2,739,330	2,973,500	3,169,600	3,739,510
22	4	0	12	3,128,323	2,618,800	2,934,425	3,099,550	3,281,288	3,841,474
25	7	0	15	3,354,741	2,505,800	2,990,950	3,314,800	3,612,100	4,237,476
30	12	0	14	3,743,478	2,573,600	3,407,421	3,726,100	4,125,750	4,655,137
35	17	0	14	4,284,570	2,672,000	3,988,680	4,179,325	4,765,750	5,378,987
40	22	0	14	4,719,446	2,799,200	4,481,075	4,691,650	5,327,757	6,376,886
高校卒・現業系									
18	0	0	13	2,544,654	2,251,000	2,433,600	2,538,900	2,640,782	2,878,600
20	2	0	20	3,111,508	2,581,282	2,960,775	3,076,608	3,335,550	3,739,510
22	4	0	16	3,236,654	2,600,772	3,064,953	3,186,250	3,526,175	3,841,474
25	7	0	21	3,500,299	2,505,800	3,256,866	3,518,335	3,844,600	4,186,402
27	9	1	20	3,827,541	2,533,400	3,622,797	3,896,650	4,150,203	4,807,454
30	12	2	19	3,989,587	2,573,600	3,805,985	4,132,800	4,317,550	4,753,200
35	17	3	19	4,564,046	2,672,000	4,379,093	4,640,657	4,936,400	5,390,600
40	22	3	20	4,969,241	2,799,200	4,625,184	4,966,464	5,320,250	6,376,886
45	27	3	20	5,326,830	2,875,400	4,884,813	5,323,357	5,927,700	6,655,200
50	32	2	19	5,968,221	4,369,187	5,379,269	6,091,800	6,563,100	7,234,700
55	37	1	18	6,561,973	4,490,250	5,887,609	6,480,250	6,950,122	10,334,444
60	42	1	16	6,050,401	4,025,240	5,092,510	5,952,028	6,927,910	8,080,600

集計表2－1－(4)　モデル年間賃金のばらつき（全産業，299人以下）

※年俸制の企業は含まず（単位：円）

設定条件 年齢（歳）	勤続年数（年）	扶養家族（人）	社数（社）	平均	最低	第1四分位	中位数	第3四分位	最高
大学卒・総合職（事務・技術系）									
22	0	0	23	2,978,561	2,536,000	2,763,820	2,944,000	3,176,200	3,730,000
25	3	0	43	3,655,976	2,897,294	3,215,562	3,584,000	3,935,700	4,924,000
27	5	1	40	3,979,844	3,102,050	3,619,825	3,971,160	4,245,150	5,908,000
30	8	2	39	4,457,430	3,080,500	4,070,550	4,423,800	4,867,800	6,958,000
35	13	3	38	5,144,010	3,658,000	4,332,250	5,024,844	5,622,776	8,514,000
40	18	3	41	5,808,462	3,978,000	4,943,600	5,632,000	6,524,000	9,654,000
45	23	3	40	6,651,928	4,388,520	5,404,440	6,791,394	7,542,000	10,526,300
50	28	2	38	7,387,063	4,187,640	6,203,925	7,705,236	8,135,410	11,193,000
55	33	1	37	7,963,344	4,756,000	6,741,000	8,192,000	8,811,200	13,207,500
60	38	1	29	7,443,967	2,516,000	5,686,300	7,163,450	9,059,600	13,207,500
大学卒・一般職（事務・技術系）									
22	0	0	12	2,782,621	2,316,062	2,538,769	2,737,860	2,948,868	3,410,000
25	3	0	17	3,360,923	2,712,080	2,992,200	3,287,700	3,599,000	4,318,000
27	5	0	15	3,511,625	2,801,300	3,007,000	3,360,000	3,959,115	4,659,000
30	8	0	15	3,783,132	2,985,700	3,161,165	3,456,000	4,310,895	5,109,000
35	13	0	15	4,146,767	3,270,000	3,569,900	3,795,700	4,716,205	5,824,500
40	18	0	16	4,431,816	3,210,500	3,760,880	3,956,575	5,083,150	6,447,800
45	23	0	14	4,968,504	3,482,688	4,017,475	4,347,805	5,910,219	7,834,000
短大卒・一般職（事務・技術系）									
20	0	0	12	2,568,762	2,254,527	2,299,652	2,544,100	2,754,433	3,276,000
22	2	0	14	3,018,818	2,506,547	2,600,108	2,904,370	3,246,137	3,971,000
25	5	0	14	3,267,767	2,687,712	2,893,260	3,189,735	3,526,516	4,254,000
30	10	0	14	3,658,233	2,940,997	3,128,545	3,634,600	3,919,366	4,893,000
35	15	0	16	4,035,758	3,083,378	3,417,621	3,968,200	4,444,750	5,824,500
40	20	0	15	4,506,331	3,251,059	3,702,600	4,395,610	5,168,723	6,447,800
高校卒・総合職（事務・技術系）									
18	0	0	16	2,525,769	2,126,727	2,337,123	2,439,520	2,747,879	3,226,000
20	2	0	23	2,947,691	2,226,000	2,681,570	2,969,100	3,062,853	4,050,000
22	4	0	25	3,153,989	2,324,000	2,815,560	3,028,020	3,372,360	4,373,300
25	7	0	27	3,429,496	2,478,000	2,957,946	3,357,748	3,642,359	4,844,000
27	9	1	24	3,847,356	2,686,000	3,452,795	3,713,375	4,191,275	5,361,800
30	12	2	25	4,217,842	2,933,000	3,729,340	4,038,400	4,788,500	5,916,800
35	17	3	23	4,858,875	3,301,265	4,057,325	4,591,480	5,397,050	7,299,800
40	22	3	25	5,206,907	3,456,065	4,429,400	4,848,930	5,717,600	8,302,000
45	27	3	24	6,122,897	3,715,171	5,081,190	5,913,450	6,951,903	10,526,300
50	32	2	27	6,502,527	3,911,940	5,270,228	6,596,450	7,333,700	11,193,000
55	37	1	24	7,064,871	4,146,000	5,560,010	6,789,600	8,538,400	13,207,500
60	42	1	21	7,139,550	2,240,000	5,444,440	6,745,400	8,790,600	13,207,500
高校卒・一般職（事務・技術系）									
18	0	0	10	2,459,336	1,972,800	2,249,157	2,471,075	2,641,300	3,023,000
20	2	0	13	2,778,949	2,016,640	2,371,649	2,766,050	2,892,830	3,814,000
22	4	0	15	2,949,088	2,060,480	2,738,375	2,902,320	3,135,765	3,971,000
25	7	0	12	3,177,945	2,126,240	2,848,017	3,038,800	3,564,154	4,254,000
30	12	0	11	3,577,010	2,235,840	2,959,948	3,349,210	4,192,533	4,893,000
35	17	0	12	3,893,061	2,345,440	3,212,938	3,630,675	4,593,273	5,824,500
40	22	0	12	4,251,124	2,455,040	3,608,335	3,945,285	5,063,658	6,447,800
高校卒・現業系									
18	0	0	6	2,359,631	1,972,800	2,189,171	2,324,442	2,514,250	2,814,500
20	2	0	9	2,873,334	2,016,640	2,652,820	2,966,000	3,101,100	3,960,200
22	4	0	9	3,051,647	2,060,480	2,872,400	3,071,620	3,212,000	4,329,200
25	7	0	9	3,318,160	2,126,240	2,793,600	3,340,300	3,757,300	4,746,800
27	9	1	9	3,690,010	2,170,080	2,961,300	3,747,210	4,410,400	5,361,800
30	12	2	8	4,051,920	2,235,840	2,930,580	4,230,350	4,956,875	5,916,800
35	17	3	8	4,619,468	2,345,440	3,246,500	4,997,000	5,465,425	7,299,800
40	22	3	9	4,932,778	2,455,040	3,616,000	4,563,490	5,768,200	8,294,300
45	27	3	8	5,488,214	2,564,640	3,797,825	4,976,950	6,599,243	10,526,300
50	32	2	9	5,894,816	2,674,240	4,022,600	5,672,200	6,807,200	11,193,000
55	37	1	9	6,310,541	2,783,840	4,535,500	6,094,280	6,938,200	11,727,000
60	42	1	7	5,292,986	2,240,000	3,926,920	5,681,100	6,286,480	8,703,000

集計表2－2－(1)　モデル年間賃金のばらつき（製造業，規模計）

※年俸制の企業は含まず（単位：円）

設定条件			社数	平均	最低	第1四分位	中位数	第3四分位	最高
年齢（歳）	勤続年数（年）	扶養家族（人）	（社）						
大学卒・総合職（事務・技術系）									
22	0	0	28	3,148,094	2,574,026	2,972,050	3,110,050	3,363,648	4,032,100
25	3	0	45	3,898,108	2,897,294	3,589,960	3,925,800	4,285,400	5,181,360
27	5	1	46	4,329,220	3,102,050	3,948,938	4,295,183	4,714,703	6,097,520
30	8	2	45	4,861,635	3,080,500	4,442,500	4,750,788	5,306,483	6,940,700
35	13	3	44	5,657,986	3,658,000	5,107,575	5,481,250	6,166,976	8,220,220
40	18	3	42	6,532,164	3,978,000	5,578,850	6,213,938	7,316,123	10,535,400
45	23	3	42	7,384,775	4,432,000	6,203,925	6,950,581	7,773,760	12,156,320
50	28	2	40	8,175,198	4,688,000	6,589,543	7,804,835	9,699,700	13,278,840
55	33	1	38	8,651,076	4,756,000	6,745,325	8,435,914	10,036,000	14,141,800
60	38	1	32	8,267,515	2,516,000	6,505,313	8,779,050	9,992,472	13,065,480
大学卒・一般職（事務・技術系）									
22	0	0	9	2,630,512	2,382,327	2,424,000	2,577,025	2,779,800	3,087,856
25	3	0	12	3,304,522	2,735,825	2,986,150	3,243,650	3,382,450	4,396,940
27	5	0	11	3,458,965	2,801,300	3,007,000	3,423,600	3,649,800	4,530,547
30	8	0	12	3,618,406	2,716,200	3,052,378	3,680,100	3,866,204	4,730,959
35	13	0	12	4,061,614	3,270,000	3,739,275	4,163,225	4,304,700	5,378,987
40	18	0	11	4,313,263	3,210,500	3,679,000	4,395,610	4,648,600	6,376,886
45	23	0	10	4,594,616	3,482,688	3,803,500	4,568,780	5,039,250	6,545,486
短大卒・一般職（事務・技術系）									
20	0	0	13	2,548,805	2,231,600	2,314,000	2,557,200	2,758,000	2,840,316
22	2	0	15	2,953,750	2,506,547	2,659,500	2,951,640	3,040,850	3,602,760
25	5	0	16	3,274,262	2,687,712	3,035,400	3,247,250	3,650,700	3,956,240
30	10	0	16	3,644,380	2,940,997	3,377,038	3,693,300	3,905,325	4,299,000
35	15	0	18	4,139,213	3,083,378	3,604,921	4,147,075	4,418,315	5,636,940
40	20	0	17	4,577,953	3,251,059	4,385,200	4,575,400	4,889,000	6,376,886
高校卒・総合職（事務・技術系）									
18	0	0	15	2,536,041	2,126,727	2,376,100	2,549,162	2,631,931	3,086,513
20	2	0	25	3,052,573	2,226,000	2,810,300	3,066,000	3,334,200	3,739,510
22	4	0	27	3,249,410	2,324,000	2,927,960	3,326,700	3,563,985	3,879,100
25	7	0	27	3,572,256	2,478,000	3,291,525	3,606,858	3,960,450	4,325,700
27	9	1	25	3,969,673	2,686,000	3,717,600	4,000,800	4,356,000	5,161,400
30	12	2	25	4,317,475	2,933,000	4,038,400	4,287,080	4,807,530	5,659,200
35	17	3	25	5,026,666	3,301,265	4,558,000	4,931,246	5,618,200	7,020,800
40	22	3	27	5,319,080	3,456,065	4,443,700	5,268,400	6,183,786	7,635,300
45	27	3	25	5,969,433	3,715,171	5,519,694	5,967,800	6,710,200	7,728,000
50	32	2	28	6,453,989	3,911,940	5,722,800	6,489,600	7,603,598	8,553,000
55	37	1	27	7,347,293	4,146,000	6,520,520	7,220,720	8,570,800	12,586,400
60	42	1	23	7,083,906	2,240,000	6,414,500	6,745,400	8,200,800	11,711,563
高校卒・一般職（事務・技術系）									
18	0	0	10	2,440,831	1,972,800	2,212,850	2,430,642	2,636,312	3,081,622
20	2	0	15	2,836,652	2,016,640	2,501,625	2,940,600	3,116,049	3,739,510
22	4	0	16	3,011,372	2,060,480	2,794,580	3,089,050	3,206,213	3,841,474
25	7	0	14	3,306,804	2,126,240	2,979,925	3,323,675	3,631,250	4,237,476
30	12	0	13	3,711,330	2,235,840	3,084,800	3,731,150	4,138,000	5,080,250
35	17	0	14	4,095,687	2,345,440	3,398,588	4,129,200	4,581,300	5,687,582
40	22	0	13	4,473,738	2,455,040	3,721,800	4,511,600	5,016,400	6,376,886
高校卒・現業系									
18	0	0	18	2,536,911	1,972,800	2,367,285	2,574,700	2,686,696	3,005,600
20	2	0	30	3,110,433	2,016,640	2,995,875	3,105,523	3,328,490	3,784,520
22	4	0	27	3,256,529	2,060,480	3,075,310	3,311,899	3,517,850	4,005,200
25	7	0	30	3,597,414	2,126,240	3,344,825	3,684,394	3,940,950	4,375,040
27	9	1	30	3,991,250	2,170,080	3,750,097	3,980,341	4,370,000	5,233,240
30	12	2	27	4,289,423	2,235,840	4,030,368	4,276,100	4,597,161	5,760,380
35	17	3	28	4,878,729	2,345,440	4,539,819	4,892,000	5,381,890	7,020,800
40	22	3	29	5,288,030	2,455,040	4,863,500	5,262,740	5,791,200	7,635,300
45	27	3	24	5,705,831	2,564,640	5,197,091	5,854,000	6,306,795	8,497,060
50	32	2	27	6,172,785	2,674,240	5,560,119	6,117,500	6,894,743	9,442,400
55	37	1	25	6,622,352	2,783,840	5,878,140	6,674,144	7,392,800	10,334,444
60	42	1	19	5,973,757	2,240,000	5,473,250	6,155,960	6,942,235	8,080,600

集計表2−2−(2)　モデル年間賃金のばらつき（製造業，1,000人以上）

※年俸制の企業は含まず（単位：円）

設定条件 年齢（歳）	勤続年数（年）	扶養家族（人）	社数（社）	平均	最低	第1四分位	中位数	第3四分位	最高
大学卒・総合職（事務・技術系）									
22	0	0	6	3,406,594	2,900,200	3,232,116	3,314,301	3,584,032	4,032,100
25	3	0	12	4,306,471	3,681,000	3,974,740	4,328,190	4,555,813	5,181,360
27	5	1	12	4,956,004	4,101,300	4,445,508	4,982,885	5,355,252	6,097,520
30	8	2	12	5,625,512	4,147,100	5,026,820	5,761,961	6,072,100	6,940,700
35	13	3	10	6,731,750	5,140,100	5,828,078	7,010,260	7,526,341	8,220,220
40	18	3	8	8,256,210	5,720,000	7,147,939	8,708,051	9,279,225	10,535,400
45	23	3	7	9,377,232	7,033,540	7,659,911	8,768,000	11,181,472	12,156,320
50	28	2	7	10,100,795	7,306,160	8,238,652	9,990,000	11,826,632	13,278,840
55	33	1	7	10,557,628	7,865,880	8,883,681	10,140,000	11,994,177	14,141,800
60	38	1	4	9,933,025	8,458,000	—	—	—	13,065,480
大学卒・一般職（事務・技術系）									
22	0	0	1	2,526,000	2,526,000	—	—	—	2,526,000
25	3	0	2	3,561,050	3,219,400	—	—	—	3,902,700
27	5	0	2	3,942,400	3,523,600	—	—	—	4,361,200
30	8	0	3	3,730,633	2,716,200	—	—	—	4,714,900
35	13	0	1	4,187,200	4,187,200	—	—	—	4,187,200
40	18	0	1	4,504,000	4,504,000	—	—	—	4,504,000
45	23	0	1	4,915,200	4,915,200	—	—	—	4,915,200
短大卒・一般職（事務・技術系）									
20	0	0	1	2,366,400	2,366,400	—	—	—	2,366,400
22	2	0	2	3,222,180	2,841,600	—	—	—	3,602,760
25	5	0	2	3,566,220	3,176,200	—	—	—	3,956,240
30	10	0	2	3,971,340	3,664,800	—	—	—	4,277,880
35	15	0	2	4,243,810	4,067,200	—	—	—	4,420,420
40	20	0	2	4,455,000	4,385,200	—	—	—	4,524,800
高校卒・総合職（事務・技術系）									
18	0	0	3	2,659,758	2,343,600	—	—	—	3,086,513
20	2	0	5	3,244,959	2,947,766	3,069,555	3,110,600	3,536,200	3,560,673
22	4	0	5	3,462,693	3,101,911	3,284,476	3,480,000	3,683,980	3,763,100
25	7	0	5	3,850,352	3,480,399	3,606,858	3,838,000	4,000,804	4,325,700
27	9	1	5	4,401,741	3,721,483	3,776,957	4,667,000	4,681,865	5,161,400
30	12	2	5	4,982,028	4,146,765	4,893,864	4,988,600	5,221,709	5,659,200
35	17	3	5	5,814,662	4,931,246	5,396,246	5,704,200	6,020,819	7,020,800
40	22	3	6	6,277,740	4,169,900	5,512,238	6,500,690	7,383,002	7,635,300
45	27	3	4	6,954,948	6,104,466	—	—	—	7,728,000
50	32	2	5	7,287,574	6,223,793	6,610,235	7,060,800	7,990,043	8,553,000
55	37	1	5	7,724,286	6,509,040	7,220,720	7,276,053	8,749,000	8,866,618
60	42	1	4	8,306,403	6,509,040	—	—	—	10,270,900
高校卒・一般職（事務・技術系）									
18	0	0	2	2,670,111	2,258,600	—	—	—	3,081,622
20	2	0	3	3,007,462	2,631,600	—	—	—	3,407,385
22	4	0	3	3,200,933	2,830,800	—	—	—	3,662,599
25	7	0	3	3,529,305	3,165,400	—	—	—	3,933,916
30	12	0	2	4,366,525	3,652,800	—	—	—	5,080,250
35	17	0	3	4,521,794	3,822,600	—	—	—	5,687,582
40	22	0	2	5,035,226	4,372,000	—	—	—	5,698,451
高校卒・現業系									
18	0	0	4	2,699,445	2,343,600	—	—	—	3,005,600
20	2	0	8	3,283,998	3,011,000	3,084,398	3,231,545	3,367,135	3,784,520
22	4	0	8	3,497,239	3,181,880	3,349,158	3,439,010	3,541,550	4,005,200
25	7	0	8	3,885,564	3,516,460	3,636,120	3,793,630	4,126,103	4,375,040
27	9	1	8	4,388,041	3,659,700	4,009,833	4,309,140	4,707,350	5,233,240
30	12	2	8	4,853,170	4,134,040	4,357,713	4,671,665	5,377,845	5,760,380
35	17	3	8	5,542,700	4,009,800	4,925,265	5,364,355	6,344,413	7,020,800
40	22	3	8	6,008,365	4,622,900	5,381,413	5,740,710	6,453,643	7,635,300
45	27	3	5	6,861,836	5,935,200	6,148,940	6,263,260	7,464,720	8,497,060
50	32	2	6	7,227,863	5,194,700	6,011,195	6,918,000	8,618,365	9,442,400
55	37	1	5	7,357,680	5,695,200	6,939,900	7,392,220	7,445,080	9,316,000
60	42	1	2	6,407,495	5,637,600	—	—	—	7,177,390

（注）　集計社数が４社以下の場合は最低と最高のみとした。以下同じ。

集計表2−2−(3) モデル年間賃金のばらつき（製造業，300～999人）

※年俸制の企業は含まず（単位：円）

設定条件 年齢（歳）	勤続年数（年）	扶養家族（人）	社数（社）	平均	最低	第1四分位	中位数	第3四分位	最高
大学卒・総合職（事務・技術系）									
22	0	0	13	3,187,842	2,838,000	3,017,160	3,111,400	3,357,000	3,539,623
25	3	0	16	4,036,420	3,465,050	3,877,138	4,086,400	4,302,650	4,400,129
27	5	1	17	4,434,033	3,670,900	4,260,000	4,343,960	4,662,800	5,443,800
30	8	2	18	4,920,751	4,052,230	4,642,388	4,748,124	5,214,065	6,304,000
35	13	3	18	5,775,718	4,348,400	5,330,625	5,558,100	6,148,557	7,452,575
40	18	3	18	6,671,124	4,884,330	5,970,713	6,213,938	7,106,313	10,144,600
45	23	3	18	7,452,281	5,355,330	6,360,175	6,609,866	8,767,500	11,127,978
50	28	2	18	8,301,619	5,791,790	6,606,293	7,493,536	10,082,500	11,962,673
55	33	1	17	8,752,407	5,878,140	6,882,686	8,236,228	10,274,000	13,016,600
60	38	1	15	9,076,525	4,025,240	6,981,720	9,718,800	11,337,454	12,378,000
大学卒・一般職（事務・技術系）									
22	0	0	4	2,790,314	2,385,600	—	—	—	3,087,856
25	3	0	4	3,650,860	3,267,900	—	—	—	4,396,940
27	5	0	4	3,790,124	3,423,600	—	—	—	4,530,547
30	8	0	4	4,017,540	3,663,600	—	—	—	4,730,959
35	13	0	5	4,518,453	4,139,250	4,280,600	4,377,000	4,416,430	5,378,987
40	18	0	4	5,130,247	4,498,500	—	—	—	6,376,886
45	23	0	4	5,420,609	4,741,950	—	—	—	6,545,486
短大卒・一般職（事務・技術系）									
20	0	0	7	2,687,152	2,231,600	2,703,775	2,758,000	2,786,300	2,840,316
22	2	0	6	3,184,734	3,000,200	3,022,200	3,040,850	3,330,925	3,582,904
25	5	0	7	3,519,359	3,226,600	3,289,000	3,643,000	3,712,900	3,762,112
30	10	0	7	3,887,320	3,466,600	3,735,875	3,854,100	4,059,896	4,299,000
35	15	0	8	4,611,485	4,082,600	4,150,988	4,316,000	4,995,147	5,636,940
40	20	0	8	4,973,060	4,498,500	4,608,925	4,753,897	4,995,950	6,376,886
高校卒・総合職（事務・技術系）									
18	0	0	7	2,578,240	2,433,600	2,542,110	2,620,000	2,631,931	2,646,000
20	2	0	9	3,285,736	2,928,900	3,004,800	3,289,000	3,595,360	3,739,510
22	4	0	9	3,500,976	3,068,700	3,333,600	3,466,000	3,841,474	3,879,100
25	7	0	9	3,837,995	3,332,550	3,665,000	3,886,100	4,168,500	4,240,900
27	9	1	9	4,136,189	3,707,550	3,983,000	4,011,600	4,341,390	4,645,350
30	12	2	9	4,420,262	4,132,800	4,278,800	4,287,080	4,566,022	4,943,900
35	17	3	10	5,169,865	4,378,200	4,844,665	4,888,400	5,558,397	6,281,396
40	22	3	9	5,433,544	4,351,712	5,183,100	5,298,600	6,164,200	6,376,886
45	27	3	10	5,910,535	4,567,400	5,720,150	5,896,836	6,361,625	6,710,200
50	32	2	10	6,578,330	4,929,900	6,099,260	6,489,600	6,813,067	8,164,100
55	37	1	10	7,870,382	6,471,300	6,687,097	7,120,700	8,266,523	12,586,400
60	42	1	9	6,892,874	4,025,240	6,333,200	6,707,080	7,638,400	9,718,800
高校卒・一般職（事務・技術系）									
18	0	0	5	2,539,336	2,197,600	2,589,400	2,622,900	2,640,782	2,646,000
20	2	0	6	3,198,535	2,940,600	2,990,725	3,116,049	3,276,550	3,739,510
22	4	0	6	3,312,879	3,007,550	3,084,125	3,246,776	3,440,288	3,841,474
25	7	0	6	3,669,538	3,281,000	3,319,238	3,498,775	4,056,052	4,237,476
30	12	0	6	4,080,652	3,617,200	3,742,463	3,957,200	4,459,017	4,655,137
35	17	0	6	4,601,057	4,127,200	4,155,263	4,415,525	5,004,328	5,378,987
40	22	0	6	5,081,971	4,470,900	4,554,825	4,850,450	5,327,757	6,376,886
高校卒・現業系									
18	0	0	10	2,590,033	2,345,180	2,452,341	2,606,150	2,686,696	2,878,600
20	2	0	15	3,216,152	2,813,500	3,034,985	3,163,100	3,347,800	3,739,510
22	4	0	12	3,370,063	3,053,710	3,113,987	3,411,850	3,538,506	3,841,474
25	7	0	15	3,698,572	3,201,290	3,382,625	3,731,000	3,941,200	4,186,402
27	9	1	15	4,085,652	3,664,440	3,813,396	4,000,800	4,322,505	4,807,454
30	12	2	13	4,263,955	3,929,770	4,033,756	4,239,800	4,374,800	4,753,200
35	17	3	14	4,863,984	4,305,605	4,609,054	4,864,525	5,069,000	5,390,600
40	22	3	14	5,353,819	4,727,079	4,917,112	5,254,900	5,655,200	6,376,886
45	27	3	13	5,825,620	4,985,124	5,355,330	5,822,000	6,232,296	6,655,200
50	32	2	14	6,303,204	5,286,860	5,945,803	6,131,776	6,697,015	7,234,700
55	37	1	13	6,972,365	5,732,719	6,344,650	6,674,144	7,392,800	10,334,444
60	42	1	12	6,441,574	4,025,240	5,764,237	6,608,047	7,628,800	8,080,600

集計表2－2－(4)　モデル年間賃金のばらつき（製造業，299人以下）

※年俸制の企業は含まず（単位：円）

設定条件 年齢（歳）	勤続年数（年）	扶養家族（人）	社数（社）	平均	最低	第1四分位	中位数	第3四分位	最高
大学卒・総合職（事務・技術系）									
22	0	0	9	2,918,348	2,574,026	2,646,000	2,836,400	3,060,000	3,367,000
25	3	0	17	3,479,674	2,897,294	3,068,760	3,579,600	3,719,580	4,103,370
27	5	1	17	3,781,970	3,102,050	3,462,040	3,729,900	4,081,730	4,685,610
30	8	2	15	4,179,595	3,080,500	3,729,900	4,124,000	4,651,450	5,004,800
35	13	3	16	4,854,436	3,658,000	4,249,000	4,890,600	5,486,538	6,070,500
40	18	3	16	5,513,811	3,978,000	4,551,000	5,405,100	6,444,433	7,305,240
45	23	3	17	6,492,875	4,432,000	5,845,800	6,829,000	7,542,000	8,578,540
50	28	2	15	7,124,881	4,688,000	6,267,350	7,375,900	7,968,840	9,788,800
55	33	1	14	7,574,756	4,756,000	6,413,875	7,231,500	8,767,300	12,071,563
60	38	1	13	6,821,578	2,516,000	5,508,400	6,541,200	8,790,600	11,711,563
大学卒・一般職（事務・技術系）									
22	0	0	4	2,496,838	2,382,327	—	—	—	2,604,000
25	3	0	6	2,988,121	2,735,825	2,879,500	2,980,100	3,064,526	3,294,065
27	5	0	5	3,000,664	2,801,300	2,818,455	2,934,000	3,080,000	3,369,565
30	8	0	5	3,231,763	2,985,700	3,029,511	3,060,000	3,255,000	3,828,605
35	13	0	6	3,659,983	3,270,000	3,372,273	3,682,850	3,804,325	4,210,635
40	18	0	6	3,736,818	3,210,500	3,467,736	3,679,000	3,964,362	4,395,610
45	23	0	5	3,869,706	3,482,688	3,636,230	3,690,000	4,144,000	4,395,610
短大卒・一般職（事務・技術系）									
20	0	0	5	2,391,600	2,254,527	2,301,275	2,314,000	2,531,000	2,557,200
22	2	0	7	2,679,070	2,506,547	2,559,600	2,571,000	2,802,550	2,951,640
25	5	0	7	2,945,748	2,687,712	2,758,250	2,949,600	3,086,180	3,294,065
30	10	0	7	3,308,022	2,940,997	3,004,500	3,108,350	3,634,600	3,828,605
35	15	0	8	3,640,793	3,083,378	3,286,575	3,384,414	4,148,959	4,412,000
40	20	0	7	4,161,531	3,251,059	3,517,050	3,626,000	4,654,780	5,910,000
高校卒・総合職（事務・技術系）									
18	0	0	5	2,402,732	2,126,727	2,196,000	2,271,883	2,408,600	3,010,450
20	2	0	11	2,774,355	2,226,000	2,549,900	2,766,050	3,019,300	3,459,690
22	4	0	13	2,993,217	2,324,000	2,616,120	2,888,120	3,326,700	3,755,600
25	7	0	13	3,281,323	2,478,000	2,918,100	3,250,500	3,589,960	4,163,010
27	9	1	11	3,637,038	2,686,000	3,131,750	3,717,600	4,044,410	4,612,170
30	12	2	11	3,931,306	2,933,000	3,356,250	3,863,040	4,464,950	5,004,800
35	17	3	10	4,489,470	3,301,265	3,635,125	4,424,100	5,288,795	5,793,670
40	22	3	12	4,753,902	3,456,065	4,277,710	4,520,000	5,125,428	6,951,870
45	27	3	11	5,664,608	3,715,171	4,787,900	5,845,800	6,927,290	7,060,160
50	32	2	13	6,037,732	3,911,940	4,734,090	6,048,520	7,542,000	8,054,680
55	37	1	12	6,754,306	4,146,000	5,320,810	6,662,700	8,538,400	8,969,800
60	42	1	10	6,766,835	2,240,000	6,413,250	6,643,300	8,306,225	11,711,563
高校卒・一般職（事務・技術系）									
18	0	0	3	2,123,803	1,972,800	—	—	—	2,271,883
20	2	0	6	2,389,365	2,016,640	2,236,695	2,320,215	2,608,215	2,766,050
22	4	0	7	2,671,696	2,060,480	2,419,173	2,708,120	2,970,515	3,153,900
25	7	0	5	2,738,021	2,126,240	2,478,000	2,637,767	2,918,100	3,530,000
30	12	0	5	3,006,067	2,235,840	2,765,000	2,835,095	3,084,800	4,109,600
35	17	0	5	3,233,579	2,345,440	2,970,807	3,080,000	3,257,250	4,514,400
40	22	0	5	3,519,262	2,455,040	3,085,077	3,388,000	3,721,800	4,946,395
高校卒・現業系									
18	0	0	4	2,241,571	1,972,800	—	—	—	2,560,000
20	2	0	7	2,685,530	2,016,640	2,439,410	2,672,700	2,989,875	3,250,800
22	4	0	7	2,786,803	2,060,480	2,598,200	2,888,120	3,075,310	3,212,000
25	7	0	7	3,051,334	2,126,240	2,635,800	3,238,800	3,382,150	3,958,400
27	9	1	7	3,335,484	2,170,080	2,823,650	3,478,400	3,821,105	4,410,400
30	12	2	6	3,592,943	2,235,840	2,925,740	3,382,700	4,429,325	5,004,800
35	17	3	6	4,027,840	2,345,440	3,123,500	3,930,500	5,219,000	5,457,600
40	22	3	7	4,333,214	2,455,040	3,578,700	4,193,500	4,787,345	6,951,870
45	27	3	6	4,482,952	2,564,640	3,629,475	4,235,850	5,170,575	6,951,870
50	32	2	7	5,007,591	2,674,240	4,020,300	4,954,600	5,797,655	7,788,390
55	37	1	7	5,447,095	2,783,840	4,340,750	4,807,000	6,446,405	8,964,515
60	42	1	5	4,677,500	2,240,000	2,893,440	5,681,100	6,155,960	6,417,000

集計表2−3−⑴　モデル年間賃金のばらつき（非製造業，規模計）

※年俸制の企業は含まず（単位：円）

設定条件			社数	平均	最低	第1四分位	中位数	第3四分位	最高
年齢（歳）	勤続年数（年）	扶養家族（人）	（社）						
大学卒・総合職（事務・技術系）									
22	0	0	40	3,206,345	2,536,000	2,876,500	3,152,264	3,478,400	4,117,600
25	3	0	71	3,907,091	2,974,310	3,509,900	3,805,000	4,104,040	6,775,000
27	5	1	67	4,326,987	3,146,900	3,861,775	4,182,100	4,615,950	7,025,000
30	8	2	66	4,908,778	3,596,000	4,375,648	4,797,850	5,187,175	7,900,000
35	13	3	64	5,670,069	3,783,990	4,915,750	5,435,320	5,939,123	10,758,000
40	18	3	63	6,691,905	4,154,000	5,620,080	6,370,200	7,292,881	12,346,000
45	23	3	61	7,494,485	4,388,520	6,292,800	7,274,400	8,485,632	14,805,000
50	28	2	60	8,401,878	4,187,640	6,856,956	8,087,366	9,254,096	15,965,000
55	33	1	59	9,286,312	5,064,345	7,545,480	8,659,700	10,253,185	17,264,000
60	38	1	48	9,129,944	3,462,000	7,258,599	8,732,400	10,501,960	17,744,000
大学卒・一般職（事務・技術系）									
22	0	0	15	2,842,395	2,316,062	2,616,080	2,892,300	2,971,335	3,410,000
25	3	0	27	3,436,895	2,505,800	3,137,430	3,379,190	3,805,877	4,318,000
27	5	0	26	3,585,517	2,533,400	3,239,689	3,509,635	3,842,175	4,659,000
30	8	0	28	3,938,663	2,573,600	3,446,075	4,077,480	4,455,071	5,109,000
35	13	0	26	4,399,757	2,672,000	3,681,850	4,441,600	5,044,168	5,824,500
40	18	0	26	4,888,272	2,799,200	3,905,750	4,845,730	5,510,030	8,646,000
45	23	0	24	5,464,623	2,875,400	4,282,848	5,155,870	6,118,533	9,734,600
短大卒・一般職（事務・技術系）									
20	0	0	18	2,695,982	2,020,000	2,414,115	2,725,000	2,881,585	3,437,600
22	2	0	25	3,196,592	2,654,700	2,842,077	3,254,000	3,443,900	4,085,000
25	5	0	27	3,420,499	2,505,800	3,015,770	3,435,400	3,674,109	4,377,600
30	10	0	26	3,821,786	2,573,600	3,419,479	3,783,200	4,247,550	4,893,000
35	15	0	29	4,273,189	2,672,000	3,808,000	4,248,200	4,819,800	5,824,500
40	20	0	28	4,941,282	2,799,200	4,074,570	4,883,616	5,515,600	8,646,000
高校卒・総合職（事務・技術系）									
18	0	0	22	2,586,700	2,140,000	2,382,500	2,450,260	2,760,637	3,576,000
20	2	0	32	3,127,890	2,472,900	2,791,700	3,043,025	3,292,500	4,693,000
22	4	0	30	3,439,487	2,688,280	3,031,816	3,408,450	3,684,650	4,849,000
25	7	0	32	3,639,628	2,505,800	3,308,700	3,613,590	3,877,410	5,326,000
27	9	1	31	4,042,660	2,533,400	3,613,814	4,054,680	4,319,350	5,847,000
30	12	2	34	4,512,821	2,573,600	3,945,287	4,481,800	4,941,605	6,931,000
35	17	3	33	5,277,302	2,672,000	4,591,480	5,028,000	5,691,360	10,758,000
40	22	3	33	5,927,392	2,799,200	4,848,930	5,717,600	6,370,200	12,346,000
45	27	3	31	7,066,944	2,875,400	5,948,225	6,667,292	7,901,180	14,805,000
50	32	2	34	7,764,723	4,187,640	6,596,828	7,340,886	8,613,040	15,309,000
55	37	1	31	8,402,979	4,338,625	6,822,375	7,873,200	9,705,100	17,264,000
60	42	1	27	8,141,004	3,462,000	5,895,732	8,193,200	10,031,748	17,744,000
高校卒・一般職（事務・技術系）									
18	0	0	15	2,492,728	1,900,000	2,246,291	2,437,888	2,624,100	3,267,200
20	2	0	19	2,961,009	2,330,000	2,723,640	2,889,680	3,086,003	3,890,600
22	4	0	20	3,139,405	2,618,800	2,839,480	2,942,640	3,325,562	4,085,000
25	7	0	22	3,359,497	2,505,800	2,995,665	3,221,458	3,675,154	4,377,600
30	12	0	19	3,795,750	2,573,600	3,330,930	3,721,050	4,219,633	4,893,000
35	17	0	20	4,254,024	2,672,000	3,676,283	4,122,065	4,861,318	5,824,500
40	22	0	19	4,882,604	2,799,200	4,010,900	4,698,800	5,497,345	8,646,000
高校卒・現業系									
18	0	0	7	2,557,268	2,251,000	2,383,638	2,527,000	2,676,700	3,002,200
20	2	0	12	3,054,243	2,443,536	2,713,560	3,010,981	3,173,700	3,960,200
22	4	0	11	3,299,567	2,600,772	2,821,510	3,520,000	3,581,350	4,329,200
25	7	0	13	3,421,633	2,505,800	2,963,800	3,525,000	3,757,300	4,746,800
27	9	1	11	3,781,935	2,533,400	3,118,836	3,497,867	4,421,450	5,361,800
30	12	2	13	4,135,696	2,573,600	3,292,520	4,143,500	4,880,000	5,916,800
35	17	3	11	4,676,813	2,672,000	3,819,465	4,610,000	5,467,650	7,299,800
40	22	3	13	5,300,548	2,799,200	4,171,100	4,884,500	5,959,600	8,646,000
45	27	3	13	5,835,661	2,875,400	4,544,400	5,131,500	6,481,700	10,526,300
50	32	2	11	6,611,423	4,369,187	4,790,830	6,037,506	7,382,200	11,193,000
55	37	1	11	6,942,742	4,119,620	5,249,470	6,461,800	7,328,482	11,930,000
60	42	1	9	5,318,559	3,462,000	4,611,193	5,190,440	5,583,800	8,703,000

集計表2－3－(2)　モデル年間賃金のばらつき（非製造業，1,000人以上）

※年俸制の企業は含まず（単位：円）

設定条件 年齢（歳）	勤続年数（年）	扶養家族（人）	社数（社）	平均	最低	第1四分位	中位数	第3四分位	最高
大学卒・総合職（事務・技術系）									
22	0	0	7	3,489,798	2,860,000	3,122,592	3,378,600	3,913,600	4,117,600
25	3	0	13	4,169,125	2,974,310	3,725,792	3,957,800	4,572,378	5,326,000
27	5	1	13	4,583,021	3,265,610	4,052,020	4,556,400	5,233,200	5,847,000
30	8	2	13	5,142,314	3,739,540	4,880,000	5,082,442	5,636,700	6,931,000
35	13	3	13	6,163,440	4,239,960	5,478,840	5,766,000	6,695,200	10,758,000
40	18	3	11	7,795,803	5,026,690	6,681,600	7,013,741	9,264,500	12,346,000
45	23	3	10	8,577,383	5,602,420	7,254,563	7,558,396	9,469,100	14,805,000
50	28	2	10	9,614,573	5,923,000	8,459,803	8,956,840	10,555,110	15,309,000
55	33	1	10	10,757,946	6,223,000	8,184,300	10,134,360	13,097,002	17,264,000
60	38	1	10	9,056,109	3,462,000	6,963,135	8,296,000	8,784,114	17,744,000
大学卒・一般職（事務・技術系）									
22	0	0	2	2,470,720	2,380,000	—	—	—	2,561,440
25	3	0	7	3,586,278	2,894,000	3,346,502	3,714,900	3,922,121	3,957,800
27	5	0	7	3,664,624	3,045,200	3,420,208	3,683,736	3,979,900	4,123,215
30	8	0	7	4,004,253	3,532,240	3,576,238	4,164,900	4,312,078	4,556,000
35	13	0	6	4,626,747	3,851,232	4,291,750	4,724,388	5,076,624	5,118,900
40	18	0	6	5,746,566	4,057,152	5,022,412	5,409,684	5,900,089	8,646,000
45	23	0	4	6,511,239	4,216,272	—	—	—	9,734,600
短大卒・一般職（事務・技術系）									
20	0	0	4	2,684,260	2,020,000	—	—	—	3,437,600
22	2	0	7	3,188,262	2,690,000	2,776,609	2,901,920	3,543,850	4,085,000
25	5	0	7	3,459,318	2,894,000	2,964,155	3,308,416	3,853,450	4,377,600
30	10	0	7	3,887,666	3,166,950	3,550,815	3,727,680	4,175,200	4,867,000
35	15	0	7	4,273,484	3,492,750	3,919,820	4,105,100	4,679,000	5,118,900
40	20	0	6	5,615,790	4,120,800	4,963,628	5,232,210	5,500,117	8,646,000
高校卒・総合職（事務・技術系）									
18	0	0	2	2,978,000	2,380,000	—	—	—	3,576,000
20	2	0	6	3,234,375	2,579,000	2,683,463	2,981,150	3,436,075	4,693,000
22	4	0	5	3,593,586	2,742,228	3,210,000	3,567,700	3,599,000	4,849,000
25	7	0	5	3,909,508	2,943,858	3,454,800	3,865,080	3,957,800	5,326,000
27	9	1	5	4,220,531	3,258,594	3,643,200	4,095,760	4,258,100	5,847,000
30	12	2	7	4,753,880	3,678,318	3,977,565	4,374,110	5,169,300	6,931,000
35	17	3	7	5,739,552	4,075,100	4,537,473	5,014,560	5,627,130	10,758,000
40	22	3	6	7,189,873	4,970,020	5,422,195	5,953,760	7,991,460	12,346,000
45	27	3	6	8,627,497	5,579,826	6,922,267	7,383,008	9,229,840	14,805,000
50	32	2	6	9,356,321	6,339,384	7,370,790	8,162,284	10,334,080	15,309,000
55	37	1	6	10,523,447	6,465,000	7,919,840	9,857,440	11,781,480	17,264,000
60	42	1	6	8,523,344	3,462,000	6,324,291	7,348,786	8,777,470	17,744,000
高校卒・一般職（事務・技術系）									
18	0	0	4	2,533,022	1,900,000	—	—	—	3,267,200
20	2	0	6	2,967,204	2,330,000	2,738,571	2,878,923	3,069,475	3,890,600
22	4	0	6	3,265,173	2,690,000	2,853,045	3,203,210	3,555,775	4,085,000
25	7	0	6	3,526,635	2,894,000	3,065,101	3,463,208	3,887,850	4,377,600
30	12	0	5	3,975,539	3,189,516	3,537,500	3,727,680	4,556,000	4,867,000
35	17	0	5	4,430,804	3,743,520	3,933,600	4,248,200	5,109,800	5,118,900
40	22	0	4	5,942,973	4,120,800	—	—	—	8,646,000
高校卒・現業系									
18	0	0	2	2,764,600	2,527,000	—	—	—	3,002,200
20	2	0	5	3,120,347	2,443,536	2,941,000	3,112,300	3,357,900	3,747,000
22	4	0	5	3,398,464	2,779,620	3,520,000	3,530,000	3,567,700	3,595,000
25	7	0	5	3,589,883	2,894,952	3,621,664	3,678,000	3,797,000	3,957,800
27	9	1	4	4,118,386	3,217,943	—	—	—	4,654,500
30	12	2	5	4,507,123	3,217,414	4,658,600	4,867,000	4,880,000	4,912,600
35	17	3	4	5,008,788	3,916,050	—	—	—	5,562,900
40	22	3	5	6,082,651	3,537,576	5,523,400	5,959,600	6,746,680	8,646,000
45	27	3	4	7,013,015	4,649,500	—	—	—	9,734,600
50	32	2	4	7,393,528	4,544,310	—	—	—	10,904,400
55	37	1	4	7,557,546	4,119,620	—	—	—	11,930,000
60	42	1	3	4,898,700	3,462,000	—	—	—	5,650,300

集計表2－3－(3)　モデル年間賃金のばらつき（非製造業，300～999人）

※年俸制の企業は含まず（単位：円）

設定条件 年齢（歳）	勤続年数（年）	扶養家族（人）	社数（社）	平均	最低	第1四分位	中位数	第3四分位	最高
大学卒・総合職（事務・技術系）									
22	0	0	19	3,241,234	2,643,000	2,937,050	3,230,000	3,509,460	3,930,000
25	3	0	32	3,911,009	3,100,100	3,632,310	3,802,175	4,013,745	6,775,000
27	5	1	31	4,368,664	3,146,900	3,984,800	4,216,920	4,546,840	7,025,000
30	8	2	29	5,033,911	3,918,357	4,471,700	4,722,700	5,368,600	7,900,000
35	13	3	29	5,688,217	4,300,963	5,028,000	5,390,600	5,810,000	9,085,000
40	18	3	27	6,885,564	4,890,000	5,952,437	6,560,230	7,364,020	10,415,000
45	23	3	28	7,703,267	5,117,401	6,498,665	7,506,000	8,624,200	11,921,400
50	28	2	27	8,671,546	5,204,000	7,149,097	8,233,000	9,329,011	15,965,000
55	33	1	26	9,681,377	5,928,160	8,055,350	9,688,420	10,267,277	16,565,000
60	38	1	22	10,021,896	4,897,000	8,312,975	9,685,360	11,473,250	17,740,000
大学卒・一般職（事務・技術系）									
22	0	0	5	2,858,076	2,321,000	2,875,000	2,898,500	2,954,000	3,241,880
25	3	0	9	3,165,028	2,505,800	3,012,100	3,213,000	3,428,000	3,559,200
27	5	0	9	3,322,223	2,533,400	3,097,000	3,359,100	3,637,005	3,831,600
30	8	0	11	3,787,695	2,573,600	3,399,600	3,629,500	4,246,562	4,755,140
35	13	0	11	4,217,418	2,672,000	3,581,550	4,282,300	4,657,862	5,544,265
40	18	0	10	4,412,753	2,799,200	3,814,075	4,438,992	5,036,675	5,996,350
45	23	0	11	4,990,497	2,875,400	4,244,100	4,743,400	5,826,770	7,499,200
短大卒・一般職（事務・技術系）									
20	0	0	7	2,703,357	2,313,000	2,476,770	2,732,000	2,912,165	3,100,630
22	2	0	11	3,098,817	2,654,700	2,834,633	3,254,000	3,299,850	3,499,940
25	5	0	13	3,308,442	2,505,800	3,018,100	3,435,400	3,559,200	3,734,900
30	10	0	12	3,674,471	2,573,600	3,325,750	3,760,625	4,107,700	4,733,350
35	15	0	14	4,183,022	2,672,000	3,624,418	4,325,875	4,664,207	5,563,320
40	20	0	14	4,728,351	2,799,200	4,006,850	4,613,825	5,630,422	6,816,000
高校卒・総合職（事務・技術系）									
18	0	0	9	2,505,861	2,251,000	2,390,000	2,423,760	2,579,000	2,871,310
20	2	0	14	3,100,516	2,732,500	2,841,492	3,092,600	3,276,630	3,651,100
22	4	0	13	3,482,982	2,890,400	3,266,720	3,465,960	3,688,200	4,105,400
25	7	0	13	3,613,952	2,505,800	3,454,100	3,630,800	3,825,000	4,202,400
27	9	1	13	3,991,592	2,533,400	3,761,400	4,071,700	4,286,400	4,703,300
30	12	2	13	4,458,237	2,573,600	4,327,600	4,482,200	4,953,940	5,223,000
35	17	3	13	5,162,669	2,672,000	4,967,000	5,255,354	5,735,350	6,399,400
40	22	3	14	5,667,061	2,799,200	4,948,650	5,964,473	6,312,975	7,174,000
45	27	3	12	6,889,286	2,875,400	6,399,398	6,958,546	7,823,130	8,720,000
50	32	2	14	7,913,210	5,511,280	7,223,976	7,952,050	8,775,700	10,485,000
55	37	1	13	8,372,804	6,486,040	7,322,100	8,289,579	9,688,200	10,225,000
60	42	1	10	8,640,484	4,242,400	7,465,066	8,584,350	10,349,210	11,346,000
高校卒・一般職（事務・技術系）									
18	0	0	4	2,259,220	2,150,000	—	—	—	2,411,800
20	2	0	6	2,777,633	2,529,800	2,601,420	2,737,820	2,902,960	3,146,400
22	4	0	6	2,943,767	2,618,800	2,756,076	2,910,750	3,175,525	3,254,000
25	7	0	9	3,144,876	2,505,800	2,932,904	3,018,100	3,456,000	3,831,780
30	12	0	8	3,490,598	2,573,600	3,291,988	3,417,342	3,813,038	4,163,800
35	17	0	8	4,047,205	2,672,000	3,606,525	3,992,454	4,550,550	5,293,230
40	22	0	8	4,447,551	2,799,200	3,879,000	4,647,155	4,905,950	5,556,300
高校卒・現業系									
18	0	0	3	2,393,392	2,251,000	—	—	—	2,538,900
20	2	0	5	2,797,577	2,581,282	2,649,840	2,734,800	2,967,500	3,054,461
22	4	0	4	2,836,428	2,600,772	—	—	—	3,189,700
25	7	0	6	3,004,618	2,505,800	2,839,992	2,970,660	3,187,030	3,525,000
27	9	1	5	3,053,208	2,533,400	2,997,100	3,062,151	3,175,520	3,497,867
30	12	2	6	3,395,123	2,573,600	3,245,630	3,370,718	3,623,879	4,143,500
35	17	3	5	3,724,218	2,672,000	3,700,161	3,749,620	3,889,309	4,610,000
40	22	3	6	4,071,894	2,799,200	4,026,483	4,224,944	4,309,322	4,884,500
45	27	3	7	4,400,505	2,875,400	4,188,488	4,544,400	4,857,690	5,291,383
50	32	2	5	5,030,269	4,369,187	4,396,800	5,037,350	5,310,500	6,037,506
55	37	1	5	5,494,957	4,490,250	5,088,440	5,410,500	5,996,393	6,489,200
60	42	1	4	4,876,883	4,242,400	—	—	—	5,463,500

集計表2−3−(4) モデル年間賃金のばらつき（非製造業，299人以下）

※年俸制の企業は含まず（単位：円）

設定条件 年齢（歳）	勤続年数（年）	扶養家族（人）	社数（社）	平均	最低	第１四分位	中位数	第３四分位	最高
大学卒・総合職（事務・技術系）									
22	0	0	14	3,017,270	2,536,000	2,812,000	2,956,850	3,221,800	3,730,000
25	3	0	26	3,771,251	2,976,852	3,284,994	3,625,260	4,021,000	4,924,000
27	5	1	23	4,126,098	3,368,400	3,649,484	4,064,000	4,271,826	5,908,000
30	8	2	24	4,631,077	3,596,000	4,205,885	4,449,260	4,916,100	6,958,000
35	13	3	22	5,354,610	3,783,990	4,622,775	5,196,344	5,817,300	8,514,000
40	18	3	25	5,997,039	4,154,000	5,029,425	5,823,700	6,540,700	9,654,000
45	23	3	23	6,769,489	4,388,520	5,268,200	6,753,787	7,613,700	10,526,300
50	28	2	23	7,558,052	4,187,640	6,311,225	7,757,700	8,219,390	11,193,000
55	33	1	23	8,199,877	5,064,345	6,945,055	8,260,800	8,868,300	13,207,500
60	38	1	16	7,949,658	4,437,000	5,825,974	7,978,899	9,268,733	13,207,500
大学卒・一般職（事務・技術系）									
22	0	0	8	2,925,513	2,316,062	2,771,430	2,913,950	3,087,940	3,410,000
25	3	0	11	3,564,269	2,712,080	3,224,840	3,379,190	4,033,727	4,318,000
27	5	0	10	3,767,106	2,871,580	3,344,400	3,627,135	4,265,807	4,659,000
30	8	0	10	4,058,816	3,067,330	3,426,225	4,084,480	4,552,398	5,109,000
35	13	0	9	4,471,290	3,430,120	3,570,680	4,476,810	5,050,098	5,824,500
40	18	0	10	4,848,815	3,705,920	3,878,623	4,864,830	5,606,756	6,447,800
45	23	0	9	5,578,947	3,975,300	4,300,000	5,828,600	6,062,000	7,834,000
短大卒・一般職（事務・技術系）									
20	0	0	7	2,695,306	2,272,000	2,441,891	2,751,910	2,841,724	3,276,000
22	2	0	7	3,358,567	2,687,430	3,155,645	3,260,749	3,639,750	3,971,000
25	5	0	7	3,589,787	2,874,480	3,279,405	3,604,000	3,918,609	4,254,000
30	10	0	7	4,008,445	3,189,130	3,594,150	3,949,620	4,419,533	4,893,000
35	15	0	8	4,430,724	3,554,530	3,748,450	4,451,735	4,861,318	5,824,500
40	20	0	8	4,808,031	3,779,200	3,918,410	4,786,660	5,423,234	6,447,800
高校卒・総合職（事務・技術系）									
18	0	0	11	2,581,694	2,140,000	2,407,260	2,513,700	2,754,258	3,226,000
20	2	0	12	3,106,583	2,472,900	2,879,189	3,001,440	3,117,529	4,050,000
22	4	0	12	3,328,159	2,688,280	2,971,463	3,108,627	3,584,625	4,373,300
25	7	0	14	3,567,085	2,874,800	3,124,974	3,394,949	3,654,488	4,844,000
27	9	1	13	4,025,317	3,129,400	3,548,880	3,709,150	4,352,300	5,361,800
30	12	2	14	4,442,978	3,351,090	3,809,745	4,407,546	4,875,575	5,916,800
35	17	3	13	5,143,032	3,822,120	4,362,310	4,847,048	5,494,000	7,299,800
40	22	3	13	5,625,066	3,997,025	4,758,060	5,208,248	6,060,400	8,302,000
45	27	3	13	6,510,680	4,266,950	5,107,905	6,329,300	7,624,936	10,526,300
50	32	2	14	6,934,122	4,187,640	6,465,375	6,625,242	7,094,243	11,193,000
55	37	1	12	7,375,435	4,338,625	6,217,100	6,822,375	7,471,959	13,207,500
60	42	1	11	7,478,382	4,277,625	5,254,393	7,163,450	9,308,928	13,207,500
高校卒・一般職（事務・技術系）									
18	0	0	7	2,603,135	2,241,582	2,471,075	2,589,700	2,712,758	3,023,000
20	2	0	7	3,112,878	2,629,430	2,879,440	2,892,830	3,347,503	3,814,000
22	4	0	8	3,191,806	2,768,630	2,884,780	2,964,045	3,413,437	3,971,000
25	7	0	7	3,492,175	2,993,380	3,038,800	3,283,030	3,918,609	4,254,000
30	12	0	6	4,052,796	3,282,220	3,500,228	4,114,373	4,491,567	4,893,000
35	17	0	7	4,364,119	3,433,360	3,630,675	4,244,130	4,892,745	5,824,500
40	22	0	7	4,773,882	3,681,780	3,945,285	4,534,980	5,431,023	6,447,800
高校卒・現業系									
18	0	0	2	2,595,750	2,377,000	—	—	—	2,814,500
20	2	0	2	3,530,650	3,101,100	—	—	—	3,960,200
22	4	0	2	3,978,600	3,628,000	—	—	—	4,329,200
25	7	0	2	4,252,050	3,757,300	—	—	—	4,746,800
27	9	1	2	4,930,850	4,499,900	—	—	—	5,361,800
30	12	2	2	5,428,850	4,940,900	—	—	—	5,916,800
35	17	3	2	6,394,350	5,488,900	—	—	—	7,299,800
40	22	3	2	7,031,250	5,768,200	—	—	—	8,294,300
45	27	3	2	8,504,000	6,481,700	—	—	—	10,526,300
50	32	2	2	9,000,100	6,807,200	—	—	—	11,193,000
55	37	1	2	9,332,600	6,938,200	—	—	—	11,727,000
60	42	1	2	6,831,700	4,960,400	—	—	—	8,703,000

集計表2−4　モデル年間賃金の分散係数

（単位：%）

設定条件			全産業				製造業				非製造業			
年齢（歳）	勤続年数（年）	扶養家族（人）	規模計	1,000人以上	300~999人	299人以下	規模計	1,000人以上	300~999人	299人以下	規模計	1,000人以上	300~999人	299人以下
大学卒・総合職（事務・技術系）														
22	0	0	7.8	9.4	7.6	7.0	6.3	5.3	5.5	7.3	9.5	11.7	8.9	6.9
25	3	0	8.9	8.9	7.2	10.0	8.9	6.7	5.2	9.1	7.8	10.7	5.0	10.2
27	5	1	9.4	12.7	7.0	7.9	8.9	9.1	4.6	8.3	9.0	13.0	6.7	7.7
30	8	2	9.0	9.4	8.2	9.0	9.1	9.1	6.0	11.2	8.5	7.4	9.5	8.0
35	13	3	10.9	12.3	7.8	12.8	9.7	12.1	7.4	12.7	9.4	10.5	7.3	11.5
40	18	3	13.6	18.2	11.1	14.0	14.0	12.2	9.1	17.5	13.1	18.4	10.8	13.0
45	23	3	15.9	22.6	16.8	15.7	11.3	20.1	18.2	12.4	15.1	14.6	14.2	17.4
50	28	2	16.7	17.3	18.0	12.5	19.9	18.0	23.2	11.5	14.8	11.7	13.2	12.3
55	33	1	18.5	20.3	16.1	12.6	19.5	15.3	20.6	16.3	15.6	24.2	11.4	11.6
60	38	1	20.6	7.2	17.9	23.5	19.9	—	22.4	25.1	18.6	11.0	16.3	21.6
大学卒・一般職（事務・技術系）														
22	0	0	7.9	—	3.0	7.5	6.9	—	—	—	6.1	—	1.4	5.4
25	3	0	9.3	9.2	5.4	9.2	6.1	—	—	3.1	9.9	7.7	6.5	12.0
27	5	0	9.7	8.0	9.0	14.2	9.4	—	—	4.5	8.6	7.6	8.0	12.7
30	8	0	12.8	10.3	10.2	16.6	11.1	—	—	3.7	12.4	8.8	11.7	13.8
35	13	0	14.5	9.5	6.4	15.1	6.8	—	1.6	5.9	15.3	8.3	12.6	16.5
40	18	0	17.3	9.9	11.5	16.7	11.0	—	—	6.7	16.6	8.1	13.8	17.8
45	23	0	17.8	18.3	14.1	21.8	13.5	—	—	6.9	17.8	—	16.7	15.1
短大卒・一般職（事務・技術系）														
20	0	0	8.0	6.9	3.3	8.9	8.7	—	1.5	5.0	8.6	—	8.0	7.3
22	2	0	11.1	12.5	5.3	11.1	6.5	—	5.1	4.7	9.2	13.2	7.1	7.4
25	5	0	9.9	14.2	5.7	9.9	9.5	—	5.8	5.6	9.6	13.4	7.9	8.9
30	10	0	8.8	9.6	8.1	10.9	7.2	—	4.2	10.1	10.9	8.4	10.4	10.4
35	15	0	11.4	5.9	7.9	12.9	9.8	—	9.8	12.7	11.9	9.2	12.0	12.5
40	20	0	14.1	9.7	11.0	16.7	5.5	—	4.1	15.7	14.8	5.1	17.6	15.7
高校卒・総合職（事務・技術系）														
18	0	0	5.3	13.9	4.2	8.4	5.0	—	1.7	4.7	7.7	—	3.9	6.9
20	2	0	8.2	10.3	5.8	6.4	8.5	7.5	9.0	8.5	8.2	12.6	7.0	4.0
22	4	0	9.7	6.2	6.5	9.2	9.6	5.7	7.3	12.3	9.6	5.5	6.1	9.9
25	7	0	8.9	6.2	6.1	10.2	9.3	5.1	6.5	10.3	7.9	6.5	5.1	7.8
27	9	1	8.9	11.3	6.1	9.9	8.0	9.7	4.5	12.3	8.7	7.5	6.4	10.8
30	12	2	10.6	11.7	5.1	13.1	9.0	3.3	3.3	14.4	11.1	13.6	7.0	12.1
35	17	3	11.0	7.8	8.2	14.6	10.7	5.5	7.3	18.7	10.9	10.9	7.3	11.7
40	22	3	14.8	18.9	11.6	13.3	16.5	14.4	9.3	9.4	13.3	21.6	11.4	12.5
45	27	3	12.3	7.2	9.5	15.8	10.0	—	5.4	18.3	14.6	15.6	10.2	19.9
50	32	2	14.3	11.4	13.1	15.6	14.5	9.8	5.5	23.2	13.7	18.2	9.8	4.7
55	37	1	15.7	17.0	11.4	21.9	14.2	10.5	11.1	24.1	18.3	19.6	14.3	9.2
60	42	1	17.2	14.9	16.9	24.8	13.2	—	9.7	14.2	25.2	16.7	16.8	28.3
高校卒・一般職（事務・技術系）														
18	0	0	8.2	12.9	8.3	7.9	8.7	—	1.0	—	7.7	—	—	4.7
20	2	0	7.8	6.8	7.2	9.4	10.4	—	4.6	8.0	6.3	5.7	5.5	8.1
22	4	0	7.6	11.7	5.6	6.8	6.7	—	5.5	10.2	8.3	11.0	7.2	8.9
25	7	0	10.4	11.0	9.4	11.8	9.8	—	10.5	8.3	10.5	11.9	8.7	13.4
30	12	0	11.9	15.0	9.6	18.4	14.1	—	9.1	5.6	11.9	13.7	7.6	12.0
35	17	0	14.2	14.5	9.3	19.0	14.3	—	9.6	4.7	14.4	13.8	11.8	14.9
40	22	0	17.0	9.1	9.0	18.4	14.3	—	8.0	9.4	15.8	—	11.0	16.4
高校卒・現業系														
18	0	0	6.4	7.7	4.1	7.0	6.2	—	4.5	—	5.8	—	—	—
20	2	0	6.2	4.3	6.1	7.6	5.4	4.4	4.9	10.3	7.6	6.7	5.8	—
22	4	0	7.0	3.0	7.2	5.5	6.7	2.8	6.2	8.3	10.8	0.7	—	—
25	7	0	8.2	4.5	8.4	14.4	8.1	6.5	7.5	11.5	11.3	2.4	5.8	—
27	9	1	9.2	6.6	6.8	19.3	7.8	8.1	6.4	14.3	18.6	—	2.9	—
30	12	2	10.3	5.3	6.2	23.9	6.6	10.9	4.0	22.2	19.2	2.3	5.6	—
35	17	3	10.6	7.9	6.0	22.2	8.6	13.2	4.7	26.7	17.9	—	2.5	—
40	22	3	12.7	11.4	7.0	23.6	8.8	9.3	7.0	14.4	18.3	10.3	3.3	—
45	27	3	15.6	15.5	9.8	28.1	9.5	10.5	7.5	18.2	18.9	—	7.4	—
50	32	2	14.1	20.9	9.7	24.5	10.9	18.8	6.1	17.9	21.5	—	9.1	—
55	37	1	12.8	8.5	8.2	19.7	11.3	3.4	7.9	21.9	16.1	—	8.4	—
60	42	1	15.6	0.6	15.4	20.8	11.9	—	14.1	28.7	9.4	—	—	—

集計表3−1　産業別にみたモデル年間賃金（年俸制含まず）

（単位：円，（　）内は社数）

設定条件 年齢（歳）	勤続年数（年）	扶養家族（人）	全産業	製造業計	食品	繊維	木材・木製品・紙・パルプ
大学卒・総合職（事務・技術系）							
22	0	0	(68) 3,182,359	(28) 3,148,094	(2) 3,110,643	(1) 2,574,026	(2) 2,725,000
25	3	0	(116) 3,903,606	(45) 3,898,108	(2) 4,093,450	(1) 2,897,294	(4) 3,367,190
27	5	1	(113) 4,327,896	(46) 4,329,220	(2) 4,375,895	(1) 3,176,040	(4) 3,632,610
30	8	2	(111) 4,889,666	(45) 4,861,635	(2) 4,875,130	(1) 3,415,074	(4) 4,045,125
35	13	3	(108) 5,665,146	(44) 5,657,986	(2) 5,537,900	(1) 3,816,758	(4) 4,678,800
40	18	3	(105) 6,628,009	(42) 6,532,164	(2) 6,558,035	(1) 4,067,394	(4) 5,355,150
45	23	3	(103) 7,449,749	(42) 7,384,775	(2) 6,831,035	(1) 4,739,291	(4) 6,195,430
50	28	2	(100) 8,311,206	(40) 8,175,198	(2) 7,976,245	(1) 5,228,441	(3) 7,058,567
55	33	1	(97) 9,037,457	(38) 8,651,076	(2) 8,975,658	(1) 5,649,899	(3) 7,620,600
60	38	1	(80) 8,784,973	(32) 8,267,515	(2) 8,067,900	(1) 3,464,257	(3) 7,477,467
大学卒・一般職（事務・技術系）							
22	0	0	(24) 2,762,939	(9) 2,630,512	(1) 2,577,025	(1) 2,382,327	(2) 2,494,800
25	3	0	(39) 3,396,165	(12) 3,304,522	(1) 3,294,065	(1) 2,735,825	(2) 3,072,800
27	5	0	(37) 3,547,893	(11) 3,458,965	(1) 3,369,565	(1) 2,818,455	(2) 3,178,800
30	8	0	(40) 3,842,586	(12) 3,618,406	(1) 3,828,605	(1) 3,029,511	(2) 3,361,800
35	13	0	(38) 4,292,975	(12) 4,061,614	(1) 4,210,635	(1) 3,306,364	(2) 3,775,300
40	18	0	(37) 4,717,324	(11) 4,313,263	(1) 4,395,610	(1) 3,463,648	(2) 4,166,200
45	23	0	(34) 5,208,739	(10) 4,594,616	(1) 4,395,610	(1) 3,636,230	(2) 4,502,200
短大卒・一般職（事務・技術系）							
20	0	0	(31) 2,634,263	(13) 2,548,805	(1) 2,301,275	(1) 2,254,527	(2) 2,394,400
22	2	0	(40) 3,105,526	(15) 2,953,750	(1) 2,571,000	(1) 2,506,547	(2) 2,789,400
25	5	0	(43) 3,366,085	(16) 3,274,262	(1) 3,294,065	(1) 2,687,712	(2) 3,013,550
30	10	0	(42) 3,754,203	(16) 3,644,380	(1) 3,828,605	(1) 2,940,997	(2) 3,236,300
35	15	0	(47) 4,221,879	(18) 4,139,213	(1) 4,210,635	(1) 3,083,378	(2) 3,647,050
40	20	0	(45) 4,804,024	(17) 4,577,953	(1) 4,395,610	(1) 3,251,059	(2) 4,036,200
高校卒・総合職（事務・技術系）							
18	0	0	(37) 2,566,162	(15) 2,536,041	(2) 2,383,352	(1) 2,126,727	(1) 2,433,600
20	2	0	(57) 3,094,856	(25) 3,052,573	(2) 3,124,090	(1) 2,371,649	(2) 2,923,000
22	4	0	(57) 3,349,450	(27) 3,249,410	(2) 3,370,565	(1) 2,514,345	(3) 2,913,307
25	7	0	(59) 3,608,797	(27) 3,572,256	(2) 4,063,450	(1) 2,637,767	(3) 3,181,420
27	9	1	(56) 4,010,076	(25) 3,969,673	(2) 4,375,895	(1) 2,983,227	(2) 3,597,650
30	12	2	(59) 4,430,047	(25) 4,317,475	(2) 4,875,130	(1) 3,099,197	(3) 3,874,280
35	17	3	(58) 5,169,270	(25) 5,026,666	(2) 5,537,900	(1) 3,301,265	(2) 4,533,900
40	22	3	(60) 5,653,652	(27) 5,319,080	(2) 6,558,035	(1) 3,456,065	(3) 4,790,627
45	27	3	(56) 6,576,984	(25) 5,969,433	(2) 6,831,035	(1) 3,715,171	(3) 5,797,660
50	32	2	(62) 7,172,778	(28) 6,453,989	(2) 7,976,245	(1) 3,911,940	(3) 6,391,773
55	37	1	(58) 7,911,539	(27) 7,347,293	(2) 8,975,658	(1) 4,221,279	(3) 6,440,227
60	42	1	(50) 7,654,739	(23) 7,083,906	(2) 8,067,900	(1) 2,597,684	(2) 7,081,900
高校卒・一般職（事務・技術系）							
18	0	0	(25) 2,471,969	(10) 2,440,831	(1) 2,271,883	(1) 2,126,727	(2) 2,085,200
20	2	0	(34) 2,906,146	(15) 2,836,652	(1) 2,687,070	(1) 2,371,649	(2) 2,503,320
22	4	0	(36) 3,082,501	(16) 3,011,372	(1) 2,708,120	(1) 2,514,345	(2) 2,595,440
25	7	0	(36) 3,339,005	(14) 3,306,804	(1) 3,530,000	(1) 2,637,767	(2) 2,720,520
30	12	0	(32) 3,761,455	(13) 3,711,330	(1) 4,109,600	(1) 2,835,095	(2) 2,926,520
35	17	0	(34) 4,188,827	(14) 4,095,687	(1) 4,514,400	(1) 2,970,807	(2) 3,238,320
40	22	0	(32) 4,716,502	(13) 4,473,738	(1) 4,946,395	(1) 3,085,077	(2) 3,483,320
高校卒・現業系							
18	0	0	(25) 2,542,611	(18) 2,536,911	(1) 2,271,883	— —	(2) 2,203,200
20	2	0	(42) 3,094,378	(30) 3,110,433	(1) 2,652,820	— —	(2) 2,675,420
22	4	0	(38) 3,268,987	(27) 3,256,529	(1) 2,888,120	— —	(2) 2,786,140
25	7	0	(43) 3,544,271	(30) 3,597,414	(1) 3,958,400	— —	(2) 2,933,920
27	9	1	(41) 3,935,092	(30) 3,991,250	(1) 4,410,400	— —	(2) 3,085,440
30	12	2	(40) 4,239,462	(27) 4,289,423	(1) 5,004,800	— —	(2) 3,237,820
35	17	3	(39) 4,821,778	(28) 4,878,729	(1) 5,457,600	— —	(2) 3,621,120
40	22	3	(42) 5,291,905	(29) 5,288,030	(1) 6,951,870	— —	(2) 3,956,120
45	27	3	(37) 5,751,447	(24) 5,705,831	(1) 6,951,870	— —	(2) 4,308,720
50	32	2	(38) 6,299,759	(27) 6,172,785	(1) 7,788,390	— —	(2) 4,660,020
55	37	1	(36) 6,720,249	(25) 6,622,352	(1) 8,964,515	— —	(2) 5,088,320
60	42	1	(28) 5,763,158	(19) 5,973,757	(1) 6,417,000	— —	(2) 5,408,620

集計表3－2　産業別にみたモデル年間賃金（年俸制含まず）

(単位：円，（ ）内は社数)

設定条件			製 造 業				
年齢 (歳)	勤続 年数 (年)	扶養 家族 (人)	化　学	ゴム・タイヤ・ 窯業・土石	鉄鋼・非鉄金属	金属製品	機械製品
大学卒・総合職（事務・技術系）							
22	0	0	(2) 3,841,571	(1) 2,997,950	(4) 3,137,773	—	(5) 3,023,274
25	3	0	(2) 4,878,939	(2) 3,588,300	(6) 3,861,585	(1) 3,615,400	(6) 3,808,142
27	5	1	(3) 5,263,161	(2) 3,968,855	(6) 4,339,587	(1) 3,729,900	(6) 4,268,545
30	8	2	(4) 5,779,300	(1) 4,052,230	(6) 4,889,065	—	(6) 4,672,471
35	13	3	(4) 6,690,792	(2) 5,227,465	(6) 5,509,355	—	(6) 5,879,285
40	18	3	(4) 8,077,724	(1) 4,884,330	(5) 6,556,564	(1) 4,878,000	(5) 6,127,025
45	23	3	(4) 9,029,654	(2) 6,448,665	(5) 7,444,840	(1) 7,170,300	(5) 6,465,590
50	28	2	(4) 9,419,889	(2) 6,837,395	(5) 8,709,371	(1) 7,375,900	(5) 7,977,048
55	33	1	(3) 11,180,300	(1) 5,878,140	(5) 8,870,033	(1) 6,374,500	(5) 7,879,222
60	38	1	(1) 8,015,418	(1) 5,988,040	(5) 9,823,964	—	(3) 8,170,433
大学卒・一般職（事務・技術系）							
22	0	0	—	—	(1) 2,779,800	—	(2) 2,475,000
25	3	0	—	—	(1) 3,267,900	—	(2) 3,105,800
27	5	0	—	—	(1) 3,430,350	—	(2) 3,162,450
30	8	0	—	—	(1) 3,696,600	—	(2) 3,373,250
35	13	0	(1) 4,416,430	—	(1) 4,139,250	—	(2) 3,997,200
40	18	0	—	—	(1) 4,498,500	—	(2) 3,857,250
45	23	0	—	—	(1) 4,741,950	—	(2) 4,198,944
短大卒・一般職（事務・技術系）							
20	0	0	—	—	(1) 2,685,800	—	(3) 2,628,850
22	2	0	—	—	(1) 3,024,000	—	(4) 2,939,150
25	5	0	—	—	(1) 3,267,900	—	(4) 3,277,425
30	10	0	—	—	(1) 3,696,600	—	(4) 3,600,600
35	15	0	(1) 5,636,940	—	(1) 4,139,250	—	(4) 3,933,925
40	20	0	(1) 4,852,394	—	(1) 4,498,500	—	(4) 4,299,450
高校卒・総合職（事務・技術系）							
18	0	0	(1) 3,086,513	—	(3) 2,740,977	—	(2) 2,481,800
20	2	0	(1) 3,560,673	—	(4) 3,124,098	(1) 3,066,000	(4) 3,113,375
22	4	0	(1) 3,683,980	—	(4) 3,309,993	(1) 3,326,700	(4) 3,379,025
25	7	0	(1) 4,000,804	—	(4) 3,685,015	(1) 3,418,200	(4) 3,739,875
27	9	1	(1) 4,681,865	—	(4) 4,133,930	—	(4) 4,098,238
30	12	2	(1) 5,221,709	—	(4) 4,376,553	—	(4) 4,351,875
35	17	3	(2) 6,151,108	—	(4) 5,060,185	—	(4) 4,845,325
40	22	3	(1) 6,798,008	—	(4) 4,940,716	(1) 4,429,400	(4) 5,580,150
45	27	3	(2) 6,437,196	—	(4) 6,095,646	(1) 5,018,400	(4) 5,836,425
50	32	2	(2) 8,058,777	(1) 7,542,000	(4) 5,784,823	(1) 5,404,200	(4) 6,193,315
55	37	1	(2) 8,394,405	—	(4) 8,762,025	(1) 8,406,200	(4) 7,082,950
60	42	1	—	—	(4) 8,054,378	(1) 7,706,900	(4) 6,992,000
高校卒・一般職（事務・技術系）							
18	0	0	(1) 3,081,622	—	(1) 2,589,400	—	(2) 2,440,750
20	2	0	(2) 3,323,292	—	(1) 2,940,600	—	(3) 2,796,850
22	4	0	(2) 3,512,876	(1) 3,117,630	(1) 3,068,700	—	(3) 2,887,250
25	7	0	(2) 4,085,696	—	(1) 3,332,550	—	(3) 3,121,500
30	12	0	(2) 4,867,694	—	(1) 3,776,400	—	(3) 3,489,583
35	17	0	(2) 5,412,743	—	(1) 4,227,450	—	(3) 3,813,217
40	22	0	(2) 5,564,997	—	(1) 4,684,500	—	(3) 4,188,233
高校卒・現業系							
18	0	0	(1) 3,005,600	(1) 2,441,950	(3) 2,498,193	—	(4) 2,432,095
20	2	0	(2) 3,424,845	(2) 2,913,625	(6) 3,034,750	—	(5) 3,076,618
22	4	0	(1) 4,005,200	(2) 3,062,665	(6) 3,211,983	—	(4) 3,192,440
25	7	0	(2) 4,244,658	(2) 3,270,795	(6) 3,428,824	—	(5) 3,550,576
27	9	1	(2) 5,020,347	(2) 3,705,825	(6) 3,761,007	—	(5) 4,041,976
30	12	2	(1) 5,760,380	(1) 3,929,770	(6) 4,089,129	—	(4) 4,117,568
35	17	3	(1) 6,813,200	(1) 4,452,580	(6) 4,669,185	—	(5) 4,785,982
40	22	3	(2) 6,769,947	(2) 4,718,415	(6) 5,107,261	—	(4) 5,066,055
45	27	3	(1) 8,497,060	(1) 5,355,330	(6) 5,661,242	—	(5) 5,540,931
50	32	2	(1) 9,078,880	(2) 5,857,450	(6) 6,110,870	—	(5) 5,957,836
55	37	1	(1) 9,316,000	(2) 6,338,335	(6) 7,196,810	—	(4) 5,946,688
60	42	1	—	(1) 5,988,040	(5) 6,302,645	—	(3) 6,165,363

集計表3－3　産業別にみたモデル年間賃金（年俸制含まず）

（単位：円，（　）内は社数）

設定条件			製造業			
年齢（歳）	勤続年数（年）	扶養家族（人）	電気機器	輸送用機器	精密機器	その他製造
大学卒・総合職（事務・技術系）						
22	0	0	(3) 3,037,233	(5) 3,242,776	(2) 3,376,101	(1) 3,475,000
25	3	0	(8) 3,829,374	(7) 4,123,430	(3) 4,194,770	(3) 4,070,113
27	5	1	(8) 4,117,371	(7) 4,660,782	(3) 4,544,172	(3) 4,794,330
30	8	2	(8) 4,616,419	(7) 5,231,452	(3) 4,981,287	(3) 5,464,577
35	13	3	(8) 5,493,400	(6) 5,898,433	(3) 5,953,113	(2) 6,298,280
40	18	3	(8) 6,250,371	(6) 6,945,552	(3) 7,573,800	(2) 7,928,980
45	23	3	(8) 6,959,731	(5) 7,942,509	(3) 9,326,973	(2) 8,933,880
50	28	2	(8) 7,318,543	(4) 8,610,698	(3) 9,875,513	(2) 9,935,640
55	33	1	(8) 7,796,894	(4) 8,995,407	(3)10,909,693	(2)10,826,100
60	38	1	(7) 6,756,762	(4) 8,505,110	(3)11,004,493	(2)10,281,100
大学卒・一般職（事務・技術系）						
22	0	0	(1) 2,908,000	(1) 3,087,856	— —	— —
25	3	0	(2) 3,305,500	(2) 4,149,820	— —	(1) 3,088,634
27	5	0	(2) 3,428,000	(2) 4,445,874	— —	— —
30	8	0	(2) 3,617,000	(2) 4,722,930	(1) 2,716,200	— —
35	13	0	(3) 3,914,233	(1) 5,378,987	— —	— —
40	18	0	(2) 4,335,600	(1) 6,376,886	— —	(1) 3,993,149
45	23	0	(2) 4,612,300	(1) 6,545,486	— —	— —
短大卒・一般職（事務・技術系）						
20	0	0	(2) 2,536,000	(2) 2,685,658	— —	(1) 2,774,200
22	2	0	(4) 3,083,690	(2) 3,267,272	— —	— —
25	5	0	(4) 3,344,810	(2) 3,435,236	— —	(1) 3,752,000
30	10	0	(4) 3,757,470	(2) 3,819,996	— —	(1) 4,299,000
35	15	0	(4) 4,145,105	(2) 4,753,694	— —	(2) 4,159,014
40	20	0	(4) 4,737,450	(2) 5,645,418	— —	(1) 5,316,800
高校卒・総合職（事務・技術系）						
18	0	0	(2) 2,421,000	(2) 2,524,691	(1) 2,549,162	— —
20	2	0	(4) 2,799,000	(4) 3,258,444	(1) 3,069,555	(1) 2,972,600
22	4	0	(5) 3,128,160	(4) 3,418,571	(1) 3,284,476	(1) 3,372,360
25	7	0	(5) 3,316,720	(4) 3,810,750	(1) 3,606,858	(1) 3,589,960
27	9	1	(5) 3,575,500	(4) 4,273,517	(1) 3,721,483	(1) 4,007,920
30	12	2	(4) 3,783,350	(4) 4,710,472	(1) 4,893,864	(1) 4,460,000
35	17	3	(4) 4,252,950	(4) 5,647,783	(1) 5,396,246	(1) 5,298,360
40	22	3	(5) 4,795,920	(3) 6,431,349	(2) 5,186,636	(1) 5,713,360
45	27	3	(4) 5,625,450	(2) 6,324,976	(1) 6,632,626	(1) 7,060,160
50	32	2	(5) 6,006,408	(2) 6,468,940	(2) 6,835,518	(1) 8,054,680
55	37	1	(5) 6,356,928	(2) 7,079,370	(2) 6,864,880	(1) 8,635,600
60	42	1	(4) 5,998,570	(2) 6,287,655	(2) 8,389,970	(1) 8,790,600
高校卒・一般職（事務・技術系）						
18	0	0	(1) 2,646,000	(1) 2,640,782	— —	— —
20	2	0	(2) 2,757,500	(1) 3,739,510	(1) 2,983,400	(1) 2,268,781
22	4	0	(3) 2,981,300	(1) 3,841,474	(1) 3,109,400	— —
25	7	0	(2) 3,071,500	(1) 4,186,402	(1) 3,488,600	— —
30	12	0	(2) 3,451,500	(1) 4,566,022	— —	— —
35	17	0	(2) 3,841,800	(1) 5,378,987	(1) 3,822,600	— —
40	22	0	(2) 4,202,200	(1) 6,376,886	— —	— —
高校卒・現業系						
18	0	0	(2) 2,592,757	(2) 2,744,541	(1) 2,878,600	(1) 2,762,400
20	2	0	(5) 3,046,441	(3) 3,528,830	(2) 3,331,000	(2) 3,280,045
22	4	0	(5) 3,187,184	(3) 3,690,758	(2) 3,413,240	(1) 3,459,020
25	7	0	(5) 3,371,624	(3) 4,190,557	(2) 3,775,300	(2) 3,879,530
27	9	1	(5) 3,667,327	(3) 4,668,537	(2) 4,089,450	(2) 4,203,405
30	12	2	(5) 4,020,297	(3) 5,169,761	(2) 4,404,550	(2) 4,609,465
35	17	3	(5) 4,497,587	(3) 6,195,979	(2) 4,554,900	(2) 5,254,055
40	22	3	(5) 4,535,662	(3) 6,699,225	(2) 5,172,050	(2) 5,742,085
45	27	3	(5) 4,880,914	(2) 7,005,103	(1) 6,437,400	(1) 6,655,200
50	32	2	(5) 5,336,838	(2) 8,078,243	(2) 6,196,250	(1) 7,075,400
55	37	1	(5) 5,539,641	(2) 7,163,883	(1) 7,744,000	(1) 7,687,400
60	42	1	(4) 5,104,986	(1) 4,025,240	(1) 7,744,000	(1) 8,080,600

集計表3−4　産業別にみたモデル年間賃金（年俸制含まず）

（単位：円,（　）内は社数）

設定条件			非製造業計	建設業	商業	
年齢（歳）	勤続年数（年）	扶養家族（人）				小売
大学卒・総合職（事務・技術系）						
22	0	0	(40) 3,206,345	(7) 3,334,990	(7) 3,111,681	(5) 3,016,414
25	3	0	(71) 3,907,091	(11) 4,089,035	(16) 3,869,034	(8) 3,707,043
27	5	1	(67) 4,326,987	(10) 4,526,279	(15) 4,259,339	(8) 4,165,986
30	8	2	(66) 4,908,778	(10) 5,072,303	(15) 4,893,088	(8) 4,842,928
35	13	3	(64) 5,670,069	(10) 6,088,370	(15) 5,531,425	(8) 5,469,335
40	18	3	(63) 6,691,905	(9) 7,051,140	(16) 6,448,784	(9) 6,238,023
45	23	3	(61) 7,494,485	(9) 8,170,314	(16) 7,142,253	(9) 7,217,026
50	28	2	(60) 8,401,878	(10) 8,931,435	(14) 7,851,884	(7) 8,086,234
55	33	1	(59) 9,286,312	(9) 9,868,112	(14) 9,087,026	(8) 8,923,945
60	38	1	(48) 9,129,944	(8) 9,658,427	(11) 8,804,135	(6) 9,081,030
大学卒・一般職（事務・技術系）						
22	0	0	(15) 2,842,395	(4) 2,854,598	(4) 3,119,945	(2) 3,088,740
25	3	0	(27) 3,436,895	(6) 3,513,436	(8) 3,715,792	(3) 3,821,552
27	5	0	(26) 3,585,517	(5) 3,822,517	(8) 3,835,611	(3) 3,894,668
30	8	0	(28) 3,938,663	(6) 4,239,179	(8) 4,218,583	(3) 4,393,460
35	13	0	(26) 4,399,757	(6) 4,790,949	(6) 4,834,391	(2) 5,684,383
40	18	0	(26) 4,888,272	(5) 5,044,302	(8) 5,236,849	(3) 5,981,757
45	23	0	(24) 5,464,623	(5) 5,750,816	(6) 6,191,638	(2) 6,635,715
短大卒・一般職（事務・技術系）						
20	0	0	(18) 2,695,982	(3) 2,690,970	(4) 2,931,791	(3) 2,817,054
22	2	0	(25) 3,196,592	(4) 3,240,673	(5) 3,505,676	(3) 3,533,093
25	5	0	(27) 3,420,499	(4) 3,522,053	(5) 3,714,355	(3) 3,794,359
30	10	0	(26) 3,821,786	(3) 4,067,473	(5) 4,327,324	(3) 4,558,507
35	15	0	(29) 4,273,189	(4) 4,566,523	(6) 4,845,165	(3) 5,355,030
40	20	0	(28) 4,941,282	(3) 4,954,373	(7) 5,608,595	(3) 6,058,188
高校卒・総合職（事務・技術系）						
18	0	0	(22) 2,586,700	(6) 2,730,289	(6) 2,666,813	(4) 2,508,345
20	2	0	(32) 3,127,890	(7) 3,467,380	(9) 3,207,355	(6) 3,103,500
22	4	0	(30) 3,439,487	(6) 3,847,231	(9) 3,355,714	(6) 3,264,252
25	7	0	(32) 3,639,628	(6) 4,126,686	(10) 3,584,739	(6) 3,597,475
27	9	1	(31) 4,042,660	(6) 4,564,211	(9) 4,071,176	(6) 4,054,687
30	12	2	(34) 4,512,821	(6) 5,168,992	(9) 4,694,550	(6) 4,729,835
35	17	3	(33) 5,277,302	(6) 6,442,300	(10) 5,345,212	(6) 5,447,173
40	22	3	(33) 5,927,392	(6) 7,204,641	(9) 6,184,813	(6) 6,137,607
45	27	3	(31) 7,066,944	(5) 8,942,387	(9) 7,081,881	(6) 7,304,083
50	32	2	(34) 7,764,723	(6) 8,930,017	(11) 7,940,726	(7) 7,808,607
55	37	1	(31) 8,402,979	(6) 10,151,142	(10) 8,670,090	(7) 8,490,443
60	42	1	(27) 8,141,004	(6) 10,702,958	(8) 8,826,748	(5) 8,161,137
高校卒・一般職（事務・技術系）						
18	0	0	(15) 2,492,728	(3) 2,451,317	(3) 2,757,067	(1) 2,589,700
20	2	0	(19) 2,961,009	(3) 2,998,743	(4) 3,269,955	(1) 3,635,300
22	4	0	(20) 3,139,405	(3) 3,167,637	(4) 3,431,945	(1) 3,871,500
25	7	0	(22) 3,359,497	(4) 3,532,503	(4) 3,611,305	(1) 4,254,000
30	12	0	(19) 3,795,750	(3) 4,068,693	(4) 4,034,080	(1) 4,893,000
35	17	0	(20) 4,254,024	(4) 4,704,490	(4) 4,430,190	(1) 5,824,500
40	22	0	(19) 4,882,604	(3) 4,915,593	(4) 4,869,295	(1) 6,447,800
高校卒・現業系						
18	0	0	(7) 2,557,268	(2) 2,689,600	(1) 2,814,500	(1) 2,814,500
20	2	0	(12) 3,054,243	(1) 3,357,900	(3) 3,452,347	(2) 3,853,600
22	4	0	(11) 3,299,567	(1) 3,530,000	(3) 3,538,680	(2) 3,962,100
25	7	0	(13) 3,421,633	(1) 3,797,000	(3) 3,781,995	(2) 4,184,232
27	9	1	(11) 3,781,935	(1) 4,654,500	(2) 4,268,660	(1) 5,361,800
30	12	2	(13) 4,135,696	(1) 4,912,600	(3) 4,622,640	(2) 5,287,700
35	17	3	(11) 4,676,813	(1) 5,446,400	(2) 5,524,710	(1) 7,299,800
40	22	3	(13) 5,300,548	(1) 5,959,600	(3) 6,404,027	(2) 7,520,490
45	27	3	(13) 5,835,661	— —	(3) 7,662,847	(2) 9,202,330
50	32	2	(11) 6,611,423	— —	(3) 8,062,517	(2) 9,575,100
55	37	1	(11) 6,942,742	— —	(3) 8,178,068	(2) 9,722,882
60	42	1	(9) 5,318,559	— —	(2) 6,946,720	(1) 8,703,000

集計表3−5　産業別にみたモデル年間賃金（年俸制含まず）

（単位：円，（　）内は社数）

設定条件			非製造業			
年齢（歳）	勤続年数（年）	扶養家族（人）	商業 卸売・その他商業	金融・保険業	金融・保険業 銀行・信用金庫	不動産
大学卒・総合職（事務・技術系）						
22	0	0	(2) 3,349,850	(1) 2,944,000	(1) 2,944,000	(1) 2,860,000
25	3	0	(8) 4,031,025	(3) 3,742,567	(3) 3,742,567	(3) 3,827,267
27	5	1	(7) 4,366,029	(2) 4,004,800	(2) 4,004,800	(3) 4,171,133
30	8	2	(7) 4,950,414	(2) 4,437,800	(2) 4,437,800	(3) 4,634,467
35	13	3	(7) 5,602,386	(2) 5,175,300	(2) 5,175,300	(3) 5,484,800
40	18	3	(7) 6,719,763	(2) 6,510,900	(2) 6,510,900	(2) 6,254,950
45	23	3	(7) 7,046,116	(2) 8,154,000	(2) 8,154,000	(2) 7,552,900
50	28	2	(7) 7,617,534	(2) 8,516,000	(2) 8,516,000	(2) 8,297,450
55	33	1	(6) 9,304,467	(2) 8,716,000	(2) 8,716,000	(2) 8,668,850
60	38	1	(5) 8,471,860	(1) 9,080,000	(1) 9,080,000	(1) 9,106,800
大学卒・一般職（事務・技術系）						
22	0	0	(2) 3,151,150	— —	— —	(1) 2,380,000
25	3	0	(5) 3,652,336	(1) 3,296,000	(1) 3,296,000	(2) 3,090,850
27	5	0	(5) 3,800,176	(1) 3,360,000	(1) 3,360,000	(2) 3,192,200
30	8	0	(5) 4,113,656	(1) 3,456,000	(1) 3,456,000	(2) 3,476,900
35	13	0	(4) 4,409,395	(1) 3,760,000	(1) 3,760,000	(2) 3,909,000
40	18	0	(5) 4,789,904	(1) 3,920,000	(1) 3,920,000	(1) 3,779,200
45	23	0	(4) 5,969,600	(1) 4,300,000	(1) 4,300,000	(1) 3,975,300
短大卒・一般職（事務・技術系）						
20	0	0	(1) 3,276,000	— —	— —	(1) 2,020,000
22	2	0	(2) 3,464,550	— —	— —	(2) 2,946,150
25	5	0	(2) 3,594,350	— —	— —	(2) 3,090,850
30	10	0	(2) 3,980,550	— —	— —	(2) 3,476,900
35	15	0	(3) 4,335,300	— —	— —	(2) 3,909,000
40	20	0	(4) 5,271,400	— —	— —	(1) 3,779,200
高校卒・総合職（事務・技術系）						
18	0	0	(2) 2,983,750	— —	— —	(1) 2,380,000
20	2	0	(3) 3,415,067	(2) 3,016,200	(2) 3,016,200	(1) 2,850,000
22	4	0	(3) 3,538,640	(2) 3,555,250	(2) 3,555,250	(1) 3,210,000
25	7	0	(4) 3,565,635	(1) 3,612,900	(1) 3,612,900	(1) 3,454,800
27	9	1	(3) 4,104,153	(1) 4,071,700	(1) 4,071,700	(1) 3,643,200
30	12	2	(3) 4,623,980	(1) 4,482,200	(1) 4,482,200	(1) 4,110,600
35	17	3	(4) 5,192,270	— —	— —	(1) 4,920,000
40	22	3	(3) 6,279,227	(1) 4,615,560	(1) 4,615,560	— —
45	27	3	(3) 6,637,477	(1) 8,720,000	(1) 8,720,000	— —
50	32	2	(4) 8,171,935	(1) 8,840,000	(1) 8,840,000	— —
55	37	1	(3) 9,089,267	— —	— —	— —
60	42	1	(3) 9,936,100	— —	— —	— —
高校卒・一般職（事務・技術系）						
18	0	0	(2) 2,840,750	— —	— —	(1) 1,900,000
20	2	0	(3) 3,148,173	— —	— —	(1) 2,330,000
22	4	0	(3) 3,285,427	— —	— —	(1) 2,690,000
25	7	0	(3) 3,397,073	— —	— —	(1) 2,894,000
30	12	0	(3) 3,747,773	— —	— —	(1) 3,537,500
35	17	0	(3) 3,965,420	— —	— —	(1) 4,248,200
40	22	0	(3) 4,343,127	— —	— —	— —
高校卒・現業系						
18	0	0	— —	— —	— —	— —
20	2	0	(1) 2,649,840	— —	— —	— —
22	4	0	(1) 2,691,840	— —	— —	— —
25	7	0	(1) 2,977,520	— —	— —	— —
27	9	1	(1) 3,175,520	— —	— —	— —
30	12	2	(1) 3,292,520	— —	— —	— —
35	17	3	(1) 3,749,620	— —	— —	— —
40	22	3	(1) 4,171,100	— —	— —	— —
45	27	3	(1) 4,583,880	— —	— —	— —
50	32	2	(1) 5,037,350	— —	— —	— —
55	37	1	(1) 5,088,440	— —	— —	— —
60	42	1	(1) 5,190,440	— —	— —	— —

集計表3-6　産業別にみたモデル年間賃金（年俸制含まず）

(単位：円，（　）内は社数)

設定条件			非　製　造　業			
年齢 (歳)	勤続 年数 (年)	扶養 家族 (人)	運輸・倉庫・通信	鉄道・バス， 陸・海・空運	サービス業	その他サービス
大学卒・総合職（事務・技術系）						
22	0	0	(6) 2,972,059	(6) 2,972,059	(18) 3,305,042	(18) 3,305,042
25	3	0	(12) 3,533,079	(12) 3,533,079	(26) 4,054,348	(26) 4,054,348
27	5	1	(12) 3,950,847	(12) 3,950,847	(25) 4,512,883	(25) 4,512,883
30	8	2	(11) 4,591,117	(11) 4,591,117	(25) 5,063,148	(25) 5,063,148
35	13	3	(10) 5,382,908	(10) 5,382,908	(24) 5,766,470	(24) 5,766,470
40	18	3	(11) 6,352,048	(11) 6,352,048	(23) 6,936,739	(23) 6,936,739
45	23	3	(10) 7,316,722	(10) 7,316,722	(22) 7,489,712	(22) 7,489,712
50	28	2	(10) 8,429,802	(10) 8,429,802	(22) 8,497,592	(22) 8,497,592
55	33	1	(11) 8,870,431	(11) 8,870,431	(21) 9,500,791	(21) 9,500,791
60	38	1	(9) 8,901,580	(9) 8,901,580	(18) 9,212,411	(18) 9,212,411
大学卒・一般職（事務・技術系）						
22	0	0	(2) 2,318,531	(2) 2,318,531	(4) 2,930,173	(4) 2,930,173
25	3	0	(4) 2,800,770	(4) 2,800,770	(6) 3,551,406	(6) 3,551,406
27	5	0	(4) 2,916,245	(4) 2,916,245	(6) 3,669,430	(6) 3,669,430
30	8	0	(4) 3,068,158	(4) 3,068,158	(7) 4,059,487	(7) 4,059,487
35	13	0	(4) 3,268,480	(4) 3,268,480	(7) 4,569,961	(7) 4,569,961
40	18	0	(4) 3,463,983	(4) 3,463,983	(7) 5,489,093	(7) 5,489,093
45	23	0	(4) 3,927,885	(4) 3,927,885	(7) 5,894,314	(7) 5,894,314
短大卒・一般職（事務・技術系）						
20	0	0	(3) 2,324,263	(3) 2,324,263	(7) 2,819,260	(7) 2,819,260
22	2	0	(4) 2,685,574	(4) 2,685,574	(10) 3,278,913	(10) 3,278,913
25	5	0	(5) 2,907,930	(5) 2,907,930	(11) 3,542,923	(11) 3,542,923
30	10	0	(5) 3,006,729	(5) 3,006,729	(11) 3,958,177	(11) 3,958,177
35	15	0	(5) 3,356,910	(5) 3,356,910	(12) 4,331,905	(12) 4,331,905
40	20	0	(5) 3,708,282	(5) 3,708,282	(12) 5,159,333	(12) 5,159,333
高校卒・総合職（事務・技術系）						
18	0	0	(4) 2,387,146	(4) 2,387,146	(5) 2,519,239	(5) 2,519,239
20	2	0	(5) 2,852,461	(5) 2,852,461	(8) 2,976,238	(8) 2,976,238
22	4	0	(5) 3,193,027	(5) 3,193,027	(7) 3,373,451	(7) 3,373,451
25	7	0	(7) 3,286,860	(7) 3,286,860	(7) 3,683,553	(7) 3,683,553
27	9	1	(7) 3,604,903	(7) 3,604,903	(7) 4,049,628	(7) 4,049,628
30	12	2	(8) 4,000,514	(8) 4,000,514	(9) 4,397,123	(9) 4,397,123
35	17	3	(7) 4,482,996	(7) 4,482,996	(9) 5,082,677	(9) 5,082,677
40	22	3	(8) 4,735,503	(8) 4,735,503	(9) 6,023,688	(9) 6,023,688
45	27	3	(7) 5,578,976	(7) 5,578,976	(9) 6,983,728	(9) 6,983,728
50	32	2	(7) 6,853,436	(7) 6,853,436	(9) 7,362,047	(9) 7,362,047
55	37	1	(6) 7,138,759	(6) 7,138,759	(9) 7,783,561	(9) 7,783,561
60	42	1	(5) 5,736,935	(5) 5,736,935	(8) 7,036,337	(8) 7,036,337
高校卒・一般職（事務・技術系）						
18	0	0	(4) 2,216,665	(4) 2,216,665	(4) 2,749,776	(4) 2,749,776
20	2	0	(4) 2,612,748	(4) 2,612,748	(7) 3,057,447	(7) 3,057,447
22	4	0	(5) 2,760,658	(5) 2,760,658	(7) 3,294,873	(7) 3,294,873
25	7	0	(6) 2,885,461	(6) 2,885,461	(7) 3,589,561	(7) 3,589,561
30	12	0	(5) 3,180,529	(5) 3,180,529	(6) 4,056,119	(6) 4,056,119
35	17	0	(5) 3,511,571	(5) 3,511,571	(6) 4,455,952	(6) 4,455,952
40	22	0	(6) 3,966,980	(6) 3,966,980	(6) 5,790,606	(6) 5,790,606
高校卒・現業系						
18	0	0	(3) 2,393,392	(3) 2,393,392	(1) 2,527,000	(1) 2,527,000
20	2	0	(5) 2,887,829	(5) 2,887,829	(3) 2,832,279	(3) 2,832,279
22	4	0	(4) 3,070,468	(4) 3,070,468	(3) 3,289,107	(3) 3,289,107
25	7	0	(6) 3,134,582	(6) 3,134,582	(3) 3,510,251	(3) 3,510,251
27	9	1	(5) 3,318,084	(5) 3,318,084	(3) 3,939,681	(3) 3,939,681
30	12	2	(6) 3,669,853	(6) 3,669,853	(3) 4,321,471	(3) 4,321,471
35	17	3	(5) 4,072,074	(5) 4,072,074	(3) 4,862,917	(3) 4,862,917
40	22	3	(6) 4,338,077	(6) 4,338,077	(3) 5,902,325	(3) 5,902,325
45	27	3	(7) 4,671,623	(7) 4,671,623	(3) 6,724,567	(3) 6,724,567
50	32	2	(5) 5,384,239	(5) 5,384,239	(3) 7,205,637	(3) 7,205,637
55	37	1	(5) 5,864,909	(5) 5,864,909	(3) 7,503,807	(3) 7,503,807
60	42	1	(4) 4,819,373	(4) 4,819,373	(3) 4,898,700	(3) 4,898,700

2024年版 モデル賃金実態資料

第1部 2023年度 モデル賃金・年間賃金の実態

3 管理職・非管理職別モデル賃金／役職者賃金の実態

| 調査結果の概要 | P.94 |
| 集計表 | P.99 |

●管理職・非管理職別にみた年間賃金の年齢間格差の比較（中位数）
（大学卒・総合職・中位数，各22歳＝100）

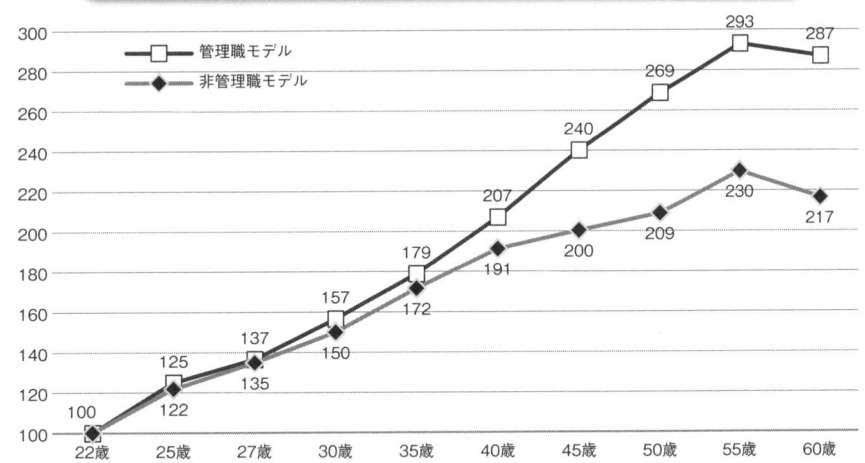

●管理職手当の規模・業種別平均支給額

部長

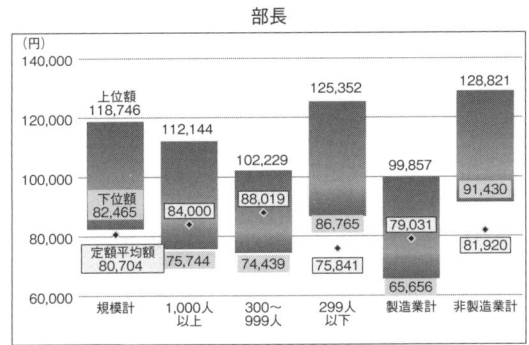

課長

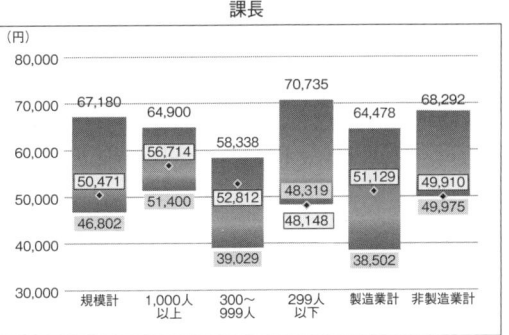

（注）手当の上位額・下位額は幅がある場合の金額であり，定額平均額とは集計企業が異なる。

調査結果の概要

産労総合研究所の「2023年度モデル賃金・モデル年間賃金調査」から，回答企業のモデル設定の種類別に集計し，管理職と非管理職それぞれのモデルで区分した集計結果および役職者の賃金について掲載する。

本調査では，モデル賃金の対象となる労働者が組合員（もしくは非管理職）なのか，全従業員（管理職を含む）なのかについて回答してもらっている。ここで紹介する集計は，“全従業員で設定”している回答を「管理職モデル」，“組合員で設定”している回答を「非管理職モデル」としてとらえたものである。つまり，「管理職モデル」とは，学校卒業後ただちに入社し，管理職まで標準的に昇進・昇格した人の年齢や勤続年数に合致する場合の賃金であり，「非管理職モデル」とは，労働組合員を対象としたもので，管理職を含まない賃金である。なお，ここでは35歳以上を中心に紹介する。

1 管理職モデルと非管理職モデル

■所定内賃金の格差は大学卒・総合職で最大1.25倍

大学卒・総合職の所定内賃金の中位数を，管理職・非管理職モデル別各年齢で比較すると，各年齢階層の非管理職モデルを100として管理職モデルをみた場合，年齢が高くなるほど差が開く傾向にあり，35歳100.3，40歳106.9，45歳112.7，50歳121.8，55歳120.7，60歳で125.1と最大になる（表１）。

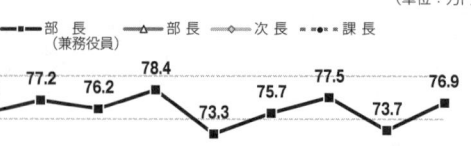

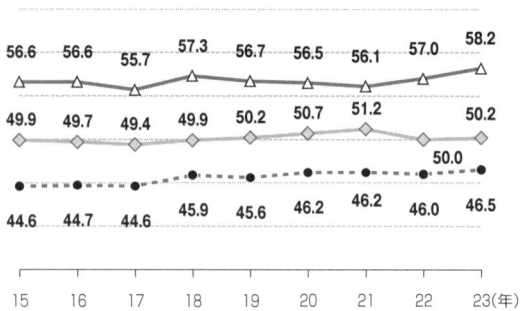

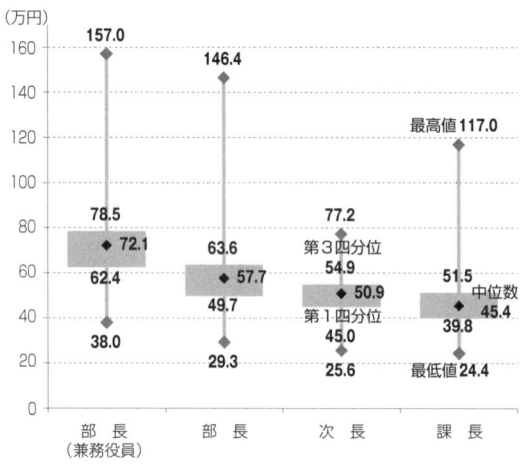

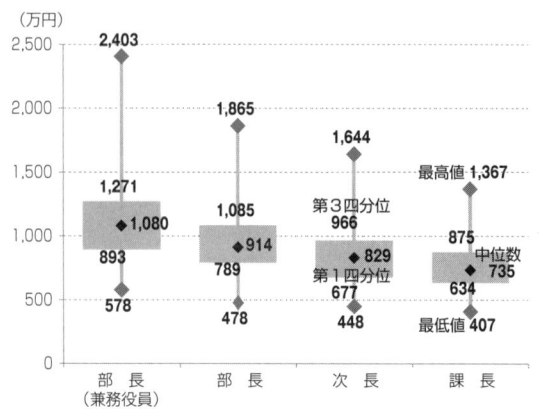

表１　所定内賃金の中位数の比較
（規模計・大学卒・総合職《事務・技術系》）
非管理職モデル＝100とした指数値

設定条件			管理職モデル			非管理職モデル		
年齢（歳）	勤続年数（年）	扶養家族（人）	社数（社）	指数値	所定内賃金（円）	社数（社）	指数値	所定内賃金（円）
35	13	3	107	100.3	343,654	31	100	342,531
40	18	3	116	106.9	403,213	25	100	377,148
45	23	3	113	112.7	454,690	25	100	403,345
50	28	2	112	121.8	510,958	25	100	419,359
55	33	1	108	120.7	549,480	20	100	455,217
60	38	1	92	125.1	538,349	16	100	430,307

図１　役職者の所定内賃金の推移

（単位：万円）

図２　役職者の賃金分布（実在者・所定内賃金）

図３　役職者の賃金分布（実在者・年間賃金）

■年齢間格差，管理職の年間賃金で最大約３倍

管理職，非管理職それぞれのモデルについて，22歳を100とした年齢間格差をみると，どちらも年齢が高くなるほど格差は広がるが，その差は，若年層を除き管理職モデルのほうが大きく，また，所定内賃金より年間賃金のほうが格差が大きい（**表２**）。

2　役職者の賃金

■部長，次長，課長の実在者賃金

本調査ではモデル賃金とは別に，部長，次長，課長の各クラスの役職者の実在者賃金も調べている。この場合の役職は，資格上のものではなく組織上のポジション（いわゆるポスト）としてのもので，いずれも所定内賃金と年間賃金（年俸制も含む）を調査している。

全産業・規模計の所定内賃金をみると，部長が581,970円（前回569,893円），次長が502,015円（同499,539円），課長464,993円（同460,211円）で，前回調査からわずかだが上昇した（**表３**）。

年間賃金では，部長が966.1万円（同941.0万円），

表２　管理職・非管理職別にみた年齢間格差比較
（大学卒・総合職，各22歳＝100）

年齢（歳）	所定内賃金（中位数）						年間賃金（中位数）					
	管理職モデル		非管理職モデル		管理職モデルと非管理職モデルの比較		管理職モデル		非管理職モデル		管理職モデルと非管理職モデルの比較	
	（指数）	（円）	（指数）	（円）	金額差（円）	割合（%）	（指数）	（円）	（指数）	（円）	金額差（円）	割合（%）
22	100	219,150	100	216,000	3,150	98.6	100	3,063,184	100	3,159,800	−96,616	103.2
25	106	233,367	107	230,100	3,267	98.6	125	3,827,250	122	3,849,350	−22,100	100.6
27	118	259,000	119	256,400	2,600	99.0	137	4,182,100	135	4,263,000	−80,900	101.9
30	133	291,000	134	289,200	1,800	99.4	157	4,796,200	150	4,738,210	57,990	98.8
35	154	337,600	151	327,206	10,394	96.9	179	5,478,840	172	5,421,744	57,096	99.0
40	180	395,528	163	353,134	42,394	89.3	207	6,341,000	191	6,046,725	294,275	95.4
45	206	452,500	179	386,691	65,809	85.5	240	7,358,000	200	6,331,570	1,026,430	86.1
50	227	496,850	181	391,900	104,950	78.9	269	8,233,000	209	6,599,150	1,633,850	80.2
55	254	557,400	201	434,252	123,148	77.9	293	8,976,258	230	7,256,360	1,719,898	80.8
60	255	558,100	196	424,025	134,075	76.0	287	8,792,100	217	6,843,825	1,948,275	77.8

（注）「金額差」は「管理職モデル」−「非管理職モデル」，「割合」は管理職を100とした非管理職の割合である。

表３　役職者（実在者）の平均賃金（全産業・規模計）

役職名	月例賃金							年俸制		
	平均年間賃金（月例×12＋賞与・一時金）（円）	平均所定内賃金（月額:円）	うち役付手当（円）	平均賞与・一時金（円） 2022年年末	2023年夏季	平均年齢（歳）	平均勤続年数（年）	平均年俸額（千円）	平均年齢（歳）	平均勤続年数（年）
【単純平均】										
部長クラス(兼務役員)	11,976,947	768,534	174,135	1,377,578	1,376,966	56.1	28.4	10,413.2	55.9	30.9
2022年	11,770,981	737,137	184,177	1,434,988	1,490,346	55.9	28.9	10,563.7	57.4	24.4
部長クラス	9,660,531	581,970	119,165	1,352,965	1,323,925	53.4	27.0	10,167.2	53.5	25.8
2022年	9,409,584	569,893	119,903	1,289,678	1,281,184	53.7	27.4	9,173.1	53.0	24.2
次長クラス	8,198,336	502,015	101,291	1,077,507	1,096,649	51.6	25.3	8,253.5	50.1	24.1
2022年	8,183,881	499,539	94,377	1,082,865	1,106,550	50.8	25.3	8,737.0	50.4	25.6
課長クラス	7,624,198	464,993	77,397	1,018,874	1,025,404	48.8	22.9	7,256.0	48.5	20.9
2022年	7,509,316	460,211	76,386	984,375	1,002,414	48.7	22.9	7,030.7	47.5	20.5
【加重平均】										
部長クラス(兼務役員)	12,220,046	770,921	175,540	1,459,341	1,509,648	56.0	28.7	10,058.1	56.4	29.6
2022年	11,936,266	757,189	164,021	1,389,961	1,460,033	55.2	26.2	10,927.5	57.6	25.8
部長クラス	11,958,391	702,945	173,483	1,797,725	1,725,321	53.3	27.9	11,676.1	53.3	27.5
2022年	10,319,637	618,841	132,470	1,487,213	1,406,326	53.0	27.3	9,545.6	52.3	24.2
次長クラス	11,507,480	621,723	140,064	2,012,606	2,034,201	53.0	28.1	9,074.2	49.3	23.2
2022年	9,649,405	567,869	104,316	1,421,822	1,413,153	51.4	26.9	8,430.3	49.7	23.2
課長クラス	10,979,594	594,505	133,569	1,898,377	1,947,159	49.4	24.2	7,712.0	48.0	22.4
2022年	8,388,385	503,483	81,773	1,166,692	1,179,897	49.0	23.8	7,252.0	46.3	19.2

（注）１．下段「加重平均」の数値は，回答に記入のあった各社の各役職者の人数で求めた加重平均値（役職者１人あたりの平均値）。したがって表４ならびに111頁集計表３の役職者平均賃金の数値と一致するのは上段の単純平均の数値である。
２．「平均年間賃金」は，各項目の平均額より計算したもので，表４ならびに112頁の集計表４とは異なる。
３．2022年調査の「平均賞与・一時金」は，2021年年末と2022年夏季のもの。
４．小数点以下の関係で「平均年間賃金」は計算値とは一致しない。

表4 役職者平均賃金（全産業・規模別）

① 所定内賃金【有効回答ベース】

役職名	規模計			1,000人以上			300～999人			299人以下		
	集計社数（社）	平均年齢（歳）	所定内賃金単純平均（円）	集計社数（社）	平均年齢（歳）	所定内賃金単純平均（円）	集計社数（社）	平均年齢（歳）	所定内賃金単純平均（円）	集計社数（社）	平均年齢（歳）	所定内賃金単純平均（円）
部長クラス（兼務役員）	61	56.1	768,534	6	55.1	918,862	20	55.7	811,252	35	56.5	718,352
部長クラス	122	53.4	581,970	21	53.4	694,565	42	53.4	612,581	59	53.5	520,103
次長クラス	78	51.6	502,015	12	52.0	569,998	28	51.1	536,680	38	51.8	455,004
課長クラス	130	48.8	464,993	21	48.8	568,697	42	49.0	489,166	67	48.7	417,336

② 年間賃金【有効回答ベース】

役職名	規模計			1,000人以上			300～999人			299人以下		
	集計社数（社）	平均年齢（歳）	年間賃金単純平均（千円）	集計社数（社）	平均年齢（歳）	年間賃金単純平均（千円）	集計社数（社）	平均年齢（歳）	年間賃金単純平均（千円）	集計社数（社）	平均年齢（歳）	年間賃金単純平均（千円）
部長クラス（兼務役員）	59	55.5	11,180.8	5	54.2	12,914.6	20	54.9	12,041.0	34	56.1	10,419.7
部長クラス	120	53.4	9,464.0	21	53.4	10,931.3	41	53.8	10,280.8	58	53.2	8,355.2
次長クラス	74	51.6	8,237.5	13	51.5	9,772.1	27	50.7	8,939.0	34	52.3	7,093.8
課長クラス	121	48.8	7,528.8	21	49.0	8,836.6	38	48.9	8,104.3	62	48.6	6,733.2

（注）すべての関係する項目に回答があった企業を集計。また，年俸制も含めた単純平均金額である。

表5 役付手当（時間外手当が不支給となるクラス）
【有効回答ベース】
（単位：％，（ ）内は社数）

規模・産業	合計	部長	次長	課長	それ以下から
規模計	100.0(184)	4.9	4.3	79.3	11.4
1,000人以上	100.0(35)	5.7	2.9	77.1	14.3
300～999人	100.0(60)	5.0	6.7	76.7	11.7
299人以下	100.0(89)	4.5	3.4	82.0	10.1
製造業計	100.0(76)	2.6	1.3	84.2	11.8
非製造業計	100.0(108)	6.5	6.5	75.9	11.1

図4 役付手当（管理職手当）制度の有無

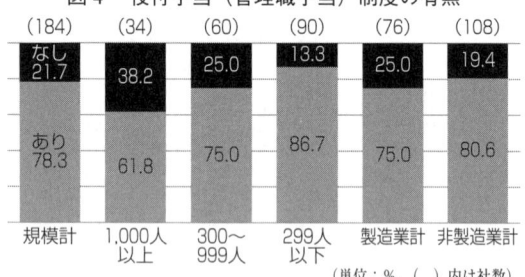

（単位：％，（ ）内は社数）

表6 役付手当（管理職手当）の平均支給額（幅がある場合）
【有効回答ベース】
（単位：円，（ ）内は社数）

規模・産業	平均支給額（上位）					平均支給額（下位）				
	部長	次長	課長	係長	主任	部長	次長	課長	係長	主任
規模計	118,746 (46)	87,546 (22)	67,180 (48)	29,007 (17)	17,608 (9)	82,465 (46)	65,777 (22)	46,802 (47)	18,404 (16)	14,894 (8)
1,000人以上	112,144 (9)	100,500 (4)	64,900 (8)	31,333 (3)	7,500 (1)	75,744 (9)	70,000 (4)	51,400 (7)	26,500 (2)	—
300～999人	102,229 (8)	84,102 (5)	58,338 (10)	20,000 (1)	—	74,439 (8)	59,478 (5)	39,029 (10)	14,000 (1)	—
299人以下	125,352 (29)	84,885 (13)	70,735 (30)	29,163 (13)	18,871 (8)	86,765 (29)	66,900 (13)	48,319 (30)	17,497 (13)	14,894 (8)
製造業計	99,857 (16)	80,000 (8)	64,478 (14)	16,458 (9)	8,554 (5)	65,656 (16)	52,813 (8)	38,502 (13)	10,808 (8)	7,113 (4)
非製造業計	128,821 (30)	91,858 (14)	68,292 (34)	43,125 (8)	28,925 (4)	91,430 (30)	73,185 (14)	49,975 (34)	26,000 (8)	22,675 (4)

次長819.8万円（同818.4万円），課長762.4万円（同750.9万円）と上昇した。

規模別に所定内賃金をみると規模が大きいほど高くなる。課長でみると「1,000人以上」は568,697円，「300～999人」は489,166円，「299人以下」は417,336円となっている（表4）。年俸制も含めた年間賃金でも同様である。

■役付手当（管理職手当）制度の状況

役付手当（管理職手当）制度がある企業は規模計で78.3％，規模別では1,000人以上規模が61.8％，300～999人規模が75.0％，299人以下規模が86.7％となっている（図4）。1,000人以上規模で

表7　役付手当（管理職手当）の平均支給額
（定額の場合）

【有効回答ベース】　（単位：円，（　）内は社数）

規模・産業	部　長	次　長	課　長	係　長	主　任
規　模　計	80,704 (76)	64,380 (61)	50,471 (76)	19,252 (75)	11,102 (61)
1,000人以上	84,000 (5)	89,250 (4)	56,714 (7)	18,444 (9)	10,750 (8)
300～999人	88,019 (27)	67,435 (23)	52,812 (25)	19,804 (26)	11,636 (22)
299人以下	75,841 (44)	59,388 (34)	48,148 (44)	19,075 (40)	10,813 (31)
製造業計	79,031 (32)	60,385 (20)	51,129 (35)	20,543 (35)	12,259 (29)
非製造業計	81,920 (44)	66,329 (41)	49,910 (41)	18,123 (40)	10,053 (32)

割合が低いのは，後述する役割給の導入が規模の大きい企業で進んでいるためである。

制度上の役付手当額は，規模計で幅がある場合の上位と下位の金額では，部長が上位118,746円・下位82,465円，同様に次長は87,546円・65,777円，課長67,180円・46,802円などとなった（表6）。定額の場合は，部長が80,704円，次長は64,380円，課長50,471円である（表7）。

支給額の分布状況は，部長は「11～15万円台」が最も多く16.4%，次いで「8万円台」が13.1%，課長は「6万円台」が最も多く16.9%，「5万円台」が15.3%と続いている（表8）。

表8　役付手当の分布状況

（単位：%，（　）内は社数）

区　分	部　長	次　長	課　長	係　長	主　任
合　計	100.0 (122)	100.0 (83)	100.0 (124)	100.0 (92)	100.0 (70)
1万円未満	—	—	—	16.3	52.9
1万円台	1.6	2.4	5.6	38.0	31.4
2万円台	0.8	8.4	10.5	22.8	8.6
3万円台	7.4	3.6	9.7	12.0	2.9
4万円台	5.7	8.4	13.7	3.3	1.4
5万円台	8.2	10.8	15.3	2.2	–
6万円台	8.2	18.1	16.9	2.2	1.4
7万円台	9.0	8.4	5.6	1.1	1.4
8万円台	13.1	10.8	8.9	1.1	–
9万円台	6.6	9.6	4.0	1.1	–
10万円台	11.5	6.0	6.5	—	—
11～15万円台	16.4	13.3	1.6	—	—
16～20万円台	7.4	—	0.8	—	—
21万円以上	4.1	—	0.8	—	—
平　均（百円）	950	705	569	211	119
最　高（百円）	3,862	1,550	2,241	900	767
最　低（百円）	130	110	100	30	20

（注）「定額」に記入があれば「定額」，なければ「最高額」を対象とした。

■役割給の制度の状況

近年，導入が進んでいる役割給についても尋ねている。役割給を導入している企業は，規模計で28.8%，規模別では1,000人以上規模が41.2%，300～999人規模が33.3%，299人以下規模が21.1%となった（表9）。

表9　役割給の導入状況

【有効回答ベース】　（単位：%，（　）内は社数）

規模・産業	「役割給」の導入の有無			役割給の導入対象クラス（導入している=100）				
	合　計	導入している	導入していない	合　計	部長以上	次長以上	課長以上	それ以下から
規　模　計	100.0(184)	28.8	71.2	100.0(53)	1.9	7.5	41.5	49.1
1,000人以上	100.0(34)	41.2	58.8	100.0(14)	—	7.1	50.0	42.9
300～999人	100.0(60)	33.3	66.7	100.0(20)	—	15.0	30.0	55.0
299人以下	100.0(90)	21.1	78.9	100.0(19)	5.3	—	47.4	47.4
製造業計	100.0(76)	30.3	69.7	100.0(23)	—	—	43.5	56.5
非製造業計	100.0(108)	27.8	72.2	100.0(30)	3.3	13.3	40.0	43.3

表10　役割給の平均支給額（幅がある場合）

【有効回答ベース】　（単位：円，（　）内は社数）

規模・産業	平均支給額（上位）					平均支給額（下位）				
	部長	次長	課長	係長	主任	部長	次長	課長	係長	主任
規　模　計	142,241 (11)	119,800 (5)	126,294 (9)	233,000 (2)	175,825 (2)	93,841 (11)	73,200 (5)	79,294 (9)	87,500 (2)	117,325 (2)
1,000人以上	178,333 (3)	158,000 (3)	139,000 (3)	176,000 (1)	— —	108,667 (3)	93,667 (3)	83,000 (3)	5,000 (1)	— —
300～999人	134,825 (2)	— —	107,325 (2)	— —	81,650 (1)	103,125 (2)	— —	82,325 (2)	— —	71,650 (1)
299人以下	126,667 (6)	62,500 (2)	126,250 (4)	290,000 (1)	270,000 (1)	83,333 (6)	42,500 (2)	75,000 (4)	170,000 (1)	163,000 (1)
製造業計	134,500 (4)	50,000 (1)	154,333 (3)	290,000 (1)	270,000 (1)	79,500 (4)	10,000 (1)	87,667 (3)	170,000 (1)	163,000 (1)
非製造業計	146,664 (7)	137,250 (4)	112,275 (6)	176,000 (1)	81,650 (1)	102,036 (7)	89,000 (4)	75,108 (6)	5,000 (1)	71,650 (1)

（注）基本給の全額が役割給の企業は全額の集計から除いてある。以下すべて同じ。

平均支給額についてみると，規模計で幅がある場合の上位と下位の金額は，部長は142,241円・93,841円，次長は119,800円・73,200円，課長126,294円・79,294円などとなった（**表10**）。定額では，部長は170,143円，次長は144,333円，課長119,500円（**表11**）。ここでは，基本給の全額が役割給になる企業は集計から除いて集計している。また，課長と係長などで金額が逆転しているのは標本数が少ないことによる。

■モデル賃金表の管理職の賃金額と昇格年齢

モデル賃金表で「40歳課長」「45歳課長」「50歳部長」「55歳部長」を設定している企業について，所定内賃金と基本賃金を集計したのが**表13**である。実態としての水準ではないが，課長，部長のモデル賃金をどのような水準に設定しているかをみることができる。これによると所定内賃金は，40歳課長441,814円（前回425,445円），45歳課長464,614円（同449,068円），50歳部長552,918円（同550,629円），55歳部長579,885円（同573,714円）であった。

モデル賃金表の全従業員対象の理論モデル（管理職モデル）の回答から，大学卒・総合職について年齢ごとの役付設定が明確なものを抽出して，標準的な役職者の年齢分布をみたものが表14である。昇進した者が5割を超えるのは主任が27～30歳，課長は40～45歳，部長は50～55歳となっている。

表11　役割給の平均支給額（定額の場合）

【有効回答ベース】　（単位：円，（　）内は社数）

規模・産業	部長	次長	課長	係長	主任
規模計	170,143 (7)	144,333 (6)	119,500 (8)	91,800 (5)	60,800 (5)
1,000人以上	70,000 (1)	— —	70,000 (1)	8,000 (1)	5,000 (1)
300～999人	215,800 (5)	191,500 (4)	166,600 (5)	190,000 (2)	131,500 (2)
299人以下	42,000 (1)	50,000 (2)	26,500 (2)	35,500 (2)	18,000 (2)
製造業計	192,250 (4)	162,000 (3)	120,600 (5)	89,000 (2)	65,000 (2)
非製造業計	140,667 (3)	126,667 (3)	117,667 (3)	93,667 (3)	58,000 (3)

表12　役割給の分布状況

（単位：%，（　）内は社数）

区分	部長	次長	課長	係長クラス	主任クラス
合計	100.0 (18)	100.0 (11)	100.0 (17)	100.0 (7)	100.0 (7)
10万円未満	44.4	54.5	52.9	42.9	57.1
10～15万円未満	11.1	—	5.9	—	28.6
15～20万円未満	5.6	—	17.6	28.6	—
20～25万円未満	11.1	36.4	11.8	14.3	—
25～30万円未満	16.7	9.1	5.9	14.3	14.3
30～35万円未満	5.6	—	5.9	—	—
35～40万円未満	5.6	—	—	—	—
40万以上	—	—	—	—	—
平均（百円）	1,531	1,332	1,231	1,321	937
最高（百円）	3,500	2,800	3,300	2,900	2,700
最低（百円）	300	200	100	80	50

（注）「定額」に記入があれば「定額」，なければ「最高額」を対象とする。

表13　2023年度大卒総合職・役職別平均賃金

（単位：円）

区分	2023年			〈参考〉2022年		
	社数（社）	所定内賃金（円）	基本賃金（円）	社数（社）	所定内賃金（円）	基本賃金（円）
40歳課長	48	441,814	389,935	40	425,445	364,949
45歳課長	54	464,614	406,374	65	449,068	381,991
50歳部長	35	552,918	459,155	39	550,629	454,422
55歳部長	67	579,885	493,519	65	573,714	486,290

表14　年齢別役職分布（大学卒・総合職）

（単位：%，（　）内は累積値）

年齢	部長	次長	課長	係長クラス	主任クラス
22歳	— —	— —	— —	— —	1.6 (1.6)
25	— —	— —	— —	1.6 (1.6)	4.8 (6.5)
27	— —	— —	— —	2.4 (3.9)	14.5 (21.0)
30	— —	1.4 (1.4)	1.6 (1.6)	12.6 (16.5)	37.1 (58.1)
35	— —	2.8 (4.2)	6.3 (7.9)	28.3 (44.9)	27.4 (85.5)
40	1.8 (1.8)	4.2 (8.5)	25.4 (33.3)	27.6 (72.4)	4.8 (90.3)
45	4.8 (6.5)	25.4 (33.8)	28.6 (61.9)	15.0 (87.4)	8.1 (98.4)
50	20.8 (27.4)	36.6 (70.4)	21.2 (83.1)	4.7 (92.1)	1.6 (100.0)
55	40.5 (67.9)	14.1 (84.5)	11.6 (94.7)	4.7 (96.9)	— —
60	32.1 (100.0)	15.5 (100.0)	5.3 (100.0)	3.1 (100.0)	— —

（注）管理職モデル企業のみ。

管理職・非管理職モデル賃金別集計表

集計表1－1－(1)　管理職モデルと非管理職モデル比較（モデル所定内賃金－全産業）

（単位：円）

設定条件			管理職モデル						非管理職モデル					
年齢（歳）	勤続年数（年）	扶養家族（人）	社数（社）	所定内賃金合計(a+b+c+d)	基本賃金部分(a)	役付手当(b)	家族手当(c)	その他の手当(d)	社数（社）	所定内賃金合計(a+b+c+d)	基本賃金部分(a)	役付手当(b)	家族手当(c)	その他の手当(d)
【学卒・総合職（事務・技術系）】														
規　模　計														
35	13	3	107	343,654	302,638	11,101	16,807	13,107	31	342,531	307,163	2,806	22,938	9,624
40	18	3	116	403,213	355,986	19,360	14,417	13,449	25	377,148	343,080	3,140	23,963	6,965
45	23	3	113	454,690	397,459	31,248	13,130	12,853	25	403,345	363,025	5,660	23,283	11,377
50	28	2	112	510,958	443,221	45,876	10,020	11,841	25	419,359	384,267	7,236	18,286	9,570
55	33	1	108	549,480	478,398	50,611	6,394	14,077	20	455,217	426,738	8,365	10,606	9,508
60	38	1	92	538,349	472,642	46,185	6,116	13,406	16	430,307	404,310	8,269	9,726	8,003
1,000人以上														
35	13	3	18	361,610	328,226	7,770	15,806	9,808	8	384,330	347,355	1,000	22,475	13,500
40	18	3	18	449,420	418,245	15,850	10,778	4,546	6	433,387	403,837	1,333	25,717	2,500
45	23	3	18	507,747	472,985	22,321	8,378	4,064	5	469,386	424,792	1,600	25,460	17,534
50	28	2	18	590,599	545,666	35,333	5,683	3,917	5	491,293	451,413	1,600	20,480	17,800
55	33	1	18	621,989	566,510	44,000	3,656	7,824	5	504,705	469,380	1,600	15,300	18,425
60	38	1	17	558,448	526,207	24,294	3,882	4,065	2	495,300	433,800	4,000	16,500	41,000
300～999人														
35	13	3	38	348,879	308,101	14,263	16,374	10,140	17	335,118	298,717	3,471	24,104	8,826
40	18	3	38	422,500	376,373	22,776	12,176	11,174	14	371,075	334,083	3,250	24,662	9,080
45	23	3	38	472,496	417,158	34,132	11,532	9,674	15	395,509	353,607	7,233	23,685	10,984
50	28	2	37	531,649	462,952	51,665	8,059	8,972	15	410,329	376,269	7,660	18,716	7,684
55	33	1	38	567,960	497,423	55,566	5,421	9,550	12	445,485	416,322	11,192	9,801	8,170
60	38	1	33	592,136	512,899	63,091	5,106	11,040	11	430,574	405,760	10,391	10,237	4,185
299人以下														
35	13	3	51	333,423	289,535	9,922	17,484	16,482	6	307,802	277,502	3,333	20,250	6,717
40	18	3	60	377,137	324,397	18,250	16,928	17,561	5	326,664	295,364	5,000	19,900	6,400
45	23	3	57	426,064	360,477	32,144	15,696	17,747	5	360,814	329,514	5,000	19,900	6,400
50	28	2	57	472,376	398,061	45,447	12,661	16,206	5	374,518	341,118	11,600	14,800	7,000
55	33	1	52	510,875	433,995	49,279	8,052	19,550	3	411,667	397,333	8,333	6,000	—
60	38	1	42	487,951	419,330	41,762	7,814	19,045	3	386,000	379,333	3,333	3,333	—
【高校卒・総合職（事務・技術系）】														
規　模　計														
35	17	3	60	314,118	277,598	7,648	16,032	12,840	17	319,739	282,848	882	25,518	10,492
40	22	3	62	351,480	314,442	12,345	14,119	10,574	19	338,766	305,761	1,605	23,437	7,963
45	27	3	59	416,376	366,614	25,735	14,015	10,012	16	365,122	329,433	1,281	25,706	8,701
50	32	2	69	447,364	397,302	29,767	10,126	10,170	18	391,404	361,661	1,939	19,628	8,177
55	37	1	62	490,134	432,897	42,927	6,876	7,434	15	410,350	386,830	2,620	13,647	7,253
60	42	1	55	478,413	427,423	34,855	6,600	9,536	10	383,825	369,325	1,930	9,770	2,800
1,000人以上														
35	17	3	11	330,694	290,831	6,318	19,091	14,455	5	352,489	309,029	—	30,760	12,700
40	22	3	12	388,980	356,829	13,542	15,000	3,609	5	381,487	338,827	—	30,760	11,900
45	27	3	11	464,277	427,712	16,558	16,045	3,961	4	400,346	362,271	—	31,825	6,250
50	32	2	12	520,757	486,914	18,733	9,875	5,235	4	434,075	402,628	—	25,600	5,847
55	37	1	12	544,832	507,639	28,167	5,000	4,027	4	439,844	416,146	—	19,125	4,573
60	42	1	12	491,999	462,329	16,250	5,017	8,404	2	441,500	425,000	—	16,500	—
300～999人														
35	17	3	19	313,193	280,004	12,458	14,405	6,326	10	316,243	282,457	500	24,300	8,986
40	22	3	19	360,343	321,270	17,589	10,063	11,420	10	331,990	303,590	2,050	21,200	5,150
45	27	3	19	412,695	369,437	28,842	9,116	5,300	9	367,596	332,127	1,167	25,167	9,136
50	32	2	20	462,408	414,796	32,830	7,650	7,132	10	391,528	362,998	1,490	18,690	8,350
55	37	1	19	522,245	455,645	57,437	5,347	3,816	9	414,514	389,737	3,811	11,689	9,278
60	42	1	17	483,637	435,431	38,647	4,976	4,582	7	395,750	379,750	2,757	9,243	4,000
299人以下														
35	17	3	30	308,625	271,221	5,090	15,940	16,374	2	255,345	219,345	5,000	18,500	12,500
40	22	3	31	331,532	293,848	8,668	16,265	12,752	4	302,308	269,858	2,500	19,875	10,075
45	27	3	29	400,618	341,589	27,179	16,455	15,395	3	310,737	277,570	3,333	19,167	10,667
50	32	2	37	415,430	358,782	31,689	11,546	13,413	4	348,425	317,350	5,000	16,000	10,075
55	37	1	31	449,280	390,023	39,748	8,539	10,970	2	332,620	315,120	2,500	11,500	3,500
60	42	1	26	468,728	406,077	40,962	8,392	13,297	1	185,000	185,000	—	—	—

（注）「所定内賃金」とは，所定労働時間働いた場合に支払われる現金給与（通勤手当は除く）。
「基本賃金部分」とは，一般にいう本給，本人給，職能給，職務給，能力給，勤続給，職種給，役割給，総合決定給などを総称したもの。以下同じ。

集計表1－1－(2)　管理職モデルと非管理職モデル比較（モデル所定内賃金－製造業）

（単位：円）

設定条件			管理職モデル						非管理職モデル					
年齢 (歳)	勤続年数 (年)	扶養家族 (人)	社数 (社)	所定内賃金合計 (a+b+c+d)	基本賃金部分 (a)	役付手当 (b)	家族手当 (c)	その他の手当 (d)	社数 (社)	所定内賃金合計 (a+b+c+d)	基本賃金部分 (a)	役付手当 (b)	家族手当 (c)	その他の手当 (d)
【大学卒・総合職（事務・技術系）】														
規模計														
35	13	3	45	335,562	295,333	9,686	15,627	14,916	17	341,892	304,192	2,000	22,622	13,079
40	18	3	45	394,390	347,381	16,218	13,509	17,282	15	383,503	346,357	3,000	24,205	9,941
45	23	3	47	441,248	384,475	29,878	11,674	15,221	14	407,751	364,787	7,714	24,005	11,245
50	28	2	45	504,710	437,422	47,469	8,371	11,448	14	422,676	385,283	10,214	17,910	9,269
55	33	1	43	524,919	457,914	47,605	4,853	14,547	12	446,990	416,942	11,250	9,784	9,014
60	38	1	37	522,483	460,034	47,243	4,578	10,627	9	402,429	377,546	11,111	8,657	5,116
1,000人以上														
35	13	3	8	359,313	326,924	9,107	17,525	5,756	4	414,578	376,503	—	18,450	19,625
40	18	3	8	438,050	409,715	11,539	10,713	6,083	3	504,848	475,081	—	24,767	5,000
45	23	3	8	490,125	460,135	18,472	5,313	6,206	2	551,695	525,210	—	23,650	2,835
50	28	2	8	581,147	543,897	28,125	3,250	5,875	2	570,795	548,845	—	18,450	3,500
55	33	1	8	581,027	541,902	30,625	2,625	5,875	2	558,460	540,148	—	13,250	5,063
60	38	1	7	569,723	544,037	21,429	2,314	1,943	—	—	—	—	—	—
300～999人														
35	13	3	12	350,295	315,888	8,917	11,733	13,758	10	324,920	283,739	3,400	24,927	12,854
40	18	3	12	431,758	393,038	16,458	9,542	12,720	10	360,176	318,537	4,000	24,927	12,712
45	23	3	12	468,116	430,338	18,917	8,208	10,653	10	394,222	344,519	10,300	24,927	14,476
50	28	2	12	540,934	483,754	41,800	3,958	11,422	10	408,245	368,485	10,500	17,984	11,276
55	33	1	12	558,134	507,058	34,958	2,333	13,785	9	433,774	400,335	13,333	9,212	10,893
60	38	1	11	577,406	508,452	51,909	2,545	14,499	8	426,733	398,739	12,500	9,739	5,755
299人以下														
35	13	3	25	320,890	275,358	10,240	16,888	18,404	3	301,553	275,953	—	20,500	5,100
40	18	3	25	362,483	305,519	17,600	16,308	23,056	2	318,125	292,375	2,500	19,750	3,500
45	23	3	27	414,825	341,673	38,130	15,100	19,922	2	331,455	305,705	2,500	19,750	3,500
50	28	2	25	462,862	381,110	56,380	12,128	13,244	2	346,710	305,710	19,000	17,000	5,000
55	33	1	23	488,074	403,061	60,109	6,943	17,961	1	343,000	320,000	15,000	8,000	—
60	38	1	19	473,281	401,054	54,053	6,589	11,584	1	208,000	208,000	—	—	—
【高校卒・総合職（事務・技術系）】														
規模計														
35	17	3	27	296,450	263,231	3,859	15,581	13,778	9	329,224	284,984	556	26,644	17,040
40	22	3	29	325,971	288,930	9,921	14,817	12,303	10	349,481	312,421	500	23,930	12,630
45	27	3	26	375,026	328,139	22,025	15,162	9,701	9	369,635	330,410	556	25,978	12,691
50	32	2	33	400,772	354,340	25,482	9,455	11,495	10	404,451	371,943	1,500	18,790	12,219
55	37	1	30	455,603	394,205	47,960	6,360	7,077	9	410,824	386,236	1,111	11,389	12,088
60	42	1	25	448,971	394,561	38,680	5,820	9,910	6	353,633	343,133	833	5,000	4,667
1,000人以上														
35	17	3	4	322,412	288,037	6,375	22,875	5,125	2	388,441	319,791	—	36,900	31,750
40	22	3	5	334,684	302,922	9,500	18,300	3,962	2	422,693	356,043	—	36,900	29,750
45	27	3	4	382,519	339,965	15,536	22,000	5,018	1	448,712	376,412	—	47,300	25,000
50	32	2	5	460,816	426,926	18,960	11,000	3,930	1	486,484	426,197	—	36,900	23,387
55	37	1	5	419,881	389,717	22,000	4,200	3,964	1	532,877	488,084	—	26,500	18,293
60	42	1	5	465,791	440,483	13,000	3,240	9,069	—	—	—	—	—	—
300～999人														
35	17	3	7	280,648	257,891	1,386	11,786	9,586	6	324,522	284,212	833	24,500	14,977
40	22	3	7	341,794	305,983	4,886	11,786	19,140	5	345,697	313,597	1,000	20,800	10,300
45	27	3	7	355,762	328,598	5,429	11,786	9,950	6	374,444	335,407	833	24,500	13,703
50	32	2	7	388,529	354,587	10,086	6,471	17,385	6	408,917	377,167	833	17,000	13,917
55	37	1	7	509,074	441,303	58,043	3,300	6,429	6	416,550	392,967	833	8,833	13,917
60	42	1	7	387,934	363,506	10,286	4,157	9,986	5	387,360	374,760	1,000	6,000	5,600
299人以下														
35	17	3	16	296,873	259,366	4,313	15,419	17,775	1	239,000	220,000	—	19,000	—
40	22	3	17	316,893	277,793	12,118	15,041	11,941	3	306,980	281,380	—	20,500	5,100
45	27	3	15	382,017	324,771	31,500	14,913	10,833	2	315,670	292,420	—	19,750	3,500
50	32	2	21	390,556	336,976	32,167	10,081	11,333	3	368,177	343,410	3,333	16,333	5,100
55	37	1	18	444,731	377,136	51,250	8,150	8,194	2	332,620	315,120	2,500	11,500	3,500
60	42	1	13	475,367	393,621	63,846	7,708	10,192	1	185,000	185,000	—	—	—

集計表1-1-(3) 管理職モデルと非管理職モデル比較（モデル所定内賃金-非製造業）

(単位：円)

設定条件			管理職モデル						非管理職モデル					
年齢(歳)	勤続年数(年)	扶養家族(人)	社数(社)	所定内賃金合計(a+b+c+d)	基本賃金部分(a)	役付手当(b)	家族手当(c)	その他の手当(d)	社数(社)	所定内賃金合計(a+b+c+d)	基本賃金部分(a)	役付手当(b)	家族手当(c)	その他の手当(d)
【大学卒・総合職（事務・技術系）】														
規模計														
35	13	3	62	349,527	307,939	12,129	17,665	11,794	14	343,306	310,771	3,786	23,321	5,429
40	18	3	71	408,805	361,440	21,352	14,993	11,020	10	367,614	338,164	3,350	23,600	2,500
45	23	3	66	464,262	406,706	32,223	14,167	11,166	11	397,738	360,784	3,045	22,364	11,545
50	28	2	67	515,154	447,115	44,806	11,127	12,106	11	415,139	382,975	3,445	18,764	9,955
55	33	1	65	565,727	491,949	52,600	7,412	13,766	8	467,557	441,432	4,038	11,838	10,250
60	38	1	55	549,022	481,123	45,473	7,151	15,275	7	466,150	438,721	4,614	11,100	11,714
1,000人以上														
35	13	3	10	363,447	329,267	6,700	14,430	13,050	4	354,082	318,207	2,000	26,500	7,375
40	18	3	10	458,516	425,069	19,300	10,830	3,317	3	361,927	332,593	2,667	26,667	—
45	23	3	10	521,845	483,265	25,400	10,830	2,350	3	414,513	357,847	2,667	26,667	27,333
50	28	2	10	598,161	547,081	41,100	7,630	2,350	3	438,292	386,458	2,667	21,833	27,333
55	33	1	10	654,759	586,196	54,700	4,480	9,383	3	468,868	422,201	2,667	16,667	27,333
60	38	1	10	550,556	513,726	26,300	4,980	5,550	2	495,300	433,800	4,000	16,500	41,000
300～999人														
35	13	3	26	348,225	304,508	16,731	18,515	8,471	7	349,687	320,116	3,571	22,929	3,071
40	18	3	26	418,226	368,681	25,692	13,392	10,461	4	398,323	372,948	1,375	24,000	—
45	23	3	26	474,517	411,076	41,154	13,065	9,222	5	398,084	371,784	1,100	21,200	4,000
50	28	2	25	527,192	452,967	56,400	10,028	7,797	5	414,496	391,836	1,980	20,180	500
55	33	1	26	572,495	492,976	65,077	6,846	7,595	3	480,617	464,283	4,767	11,567	—
60	38	1	22	599,501	515,122	68,682	6,386	9,311	3	440,817	424,483	4,767	11,567	—
299人以下														
35	13	3	26	345,474	303,168	9,615	18,058	14,633	3	314,050	279,050	6,667	20,000	8,333
40	18	3	35	387,604	337,882	18,714	17,371	13,636	3	332,357	297,357	6,667	20,000	8,333
45	23	3	30	436,180	377,400	26,757	16,233	15,790	3	380,387	345,387	6,667	20,000	8,333
50	28	2	32	479,810	411,304	36,906	13,078	18,521	3	393,057	364,723	6,667	13,333	8,333
55	33	1	29	528,959	458,528	40,690	8,931	20,810	2	446,000	436,000	5,000	5,000	—
60	38	1	23	500,071	434,428	31,609	8,826	25,208	2	475,000	465,000	5,000	5,000	—
【高校卒・総合職（事務・技術系）】														
規模計														
35	17	3	33	328,574	289,352	10,748	16,400	12,073	8	309,069	280,444	1,250	24,250	3,125
40	22	3	33	373,898	336,861	14,476	13,506	9,055	9	326,861	298,361	2,833	22,889	2,778
45	27	3	33	448,955	396,927	28,658	13,112	10,258	7	359,320	328,177	2,214	25,357	3,571
50	32	2	36	490,075	436,684	33,694	10,742	8,955	8	375,096	348,808	2,488	20,675	3,125
55	37	1	32	522,508	469,171	38,209	7,359	7,768	6	409,638	387,722	4,883	17,033	—
60	42	1	30	502,949	454,808	31,667	7,250	9,224	4	429,113	408,613	3,575	16,925	—
1,000人以上														
35	17	3	7	335,427	292,427	6,286	16,929	19,786	3	328,521	301,855	—	26,667	—
40	22	3	7	427,763	395,334	16,429	12,643	3,357	3	354,017	327,350	—	26,667	—
45	27	3	7	510,997	477,854	17,143	12,643	3,357	3	384,224	357,557	—	26,667	—
50	32	2	7	563,572	529,763	18,571	9,071	6,167	3	416,605	394,772	—	21,833	—
55	37	1	7	634,083	591,869	32,571	5,571	4,071	3	408,833	392,167	—	16,667	—
60	42	1	7	510,719	477,933	18,571	6,286	7,929	2	441,500	425,000	—	16,500	—
300～999人														
35	17	3	12	332,178	292,903	18,917	15,933	4,425	4	303,825	279,825	—	24,000	—
40	22	3	12	371,163	330,188	25,000	9,058	6,917	5	318,282	293,582	3,100	21,600	—
45	27	3	12	445,905	393,259	42,500	7,558	2,588	3	353,900	325,567	1,833	26,500	—
50	32	2	13	502,188	447,216	45,077	8,285	1,611	4	365,445	341,745	2,475	21,225	—
55	37	1	12	529,928	464,012	57,083	6,542	2,292	3	410,443	383,277	9,767	17,400	—
60	42	1	10	550,629	485,779	58,500	5,550	800	2	416,725	392,225	7,150	17,350	—
299人以下														
35	17	3	14	322,057	284,770	5,979	16,536	14,773	1	271,690	218,690	10,000	18,000	25,000
40	22	3	14	349,309	313,345	4,479	17,750	13,736	1	288,290	235,290	10,000	18,000	25,000
45	27	3	14	420,548	359,608	22,550	18,107	20,283	1	300,870	247,870	10,000	18,000	25,000
50	32	2	16	448,077	387,404	31,063	13,469	16,142	1	289,170	239,170	10,000	15,000	25,000
55	37	1	13	455,580	407,866	23,823	9,077	14,813	—	—	—	—	—	—
60	42	1	13	462,089	418,533	18,077	9,077	16,402	—	—	—	—	—	—

集計表1－2－(1)　管理職モデルと非管理職モデル比較（モデル所定内賃金のばらつき－全産業）

（単位：円）

設定条件			管理職モデル					非管理職モデル				
年齢（歳）	勤続年数（年）	扶養家族（人）	最低	第1四分位	中位数	第3四分位	最高	最低	第1四分位	中位数	第3四分位	最高
【大学卒・総合職（事務・技術系）】												
規模計												
35	13	3	225,000	307,700	337,600	370,050	640,000	268,220	311,410	327,206	370,300	510,000
40	18	3	230,000	332,925	395,528	444,850	670,000	289,470	335,500	353,134	393,020	548,023
45	23	3	228,930	393,700	452,500	505,000	710,000	303,160	342,220	386,691	425,520	643,800
50	28	2	300,000	441,150	496,850	565,275	830,000	289,170	363,680	391,900	469,000	669,400
55	33	1	307,171	473,500	557,400	614,710	875,000	343,000	407,460	434,252	502,250	641,530
60	38	1	249,890	456,470	558,100	616,430	875,000	200,800	393,250	424,025	498,500	594,600
1,000人以上												
35	13	3	257,260	324,533	343,775	398,918	477,500	313,000	363,525	388,450	423,380	431,383
40	18	3	309,120	383,722	451,690	492,634	620,000	335,500	357,810	430,160	499,630	548,023
45	23	3	228,930	456,595	479,106	569,245	682,500	341,440	358,000	459,590	544,100	643,800
50	28	2	399,020	549,620	576,534	623,815	787,091	375,500	378,775	472,190	560,600	669,400
55	33	1	307,171	544,225	627,625	724,180	865,310	393,000	435,004	475,390	578,600	641,530
60	38	1	258,500	483,231	535,950	662,500	837,450	396,000	—	—	—	594,600
300～999人												
35	13	3	244,350	314,475	339,700	371,800	504,000	268,220	309,910	324,500	351,440	510,000
40	18	3	271,005	362,950	410,250	473,518	635,650	309,314	348,198	355,172	384,725	525,000
45	23	3	313,500	419,125	461,100	533,808	664,300	322,500	351,660	388,910	406,540	565,000
50	28	2	315,000	462,500	536,250	604,000	742,400	318,480	365,397	401,230	441,560	595,000
55	33	1	342,955	504,648	571,550	630,160	809,700	350,100	412,333	423,650	475,540	595,000
60	38	1	302,500	534,560	612,500	674,400	738,000	200,800	408,115	429,750	484,060	551,000
299人以下												
35	13	3	225,000	295,845	320,200	357,350	640,000	274,000	281,963	299,750	336,370	348,700
40	18	3	230,000	322,905	377,000	410,925	670,000	289,470	301,000	335,250	352,600	355,000
45	23	3	250,000	360,000	430,000	464,300	710,000	303,160	320,000	342,910	372,000	466,000
50	28	2	300,000	414,080	470,100	526,000	830,000	289,170	339,000	354,420	383,000	507,000
55	33	1	319,100	431,050	506,100	563,770	875,000	343,000	—	—	—	512,000
60	38	1	249,890	407,750	501,550	576,525	875,000	208,000	—	—	—	565,000
【高校卒・総合職（事務・技術系）】												
規模計												
35	17	3	206,000	281,000	310,450	339,800	504,000	239,000	300,564	314,300	353,134	402,000
40	22	3	216,600	289,720	343,150	398,800	594,000	253,360	312,220	334,800	360,875	432,500
45	27	3	222,950	352,950	422,200	472,140	682,500	280,000	345,025	364,100	387,305	448,712
50	32	2	275,580	354,750	444,600	518,800	779,100	289,000	346,950	391,500	431,218	486,484
55	37	1	284,500	412,728	477,550	561,763	830,600	298,000	376,120	391,000	443,600	532,877
60	42	1	190,780	400,420	486,350	562,750	799,000	185,000	387,325	397,475	426,850	539,000
1,000人以上												
35	17	3	261,550	303,380	311,636	352,315	477,500	300,564	305,000	374,882	380,000	402,000
40	22	3	260,000	328,901	375,945	434,250	545,000	319,550	327,500	412,886	415,000	432,500
45	27	3	290,460	405,432	428,750	511,384	682,500	350,000	—	—	—	448,712
50	32	2	391,528	443,913	480,684	575,875	779,100	367,500	—	—	—	486,484
55	37	1	295,557	437,608	498,825	696,375	791,660	353,500	—	—	—	532,877
60	42	1	258,500	388,223	487,839	575,250	799,000	388,000	—	—	—	495,000
300～999人												
35	17	3	206,000	285,850	310,000	323,000	504,000	268,220	306,225	315,700	322,150	380,180
40	22	3	216,600	293,140	341,300	400,450	594,000	253,360	322,763	339,200	351,650	376,985
45	27	3	222,950	352,950	422,200	472,140	604,000	305,000	361,100	379,500	384,540	402,421
50	32	2	304,600	377,925	481,450	527,813	611,510	305,000	350,100	391,500	424,450	470,200
55	37	1	373,820	440,600	513,700	578,800	830,600	350,100	388,480	413,350	429,500	499,000
60	42	1	254,000	381,800	500,000	580,000	680,190	200,800	389,050	403,950	424,200	539,000
299人以下												
35	17	3	232,810	273,425	309,350	338,250	422,830	239,000	—	—	—	271,690
40	22	3	230,000	285,750	330,900	374,352	464,830	261,000	—	—	—	355,050
45	27	3	260,530	330,260	407,000	459,500	513,000	280,000	—	—	—	351,340
50	32	2	275,580	330,380	424,830	492,950	621,150	289,000	—	—	—	430,070
55	37	1	284,500	361,550	460,000	539,628	608,300	298,000	—	—	—	367,240
60	42	1	190,780	415,400	477,795	555,808	618,800	185,000	—	—	—	185,000

（注）集計社数が４社以下の場合は最低と最高のみとした。以下同じ。

集計表1−2−(2)　管理職モデルと非管理職モデル比較（モデル所定内賃金のばらつき－製造業）

（単位：円）

設定条件			管理職モデル					非管理職モデル				
年齢（歳）	勤続年数（年）	扶養家族（人）	最低	第1四分位	中位数	第3四分位	最高	最低	第1四分位	中位数	第3四分位	最高
【大学卒・総合職（事務・技術系）】												
規模計												
35	13	3	225,000	305,620	325,500	363,360	451,500	268,220	306,507	335,700	366,400	431,383
40	18	3	230,000	328,225	376,000	442,350	635,650	301,000	328,225	357,210	417,400	548,023
45	23	3	228,930	367,128	441,120	493,250	680,000	320,000	352,933	389,755	421,565	643,800
50	28	2	300,000	419,600	525,000	567,640	720,000	339,000	364,539	407,365	463,630	669,400
55	33	1	307,171	424,800	554,800	611,970	793,300	343,000	402,364	424,450	481,293	641,530
60	38	1	249,890	435,890	534,560	615,640	760,000	200,800	379,614	418,300	483,120	551,000
1,000人以上												
35	13	3	257,260	322,263	335,290	416,908	451,500	375,890	—	—	—	431,383
40	18	3	309,120	372,397	451,690	470,300	620,000	450,520	—	—	—	548,023
45	23	3	228,930	465,165	487,306	555,790	680,000	459,590	—	—	—	643,800
50	28	2	452,180	552,706	575,125	605,980	720,000	472,190	—	—	—	669,400
55	33	1	307,171	559,075	599,296	642,413	740,000	475,390	—	—	—	641,530
60	38	1	295,000	515,400	600,961	650,650	760,000	—	—	—	—	—
300～999人												
35	13	3	244,350	318,338	343,250	384,250	449,600	268,220	310,630	330,958	347,505	366,400
40	18	3	271,005	357,000	378,100	534,500	635,650	309,314	329,150	355,172	382,950	441,780
45	23	3	347,800	378,964	445,000	549,480	660,300	330,100	383,923	389,755	408,120	485,000
50	28	2	371,060	458,225	553,554	605,500	713,300	340,100	371,712	407,365	439,840	478,000
55	33	1	379,340	462,425	565,500	639,500	793,300	350,100	412,280	413,800	467,720	541,000
60	38	1	379,340	504,280	573,500	667,117	726,000	200,800	404,114	424,025	497,090	551,000
299人以下												
35	13	3	225,000	295,240	312,500	353,850	395,500	274,000	—	—	—	344,160
40	18	3	230,000	314,000	345,000	424,700	481,500	301,000	—	—	—	335,250
45	23	3	250,000	349,435	430,000	468,650	549,500	320,000	—	—	—	342,910
50	28	2	300,000	389,600	468,350	532,300	598,000	339,000	—	—	—	354,420
55	33	1	354,780	406,500	472,000	566,800	626,500	343,000	—	—	—	343,000
60	38	1	249,890	408,500	472,240	575,500	626,500	208,000	—	—	—	208,000
【高校卒・総合職（事務・技術系）】												
規模計												
35	17	3	220,400	269,720	308,560	316,000	376,280	239,000	305,500	323,000	374,882	402,000
40	22	3	230,000	278,600	304,700	349,200	524,410	261,000	323,775	348,300	371,501	432,500
45	27	3	260,530	316,455	359,050	429,688	501,500	280,000	351,340	379,500	384,540	448,712
50	32	2	275,580	328,700	381,900	475,000	567,640	289,000	381,440	397,050	459,268	486,484
55	37	1	295,557	368,555	440,600	530,225	830,600	298,000	367,240	391,000	457,700	532,877
60	42	1	190,780	388,300	444,500	525,000	619,800	185,000	247,375	389,050	411,925	539,000
1,000人以上												
35	17	3	308,560	—	—	—	359,850	374,882	—	—	—	402,000
40	22	3	260,000	262,500	333,168	404,250	413,500	412,886	—	—	—	432,500
45	27	3	290,460	—	—	—	428,750	448,712	—	—	—	448,712
50	32	2	391,528	424,750	450,300	477,500	560,000	486,484	—	—	—	486,484
55	37	1	295,557	415,250	445,060	457,036	486,500	532,877	—	—	—	532,877
60	42	1	318,230	415,250	439,800	535,877	619,800	—	—	—	—	—
300～999人												
35	17	3	220,400	271,218	281,300	301,700	317,000	268,220	308,400	320,050	345,601	380,180
40	22	3	275,700	291,926	318,100	345,250	524,410	320,100	334,800	343,600	353,000	376,985
45	27	3	278,600	336,478	352,900	359,050	467,780	330,100	370,200	381,250	384,155	402,421
50	32	2	304,600	350,485	371,700	397,800	546,832	340,100	382,850	397,050	452,500	470,200
55	37	1	373,820	412,450	437,400	548,400	830,600	350,100	388,075	402,700	446,875	499,000
60	42	1	254,000	376,920	381,800	422,100	481,700	200,800	387,100	391,000	418,900	539,000
299人以下												
35	17	3	232,810	264,155	300,250	326,985	376,280	239,000	—	—	—	239,000
40	22	3	230,000	278,600	294,100	346,850	442,350	261,000	—	—	—	355,050
45	27	3	260,530	315,600	374,900	447,325	501,500	280,000	—	—	—	351,340
50	32	2	275,580	306,850	349,000	475,000	567,640	289,000	—	—	—	430,070
55	37	1	299,240	347,600	444,100	548,300	608,300	298,000	—	—	—	367,240
60	42	1	190,780	431,600	469,240	563,500	618,800	185,000	—	—	—	185,000

集計表1−2−(3)　管理職モデルと非管理職モデル比較（モデル所定内賃金のばらつき−非製造業）

（単位：円）

設定条件			管理職モデル					非管理職モデル				
年齢（歳）	勤続年数（年）	扶養家族（人）	最低	第1四分位	中位数	第3四分位	最高	最低	第1四分位	中位数	第3四分位	最高
【大学卒・総合職（事務・技術系）】												
規模計												
35	13	3	250,000	313,286	337,859	370,075	640,000	280,450	312,933	324,050	367,825	510,000
40	18	3	265,000	345,225	401,500	444,900	670,000	289,470	342,260	351,295	366,775	525,000
45	23	3	313,500	417,641	454,825	510,855	710,000	303,160	341,830	361,100	432,800	565,000
50	28	2	315,000	454,135	491,000	563,909	830,000	289,170	353,500	383,000	471,300	595,000
55	33	1	319,100	487,650	560,000	614,400	875,000	380,000	408,263	434,252	528,650	595,000
60	38	1	250,000	482,616	562,200	619,200	875,000	385,000	399,975	433,500	525,000	594,600
1,000人以上												
35	13	3	270,960	331,053	351,100	374,995	477,500	313,000	—	—	—	392,400
40	18	3	319,620	403,836	455,472	525,375	581,652	335,500	—	—	—	409,800
45	23	3	355,620	456,595	470,200	616,375	682,500	341,440	—	—	—	544,100
50	28	2	399,020	533,071	579,669	664,375	787,091	375,500	—	—	—	560,600
55	33	1	407,440	540,358	676,110	766,575	865,310	393,000	—	—	—	578,600
60	38	1	258,500	458,083	516,030	638,044	837,450	396,000	—	—	—	594,600
300〜999人												
35	13	3	256,531	314,475	337,859	369,835	504,000	292,690	311,410	323,600	349,350	510,000
40	18	3	297,068	370,350	416,900	463,053	594,000	347,600	—	—	—	525,000
45	23	3	313,500	425,731	461,100	516,950	664,300	322,500	342,220	361,100	399,600	565,000
50	28	2	315,000	462,500	525,000	604,000	742,400	318,480	331,500	391,900	435,600	595,000
55	33	1	342,955	518,025	578,800	614,300	809,700	413,350	—	—	—	595,000
60	38	1	302,500	536,200	613,450	671,550	738,000	403,950	—	—	—	485,000
299人以下												
35	13	3	250,000	299,488	321,650	357,925	640,000	280,450	—	—	—	348,700
40	18	3	265,000	330,350	384,200	408,250	670,000	289,470	—	—	—	355,000
45	23	3	325,670	379,950	429,600	462,275	710,000	303,160	—	—	—	466,000
50	28	2	346,800	419,150	473,848	522,000	830,000	289,170	—	—	—	507,000
55	33	1	319,100	478,800	532,100	563,600	875,000	380,000	—	—	—	512,000
60	38	1	250,000	402,500	538,800	574,550	875,000	385,000	—	—	—	565,000
【高校卒・総合職（事務・技術系）】												
規模計												
35	17	3	206,000	297,400	314,600	352,200	504,000	271,690	293,673	306,700	315,625	380,000
40	22	3	216,600	330,000	360,890	407,500	594,000	253,360	293,000	327,500	347,600	415,000
45	27	3	222,950	403,100	426,520	504,830	682,500	300,870	327,500	359,671	378,350	443,000
50	32	2	276,300	433,208	485,558	527,000	779,100	289,170	326,210	379,700	409,637	480,000
55	37	1	284,500	439,475	512,425	575,450	791,660	353,500	385,870	400,915	425,463	488,000
60	42	1	258,500	410,180	534,700	593,366	799,000	388,000	—	—	—	495,000
1,000人以上												
35	17	3	261,550	280,980	342,200	352,390	477,500	300,564	—	—	—	380,000
40	22	3	316,100	355,370	391,000	515,750	545,000	319,550	—	—	—	415,000
45	27	3	354,560	440,575	465,267	596,750	682,500	350,000	—	—	—	443,000
50	32	2	398,620	472,514	520,760	650,750	779,100	367,500	—	—	—	480,000
55	37	1	404,800	519,260	675,500	764,050	791,660	353,500	—	—	—	488,000
60	42	1	258,500	375,606	543,420	611,450	799,000	388,000	—	—	—	495,000
300〜999人												
35	17	3	206,000	300,550	316,750	345,550	504,000	273,000	—	—	—	319,600
40	22	3	216,600	317,895	375,800	408,875	594,000	253,360	293,000	330,750	347,600	366,700
45	27	3	222,950	421,275	429,450	512,000	604,000	305,000	—	—	—	395,600
50	32	2	333,790	476,200	491,000	536,250	611,510	305,000	—	—	—	431,600
55	37	1	411,970	472,650	531,700	575,450	652,770	388,480	—	—	—	429,500
60	42	1	262,700	534,200	562,000	619,125	680,190	403,950	—	—	—	429,500
299人以下												
35	17	3	245,850	294,505	311,200	348,900	422,830	271,690	—	—	—	271,690
40	22	3	238,225	321,525	350,475	379,028	464,830	288,290	—	—	—	288,290
45	27	3	279,800	391,450	411,500	486,575	513,000	300,870	—	—	—	300,870
50	32	2	276,300	404,800	440,650	496,958	621,150	289,170	—	—	—	289,170
55	37	1	284,500	415,000	460,000	494,830	607,300	—	—	—	—	—
60	42	1	275,500	400,000	494,830	537,230	607,300	—	—	—	—	—

集計表2－1－(1)　管理職モデルと非管理職モデル比較（モデル年間賃金－全産業）

（単位：円）

設定条件			管理職モデル					非管理職モデル				
年齢	勤続年数	扶養家族	社数	年間賃金(A) (a)×12+(b)+(c)	1カ月平均所定内賃金	2023年夏季賞与･一時金	2022年年末賞与･一時金	社数	年間賃金(A) (a)×12+(b)+(c)	1カ月平均所定内賃金	2023年夏季賞与･一時金	2022年年末賞与･一時金
(歳)	(年)	(人)	(社)		(a)	(b)	(c)	(社)		(a)	(b)	(c)
【大学卒・総合職（事務・技術系）】												
規模計												
35	13	3	83	5,689,386	344,700	750,265	802,721	22	5,561,594	335,942	730,322	799,967
40	18	3	84	6,697,295	403,775	890,731	961,262	18	6,197,681	372,080	831,738	900,979
45	23	3	83	7,705,915	459,876	1,052,518	1,134,887	18	6,370,326	386,759	826,825	902,391
50	28	2	81	8,675,355	512,873	1,213,111	1,307,764	17	6,737,196	405,026	910,442	966,444
55	33	1	82	9,355,139	550,166	1,320,955	1,432,196	13	7,321,216	438,051	990,531	1,074,072
60	38	1	68	9,147,409	542,051	1,243,079	1,399,717	10	6,583,341	395,644	917,724	917,884
1,000人以上												
35	13	3	16	6,296,568	370,405	966,465	885,242	6	6,627,154	392,636	925,339	990,189
40	18	3	14	7,936,012	452,290	1,299,427	1,209,107	4	7,704,085	462,511	1,050,610	1,103,347
45	23	3	14	9,100,065	514,631	1,488,226	1,436,265	3	8,004,514	487,130	1,018,196	1,140,759
50	28	2	14	10,111,010	578,674	1,630,160	1,536,760	3	8,432,388	505,697	1,143,749	1,220,279
55	33	1	14	11,159,364	633,163	1,820,173	1,741,234	3	8,417,251	503,307	1,102,325	1,275,246
60	38	1	13	9,540,168	556,524	1,456,901	1,404,975	1	6,271,000	396,000	766,000	753,000
300～999人												
35	13	3	35	5,811,713	345,768	764,389	898,104	12	5,459,270	323,413	742,213	836,095
40	18	3	35	6,985,591	414,152	928,778	1,086,984	10	6,149,478	356,668	883,774	985,684
45	23	3	35	8,023,962	471,538	1,101,015	1,264,488	11	6,272,171	369,837	872,997	961,132
50	28	2	34	9,155,687	531,000	1,283,338	1,500,347	11	6,569,776	384,835	945,215	1,006,546
55	33	1	35	9,815,162	567,585	1,389,407	1,614,736	8	7,122,006	416,218	1,028,241	1,099,150
60	38	1	30	10,288,772	599,353	1,402,663	1,693,868	7	6,852,344	398,206	1,035,891	1,037,977
299人以下												
35	13	3	32	5,251,999	330,679	626,716	657,135	4	4,270,225	288,488	402,125	406,250
40	18	3	35	5,913,512	373,992	689,206	736,402	4	4,811,785	320,180	482,775	486,850
45	23	3	34	6,804,451	425,324	823,186	877,378	4	5,414,610	358,018	556,325	562,075
50	28	2	33	7,571,402	466,282	963,825	1,012,195	3	5,655,880	378,390	549,633	565,567
55	33	1	33	8,101,807	496,480	1,036,565	1,107,486	2	6,474,000	427,500	672,000	672,000
60	38	1	25	7,573,538	465,762	940,389	1,044,001	2	5,798,000	386,500	580,000	580,000
<高校卒・総合職（事務・技術系）>												
規模計												
35	17	3	45	5,142,930	318,098	674,647	651,105	11	5,327,785	318,797	701,866	800,350
40	22	3	46	5,669,778	349,718	729,117	744,047	12	5,577,721	333,823	735,276	836,570
45	27	3	44	6,752,101	414,051	889,166	894,319	10	5,848,579	361,476	692,072	818,793
50	32	2	49	7,345,422	447,687	995,011	978,161	11	6,475,592	388,845	870,889	938,564
55	37	1	46	8,139,643	495,515	1,106,233	1,087,225	10	7,042,947	415,065	976,183	1,085,988
60	42	1	42	7,881,377	474,400	1,099,936	1,088,636	6	6,150,208	362,858	895,488	900,419
1,000人以上												
35	17	3	10	5,620,856	332,908	858,889	767,076	2	6,520,810	388,441	866,213	993,305
40	22	3	10	6,637,237	386,026	1,016,716	988,211	2	7,216,654	422,693	988,623	1,155,716
45	27	3	9	8,025,563	459,343	1,285,718	1,227,724	1	7,354,698	448,712	924,345	1,045,809
50	32	2	10	8,458,575	490,999	1,303,327	1,263,266	1	7,990,043	486,484	1,004,173	1,148,062
55	37	1	10	9,289,549	547,333	1,376,452	1,345,106	1	8,866,618	532,877	1,159,438	1,312,656
60	42	1	10	8,436,567	492,326	1,287,932	1,240,724	—	—	—	—	—
300～999人												
35	17	3	16	5,029,613	307,267	701,707	640,700	7	5,477,077	317,029	780,271	892,463
40	22	3	16	5,496,347	337,381	732,997	714,775	7	5,757,027	329,473	840,366	962,987
45	27	3	16	6,520,370	400,589	870,869	842,439	6	6,241,812	372,307	793,213	980,920
50	32	2	17	7,504,760	453,666	1,084,992	975,778	7	6,998,187	403,883	1,034,387	1,117,206
55	37	1	16	8,481,331	512,854	1,264,800	1,062,286	7	7,406,996	421,790	1,103,341	1,242,175
60	42	1	14	8,127,104	488,845	1,203,886	1,057,079	5	6,932,249	398,430	1,072,586	1,078,503
299人以下												
35	17	3	19	4,986,816	319,425	554,890	598,829	2	3,612,240	255,345	263,100	285,000
40	22	3	20	5,324,793	341,433	582,214	645,383	3	4,066,720	284,727	321,167	328,833
45	27	3	19	6,344,024	403,934	716,735	780,079	3	4,560,073	310,737	412,367	418,867
50	32	2	22	6,716,317	423,381	785,338	850,409	3	4,751,387	321,210	444,967	451,900
55	37	1	20	7,291,339	455,736	844,271	978,237	2	4,856,940	332,620	439,500	426,000
60	42	1	18	7,381,817	453,207	914,643	1,028,687	1	2,240,000	185,000	10,000	10,000

（注）１．ここでの「１カ月平均所定内賃金」は，賞与・一時金に回答のあった企業について集計したもので，集計表１－１の「所定内賃金合計」とは同一の数値ではない。

２．「年間賃金」は，「１カ月平均所定内賃金×12＋2022年年末賞与・一時金＋2023年夏季賞与・一時金」で算出。調査時期の関係から，年末分のみ2022年で代用している。なお，数値は年俸制の場合を除いた額である。

３．賞与・一時金が1,000万円を超える企業を除いて集計した。以下同じ。

集計表2－1－(2)　管理職モデルと非管理職モデル比較（モデル年間賃金－製造業）

（単位：円）

設定条件			管理職モデル					非管理職モデル				
年齢 （歳）	勤続年数 （年）	扶養家族 （人）	社数 （社）	年間賃金 (A) (a)×12+ (b)+(c)	1カ平均 所定内賃金 (a)	2023年夏季 賞与・一時金 (b)	2022年年末 賞与・一時金 (c)	社数 （社）	年間賃金 (A) (a)×12+ (b)+(c)	1カ月平均 所定内賃金 (a)	2023年夏季 賞与・一時金 (b)	2022年年末 賞与・一時金 (c)
【大学卒・総合職（事務・技術系）】												
規　模　計												
35	13	3	31	5,629,701	344,318	743,056	754,828	13	5,725,435	342,666	771,065	842,381
40	18	3	30	6,553,478	399,711	871,435	885,506	12	6,478,879	387,432	877,089	952,603
45	23	3	31	7,651,381	459,507	1,061,536	1,075,757	11	6,633,432	400,826	859,798	963,723
50	28	2	30	8,536,105	509,956	1,209,551	1,207,081	10	7,092,477	423,629	960,899	1,048,030
55	33	1	29	9,054,914	536,668	1,295,408	1,319,490	9	7,349,821	438,090	967,582	1,125,153
60	38	1	26	8,789,281	532,836	1,171,139	1,224,115	6	6,006,532	359,666	818,089	872,455
1,000人以上												
35	13	3	6	6,525,463	382,002	997,246	944,195	4	7,041,181	414,578	982,383	1,083,859
40	18	3	5	8,099,267	458,379	1,361,908	1,236,809	3	8,517,780	504,848	1,192,480	1,267,129
45	23	3	5	9,450,016	533,778	1,560,122	1,484,556	2	9,195,272	551,695	1,192,294	1,382,638
50	28	2	5	10,266,281	579,785	1,730,751	1,578,110	2	9,687,082	570,795	1,358,124	1,479,418
55	33	1	5	10,974,928	617,158	1,867,931	1,701,097	2	9,514,377	558,460	1,273,488	1,539,369
60	38	1	4	9,933,025	597,940	1,463,012	1,294,731	—	—	—	—	—
300～999人												
35	13	3	11	5,979,090	351,095	878,348	887,608	7	5,456,133	319,406	772,331	850,932
40	18	3	11	7,029,001	413,222	1,024,373	1,045,961	7	6,108,744	356,913	861,947	963,836
45	23	3	11	8,129,615	466,400	1,277,637	1,255,184	7	6,387,899	377,541	872,313	985,097
50	28	2	11	9,324,231	533,019	1,476,958	1,451,046	7	6,694,658	393,671	940,392	1,030,209
55	33	1	11	9,675,208	549,510	1,543,413	1,537,675	6	7,060,606	413,816	973,545	1,121,274
60	38	1	10	10,262,468	591,557	1,559,010	1,604,769	5	6,704,638	389,999	979,707	1,044,945
299人以下												
35	13	3	14	4,971,283	322,844	527,816	569,345	2	4,036,500	280,250	344,000	329,500
40	18	3	14	5,627,784	368,143	576,101	633,968	2	4,716,000	318,125	457,000	441,500
45	23	3	15	6,701,130	429,696	736,866	807,912	2	4,930,960	331,455	483,500	470,000
50	28	2	14	7,298,944	466,896	813,303	882,883	1	4,688,000	339,000	310,000	310,000
55	33	1	13	7,791,583	494,844	865,356	988,101	1	4,756,000	343,000	320,000	320,000
60	38	1	12	7,180,377	462,199	750,622	883,365	1	2,516,000	208,000	10,000	10,000
【高校卒・総合職（事務・技術系）】												
規　模　計												
35	17	3	18	4,850,689	305,152	594,034	594,828	7	5,479,179	327,540	717,212	831,483
40	22	3	20	5,171,149	327,896	597,877	638,515	7	5,741,739	345,597	728,787	865,794
45	27	3	18	5,994,093	377,679	709,956	751,983	7	5,906,023	365,313	655,240	867,025
50	32	2	21	6,359,887	399,037	785,572	785,876	7	6,736,294	404,478	899,791	982,770
55	37	1	20	7,476,672	469,680	924,203	916,306	7	6,977,639	417,045	928,185	1,044,911
60	42	1	19	7,389,676	457,068	925,296	979,560	4	5,631,498	335,925	757,558	842,840
1,000人以上												
35	17	3	3	5,343,897	327,029	743,622	675,932	2	6,520,810	388,441	866,213	993,305
40	22	3	4	5,808,283	352,730	818,546	756,983	2	7,216,654	422,693	988,623	1,155,716
45	27	3	3	6,821,697	413,205	975,965	887,276	1	7,354,698	448,712	924,345	1,045,809
50	32	2	4	7,111,957	436,020	974,247	905,476	1	7,990,043	486,484	1,004,173	1,148,062
55	37	1	4	7,438,703	450,962	1,049,569	977,596	1	8,866,618	532,877	1,159,438	1,312,656
60	42	1	4	8,306,403	502,682	1,173,717	1,100,505	—	—	—	—	—
300～999人												
35	17	3	6	4,949,003	290,689	729,200	731,533	4	5,501,158	319,225	767,015	903,444
40	22	3	6	5,196,285	311,359	670,683	789,300	3	5,908,062	335,967	830,087	1,046,375
45	27	3	6	5,740,662	337,093	804,067	891,483	4	6,165,345	369,285	693,084	1,040,841
50	32	2	6	6,114,300	362,145	880,860	887,700	4	7,274,374	417,600	1,073,592	1,189,582
55	37	1	6	8,073,473	485,087	1,207,817	1,044,617	4	7,565,745	430,300	1,114,715	1,287,430
60	42	1	6	6,958,313	410,257	991,833	1,043,400	3	6,761,997	386,233	1,006,743	1,120,453
299人以下												
35	17	3	9	4,620,744	307,502	454,061	476,656	1	3,308,000	239,000	220,000	220,000
40	22	3	10	4,901,215	327,886	465,925	500,658	2	4,017,340	282,945	317,000	305,000
45	27	3	9	5,887,179	392,896	558,547	613,886	2	4,663,040	315,670	445,000	430,000
50	32	2	11	6,220,364	405,711	664,988	686,845	2	5,033,260	337,230	500,000	486,500
55	37	1	10	7,133,779	467,924	703,888	814,804	2	4,856,940	332,620	439,500	426,000
60	42	1	9	7,269,816	468,003	770,529	883,248	1	2,240,000	185,000	10,000	10,000

集計表2−1−(3)　管理職モデルと非管理職モデル比較（モデル年間賃金−非製造業）

（単位：円）

設定条件			管理職モデル					非管理職モデル				
年齢 (歳)	勤続年数 (年)	扶養家族 (人)	社数 (社)	年間賃金 (A) (a)×12+(b)+(c)	1カ月平均所定内賃金 (a)	2023年夏季賞与・一時金 (b)	2022年年末賞与・一時金 (c)	社数 (社)	年間賃金 (A) (a)×12+(b)+(c)	1カ月平均所定内賃金 (a)	2023年夏季賞与・一時金 (b)	2022年年末賞与・一時金 (c)
【大学卒・総合職（事務・技術系）】												
規模計												
35	13	3	52	5,724,967	344,928	754,563	831,272	9	5,324,934	326,230	671,472	738,702
40	18	3	54	6,777,193	406,033	901,452	1,003,349	6	5,635,286	341,377	741,035	797,731
45	23	3	52	7,738,425	460,095	1,047,142	1,170,138	7	5,956,874	364,654	775,012	806,011
50	28	2	51	8,757,267	514,589	1,215,205	1,366,989	7	6,229,652	378,450	838,360	849,892
55	33	1	53	9,519,413	557,551	1,334,934	1,493,865	4	7,256,854	437,963	1,042,165	959,139
60	38	1	42	9,369,107	547,756	1,287,613	1,508,423	4	7,448,554	449,613	1,067,175	986,029
1,000人以上												
35	13	3	10	6,159,232	363,447	947,997	849,871	2	5,799,100	348,750	811,250	802,850
40	18	3	9	7,845,314	448,907	1,264,716	1,193,717	1	5,263,000	335,500	625,000	612,000
45	23	3	9	8,905,647	503,994	1,448,284	1,409,437	1	5,623,000	358,000	670,000	657,000
50	28	2	9	10,024,748	578,057	1,574,276	1,513,787	1	5,923,000	375,500	715,000	702,000
55	33	1	9	11,261,829	642,055	1,793,641	1,763,532	1	6,223,000	393,000	760,000	747,000
60	38	1	9	9,365,565	538,117	1,454,185	1,453,972	1	6,271,000	396,000	766,000	753,000
300〜999人												
35	13	3	24	5,734,999	343,327	712,158	902,915	5	5,463,661	329,024	700,049	815,324
40	18	3	24	6,965,694	414,579	884,964	1,105,786	3	6,244,524	356,097	934,703	1,036,661
45	23	3	24	7,975,537	473,894	1,020,063	1,268,752	4	6,069,649	356,355	874,195	919,194
50	28	2	23	9,075,079	530,035	1,190,738	1,523,926	4	6,351,231	369,370	953,655	965,136
55	33	1	24	9,879,308	575,869	1,318,822	1,650,056	2	7,306,208	423,425	1,192,330	1,032,778
60	38	1	20	10,301,924	603,251	1,324,490	1,738,418	2	7,221,608	418,725	1,176,350	1,020,558
299人以下												
35	13	3	18	5,470,334	336,773	703,638	725,417	2	4,503,950	296,725	460,250	483,000
40	18	3	21	6,103,997	377,891	764,610	804,691	2	4,907,570	322,235	508,550	532,200
45	23	3	19	6,886,021	421,872	891,333	932,220	2	5,898,260	384,580	629,150	654,150
50	28	2	19	7,772,161	465,829	1,074,736	1,107,477	2	6,139,820	398,085	669,450	693,350
55	33	1	20	8,303,453	497,543	1,147,850	1,185,086	1	8,192,000	512,000	1,024,000	1,024,000
60	38	1	13	7,936,456	469,051	1,115,559	1,192,281	1	9,080,000	565,000	1,150,000	1,150,000
【高校卒・総合職（事務・技術系）】												
規模計												
35	17	3	27	5,337,758	326,729	728,389	688,623	4	5,062,846	303,498	675,010	745,866
40	22	3	26	6,053,339	366,503	830,072	825,226	5	5,348,097	317,340	744,360	795,657
45	27	3	26	7,276,876	439,232	1,013,235	992,859	3	5,714,545	352,523	778,013	706,251
50	32	2	28	8,084,572	484,176	1,152,091	1,122,375	4	6,019,364	361,488	820,310	861,204
55	37	1	26	8,649,620	515,388	1,246,257	1,218,702	3	7,195,332	410,443	1,088,177	1,181,835
60	42	1	23	8,287,565	488,718	1,244,203	1,178,742	2	7,187,628	416,725	1,171,350	1,015,578
1,000人以上												
35	17	3	7	5,739,552	335,427	908,289	806,137	—	—	—	—	—
40	22	3	6	7,189,873	408,223	1,148,830	1,142,363	—	—	—	—	—
45	27	3	6	8,627,497	482,413	1,440,595	1,397,948	—	—	—	—	—
50	32	2	6	9,356,321	527,651	1,522,714	1,501,793	—	—	—	—	—
55	37	1	6	10,523,447	611,580	1,594,373	1,590,113	—	—	—	—	—
60	42	1	6	8,523,344	485,422	1,364,076	1,334,204	—	—	—	—	—
300〜999人												
35	17	3	10	5,077,979	317,214	685,211	586,200	3	5,444,968	314,100	797,947	877,821
40	22	3	10	5,676,385	352,995	770,385	670,059	4	5,643,751	324,603	848,075	900,446
45	27	3	10	6,988,194	438,686	910,950	813,012	2	6,394,747	378,350	993,470	861,077
50	32	2	11	8,263,193	503,586	1,196,336	1,023,821	3	6,629,938	385,593	982,113	1,020,705
55	37	1	10	8,726,046	529,514	1,298,991	1,072,887	3	7,195,332	410,443	1,088,177	1,181,835
60	42	1	8	9,003,698	547,786	1,362,925	1,067,338	2	7,187,628	416,725	1,171,350	1,015,578
299人以下												
35	17	3	10	5,316,281	330,155	645,636	708,785	1	3,916,480	271,690	306,200	350,000
40	22	3	10	5,748,372	354,980	698,503	790,109	1	4,165,480	288,290	329,500	376,500
45	27	3	10	6,755,185	413,869	859,104	929,653	1	4,354,140	300,870	347,100	396,600
50	32	2	11	7,212,271	441,051	905,687	1,013,973	1	4,187,640	289,170	334,900	382,700
55	37	1	10	7,448,899	443,548	984,654	1,141,669	—	—	—	—	—
60	42	1	9	7,493,818	438,411	1,058,758	1,174,127	—	—	—	—	—

集計表2−2−(1)　管理職モデルと非管理職モデル比較（モデル年間賃金のばらつき－全産業）

（単位：円）

設定条件			管理職モデル					非管理職モデル				
年齢（歳）	勤続年数（年）	扶養家族（人）	最低	第1四分位	中位数	第3四分位	最高	最低	第1四分位	中位数	第3四分位	最高
【大学卒・総合職（事務・技術系）】												
規模計												
35	13	3	3,658,000	4,948,300	5,478,840	6,104,253	10,758,000	3,798,000	5,018,700	5,421,744	6,099,858	7,633,900
40	18	3	3,978,000	5,639,113	6,341,000	7,324,373	12,346,000	4,166,000	5,357,500	6,046,725	6,514,394	9,135,100
45	23	3	4,595,750	6,423,279	7,358,000	8,720,300	14,805,000	4,388,520	5,478,190	6,331,570	6,688,596	10,742,563
50	28	2	5,228,000	7,072,000	8,233,000	9,670,000	15,965,000	4,187,640	5,923,000	6,599,150	7,226,194	11,552,884
55	33	1	5,133,200	7,594,600	8,976,258	10,645,217	17,264,000	4,756,000	6,464,100	7,256,360	7,865,880	11,162,873
60	38	1	3,462,000	7,276,961	8,792,100	11,075,927	17,744,000	2,516,000	6,058,780	6,843,825	7,281,826	9,718,800
1,000人以上												
35	13	3	4,239,960	5,398,931	5,733,105	6,793,110	10,758,000	4,903,000	6,332,560	6,905,340	7,181,617	7,633,900
40	18	3	5,026,690	6,636,400	7,130,632	9,445,200	12,346,000	5,263,000	—	—	—	9,135,100
45	23	3	5,602,420	7,323,078	8,172,221	11,148,935	14,805,000	5,623,000	—	—	—	10,742,563
50	28	2	6,325,230	8,602,102	9,294,420	11,801,385	15,309,000	5,923,000	—	—	—	11,552,884
55	33	1	6,473,930	9,065,171	10,455,320	13,320,872	17,264,000	6,223,000	—	—	—	11,162,873
60	38	1	3,462,000	8,228,400	8,776,400	9,415,020	17,744,000	6,271,000	—	—	—	6,271,000
300～999人												
35	13	3	4,300,963	5,104,650	5,498,000	6,271,900	9,085,000	4,476,130	5,332,454	5,421,744	5,655,535	6,152,074
40	18	3	4,890,000	5,952,437	6,466,000	7,411,950	10,415,000	4,884,330	5,970,713	6,086,672	6,323,715	7,587,293
45	23	3	5,169,000	6,559,742	7,690,000	9,106,000	11,921,400	5,117,401	6,232,300	6,359,400	6,594,218	6,949,292
50	28	2	5,228,000	7,531,675	9,014,118	10,378,693	15,965,000	5,204,000	6,154,020	6,599,150	6,910,936	8,164,100
55	33	1	5,928,160	8,161,614	9,724,000	10,978,250	16,565,000	5,878,140	6,778,040	7,075,955	7,298,261	8,986,800
60	38	1	4,897,000	8,730,225	10,336,140	11,701,200	17,740,000	4,025,240	6,261,395	7,152,900	7,273,338	9,718,800
299人以下												
35	13	3	3,658,000	4,575,475	5,256,980	5,717,100	8,514,000	3,798,000	—	—	—	4,960,000
40	18	3	3,978,000	4,958,015	5,823,700	6,532,350	9,654,000	4,166,000	—	—	—	5,632,000
45	23	3	4,595,750	5,775,788	6,890,435	7,542,000	10,526,300	4,388,520	—	—	—	7,408,000
50	28	2	5,228,441	6,471,700	7,731,200	8,149,880	11,193,000	4,187,640	—	—	—	8,092,000
55	33	1	5,133,200	6,793,400	8,232,500	8,811,200	13,207,500	4,756,000	—	—	—	8,192,000
60	38	1	3,464,257	5,872,532	7,163,450	8,988,000	13,207,500	2,516,000	—	—	—	9,080,000
【高校卒・総合職（事務・技術系）】												
規模計												
35	17	3	2,672,000	4,558,000	4,967,000	5,610,400	10,758,000	3,308,000	4,990,702	5,378,987	5,878,085	7,020,800
40	22	3	2,799,200	4,632,010	5,334,900	6,167,628	12,346,000	3,616,000	4,396,090	6,052,692	6,217,372	7,635,300
45	27	3	2,875,400	5,804,613	6,528,450	7,441,000	14,805,000	3,882,000	5,462,984	6,089,400	6,533,288	7,354,698
50	32	2	3,911,940	6,394,200	7,000,770	8,233,000	15,309,000	4,018,000	5,946,650	6,714,086	7,574,139	8,164,100
55	37	1	4,221,279	6,612,855	7,820,000	8,910,636	17,264,000	4,146,000	6,574,147	7,131,948	7,772,169	8,986,800
60	42	1	2,597,684	6,404,329	7,672,650	8,845,920	17,744,000	2,240,000	4,654,418	6,847,425	7,204,991	9,718,800
1,000人以上												
35	17	3	4,075,100	4,922,812	5,205,403	5,659,245	10,758,000	6,020,819	—	—	—	7,020,800
40	22	3	4,169,900	5,272,740	5,953,760	7,234,343	12,346,000	6,798,008	—	—	—	7,635,300
45	27	3	5,579,826	6,632,626	7,050,456	7,728,000	14,805,000	7,354,698	—	—	—	7,354,698
50	32	2	6,223,793	6,722,876	7,481,010	8,605,590	15,309,000	7,990,043	—	—	—	7,990,043
55	37	1	6,465,000	7,234,553	8,072,880	10,689,190	17,264,000	8,866,618	—	—	—	8,866,618
60	42	1	3,462,000	6,428,589	8,095,700	8,841,037	17,744,000	—	—	—	—	—
300～999人												
35	17	3	2,672,000	4,825,843	4,931,900	5,653,870	6,399,400	4,726,050	5,299,777	5,378,987	5,676,775	6,281,396
40	22	3	2,799,200	4,681,590	5,527,500	6,364,575	7,174,000	4,328,320	5,616,450	6,055,583	6,152,750	6,376,886
45	27	3	2,875,400	5,886,254	6,463,916	7,441,000	8,720,000	5,519,694	5,987,700	6,394,747	6,533,288	6,710,200
50	32	2	4,929,900	6,474,800	7,447,527	8,582,800	10,485,000	5,844,780	6,402,943	6,886,800	7,642,872	8,164,100
55	37	1	6,486,040	7,170,750	8,295,790	9,696,650	12,586,400	6,471,300	6,962,113	7,222,355	7,622,146	8,986,800
60	42	1	4,242,400	6,778,760	7,972,500	9,904,600	11,346,000	4,025,240	6,541,950	7,152,900	7,222,355	9,718,800
299人以下												
35	17	3	3,301,265	4,230,600	4,847,048	5,475,800	7,299,800	3,308,000	—	—	—	3,916,480
40	22	3	3,456,065	4,551,000	4,889,190	5,796,700	8,302,000	3,616,000	—	—	—	4,418,680
45	27	3	3,715,171	5,398,060	6,329,300	6,951,935	10,526,300	3,882,000	—	—	—	5,444,080
50	32	2	3,911,940	5,696,700	6,624,980	7,437,850	11,193,000	4,018,000	—	—	—	6,048,520
55	37	1	4,221,279	6,265,350	6,826,175	8,538,400	13,207,500	4,146,000	—	—	—	5,567,880
60	42	1	2,597,684	5,722,750	6,954,425	8,719,450	13,207,500	2,240,000	—	—	—	2,240,000

（注）　集計社数が４社以下の場合は，最低と最高のみとした。以下同じ。

集計表2−2−(2) 管理職モデルと非管理職モデル比較（モデル年間賃金のばらつき−製造業）

（単位：円）

設定条件			管理職モデル					非管理職モデル				
年齢 （歳）	勤続年数 （年）	扶養家族 （人）	最低	第1四分位	中位数	第3四分位	最高	最低	第1四分位	中位数	第3四分位	最高
【大学卒・総合職（事務・技術系）】												
規模計												
35	13	3	3,658,000	5,075,050	5,457,600	6,104,253	8,220,220	3,798,000	5,335,500	5,618,200	6,211,680	7,633,900
40	18	3	3,978,000	5,578,850	6,280,538	7,216,898	10,535,400	4,166,000	5,635,338	6,103,925	7,544,428	9,135,100
45	23	3	4,595,750	6,299,600	7,134,000	8,673,270	12,156,320	4,432,000	5,800,860	6,545,486	6,829,746	10,742,563
50	28	2	5,228,441	6,670,000	8,053,340	9,939,700	13,278,840	4,688,000	6,274,658	6,656,618	7,599,728	11,552,884
55	33	1	5,649,899	6,793,400	8,811,200	10,274,000	14,141,800	4,756,000	6,464,100	6,895,550	7,865,880	11,162,873
60	38	1	3,464,257	6,745,810	8,824,650	11,045,931	13,065,480	2,516,000	4,515,940	6,261,395	7,075,958	9,718,800
1,000人以上												
35	13	3	5,140,100	5,294,456	6,302,625	7,747,260	8,220,220	6,211,680	—	—	—	7,633,900
40	18	3	5,720,000	6,001,337	8,528,000	9,711,600	10,535,400	7,530,140	—	—	—	9,135,100
45	23	3	7,033,540	7,671,841	8,768,000	11,620,380	12,156,320	7,647,980	—	—	—	10,742,563
50	28	2	7,306,160	8,656,024	9,990,000	12,100,380	13,278,840	7,821,280	—	—	—	11,552,884
55	33	1	8,713,600	9,053,761	10,140,000	12,825,480	14,141,800	7,865,880	—	—	—	11,162,873
60	38	1	8,458,000	—	—	—	13,065,480	—	—	—	—	—
300〜999人												
35	13	3	4,348,400	5,282,900	5,814,200	6,733,800	7,452,575	4,476,130	5,357,244	5,464,500	5,692,871	6,152,074
40	18	3	4,961,060	6,115,451	6,297,400	7,944,375	10,144,600	4,884,330	5,852,425	6,043,650	6,270,543	7,587,293
45	23	3	6,048,160	6,396,200	7,134,000	9,707,340	11,127,978	5,355,330	6,265,600	6,545,486	6,666,991	6,949,292
50	28	2	6,560,720	7,388,000	9,670,000	10,987,135	11,962,673	5,791,790	6,329,205	6,599,150	6,824,579	8,164,100
55	33	1	6,707,080	7,627,614	9,724,000	11,501,340	13,016,600	5,878,140	6,568,747	6,889,118	7,166,158	8,986,800
60	38	1	6,707,080	9,086,849	10,906,954	11,701,200	12,378,000	4,025,240	5,988,040	6,534,750	7,256,360	9,718,800
299人以下												
35	13	3	3,658,000	4,385,300	5,112,800	5,544,413	6,070,500	3,798,000	—	—	—	4,275,000
40	18	3	3,978,000	4,656,000	5,624,180	6,497,478	7,305,240	4,166,000	—	—	—	5,266,000
45	23	3	4,595,750	5,960,450	6,951,870	7,542,000	8,578,540	4,432,000	—	—	—	5,429,920
50	28	2	5,228,441	6,413,575	7,452,950	8,011,760	9,788,800	4,688,000	—	—	—	4,688,000
55	33	1	5,649,899	6,532,000	7,669,600	8,811,200	12,071,563	4,756,000	—	—	—	4,756,000
60	38	1	3,464,257	6,186,100	6,701,600	8,839,950	11,711,563	2,516,000	—	—	—	2,516,000
【高校卒・総合職（事務・技術系）】												
規模計												
35	17	3	3,301,265	4,423,150	4,888,400	5,371,775	5,842,400	3,308,000	5,052,519	5,618,200	6,151,108	7,020,800
40	22	3	3,456,065	4,450,850	5,098,925	5,793,520	7,578,000	3,616,000	4,800,890	6,164,200	6,587,447	7,635,300
45	27	3	3,715,171	5,720,150	5,974,450	6,835,189	7,728,000	3,882,000	5,481,887	5,886,000	6,627,843	7,354,698
50	32	2	3,911,940	5,464,200	6,474,800	7,060,800	8,553,000	4,018,000	6,070,160	6,714,086	8,058,777	8,164,100
55	37	1	4,221,279	6,590,380	7,220,760	8,538,400	12,586,400	4,146,000	6,019,590	6,882,686	8,394,405	8,986,800
60	42	1	2,597,684	6,463,020	6,993,800	8,200,800	11,711,563	2,240,000	—	—	—	9,718,800
1,000人以上												
35	17	3	4,931,246	—	—	—	5,704,200	6,020,819	—	—	—	7,020,800
40	22	3	4,169,900	—	—	—	7,578,000	6,798,008	—	—	—	7,635,300
45	27	3	6,104,466	—	—	—	7,728,000	7,354,698	—	—	—	7,354,698
50	32	2	6,223,793	—	—	—	8,553,000	7,990,043	—	—	—	7,990,043
55	37	1	6,509,040	—	—	—	8,749,000	8,866,618	—	—	—	8,866,618
60	42	1	6,509,040	—	—	—	10,270,900	—	—	—	—	—
300〜999人												
35	17	3	4,378,200	4,844,665	4,867,800	4,892,600	5,842,400	4,726,050	—	—	—	6,281,396
40	22	3	4,351,712	4,710,925	5,283,500	5,353,050	6,362,700	5,183,100	—	—	—	6,376,886
45	27	3	4,567,400	5,720,150	5,864,836	5,952,768	6,492,900	5,519,694	—	—	—	6,710,200
50	32	2	4,929,900	5,887,160	6,298,220	6,497,000	6,846,060	6,091,800	—	—	—	8,164,100
55	37	1	6,609,840	6,721,575	7,120,700	8,091,175	12,586,400	6,471,300	—	—	—	8,986,800
60	42	1	6,325,600	6,426,670	6,850,440	7,477,250	7,751,800	4,025,240	—	—	—	9,718,800
299人以下												
35	17	3	3,301,265	4,171,000	4,558,000	5,298,360	5,793,670	3,308,000	—	—	—	3,308,000
40	22	3	3,456,065	4,436,550	4,592,600	5,517,383	6,951,870	3,616,000	—	—	—	4,418,680
45	27	3	3,715,171	5,018,400	5,981,100	6,951,870	7,060,160	3,882,000	—	—	—	5,444,080
50	32	2	3,911,940	5,069,145	6,394,200	7,665,195	8,054,680	4,018,000	—	—	—	6,048,520
55	37	1	4,221,279	5,930,050	7,599,800	8,603,200	8,969,800	4,146,000	—	—	—	5,567,880
60	42	1	2,597,684	6,417,000	6,745,400	8,506,000	11,711,563	2,240,000	—	—	—	2,240,000

集計表2－2－(3)　管理職モデルと非管理職モデル比較（モデル年間賃金のばらつき－非製造業）

（単位：円）

設定条件			管理職モデル					非管理職モデル				
年齢（歳）	勤続年数（年）	扶養家族（人）	最低	第1四分位	中位数	第3四分位	最高	最低	第1四分位	中位数	第3四分位	最高
【大学卒・総合職（事務・技術系）】												
規模計												
35	13	3	3,783,990	4,907,764	5,486,420	6,028,620	10,758,000	4,047,900	4,960,000	5,323,314	5,485,600	6,695,200
40	18	3	4,154,000	5,658,023	6,459,550	7,349,310	12,346,000	4,183,140	5,355,250	5,840,900	6,105,107	6,560,230
45	23	3	5,042,000	6,535,137	7,443,156	8,697,400	14,805,000	4,388,520	5,370,201	6,292,800	6,434,197	7,408,000
50	28	2	5,228,000	7,457,227	8,288,900	9,419,620	15,965,000	4,187,640	5,563,500	6,087,930	7,056,497	8,092,000
55	33	1	5,133,200	7,937,200	9,076,900	10,766,500	17,264,000	6,223,000	—	—	—	8,192,000
60	38	1	3,462,000	7,546,692	8,781,543	11,009,950	17,744,000	6,271,000	—	—	—	9,080,000
1,000人以上												
35	13	3	4,239,960	5,488,226	5,664,450	6,476,946	10,758,000	4,903,000	—	—	—	6,695,200
40	18	3	5,026,690	6,772,000	7,013,741	8,646,000	12,346,000	5,263,000	—	—	—	5,263,000
45	23	3	5,602,420	7,274,400	7,647,680	9,734,600	14,805,000	5,623,000	—	—	—	5,623,000
50	28	2	6,325,230	8,584,128	9,081,600	10,904,400	15,309,000	5,923,000	—	—	—	5,923,000
55	33	1	6,473,930	9,099,400	10,770,640	13,486,002	17,264,000	6,223,000	—	—	—	6,223,000
60	38	1	3,462,000	7,937,760	8,363,600	8,786,685	17,744,000	6,271,000	—	—	—	6,271,000
300～999人												
35	13	3	4,300,963	5,009,150	5,391,200	5,932,800	9,085,000	5,194,800	5,323,314	5,371,380	5,485,600	5,943,210
40	18	3	4,890,000	5,847,655	6,865,500	7,400,875	10,415,000	6,049,800	—	—	—	6,560,230
45	23	3	5,169,000	6,648,840	7,956,260	8,776,950	11,921,400	5,117,401	—	—	—	6,564,654
50	28	2	5,228,000	7,578,150	8,940,000	9,477,150	15,965,000	5,204,000	—	—	—	7,226,194
55	33	1	5,928,160	8,225,230	9,780,820	10,402,652	16,565,000	7,290,315	—	—	—	7,322,100
60	38	1	4,897,000	8,636,375	10,131,360	11,559,125	17,740,000	7,152,900	—	—	—	7,290,315
299人以下												
35	13	3	3,783,990	4,622,775	5,357,523	5,894,625	8,514,000	4,047,900	—	—	—	4,960,000
40	18	3	4,154,000	5,195,372	5,898,400	6,540,700	9,654,000	4,183,140	—	—	—	5,632,000
45	23	3	5,042,000	5,425,920	6,753,787	7,613,700	10,526,300	4,388,520	—	—	—	7,408,000
50	28	2	5,441,600	6,668,725	7,757,700	8,219,390	11,193,000	4,187,640	—	—	—	8,092,000
55	33	1	5,133,200	6,988,108	8,333,200	8,764,000	13,207,500	8,192,000	—	—	—	8,192,000
60	38	1	4,437,000	5,872,532	7,314,798	9,106,800	13,207,500	9,080,000	—	—	—	9,080,000
【高校卒・総合職（事務・技術系）】												
規模計												
35	17	3	2,672,000	4,633,640	5,014,560	5,737,820	10,758,000	3,916,480	—	—	—	5,735,350
40	22	3	2,799,200	4,879,203	5,714,800	6,598,425	12,346,000	4,165,480	4,328,320	6,049,800	6,055,583	6,141,300
45	27	3	2,875,400	6,190,325	6,964,997	8,188,590	14,805,000	4,354,140	—	—	—	6,496,694
50	32	2	4,213,575	6,638,883	7,559,314	8,869,500	15,309,000	4,187,640	—	—	—	7,158,234
55	37	1	4,338,625	6,804,088	8,167,190	9,887,930	17,264,000	7,041,540	—	—	—	7,322,100
60	42	1	3,462,000	5,895,732	8,295,800	10,336,140	17,744,000	7,152,900	—	—	—	7,222,355
1,000人以上												
35	17	3	4,075,100	4,537,473	5,014,560	5,627,130	10,758,000	—	—	—	—	—
40	22	3	4,970,020	5,422,195	5,953,760	7,991,460	12,346,000	—	—	—	—	—
45	27	3	5,579,826	6,922,267	7,383,008	9,229,840	14,805,000	—	—	—	—	—
50	32	2	6,339,384	7,370,790	8,162,284	10,334,080	15,309,000	—	—	—	—	—
55	37	1	6,465,000	7,919,840	9,857,440	11,781,480	17,264,000	—	—	—	—	—
60	42	1	3,462,000	6,324,291	7,348,786	8,777,470	17,744,000	—	—	—	—	—
300～999人												
35	17	3	2,672,000	4,826,983	5,002,300	5,740,810	6,399,400	5,255,354	—	—	—	5,735,350
40	22	3	2,799,200	4,948,650	5,795,573	6,598,425	7,174,000	4,328,320	—	—	—	6,141,300
45	27	3	2,875,400	6,493,021	7,303,900	8,089,390	8,720,000	6,292,800	—	—	—	6,496,694
50	32	2	5,511,280	7,559,314	8,515,100	8,899,000	10,485,000	5,844,780	—	—	—	7,158,234
55	37	1	6,486,040	8,105,995	8,494,200	9,713,550	10,225,000	7,041,540	—	—	—	7,322,100
60	42	1	4,242,400	8,408,525	9,499,200	10,373,460	11,346,000	7,152,900	—	—	—	7,222,355
299人以下												
35	17	3	3,822,120	4,419,603	5,091,774	6,291,175	7,299,800	3,916,480	—	—	—	3,916,480
40	22	3	3,997,025	4,780,778	5,412,024	5,974,700	8,302,000	4,165,480	—	—	—	4,165,480
45	27	3	4,266,950	5,708,613	6,334,117	7,706,100	10,526,300	4,354,140	—	—	—	4,354,140
50	32	2	4,213,575	6,550,225	6,652,524	7,063,085	11,193,000	4,187,640	—	—	—	4,187,640
55	37	1	4,338,625	6,453,000	6,822,375	6,962,236	13,207,500	—	—	—	—	—
60	42	1	4,277,625	5,444,440	7,163,450	8,864,360	13,207,500	—	—	—	—	—

集計表3　役職別にみた平均所定内賃金のばらつき

（単位：円）

区分	集計社数（社）	平均年齢（歳）	単純平均	ばらつき　最低	第１四分位	中位数	第３四分位	最高
【全産業】								
規模計								
部長（兼務役員）	61	56.1	768,534	380,000	624,000	721,215	784,906	1,570,000
部長	122	53.4	581,970	293,000	496,926	576,786	636,376	1,464,467
次長	78	51.6	502,015	256,458	450,411	509,017	549,206	772,405
課長	130	48.8	464,993	244,070	398,180	454,353	514,500	1,170,414
1,000人以上								
部長（兼務役員）	6	55.1	918,862	550,000	681,656	737,128	1,126,094	1,570,000
部長	21	53.4	694,565	401,696	615,752	644,052	737,817	1,464,467
次長	12	52.0	569,998	385,000	537,602	548,221	660,656	772,405
課長	21	48.8	568,697	305,000	498,233	533,815	639,996	1,170,414
300～999人								
部長（兼務役員）	20	55.7	811,252	380,000	694,083	723,467	779,143	1,548,950
部長	42	53.4	612,581	293,000	566,795	612,102	659,964	881,948
次長	28	51.1	536,680	280,000	495,734	528,656	585,788	710,227
課長	42	49.0	489,166	260,000	442,879	471,494	535,798	659,108
299人以下								
部長（兼務役員）	35	56.5	718,352	413,280	588,250	700,000	785,500	1,200,000
部長	59	53.5	520,103	341,500	448,500	513,000	568,750	1,017,000
次長	38	51.8	455,004	256,458	401,611	455,926	508,138	621,000
課長	67	48.7	417,336	244,070	376,043	415,685	459,411	892,000
【製造業】								
規模計								
部長（兼務役員）	15	55.8	793,379	413,280	595,025	752,250	807,328	1,548,950
部長	45	53.3	566,828	347,175	488,000	570,425	641,900	773,128
次長	28	51.9	496,945	256,458	451,232	493,617	557,831	617,928
課長	49	49.4	457,139	244,070	413,519	457,092	520,448	661,445
1,000人以上								
部長（兼務役員）	1	52.8	754,255	754,255	—	—	—	754,255
部長	6	53.7	681,114	588,494	640,651	678,434	724,713	773,128
次長	2	51.0	546,735	543,278	—	—	—	550,191
課長	6	49.7	555,511	462,294	514,825	547,602	594,567	661,445
300～999人								
部長（兼務役員）	5	54.4	1,029,459	721,215	777,222	784,906	1,315,000	1,548,950
部長	15	53.8	635,557	483,147	577,311	640,000	684,769	749,000
次長	10	51.0	571,682	474,625	538,376	592,875	611,458	617,928
課長	16	49.3	514,799	413,519	461,710	526,914	546,892	647,000
299人以下								
部長（兼務役員）	9	56.8	666,570	413,280	548,000	613,550	752,250	970,000
部長	24	53.0	495,301	347,175	440,000	505,067	536,812	658,100
次長	16	52.7	444,010	256,458	424,148	452,397	489,513	528,900
課長	27	49.4	401,109	244,070	378,017	418,000	447,150	486,852
【非製造業】								
規模計								
部長（兼務役員）	46	56.2	760,432	380,000	634,077	707,870	754,375	1,570,000
部長	77	53.4	590,819	293,000	502,000	581,457	628,400	1,464,467
次長	50	51.4	504,854	280,000	447,992	515,435	545,761	772,405
課長	81	48.5	469,745	260,000	391,826	451,706	513,598	1,170,414
1,000人以上								
部長（兼務役員）	5	55.5	951,783	550,000	668,875	720,000	1,250,040	1,570,000
部長	15	53.3	699,945	401,696	615,126	630,933	753,951	1,464,467
次長	10	52.2	574,650	385,000	535,401	556,825	666,885	772,405
課長	15	48.4	573,971	305,000	496,504	533,815	640,542	1,170,414
300～999人								
部長（兼務役員）	15	56.1	738,517	380,000	663,167	712,240	731,500	1,436,000
部長	27	53.1	599,816	293,000	563,125	600,058	637,275	881,948
次長	18	51.2	517,234	280,000	486,933	525,679	549,908	710,227
課長	26	48.8	473,391	260,000	432,906	468,276	521,342	659,108
299人以下								
部長（兼務役員）	26	56.4	736,277	432,233	622,887	701,500	800,750	1,200,000
部長	35	53.8	537,110	341,500	479,500	517,442	576,251	1,017,000
次長	22	51.3	463,000	326,400	399,243	469,438	521,644	621,000
課長	40	48.3	428,290	303,000	370,423	414,415	461,775	892,000

（注）モデル賃金調査の付帯調査として，各役職における実在者賃金について調査し，集計したもの。ここでいう「役職」は，資格上のものではなく，組織上のポジションとしての役職を指す。集計表４も同じ。

集計表4　役職別にみた平均年間賃金のばらつき（年俸制を含む）

(単位：千円)

区分	集計社数(社)	平均年齢(歳)	単純平均	ばらつき				
				最低	第1四分位	中位数	第3四分位	最高
【全産業】								
規模計								
部長（兼務役員）	59	55.5	11,180.8	5,783.5	8,933.4	10,800.0	12,710.8	24,030.0
部　　　　　長	120	53.4	9,464.0	4,780.7	7,887.9	9,144.0	10,850.8	18,646.1
次　　　　　長	74	51.6	8,237.5	4,481.4	6,769.1	8,288.7	9,655.2	16,441.9
課　　　　　長	121	48.8	7,528.8	4,070.0	6,337.4	7,349.0	8,753.5	13,665.0
1,000人以上								
部長（兼務役員）	5	54.2	12,914.6	7,975.0	10,502.1	10,740.0	13,348.2	22,007.5
部　　　　　長	21	53.4	10,931.3	6,347.5	9,919.3	10,662.9	12,008.2	18,646.1
次　　　　　長	13	51.5	9,772.1	5,582.5	8,736.9	9,940.0	10,153.8	16,441.9
課　　　　　長	21	49.0	8,836.6	4,422.5	7,897.4	9,022.1	9,600.0	12,415.2
300～999人								
部長（兼務役員）	20	54.9	12,041.0	8,117.6	10,203.0	11,685.1	12,724.1	24,030.0
部　　　　　長	41	53.8	10,280.8	7,193.3	9,065.8	10,318.0	11,075.0	16,824.8
次　　　　　長	27	50.7	8,939.0	6,658.7	8,246.1	8,886.5	10,001.0	11,261.0
課　　　　　長	38	48.9	8,104.3	5,732.2	7,073.6	8,078.2	9,146.0	11,620.0
299人以下								
部長（兼務役員）	34	56.1	10,419.7	5,783.5	8,274.2	9,775.0	12,470.0	15,549.6
部　　　　　長	58	53.2	8,355.2	4,780.7	7,289.5	8,231.5	9,142.6	15,823.0
次　　　　　長	34	52.3	7,093.8	4,481.4	6,163.1	7,199.3	7,953.8	10,761.0
課　　　　　長	62	48.6	6,733.2	4,070.0	5,865.1	6,614.6	7,625.5	13,665.0
【製造業】								
規模計								
部長（兼務役員）	18	55.5	11,306.7	5,783.5	8,797.1	10,558.3	13,151.2	24,030.0
部　　　　　長	46	53.4	9,402.6	5,008.0	8,042.9	9,105.1	10,737.6	14,009.0
次　　　　　長	25	52.3	8,244.7	4,894.8	7,206.4	8,424.5	9,814.0	11,261.0
課　　　　　長	48	49.4	7,650.6	4,167.6	6,549.9	7,506.2	8,990.5	11,620.0
1,000人以上								
部長（兼務役員）	1	52.8	13,348.2	13,348.2	—	—	—	13,348.2
部　　　　　長	7	53.9	11,202.9	8,568.0	10,378.1	10,660.9	12,479.3	13,476.3
次　　　　　長	2	51.0	9,445.3	8,736.9	—	—	—	10,153.8
課　　　　　長	7	50.1	9,022.1	7,292.1	8,060.9	9,022.1	9,762.2	11,193.9
300～999人								
部長（兼務役員）	4	53.1	15,582.3	12,070.1	—	—	—	24,030.0
部　　　　　長	14	54.5	11,062.7	8,029.6	10,094.0	11,076.7	12,224.8	14,009.0
次　　　　　長	10	51.0	9,653.3	8,129.3	8,738.6	9,923.0	10,235.1	11,261.0
課　　　　　長	15	49.6	8,944.5	7,135.8	7,742.9	9,079.0	9,297.8	11,620.0
299人以下								
部長（兼務役員）	13	56.3	9,834.1	5,783.5	8,132.2	8,962.8	10,800.0	14,541.7
部　　　　　長	25	52.6	7,968.8	5,008.0	7,472.1	8,217.8	8,899.4	10,760.0
次　　　　　長	13	53.5	6,976.6	4,894.8	6,203.4	7,206.4	7,530.1	8,926.8
課　　　　　長	26	49.2	6,535.0	4,167.6	6,007.5	6,606.6	7,388.4	8,093.0
【非製造業】								
規模計								
部長（兼務役員）	41	55.5	11,125.5	6,150.5	9,503.0	10,800.0	12,615.5	22,007.5
部　　　　　長	74	53.5	9,502.1	4,780.7	7,886.6	9,228.8	10,876.9	18,646.1
次　　　　　長	49	51.2	8,233.9	4,481.4	6,726.2	8,214.4	9,483.9	16,441.9
課　　　　　長	73	48.3	7,448.7	4,070.0	6,161.5	7,279.4	8,529.5	13,665.0
1,000人以上								
部長（兼務役員）	4	54.5	12,806.1	7,975.0	—	—	—	22,007.5
部　　　　　長	14	53.2	10,795.5	6,347.5	9,208.7	10,724.5	11,930.6	18,646.1
次　　　　　長	11	51.5	9,831.5	5,582.5	8,948.3	9,940.0	10,189.4	16,441.9
課　　　　　長	14	48.4	8,743.9	4,422.5	8,045.1	8,951.4	9,548.4	12,415.2
300～999人								
部長（兼務役員）	16	55.2	11,155.7	8,117.6	9,947.8	10,890.5	12,455.8	14,281.9
部　　　　　長	27	53.4	9,875.4	7,193.3	8,674.6	9,946.7	10,901.0	16,824.8
次　　　　　長	17	50.6	8,518.8	6,658.7	7,681.1	8,530.6	9,278.0	11,217.2
課　　　　　長	23	48.5	7,556.3	5,732.2	6,469.3	7,349.0	8,544.7	10,008.1
299人以下								
部長（兼務役員）	21	56.0	10,782.3	6,150.5	8,700.0	10,898.8	12,806.0	15,549.6
部　　　　　長	33	53.7	8,648.0	4,780.7	7,266.7	8,591.6	9,314.0	15,823.0
次　　　　　長	21	51.6	7,166.3	4,481.4	5,942.8	7,192.1	7,981.2	10,761.0
課　　　　　長	36	48.1	6,876.3	4,070.0	5,467.8	6,664.4	7,679.5	13,665.0

（注）「平均年間賃金」は，「平均所定内賃金月額×12＋2022年年末賞与・一時金＋2023年夏季賞与・一時金」により算出したもので，すべての項目に回答のあった企業を集計したものである。また年俸制の場合も含めて集計しているため，集計表3とは集計社数が異なる。

2024年版 モデル賃金実態資料

第1部 2023年度 モデル賃金・年間賃金の実態

4 [付帯調査] 賃金カーブの現状と今後のあり方

調査結果の概要 *P.114*

●現在の賃金カーブ　回答企業:184社

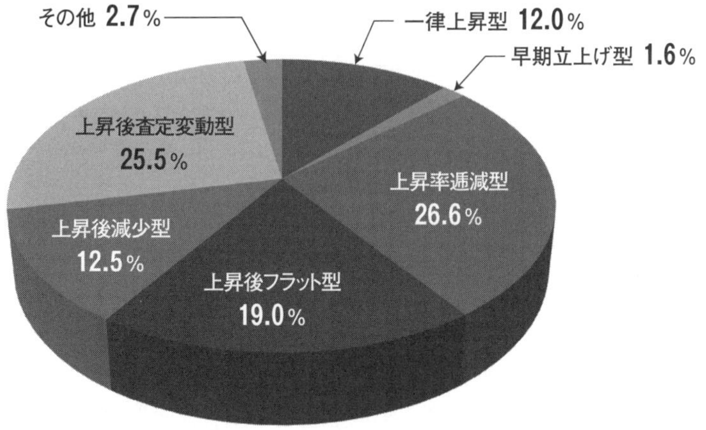

- 一律上昇型 12.0%
- 早期立上げ型 1.6%
- 上昇率逓減型 26.6%
- 上昇後フラット型 19.0%
- 上昇後減少型 12.5%
- 上昇後査定変動型 25.5%
- その他 2.7%

●今後の賃金カーブのイメージ　回答企業:61社

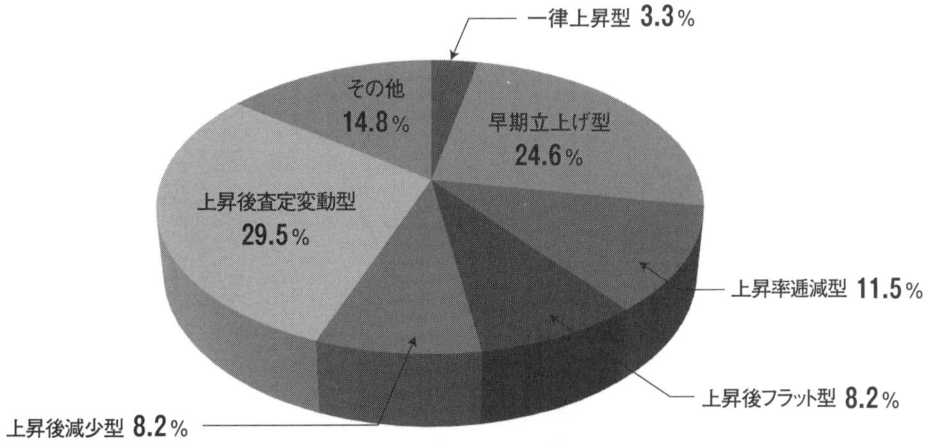

- 一律上昇型 3.3%
- 早期立上げ型 24.6%
- 上昇率逓減型 11.5%
- 上昇後フラット型 8.2%
- 上昇後減少型 8.2%
- 上昇後査定変動型 29.5%
- その他 14.8%

調査結果の概要

産労総合研究所では，毎年実施しているモデル賃金調査の付帯調査として，年ごとに異なるテーマについて調査を実施している。2023年の調査では，「賃金カーブの現状と今後のあり方」と題し，自社の賃金カーブについてどのように考えているかを調査した。以下，その結果を紹介する。

賃金カーブは曲線の現状により，在職者の賃金分布や将来の賃金などのおおよその傾向を知ることができるものである。なお，前回2019年に行った調査と一部比較して紹介する。

1 現在の賃金カーブ

■本調査における賃金カーブとその種別

賃金カーブとは，縦軸に賃金を，横軸に年齢をとったグラフで表示される曲線のこと。調査では，大学卒・総合職の入社から定年までのモデル賃金カーブで自社に近いものを下図の①～⑥から選んでもらった。

■上昇率逓減型が減り，上昇後フラット型が増加

現在の賃金カーブをどのように設定しているかをみると，「上昇率逓減型」が26.6％（前回29.0％），「上昇後査定変動型」25.5％（同26.0％），「上昇後フラット型」19.0％（同16.0％）となっている。「上昇後フラット型」と「一律上昇型」12.0％（同8.3％）は前回調査より増加した（表1）。とはいえ2019年の調査と大きな変化はみられない。

■8割の企業が「なんらかの課題がある」

現在の賃金カーブの課題について複数回答で尋ねている（表2）。課題としては「年齢や勤続の要素が強い」37.3％（前回36.9％），「若年層（30歳程度まで）の賃金カーブの立ち上がりが緩やかである」37.3％（同31.5％）が3割を超えている。一方，「とくにない」が19.5％（同23.8％）であるため類推すると約8割の企業がなんらかの課題があるといえる。

2 今後の賃金カーブをどうするか

■検討中は29.3％と前回より1割近く減少

今後の賃金カーブについて，「変更は考えていない」が64.7％（前回55.6％）と前回より大きく増加し，6割を超えた。「変更する」は6.0％（同7.1％）とやや減少。「変更するかどうか検討中」は29.3％と前回の37.3％から10ポイント近く減少している。「変更を考えていない」の増加と合わせると，この間に賃金カーブを変更した企業が10％前後あると推測できる（表3）。

■変更後は上昇後査定変動型が3割近く

今後賃金カーブを「変更する」「変更するかどうか検討中」の企業に変更後の賃金カーブのイメージを尋ねた。その結果は，「上昇後査定変動型」が29.5％（前回39.7％）で最も多く，次いで「早期立上げ型」24.6％（同11.0％）が13ポイント

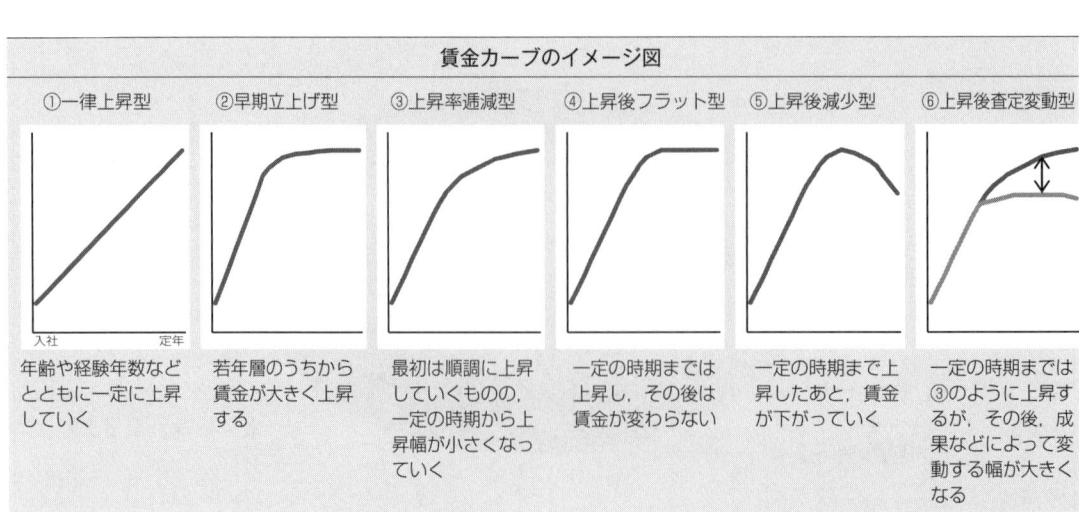

賃金カーブのイメージ図

①一律上昇型	②早期立上げ型	③上昇率逓減型	④上昇後フラット型	⑤上昇後減少型	⑥上昇後査定変動型
年齢や経験年数などとともに一定に上昇していく	若年層のうちから賃金が大きく上昇する	最初は順調に上昇していくものの，一定の時期から上昇幅が小さくなっていく	一定の時期までは上昇し，その後は賃金が変わらない	一定の時期まで上昇したあと，賃金が下がっていく	一定の時期までは③のように上昇するが，その後，成果などによって変動する幅が大きくなる

表1　現在の賃金カーブ

【有効回答ベース】　　　　　　　　　　　　　　　　　　　　　　　　　　　　　　　　（単位：％，（ ）内社数）

産業・規模	合計	一律上昇型	早期立上げ型	上昇率逓減型	上昇後フラット型	上昇後減少型	上昇後査定変動型	その他
規　模　計	100.0(184)	12.0(22)	1.6(3)	26.6(49)	19.0(35)	12.5(23)	25.5(47)	2.7(5)
2019年度	100.0(169)	8.3(14)	2.4(4)	29.0(49)	16.0(27)	13.6(23)	26.0(44)	4.7(8)
1,000人以上	100.0(37)	5.4(2)	2.7(1)	29.7(11)	21.6(8)	13.5(5)	27.0(10)	―
300～999人	100.0(59)	11.9(7)	―	25.4(15)	20.3(12)	8.5(5)	30.5(18)	3.4(2)
299人以下	100.0(88)	14.8(13)	2.3(2)	26.1(23)	17.0(15)	14.8(13)	21.6(19)	3.4(3)
製　造　業	100.0(78)	15.4(12)	1.3(1)	25.6(20)	20.5(16)	9.0(7)	25.6(20)	2.6(2)
1,000人以上	100.0(18)	5.6(1)	―	44.4(8)	16.7(3)	5.6(1)	27.8(5)	―
300～999人	100.0(23)	13.0(3)	―	26.1(6)	21.7(5)	―	34.8(8)	4.3(1)
299人以下	100.0(37)	21.6(8)	2.7(1)	16.2(6)	21.6(8)	16.2(6)	18.9(7)	2.7(1)
非製造業	100.0(106)	9.4(10)	1.9(2)	27.4(29)	17.9(19)	15.1(16)	25.5(27)	2.8(3)
1,000人以上	100.0(19)	5.3(1)	5.3(1)	15.8(3)	26.3(5)	21.1(4)	26.3(5)	―
300～999人	100.0(36)	11.1(4)	―	25.0(9)	19.4(7)	13.9(5)	27.8(10)	2.8(1)
299人以下	100.0(51)	9.8(5)	2.0(1)	33.3(17)	13.7(7)	13.7(7)	23.5(12)	3.9(2)

(注)　その他の内容「管理職になるタイミングで急上昇する」「定年延長導入に伴い満60歳到達後，初めて迎える4月の基本給は前月末時点の70％とする」「上昇率逓増型」「経験・スキルによる」「若年層は緩やかで，中堅以降反り上がるカーブ」

表2　現在の賃金カーブの課題（複数回答）

【有効回答ベース】　　　　　　　　　　　　　　　　　　　　　　　　　　　　　　　　（単位：％，（ ）内社数）

産業・規模	合計	年齢や勤続の要素が強い	若年層（30歳程度まで）の賃金カーブの立ち上がりが緩やかである	若年層の賃金カーブの立ち上がりが急である	中堅層（30～49歳程度）の賃金カーブが中だるみしている	中堅層の賃金カーブが高止まりしている	高年齢者（50歳以上）の賃金カーブの下がり方が急である	高年齢者の賃金カーブが高止まりしている	とくにない	その他
規　模　計	100.0(185)	37.3(69)	37.3(69)	4.3(8)	19.5(36)	5.9(11)	2.2(4)	14.6(27)	19.5(36)	3.8(7)
2019年度	100.0(168)	36.9(62)	31.5(53)	4.8(8)	19.6(33)	5.4(9)	4.8(8)	22.6(38)	23.8(40)	2.4(4)
1,000人以上	100.0(37)	45.9(17)	40.5(15)	2.7(1)	10.8(4)	5.4(2)	5.4(2)	24.3(9)	13.5(5)	2.7(1)
300～999人	100.0(60)	33.3(20)	33.3(20)	3.3(2)	23.3(14)	5.0(3)	―	15.0(9)	25.0(15)	6.7(4)
299人以下	100.0(88)	36.4(32)	38.6(34)	5.7(5)	20.5(18)	6.8(6)	2.3(2)	10.2(9)	18.2(16)	2.3(2)
製　造　業	100.0(78)	41.0(32)	34.6(27)	3.8(3)	20.5(16)	2.6(2)	3.8(3)	16.7(13)	17.9(14)	6.4(5)
1,000人以上	100.0(18)	50.0(9)	38.9(7)	―	11.1(2)	5.6(1)	5.6(1)	22.2(4)	16.7(3)	5.6(1)
300～999人	100.0(23)	30.4(7)	34.8(8)	8.7(2)	34.8(8)	4.3(1)	―	13.0(3)	17.4(4)	13.0(3)
299人以下	100.0(37)	43.2(16)	32.4(12)	2.7(1)	16.2(6)	―	5.4(2)	16.2(6)	18.9(7)	2.7(1)
非製造業	100.0(107)	34.6(37)	39.3(42)	4.7(5)	18.7(20)	8.4(9)	0.9(1)	13.1(14)	20.6(22)	1.9(2)
1,000人以上	100.0(19)	42.1(8)	42.1(8)	5.3(1)	10.5(2)	5.3(1)	5.3(1)	26.3(5)	10.5(2)	―
300～999人	100.0(37)	35.1(13)	32.4(12)	―	16.2(6)	5.4(2)	―	16.2(6)	29.7(11)	2.7(1)
299人以下	100.0(51)	31.4(16)	43.1(22)	7.8(4)	23.5(12)	11.8(6)	―	5.9(3)	17.6(9)	2.0(1)

(注)　その他の内容「定年延長を行う場合は，35歳以降の賃金カーブを引き下げないと人件費が多くなる」「経験・スキルによるため，賃金カーブにあてはまらない」「若年層スタートが低すぎることと上位者が高すぎる」「上位レイヤーにおいては，よりジョブ型的な処遇（ポスト・職位に連動した処遇）を導入・展開しているが，移行期ということもあり，まだ十分ではない」「40歳以降の上昇幅が小さくなる」「昇格者とそうでない者との差が大きくない」

と大きく増加した。「その他」14.8％を挟み，「上昇率逓減型」の11.5％（同12.3％），また，「上昇後フラット型」は8.2％で前回の16.4％より半減した（表4）。

■ピークは「年齢層では考えない」が52.2％

今後の賃金のピークについては「年齢層では考えない」が52.2％（前回37.2％）で最も多くなった。なお，40歳代は前回の24.2％から15.5％へと減少，（「40～44歳」5.6％，「45～49歳」9.9％の合計）。50歳代は前回の29.7％から31.0％（「50～54歳」18.0％，「55～59歳」13.0％の合計）とほぼ変わらなかった（表5）。ジョブ型雇用が話題になっ

表3　今後の賃金カーブについて

【有効回答ベース】　　　　　　　　　　（単位：％，（ ）内社数）

産業・規模	合計	変更する	変更するかどうか検討中	変更は考えていない
規　模　計	100.0(184)	6.0	29.3	64.7
2019年度	100.0(169)	7.1	37.3	55.6
1,000人以上	100.0(37)	2.7	40.5	56.8
300～999人	100.0(59)	6.8	33.9	59.3
299人以下	100.0(88)	6.8	21.6	71.6
製　造　業	100.0(78)	6.4	28.2	65.4
1,000人以上	100.0(18)	5.6	33.3	61.1
300～999人	100.0(23)	8.7	34.8	56.5
299人以下	100.0(37)	5.4	21.6	73.0
非製造業	100.0(106)	5.7	30.2	64.2
1,000人以上	100.0(19)	―	47.4	52.6
300～999人	100.0(36)	5.6	33.3	61.1
299人以下	100.0(51)	7.8	21.6	70.6

ていることや同一労働同一賃金など，年齢ではなく能力や役割，実績等の評価による賃金制度を進めたいと考えているようだ。

■ピークの基準は「役職」「成果」「役割」が約６割

前回「年齢層では考えない」が３割を超えたこともあり，今回から賃金のピークを「年齢層では考えない」と回答した企業に「賃金のピークとしたい基準」（複数回答）について尋ねたのが**表６**である。

「役職」が62.7％，「成果」62.7％，「役割」が59.0％の３つがおよそ６割となった。なお，表には示していないが「役職」「成果」「役割」の３つすべてを選択した企業は21.7％である。

表４　今後の賃金カーブのイメージ

【有効回答ベース】　（単位：％，（　）内社数）

産業・規模	合計	一律上昇型	早期立上げ型	上昇率逓減型	上昇後フラット型	上昇後減少型	上昇後査定変動型	その他
規模計	100.0(61)	3.3(2)	24.6(15)	11.5(7)	8.2(5)	8.2(5)	29.5(18)	14.8(9)
2019年度	100.0 (73)	2.7 (2)	11.0 (8)	12.3 (9)	16.4 (12)	9.6 (7)	39.7 (29)	8.2 (6)
1,000人以上	100.0(14)	7.1(1)	7.1(1)	21.4(3)	7.1(1)	21.4(3)	28.6(4)	7.1(1)
300～999人	100.0(24)	4.2(1)	25.0(6)	8.3(2)	4.2(1)	4.2(1)	37.5(9)	16.7(4)
299人以下	100.0(23)	——	34.8(8)	8.7(2)	13.0(3)	4.3(1)	21.7(5)	17.4(4)
製造業	100.0(24)	4.2(1)	33.3(8)	12.5(3)	8.3(2)	8.3(2)	29.2(7)	4.2(1)
1,000人以上	100.0(5)	——	20.0(1)	——	——	20.0(1)	60.0(3)	——
300～999人	100.0(10)	10.0(1)	30.0(3)	10.0(1)	——	10.0(1)	30.0(3)	10.0(1)
299人以下	100.0(9)	——	44.4(4)	22.2(2)	22.2(2)	——	11.1(1)	——
非製造業	100.0(37)	2.7(1)	18.9(7)	10.8(4)	8.1(3)	8.1(3)	29.7(11)	21.6(8)
1,000人以上	100.0(9)	11.1(1)	——	33.3(3)	11.1(1)	22.2(2)	11.1(1)	11.1(1)
300～999人	100.0(14)	——	21.4(3)	7.1(1)	7.1(1)	——	42.9(6)	21.4(3)
299人以下	100.0(14)	——	28.6(4)	——	7.1(1)	7.1(1)	28.6(4)	28.6(4)

（注）その他の内容「職能給の徹底」「役職，職務に応じて支払いが適切に行われるもの」「高査定にはより高い料率を付加」「若年層の賃金ＵＰ」「上昇後変動型でスキルが高い者の賃金カーブの立ち上がりを急にしたい」「年齢給の廃止」「ジョブ型の賃金制度を検討予定」「未定」「検討中」

表５　賃金のピークとしたい年齢層

【有効回答ベース】　（単位：％，（　）内社数）

産業・規模	合計	20歳代	30～34歳	35～39歳	40～44歳	45～49歳	50～54歳	55～59歳	年齢層では考えない	その他
規模計	100.0(161)	——	——	0.6(1)	5.6(9)	9.9(16)	18.0(29)	13.0(21)	52.2(84)	0.6(1)
2019年度	100.0 (145)	—	1.4 (2)	2.8 (4)	7.6 (11)	16.6 (24)	22.1 (32)	7.6 (11)	37.2 (54)	4.8 (7)
1,000人以上	100.0(32)	——	——	——	9.4(3)	3.1(1)	18.8(6)	15.6(5)	53.1(17)	——
300～999人	100.0(53)	——	——	1.9(1)	1.9(1)	5.7(3)	17.0(9)	7.5(4)	64.2(34)	1.9(1)
299人以下	100.0(76)	——	——	——	6.6(5)	15.8(12)	18.4(14)	15.8(12)	43.4(33)	——
製造業	100.0(66)	——	——	——	4.5(3)	12.1(8)	18.2(12)	9.1(6)	56.1(37)	——
1,000人以上	100.0(16)	——	——	——	6.3(1)	6.3(1)	18.8(3)	——	68.8(11)	——
300～999人	100.0(21)	——	——	——	4.8(1)	4.8(1)	19.0(4)	9.5(2)	61.9(13)	——
299人以下	100.0(29)	——	——	——	3.4(1)	20.7(6)	17.2(5)	13.8(4)	44.8(13)	——
非製造業	100.0(95)	——	——	1.1(1)	6.3(6)	8.4(8)	17.9(17)	15.8(15)	49.5(47)	1.1(1)
1,000人以上	100.0(16)	——	——	——	12.5(2)	——	18.8(3)	31.3(5)	37.5(6)	——
300～999人	100.0(32)	——	——	3.1(1)	——	6.3(2)	15.6(5)	6.3(2)	65.6(21)	3.1(1)
299人以下	100.0(47)	——	——	——	8.5(4)	12.8(6)	19.1(9)	17.0(8)	42.6(20)	——

表６　賃金のピークとしたい基準（複数回答）

【有効回答ベース】　（単位：％，（　）内社数）

産業・規模	合計	役職	職務	役割	成果	仕事	その他
規模計	100.0(83)	62.7(52)	44.6(37)	59.0(49)	62.7(52)	25.3(21)	1.2(1)
1,000人以上	100.0(16)	56.3(9)	81.3(13)	81.3(13)	68.8(11)	43.8(7)	——
300～999人	100.0(34)	61.8(21)	55.9(19)	55.9(19)	61.8(21)	29.4(10)	2.9(1)
299人以下	100.0(33)	66.7(22)	51.5(17)	51.5(17)	60.6(20)	12.1(4)	——
製造業	100.0(37)	54.1(20)	54.1(20)	54.1(20)	54.1(20)	21.6(8)	2.7(1)
1,000人以上	100.0(11)	45.5(5)	81.8(9)	81.8(9)	63.6(7)	45.5(5)	——
300～999人	100.0(13)	53.8(7)	46.2(6)	46.2(6)	53.8(7)	23.1(3)	7.7(1)
299人以下	100.0(13)	61.5(8)	38.5(5)	38.5(5)	46.2(6)	——	——
非製造業	100.0(46)	69.6(32)	63.0(29)	63.0(29)	69.6(32)	28.3(13)	——
1,000人以上	100.0(5)	80.0(4)	80.0(4)	80.0(4)	80.0(4)	40.0(2)	——
300～999人	100.0(21)	66.7(14)	61.9(13)	61.9(13)	66.7(14)	33.3(7)	——
299人以下	100.0(20)	70.0(14)	60.0(12)	60.0(12)	70.0(14)	20.0(4)	——

2024年版 モデル賃金実態資料

第1部 2023年度 モデル賃金・年間賃金の実態

5 モデル賃金・年間賃金企業別実態一覧 [180社]

2023年賃上げ後のモデル賃金・年間賃金水準と賃上げ, 労働時間, 諸手当等の企業別一覧

[掲載頁]

業種	頁	業種	頁
食品	118	小売	222
繊維	124	その他商業	237
木材・木製品	126	銀行・信用金庫	239
紙・パルプ	127	不動産	243
化学	130	鉄道・バス	246
石油・石炭	138	陸・海・空運	248
ゴム・タイヤ	139	倉庫	265
窯業・土石	141	マスコミ関連	266
鉄鋼	143	学校	267
非鉄金属	147	農協・生協	272
金属製品	151	ソフトウェア等	276
機械製品	152	建物設計・地質調査	282
電気機器	160	コンサルタント	286
輸送用機器	172	その他サービス	287
精密機器	182		
その他製造	187		
建設	192		
卸売	206		

- 各社の従業員数は四捨五入してあります。
- 補足的事項欄の「各モデルの具体的な職種, コース」は, 各社のモデル設定上の定義, 名称, 職種のほか, 労働時間, 手当, 賞与・一時金, 時間あたり賃金等についてまとめたものです。

食品　A社（900人）　　　　　　　　　　　　　　　　　　　　　　　　　　　　　　　　　　　　（単位：円）

設定条件			役職名	所定労働時間内賃金	うち基本賃金	年間賃金計 モデル月例賃金×12 + 2023年夏季賞与 2022年年末賞与	2023年夏季モデル賞与	2022年年末モデル賞与
年齢(歳)	勤続年数(年)	扶養家族(人)						
大学卒・総合職			**（事務・技術系）**					
22	0	0		228,000	209,000	3,187,510	74,110	377,400
25	3	0		242,400	223,400	4,228,500	696,690	623,010
27	5	1		252,200	233,200	4,341,390	664,620	650,370
30	8	2		278,450	249,450	4,745,460	710,940	693,120
35	13	3		323,000	284,000	5,618,200	880,400	861,800
40	18	3		353,000	314,000	6,164,200	973,400	954,800
45	23	3		383,000	344,000	6,710,200	1,066,400	1,047,800
50	28	2		469,000	440,000	8,164,100	1,386,000	1,150,100
55	33	1		499,000	480,000	8,986,800	1,512,000	1,486,800
60	38	1		539,000	520,000	9,718,800	1,638,000	1,612,800
大学卒・一般職			**（事務・技術系）**					
22	0	0						
25	3	0						
27	5	0						
30	8	0						
35	13	0						
40	18	0						
45	23	0						
短大卒・一般職			**（事務・技術系）**					
20	0	0						
22	2	0						
25	5	0						
30	10	0						
35	15	0						
40	20	0						
高校卒・総合職			**（事務・技術系）**					
18	0	0		177,000	173,000	2,494,820	59,420	311,400
20	2	0		215,800	181,800	3,595,360	509,040	496,720
22	4	0		228,000	209,000	3,853,010	595,650	521,360
25	7	0		242,400	223,400	4,168,500	636,690	623,010
27	9	1		252,200	233,200	4,341,390	664,620	650,370
30	12	2		278,450	249,450	4,745,460	710,940	693,120
35	17	3		323,000	284,000	5,618,200	880,400	861,800
40	22	3		353,000	314,000	6,164,200	973,400	954,800
45	27	3		383,000	344,000	6,710,200	1,066,400	1,047,800
50	32	2		469,000	440,000	8,164,100	1,386,000	1,150,100
55	37	1		499,000	480,000	8,986,800	1,512,000	1,486,800
60	42	1		539,000	520,000	9,718,800	1,638,000	1,612,800
高校卒・一般職			**（事務・技術系）**					
18	0	0						
20	2	0						
22	4	0						
25	7	0						
30	12	0						
35	17	0						
40	22	0						
高校卒・現業系								
18	0	0						
20	2	0						
22	4	0						
25	7	0						
27	9	1						
30	12	2						
35	17	3						
40	22	3						
45	27	3						
50	32	2						
55	37	1						
60	42	1						

補足的事項

モデル賃金の算定方法
　理論モデル
モデル賃金の対象
　組合員モデル
労務構成
　平均年齢　　　　　35.7歳
　平均勤続　　　　　15.4年
　2023年所定内賃金
　　　　　　　　　301,000円
　うち基本賃金　286,000円
　2022年所定内賃金
　　　　　　　　　281,000円
　年間所定労働時間
　　　　　　　　　1,845時間
賃金改定状況
　ベースアップを実施
2023年賃上げ額
　　　　　　5,000円　2.87%
　うち定昇　4,789円　1.90%
賞与・一時金
・2022年年末
　　　　921,288円　2.88ヵ月
　　　　前年比　107.85%
・2023年夏季
　　　1,006,734円　3.13ヵ月
　　　　前年比　104.58%
家族手当
　配偶者　　　　　　　　0円
　第1子　　　　　　10,000円
　第2子　　　　　　10,000円
　第3子　　　　　　10,000円
・管理職に対する支給
　　支給する
・支給の制限等
　　22歳まで支給
役付手当
　部　長　　　　　120,000円
　次　長　　　　　100,000円
　課　長　　　　　 80,000円
　係　長　　　　　 20,000円
役割給　　　　　　　導入なし
役職者への時間外手当の不支給
　　課長クラスから不支給
時間あたり賃金
　年間賃金ベース　　3,003円
　月例賃金ベース　　1,958円
役職者・実在者の平均年収額
　部　長　　月例賃金＋賞与
　平均年齢 55.8歳 12,816千円
　次　長　　月例賃金＋賞与
　平均年齢 47.0歳 11,261千円
　課　長　　月例賃金＋賞与
　平均年齢 47.6歳 9,850千円

食品　B社（200人）

（単位：円）

年齢（歳）	勤続年数（年）	扶養家族（人）	役職名	所定労働時間内賃金	うち基本賃金	年間賃金計（モデル月例賃金×12＋2023年夏季賞与＋2022年年末賞与）	2023年夏季モデル賞与	2022年年末モデル賞与
大学卒・総合職（事務・技術系）								
22	0	0		226,300	211,300	3,033,775	75,180	242,995
25	3	0	チーフ	251,150	224,150	3,958,400	425,070	519,530
27	5	1	チーフ	286,150	229,150	4,410,400	439,470	537,130
30	8	2	チーフ	324,550	259,550	5,004,800	499,590	610,610
35	13	3	チーフ	353,850	284,850	5,457,600	545,130	666,270
40	18	3	エリア長	442,350	311,350	6,951,870	743,565	900,105
45	23	3	エリア長	442,350	311,350	6,951,870	743,565	900,105
50	28	2	部長	492,950	335,950	7,788,390	847,305	1,025,685
55	33	1	本部長	561,050	369,050	8,964,515	986,195	1,245,720
60	38	1	エキスパート	407,000	295,000	6,417,000	693,500	839,500
大学卒・一般職（事務・技術系）								
22	0	0		190,800	190,800	2,577,025	68,005	219,420
25	3	0	主任	218,150	206,150	3,294,065	305,410	370,855
27	5	0	主任	223,150	211,150	3,369,565	312,410	379,355
30	8	0	係長	253,550	238,550	3,828,605	354,970	431,035
35	13	0	係長	278,850	263,850	4,210,635	390,390	474,045
40	18	0	係長	291,100	276,100	4,395,610	407,540	494,870
45	23	0	係長	291,100	276,100	4,395,610	407,540	494,870
短大卒・一般職（事務・技術系）								
20	0	0		170,400	170,400	2,301,275	60,515	195,960
22	2	0		171,400	171,400	2,571,000	239,960	274,240
25	5	0	主任	218,150	206,150	3,294,065	305,410	370,855
30	10	0	係長	253,550	238,550	3,828,605	354,970	431,035
35	15	0	係長	278,850	263,850	4,210,635	390,390	474,045
40	20	0	係長	291,100	276,100	4,395,610	407,540	494,870
高校卒・総合職（事務・技術系）								
18	0	0		161,650	161,650	2,271,883	57,278	274,805
20	2	0		167,900	167,900	2,652,820	285,430	352,590
22	4	0		186,400	171,400	2,888,120	291,380	359,940
25	7	0	チーフ	251,150	224,150	3,958,400	425,070	519,530
27	9	1	チーフ	286,150	229,150	4,410,400	439,470	537,130
30	12	2	チーフ	324,550	259,550	5,004,800	499,590	610,610
35	17	3	チーフ	353,850	284,850	5,457,600	545,130	666,270
40	22	3	エリア長	442,350	311,350	6,951,870	743,565	900,105
45	27	3	エリア長	442,350	311,350	6,951,870	743,565	900,105
50	32	2	部長	492,950	335,950	7,788,390	847,305	1,025,685
55	37	1	本部長	561,050	369,050	8,964,515	986,195	1,245,720
60	42	1	エキスパート	407,000	295,000	6,417,000	693,500	839,500
高校卒・一般職（事務・技術系）								
18	0	0		161,650	161,650	2,271,883	57,278	274,805
20	2	0		170,400	170,400	2,687,070	289,680	352,590
22	4	0		171,400	171,400	2,708,120	291,380	359,940
25	7	0	主任	218,150	206,150	3,530,000	392,670	519,530
30	12	0	係長	253,550	238,550	4,109,600	456,390	610,610
35	17	0	係長	278,850	263,850	4,514,400	501,930	666,270
40	22	0	係長	291,100	276,100	4,946,395	553,090	900,105
高校卒・現業系								
18	0	0		161,650	161,650	2,271,883	57,278	274,805
20	2	0		167,900	167,900	2,652,820	285,430	352,590
22	4	0		186,400	171,400	2,888,120	291,380	359,940
25	7	0	チーフ	251,150	224,150	3,958,400	425,070	519,530
27	9	1	チーフ	286,150	229,150	4,410,400	439,470	537,130
30	12	2	チーフ	324,550	259,550	5,004,800	499,590	610,610
35	17	3	チーフ	353,850	284,850	5,457,600	545,130	666,270
40	22	3	エリア長	442,350	311,350	6,951,870	743,565	900,105
45	27	3	エリア長	442,350	311,350	6,951,870	743,565	900,105
50	32	2	部長	492,950	335,950	7,788,390	847,305	1,025,685
55	37	1	本部長	561,050	369,050	8,964,515	986,195	1,245,720
60	42	1	エキスパート	407,000	295,000	6,417,000	693,500	839,500

補足的事項

モデル賃金の算定方法
理論モデル

モデル賃金の対象
全従業員モデル

労務構成
平均年齢　35.0歳
2023年所定内賃金　262,472円
うち基本賃金　246,830円
2022年所定内賃金　250,731円
年間所定労働時間　1,992時間

賃金改定状況
ベースアップを実施

2023年賃上げ額
11,741円　4.68％
うち定昇　580円　0.23％

賞与・一時金
・2022年年末
520,724円　2.30ヵ月
前年比　102.00％
・2023年夏季
472,449円　1.80ヵ月
前年比　105.00％

家族手当
配偶者　12,000円
第１子　5,000円
第２子　4,000円
・管理職に対する支給
支給する
・支給の制限等
22歳まで支給

役付手当
部　長　110,000円
課　長　80,000円
係　長　12,000～18,000円
主　任　12,000円

役職者への時間外手当の不支給
課長クラスから不支給

時間あたり賃金
年間賃金ベース　2,080円
月例賃金ベース　1,581円

役割給
（左の賃金表では基本賃金に含まれます）
部　長 325,900～369,500円
課　長 247,000～345,950円
係　長 118,850～293,350円
主　任 118,850～126,850円

役職者・実在者の平均年収額
部長（兼任役員）年俸制
平均年齢 51.0歳　10,800千円
部　長　月例賃金＋賞与
平均年齢　48.9歳　7,720千円
課　長　月例賃金＋賞与
平均年齢　45.3歳　6,809千円

食品　C社（60人）

（単位：円）

年齢（歳）	勤続年数（年）	扶養家族（人）	役職名	所定労働時間内賃金	うち基本賃金	年間賃金計 モデル月例賃金×12＋2023年夏季賞与 2022年年末賞与	2023年夏季モデル賞与	2022年年末モデル賞与
大学卒・総合職（事務・技術系）								
22	0	0		—	—	—	—	—
25	3	0		—	—	—	—	—
27	5	1		—	—	—	—	—
30	8	2		—	—	—	—	—
35	13	3		—	—	—	—	—
40	18	3		—	—	—	—	—
45	23	3	管　理　職	307,313	260,313	—	—	—
50	28	2		—	—	—	—	—
55	33	1		—	—	—	—	—
60	38	1		—	—	—	—	—
大学卒・一般職（事務・技術系）								
22	0	0		—	—	—	—	—
25	3	0		—	—	—	—	—
27	5	0		184,890	182,390	—	—	—
30	8	0		—	—	—	—	—
35	13	0		—	—	—	—	—
40	18	0		212,129	196,629	—	—	—
45	23	0		—	—	—	—	—
短大卒・一般職（事務・技術系）								
20	0	0		—	—	—	—	—
22	2	0		—	—	—	—	—
25	5	0		—	—	—	—	—
30	10	0		189,026	186,526	—	—	—
35	15	0		—	—	—	—	—
40	20	0		221,967	207,967	—	—	—
高校卒・総合職（事務・技術系）								
18	0	0		—	—	—	—	—
20	2	0		—	—	—	—	—
22	4	0		—	—	—	—	—
25	7	0		—	—	—	—	—
27	9	1		—	—	—	—	—
30	12	2		—	—	—	—	—
35	17	3		—	—	—	—	—
40	22	3		—	—	—	—	—
45	27	3	管　理　職	272,529	244,529	—	—	—
50	32	2	管　理　職	299,461	267,461	—	—	—
55	37	1	管　理　職	318,833	275,833	—	—	—
60	42	1		—	—	—	—	—
高校卒・一般職（事務・技術系）								
18	0	0		161,596	161,596	—	—	—
20	2	0		—	—	—	—	—
22	4	0		—	—	—	—	—
25	7	0		—	—	—	—	—
30	12	0		—	—	—	—	—
35	17	0		189,334	189,334	—	—	—
40	22	0		258,032	229,032	—	—	—
高校卒・現業系								
18	0	0						
20	2	0						
22	4	0						
25	7	0						
27	9	1						
30	12	2						
35	17	3						
40	22	3						
45	27	3						
50	32	2						
55	37	1						
60	42	1						

補足的事項

モデル賃金の算定方法
実在者の中位の額

モデル賃金の対象
全従業員モデル

労務構成
平均年齢　40.3歳
平均勤続　10.2年
2023年所定内賃金　230,022円
うち基本賃金　197,253円
2022年所定内賃金　211,190円
年間所定労働時間　1,922時間

賃金改定状況
ベースアップを実施

2023年賃上げ額
8,061円　4.02％

賞与・一時金
・2022年年末
333,355円　1.50ヵ月
前年比　90.00％

家族手当　制度なし

役付手当
部　長　42,000円
次　長　32,000円
課　長　28,000円
係　長　14,000円
主　任　5,500円

役割給　導入なし

役職者への時間外手当の不支給
課長クラスから不支給

時間あたり賃金
月例賃金ベース　1,436円

役職者・実在者の平均月収額
部　長　月例賃金
平均年齢 48.5歳　347千円
次　長　月例賃金
平均年齢 46.8歳　256千円
課　長　月例賃金
平均年齢 46.3歳　244千円

食品　D社（40人）　　　　　　　　　　　　　　　　　　　　　　　（単位：円）

設定条件			役職名	所定労働時間内賃金	うち基本賃金	年間賃金計 モデル月例賃金×12 + 2023年夏季賞与 2022年年末賞与	2023年夏季モデル賞与	2022年年末モデル賞与	補足的事項
年齢(歳)	勤続年数(年)	扶養家族(人)							
大学卒・総合職（事務・技術系）									
22	0	0							モデル賃金の算定方法
25	3	0							実在者の平均額
27	5	1							モデル賃金の対象
30	8	2							全従業員モデル
35	13	3							労務構成
40	18	3							平均年齢　　　　42.9歳
45	23	3							平均勤続　　　　19.7年
50	28	2							2023年所定内賃金
55	33	1							333,866円
60	38	1							うち基本賃金　317,296円
大学卒・一般職（事務・技術系）									2022年所定内賃金
22	0	0		—	—	—	—	—	327,902円
25	3	0		253,967	223,967	—	—	—	年間所定労働時間
27	5	0		—	—	—	—	—	2,024時間
30	8	0		—	—	—	—	—	
35	13	0		—	—	—	—	—	賃金改定状況
40	18	0		—	—	—	—	—	定昇のみ実施
45	23	0		—	—	—	—	—	2023年賃上げ額
短大卒・一般職（事務・技術系）									4,606円　2.06％
20	0	0							うち定昇 4,606円　2.06％
22	2	0							賞与・一時金
25	5	0							・2022年年末
30	10	0							677,154円　2.07ヵ月
35	15	0							前年比　138.00％
40	20	0							・2023年夏季
高校卒・総合職（事務・技術系）									593,110円　1.80ヵ月
18	0	0							前年比　120.00％
20	2	0							
22	4	0							家族手当
25	7	0							配偶者　　　　　　0円
27	9	1							第1子　　　　15,000円
30	12	2							第2子　　　　15,000円
35	17	3							第3子　　　　15,000円
40	22	3							・管理職に対する支給
45	27	3							支給する
50	32	2							・支給の制限等
55	37	1							22歳まで支給
60	42	1							役付手当
高校卒・一般職（事務・技術系）									部　　長　　　81,000円
18	0	0		—	—	—	—	—	次　　長　　　61,000円
20	2	0		—	—	—	—	—	課　　長　　　44,000円
22	4	0		—	—	—	—	—	係　　長　　　16,000円
25	7	0		—	—	—	—	—	主　　任　　　10,000円
30	12	0		—	—	—	—	—	役割給　　導入なし
35	17	0		—	—	—	—	—	役職者への時間外手当の不支給
40	22	0	課長代理	354,578	314,578	—	—	—	課長クラスから不支給
高校卒・現業系									時間あたり賃金
18	0	0		—	—	—	—	—	年間賃金ベース　　2,607円
20	2	0		—	—	—	—	—	月例賃金ベース　　1,979円
22	4	0		—	—	—	—	—	
25	7	0		—	—	—	—	—	役職者・実在者の平均年収額
27	9	1		—	—	—	—	—	部　　長　　月例賃金＋賞与
30	12	2		—	—	—	—	—	平均年齢 54.0歳　8,278千円
35	17	3		—	—	—	—	—	次　　長　　月例賃金＋賞与
40	22	3		—	—	—	—	—	平均年齢 52.0歳　7,206千円
45	27	3		—	—	—	—	—	課　　長　　月例賃金＋賞与
50	32	2		—	—	—	—	—	平均年齢 48.0歳　6,271千円
55	37	1	課　　長	416,694	372,694	—	—	—	
60	42	1		—	—	—	—	—	

食品　E社（30人）

（単位：円）

設定条件 年齢（歳）	勤続年数（年）	扶養家族（人）	役職名	所定労働時間内賃金	うち基本賃金	年間賃金計（モデル月例賃金×12＋2023年夏季賞与＋2022年年末賞与）	2023年夏季モデル賞与	2022年年末モデル賞与
大学卒・総合職（事務・技術系）								
22	0	0		—	—	—	—	—
25	3	0		—	—	—	—	—
27	5	1		—	—	—	—	—
30	8	2	課　　長	215,000	185,000	—	—	—
35	13	3	課　　長	225,000	185,000	—	—	—
40	18	3	課　　長	230,000	185,000	—	—	—
45	23	3	課　　長	250,000	185,000	—	—	—
50	28	2	課　　長	300,000	220,000	—	—	—
55	33	1	部　　長	400,000	250,000	—	—	—
60	38	1		—	—	—	—	—
大学卒・一般職（事務・技術系）								
22	0	0	主　　任	185,000	155,000	—	—	—
25	3	0		—	—	—	—	—
27	5	0		—	—	—	—	—
30	8	0		—	—	—	—	—
35	13	0		—	—	—	—	—
40	18	0		—	—	—	—	—
45	23	0		—	—	—	—	—
短大卒・一般職（事務・技術系）								
20	0	0		—	—	—	—	—
22	2	0	主　　任	185,000	150,000	—	—	—
25	5	0	係　　長	200,000	160,000	—	—	—
30	10	0		—	—	—	—	—
35	15	0		—	—	—	—	—
40	20	0		—	—	—	—	—
高校卒・総合職（事務・技術系）								
18	0	0	主　　任	190,000	155,000	—	—	—
20	2	0		—	—	—	—	—
22	4	0		—	—	—	—	—
25	7	0		—	—	—	—	—
27	9	1	係　　長	200,000	160,000	—	—	—
30	12	2		—	—	—	—	—
35	17	3		—	—	—	—	—
40	22	3	課　　長	230,000	185,000	—	—	—
45	27	3		—	—	—	—	—
50	32	2	課　　長	280,000	200,000	—	—	—
55	37	1		—	—	—	—	—
60	42	1		—	—	—	—	—
高校卒・一般職（事務・技術系）								
18	0	0		—	—	—	—	—
20	2	0		—	—	—	—	—
22	4	0		—	—	—	—	—
25	7	0		—	—	—	—	—
30	12	0	係　　長	195,000	160,000	—	—	—
35	17	0		—	—	—	—	—
40	22	0		—	—	—	—	—
高校卒・現業系								
18	0	0		170,000	150,000	—	—	—
20	2	0		175,000	150,000	—	—	—
22	4	0	主　　任	185,000	155,000	—	—	—
25	7	0	主　　任	185,000	155,000	—	—	—
27	9	1	主　　任	185,000	155,000	—	—	—
30	12	2	主　　任	185,000	155,000	—	—	—
35	17	3	主　　任	185,000	155,000	—	—	—
40	22	3	主　　任	190,000	155,000	—	—	—
45	27	3	主　　任	190,000	155,000	—	—	—
50	32	2	主　　任	191,000	155,000	—	—	—
55	37	1	主　　任	193,000	155,000	—	—	—
60	42	1	主　　任	195,000	155,000	—	—	—

補足的事項

モデル賃金の算定方法
理論モデル

モデル賃金の対象
全従業員モデル

労務構成
平均年齢　51.0歳
平均勤続　22.0年
2023年所定内賃金　214,000円
うち基本賃金　169,000円
2022年所定内賃金　214,000円
年間所定労働時間　2,000時間

賃金改定状況
凍結

賞与・一時金
・2022年年末
150,000円　—
前年比　100.00%
・2023年夏季
150,000円　—
前年比　100.00%

家族手当　制度なし
役付手当　制度なし
役割給　導入なし
役職者への時間外手当の不支給
部長クラスから不支給

時間あたり賃金
年間賃金ベース　1,434円
月例賃金ベース　1,284円

役職者・実在者の平均月収額
部　長　月例賃金
平均年齢 54.0歳　400千円
課　長　月例賃金
平均年齢 54.0歳　250千円

食品　F社（10人以下）

（単位：円）

年齢（歳）	勤続年数（年）	扶養家族（人）	役職名	所定労働時間内賃金	うち基本賃金	年間賃金計 モデル月例賃金×12＋2023年夏季賞与2022年年末賞与	2023年夏季モデル賞与	2022年年末モデル賞与
大学卒・総合職（事務・技術系）								
22	0	0		185,300	185,300	—	—	—
25	3	0		197,300	197,300	—	—	—
27	5	1		—	—	—	—	—
30	8	2		253,740	230,740	—	—	—
35	13	3		295,240	268,240	—	—	—
40	18	3		323,540	296,540	—	—	—
45	23	3		344,220	317,220	—	—	—
50	28	2		349,380	330,380	—	—	—
55	33	1		354,780	339,780	—	—	—
60	38	1		—	—	—	—	—
大学卒・一般職（事務・技術系）								
22	0	0		185,300	185,300	—	—	—
25	3	0		197,300	197,300	—	—	—
27	5	0		—	—	—	—	—
30	8	0		230,740	230,740	—	—	—
35	13	0		268,240	268,240	—	—	—
40	18	0		296,540	296,540	—	—	—
45	23	0		317,220	317,220	—	—	—
短大卒・一般職（事務・技術系）								
20	0	0		167,600	167,600	—	—	—
22	2	0		185,300	185,300	—	—	—
25	5	0		197,300	197,300	—	—	—
30	10	0		230,740	230,740	—	—	—
35	15	0		268,240	268,240	—	—	—
40	20	0		317,220	317,220	—	—	—
高校卒・総合職（事務・技術系）								
18	0	0		—	—	—	—	—
20	2	0		167,600	167,600	—	—	—
22	4	0		185,300	185,300	—	—	—
25	7	0		197,300	197,300	—	—	—
27	9	1		—	—	—	—	—
30	12	2		230,740	230,740	—	—	—
35	17	3		268,240	268,240	—	—	—
40	22	3		296,540	296,540	—	—	—
45	27	3		317,220	317,220	—	—	—
50	32	2		330,380	330,380	—	—	—
55	37	1		339,780	339,780	—	—	—
60	42	1		—	—	—	—	—
高校卒・一般職（事務・技術系）								
18	0	0		—	—	—	—	—
20	2	0		167,600	167,600	—	—	—
22	4	0		185,300	185,300	—	—	—
25	7	0		197,300	197,300	—	—	—
30	12	0		230,740	230,740	—	—	—
35	17	0		268,240	268,240	—	—	—
40	22	0		296,540	296,540	—	—	—
高校卒・現業系								
18	0	0		—	—	—	—	—
20	2	0		167,600	167,600	—	—	—
22	4	0		185,300	185,300	—	—	—
25	7	0		197,300	197,300	—	—	—
27	9	1		—	—	—	—	—
30	12	2		253,740	230,740	—	—	—
35	17	3		295,240	268,240	—	—	—
40	22	3		323,540	296,540	—	—	—
45	27	3		344,220	317,220	—	—	—
50	32	2		349,380	330,380	—	—	—
55	37	1		354,780	339,780	—	—	—
60	42	1		—	—	—	—	—

補足的事項

モデル賃金の算定方法
理論モデル

モデル賃金の対象
全従業員モデル

労務構成
平均年齢　48.0歳
平均勤続　18.3年
2023年所定内賃金　297,105円
うち基本賃金　284,605円
2022年所定内賃金　294,755円
年間所定労働時間　1,860時間

賃金改定状況
定昇のみ実施

2023年賃上げ額
2,350円　0.80%
うち定昇　2,350円　0.80%

家族手当
配偶者　15,000円
第１子　8,000円
第２子　4,000円
第３子　2,000円
・管理職に対する支給
支給する

役付手当
部　長　71,000円
課　長　57,000円

役割給　導入なし

役職者への時間外手当の不支給
課長クラスから不支給

時間あたり賃金
月例賃金ベース　1,917円

役職者・実在者の平均月収額
課　長　月例賃金
平均年齢 50.0歳　280千円

繊維　A社（100人）　　　　　　　　　　　　　　　　　　　　　　　　　　　（単位：円）

設定条件			役職名	所定労働時間内賃金	うち基本賃金	年間賃金計 モデル月例賃金×12 + 2023年夏季賞与 2022年年末賞与	2023年夏季モデル賞与	2022年年末モデル賞与	補足的事項
年齢(歳)	勤続年数(年)	扶養家族(人)							
大学卒・総合職（事務・技術系）									
22	0	0		—	—	—	—	—	モデル賃金の算定方法
25	3	0		223,150	223,150	—	—	—	実在者の平均額
27	5	1		223,613	223,613	—	—	—	モデル賃金の対象
30	8	2	主　任	341,120	286,120	—	—	—	組合員モデル
35	13	3		—	—	—	—	—	労務構成
40	18	3		—	—	—	—	—	平均年齢　　　　44.0歳
45	23	3		—	—	—	—	—	平均勤続　　　　13.8年
50	28	2	担当主任	354,420	301,420	—	—	—	2023年所定内賃金
55	33	1		—	—	—	—	—	345,246円
60	38	1		—	—	—	—	—	うち基本賃金 276,813円
大学卒・一般職（事務・技術系）									2022年所定内賃金
22	0	0							319,424円
25	3	0							年間所定労働時間
27	5	0							1,807時間30分
30	8	0							
35	13	0							賃金改定状況
40	18	0							ベースアップを実施
45	23	0							2023年賃上げ額
短大卒・一般職（事務・技術系）									20,574円　5.92％
20	0	0							うち定昇 4,910円　1.39％
22	2	0							賞与・一時金
25	5	0							・2022年年末
30	10	0							678,914円　2.30ヵ月
35	15	0							前年比　96.00％
40	20	0							・2023年夏季
高校卒・総合職（事務・技術系）									621,968円　2.20ヵ月
18	0	0							前年比　109.00％
20	2	0							
22	4	0							家族手当
25	7	0							配偶者　　　　15,000円
27	9	1							第1子　　　　　5,000円
30	12	2							第2子　　　　　4,000円
35	17	3							第3子　　　　　4,000円
40	22	3							・管理職に対する支給
45	27	3							支給する
50	32	2							・支給の制限等
55	37	1							22歳まで支給
60	42	1							役付手当
高校卒・一般職（事務・技術系）									部　　長　　　80,000円
18	0	0							次　　長　　　70,000円
20	2	0							課　　長　　　60,000円
22	4	0							係　　長　　　50,000円
25	7	0							主　　任　　　35,000円
30	12	0							役職者への時間外手当の不支給
35	17	0							課長より下のクラスから不支給
40	22	0							
高校卒・現業系									時間あたり賃金
18	0	0							年間賃金ベース　3,012円
20	2	0							月例賃金ベース　2,292円
22	4	0							役職者・実在者の平均月収額
25	7	0							部長（兼任役員）月例賃金
27	9	1							平均年齢 57.0歳　830千円
30	12	2							部　　長　　　月例賃金
35	17	3							平均年齢 59.0歳　658千円
40	22	3							次　　長　　　月例賃金
45	27	3							平均年齢 51.4歳　490千円
50	32	2							課　　長　　　月例賃金
55	37	1							平均年齢 47.4歳　461千円
60	42	1							

繊維　B社（80人）　　　　　　　　　　　　　　　　　　　　　（単位：円）

設定条件 年齢(歳)	勤続年数(年)	扶養家族(人)	役職名	所定労働時間内賃金	うち基本賃金	年間賃金計 モデル月例賃金×12 + 2023年夏季賞与 2022年年末賞与	2023年夏季モデル賞与	2022年年末モデル賞与	補足的事項
大学卒・総合職（事務・技術系）									モデル賃金の算定方法
22	0	0		195,000	195,000	2,574,026	37,000	197,026	理論モデル
25	3	0		208,100	208,100	2,897,294	192,423	207,671	モデル賃金の対象
27	5	1		229,420	213,720	3,176,040	203,343	219,657	全従業員モデル
30	8	2	職　　長	244,890	224,690	3,415,074	229,149	247,245	労務構成
35	13	3	係　　長	268,300	244,100	3,816,758	287,634	309,524	平均年齢　　40.8歳
40	18	3	課長代理	287,470	258,270	4,067,394	297,453	320,301	平均勤続　　16.9年
45	23	3	課　　長	334,360	295,160	4,739,291	350,082	376,889	2023年所定内賃金
50	28	2	部　　長	366,710	319,510	5,228,441	398,840	429,081	243,687円
55	33	1	部　　長	393,320	347,620	5,649,899	448,235	481,824	うち基本賃金 222,247円
60	38	1		249,890	234,190	3,464,257	224,863	240,714	2022年所定内賃金
大学卒・一般職（事務・技術系）									236,409円
22	0	0		180,000	180,000	2,382,327	37,000	185,327	年間所定労働時間
25	3	0		195,750	195,750	2,735,825	186,097	200,728	1,992時間
27	5	0		202,070	202,070	2,818,455	189,334	204,281	
30	8	0		215,400	215,400	3,029,511	214,045	230,666	賃金改定状況
35	13	0	職　　長	233,200	230,200	3,306,364	244,621	263,343	ベースアップを実施
40	18	0	職　　長	245,230	242,230	3,463,648	250,782	270,106	2023年賃上げ額
45	23	0	職　　長	258,430	255,430	3,636,230	257,543	277,527	7,586円　3.60%
短大卒・一般職（事務・技術系）									賞与・一時金
20	0	0		170,000	170,000	2,254,527	37,000	177,527	・2022年年末
22	2	0		179,330	179,330	2,506,547	169,783	184,804	258,499円　1.10ヵ月
25	5	0		192,070	192,070	2,687,712	184,213	198,659	前年比　112.90%
30	10	0		208,630	208,630	2,940,997	210,577	226,860	・2023年夏季
35	15	0	職　　長	219,520	216,520	3,083,378	216,155	232,983	246,722円　1.00ヵ月
40	20	0	職　　長	228,970	225,970	3,251,059	242,454	260,965	前年比　103.90%
高校卒・総合職（事務・技術系）									家族手当
18	0	0		160,000	160,000	2,126,727	37,000	169,727	配偶者　　15,700円
20	2	0		169,330	169,330	2,371,649	162,684	177,005	第1子　　2,000円
22	4	0		178,810	178,810	2,514,345	177,421	191,204	第2子　　2,000円
25	7	0		188,250	188,250	2,637,767	182,256	196,511	・管理職に対する支給
27	9	1		211,860	196,160	2,983,227	212,231	228,676	支給する
30	12	2	職　　長	220,730	200,530	3,099,197	216,774	233,663	・支給の制限等
35	17	3	職　　長	232,810	210,610	3,301,265	244,421	263,124	18歳まで支給
40	22	3	係　　長	244,650	220,450	3,456,065	250,485	269,780	役付手当
45	27	3	係　　長	260,530	236,330	3,715,171	283,655	305,156	部　　長　　30,000円
50	32	2	係　　長	275,580	253,380	3,911,940	291,363	313,617	課　　長　　20,000円
55	37	1	課長代理	299,240	273,540	4,221,279	303,481	326,918	係　　長　　5,000円
60	42	1		190,780	175,080	2,597,684	148,758	159,566	主　　任　　3,000円
高校卒・一般職（事務・技術系）									役割給
18	0	0		160,000	160,000	2,126,727	37,000	169,727	（左の賃金表では基本賃金に含まれます）
20	2	0		169,330	169,330	2,371,649	162,684	177,005	部　　長　220,000〜350,000円
22	4	0		178,810	178,810	2,514,345	177,421	191,204	課　　長　200,000〜330,000円
25	7	0		188,250	188,250	2,637,767	182,256	196,511	係　　長　170,000〜290,000円
30	12	0		200,530	200,530	2,835,095	206,428	222,307	主　　任　163,000〜270,000円
35	17	0	職　　長	210,910	207,910	2,970,807	211,745	228,142	役職者への時間外手当の不支給
40	22	0	職　　長	219,650	216,650	3,085,077	216,221	233,056	課長クラスから不支給
高校卒・現業系									時間あたり賃金
18	0	0							年間賃金ベース　1,722円
20	2	0							月例賃金ベース　1,468円
22	4	0							
25	7	0							役職者・実在者の平均年収額
27	9	1							部長（兼任役員）
30	12	2							月例賃金＋賞与
35	17	3							平均年齢　44.4歳　5,783千円
40	22	3							部　　長　月例賃金＋賞与
45	27	3							平均年齢　48.2歳　5,008千円
50	32	2							課　　長　月例賃金＋賞与
55	37	1							平均年齢　48.8歳　4,340千円
60	42	1							

木材・木製品　A社（600人）

（単位：円）

設定条件 年齢（歳）	勤続年数（年）	扶養家族（人）	役職名	所定労働時間内賃金	うち基本賃金	年間賃金計（モデル月例賃金×12＋2023年夏季賞与＋2022年年末賞与）	2023年夏季モデル賞与	2022年年末モデル賞与
大学卒・総合職（事務・技術系）								
22	0	0		216,500	213,500	2,838,000	30,000	210,000
25	3	0		233,400	230,400	3,981,800	564,000	617,000
27	5	1		252,000	241,000	4,260,000	590,000	646,000
30	8	2		273,500	260,500	4,618,000	638,000	698,000
35	13	3		325,500	310,500	5,498,000	760,000	832,000
40	18	3		372,200	357,200	6,297,400	874,000	957,000
45	23	3	グループ長	421,000	396,000	7,134,000	994,000	1,088,000
50	28	2	部　　長	474,000	431,000	8,052,000	1,129,000	1,235,000
55	33	1	工場次長	571,000	480,000	9,724,000	1,371,000	1,501,000
60	38	1	工　場　長	726,000	515,000	12,378,000	1,750,000	1,916,000
大学卒・一般職（事務・技術系）								
22	0	0		181,300	178,300	2,385,600	30,000	180,000
25	3	0		193,300	190,300	3,295,600	466,000	510,000
27	5	0		200,800	197,800	3,423,600	484,000	530,000
30	8	0		214,800	211,800	3,663,600	518,000	568,000
35	13	0		250,800	247,800	4,280,600	607,000	664,000
40	18	0		284,200	281,200	4,852,400	688,000	754,000
45	23	0		311,200	308,200	5,314,400	754,000	826,000
短大卒・一般職（事務・技術系）								
20	0	0		169,300	166,300	2,231,600	30,000	170,000
22	2	0		177,300	174,300	3,021,600	427,000	467,000
25	5	0		189,300	186,300	3,226,600	456,000	499,000
30	10	0		203,300	200,300	3,466,600	490,000	537,000
35	15	0		239,300	236,300	4,082,600	578,000	633,000
40	20	0		272,700	269,700	4,655,400	660,000	723,000
高校卒・総合職（事務・技術系）								
18	0	0		185,300	182,300	2,433,600	30,000	180,000
20	2	0		195,600	192,600	3,334,200	471,000	516,000
22	4	0		205,900	202,900	3,511,800	497,000	544,000
25	7	0		219,300	216,300	3,741,600	530,000	580,000
27	9	1		236,900	225,900	4,000,800	553,000	605,000
30	12	2		251,400	238,400	4,239,800	584,000	639,000
35	17	3		290,400	275,400	4,896,800	674,000	738,000
40	22	3		318,100	303,100	5,371,200	742,000	812,000
45	27	3		352,900	337,900	5,967,800	827,000	906,000
50	32	2		381,900	368,900	6,474,800	903,000	989,000
55	37	1		424,900	413,900	7,220,800	1,013,000	1,109,000
60	42	1		455,900	444,900	7,751,800	1,089,000	1,192,000
高校卒・一般職（事務・技術系）								
18	0	0		167,300	164,300	2,197,600	30,000	160,000
20	2	0		175,500	172,500	2,990,000	422,000	462,000
22	4	0		183,700	180,700	3,130,400	442,000	484,000
25	7	0		194,400	191,400	3,314,800	469,000	513,000
30	12	0		212,100	209,100	3,617,200	512,000	560,000
35	17	0		242,100	239,100	4,131,200	585,000	641,000
40	22	0		264,300	261,300	4,511,600	640,000	700,000
高校卒・現業系								
18	0	0		185,300	182,300	2,433,600	30,000	180,000
20	2	0		195,600	192,600	3,334,200	471,000	516,000
22	4	0		205,900	202,900	3,511,800	497,000	544,000
25	7	0		219,300	216,300	3,741,600	530,000	580,000
27	9	1		236,900	225,900	4,000,800	553,000	605,000
30	12	2		251,400	238,400	4,239,800	584,000	639,000
35	17	3		290,400	275,400	4,896,800	674,000	738,000
40	22	3	セクション長	323,100	303,100	5,457,200	754,000	826,000
45	27	3	セクション長	357,900	337,900	6,052,800	839,000	919,000
50	32	2	グループ長	391,900	368,900	6,645,800	928,000	1,015,000
55	37	1	グループ長	434,900	413,900	7,392,800	1,038,000	1,136,000
60	42	1	グループ長	465,900	444,900	7,923,800	1,114,000	1,219,000

補足的事項

モデル賃金の算定方法
理論モデル

モデル賃金の対象
全従業員モデル

労務構成
- 平均年齢　37.0歳
- 平均勤続　14.3年
- 2023年所定内賃金　294,081円
- うち基本賃金　280,800円
- 2022年所定内賃金　281,081円
- 年間所定労働時間　2,000時間

賃金改定状況
ベースアップを実施

2023年賃上げ額
13,000円　4.63%
うち定昇 7,000円　2.49%

賞与・一時金
- ・2022年年末　879,589円　3.35ヵ月　前年比　115.52%
- ・2023年夏季　835,633円　3.06ヵ月　前年比　99.67%

家族手当
- 配偶者　5,000円
- 第１子　2,000円
- 第２子　2,000円
- 第３子　2,000円

・管理職に対する支給
支給する

・支給の制限等
18歳まで支給

役付手当
- 部　長　200,000円
- 次　長　80,000円
- 課　長　30,000円
- 係　長　10,000円
- 主　任　5,000円

役割給　導入なし

役職者への時間外手当の不支給
次長クラスから不支給

時間あたり賃金
- 年間賃金ベース　2,622円
- 月例賃金ベース　1,764円

役職者・実在者の平均年収額
- 次　長　月例賃金＋賞与　平均年齢　48.5歳　8,506千円
- 課　長　月例賃金＋賞与　平均年齢　47.4歳　7,578千円

紙・パルプ　A社（200人）

（単位：円）

設定条件 年齢（歳）	勤続年数（年）	扶養家族（人）	役職名	所定労働時間内賃金	うち基本賃金	年間賃金計（モデル月例賃金×12＋2023年夏季賞与＋2022年年末賞与）	2023年夏季モデル賞与	2022年年末モデル賞与
大学卒・総合職（事務・技術系）								
22	0	0		203,600	203,600	—	50,000	—
25	3	0		214,730	214,730	3,068,760	258,000	234,000
27	5	1		241,670	219,670	3,462,040	292,000	270,000
30	8	2		261,400	236,400	3,939,800	416,000	387,000
35	13	3		286,500	259,000	4,275,000	433,000	404,000
40	18	3		335,250	307,750	5,266,000	637,000	606,000
45	23	3		342,910	315,410	5,429,920	671,000	644,000
50	28	2		—	—	—	—	—
55	33	1		—	—	—	—	—
60	38	1		—	—	—	—	—
大学卒・一般職（事務・技術系）								
22	0	0						
25	3	0						
27	5	0						
30	8	0						
35	13	0						
40	18	0						
45	23	0						
短大卒・一般職（事務・技術系）								
20	0	0						
22	2	0						
25	5	0						
30	10	0						
35	15	0						
40	20	0						
高校卒・総合職（事務・技術系）								
18	0	0		168,700	168,700	—	35,000	—
20	2	0		174,400	174,400	2,511,800	215,000	204,000
22	4	0		181,510	181,510	2,616,120	216,000	222,000
25	7	0		197,430	190,430	2,865,160	259,000	237,000
27	9	1		—	—	—	—	—
30	12	2		264,170	239,170	3,863,040	355,000	338,000
35	17	3		—	—	—	—	—
40	22	3		304,890	277,390	4,418,680	392,000	368,000
45	27	3		351,340	323,840	5,444,080	629,000	599,000
50	32	2		385,460	360,460	6,048,520	725,000	698,000
55	37	1		367,240	345,240	5,567,880	594,000	567,000
60	42	1		—	—	—	—	—
高校卒・一般職（事務・技術系）								
18	0	0						
20	2	0						
22	4	0						
25	7	0						
30	12	0						
35	17	0						
40	22	0						
高校卒・現業系								
18	0	0						
20	2	0						
22	4	0						
25	7	0						
27	9	1						
30	12	2						
35	17	3						
40	22	3						
45	27	3						
50	32	2						
55	37	1						
60	42	1						

補足的事項

モデル賃金の算定方法
実在者の平均額

モデル賃金の対象
組合員モデル

労務構成
平均年齢　42.2歳
平均勤続　18.2年
2023年所定内賃金　270,225円
うち基本賃金　263,136円
2022年所定内賃金　265,462円
年間所定労働時間　2,008時間

賃金改定状況
定昇のみ実施

2023年賃上げ額
5,330円　2.00%
うち定昇　5,330円　2.00%

賞与・一時金
・2022年年末
370,000円　1.39ヵ月
前年比　93.40%
・2023年夏季
383,000円　1.42ヵ月
前年比　95.90%

家族手当
配偶者　15,000円
第1子　3,000円
第2子　2,500円
・管理職に対する支給
支給しない
・支給の制限等
18歳まで支給

役付手当
部　長　90,000～140,000円
次　長　57,000～92,000円
課　長　25,000～93,000円

役割給　導入なし

役職者への時間外手当の不支給
課長クラスから不支給

時間あたり賃金
年間賃金ベース　1,990円
月例賃金ベース　1,615円

役職者・実在者の平均年収額
部　長　月例賃金＋賞与
平均年齢　54.0歳　8,305千円
次　長　月例賃金＋賞与
平均年齢　50.8歳　7,210千円
課　長　月例賃金＋賞与
平均年齢　51.7歳　6,708千円

紙・パルプ　B社（200人）

（単位：円）

設定条件 年齢（歳）	勤続年数（年）	扶養家族（人）	役職名	所定労働時間内賃金	うち基本賃金	年間賃金計 モデル月例賃金×12＋2023年夏季賞与 2022年年末賞与	2023年夏季モデル賞与	2022年年末モデル賞与
大学卒・総合職（事務・技術系）								
22	0	0		202,600	195,000	—	120,000	—
25	3	0		217,600	210,000	3,480,700	440,000	429,500
27	5	1		226,200	218,600	3,613,900	453,000	446,500
30	8	2		259,600	242,000	4,102,700	497,000	490,500
35	13	3	主任	307,600	270,000	4,771,200	549,000	531,000
40	18	3	係長	340,600	298,000	5,275,200	603,000	585,000
45	23	3	課長	407,600	335,000	6,236,700	688,500	657,000
50	28	2	課長	419,600	357,000	6,471,700	721,500	715,000
55	33	1	課長	426,400	373,800	6,605,800	747,000	742,000
60	38	1		261,200	253,600	3,642,400	254,000	254,000
大学卒・一般職（事務・技術系）								
22	0	0						
25	3	0						
27	5	0						
30	8	0						
35	13	0						
40	18	0						
45	23	0						
短大卒・一般職（事務・技術系）								
20	0	0						
22	2	0						
25	5	0						
30	10	0						
35	15	0						
40	20	0						
高校卒・総合職（事務・技術系）								
18	0	0						
20	2	0						
22	4	0						
25	7	0						
27	9	1						
30	12	2						
35	17	3						
40	22	3						
45	27	3						
50	32	2						
55	37	1						
60	42	1						
高校卒・一般職（事務・技術系）								
18	0	0						
20	2	0						
22	4	0						
25	7	0						
30	12	0						
35	17	0						
40	22	0						
高校卒・現業系								
18	0	0		182,600	165,000	—	—	—
20	2	0		194,800	177,200	—	—	—
22	4	0		212,600	195,000	—	—	—
25	7	0		231,600	214,000	—	—	—
27	9	1		239,600	222,000	—	—	—
30	12	2		269,400	241,800	—	—	—
35	17	3		299,400	261,800	—	—	—
40	22	3	職長	337,600	290,000	—	—	—
45	27	3	職長	353,600	306,000	—	—	—
50	32	2	係長	377,800	335,200	—	—	—
55	37	1	係長	382,800	350,200	—	—	—
60	42	1		241,600	224,000	—	—	—

補足的事項

モデル賃金の算定方法
理論モデル

モデル賃金の対象
全従業員モデル

労務構成
平均年齢　41.1歳
平均勤続　16.9年
2023年所定内賃金　290,317円
うち基本賃金　278,707円
2022年所定内賃金　274,180円
年間所定労働時間　2,008時間

賃金改定状況
ベースアップを実施

2023年賃上げ額
7,000円　2.56%
うち定昇　4,000円　1.46%

賞与・一時金
・2022年年末
564,880円　2.06ヵ月
前年比　100.70%
・2023年夏季
563,782円　2.07ヵ月
前年比　100.80%

家族手当
配偶者　0円
第１子　10,000円
第２子　10,000円
第３子　10,000円
・管理職に対する支給
支給する
・支給の制限等
18歳まで支給

役付手当
部長　55,000～70,000円
次長　50,000円
課長　45,000円
係長　15,000円
主任　10,000円

役割給　導入なし

役職者への時間外手当の不支給
課長クラスから不支給

時間あたり賃金
年間賃金ベース　2,297円
月例賃金ベース　1,735円

役職者・実在者の平均年収額
部長（兼任役員）　月例賃金＋賞与
平均年齢　64.5歳　—
部長　月例賃金＋賞与
平均年齢　55.0歳　8,685千円
次長　月例賃金＋賞与
平均年齢　48.5歳　6,504千円
課長　月例賃金＋賞与
平均年齢　49.7歳　6,193千円

紙・パルプ　C社（60人）

（単位：円）

設定条件 年齢（歳）	勤続年数（年）	扶養家族（人）	役職名	所定労働時間内賃金	うち基本賃金	年間賃金計 モデル月例賃金×12＋2023年夏季賞与＋2022年年末賞与	2023年夏季モデル賞与	2022年年末モデル賞与
大学卒・総合職（事務・技術系）								
22	0	0		195,000	160,000	2,612,000	112,000	160,000
25	3	0		220,000	175,000	2,937,500	122,500	175,000
27	5	1		240,000	185,000	3,194,500	129,500	185,000
30	8	2		265,000	200,000	3,520,000	140,000	200,000
35	13	3	主任	315,000	225,000	4,171,000	161,000	230,000
40	18	3	係長	345,000	250,000	4,582,000	182,000	260,000
45	23	3	課長	430,000	275,000	5,981,100	338,100	483,000
50	28	2	部長	475,000	300,000	6,652,000	392,000	560,000
55	33	1	部長	465,000	300,000	6,532,000	392,000	560,000
60	38	1	部長	455,000	300,000	6,412,000	392,000	560,000
大学卒・一般職（事務・技術系）								
22	0	0		191,000	156,000	2,604,000	156,000	156,000
25	3	0		210,000	165,000	2,850,000	165,000	165,000
27	5	0		216,000	171,000	2,934,000	171,000	171,000
30	8	0		225,000	180,000	3,060,000	180,000	180,000
35	13	0		240,000	195,000	3,270,000	195,000	195,000
40	18	0		255,000	210,000	3,480,000	210,000	210,000
45	23	0		270,000	225,000	3,690,000	225,000	225,000
短大卒・一般職（事務・技術系）								
20	0	0		191,000	156,000	2,557,200	109,200	156,000
22	2	0		191,000	156,000	2,557,200	109,200	156,000
25	5	0		210,000	165,000	2,800,500	115,500	165,000
30	10	0		225,000	180,000	3,006,000	126,000	180,000
35	15	0		240,000	195,000	3,211,500	136,500	195,000
40	20	0		255,000	210,000	3,417,000	147,000	210,000
高校卒・総合職（事務・技術系）								
18	0	0		—	—	—	—	—
20	2	0		—	—	—	—	—
22	4	0		195,000	160,000	2,612,000	112,000	160,000
25	7	0		220,000	175,000	2,937,500	122,500	175,000
27	9	1		240,000	185,000	3,194,500	129,500	185,000
30	12	2		265,000	200,000	3,520,000	140,000	200,000
35	17	3	主任	315,000	225,000	4,171,000	161,000	230,000
40	22	3	係長	345,000	250,000	4,582,000	182,000	260,000
45	27	3	課長	430,000	275,000	5,981,100	338,100	483,000
50	32	2	部長	475,000	300,000	6,652,000	392,000	560,000
55	37	1	部長	465,000	300,000	6,532,000	392,000	560,000
60	42	1	部長	455,000	300,000	6,412,000	392,000	560,000
高校卒・一般職（事務・技術系）								
18	0	0		144,000	144,000	1,972,800	100,800	144,000
20	2	0		147,200	147,200	2,016,640	103,040	147,200
22	4	0		150,400	150,400	2,060,480	105,280	150,400
25	7	0		155,200	155,200	2,126,240	108,640	155,200
30	12	0		163,200	163,200	2,235,840	114,240	163,200
35	17	0		171,200	171,200	2,345,440	119,840	171,200
40	22	0		179,200	179,200	2,455,040	125,440	179,200
高校卒・現業系								
18	0	0		144,000	144,000	1,972,800	100,800	144,000
20	2	0		147,200	147,200	2,016,640	103,040	147,200
22	4	0		150,400	150,400	2,060,480	105,280	150,400
25	7	0		155,200	155,200	2,126,240	108,640	155,200
27	9	1		158,400	158,400	2,170,080	110,880	158,400
30	12	2		163,200	163,200	2,235,840	114,240	163,200
35	17	3		171,200	171,200	2,345,440	119,840	171,200
40	22	3		179,200	179,200	2,455,040	125,440	179,200
45	27	3		187,200	187,200	2,564,640	131,040	187,200
50	32	2		195,200	195,200	2,674,240	136,640	195,200
55	37	1		203,200	203,200	2,783,840	142,240	203,200
60	42	1		211,200	211,200	2,893,440	147,840	211,200

補足的事項

モデル賃金の算定方法
理論モデル

モデル賃金の対象
全従業員モデル

労務構成
平均年齢　42.0歳
平均勤続　9.0年
2023年所定内賃金　270,000円
うち基本賃金　220,000円
2022年所定内賃金　270,000円
年間所定労働時間　1,968時間

賃金改定状況
定昇のみ実施

2023年賃上げ額
3,000円　1.00%
うち定昇　3,000円　1.00%

賞与・一時金
・2022年年末
154,000円　0.70ヵ月
前年比　100.00%
・2023年夏季
220,000円　1.00ヵ月
前年比　142.80%

家族手当
配偶者　10,000円
第1子　10,000円
第2子　10,000円
第3子　10,000円
・管理職に対する支給
支給する
・支給の制限等
22歳まで支給

役付手当
部長　100,000～200,000円
次長　85,000～100,000円
課長　70,000～85,000円
係長　10,000～20,000円
主任　3,000～5,000円

役割給　導入なし

役職者への時間外手当の不支給
課長クラスから不支給

時間あたり賃金
年間賃金ベース　1,836円
月例賃金ベース　1,646円

役職者・実在者の平均年収額
部長　月例賃金＋賞与
平均年齢　48.0歳　6,030千円
次長　月例賃金＋賞与
平均年齢　48.0歳　6,300千円
課長　月例賃金＋賞与
平均年齢　47.0歳　6,030千円

化学　A社（2,500人）

（単位：円）

年齢（歳）	勤続年数（年）	扶養家族（人）	役職名	所定労働時間内賃金	うち基本賃金	年間賃金計（モデル月例賃金×12＋2023年夏季賞与＋2022年年末賞与）	2023年夏季モデル賞与	2022年年末モデル賞与
大学卒・総合職（事務・技術系）								
22	0	0		250,800	238,857	3,651,042	105,022	536,420
25	3	0		274,038	260,988	4,576,518	568,651	719,411
27	5	1		326,339	274,967	5,348,003	648,851	783,084
30	8	2		359,017	297,117	5,857,171	728,719	820,248
35	13	3	主任	431,383	359,083	7,203,662	943,531	1,083,535
40	18	3	主任	548,023	485,723	8,888,101	1,110,139	1,201,686
45	23	3	主席	643,800	596,500	10,742,563	1,343,687	1,673,276
50	28	2	主席	669,400	632,500	11,552,884	1,664,548	1,855,536
55	33	1	主席	641,530	611,905	11,162,873	1,492,275	1,972,238
60	38	1		—	—	—	—	—
大学卒・一般職（事務・技術系）								
22	0	0						
25	3	0						
27	5	0						
30	8	0						
35	13	0						
40	18	0						
45	23	0						
短大卒・一般職（事務・技術系）								
20	0	0						
22	2	0						
25	5	0						
30	10	0						
35	15	0						
40	20	0						
高校卒・総合職（事務・技術系）								
18	0	0		209,265	199,300	3,086,513	128,051	447,282
20	2	0		223,038	212,417	3,560,673	408,750	475,467
22	4	0		231,625	220,595	3,683,980	420,378	484,102
25	7	0		250,924	238,975	4,000,804	463,683	526,033
27	9	1		298,873	248,617	4,681,865	514,812	580,577
30	12	2		329,151	267,251	5,221,709	592,110	679,787
35	17	3		374,882	302,582	6,020,819	710,925	811,310
40	22	3	主任	412,886	340,586	6,798,008	841,045	1,002,331
45	27	3	主任	448,712	376,412	7,354,698	924,345	1,045,809
50	32	2	主席	486,484	426,197	7,990,043	1,004,173	1,148,062
55	37	1	主席	532,877	488,084	8,866,618	1,159,438	1,312,656
60	42	1		—	—	—	—	—
高校卒・一般職（事務・技術系）								
18	0	0		209,265	199,300	3,081,622	126,923	443,519
20	2	0		218,790	208,142	3,407,385	315,775	466,130
22	4	0		228,315	216,984	3,662,599	422,957	499,862
25	7	0		242,604	230,248	3,933,916	472,207	550,461
30	12	0		319,377	257,745	5,080,250	579,226	668,500
35	17	0		361,352	289,052	5,687,582	701,882	649,476
40	22	0	主任	356,463	284,163	5,698,451	638,135	782,760
高校卒・現業系								
18	0	0						
20	2	0						
22	4	0						
25	7	0						
27	9	1						
30	12	2						
35	17	3						
40	22	3						
45	27	3						
50	32	2						
55	37	1						
60	42	1						

補足的事項

モデル賃金の算定方法
実在者の平均額

モデル賃金の対象
組合員モデル

労務構成
平均年齢　38.2歳
平均勤続　15.5年
2023年所定内賃金　350,916円
うち基本賃金　327,065円
2022年所定内賃金　340,044円
年間所定労働時間　1,891時間

賃金改定状況
ベースアップを実施

2023年賃上げ額
15,302円　4.50%
うち定昇 5,542円　1.63%

賞与・一時金
・2022年年末
867,500円　2.52ヵ月
前年比　92.19%
・2023年夏季
749,500円　2.20ヵ月
前年比　86.40%

家族手当
配偶者　26,500円
第1子　10,400円
第2子　10,400円
第3子　10,400円
・管理職に対する支給
支給する
・支給の制限等
16歳まで支給

役付手当　制度なし
役割給　導入している
役職者への時間外手当の不支給
課長クラスから不支給

時間あたり賃金
年間賃金ベース　3,082円
月例賃金ベース　2,227円

役職者・実在者の平均年収額
部　長　年俸制
平均年齢　55.5歳　8,568千円
課　長　年俸制
平均年齢　52.1歳　7,292千円

化学　B社（1,700人）　　　　　　　　　　　　　　　　　　　　　　　　　　　（単位：円）

設定条件			役職名	所定労働時間内賃金	うち基本賃金	年間賃金計 モデル月例賃金×12 + 2023年夏季賞与 2022年年末賞与	2023年夏季モデル賞与	2022年年末モデル賞与	補足的事項
年齢(歳)	勤続年数(年)	扶養家族(人)							
大学卒・総合職（事務・技術系）									
22	0	0	副 主 任	224,500	224,500	—	—	—	モデル賃金の算定方法
25	3	0	主　　任	253,760	253,760	—	—	—	理論モデル
27	5	1	主　　任	259,660	259,660	—	—	—	モデル賃金の対象
30	8	2	係　　長	284,030	284,030	—	—	—	全従業員モデル
35	13	3	係　　長	325,230	305,230	—	—	—	労務構成
40	18	3	課　　長	440,880	410,880	—	—	—	平均年齢　　　　39.0歳
45	23	3	課　　長	473,180	443,180	—	—	—	平均勤続　　　　13.3年
50	28	2	部　　長	590,250	550,250	—	—	—	
55	33	1	部　　長	635,250	595,250	—	—	—	賃金改定状況
60	38	1	部　　長	681,300	641,300	—	—	—	ベースアップを実施
大学卒・一般職（事務・技術系）									
22	0	0		196,910	196,910	—	—	—	2023年賃上げ額
25	3	0		201,210	201,210	—	—	—	12,650円　4.60%
27	5	0	副 主 任	207,400	207,400	—	—	—	うち定昇 4,390円 1.60%
30	8	0	副 主 任	213,600	213,600	—	—	—	
35	13	0	主　　任	250,660	250,660	—	—	—	賞与・一時金
40	18	0	係　　長	307,430	307,430	—	—	—	・2022年年末
45	23	0	係　　長	330,430	330,430	—	—	—	690,000円　2.55ヵ月
短大卒・一般職（事務・技術系）									
20	0	0		186,910	186,910	—	—	—	前年比　100.98%
22	2	0		189,510	189,510	—	—	—	・2023年夏季
25	5	0		194,010	194,010	—	—	—	
30	10	0	副 主 任	216,100	216,100	—	—	—	726,400円　2.59ヵ月
35	15	0	主　　任	253,160	253,160	—	—	—	前年比　101.72%
40	20	0	係　　長	309,930	309,930	—	—	—	
高校卒・総合職（事務・技術系）									
18	0	0							家族手当
20	2	0							配偶者　　16,800円
22	4	0							第1子　　 2,750円
25	7	0							第2子　　 2,800円
27	9	1							・管理職に対する支給
30	12	2							支給しない
35	17	3							・支給の制限等
40	22	3							18歳まで支給
45	27	3							
50	32	2							役付手当
55	37	1							部　　長　35,000〜40,000円
60	42	1							課　　長　　0〜30,000円
高校卒・一般職（事務・技術系）									
18	0	0		181,910	181,910	—	—	—	係　　長　　0〜20,000円
20	2	0		183,710	183,710	—	—	—	主　　任　　0〜7,500円
22	4	0		191,310	191,310	—	—	—	役割給
25	7	0		195,810	195,810	—	—	—	（左の賃金表では基本賃金に含まれます）
30	12	0	副 主 任	217,900	217,900	—	—	—	部　　長　　410,450円
35	17	0	主　　任	254,960	254,960	—	—	—	課　　長　　341,280円
40	22	0	係　　長	311,730	311,730	—	—	—	係　　長　　261,330円
高校卒・現業系									
18	0	0							主　　任　　222,060円
20	2	0							役職者への時間外手当の不支給
22	4	0							課長クラスから不支給
25	7	0							
27	9	1							
30	12	2							役職者・実在者の平均年収額
35	17	3							部　　長　　月例賃金＋賞与
40	22	3							平均年齢 54.0歳　11,690千円
45	27	3							
50	32	2							課　　長　　月例賃金＋賞与
55	37	1							平均年齢 49.0歳　8,771千円
60	42	1							

化学　C社（1,600人）

（単位：円）

設定条件 年齢（歳）	勤続年数（年）	扶養家族（人）	役職名	所定労働時間内賃金	うち基本賃金	年間賃金計 モデル月例賃金×12＋2023年夏季賞与 2022年年末賞与	2023年夏季モデル賞与	2022年年末モデル賞与
大学卒・総合職（事務・技術系）								
22	0	0		244,600	230,600	4,032,100	228,800	868,100
25	3	0		264,630	250,630	5,181,360	1,050,500	955,300
27	5	1		312,560	268,560	6,097,520	1,221,700	1,125,100
30	8	2		344,360	295,760	6,744,420	1,351,100	1,261,000
35	13	3	係長	406,460	354,760	8,220,220	1,717,700	1,625,000
40	18	3	課長補	469,900	418,200	9,711,600	2,080,500	1,992,300
45	23	3	課長	573,160	498,660	12,156,320	2,692,800	2,585,600
50	28	2	課長	623,920	549,420	13,278,840	2,966,900	2,824,900
55	33	1	課長	663,900	589,400	14,141,800	3,160,700	3,014,300
60	38	1		—	—	—	—	—
大学卒・一般職（事務・技術系）								
22	0	0						
25	3	0						
27	5	0						
30	8	0						
35	13	0						
40	18	0						
45	23	0						
短大卒・一般職（事務・技術系）								
20	0	0						
22	2	0						
25	5	0						
30	10	0						
35	15	0						
40	20	0						
高校卒・総合職（事務・技術系）								
18	0	0						
20	2	0						
22	4	0						
25	7	0						
27	9	1						
30	12	2						
35	17	3						
40	22	3						
45	27	3						
50	32	2						
55	37	1						
60	42	1						
高校卒・一般職（事務・技術系）								
18	0	0						
20	2	0						
22	4	0						
25	7	0						
30	12	0						
35	17	0						
40	22	0						
高校卒・現業系								
18	0	0		185,000	183,000	3,005,600	143,500	642,100
20	2	0		195,160	193,160	3,784,520	757,200	685,400
22	4	0		204,550	202,550	4,005,200	810,200	740,400
25	7	0		223,120	221,120	4,375,040	884,500	813,100
27	9	1		268,470	236,470	5,233,240	1,042,800	968,800
30	12	2		294,840	258,240	5,760,380	1,150,000	1,072,300
35	17	3	係長	337,900	298,200	6,813,200	1,420,900	1,337,500
40	22	3	係長	372,800	333,100	7,558,100	1,574,400	1,510,100
45	27	3	課長補	410,530	370,830	8,497,060	1,814,600	1,756,100
50	32	2	課長補	437,790	401,190	9,078,880	1,941,900	1,883,500
55	37	1	課長補	450,800	418,800	9,316,000	2,004,500	1,901,900
60	42	1		—	—	—	—	—

補足的事項

モデル賃金の算定方法
理論モデル

モデル賃金の対象
全従業員モデル

労務構成
平均年齢　38.8歳
平均勤続　15.8年
2023年所定内賃金
357,846円
うち基本賃金 332,230円
2022年所定内賃金
345,105円
年間所定労働時間
1,891時間

賃金改定状況
ベースアップを実施

2023年賃上げ額
11,835円　3.35%
うち定昇 6,671円　1.89%

賞与・一時金
・2022年年末
1,227,756円　3.90ヵ月
前年比　116.42%
・2023年夏季
1,279,839円　4.00ヵ月
前年比　114.29%

家族手当
配偶者　19,500円
第1子　4,600円
第2子　3,100円
第3子　1,700円
・管理職に対する支給
支給しない
・その他
配偶者が不在のときは第1子に1人目として9,500円支給

役付手当
課長　50,000円

役割給　導入なし

役職者への時間外手当の不支給
課長クラスから不支給

時間あたり賃金
年間賃金ベース　3,597円
月例賃金ベース　2,271円

化学　D社（600人）

（単位：円）

設定条件 年齢（歳）	勤続年数（年）	扶養家族（人）	役職名	所定労働時間内賃金	うち基本賃金	年間賃金計 モデル月例賃金×12＋2023年夏季賞与＋2022年年末賞与	2023年夏季モデル賞与	2022年年末モデル賞与
大学卒・総合職（事務・技術系）								
22	0	0		226,100	213,100	—	30,000	—
25	3	0		—	—	—	—	—
27	5	1		260,000	237,000	4,343,960	502,960	721,000
30	8	2		288,900	260,900	4,750,788	548,961	735,027
35	13	3		307,800	274,800	5,187,213	626,861	866,752
40	18	3		362,100	329,100	6,123,901	731,909	1,046,792
45	23	3		385,500	345,000	6,595,950	848,700	1,121,250
50	28	2		394,500	359,000	6,627,720	781,720	1,112,000
55	33	1	管理職	474,000	451,000	8,236,228	1,099,938	1,448,290
60	38	1	管理職	474,000	451,000	8,015,418	987,368	1,340,050
大学卒・一般職（事務・技術系）								
22	0	0						
25	3	0						
27	5	0						
30	8	0						
35	13	0						
40	18	0						
45	23	0						
短大卒・一般職（事務・技術系）								
20	0	0						
22	2	0						
25	5	0						
30	10	0						
35	15	0						
40	20	0						
高校卒・総合職（事務・技術系）								
18	0	0		185,300	172,300	—	30,000	—
20	2	0		—	—	—	—	—
22	4	0		—	—	—	—	—
25	7	0		—	—	—	—	—
27	9	1		—	—	—	—	—
30	12	2		—	—	—	—	—
35	17	3		—	—	—	—	—
40	22	3		—	—	—	—	—
45	27	3		—	—	—	—	—
50	32	2		—	—	—	—	—
55	37	1		—	—	—	—	—
60	42	1		—	—	—	—	—
高校卒・一般職（事務・技術系）								
18	0	0						
20	2	0						
22	4	0						
25	7	0						
30	12	0						
35	17	0						
40	22	0						
高校卒・現業系								
18	0	0		172,300	172,300	—	30,000	—
20	2	0		176,500	176,500	3,065,170	396,490	550,680
22	4	0		—	—	—	—	—
25	7	0		256,200	204,700	4,114,276	425,776	614,100
27	9	1		295,800	234,300	4,807,454	516,838	741,016
30	12	2		—	—	—	—	—
35	17	3		—	—	—	—	—
40	22	3		350,600	330,600	5,981,794	745,948	1,028,646
45	27	3		—	—	—	—	—
50	32	2		—	—	—	—	—
55	37	1		—	—	—	—	—
60	42	1		—	—	—	—	—

補足的事項

モデル賃金の算定方法
実在者の平均額

モデル賃金の対象
全従業員モデル

労務構成
平均年齢　41.8歳
平均勤続　17.5年
2023年所定内賃金　311,870円
うち基本賃金　308,729円
2022年所定内賃金　306,881円
年間所定労働時間　1,807時間30分

賃金改定状況
ベースアップを実施

2023年賃上げ額
4,266円　1.45％
うち定昇　2,766円　0.94％

賞与・一時金
・2022年年末
914,317円　3.01ヵ月
前年比　145.88％
・2023年夏季
637,150円　2.09ヵ月
前年比　102.08％

家族手当
配偶者　10,000円
第１子　5,000円
第２子　5,000円
第３子　5,000円
・管理職に対する支給
支給する
・支給の制限等
22歳まで支給ただし，15歳以上22歳未満は12,500円

役付手当　制度なし

役割給
（左の賃金表では基本賃金に含まれます）
部　長　260,000円
次　長　245,000円
課　長　205,000円
係　長　170,000円
主　任　125,000円

役職者への時間外手当の不支給
課長クラスから不支給

時間あたり賃金
年間賃金ベース　2,929円
月例賃金ベース　2,071円

役職者・実在者の平均年収額
部長（兼任役員）　月例賃金＋賞与
平均年齢 55.8歳　14,016千円
部　長　月例賃金＋賞与
平均年齢 52.8歳　11,075千円
次　長　月例賃金＋賞与
平均年齢 53.5歳　10,588千円
課　長　月例賃金＋賞与
平均年齢 50.2歳　9,301千円

化学　E社（400人）　　　　　　　　　　　　　　　　　　　　　　　　　　　　　　　　　　　　　（単位：円）

設定条件 年齢（歳）	勤続年数（年）	扶養家族（人）	役職名	所定労働時間内賃金	うち基本賃金	年間賃金計 モデル月例賃金×12 + 2023年夏季賞与 2022年年末賞与	2023年夏季モデル賞与	2022年年末モデル賞与	補足的事項
大学卒・総合職 （事務・技術系）									
22	0	0		214,000	205,000	—	535,000	—	モデル賃金の算定方法
25	3	0		232,000	223,000	—	580,000	—	理論モデル
27	5	1		256,000	235,000	—	640,000	—	モデル賃金の対象
30	8	2		282,890	249,890	—	707,225	—	組合員モデル
35	13	3		327,206	277,206	—	818,015	—	労務構成
40	18	3		353,134	303,134	—	882,835	—	
45	23	3	課　長	485,000	375,000	—	1,073,600	—	平均年齢　　　　34.4歳
50	28	2	課　長	478,000	380,000	—	1,085,800	—	平均勤続　　　　7.2年
55	33	1	部　長	541,000	440,000	—	1,253,200	—	年間所定労働時間
60	38	1	部　長	551,000	450,000	—	1,277,300	—	1,807時間30分
大学卒・一般職 （事務・技術系）									
22	0	0							
25	3	0							賃金改定状況
27	5	0							定昇のみ実施
30	8	0							2023年賃上げ額
35	13	0							
40	18	0							—　2.19％
45	23	0							うち定昇　—　2.19％
短大卒・一般職 （事務・技術系）									
20	0	0							賞与・一時金
22	2	0							・2022年年末　—　2.50ヵ月
25	5	0							前年比　—
30	10	0							
35	15	0							・2023年夏季　—　2.50ヵ月
40	20	0							前年比　—
高校卒・総合職 （事務・技術系）									
18	0	0		184,000	175,000	—	460,000	—	
20	2	0		196,000	187,000	—	490,000	—	家族手当
22	4	0		214,000	205,000	—	535,000	—	
25	7	0		241,000	232,000	—	602,500	—	配偶者　　（12,000円）
27	9	1		270,890	249,890	—	677,225	—	第1子　　　12,000円
30	12	2		315,207	277,207	—	788,018	—	第2子　　　12,000円
35	17	3		353,134	303,134	—	882,835	—	第3子　　　12,000円
40	22	3		376,985	326,985	—	942,463	—	・管理職に対する支給
45	27	3		402,421	352,421	—	1,006,053	—	支給する
50	32	2		403,000	365,000	—	1,037,500	—	・支給の制限等
55	37	1		391,000	365,000	—	1,007,500	—	22歳まで支給，また配
60	42	1		391,000	365,000	—	947,500	—	偶者への支給は6歳未
高校卒・一般職 （事務・技術系）									満の子どもを有しかつ
18	0	0							扶養もしていること
20	2	0							役付手当
22	4	0							部　長　　　80,000円
25	7	0							課　長　　　65,000円
30	12	0							役割給　　　　導入なし
35	17	0							役職者への時間外手当の不支給
40	22	0							課長クラスから不支給
高校卒・現業系									
18	0	0							役職者・実在者の平均月収額
20	2	0							部　長　　　　月例賃金
22	4	0							
25	7	0							平均年齢 50.0歳　557千円
27	9	1							
30	12	2							
35	17	3							課　長　　　　月例賃金
40	22	3							
45	27	3							平均年齢 48.0歳　466千円
50	32	2							
55	37	1							
60	42	1							

化学　F社（350人）

（単位：円）

設定条件			役職名	所定労働時間内賃金	うち基本賃金	年間賃金計 モデル月例賃金×12 + 2023年夏季賞与 2022年年末賞与	2023年夏季モデル賞与	2022年年末モデル賞与	補足的事項
年齢（歳）	勤続年数（年）	扶養家族（人）							
大学卒・総合職（事務・技術系）									モデル賃金の算定方法
22	0	0		225,840	225,840	―	―	―	理論モデル
25	3	0		246,840	246,840	―	―	―	モデル賃金の対象
27	5	1		266,640	256,640	―	―	―	組合員モデル
30	8	2		297,040	277,040	―	―	―	労務構成
35	13	3		351,440	306,440	―	―	―	平均年齢　　　　41.2歳
40	18	3		393,020	343,020	―	―	―	平均勤続　　　　15.2年
45	23	3		425,520	375,520	―	―	―	2023年所定内賃金
50	28	2		447,520	407,520	―	―	―	330,119円
55	33	1		467,720	437,720	―	―	―	うち基本賃金　310,182円
60	38	1		483,120	453,120	―	―	―	2022年所定内賃金
大学卒・一般職（事務・技術系）									314,865円
22	0	0							年間所定労働時間
25	3	0							1,817時間10分
27	5	0							
30	8	0							
35	13	0							
40	18	0							賃金改定状況
45	23	0							ベースアップを実施
短大卒・一般職（事務・技術系）									2023年賃上げ額
20	0	0							14,887円　4.73%
22	2	0							うち定昇　4,887円　1.55%
25	5	0							
30	10	0							
35	15	0							
40	20	0							
高校卒・総合職（事務・技術系）									賞与・一時金
18	0	0		181,400	181,400	―	―	―	・2022年年末
20	2	0		191,000	191,000	―	―	―	785,000円　2.50ヵ月
22	4	0		200,600	200,600	―	―	―	前年比　82.45%
25	7	0		218,700	218,700	―	―	―	・2023年夏季
27	9	1		241,500	231,500	―	―	―	709,000円　2.25ヵ月
30	12	2		278,500	258,500	―	―	―	前年比　86.04%
35	17	3		317,100	287,100	―	―	―	
40	22	3		343,600	313,600	―	―	―	
45	27	3		367,100	337,100	―	―	―	家族手当
50	32	2		380,100	360,100	―	―	―	配偶者　　　　　10,000円
55	37	1		387,100	377,100	―	―	―	第1子　　　　　10,000円
60	42	1		387,100	377,100	―	―	―	第2子　　　　　10,000円
高校卒・一般職（事務・技術系）									第3子　　　　　10,000円
18	0	0		181,400	181,400	―	―	―	役付手当
20	2	0		191,000	191,000	―	―	―	部　　長　　　110,000円
22	4	0		200,600	200,600	―	―	―	次　　長　　　 90,000円
25	7	0		218,700	218,700	―	―	―	課　　長　　　 80,000円
30	12	0		258,500	258,500	―	―	―	係　　長　　　 20,000円
35	17	0		311,100	296,100	―	―	―	主　　任　　　 15,000円
40	22	0		341,600	326,600	―	―	―	役割給　　　　　導入なし
高校卒・現業系									役職者への時間外手当の不支給
18	0	0							課長クラスから不支給
20	2	0							
22	4	0							
25	7	0							
27	9	1							時間あたり賃金
30	12	2							年間賃金ベース　3,002円
35	17	3							月例賃金ベース　2,180円
40	22	3							
45	27	3							
50	32	2							
55	37	1							
60	42	1							

化学　G社（300人）

（単位：円）

設定条件 年齢（歳）	勤続年数（年）	扶養家族（人）	役職名	所定労働時間内賃金	うち基本賃金	年間賃金計（モデル月例賃金×12＋2023年夏季賞与＋2022年年末賞与）	2023年夏季モデル賞与	2022年年末モデル賞与
大学卒・総合職（事務・技術系）								
22	0	0		233,330	228,990	—	50,000	—
25	3	0		—	—	—	—	—
27	5	1		—	—	—	—	—
30	8	2		350,880	291,100	5,764,819	834,780	719,479
35	13	3		366,400	296,900	6,152,074	885,845	869,429
40	18	3		441,780	369,700	7,587,293	1,152,201	1,133,732
45	23	3		403,380	313,660	6,623,782	891,611	891,611
50	28	2		363,680	313,960	6,220,110	927,975	927,975
55	33	1		—	—	—	—	—
60	38	1		—	—	—	—	—
大学卒・一般職（事務・技術系）								
22	0	0		—	—	—	—	—
25	3	0		—	—	—	—	—
27	5	0		—	—	—	—	—
30	8	0		—	—	—	—	—
35	13	0		270,395	237,325	4,416,430	585,845	585,845
40	18	0		—	—	—	—	—
45	23	0		—	—	—	—	—
短大卒・一般職（事務・技術系）								
20	0	0		—	—	—	—	—
22	2	0		—	—	—	—	—
25	5	0		—	—	—	—	—
30	10	0		—	—	—	—	—
35	15	0		329,860	302,500	5,636,940	839,310	839,310
40	20	0		285,500	273,850	4,852,394	713,197	713,197
高校卒・総合職（事務・技術系）								
18	0	0		—	—	—	—	—
20	2	0		—	—	—	—	—
22	4	0		—	—	—	—	—
25	7	0		—	—	—	—	—
27	9	1		—	—	—	—	—
30	12	2		—	—	—	—	—
35	17	3		380,180	302,820	6,281,396	851,410	867,826
40	22	3		—	—	—	—	—
45	27	3		384,540	310,820	5,519,694	89,624	815,590
50	32	2		470,200	403,200	8,127,510	1,242,555	1,242,555
55	37	1		457,700	402,700	7,922,192	1,214,896	1,214,896
60	42	1		—	—	—	—	—
高校卒・一般職（事務・技術系）								
18	0	0		183,100	180,910	—	40,000	—
20	2	0		194,350	191,300	3,239,198	453,499	453,499
22	4	0		201,060	197,150	3,363,152	475,216	475,216
25	7	0		257,600	219,400	4,237,476	573,138	573,138
30	12	0		275,350	251,000	4,655,137	688,653	662,284
35	17	0		300,900	274,400	5,137,904	763,552	763,552
40	22	0		324,850	289,200	5,431,542	766,671	766,671
高校卒・現業系								
18	0	0						
20	2	0						
22	4	0						
25	7	0						
27	9	1						
30	12	2						
35	17	3						
40	22	3						
45	27	3						
50	32	2						
55	37	1						
60	42	1						

補足的事項

モデル賃金の算定方法
実在者の中位の額

モデル賃金の対象
組合員モデル

労務構成
平均年齢　38.2歳
平均勤続　17.8年
2023年所定内賃金　330,708円
うち基本賃金　292,748円
2022年所定内賃金　315,240円
年間所定労働時間　1,872時間

賃金改定状況
ベースアップを実施

2023年賃上げ額
14,253円　5.87%
うち定昇　4,280円　1.80%

賞与・一時金
・2022年年末
795,106円　2.72ヵ月
前年比　93.00%
・2023年夏季
783,951円　2.68ヵ月
前年比　96.20%

家族手当
配偶者　23,000円
第１子　12,000円
第２子　8,000円
第３子　6,000円
・管理職に対する支給
支給しない
・支給の制限等
21歳まで支給

役付手当　制度なし

役職者への時間外手当の不支給
課長より下のクラスから不支給

時間あたり賃金
年間賃金ベース　2,963円
月例賃金ベース　2,120円

化学　H社（250人）

（単位：円）

設定条件 年齢（歳）	勤続年数（年）	扶養家族（人）	役職名	所定労働時間内賃金	うち基本賃金	年間賃金計 モデル月例賃金×12＋2023年夏季賞与 2022年年末賞与	2023年夏季モデル賞与	2022年年末モデル賞与
大学卒・総合職（事務・技術系）								
22	0	0		221,300	221,300	—	96,000	—
25	3	0		236,700	236,700	—	712,467	—
27	5	1		274,100	248,100	—	746,781	—
30	8	2		296,900	265,400	—	798,854	—
35	13	3		335,600	299,100	—	900,291	—
40	18	3		371,550	335,050	—	1,008,501	—
45	23	3	課　長	464,300	367,800	—	1,107,078	—
50	28	2	部　長	521,800	410,300	—	1,235,003	—
55	33	1	部　長	554,800	448,800	—	1,350,888	—
60	38	1		472,240	366,240	—	1,102,382	—
大学卒・一般職（事務・技術系）								
22	0	0						
25	3	0						
27	5	0						
30	8	0						
35	13	0						
40	18	0						
45	23	0						
短大卒・一般職（事務・技術系）								
20	0	0						
22	2	0						
25	5	0						
30	10	0						
35	15	0						
40	20	0						
高校卒・総合職（事務・技術系）								
18	0	0		179,600	179,600	—	79,000	—
20	2	0		188,700	188,700	—	567,987	—
22	4	0		196,600	196,600	—	591,766	—
25	7	0		212,000	212,000	—	638,120	—
27	9	1		249,400	223,400	—	672,434	—
30	12	2		272,200	240,700	—	724,507	—
35	17	3		310,900	274,400	—	825,944	—
40	22	3		346,850	310,350	—	934,154	—
45	27	3	課　長	452,300	355,800	—	1,070,958	—
50	32	2	部　長	518,800	407,300	—	1,225,973	—
55	37	1	部　長	551,800	445,800	—	1,341,858	—
60	42	1		469,240	363,240	—	1,093,352	—
高校卒・一般職（事務・技術系）								
18	0	0						
20	2	0						
22	4	0						
25	7	0						
30	12	0						
35	17	0						
40	22	0						
高校卒・現業系								
18	0	0						
20	2	0						
22	4	0						
25	7	0						
27	9	1						
30	12	2						
35	17	3						
40	22	3						
45	27	3						
50	32	2						
55	37	1						
60	42	1						

補足的事項

モデル賃金の算定方法
理論モデル

モデル賃金の対象
全従業員モデル

労務構成
平均年齢　40.0歳
平均勤続　13.3年
年間所定労働時間　1,942時間

賃金改定状況
ベースアップを実施

2023年賃上げ額
11,330円　4.03%
うち定昇 3,595円　1.28%

賞与・一時金
・2022年年末
855,000円　3.00ヵ月
前年比　103.60%
・2023年夏季
880,000円　3.01ヵ月
前年比　102.90%

家族手当
配偶者　11,500円
第1子　5,500円
第2子　5,500円
第3子　5,500円
・管理職に対する支給
支給する
・支給の制限等
18歳まで支給

役付手当
部　長　80,000円
課　長　60,000円

役割給　導入なし

役職者への時間外手当の不支給
課長クラスから不支給

石油・石炭　A社（750人）

（単位：円）

設定条件 年齢（歳）	勤続年数（年）	扶養家族（人）	役職名	所定労働時間内賃金	うち基本賃金	年間賃金計（モデル月例賃金×12＋2023年夏季賞与 2022年年末賞与）	2023年夏季モデル賞与	2022年年末モデル賞与
大学卒・総合職（事務・技術系）								
22	0	0		240,600	240,600	—	60,000	—
25	3	0		248,900	248,900	—	—	—
27	5	1		278,916	278,916	—	—	—
30	8	2		307,336	307,336	—	—	—
35	13	3		341,500	341,500	—	—	—
40	18	3	管理職	635,650	588,000	—	—	—
45	23	3		487,000	487,000	—	—	—
50	28	2	管理職	628,000	588,000	—	—	—
55	33	1	管理職	653,000	613,000	—	—	—
60	38	1		435,890	428,240	—	—	—
大学卒・一般職（事務・技術系）								
22	0	0						
25	3	0						
27	5	0						
30	8	0						
35	13	0						
40	18	0						
45	23	0						
短大卒・一般職（事務・技術系）								
20	0	0						
22	2	0						
25	5	0						
30	10	0						
35	15	0						
40	20	0						
高校卒・総合職（事務・技術系）								
18	0	0		176,800	176,800	—	60,000	—
20	2	0		181,000	181,000	—	—	—
22	4	0		189,000	189,000	—	—	—
25	7	0		221,000	221,000	—	—	—
27	9	1		237,800	237,800	—	—	—
30	12	2		352,732	295,300	—	—	—
35	17	3		220,400	220,400	—	—	—
40	22	3		524,410	430,930	—	—	—
45	27	3		467,780	460,130	—	—	—
50	32	2		546,832	466,078	—	—	—
55	37	1	管理職	653,000	613,000	—	—	—
60	42	1		254,000	254,000	—	—	—
高校卒・一般職（事務・技術系）								
18	0	0						
20	2	0						
22	4	0						
25	7	0						
30	12	0						
35	17	0						
40	22	0						
高校卒・現業系								
18	0	0						
20	2	0						
22	4	0						
25	7	0						
27	9	1						
30	12	2						
35	17	3						
40	22	3						
45	27	3						
50	32	2						
55	37	1						
60	42	1						

補足的事項

モデル賃金の算定方法
実在者の中位の額

モデル賃金の対象
全従業員モデル

労務構成
平均年齢　39.4歳
平均勤続　15.5年
2023年所定内賃金　430,045円
うち基本賃金　430,045円
2022年所定内賃金　416,045円
年間所定労働時間　1,807時間30分

賃金改定状況
定昇のみ実施

2023年賃上げ額
4,000円　1.02%

賞与・一時金
・2022年年末
763,632円　2.00ヵ月
前年比　99.00%
・2023年夏季
632,447円　2.00ヵ月
前年比　—

家族手当　制度なし

役付手当
部　長　80,000円
次　長　50,000円
課　長　40,000円
係　長　15,000円
主　任　10,000円

役割給　導入なし

役職者への時間外手当の不支給
課長クラスから不支給

時間あたり賃金
年間賃金ベース　3,627円
月例賃金ベース　2,855円

役職者・実在者の平均年収額
部　長　月例賃金＋賞与
平均年齢 52.0歳　10,670千円
次　長　月例賃金＋賞与
平均年齢　48.0歳　9,438千円
課　長　月例賃金＋賞与
平均年齢　49.0歳　9,155千円

ゴム・タイヤ　A社（300人）

（単位：円）

設定条件 年齢（歳）	勤続年数（年）	扶養家族（人）	役職名	所定労働時間内賃金	うち基本賃金	年間賃金計 モデル月例賃金×12＋2023年夏季賞与 2022年年末賞与	2023年夏季モデル賞与	2022年年末モデル賞与
大学卒・総合職（事務・技術系）								
22	0	0		205,310	204,050	—	93,211	—
25	3	0		222,270	214,400	—	—	444,540
27	5	1		269,250	226,800	—	—	538,500
30	8	2		292,480	239,100	—	—	584,960
35	13	3		334,710	270,400	—	—	669,420
40	18	3		357,210	292,900	—	—	714,420
45	23	3		388,910	324,600	—	—	777,820
50	28	2		401,230	347,850	—	—	802,460
55	33	1		412,350	369,900	—	—	824,700
60	38	1		429,750	387,300	—	—	859,500
大学卒・一般職（事務・技術系）								
22	0	0						
25	3	0						
27	5	0						
30	8	0						
35	13	0						
40	18	0						
45	23	0						
短大卒・一般職（事務・技術系）								
20	0	0						
22	2	0						
25	5	0						
30	10	0						
35	15	0						
40	20	0						
高校卒・総合職（事務・技術系）								
18	0	0						
20	2	0						
22	4	0						
25	7	0						
27	9	1						
30	12	2						
35	17	3						
40	22	3						
45	27	3						
50	32	2						
55	37	1						
60	42	1						
高校卒・一般職（事務・技術系）								
18	0	0						
20	2	0						
22	4	0						
25	7	0						
30	12	0						
35	17	0						
40	22	0						
高校卒・現業系								
18	0	0		166,060	164,800	—	75,391	—
20	2	0		172,060	170,800	—	—	344,120
22	4	0		179,810	178,550	—	—	359,620
25	7	0		201,270	200,010	—	—	402,540
27	9	1		244,250	201,800	—	—	488,500
30	12	2		267,480	214,100	—	—	534,960
35	17	3		308,710	244,400	—	—	617,420
40	22	3		331,210	266,900	—	—	662,420
45	27	3		361,360	297,050	—	—	722,720
50	32	2		359,730	306,350	—	—	719,460
55	37	1		384,800	342,350	—	—	769,600
60	42	1		402,200	359,750	—	—	804,400

補足的事項

モデル賃金の算定方法
理論モデル

モデル賃金の対象
組合員モデル

労務構成
平均年齢　42.3歳
平均勤続　18.4年
2023年所定内賃金　328,238円
うち基本賃金　285,961円
2022年所定内賃金　322,480円
年間所定労働時間　1,898時間45分

賃金改定状況
ベースアップを実施

2023年賃上げ額
5,800円　1.92%
うち定昇　4,800円　1.59%

賞与・一時金
・2022年年末
644,777円　2.00ヵ月
前年比　98.12%
・2023年夏季
648,455円　2.00ヵ月
前年比　102.13%

家族手当
配偶者　24,410円
第１子　10,930円
第２子　10,930円
第３子　3,500円
・管理職に対する支給
支給する
・支給の制限等
22歳まで支給

役付手当
部　長　30,000～90,000円
次　長　22,500～75,000円
課　長　20,000～60,000円
係　長　18,000円
主　任　9,000円

役割給　導入なし

役職者への時間外手当の不支給
課長クラスから不支給

時間あたり賃金
年間賃金ベース　2,756円
月例賃金ベース　2,074円

役職者・実在者の平均年収額
部　長　月例賃金＋賞与
平均年齢　54.8歳　9,066千円
次　長　月例賃金＋賞与
平均年齢　53.7歳　8,424千円
課　長　月例賃金＋賞与
平均年齢　51.5歳　7,434千円

ゴム・タイヤ　B社（300人）

（単位：円）

設定条件 年齢（歳）	勤続年数（年）	扶養家族（人）	役職名	所定労働時間内賃金	うち基本賃金	年間賃金計（モデル月例賃金×12＋2023年夏季賞与＋2022年年末賞与）	2023年夏季モデル賞与	2022年年末モデル賞与
大学卒・総合職（事務・技術系）								
22	0	0		211,500	211,500	2,997,950	60,000	399,950
25	3	0		218,914	218,914	3,465,050	424,045	414,037
27	5	1		243,814	229,314	3,855,980	468,865	461,347
30	8	2		256,314	236,314	4,052,230	491,365	485,097
35	13	3		283,314	258,314	4,476,130	539,965	536,397
40	18	3		309,314	284,314	4,884,330	586,765	585,797
45	23	3		339,314	314,314	5,355,330	640,765	642,797
50	28	2		367,114	347,114	5,791,790	690,805	695,617
55	33	1		372,614	358,114	5,878,140	700,705	706,067
60	38	1		379,614	365,114	5,988,040	713,305	719,367
大学卒・一般職（事務・技術系）								
22	0	0						
25	3	0						
27	5	0						
30	8	0						
35	13	0						
40	18	0						
45	23	0						
短大卒・一般職（事務・技術系）								
20	0	0						
22	2	0						
25	5	0						
30	10	0						
35	15	0						
40	20	0						
高校卒・総合職（事務・技術系）								
18	0	0						
20	2	0						
22	4	0						
25	7	0						
27	9	1						
30	12	2						
35	17	3						
40	22	3						
45	27	3						
50	32	2						
55	37	1						
60	42	1						
高校卒・一般職（事務・技術系）								
18	0	0						
20	2	0						
22	4	0						
25	7	0						
30	12	0						
35	17	0						
40	22	0						
高校卒・現業系								
18	0	0		171,500	171,500	2,441,950	60,000	323,950
20	2	0		177,414	177,414	2,813,500	349,345	335,187
22	4	0		192,714	192,714	3,053,710	376,885	364,257
25	7	0		202,114	202,114	3,201,290	393,805	382,117
27	9	1		231,614	217,114	3,664,440	446,905	438,167
30	12	2		248,514	228,514	3,929,770	477,325	470,277
35	17	3		281,814	256,814	4,452,580	537,265	533,547
40	22	3		308,614	283,614	4,873,340	585,505	584,467
45	27	3		339,314	314,314	5,355,330	640,765	642,797
50	32	2		367,114	347,114	5,791,790	690,805	695,617
55	37	1		372,614	358,114	5,878,140	700,705	706,067
60	42	1		379,614	365,114	5,988,040	713,305	719,367

補足的事項

モデル賃金の算定方法
理論モデル

モデル賃金の対象
組合員モデル

労務構成
平均年齢　41.6歳
平均勤続　20.5年
2023年所定内賃金　306,038円
うち基本賃金　280,532円
2022年所定内賃金　301,596円
年間所定労働時間　1,898時間45分

賃金改定状況
ベースアップを実施

2023年賃上げ額
4,198円　1.39％
うち定昇　3,198円　1.06％

賞与・一時金
・2022年年末
573,656円　1.90ヵ月
前年比　127.10％
・2023年夏季
550,868円　1.80ヵ月
前年比　86.00％

家族手当
配偶者　14,500円
第１子　5,500円
第２子　5,000円
第３子　3,000円
・管理職に対する支給
支給する
・支給の制限等
18歳まで支給

役付手当
部　長　40,000～45,000円
課　長　30,000～40,000円
係　長　15,000円
主　任　15,000円

役割給　導入なし

役職者への時間外手当の不支給
課長クラスから不支給

時間あたり賃金
年間賃金ベース　2,526円
月例賃金ベース　1,934円

役職者・実在者の平均年収額
部　長　月例賃金＋賞与
平均年齢　54.8歳　8,030千円
課　長　月例賃金＋賞与
平均年齢　53.3歳　7,136千円

窯業・土石　A社（120人）

(単位：円)

設定条件			役職名	所定労働時間内賃金	うち基本賃金	年間賃金計 モデル月例賃金×12 + 2023年夏季賞与 2022年年末賞与	2023年夏季モデル賞与	2022年年末モデル賞与	補足的事項
年齢(歳)	勤続年数(年)	扶養家族(人)							
大学卒・総合職（事務・技術系）									
22	0	0		178,000	178,000	—	—	—	モデル賃金の算定方法
25	3	0		178,000	178,000	—	—	—	理論モデル
27	5	1	主　　任	218,000	199,000	—	—	—	モデル賃金の対象
30	8	2	係　　長	247,000	221,000	—	—	—	全従業員モデル
35	13	3	副 課 長	263,000	231,000	—	—	—	労務構成
40	18	3	課　　長	314,000	250,000	—	—	—	平均年齢　　　50.0歳
45	23	3	副 部 長	323,000	250,000	—	—	—	平均勤続　　　15.5年
50	28	2	部　　長	379,000	300,000	—	—	—	2023年所定内賃金
55	33	1	兼務役員	410,000	350,000	—	—	—	223,422円
60	38	1	兼務役員	410,000	350,000	—	—	—	うち基本賃金 206,566円
大学卒・一般職（事務・技術系）									2022年所定内賃金
22	0	0							218,422円
25	3	0							年間所定労働時間
27	5	0							2,008時間
30	8	0							
35	13	0							賃金改定状況
40	18	0							定昇のみ実施
45	23	0							2023年賃上げ額
短大卒・一般職（事務・技術系）									5,000円　2.80%
20	0	0							うち定昇 5,000円 2.80%
22	2	0							賞与・一時金
25	5	0							・2022年年末
30	10	0							200,000円　1.00ヵ月
35	15	0							前年比　　250.00%
40	20	0							・2023年夏季
高校卒・総合職（事務・技術系）									160,000円　0.80ヵ月
18	0	0		162,000	162,000	—	—	—	前年比　　400.00%
20	2	0		168,000	168,000	—	—	—	
22	4	0		168,000	168,000	—	—	—	家族手当
25	7	0		173,000	173,000	—	—	—	配偶者　　　12,000円
27	9	1		185,000	173,000	—	—	—	第1子　　　 3,000円
30	12	2	主　　任	201,000	179,000	—	—	—	第2子　　　 2,000円
35	17	3	係　　長	239,000	211,000	—	—	—	第3子　　　 2,000円
40	22	3	副 課 長	243,000	211,000	—	—	—	・管理職に対する支給
45	27	3	課　　長	314,000	250,000	—	—	—	支給する
50	32	2	副 部 長	321,000	250,000	—	—	—	・支給の制限等
55	37	1	部　　長	376,000	300,000	—	—	—	18歳まで支給
60	42	1	兼務役員	410,000	350,000	—	—	—	役付手当
高校卒・一般職（事務・技術系）									部　　長　　64,000円
18	0	0		149,000	149,000	—	—	—	次　　長　　56,000円
20	2	0		151,000	151,000	—	—	—	課　　長　　47,000円
22	4	0		157,000	157,000	—	—	—	係　　長　　11,000円
25	7	0		167,000	167,000	—	—	—	主　　任　　 7,000円
30	12	0		177,000	177,000	—	—	—	役割給
35	17	0		187,000	187,000	—	—	—	導入なし
40	22	0		182,000	182,000	—	—	—	役職者への時間外手当の不支給
高校卒・現業系									課長クラスから不支給
18	0	0		162,000	162,000	—	—	—	時間あたり賃金
20	2	0		168,000	168,000	—	—	—	年間賃金ベース　1,514円
22	4	0		168,000	168,000	—	—	—	月例賃金ベース　1,335円
25	7	0		173,000	173,000	—	—	—	
27	9	1		185,000	173,000	—	—	—	役職者・実在者の平均年収額
30	12	2	主　　任	201,000	179,000	—	—	—	部　長（兼任役員）
35	17	3	係　　長	239,000	211,000	—	—	—	月例賃金＋賞与
40	22	3	副 課 長	243,000	211,000	—	—	—	平均年齢 60.5歳 7,270千円
45	27	3	課　　長	314,000	250,000	—	—	—	部　　長　月例賃金＋賞与
50	32	2	副 部 長	321,000	250,000	—	—	—	平均年齢 56.2歳 5,802千円
55	37	1	部　　長	376,000	300,000	—	—	—	次　　長　月例賃金＋賞与
60	42	1	兼務役員	410,000	350,000	—	—	—	平均年齢 57.0歳 4,895千円
									課　　長　月例賃金＋賞与
									平均年齢 57.6歳 4,168千円

窯業・土石　B社（100人）　　　　　　　　　　　　　　　　　　　　　　　（単位：円）

設定条件			役職名	所定労働時間内賃金	うち基本賃金	年間賃金計 モデル月例賃金×12 + 2023年夏季賞与 2022年年末賞与	2023年夏季モデル賞与	2022年年末モデル賞与	補足的事項
年齢(歳)	勤続年数(年)	扶養家族(人)							
大学卒・総合職（事務・技術系）									
22	0	0		205,000	205,000	—	118,310	—	モデル賃金の算定方法
25	3	0		221,850	217,550	3,711,550	529,210	520,140	実在者のうち、設定条件に
27	5	1		246,840	226,340	4,081,730	570,240	549,410	最も近いモデルの支給額を
30	8	2		—	—	—	—	—	入力。
35	13	3		363,360	320,360	5,978,800	829,360	789,120	モデル賃金の対象
40	18	3		—	—	—	—	—	全従業員モデル
45	23	3	課　　長	433,000	403,000	7,542,000	1,178,000	1,168,000	労務構成
50	28	2	課　　長	458,000	428,000	7,883,000	1,246,000	1,141,000	平均年齢　　　42.0歳
55	33	1		—	—	—	—	—	平均勤続　　　22.0年
60	38	1		—	—	—	—	—	2023年所定内賃金
大学卒・一般職（事務・技術系）									316,457円
22	0	0							うち基本賃金 301,196円
25	3	0							2022年所定内賃金
27	5	0							315,061円
30	8	0							年間所定労働時間
35	13	0							1,863時間
40	18	0							
45	23	0							
短大卒・一般職（事務・技術系）									賃金改定状況
20	0	0							ベースアップを実施
22	2	0							2023年賃上げ額
25	5	0							14,408円　4.57%
30	10	0							うち定昇 8,578円 2.72%
35	15	0							
40	20	0							賞与・一時金
高校卒・総合職（事務・技術系）									・2022年年末
18	0	0		—	—	—	—	—	790,542円　2.55ヵ月
20	2	0		—	—	—	—	—	前年比　99.50%
22	4	0		—	—	—	—	—	・2023年夏季
25	7	0		—	—	—	—	—	748,370円　2.47ヵ月
27	9	1		—	—	—	—	—	前年比　95.90%
30	12	2		—	—	—	—	—	
35	17	3		—	—	—	—	—	家族手当
40	22	3		—	—	—	—	—	配偶者　　　17,000円
45	27	3		—	—	—	—	—	第1子　　　 4,500円
50	32	2	課　　長	433,000	403,000	7,542,000	1,178,000	1,168,000	第2子　　　 3,000円
55	37	1		—	—	—	—	—	第3子　　　 3,000円
60	42	1		—	—	—	—	—	・管理職に対する支給
高校卒・一般職（事務・技術系）									支給しない
18	0	0		—	—	—	—	—	役付手当
20	2	0		—	—	—	—	—	部　　長　　　50,000円
22	4	0		185,260	183,460	3,117,630	460,680	433,830	課　　長　　　30,000円
25	7	0		—	—	—	—	—	係　　長　　　20,000円
30	12	0		—	—	—	—	—	役割給　　　　導入なし
35	17	0		—	—	—	—	—	役職者への時間外手当の不支給
40	22	0		—	—	—	—	—	課長より下のクラスから不
高校卒・現業系									支給
18	0	0		171,800	170,000	—	98,110	—	
20	2	0		178,670	176,870	3,013,750	443,840	425,870	時間あたり賃金
22	4	0		182,380	180,580	3,071,620	445,470	437,590	年間賃金ベース　2,864円
25	7	0		197,430	193,930	3,340,300	497,550	473,590	月例賃金ベース　2,038円
27	9	1		227,300	210,300	3,747,210	516,660	502,950	
30	12	2		—	—	—	—	—	
35	17	3		—	—	—	—	—	役職者・実在者の平均年収額
40	22	3		279,630	251,630	4,563,490	627,760	580,170	部　　長　月例賃金＋賞与
45	27	3		—	—	—	—	—	平均年齢 54.0歳 10,760千円
50	32	2		360,780	322,780	5,923,110	805,380	788,370	課　　長　月例賃金＋賞与
55	37	1	係　　長	410,370	369,870	6,798,530	936,210	937,880	平均年齢 51.7歳 8,093千円
60	42	1		—	—	—	—	—	

鉄鋼　A社（500人）　　　　　　　　　　　　　　　　　　　　　　　（単位：円）

設定条件			役職名	所定労働時間内賃金	うち基本賃金	年間賃金計 モデル月例賃金×12 ＋ 2023年夏季賞与 2022年年末賞与	2023年夏季モデル賞与	2022年年末モデル賞与	補足的事項
年齢(歳)	勤続年数(年)	扶養家族(人)							
大学卒・総合職（事務・技術系）									モデル賃金の算定方法
22	0	0							実在者の平均額
25	3	0							モデル賃金の対象
27	5	1							組合員モデル
30	8	2							労務構成
35	13	3							平均年齢　　　　　41.3歳
40	18	3							平均勤続　　　　　13.3年
45	23	3							2023年所定内賃金
50	28	2							281,415円
55	33	1							うち基本賃金　281,415円
60	38	1							2022年所定内賃金
大学卒・一般職（事務・技術系）									269,804円
22	0	0							年間所定労働時間
25	3	0							1,873時間5分
27	5	0							
30	8	0							賃金改定状況
35	13	0							ベースアップを実施
40	18	0							2023年賃上げ額
45	23	0							11,494円　4.44%
短大卒・一般職（事務・技術系）									うち定昇 4,494円　1.77%
20	0	0							賞与・一時金
22	2	0							・2022年年末
25	5	0							694,000円　2.55ヵ月
30	10	0							前年比　103.00%
35	15	0							・2023年夏季
40	20	0							707,000円　2.62ヵ月
高校卒・総合職（事務・技術系）									前年比　108.10%
18	0	0							
20	2	0							
22	4	0							家族手当
25	7	0							配偶者　　　　　10,000円
27	9	1							第1子　　　　　　4,000円
30	12	2							第2子　　　　　　4,000円
35	17	3							第3子　　　　　　4,000円
40	22	3							・管理職に対する支給
45	27	3							支給しない
50	32	2							・支給の制限等
55	37	1							18歳まで支給
60	42	1							役付手当　　　　制度なし
高校卒・一般職（事務・技術系）									役職者への時間外手当の不支給
18	0	0							課長より下のクラスから不支給
20	2	0							
22	4	0							
25	7	0							
30	12	0							
35	17	0							
40	22	0							
高校卒・現業系									
18	0	0		175,500	175,500	—	130,000	—	時間あたり賃金
20	2	0		195,500	195,500	3,123,000	398,000	379,000	年間賃金ベース　2,551円
22	4	0		199,483	199,483	3,092,796	381,500	317,500	月例賃金ベース　1,803円
25	7	0		199,803	199,803	3,282,136	449,000	435,500	
27	9	1		232,177	222,177	3,766,791	498,000	482,667	
30	12	2		248,438	234,438	4,033,756	541,500	511,000	
35	17	3		283,464	260,464	4,640,657	597,375	641,714	
40	22	3		303,369	280,369	5,048,428	715,857	692,143	
45	27	3		—	—	—	—	—	
50	32	2		357,942	313,942	5,897,137	812,333	789,500	
55	37	1		358,668	323,668	5,916,016	823,000	789,000	
60	42	1		358,668	323,668	5,916,016	823,000	789,000	

鉄鋼　B社（300人）　　　　　　　　　　　　　　　　　　　　　　　　　　　　　（単位：円）

設定条件			役職名	所定労働時間内賃金	うち基本賃金	年間賃金計 モデル月例賃金×12 + 2023年夏季賞与 2022年年末賞与	2023年夏季モデル賞与	2022年年末モデル賞与	補足的事項
年齢(歳)	勤続年数(年)	扶養家族(人)							
大学卒・総合職（事務・技術系）									
22	0	0		215,500	215,500	3,111,400	131,350	394,050	モデル賃金の算定方法
25	3	0		229,900	229,900	3,602,400	427,350	416,250	理論モデル
27	5	1		256,400	248,400	3,992,550	460,650	455,100	モデル賃金の対象
30	8	2		289,200	276,200	4,491,600	516,150	505,050	組合員モデル
35	13	3		352,700	334,700	5,464,500	621,600	610,500	労務構成
40	18	3		389,400	371,400	6,043,650	688,200	682,650	
45	23	3		409,400	391,700	6,359,400	727,050	715,950	平均年齢　　　　43.0歳
50	28	2		413,500	400,500	6,438,100	743,700	732,600	平均勤続　　　　17.8年
55	33	1		413,800	405,800	6,464,100	754,800	743,700	2023年所定内賃金
60	38	1		418,300	410,300	6,534,750	760,350	754,800	308,439円
大学卒・一般職（事務・技術系）									
22	0	0		192,800	192,800	2,779,800	116,550	349,650	うち基本賃金　308,439円
25	3	0		208,500	208,500	3,267,900	388,500	377,400	2022年所定内賃金
27	5	0		218,800	218,800	3,430,350	405,150	399,600	299,178円
30	8	0		235,900	235,900	3,696,600	438,450	427,350	年間所定労働時間
35	13	0		264,000	264,000	4,139,250	488,400	482,850	
40	18	0		287,000	287,000	4,498,500	532,800	521,700	1,883時間15分
45	23	0		302,200	302,200	4,741,950	560,550	555,000	
短大卒・一般職（事務・技術系）									
20	0	0		186,200	186,200	2,685,800	112,850	338,550	賃金改定状況
22	2	0		192,800	192,800	3,024,000	360,750	349,650	ベースアップを実施
25	5	0		208,500	208,500	3,267,900	388,500	377,400	2023年賃上げ額
30	10	0		235,900	235,900	3,696,600	438,450	427,350	
35	15	0		264,000	264,000	4,139,250	488,400	482,850	9,200円　3.00%
40	20	0		287,000	287,000	4,498,500	532,800	521,700	うち定昇　4,200円　1.40%
高校卒・総合職（事務・技術系）									
18	0	0		179,400	179,400	2,589,400	109,150	327,450	賞与・一時金
20	2	0		187,700	187,700	2,940,600	349,650	338,550	・2022年年末
22	4	0		195,600	195,600	3,068,700	366,300	355,200	
25	7	0		212,500	212,500	3,332,550	394,050	388,500	555,000円　1.85ヵ月
27	9	1		238,200	230,200	3,707,550	427,350	421,800	前年比　100.00%
30	12	2		266,700	253,700	4,132,800	471,750	460,650	・2023年夏季
35	17	3		305,500	287,500	4,726,050	532,800	527,250	
40	22	3		334,800	316,800	5,183,100	588,300	577,200	563,750円　1.88ヵ月
45	27	3		379,500	361,500	5,886,000	671,550	660,450	前年比　101.60%
50	32	2		391,100	378,100	6,091,800	704,850	693,750	
55	37	1		414,400	406,400	6,471,300	754,800	743,700	家族手当
60	42	1		418,900	410,900	6,541,950	760,350	754,800	配偶者　　　　8,000円
高校卒・一般職（事務・技術系）									
18	0	0		179,400	179,400	2,589,400	109,150	327,450	第1子　　　　5,000円
20	2	0		187,700	187,700	2,940,600	349,650	338,550	第2子　　　　5,000円
22	4	0		195,600	195,600	3,068,700	366,300	355,200	第3子　　　　5,000円
25	7	0		212,500	212,500	3,332,550	394,050	388,500	・管理職に対する支給
30	12	0		240,700	240,700	3,776,400	449,550	438,450	支給しない
35	17	0		269,500	269,500	4,227,450	499,500	493,950	・支給の制限等
40	22	0		298,800	298,800	4,684,500	555,000	543,900	22歳まで支給
高校卒・現業系									
18	0	0		179,400	179,400	2,589,400	109,150	327,450	
20	2	0		187,700	187,700	2,940,600	349,650	338,550	役付手当　　　制度なし
22	4	0		195,600	195,600	3,068,700	366,300	355,200	役割給　　　　導入なし
25	7	0		212,500	212,500	3,332,550	394,050	388,500	役職者への時間外手当の不支給
27	9	1		238,200	230,200	3,707,550	427,350	421,800	
30	12	2		266,700	253,700	4,132,800	471,750	460,650	課長クラスから不支給
35	17	3		305,500	287,500	4,726,050	532,800	527,250	
40	22	3		334,800	316,800	5,183,100	588,300	577,200	
45	27	3		379,500	361,500	5,886,000	671,550	660,450	時間あたり賃金
50	32	2		391,100	378,100	6,091,800	704,850	693,750	
55	37	1		414,400	406,400	6,471,300	754,800	743,700	年間賃金ベース　2,559円
60	42	1		418,900	410,900	6,541,950	760,350	754,800	月例賃金ベース　1,965円

鉄鋼　C社（250人）

（単位：円）

設定条件 年齢（歳）	勤続年数（年）	扶養家族（人）	役職名	所定労働時間内賃金	うち基本賃金	年間賃金計（モデル月例賃金×12＋2023年夏季賞与＋2022年年末賞与）	2023年夏季モデル賞与	2022年年末モデル賞与
大学卒・総合職（事務・技術系）								
22	0	0		221,360	221,360	3,362,530	132,000	574,210
25	3	0		252,180	252,180	4,103,370	503,000	574,210
27	5	1		273,060	265,060	4,685,610	658,000	750,890
30	8	2		291,380	281,380	4,905,450	658,000	750,890
35	13	3		305,620	293,620	5,573,350	890,000	1,015,910
40	18	3	主　任	376,000	364,000	6,417,910	890,000	1,015,910
45	23	3	主　任	421,500	389,500	7,709,440	1,238,000	1,413,440
50	28	2	主　査	539,500	389,500	9,788,800	1,548,000	1,766,800
55	33	1	部　長	617,500	389,500	12,071,563	2,177,000	2,484,563
60	38	1	部　長	587,500	389,500	11,711,563	2,177,000	2,484,563
大学卒・一般職（事務・技術系）								
22	0	0						
25	3	0						
27	5	0						
30	8	0						
35	13	0						
40	18	0						
45	23	0						
短大卒・一般職（事務・技術系）								
20	0	0						
22	2	0						
25	5	0						
30	10	0						
35	15	0						
40	20	0						
高校卒・総合職（事務・技術系）								
18	0	0		192,020	192,020	3,010,450	132,000	574,210
20	2	0		198,540	198,540	3,459,690	503,000	574,210
22	4	0		211,580	211,580	3,616,170	503,000	574,210
25	7	0		229,510	229,510	4,163,010	658,000	750,890
27	9	1		266,940	258,940	4,612,170	658,000	750,890
30	12	2		283,220	273,220	4,807,530	658,000	750,890
35	17	3		323,980	311,980	5,793,670	890,000	1,015,910
40	22	3		293,380	281,380	4,929,450	658,000	750,890
45	27	3	係　長	416,400	384,400	6,902,710	890,000	1,015,910
50	32	2		277,100	267,100	4,734,090	658,000	750,890
55	37	1	管理職	507,500	389,500	8,969,800	1,113,000	1,766,800
60	42	1	管理職	587,500	389,500	11,711,563	2,177,000	2,484,563
高校卒・一般職（事務・技術系）								
18	0	0						
20	2	0						
22	4	0						
25	7	0						
30	12	0						
35	17	0						
40	22	0						
高校卒・現業系								
18	0	0						
20	2	0						
22	4	0						
25	7	0						
27	9	1						
30	12	2						
35	17	3						
40	22	3						
45	27	3						
50	32	2						
55	37	1						
60	42	1						

補足的事項

モデル賃金の算定方法
実在者の中位の額

モデル賃金の対象
全従業員モデル

労務構成
平均年齢　36.7歳
平均勤続　16.6年
2023年所定内賃金　291,896円
うち基本賃金　291,896円
2022年所定内賃金　283,378円
年間所定労働時間　2,000時間

賃金改定状況
ベースアップを実施

2023年賃上げ額
9,596円　3.40％
うち定昇 4,596円　1.63％

賞与・一時金
・2022年年末
791,576円　2.84ヵ月
前年比　100.80％
・2023年夏季
697,521円　2.47ヵ月
前年比　119.10％

家族手当
配偶者　8,000円
第1子　2,000円
第2子　2,000円
第3子　2,000円
・管理職に対する支給
支給する
・支給の制限等
18歳まで支給

役付手当
部　長 160,000～240,000円
課　長 110,000～190,000円
係　長　20,000円

役割給　導入なし

役職者への時間外手当の不支給
課長クラスから不支給

時間あたり賃金
年間賃金ベース　2,496円
月例賃金ベース　1,751円

役職者・実在者の平均年収額
部　長（兼任役員）年俸制
平均年齢 61.0歳　14,541千円
部　長　月例賃金＋賞与
平均年齢 49.2歳　9,224千円
課　長　月例賃金＋賞与
平均年齢 47.0歳　7,859千円

鉄鋼　D社（150人）

（単位：円）

設定条件 年齢（歳）	勤続年数（年）	扶養家族（人）	役職名	所定労働時間内賃金	うち基本賃金	年間賃金計 モデル月例賃金×12 + 2023年夏季賞与 2022年年末賞与	2023年夏季モデル賞与	2022年年末モデル賞与
大学卒・総合職（事務・技術系）								
22	0	0		241,500	240,000	—	50,000	—
25	3	0		251,500	250,000	—	—	—
27	5	1		—	—	—	—	—
30	8	2		273,700	265,200	—	—	—
35	13	3		310,500	300,000	—	—	—
40	18	3		331,500	321,000	—	—	—
45	23	3	課　　長	464,000	425,000	—	—	—
50	28	2	部　　長	532,300	475,300	—	—	—
55	33	1		—	—	—	—	—
60	38	1	部　　長	554,200	499,200	—	—	—
大学卒・一般職（事務・技術系）								
22	0	0						
25	3	0						
27	5	0						
30	8	0						
35	13	0						
40	18	0						
45	23	0						
短大卒・一般職（事務・技術系）								
20	0	0						
22	2	0						
25	5	0						
30	10	0						
35	15	0						
40	20	0						
高校卒・総合職（事務・技術系）								
18	0	0		186,500	185,000	—	50,000	—
20	2	0		190,800	189,300	—	—	—
22	4	0		193,900	192,400	—	—	—
25	7	0		202,700	201,200	—	—	—
27	9	1		—	—	—	—	—
30	12	2		—	—	—	—	—
35	17	3		271,200	260,700	—	—	—
40	22	3		283,000	272,500	—	—	—
45	27	3		—	—	—	—	—
50	32	2		328,700	320,200	—	—	—
55	37	1	次　　長	475,000	430,000	—	—	—
60	42	1	部　　長	525,000	470,000	—	—	—
高校卒・一般職（事務・技術系）								
18	0	0						
20	2	0						
22	4	0						
25	7	0						
30	12	0						
35	17	0						
40	22	0						
高校卒・現業系								
18	0	0						
20	2	0						
22	4	0						
25	7	0						
27	9	1						
30	12	2						
35	17	3						
40	22	3						
45	27	3						
50	32	2						
55	37	1						
60	42	1						

補足的事項

モデル賃金の算定方法
実在者の中位の額

モデル賃金の対象
全従業員モデル

労務構成
平均年齢　39.7歳
平均勤続　16.4年
2023年所定内賃金　282,300円
うち基本賃金　269,700円
2022年所定内賃金　279,000円
年間所定労働時間　1,936時間

賃金改定状況
ベースアップを実施

2023年賃上げ額
8,675円　3.01%
うち定昇　4,324円　1.50%

賞与・一時金
・2022年年末
522,828円　1.80ヵ月
前年比　93.70%
・2023年夏季
533,823円　1.80ヵ月
前年比　107.40%

家族手当
配偶者　5,000円
第1子　2,000円
第2子　2,000円
第3子　2,000円
・管理職に対する支給
支給する
・支給の制限等
18歳まで支給
ただし，学生23歳未満まで支給

役付手当
部　長　50,000円
次　長　40,000円
課　長　30,000円
係　長　8,000円
主　任　2,000円

役割給　導入なし

役職者への時間外手当の不支給
課長クラスから不支給

時間あたり賃金
年間賃金ベース　2,296円
月例賃金ベース　1,750円

役職者・実在者の平均年収額
部長（兼任役員）　月例賃金＋賞与
平均年齢　54.0歳　8,761千円
部　長　月例賃金＋賞与
平均年齢　52.0歳　8,083千円
次　長　月例賃金＋賞与
平均年齢　51.0歳　7,783千円
課　長　月例賃金＋賞与
平均年齢　45.0歳　6,629千円

非鉄金属　A社（2,700人）

（単位：円）

設定条件 年齢（歳）	勤続年数（年）	扶養家族（人）	役職名	所定労働時間内賃金	うち基本賃金	年間賃金計 モデル月例賃金×12＋2023年夏季賞与 2022年年末賞与	2023年夏季モデル賞与	2022年年末モデル賞与
大学卒・総合職（事務・技術系）								
22	0	0		228,000	228,000	—	120,000	—
25	3	0		246,390	246,390	4,009,780	515,100	538,000
27	5	1		270,550	270,550	4,481,100	610,700	623,800
30	8	2		303,940	290,440	5,079,080	709,400	722,400
35	13	3		375,890	348,890	6,211,680	830,100	870,900
40	18	3		—	—	—	—	—
45	23	3		—	—	—	—	—
50	28	2		—	—	—	—	—
55	33	1		—	—	—	—	—
60	38	1		—	—	—	—	—
大学卒・一般職（事務・技術系）								
22	0	0						
25	3	0						
27	5	0						
30	8	0						
35	13	0						
40	18	0						
45	23	0						
短大卒・一般職（事務・技術系）								
20	0	0						
22	2	0						
25	5	0						
30	10	0						
35	15	0						
40	20	0						
高校卒・総合職（事務・技術系）								
18	0	0						
20	2	0						
22	4	0						
25	7	0						
27	9	1						
30	12	2						
35	17	3						
40	22	3						
45	27	3						
50	32	2						
55	37	1						
60	42	1						
高校卒・一般職（事務・技術系）								
18	0	0						
20	2	0						
22	4	0						
25	7	0						
30	12	0						
35	17	0						
40	22	0						
高校卒・現業系								
18	0	0		176,300	176,300	—	100,000	—
20	2	0		182,400	182,400	3,011,000	405,000	417,200
22	4	0		201,450	201,450	3,324,700	451,900	455,400
25	7	0		212,580	212,580	3,516,460	475,300	490,200
27	9	1		220,950	220,950	3,659,700	496,200	512,100
30	12	2		254,670	254,670	4,134,040	539,100	538,900
35	17	3		276,640	276,640	4,520,880	590,600	610,600
40	22	3	班　長	327,120	327,120	5,262,740	657,000	680,300
45	27	3	組　長	383,820	383,820	6,148,940	757,200	785,900
50	32	2	直　長	434,560	434,560	7,236,820	987,700	1,034,400
55	37	1	直　長	445,910	445,910	7,392,220	997,100	1,044,200
60	42	1		—	—	—	—	—

補足的事項

モデル賃金の算定方法
理論モデル

モデル賃金の対象
組合員モデル

労務構成
平均年齢　39.7歳
平均勤続　18.1年
2023年所定内賃金
322,698円
うち基本賃金 295,901円
2022年所定内賃金
315,608円
年間所定労働時間
1,916時間

賃金改定状況
ベースアップを実施

賞与・一時金
・2022年年末
673,000円　2.15ヵ月
前年比　104.10%
・2023年夏季
646,000円　2.00ヵ月
前年比　96.00%

家族手当
第１子　13,500円
第２子　13,500円
第３子　13,500円
・管理職に対する支給
支給しない
・支給の制限等
税制上の扶養親族として認められた子，および重度の障害のある者を家族に持つ社員に支給

役付手当
係 長　22,000円

役割給　導入なし

役職者への時間外手当の不支給
課長クラスから不支給

時間あたり賃金
年間賃金ベース　2,709円
月例賃金ベース　2,021円

役職者・実在者の平均年収額
部　長　月例賃金＋賞与
平均年齢 52.8歳　13,269千円
課　長　月例賃金＋賞与
平均年齢 49.9歳　10,457千円

非鉄金属　B社（900人）

（単位：円）

設定条件 年齢（歳）	勤続年数（年）	扶養家族（人）	役職名	所定労働時間内賃金	うち基本賃金	年間賃金計 モデル月例賃金×12＋2023年夏季賞与＋2022年年末賞与	2023年夏季モデル賞与	2022年年末モデル賞与
大学卒・総合職（事務・技術系）								
22	0	0		208,205	200,205	3,017,160	110,000	408,700
25	3	0		223,905	215,905	3,948,560	656,200	605,500
27	5	1		237,205	229,205	4,281,060	756,900	677,700
30	8	2	リーダー	292,405	247,405	5,110,460	779,500	822,100
35	13	3		244,350	236,350	4,348,400	655,700	760,500
40	18	3		271,005	263,005	4,961,060	739,000	970,000
45	23	3	主任	359,355	322,355	6,048,160	961,500	774,400
50	28	2	マネジャー	564,188	352,188	8,958,556	1,161,800	1,026,500
55	33	1	リーダー	389,000	344,000	6,729,300	1,057,600	1,003,700
60	38	1	主幹	678,234	449,234	11,184,908	1,519,800	1,526,300
大学卒・一般職（事務・技術系）								
22	0	0						
25	3	0						
27	5	0						
30	8	0						
35	13	0						
40	18	0						
45	23	0						
短大卒・一般職（事務・技術系）								
20	0	0						
22	2	0						
25	5	0						
30	10	0						
35	15	0						
40	20	0						
高校卒・総合職（事務・技術系）								
18	0	0		166,565	166,565	2,623,080	321,900	302,400
20	2	0		177,600	177,600	3,091,300	429,800	530,300
22	4	0		191,100	191,100	3,372,300	563,000	516,100
25	7	0		215,300	207,300	3,886,100	618,600	683,900
27	9	1	主任補	240,500	227,500	4,356,000	802,200	667,800
30	12	2		238,815	230,815	4,287,080	715,100	706,200
35	17	3		274,435	262,435	4,841,020	842,500	705,300
40	22	3	サブリーダー	279,151	266,151	4,351,712	255,500	746,400
45	27	3	主任	336,956	303,956	5,907,672	838,400	1,025,800
50	32	2	主任	354,750	323,750	5,809,000	901,100	650,900
55	37	1	本部長	830,600	522,600	12,586,400	1,957,000	662,200
60	42	1	主任	374,500	343,500	6,325,600	954,800	876,800
高校卒・一般職（事務・技術系）								
18	0	0						
20	2	0						
22	4	0						
25	7	0						
30	12	0						
35	17	0						
40	22	0						
高校卒・現業系								
18	0	0		163,565	163,565	2,345,180	80,000	302,400
20	2	0		185,600	177,600	3,163,100	434,100	501,800
22	4	0		199,100	191,100	3,523,900	557,400	577,300
25	7	0		215,300	207,300	3,844,600	601,700	659,300
27	9	1		228,600	220,600	4,093,600	721,600	628,800
30	12	2		228,615	220,615	4,026,980	548,000	735,600
35	17	3		271,435	263,435	4,598,520	793,400	547,900
40	22	3		275,950	267,950	4,863,500	790,400	761,700
45	27	3		304,856	296,856	5,220,872	799,000	763,600
50	32	2		309,630	301,630	5,286,860	700,100	871,200
55	37	1	主幹	669,862	440,862	10,334,444	1,336,400	959,700
60	42	1		311,800	303,800	5,308,900	781,900	785,400

補足的事項

モデル賃金の算定方法
実在者の中位の額

モデル賃金の対象
全従業員モデル

労務構成
平均年齢　31.8歳
平均勤続　10.4年
2023年所定内賃金　263,443円
うち基本賃金　239,314円
2022年所定内賃金　257,909円
年間所定労働時間　1,960時間

賃金改定状況
定昇のみ実施

2023年賃上げ額
5,129円　1.99％
うち定昇　5,129円　1.99％

賞与・一時金
・2022年年末
690,000円　2.60ヵ月
前年比　95.20％
・2023年夏季
730,000円　2.74ヵ月
前年比　100.00％

家族手当　制度なし

役付手当
係　長　37,000円
主　任　23,000円

役割給
（左の賃金表では基本賃金に含まれます）
部　長　265,000円
次　長　221,000円
課　長　204,000円

役職者への時間外手当の不支給
課長クラスから不支給

時間あたり賃金
年間賃金ベース　2,337円
月例賃金ベース　1,613円

役職者・実在者の平均年収額
部長（兼任役員）　月例賃金＋賞与
平均年齢 46.8歳　12,213千円
部　長　月例賃金＋賞与
平均年齢 49.7歳　11,078千円
次　長　月例賃金＋賞与
平均年齢　51.5歳　9,814千円
課　長　月例賃金＋賞与
平均年齢　43.0歳　8,753千円

非鉄金属　C社（700人）

（単位：円）

設定条件			役職名	所定労働時間内賃金	うち基本賃金	年間賃金計 モデル月例賃金×12＋2023年夏季賞与＋2022年年末賞与	2023年夏季モデル賞与	2022年年末モデル賞与
年齢（歳）	勤続年数（年）	扶養家族（人）						
大学卒・総合職（事務・技術系）								
22	0	0		219,300	212,300	—	105,000	—
25	3	0		242,900	235,900	3,925,800	485,000	526,000
27	5	1		294,400	260,300	4,662,800	542,000	588,000
30	8	2	主任	336,300	284,000	5,248,600	582,000	631,000
35	13	3	主任	395,800	343,500	6,242,600	716,000	777,000
40	18	3	管理職	533,000	517,000	8,569,000	1,042,000	1,131,000
45	23	3	管理職	576,000	560,000	9,312,000	1,151,000	1,249,000
50	28	2	管理職	598,000	582,000	9,670,000	1,196,000	1,298,000
55	33	1	管理職	635,000	619,000	10,274,000	1,273,000	1,381,000
60	38	1	管理職	656,000	640,000	10,629,000	1,322,000	1,435,000
大学卒・一般職（事務・技術系）								
22	0	0						
25	3	0						
27	5	0						
30	8	0						
35	13	0						
40	18	0						
45	23	0						
短大卒・一般職（事務・技術系）								
20	0	0						
22	2	0						
25	5	0						
30	10	0						
35	15	0						
40	20	0						
高校卒・総合職（事務・技術系）								
18	0	0		176,000	169,000	—	80,000	—
20	2	0		185,900	178,900	3,004,800	371,000	403,000
22	4	0		195,900	188,900	3,182,800	399,000	433,000
25	7	0		207,200	200,200	3,358,400	418,000	454,000
27	9	1		246,000	211,900	3,860,000	435,000	473,000
30	12	2		273,900	231,600	4,278,800	476,000	516,000
35	17	3		313,000	262,500	4,880,000	539,000	585,000
40	22	3	主任	341,300	280,800	5,298,600	577,000	626,000
45	27	3	主任	365,100	304,600	5,686,200	626,000	679,000
50	32	2	係長	413,700	359,400	6,504,400	739,000	801,000
55	37	1	課長代理	443,800	395,700	7,020,600	813,000	882,000
60	42	1	課長代理	481,700	433,600	7,638,400	891,000	967,000
高校卒・一般職（事務・技術系）								
18	0	0						
20	2	0						
22	4	0						
25	7	0						
30	12	0						
35	17	0						
40	22	0						
高校卒・現業系								
18	0	0		176,000	169,000	—	80,000	—
20	2	0		185,900	178,900	3,004,800	371,000	403,000
22	4	0		195,900	188,900	3,182,800	399,000	433,000
25	7	0		207,200	200,200	3,358,400	418,000	454,000
27	9	1		246,000	211,900	3,860,000	435,000	473,000
30	12	2	班長	281,900	231,600	4,374,800	476,000	516,000
35	17	3	班長	321,000	262,500	4,976,000	539,000	585,000
40	22	3	班長	339,300	280,800	5,274,600	577,000	626,000
45	27	3	職長	365,100	304,600	5,686,200	626,000	679,000
50	32	2	職長	411,700	359,400	6,480,400	739,000	801,000
55	37	1	職長	439,800	395,700	6,972,600	813,000	882,000
60	42	1	職長	477,700	433,600	7,590,400	891,000	967,000

補足的事項

モデル賃金の算定方法
理論モデル

モデル賃金の対象
全従業員モデル

労務構成
平均年齢　38.5歳
平均勤続　11.4年
2023年所定内賃金　336,100円
うち基本賃金　325,000円
2022年所定内賃金　313,100円
年間所定労働時間　1,891時間

賃金改定状況
ベースアップを実施

2023年賃上げ額
6,016円　1.99％
うち定昇　3,016円　0.99％

賞与・一時金
・2022年年末
725,000円　2.23ヵ月
前年比　—
・2023年夏季
664,000円　2.06ヵ月
前年比　—

家族手当
配偶者　18,100円
第１子　8,200円
第２子　8,200円
第３子　8,200円
・管理職に対する支給
支給しない
・支給の制限等
18歳まで支給

役付手当
係　長　12,000円
主　任　10,000円

役割給　導入なし

役職者への時間外手当の不支給
課長クラスから不支給

時間あたり賃金
年間賃金ベース　2,867円
月例賃金ベース　2,133円

役職者・実在者の平均年収額
部　長　月例賃金＋賞与
平均年齢 55.3歳　10,422千円
次　長　月例賃金＋賞与
平均年齢 53.3歳　10,032千円
課　長　月例賃金＋賞与
平均年齢 49.8歳　9,120千円

非鉄金属　D社（200人）

（単位：円）

設定条件 年齢（歳）	勤続年数（年）	扶養家族（人）	役職名	所定労働時間内賃金	うち基本賃金	年間賃金計 モデル月例賃金×12＋2023年夏季賞与＋2022年年末賞与	2023年夏季モデル賞与	2022年年末モデル賞与
大学卒・総合職（事務・技術系）								
22	0	0		225,000	225,000	3,060,000	10,000	350,000
25	3	0		235,800	235,800	3,579,600	375,000	375,000
27	5	1		263,200	253,200	3,934,400	388,000	388,000
30	8	2		298,100	282,600	4,499,200	461,000	461,000
35	13	3		345,300	324,300	5,215,600	536,000	536,000
40	18	3	管理職	462,600	426,600	6,791,200	620,000	620,000
45	23	3	管理職	517,100	476,100	7,795,200	795,000	795,000
50	28	2	管理職	560,100	514,600	8,691,200	985,000	985,000
55	33	1	管理職	570,100	530,100	8,811,200	985,000	985,000
60	38	1	管理職	590,800	550,800	9,059,600	985,000	985,000
大学卒・一般職（事務・技術系）								
22	0	0						
25	3	0						
27	5	0						
30	8	0						
35	13	0						
40	18	0						
45	23	0						
短大卒・一般職（事務・技術系）								
20	0	0						
22	2	0						
25	5	0						
30	10	0						
35	15	0						
40	20	0						
高校卒・総合職（事務・技術系）								
18	0	0						
20	2	0						
22	4	0						
25	7	0						
27	9	1						
30	12	2						
35	17	3						
40	22	3						
45	27	3						
50	32	2						
55	37	1						
60	42	1						
高校卒・一般職（事務・技術系）								
18	0	0						
20	2	0						
22	4	0						
25	7	0						
30	12	0						
35	17	0						
40	22	0						
高校卒・現業系								
18	0	0		185,000	185,000	2,560,000	10,000	330,000
20	2	0		191,500	191,500	2,966,000	330,000	338,000
22	4	0		198,000	198,000	3,079,000	338,000	365,000
25	7	0		208,400	208,400	3,238,800	365,000	373,000
27	9	1		225,200	215,200	3,478,400	373,000	403,000
30	12	2		245,700	230,200	3,832,400	403,000	481,000
35	17	3	班長	295,000	256,000	4,553,000	481,000	532,000
40	22	3	班長	327,100	288,100	5,011,200	532,000	554,000
45	27	3	作業長	351,100	307,100	5,364,200	554,000	597,000
50	32	2	作業長	371,600	333,100	5,672,200	597,000	616,000
55	37	1	総作業長	404,690	349,690	6,094,280	616,000	622,000
60	42	1	総作業長	409,330	354,330	6,155,960	622,000	622,000

補足的事項

モデル賃金の算定方法
　理論モデル
モデル賃金の対象
　全従業員モデル
労務構成
　平均年齢　40.2歳
　平均勤続　16.2年
　2023年所定内賃金　320,539円
　うち基本賃金　291,915円
　2022年所定内賃金　308,379円
　年間所定労働時間　1,906時間45分

賃金改定状況
　ベースアップを実施
2023年賃上げ額
　12,161円　3.25%
　うち定昇 3,750円　1.00%
賞与・一時金
・2022年年末
　508,625円　1.59ヵ月
　前年比　103.90%
・2023年夏季
　518,728円　1.62ヵ月
　前年比　103.70%

家族手当
　配偶者　10,000円
　第1子　5,500円
　第2子　5,500円
　第3子　5,500円
　・管理職に対する支給
　　支給する
　・支給の制限等
　　扶養内であれば支給
役付手当
　部長　30,000円
　次長　20,000円
　課長　15,000円
　係長　10,000円
役割給　導入なし
役職者への時間外手当の不支給
　課長クラスから不支給

時間あたり賃金
　年間賃金ベース　2,556円
　月例賃金ベース　2,017円

役職者・実在者の平均年収額
　部長（兼任役員）　年俸制
　平均年齢 53.0歳　14,542千円
　部長　年俸制
　平均年齢　52.0歳　8,997千円
　次長　月例賃金＋賞与
　平均年齢　45.0歳　8,667千円
　課長　月例賃金＋賞与
　平均年齢　40.9歳　7,582千円

金属製品　A社（150人）

（単位：円）

設定条件 年齢（歳）	勤続年数（年）	扶養家族（人）	役職名	所定労働時間内賃金	うち基本賃金	年間賃金計 モデル月例賃金×12＋2023年夏季賞与＋2022年年末賞与	2023年夏季モデル賞与	2022年年末モデル賞与
大学卒・総合職（事務・技術系）								
22	0	0		—	—	—	—	—
25	3	0		225,100	205,100	3,615,400	410,200	504,000
27	5	1		232,100	212,100	3,729,900	424,200	520,500
30	8	2		—	—	—	—	—
35	13	3		—	—	—	—	—
40	18	3		304,500	274,500	4,878,000	549,000	675,000
45	23	3	管理職	457,250	377,250	7,170,300	754,500	928,800
50	28	2	管理職	468,350	393,350	7,375,900	786,700	969,000
55	33	1		380,000	360,000	6,374,500	720,000	1,094,500
60	38	1		—	—	—	—	—
大学卒・一般職（事務・技術系）								
22	0	0						
25	3	0						
27	5	0						
30	8	0						
35	13	0						
40	18	0						
45	23	0						
短大卒・一般職（事務・技術系）								
20	0	0						
22	2	0						
25	5	0						
30	10	0						
35	15	0						
40	20	0						
高校卒・総合職（事務・技術系）								
18	0	0		195,000	175,000	—	50,000	—
20	2	0		197,100	177,100	3,066,000	317,100	383,700
22	4	0		207,600	187,600	3,326,700	375,200	460,300
25	7	0		213,200	193,200	3,418,200	385,500	474,300
27	9	1		—	—	—	—	—
30	12	2		—	—	—	—	—
35	17	3		—	—	—	—	—
40	22	3		278,600	248,600	4,429,400	487,200	599,000
45	27	3		316,200	286,200	5,018,400	515,200	708,800
50	32	2		339,100	314,100	5,404,200	628,200	706,800
55	37	1	管理職	537,800	437,800	8,406,200	875,600	1,077,000
60	42	1	管理職	486,350	416,350	7,706,900	832,700	1,038,000
高校卒・一般職（事務・技術系）								
18	0	0						
20	2	0						
22	4	0						
25	7	0						
30	12	0						
35	17	0						
40	22	0						
高校卒・現業系								
18	0	0						
20	2	0						
22	4	0						
25	7	0						
27	9	1						
30	12	2						
35	17	3						
40	22	3						
45	27	3						
50	32	2						
55	37	1						
60	42	1						

補足的事項

モデル賃金の算定方法
実在者の平均額

モデル賃金の対象
全従業員モデル

労務構成
平均年齢　46.4歳
平均勤続　21.3年
2023年所定内賃金　341,908円
うち基本賃金　308,876円
2022年所定内賃金　320,504円
年間所定労働時間　1,944時間

賃金改定状況
ベースアップを実施

2023年賃上げ額
5,019円　1.50%
うち定昇　3,623円　1.10%

賞与・一時金
・2022年年末
719,629円　2.50ヵ月
前年比　113.60%
・2023年夏季
573,945円　2.00ヵ月
前年比　105.60%

家族手当
第1子　5,000円
第2子　5,000円
第3子　5,000円
・管理職に対する支給
支給する
・支給の制限等
18歳まで支給

役付手当
部　長　70,000円
課　長　50,000円

役割給
部　長　20,000～40,000円
課　長　20,000円

役職者への時間外手当の不支給
課長より下のクラスから不支給

時間あたり賃金
年間賃金ベース　2,776円
月例賃金ベース　2,111円

役職者・実在者の平均年収額
部　長　月例賃金＋賞与
平均年齢　53.0歳　8,560千円
課　長　月例賃金＋賞与
平均年齢　51.0歳　7,587千円

機械製品　A社（1,900人）

（単位：円）

設定条件			役職名	所定労働時間内賃金	年間賃金計			
年齢（歳）	勤続年数（年）	扶養家族（人）			うち基本賃金	モデル月例賃金×12＋2023年夏季賞与 2022年年末賞与	2023年夏季モデル賞与	2022年年末モデル賞与
大学卒・総合職（事務・技術系）								
22	0	0		197,300	195,300	2,900,200	50,000	482,600
25	3	0		221,200	219,200	4,321,400	854,000	813,000
27	5	1		275,500	235,000	5,377,000	1,061,000	1,010,000
30	8	2		318,300	264,800	6,060,600	1,148,000	1,093,000
35	13	3	管理職	451,500	356,000	8,028,000	1,337,000	1,273,000
40	18	3	管理職	471,500	376,000	8,528,000	1,470,000	1,400,000
45	23	3	管理職	491,500	396,000	8,768,000	1,470,000	1,400,000
50	28	2	管理職	554,000	423,500	9,990,000	1,712,000	1,630,000
55	33	1	管理職	566,500	446,000	10,140,000	1,712,000	1,630,000
60	38	1	管理職	515,300	450,500	8,793,600	1,337,000	1,273,000
大学卒・一般職（事務・技術系）								
22	0	0		178,400	176,400	2,526,000	40,000	345,200
25	3	0		189,200	187,200	3,219,400	486,000	463,000
27	5	0		197,300	195,300	3,523,600	592,000	564,000
30	8	0		210,400	203,400	3,760,800	633,000	603,000
35	13	0		231,100	221,100	4,187,200	724,000	690,000
40	18	0		245,500	233,500	4,504,000	798,000	760,000
45	23	0		267,100	253,100	4,915,200	876,000	834,000
短大卒・一般職（事務・技術系）								
20	0	0		165,100	163,100	2,366,400	40,000	345,200
22	2	0		174,800	172,800	2,841,600	381,000	363,000
25	5	0		185,600	183,600	3,176,200	486,000	463,000
30	10	0		202,400	195,400	3,664,800	633,000	603,000
35	15	0		221,100	211,100	4,067,200	724,000	690,000
40	20	0		235,600	223,600	4,385,200	798,000	760,000
高校卒・総合職（事務・技術系）								
18	0	0		164,100	162,100	2,343,600	38,000	336,400
20	2	0		173,800	171,800	3,110,600	525,000	500,000
22	4	0		180,000	178,000	3,480,000	676,000	644,000
25	7	0		196,000	194,000	3,838,000	761,000	725,000
27	9	1		242,000	201,500	4,667,000	903,000	860,000
30	12	2		268,800	218,300	4,988,600	903,000	860,000
35	17	3		309,600	246,100	5,704,200	1,019,000	970,000
40	22	3	管理職	413,500	318,000	7,578,000	1,340,000	1,276,000
45	27	3	管理職	425,500	330,000	7,728,000	1,343,000	1,279,000
50	32	2	管理職	477,500	347,000	8,553,000	1,446,000	1,377,000
55	37	1	管理職	486,500	366,000	8,749,000	1,491,000	1,420,000
60	42	1	管理職	439,800	375,000	7,895,600	1,341,000	1,277,000
高校卒・一般職（事務・技術系）								
18	0	0		157,900	155,900	2,258,600	38,000	325,800
20	2	0		164,300	162,300	2,631,600	338,000	322,000
22	4	0		173,900	171,900	2,830,800	381,000	363,000
25	7	0		184,700	182,700	3,165,400	486,000	463,000
30	12	0		201,400	194,400	3,652,800	633,000	603,000
35	17	0		220,100	210,100	4,055,200	724,000	690,000
40	22	0		234,500	222,500	4,372,000	798,000	760,000
高校卒・現業系								
18	0	0		164,100	162,100	2,343,600	38,000	336,400
20	2	0		173,800	171,800	3,085,600	512,000	488,000
22	4	0		180,000	178,000	3,419,000	645,000	614,000
25	7	0		196,000	194,000	3,822,000	753,000	717,000
27	9	1		242,000	201,500	4,556,000	846,000	806,000
30	12	2		268,800	218,300	4,877,600	846,000	806,000
35	17	3		309,600	246,100	5,611,200	971,000	925,000
40	22	3		324,600	261,100	5,791,200	971,000	925,000
45	27	3		336,600	273,100	5,935,200	971,000	925,000
50	32	2		326,600	273,100	5,815,200	971,000	925,000
55	37	1		316,600	273,100	5,695,200	971,000	925,000
60	42	1		311,800	273,100	5,637,600	971,000	925,000

補足的事項

モデル賃金の算定方法
理論モデル

モデル賃金の対象
全従業員モデル

労務構成
平均年齢　36.8歳
平均勤続　10.9年
2023年所定内賃金　258,955円
うち基本賃金　215,641円
2022年所定内賃金　247,565円
年間所定労働時間　1,898時間45分

賃金改定状況
ベースアップを実施

2023年賃上げ額
13,676円　5.10%
うち定昇　4,009円　1.49%

賞与・一時金
・2022年年末
895,603円　3.84ヵ月
前年比　100.40%
・2023年夏季
946,045円　4.03ヵ月
前年比　117.00%

家族手当
配偶者　16,000円
第1子　10,000円
第2子　10,000円
第3子　10,000円
・管理職に対する支給
支給する
・支給の制限等
子が就学中で税法上の扶養内のとき上限年齢なしで支給

役付手当
部長　30,000～65,000円
次長　30,000～60,000円
課長　20,000～60,000円
係長　20,000円
主任　20,000円

役割給
部長　10,000～50,000円
次長　10,000～50,000円
課長　10,000～50,000円
係長　8,000円
主任　5,000円

役職者への時間外手当の不支給
課長クラスから不支給

時間あたり賃金
年間賃金ベース　2,607円
月例賃金ベース　1,637円

役職者・実在者の平均年収額
部長（兼任役員）
月例賃金＋賞与
平均年齢　52.8歳　13,348千円
部長　月例賃金＋賞与
平均年齢　52.2歳　10,661千円
次長　月例賃金＋賞与
平均年齢　47.9歳　10,154千円
課長　月例賃金＋賞与
平均年齢　45.8歳　9,022千円

機械製品　B社（1,500人）

（単位：円）

年齢（歳）	勤続年数（年）	扶養家族（人）	役職名	所定労働時間内賃金	うち基本賃金	年間賃金計（モデル月例賃金×12＋2023年夏季賞与＋2022年年末賞与）	2023年夏季モデル賞与	2022年年末モデル賞与
大学卒・総合職（事務・技術系）								
22	0	0		224,300	224,300	3,227,620	50,000	486,020
25	3	0		235,190	235,190	3,869,620	535,200	512,140
27	5	1		263,460	249,960	4,338,730	599,530	577,680
30	8	2	アシスタントチーフ	295,350	277,850	4,870,040	672,100	653,740
35	13	3	チーフ	345,350	323,850	5,700,210	785,880	770,130
40	18	3	参事	462,500	462,500	—	—	—
45	23	3	課長	550,000	550,000	—	—	—
50	28	2	課長	600,000	600,000	—	—	—
55	33	1	課長	620,000	620,000	—	—	—
60	38	1	課長	620,000	620,000	—	—	—
大学卒・一般職（事務・技術系）								
22	0	0						
25	3	0						
27	5	0						
30	8	0						
35	13	0						
40	18	0						
45	23	0						
短大卒・一般職（事務・技術系）								
20	0	0						
22	2	0						
25	5	0						
30	10	0						
35	15	0						
40	20	0						
高校卒・総合職（事務・技術系）								
18	0	0						
20	2	0						
22	4	0						
25	7	0						
27	9	1						
30	12	2						
35	17	3						
40	22	3						
45	27	3						
50	32	2						
55	37	1						
60	42	1						
高校卒・一般職（事務・技術系）								
18	0	0						
20	2	0						
22	4	0						
25	7	0						
30	12	0						
35	17	0						
40	22	0						
高校卒・現業系								
18	0	0		181,220	181,220	2,600,280	40,000	385,640
20	2	0		187,760	187,760	3,080,790	427,270	400,400
22	4	0		204,320	204,320	3,357,310	464,950	440,520
25	7	0		216,250	216,250	3,558,480	492,100	471,380
27	9	1		248,680	235,180	4,094,080	565,900	544,020
30	12	2		266,630	249,130	4,393,250	606,740	586,950
35	17	3	作業長	308,010	283,510	5,060,060	694,080	669,860
40	22	3	作業長	346,960	322,460	5,690,220	782,720	743,980
45	27	3	班長	381,870	350,370	6,263,260	846,230	834,590
50	32	2	指導班長	401,270	379,770	6,599,180	904,030	879,910
55	37	1		419,970	406,470	6,939,900	955,680	944,580
60	42	1		434,420	420,920	7,177,390	988,570	975,780

補足的事項

モデル賃金の算定方法
理論モデル

モデル賃金の対象
全従業員モデル

労務構成
平均年齢　37.9歳
平均勤続　14.5年
2023年所定内賃金　301,370円
うち基本賃金　290,897円
2022年所定内賃金　288,490円
年間所定労働時間　1,911時間

賃金改定状況
ベースアップを実施

2023年賃上げ額
12,880円　4.46%
うち定昇 5,060円　1.75%

賞与・一時金
・2022年年末
658,630円　2.25ヵ月
前年比　140.63%
・2023年夏季
679,070円　2.25ヵ月
前年比　102.27%

家族手当
配偶者　13,500円
第1子　4,000円
第2子　4,000円
第3子　4,000円
・管理職に対する支給
支給しない
・支給の制限等
18歳まで支給

役付手当　制度なし

役割給　導入なし

役職者への時間外手当の不支給
課長クラスから不支給

時間あたり賃金
年間賃金ベース　2,592円
月例賃金ベース　1,892円

機械製品　C社（550人）

（単位：円）

設定条件 年齢（歳）	勤続年数（年）	扶養家族（人）	役職名	所定労働時間内賃金	うち基本賃金	年間賃金計（モデル月例賃金×12＋2023年夏季賞与 2022年年末賞与）	2023年夏季モデル賞与	2022年年末モデル賞与
大学卒・総合職（事務・技術系）								
22	0	0		223,200	217,000	—	70,000	—
25	3	0		231,633	230,133	4,400,129	917,033	703,500
27	5	1		264,767	245,267	4,895,992	963,133	755,655
30	8	2		281,000	264,250	5,306,483	1,079,933	854,550
35	13	3	係長	380,400	315,400	7,225,000	1,504,600	1,155,600
40	18	3	係長	341,700	316,950	6,263,675	1,218,200	945,075
45	23	3	係長	347,800	323,800	6,362,500	1,218,300	970,600
50	28	2	管理職	542,920	532,800	10,431,590	2,185,350	1,731,200
55	33	1	管理職	502,430	480,350	9,379,560	1,863,800	1,486,600
60	38	1		—	—	—	—	—
大学卒・一般職（事務・技術系）								
22	0	0						
25	3	0						
27	5	0						
30	8	0						
35	13	0						
40	18	0						
45	23	0						
短大卒・一般職（事務・技術系）								
20	0	0						
22	2	0						
25	5	0						
30	10	0						
35	15	0						
40	20	0						
高校卒・総合職（事務・技術系）								
18	0	0		179,500	177,000	—	70,000	—
20	2	0		193,200	185,867	3,647,950	745,033	584,517
22	4	0		205,150	196,650	3,879,100	804,600	612,700
25	7	0		225,100	221,100	4,240,900	859,900	679,800
27	9	1		248,400	239,650	4,645,350	938,650	725,900
30	12	2		265,100	242,600	4,943,900	963,800	798,900
35	17	3	主任	317,000	282,500	5,842,400	1,166,800	871,600
40	22	3	班長	349,200	325,700	6,362,700	1,219,400	952,900
45	27	3	係長	353,000	320,000	6,492,900	1,249,800	1,007,100
50	32	2	係長	371,700	352,360	6,846,060	1,334,760	1,050,900
55	37	1	管理職	437,400	437,400	8,381,300	1,746,300	1,386,200
60	42	1	係長	381,800	359,800	6,993,800	1,366,500	1,045,700
高校卒・一般職（事務・技術系）								
18	0	0						
20	2	0						
22	4	0						
25	7	0						
30	12	0						
35	17	0						
40	22	0						
高校卒・現業系								
18	0	0		177,000	177,000	—	70,000	—
20	2	0		185,700	185,700	3,551,100	738,200	584,500
22	4	0		—	—	—	—	—
25	7	0		218,400	217,400	4,171,950	881,450	669,700
27	9	1		238,300	229,300	4,665,200	1,009,400	796,200
30	12	2		—	—	—	—	—
35	17	3	主任	291,050	270,050	5,354,800	1,048,700	813,500
40	22	3		—	—	—	—	—
45	27	3	係長	341,633	315,633	6,232,296	1,181,200	951,500
50	32	2	管理職	412,500	400,500	7,234,700	1,255,500	1,029,200
55	37	1		—	—	—	—	—
60	42	1		—	—	—	—	—

補足的事項

モデル賃金の算定方法
実在者の平均額

モデル賃金の対象
全従業員モデル

労務構成
平均年齢　42.8歳
平均勤続　18.2年
2023年所定内賃金　328,594円
うち基本賃金 317,752円
2022年所定内賃金　315,389円
年間所定労働時間　1,915時間50分

賃金改定状況
ベースアップを実施

2023年賃上げ額
10,000円　3.78%
うち定昇 4,000円　1.51%

賞与・一時金
・2022年年末
820,000円　3.10ヵ月
前年比　106.21%
・2023年夏季
1,048,000円　3.80ヵ月
前年比　111.37%

家族手当
配偶者　6,000円
第1子　6,000円
第2子　6,000円
第3子　6,000円
・管理職に対する支給
支給しない
・支給の制限等
18歳まで支給

役付手当
係長　5,000円
主任　3,000円

役職者への時間外手当の不支給
課長クラスから不支給

時間あたり賃金
年間賃金ベース　3,033円
月例賃金ベース　2,058円

役職者・実在者の平均年収額
部長　月例賃金＋賞与
平均年齢 55.0歳　13,193千円
課長　月例賃金＋賞与
平均年齢　51.0歳　8,980千円

機械製品　D社（500人）

（単位：円）

年齢（歳）	勤続年数（年）	扶養家族（人）	役職名	所定労働時間内賃金	うち基本賃金	年間賃金計（モデル月例賃金×12＋2023年夏季賞与＋2022年年末賞与）	2023年夏季モデル賞与	2022年年末モデル賞与
大学卒・総合職（事務・技術系）								
22	0	0		223,000	193,000	2,996,000	50,000	270,000
25	3	0		218,600	198,400	3,533,200	448,400	461,600
27	5	1		220,000	205,000	3,670,900	518,400	512,500
30	8	2		252,500	225,500	4,075,800	517,100	528,700
35	13	3		321,850	285,100	5,329,000	713,500	753,300
40	18	3		373,700	296,300	6,107,000	814,500	808,100
45	23	3		390,800	329,300	6,429,900	838,100	902,200
50	28	2	管理職	410,900	334,700	6,724,000	898,900	894,300
55	33	1	管理職	427,700	350,200	7,019,000	919,800	966,800
60	38	1	管理職	573,500	440,000	8,855,700	978,900	994,800
大学卒・一般職（事務・技術系）								
22	0	0						
25	3	0						
27	5	0						
30	8	0						
35	13	0						
40	18	0						
45	23	0						
短大卒・一般職（事務・技術系）								
20	0	0		208,200	178,200	2,798,400	50,000	250,000
22	2	0		188,300	183,300	3,000,200	433,100	307,500
25	5	0		225,700	209,400	3,673,800	476,900	488,500
30	10	0		231,750	219,600	3,854,100	537,300	535,800
35	15	0		256,100	238,300	4,202,000	557,600	571,200
40	20	0		281,400	257,700	4,620,100	611,000	632,300
高校卒・総合職（事務・技術系）								
18	0	0		195,000	165,000	2,620,000	50,000	230,000
20	2	0		192,000	167,700	2,928,900	321,800	303,100
22	4	0		203,000	189,500	3,333,600	471,900	425,700
25	7	0		240,900	219,700	3,962,500	538,000	533,700
27	9	1		245,500	219,700	4,011,600	538,700	526,900
30	12	2		260,600	234,600	4,282,500	580,200	575,100
35	17	3		268,000	241,700	4,378,200	584,900	577,300
40	22	3		275,700	251,500	4,525,100	611,200	605,500
45	27	3		278,600	258,600	4,567,400	596,200	628,000
50	32	2	管理職	304,600	265,400	4,929,900	652,300	622,400
55	37	1	管理職	400,000	332,700	6,621,900	902,600	919,300
60	42	1	管理職	388,300	329,400	6,333,200	822,700	850,900
高校卒・一般職（事務・技術系）								
18	0	0						
20	2	0						
22	4	0						
25	7	0						
30	12	0						
35	17	0						
40	22	0						
高校卒・現業系								
18	0	0						
20	2	0						
22	4	0						
25	7	0						
27	9	1						
30	12	2						
35	17	3						
40	22	3						
45	27	3						
50	32	2						
55	37	1						
60	42	1						

補足的事項

モデル賃金の算定方法
実在者の平均額

モデル賃金の対象
全従業員モデル

労務構成
平均年齢　43.6歳
平均勤続　14.8年
2023年所定内賃金　291,105円
うち基本賃金　272,833円
2022年所定内賃金　281,338円
年間所定労働時間　2,000時間

賃金改定状況
ベースアップを実施

2023年賃上げ額
9,767円　3.47％

賞与・一時金
・2022年年末
631,654円　2.42ヵ月
前年比　102.03％
・2023年夏季
620,370円　2.25ヵ月
前年比　108.72％

家族手当　制度なし

役付手当
部　長　95,000円
次　長　85,000円
課　長　75,000円
係　長　13,000円
主　任　10,000円

役割給
（左の賃金表では基本賃金に含まれます）
部　長　455,000円
次　長　385,000円
課　長　345,000円
係　長　272,100円
主　任　257,360円

役職者への時間外手当の不支給
課長クラスから不支給

時間あたり賃金
年間賃金ベース　2,373円
月例賃金ベース　1,747円

役職者・実在者の平均年収額
部長（兼任役員）　月例賃金＋賞与
平均年齢　56.7歳　12,070千円
部　長　月例賃金＋賞与
平均年齢　56.2歳　9,475千円
次　長　月例賃金＋賞与
平均年齢　53.3歳　8,129千円
課　長　月例賃金＋賞与
平均年齢　51.0歳　7,346千円

機械製品　E社（450人）

（単位：円）

設定条件 年齢（歳）	勤続年数（年）	扶養家族（人）	役職名	所定労働時間内賃金	うち基本賃金	年間賃金計 モデル月例賃金×12＋2023年夏季賞与 2022年年末賞与	2023年夏季モデル賞与	2022年年末モデル賞与
大学卒・総合職（事務・技術系）								
22	0	0		215,000	203,700	3,219,150	139,900	499,250
25	3	0		228,700	217,400	3,731,150	452,500	534,250
27	5	1		266,700	228,700	4,226,600	464,700	561,500
30	8	2	主　務	293,600	246,100	4,641,400	510,700	607,500
35	13	3	副主事，係長	335,700	278,200	5,335,500	617,600	689,500
40	18	3	副主事，係長	363,600	305,100	5,758,450	644,500	750,750
45	23	3	副主事，係長	390,600	329,100	6,171,800	670,600	814,000
50	28	2	副主事，係長	416,800	358,300	6,599,150	708,300	889,250
55	33	1	副主事，係長	435,100	381,600	6,895,550	731,600	942,750
60	38	1		—	—	—	—	—
大学卒・一般職（事務・技術系）								
22	0	0						
25	3	0						
27	5	0						
30	8	0						
35	13	0						
40	18	0						
45	23	0						
短大卒・一般職（事務・技術系）								
20	0	0		182,500	171,200	2,721,750	117,500	414,250
22	2	0		188,600	177,300	3,057,700	360,000	434,500
25	5	0		203,000	191,700	3,310,100	405,100	469,000
30	10	0		231,600	220,300	3,775,150	455,700	540,250
35	15	0		255,800	244,500	4,154,900	481,800	603,500
40	20	0	主　務	281,700	270,400	4,575,400	535,000	660,000
高校卒・総合職（事務・技術系）								
18	0	0						
20	2	0						
22	4	0						
25	7	0						
27	9	1						
30	12	2						
35	17	3						
40	22	3						
45	27	3						
50	32	2						
55	37	1						
60	42	1						
高校卒・一般職（事務・技術系）								
18	0	0		176,000	164,700	2,622,900	109,900	401,000
20	2	0		184,500	173,200	2,992,900	354,900	424,000
22	4	0		185,400	174,100	3,007,550	356,000	426,750
25	7	0		201,100	189,800	3,281,000	402,800	465,000
30	12	0		229,000	217,700	3,731,150	452,900	530,250
35	17	0		254,100	242,800	4,127,200	480,000	598,000
40	22	0	主　務	274,700	263,400	4,470,900	528,000	646,500
高校卒・現業系								
18	0	0		176,000	164,700	2,622,900	109,900	401,000
20	2	0		184,500	173,200	2,992,900	354,900	424,000
22	4	0		192,600	181,300	3,121,050	365,100	444,750
25	7	0		209,100	197,800	3,406,850	412,400	485,250
27	9	1		247,600	209,600	3,933,300	444,100	518,000
30	12	2		272,300	224,800	4,276,100	460,500	548,000
35	17	3	主　務	309,000	252,000	4,841,850	516,600	617,250
40	22	3	副主事，係長	330,000	271,500	5,241,400	610,900	670,500
45	27	3	副主事，係長	362,000	300,500	5,728,600	642,100	742,500
50	32	2	副主事，係長	386,000	327,500	6,117,500	677,500	808,000
55	37	1	副主事，係長	399,300	345,800	6,344,650	695,800	857,250
60	42	1		—	—	—	—	—

補足的事項

モデル賃金の算定方法
理論モデル

モデル賃金の対象
組合員モデル

労務構成
平均年齢　40.5歳
平均勤続　15.8年
2023年所定内賃金　298,266円
うち基本賃金　264,580円
2022年所定内賃金　287,498円
年間所定労働時間　1,968時間

賃金改定状況
ベースアップを実施

2023年賃上げ額
10,850円　3.76％
うち定昇　4,850円　1.68％

賞与・一時金
・2022年年末
637,425円　2.48ヵ月
前年比　124.55％
・2023年夏季
520,406円　1.97ヵ月
前年比　101.58％

家族手当
配偶者　9,500円
第１子　9,500円
第２子　9,500円
第３子　9,500円
・管理職に対する支給
支給しない
・支給の制限等
23歳まで支給，ただし，役職手当支給者は各5,000円，18歳を超える場合は就学者に支給

役付手当
係　長　14,000～20,000円

役割給
部　長　68,000～98,000円
課　長　53,000～83,000円

役職者への時間外手当の不支給
課長クラスから不支給

時間あたり賃金
年間賃金ベース　2,407円
月例賃金ベース　1,819円

役職者・実在者の平均年収額
部　長　月例賃金＋賞与
平均年齢　53.5歳　9,985千円
課　長　月例賃金＋賞与
平均年齢　46.5歳　7,908千円

機械製品　F社（300人）　　　　　　　　　　　　　　　　　　　　　　　　　　　（単位：円）

設定条件			役職名	所定労働時間内賃金	うち基本賃金	年間賃金計 モデル月例賃金×12＋2023年夏季賞与＋2022年年末賞与	2023年夏季モデル賞与	2022年年末モデル賞与	補足的事項
年齢(歳)	勤続年数(年)	扶養家族(人)							
大学卒・総合職（事務・技術系）									
22	0	0		217,000	210,000	―	30,000	―	モデル賃金の算定方法
25	3	0		236,700	224,700	―	390,000	―	実在者の中位の額
27	5	1		263,800	239,800	―	490,000	―	モデル賃金の対象
30	8	2		299,500	259,500	―	470,000	―	全従業員モデル
35	13	3	主　任	346,400	300,400	―	550,000	―	労務構成
40	18	3	係　長	390,750	320,750	―	800,000	―	平均年齢　　40.8歳
45	23	3	課　長	432,900	365,900	―	1,070,000	―	平均勤続　　16.3年
50	28	2	部　長	562,000	432,000	―	1,230,000	―	2023年所定内賃金
55	33	1	課　長	507,900	405,900	―	980,000	―	335,000円
60	38	1	部　長	519,000	432,000	―	1,230,000	―	うち基本賃金 300,000円
大学卒・一般職（事務・技術系）									2022年所定内賃金
22	0	0							329,000円
25	3	0							年間所定労働時間
27	5	0							1,944時間
30	8	0							
35	13	0							
40	18	0							賃金改定状況
45	23	0							ベースアップを実施
短大卒・一般職（事務・技術系）									2023年賃上げ額
20	0	0		―	―	―	―	―	6,500円　1.90%
22	2	0		―	―	―	―	―	うち定昇 4,000円　1.20%
25	5	0		―	―	―	―	―	
30	10	0		―	―	―	―	―	賞与・一時金
35	15	0		―	―	―	―	―	・2022年年末
40	20	0		258,000	251,000	―	470,000	―	720,000円　2.30ヵ月
高校卒・総合職（事務・技術系）									前年比　　79.00%
18	0	0		―	―	―	―	―	・2023年夏季
20	2	0		―	―	―	―	―	630,000円　2.00ヵ月
22	4	0		―	―	―	―	―	前年比　　107.00%
25	7	0		―	―	―	―	―	
27	9	1		―	―	―	―	―	
30	12	2		―	―	―	―	―	家族手当　　　制度なし
35	17	3		―	―	―	―	―	役付手当
40	22	3		―	―	―	―	―	部　長　　　80,000円
45	27	3		―	―	―	―	―	課　長　　　60,000円
50	32	2	課　長	442,000	375,000	―	1,070,000	―	係　長　　　20,000円
55	37	1		―	―	―	―	―	主　任　　　 6,000円
60	42	1		―	―	―	―	―	役割給　　　　導入なし
高校卒・一般職（事務・技術系）									役職者への時間外手当の不支給
18	0	0		―	―	―	―	―	課長クラスから不支給
20	2	0		―	―	―	―	―	
22	4	0		―	―	―	―	―	
25	7	0		―	―	―	―	―	時間あたり賃金
30	12	0		―	―	―	―	―	年間賃金ベース　2,762円
35	17	0		―	―	―	―	―	月例賃金ベース　2,068円
40	22	0		243,000	236,000	―	370,000	―	
高校卒・現業系									
18	0	0		175,000	168,000	―	25,000	―	
20	2	0		―	―	―	―	―	
22	4	0		―	―	―	―	―	
25	7	0		222,000	215,000	―	470,000	―	
27	9	1		―	―	―	―	―	
30	12	2		―	―	―	―	―	
35	17	3		―	―	―	―	―	
40	22	3	係　長	325,000	298,000	―	650,000	―	
45	27	3		―	―	―	―	―	
50	32	2		―	―	―	―	―	
55	37	1	係　長	392,000	365,000	―	720,000	―	
60	42	1		―	―	―	―	―	

機械製品　G社（200人）　　　　　　　　　　　　　　　　　　　（単位：円）

設定条件			役職名	所定労働時間内賃金	うち基本賃金	年間賃金計 モデル月例賃金×12 + 2023年夏季賞与 2022年年末賞与	2023年夏季モデル賞与	2022年年末モデル賞与	補足的事項
年齢(歳)	勤続年数(年)	扶養家族(人)							
大学卒・総合職（事務・技術系）									モデル賃金の算定方法
22	0	0		220,200	220,200	2,773,400	81,000	50,000	理論モデル
25	3	0		233,400	233,400	―	606,840	―	モデル賃金の対象
27	5	1		245,600	245,600	―	653,560	―	全従業員モデル
30	8	2		286,600	261,600	―	731,160	―	労務構成
35	13	3	リーダー	382,900	287,900	―	1,037,540	―	平均年齢　　　　39.0歳
40	18	3	リーダー	435,000	330,000	―	1,173,000	―	平均勤続　　　　10.0年
45	23	3	部　　長	495,000	350,000	―	1,379,000	―	2023年所定内賃金
50	28	2	部　　長	485,000	340,000	―	1,369,000	―	282,028円
55	33	1	部　　長	455,000	325,000	―	1,320,000	―	うち基本賃金 248,344円
60	38	1		335,000	305,000	―	808,000	―	2022年所定内賃金
大学卒・一般職（事務・技術系）									262,941円
22	0	0		192,000	192,000	2,424,000	70,000	50,000	年間所定労働時間
25	3	0		204,600	204,600	―	531,960	―	2,000時間
27	5	0		213,000	213,000	―	553,800	―	
30	8	0		227,200	227,200	―	590,720	―	賃金改定状況
35	13	0		244,200	244,200	―	634,920	―	ベースアップを実施
40	18	0		263,000	253,000	―	683,800	―	2023年賃上げ額
45	23	0		273,500	258,500	―	711,100	―	12,252円　5.16％
短大卒・一般職（事務・技術系）									賞与・一時金
20	0	0							・2022年年末
22	2	0							646,302円　2.48ヵ月
25	5	0							前年比　99.70％
30	10	0							・2023年夏季
35	15	0							651,866円　2.71ヵ月
40	20	0							前年比　103.49％
高校卒・総合職（事務・技術系）									
18	0	0							家族手当
20	2	0							配偶者　　　　0円
22	4	0							第1子　　　15,000円
25	7	0							第2子　　　10,000円
27	9	1							第3子　　　10,000円
30	12	2							・管理職に対する支給
35	17	3							支給する
40	22	3							・支給の制限等
45	27	3							18歳まで支給
50	32	2							役付手当
55	37	1							部　　長　90,000～100,000円
60	42	1							課　　長　40,000～50,000円
高校卒・一般職（事務・技術系）									係　　長　3,000～5,000円
18	0	0							役割給　　　　導入なし
20	2	0							役職者への時間外手当の不支給
22	4	0							課長クラスから不支給
25	7	0							
30	12	0							
35	17	0							
40	22	0							
高校卒・現業系									時間あたり賃金
18	0	0		170,800	170,800	2,161,600	62,000	50,000	年間賃金ベース　2,341円
20	2	0		179,800	179,800	―	467,480	―	月例賃金ベース　1,692円
22	4	0		186,200	186,200	―	484,120	―	
25	7	0		201,800	201,800	―	524,680	―	役職者・実在者の平均年収額
27	9	1		210,200	210,200	―	546,520	―	部長（兼任役員）
30	12	2		250,000	225,000	―	611,000	―	月例賃金＋賞与
35	17	3		274,000	239,000	―	647,400	―	平均年齢 50.0歳 10,400千円
40	22	3		281,500	246,500	―	666,900	―	部　　長　月例賃金＋賞与
45	27	3		293,000	253,000	―	696,800	―	平均年齢　40.0歳 9,584千円
50	32	2		280,500	250,500	―	690,300	―	課　　長　月例賃金＋賞与
55	37	1		250,500	235,500	―	651,300	―	平均年齢　40.0歳 7,712千円
60	42	1		215,500	215,500	―	560,300	―	

機械製品　H社（50人）

（単位：円）

設定条件 年齢（歳）	勤続年数（年）	扶養家族（人）	役職名	所定労働時間内賃金	うち基本賃金	年間賃金計（モデル月例賃金×12＋2023年夏季賞与＋2022年年末賞与）	2023年夏季モデル賞与	2022年年末モデル賞与
大学卒・総合職（事務・技術系）								
22	0	0		198,400	188,400	—	—	—
25	3	0		205,800	195,800	2,993,350	289,000	234,750
27	5	1		213,900	200,900	3,102,050	295,250	240,000
30	8	2		225,800	189,800	3,080,500	200,800	170,100
35	13	3		253,000	229,000	3,658,000	343,000	279,000
40	18	3		275,000	250,000	3,978,000	378,000	300,000
45	23	3		317,000	290,000	4,595,750	436,750	355,000
50	28	2	課長代理	405,700	366,700	6,140,500	725,100	547,000
55	33	1	課長	403,000	360,000	5,962,000	622,000	504,000
60	38	1	課長	468,300	403,300	6,862,000	676,500	565,900
大学卒・一般職（事務・技術系）								
22	0	0		198,400	188,400	—	—	—
25	3	0		205,800	195,800	2,992,200	288,000	234,600
27	5	0		210,900	200,900	2,801,300	29,500	241,000
30	8	0		212,400	182,400	2,985,700	226,600	210,300
35	13	0		255,200	221,200	3,807,200	403,100	341,700
40	18	0		229,300	219,300	3,210,500	268,000	190,900
45	23	0		237,999	227,999	3,482,688	330,700	296,000
短大卒・一般職（事務・技術系）								
20	0	0		192,300	182,300	—	—	—
22	2	0		196,500	186,500	2,857,100	275,100	224,000
25	5	0		202,800	192,800	2,949,600	284,000	232,000
30	10	0		213,800	203,800	3,108,350	299,000	243,750
35	15	0		227,800	214,800	3,311,600	320,000	258,000
40	20	0		240,050	226,050	3,617,100	417,400	319,100
高校卒・総合職（事務・技術系）								
18	0	0		186,000	176,000	—	—	—
20	2	0		190,250	180,250	2,766,050	266,250	216,800
22	4	0		194,200	184,200	2,823,400	272,000	221,000
25	7	0		200,700	190,700	2,918,100	280,900	228,800
27	9	1		211,000	198,000	3,069,000	299,000	238,000
30	12	2		220,000	202,000	3,192,500	305,000	247,500
35	17	3		238,000	214,000	3,456,500	335,000	265,500
40	22	3		266,000	243,000	3,854,800	359,800	303,000
45	27	3		315,000	270,000	4,557,400	428,400	349,000
50	32	2		306,850	283,850	4,444,300	453,000	309,100
55	37	1	課長代理	319,850	283,850	4,579,600	420,000	321,400
60	42	1	課長	444,500	381,500	6,745,400	801,800	609,600
高校卒・一般職（事務・技術系）								
18	0	0		186,000	176,000	—	—	—
20	2	0		190,250	180,250	2,766,050	266,250	216,800
22	4	0		194,200	184,200	2,823,400	272,000	221,000
25	7	0		200,700	190,700	2,918,100	280,900	228,800
30	12	0		212,000	202,000	3,084,800	299,000	241,800
35	17	0		224,000	214,000	3,257,250	313,500	255,750
40	22	0		256,000	243,000	3,721,800	358,800	291,000
高校卒・現業系								
18	0	0		186,000	176,000	—	—	—
20	2	0		190,250	180,250	2,672,700	244,200	145,500
22	4	0		196,700	186,700	2,872,400	287,200	224,800
25	7	0		198,300	185,300	2,793,600	265,700	148,300
27	9	1		207,100	194,100	2,961,300	298,000	178,100
30	12	2		207,250	191,250	2,923,320	288,300	148,020
35	17	3		234,000	215,000	3,062,000	155,000	99,000
40	22	3		246,400	222,400	3,541,400	367,500	217,100
45	27	3		250,550	228,550	3,545,300	345,000	193,700
50	32	2		280,800	260,800	4,022,600	440,300	212,700
55	37	1		326,750	306,750	4,807,000	525,300	360,700
60	42	1	課長代理	399,200	363,200	5,681,100	560,200	330,500

補足的事項

モデル賃金の算定方法
理論モデル

モデル賃金の対象
全従業員モデル

労務構成
平均年齢　50.8歳
平均勤続　15.4年
2023年所定内賃金　296,908円
うち基本賃金　271,641円
2022年所定内賃金　293,744円
年間所定労働時間　1,968時間

賃金改定状況
定昇のみ実施

2023年賃上げ額
3,164円　2.07%
うち定昇　3,164円　2.07%

賞与・一時金
・2022年年末
349,614円　1.14ヵ月
前年比　115.66%
・2023年夏季
415,847円　1.40ヵ月
前年比　116.20%

家族手当
配偶者　3,000円
第1子　3,000円
第2子　3,000円
第3子　3,000円
・管理職に対する支給
支給する
・支給の制限等
22歳まで支給

役付手当
部長　43,000～63,000円
次長　43,000～63,000円
課長　25,000～35,000円
係長　6,000～7,000円
主任　3,000～4,000円

役割給　導入なし

役職者への時間外手当の不支給
課長クラスから不支給

時間あたり賃金
年間賃金ベース　2,199円
月例賃金ベース　1,810円

役職者・実在者の平均年収額
部長（兼任役員）　月例賃金＋賞与
平均年齢　64.0歳　8,132千円
次長　月例賃金＋賞与
平均年齢　59.0歳　5,928千円
課長　月例賃金＋賞与
平均年齢　58.0歳　6,589千円

電気機器　A社（2,500人）

（単位：円）

設定条件 年齢（歳）	勤続年数（年）	扶養家族（人）	役職名	所定労働時間内賃金	うち基本賃金	年間賃金計 モデル月例賃金×12＋2023年夏季賞与 2022年年末賞与	2023年夏季モデル賞与	2022年年末モデル賞与
大学卒・総合職（事務・技術系）								
22	0	0		240,000	240,000	—	125,000	—
25	3	0		269,820	269,820	4,440,040	587,000	615,200
27	5	1		307,000	307,000	5,034,500	658,700	691,800
30	8	2		368,000	368,000	6,106,600	825,100	865,500
35	13	3		421,240	421,240	7,115,480	1,005,600	1,055,000
40	18	3		450,520	450,520	7,530,140	1,036,500	1,087,400
45	23	3		459,590	453,920	7,647,980	1,040,900	1,092,000
50	28	2		472,190	465,190	7,821,280	1,051,700	1,103,300
55	33	1		475,390	468,390	7,865,880	1,054,700	1,106,500
60	38	1		—	—	—	—	—
大学卒・一般職（事務・技術系）								
22	0	0						
25	3	0						
27	5	0						
30	8	0						
35	13	0						
40	18	0						
45	23	0						
短大卒・一般職（事務・技術系）								
20	0	0		194,500	194,500	—	125,000	—
22	2	0		210,330	210,330	3,602,760	526,700	552,100
25	5	0		229,270	229,270	3,956,240	588,300	616,700
30	10	0		251,790	251,790	4,277,880	613,400	643,000
35	15	0		262,010	262,010	4,420,420	623,100	653,200
40	20	0		269,400	269,400	4,524,800	630,800	661,200
高校卒・総合職（事務・技術系）								
18	0	0						
20	2	0						
22	4	0						
25	7	0						
27	9	1						
30	12	2						
35	17	3						
40	22	3						
45	27	3						
50	32	2						
55	37	1						
60	42	1						
高校卒・一般職（事務・技術系）								
18	0	0						
20	2	0						
22	4	0						
25	7	0						
30	12	0						
35	17	0						
40	22	0						
高校卒・現業系								
18	0	0						
20	2	0						
22	4	0						
25	7	0						
27	9	1						
30	12	2						
35	17	3						
40	22	3						
45	27	3						
50	32	2						
55	37	1						
60	42	1						

補足的事項

モデル賃金の算定方法
理論モデル

モデル賃金の対象
組合員モデル

労務構成
平均年齢　43.2歳
平均勤続　15.3年
2023年所定内賃金　387,037円
うち基本賃金　387,037円
2022年所定内賃金　374,830円
年間所定労働時間　1,860時間

賃金改定状況
ベースアップを実施

2023年賃上げ額
12,207円　3.26%
うち定昇 5,207円　1.39%

賞与・一時金
・2022年年末
938,935円　2.50ヵ月
前年比　100.15%
・2023年夏季
892,367円　2.39ヵ月
前年比　95.63%

家族手当　制度なし
役付手当　制度なし
役職者への時間外手当の不支給
課長より下のクラスから不支給

時間あたり賃金
年間賃金ベース　3,482円
月例賃金ベース　2,497円

電気機器　B社（2,300人）　　　　　　　　　　　　　　　　　　　　　　（単位：円）

| 設定条件 | | | 役職名 | 所定労働時間内賃金 | うち基本賃金 | 年間賃金計 モデル月例賃金×12 ＋ 2023年夏季賞与 2022年年末賞与 | 2023年夏季モデル賞与 | 2022年年末モデル賞与 | 補足的事項 |
年齢（歳）	勤続年数（年）	扶養家族（人）							
大学卒・総合職（事務・技術系）									労務構成
22	0	0		—	—	—	73,000	—	平均年齢　　　　　　38.9歳
25	3	0		—	—	—	—	—	平均勤続　　　　　　13.7年
27	5	1		—	—	—	—	—	2023年所定内賃金
30	8	2		—	—	—	—	—	373,470円
35	13	3		—	—	—	—	—	うち基本賃金　334,507円
40	18	3		—	—	—	—	—	2022年所定内賃金
45	23	3		—	—	—	—	—	362,919円
50	28	2		—	—	—	—	—	年間所定労働時間
55	33	1		—	—	—	—	—	1,856時間40分
60	38	1		—	—	—	—	—	
大学卒・一般職（事務・技術系）									
22	0	0		—	—	—	73,000	—	賃金改定状況
25	3	0		—	—	—	—	—	定昇とベアの区分なし
27	5	0		—	—	—	—	—	2023年賃上げ額
30	8	0		—	—	—	—	—	10,551円　2.91%
35	13	0		—	—	—	—	—	
40	18	0		—	—	—	—	—	賞与・一時金
45	23	0		—	—	—	—	—	・2022年年末
短大卒・一般職（事務・技術系）									999,846円　2.70ヵ月
20	0	0		—	—	—	73,000	—	前年比　　116.15%
22	2	0		—	—	—	—	—	・2023年夏季
25	5	0		—	—	—	—	—	1,045,716円　2.80ヵ月
30	10	0		—	—	—	—	—	前年比　　104.59%
35	15	0		—	—	—	—	—	
40	20	0		—	—	—	—	—	
高校卒・総合職（事務・技術系）									家族手当
18	0	0		—	—	—	73,000	—	配偶者　　　　　17,500円
20	2	0		—	—	—	—	—	第1子　　　　　　6,000円
22	4	0		—	—	—	—	—	第2子　　　　　　6,000円
25	7	0		—	—	—	—	—	第3子　　　　　　6,000円
27	9	1		—	—	—	—	—	・管理職に対する支給
30	12	2		—	—	—	—	—	支給する
35	17	3		—	—	—	—	—	・支給の制限等
40	22	3		—	—	—	—	—	18歳まで支給
45	27	3		—	—	—	—	—	
50	32	2		—	—	—	—	—	時間あたり賃金
55	37	1		—	—	—	—	—	年間賃金ベース　　3,516円
60	42	1		—	—	—	—	—	月例賃金ベース　　2,414円
高校卒・一般職（事務・技術系）									
18	0	0		—	—	—	73,000	—	
20	2	0		—	—	—	—	—	
22	4	0		—	—	—	—	—	
25	7	0		—	—	—	—	—	
30	12	0		—	—	—	—	—	
35	17	0		—	—	—	—	—	
40	22	0		—	—	—	—	—	
高校卒・現業系									
18	0	0		—	—	—	73,000	—	
20	2	0		—	—	—	—	—	
22	4	0		—	—	—	—	—	
25	7	0		—	—	—	—	—	
27	9	1		—	—	—	—	—	
30	12	2		—	—	—	—	—	
35	17	3		—	—	—	—	—	
40	22	3		—	—	—	—	—	
45	27	3		—	—	—	—	—	
50	32	2		—	—	—	—	—	
55	37	1		—	—	—	—	—	
60	42	1		—	—	—	—	—	

電気機器　C社（550人）

（単位：円）

設定条件 年齢（歳）	勤続年数（年）	扶養家族（人）	役職名	所定労働時間内賃金	うち基本賃金	年間賃金計 モデル月例賃金×12＋2023年夏季賞与 2022年年末賞与	2023年夏季モデル賞与	2022年年末モデル賞与
大学卒・総合職（事務・技術系）								
22	0	0		216,000	216,000	—	50,000	—
25	3	0		227,000	227,000	3,974,470	701,130	549,340
27	5	1		247,200	237,200	4,309,306	768,882	574,024
30	8	2		268,700	253,700	4,645,351	806,997	613,954
35	13	3	課　　長	432,000	372,000	7,452,575	1,296,316	972,259
40	18	3	次　　長	539,000	459,000	9,356,229	1,644,155	1,244,074
45	23	3	部　　長	623,000	523,000	11,127,978	2,069,903	1,582,075
50	28	2	本 部 長	676,200	556,200	11,962,673	2,165,768	1,682,505
55	33	1	本 部 長	697,200	577,200	12,338,835	2,226,405	1,746,030
60	38	1	管 理 職	534,560	474,560	9,780,296	1,930,032	1,435,544
大学卒・一般職（事務・技術系）								
22	0	0						
25	3	0						
27	5	0						
30	8	0						
35	13	0						
40	18	0						
45	23	0						
短大卒・一般職（事務・技術系）								
20	0	0						
22	2	0						
25	5	0						
30	10	0						
35	15	0						
40	20	0						
高校卒・総合職（事務・技術系）								
18	0	0						
20	2	0						
22	4	0						
25	7	0						
27	9	1						
30	12	2						
35	17	3						
40	22	3						
45	27	3						
50	32	2						
55	37	1						
60	42	1						
高校卒・一般職（事務・技術系）								
18	0	0						
20	2	0						
22	4	0						
25	7	0						
30	12	0						
35	17	0						
40	22	0						
高校卒・現業系								
18	0	0		165,000	165,000	—	50,000	—
20	2	0		171,800	171,800	3,088,046	569,114	457,332
22	4	0		183,100	183,100	3,311,899	627,287	487,412
25	7	0		195,100	195,100	3,518,335	657,779	519,356
27	9	1		212,100	202,100	3,758,756	675,566	537,990
30	12	2		225,600	210,600	3,964,982	697,165	560,617
35	17	3		245,200	225,200	4,305,605	763,723	599,482
40	22	3		269,700	249,700	4,727,079	825,978	664,701
45	27	3		284,700	264,700	4,985,124	864,093	704,631
50	32	2		299,700	284,700	5,448,037	1,024,868	826,769
55	37	1		314,200	304,200	5,732,719	1,078,922	883,397
60	42	1		261,360	251,360	4,798,719	932,450	729,949

補足的事項

モデル賃金の算定方法
理論モデル

モデル賃金の対象
全従業員モデル

労務構成
平均年齢　40.9歳
平均勤続　10.9年
2023年所定内賃金　384,244円
うち基本賃金　308,548円
2022年所定内賃金　375,166円
年間所定労働時間　1,888時間

賃金改定状況
定昇のみ実施

2023年賃上げ額
4,216円　1.40%
うち定昇　4,216円　1.40%

賞与・一時金
・2022年年末
858,002円　2.62ヵ月
前年比　100.36%
・2023年夏季
1,045,823円　3.46ヵ月
前年比　112.75%

家族手当
配偶者　0円
第１子　5,000円
第２子　5,000円
第３子　5,000円
・管理職に対する支給
支給しない
・支給の制限等
20歳まで支給

役付手当
部　長　60,000～120,000円
次　長　40,000～80,000円
課　長　20,000～60,000円

役割給　導入なし

役職者への時間外手当の不支給
課長クラスから不支給

時間あたり賃金
年間賃金ベース　3,451円
月例賃金ベース　2,442円

役職者・実在者の平均月収額
部長（兼任役員）　月例賃金
平均年齢　58.1歳　1,549千円
部　長　月例賃金
平均年齢　53.4歳　742千円
次　長　月例賃金
平均年齢　52.3歳　607千円
課　長　月例賃金
平均年齢　48.2歳　543千円

電気機器　D社（400人）

（単位：円）

設定条件 年齢（歳）	勤続年数（年）	扶養家族（人）	役職名	所定労働時間内賃金	うち基本賃金	年間賃金計 モデル月例賃金×12＋2023年夏季賞与2022年年末賞与	2023年夏季モデル賞与	2022年年末モデル賞与
大学卒・総合職（事務・技術系）								
22	0	0		224,400	224,400	3,108,700	59,900	356,000
25	3	0		244,165	244,165	4,362,980	720,000	713,000
27	5	1		254,840	245,840	4,558,660	751,000	749,580
30	8	2		266,267	253,767	4,920,204	882,000	843,000
35	13	3		306,507	290,507	5,767,541	1,057,457	1,032,000
40	18	3	係　長	321,200	305,200	5,946,400	1,060,000	1,032,000
45	23	3	係　長	386,691	370,691	6,949,292	1,165,000	1,144,000
50	28	2	係　長	385,506	373,006	6,935,072	1,165,000	1,144,000
55	33	1	係　長	412,280	403,280	7,256,360	1,165,000	1,144,000
60	38	1	係　長	412,280	403,280	7,256,360	1,165,000	1,144,000
大学卒・一般職（事務・技術系）								
22	0	0		200,200	200,200	—	50,000	—
25	3	0		—	—	—	—	—
27	5	0		—	—	—	—	—
30	8	0		—	—	—	—	—
35	13	0		—	—	—	—	—
40	18	0		—	—	—	—	—
45	23	0		—	—	—	—	—
短大卒・一般職（事務・技術系）								
20	0	0		190,200	190,200	—	50,000	—
22	2	0		—	—	—	—	—
25	5	0		—	—	—	—	—
30	10	0		—	—	—	—	—
35	15	0		—	—	—	—	—
40	20	0		—	—	—	—	—
高校卒・総合職（事務・技術系）								
18	0	0						
20	2	0						
22	4	0						
25	7	0						
27	9	1						
30	12	2						
35	17	3						
40	22	3						
45	27	3						
50	32	2						
55	37	1						
60	42	1						
高校卒・一般職（事務・技術系）								
18	0	0		181,200	181,200	—	45,114	—
20	2	0		191,030	191,030	—	—	—
22	4	0		200,630	200,630	—	—	—
25	7	0		213,917	213,917	—	—	—
30	12	0		230,770	230,770	—	—	—
35	17	0		—	—	—	—	—
40	22	0		—	—	—	—	—
高校卒・現業系								
18	0	0		181,200	181,200	2,483,514	45,114	264,000
20	2	0		191,030	191,030	3,311,360	520,000	499,000
22	4	0		200,630	200,630	3,555,023	588,463	559,000
25	7	0		213,277	213,277	3,706,787	588,463	559,000
27	9	1		224,911	215,911	3,959,881	663,502	597,447
30	12	2		235,880	223,380	4,216,204	706,133	679,511
35	17	3		263,374	247,374	4,546,132	706,133	679,511
40	22	3		273,668	257,668	4,873,333	813,580	775,737
45	27	3		283,229	267,229	5,125,748	868,000	859,000
50	32	2		337,076	324,576	6,141,912	1,065,000	1,032,000
55	37	1		363,762	354,762	6,674,144	1,165,000	1,144,000
60	42	1		363,762	354,762	6,674,144	1,165,000	1,144,000

補足的事項

モデル賃金の算定方法
実在者の平均額

モデル賃金の対象
組合員モデル

労務構成
平均年齢　36.9歳
平均勤続　12.6年
2023年所定内賃金
282,188円
うち基本賃金 278,543円
2022年所定内賃金
276,709円
年間所定労働時間
1,952時間

賃金改定状況
ベースアップを実施

2023年賃上げ額
10,000円　3.61％
うち定昇 4,600円　1.66％

家族手当
配偶者　9,000円
第1子　3,500円
第2子　3,500円
第3子　3,500円
・**管理職に対する支給**
支給しない
・**支給の制限等**
18歳まで支給

役割給
（左の賃金表では基本賃金に含まれます）
部　長　214,000円
課　長　164,000円

役職者への時間外手当の不支給
課長クラスから不支給

時間あたり賃金
月例賃金ベース　1,735円

役職者・実在者の平均年収額
部長（兼任役員）
月例賃金＋賞与
平均年齢　—　24,030千円
部　長　月例賃金＋賞与
平均年齢　—　14,009千円
課　長　月例賃金＋賞与
平均年齢　—　11,620千円

電気機器　E社（350人）

（単位：円）

設定条件 年齢（歳）	勤続年数（年）	扶養家族（人）	役職名	所定労働時間内賃金	うち基本賃金	年間賃金計 モデル月例賃金×12 ＋ 2023年夏季賞与 2022年年末賞与	2023年夏季モデル賞与	2022年年末モデル賞与
大学卒・総合職（事務・技術系）								
22	0	0		223,500	223,500	3,357,000	10,000	665,000
25	3	0		237,000	237,000	4,191,000	517,000	830,000
27	5	1		253,000	246,000	4,434,000	537,000	861,000
30	8	2		272,500	258,500	4,739,000	564,000	905,000
35	13	3		302,900	281,900	5,236,800	615,000	987,000
40	18	3		329,700	308,700	5,710,400	673,000	1,081,000
45	23	3		357,000	336,000	6,193,000	733,000	1,176,000
50	28	2	管理職	371,060	371,060	6,560,720	809,000	1,299,000
55	33	1	管理職	379,340	379,340	6,707,080	827,000	1,328,000
60	38	1	管理職	379,340	379,340	6,707,080	827,000	1,328,000
大学卒・一般職（事務・技術系）								
22	0	0		193,500	193,500	2,908,000	10,000	576,000
25	3	0		206,000	206,000	3,643,000	450,000	721,000
27	5	0		213,500	213,500	3,776,000	466,000	748,000
30	8	0		225,000	225,000	3,979,000	491,000	788,000
35	13	0		247,500	247,500	4,377,000	540,000	867,000
40	18	0		271,100	271,100	4,793,200	591,000	949,000
45	23	0		287,300	287,300	5,080,600	627,000	1,006,000
短大卒・一般職（事務・技術系）								
20	0	0		183,500	183,500	2,758,000	10,000	546,000
22	2	0		193,500	193,500	3,422,000	422,000	678,000
25	5	0		206,000	206,000	3,643,000	450,000	721,000
30	10	0		229,500	229,500	4,059,000	501,000	804,000
35	15	0		250,500	250,500	4,430,000	547,000	877,000
40	20	0		276,500	276,500	4,889,000	603,000	968,000
高校卒・総合職（事務・技術系）								
18	0	0		176,000	176,000	2,646,000	10,000	524,000
20	2	0		186,000	186,000	3,289,000	406,000	651,000
22	4	0		196,000	196,000	3,466,000	428,000	686,000
25	7	0		207,250	207,250	3,665,000	452,000	726,000
27	9	1		227,500	220,500	3,983,000	481,000	772,000
30	12	2		248,000	234,000	4,306,000	511,000	819,000
35	17	3		281,300	260,300	4,855,600	568,000	912,000
40	22	3		304,700	283,700	5,268,400	619,000	993,000
45	27	3		336,000	315,000	5,822,000	687,000	1,103,000
50	32	2	管理職	346,220	346,220	6,121,640	755,000	1,212,000
55	37	1	管理職	373,820	373,820	6,609,840	815,000	1,309,000
60	42	1	管理職	379,340	379,340	6,707,080	827,000	1,328,000
高校卒・一般職（事務・技術系）								
18	0	0		176,000	176,000	2,646,000	10,000	524,000
20	2	0		186,000	186,000	3,289,000	406,000	651,000
22	4	0		196,000	196,000	3,466,000	428,000	686,000
25	7	0		207,250	207,250	3,665,000	452,000	726,000
30	12	0		234,000	234,000	4,138,000	511,000	819,000
35	17	0		260,300	260,300	4,603,600	568,000	912,000
40	22	0		283,700	283,700	5,016,400	619,000	993,000
高校卒・現業系								
18	0	0		179,750	179,750	2,702,000	10,000	535,000
20	2	0		189,750	189,750	3,356,000	414,000	665,000
22	4	0		199,750	199,750	3,533,000	436,000	700,000
25	7	0		211,000	211,000	3,731,000	460,000	739,000
27	9	1		230,500	223,500	4,037,000	488,000	783,000
30	12	2		251,000	237,000	4,359,000	517,000	830,000
35	17	3		283,100	262,100	4,887,200	572,000	918,000
40	22	3		304,700	283,700	5,268,400	619,000	993,000
45	27	3		336,000	315,000	5,822,000	687,000	1,103,000
50	32	2	管理職	346,220	346,220	6,121,640	755,000	1,212,000
55	37	1	管理職	373,820	373,820	6,609,840	815,000	1,309,000
60	42	1	管理職	379,340	379,340	6,707,080	827,000	1,328,000

補足的事項

モデル賃金の算定方法
理論モデル

モデル賃金の対象
全従業員モデル

労務構成
平均年齢　23.0歳
平均勤続　4.0年
2023年所定内賃金　230,464円
うち基本賃金　188,059円
2022年所定内賃金　219,932円
年間所定労働時間　1,923時間45分

賃金改定状況
ベースアップを実施

2023年賃上げ額
11,500円　5.23%
うち定昇　4,500円　2.05%

賞与・一時金
・2022年年末
641,490円　3.50ヵ月
前年比　100.00%
・2023年夏季
346,129円　2.18ヵ月
前年比　62.00%

家族手当
配偶者　7,000円
第１子　7,000円
第２子　7,000円
第３子　7,000円
・管理職に対する支給
支給しない
・支給の制限等
18歳まで支給

役付手当　制度なし
役割給　導入なし
役職者への時間外手当の不支給
課長クラスから不支給

時間あたり賃金
年間賃金ベース　1,951円
月例賃金ベース　1,438円

電気機器　F社（250人）　　　　　　　　　　　　　　　　　　　　　　　　　　　　（単位：円）

設定条件			役職名	所定労働時間内賃金	うち基本賃金	年間賃金計 モデル月例賃金×12 + 2023年夏季賞与 2022年年末賞与	2023年夏季モデル賞与	2022年年末モデル賞与
年齢(歳)	勤続年数(年)	扶養家族(人)						
大学卒・総合職（事務・技術系）								
22	0	0		203,000	203,000	2,646,000	30,000	180,000
25	3	0		225,500	225,500	3,286,000	300,000	280,000
27	5	1	組　長	253,500	240,500	3,672,000	330,000	300,000
30	8	2	班　長	287,000	266,000	4,124,000	360,000	320,000
35	13	3	主　任	395,500	313,500	5,616,000	460,000	410,000
40	18	3	係　長	457,000	367,000	6,524,000	540,000	500,000
45	23	3	課　長	528,500	424,500	7,542,000	620,000	580,000
50	28	2	部　長	598,000	484,000	8,576,000	720,000	680,000
55	33	1	部　長	626,500	516,500	8,988,000	770,000	700,000
60	38	1	部　長	626,500	516,500	8,988,000	770,000	700,000
大学卒・一般職（事務・技術系）								
22	0	0						
25	3	0						
27	5	0						
30	8	0						
35	13	0						
40	18	0						
45	23	0						
短大卒・一般職（事務・技術系）								
20	0	0		177,000	177,000	2,314,000	30,000	160,000
22	2	0		189,000	189,000	2,748,000	250,000	230,000
25	5	0		209,500	209,500	3,064,000	290,000	260,000
30	10	0		250,000	247,000	3,690,000	360,000	330,000
35	15	0		298,500	291,500	4,412,000	430,000	400,000
40	20	0		410,000	342,000	5,910,000	510,000	480,000
高校卒・総合職（事務・技術系）								
18	0	0		168,000	168,000	2,196,000	30,000	150,000
20	2	0		179,000	179,000	2,588,000	230,000	210,000
22	4	0		190,000	190,000	2,800,000	270,000	250,000
25	7	0		209,500	209,500	3,084,000	300,000	270,000
27	9	1		232,500	222,500	3,410,000	320,000	300,000
30	12	2	組　長	263,000	246,000	3,856,000	360,000	340,000
35	17	3	班　長	311,500	290,500	4,558,000	420,000	400,000
40	22	3	主　任	422,000	340,000	6,034,000	500,000	470,000
45	27	3	係　長	483,500	393,500	6,952,000	590,000	560,000
50	32	2	課　長	557,000	453,000	8,034,000	690,000	660,000
55	37	1	部　長	590,500	480,500	8,506,000	720,000	700,000
60	42	1	部　長	590,500	480,500	8,506,000	720,000	700,000
高校卒・一般職（事務・技術系）								
18	0	0						
20	2	0						
22	4	0						
25	7	0						
30	12	0						
35	17	0						
40	22	0						
高校卒・現業系								
18	0	0						
20	2	0						
22	4	0						
25	7	0						
27	9	1						
30	12	2						
35	17	3						
40	22	3						
45	27	3						
50	32	2						
55	37	1						
60	42	1						

補足的事項

モデル賃金の算定方法
　理論モデル
モデル賃金の対象
　全従業員モデル
労務構成
　平均年齢　　　　43.8歳
　平均勤続　　　　20.1年
　2023年所定内賃金
　　　　　　　　278,966円
　うち基本賃金　262,554円
　2022年所定内賃金
　　　　　　　　276,933円
　年間所定労働時間
　　　　　　　　1,860時間

賃金改定状況
　定昇のみ実施
2023年賃上げ額
　　　　　6,931円　2.49%
　うち定昇 6,291円　2.42%

賞与・一時金
・2022年年末
　　　362,445円　1.38ヵ月
　　　前年比　　110.00%
・2023年夏季
　　　392,456円　1.48ヵ月
　　　前年比　　117.00%

家族手当
　配偶者　　　　10,000円
　第1子まで支給　4,000円
・管理職に対する支給
　　支給する
・支給の制限等
　　15歳まで支給

役付手当
　部　長　　　　100,000円
　次　長　　　　 95,000円
　課　長　　　　 90,000円
　係　長　　　　 76,000円
　主　任　　　　 68,000円
役割給　　　　　導入なし
役職者への時間外手当の不支給
　課長クラスから不支給

時間あたり賃金
　年間賃金ベース　2,206円
　月例賃金ベース　1,800円

役職者・実在者の平均年収額
　部長（兼任役員）年俸制
　　平均年齢 62.0歳 12,560千円
　部　長　　月例賃金＋賞与
　　平均年齢 63.0歳 7,796千円
　次　長　　月例賃金＋賞与
　　平均年齢 60.0歳 7,374千円
　課　長　　月例賃金＋賞与
　　平均年齢 52.0歳 6,640千円

電気機器　G社（200人）

（単位：円）

設定条件 年齢（歳）	勤続年数（年）	扶養家族（人）	役職名	所定労働時間内賃金	うち基本賃金	年間賃金計 モデル月例賃金×12＋2023年夏季賞与 2022年年末賞与	2023年夏季モデル賞与	2022年年末モデル賞与
大学卒・総合職（事務・技術系）								
22	0	0		201,000	201,000	—	20,000	—
25	3	0		212,000	212,000	2,968,000	212,000	212,000
27	5	1		228,000	220,000	3,176,000	220,000	220,000
30	8	2		246,500	232,500	3,423,000	232,500	232,500
35	13	3		274,000	255,000	3,798,000	255,000	255,000
40	18	3	主任	301,000	277,000	4,166,000	277,000	277,000
45	23	3	主任	320,000	296,000	4,432,000	296,000	296,000
50	28	2	係長	339,000	310,000	4,688,000	310,000	310,000
55	33	1	係長	343,000	320,000	4,756,000	320,000	320,000
60	38	1	嘱託社員	208,000	208,000	2,516,000	10,000	10,000
大学卒・一般職（事務・技術系）								
22	0	0		201,000	201,000	—	20,000	—
25	3	0		212,000	212,000	2,968,000	212,000	212,000
27	5	0		220,000	220,000	3,080,000	220,000	220,000
30	8	0		232,500	232,500	3,255,000	232,500	232,500
35	13	0		255,000	255,000	3,570,000	255,000	255,000
40	18	0		277,000	277,000	3,878,000	277,000	277,000
45	23	0		296,000	296,000	4,144,000	296,000	296,000
短大卒・一般職（事務・技術系）								
20	0	0		176,000	176,000	—	20,000	—
22	2	0		183,000	183,000	2,562,000	183,000	183,000
25	5	0		194,000	194,000	2,716,000	194,000	194,000
30	10	0		214,500	214,500	3,003,000	214,500	214,500
35	15	0		237,000	237,000	3,318,000	237,000	237,000
40	20	0		259,000	259,000	3,626,000	259,000	259,000
高校卒・総合職（事務・技術系）								
18	0	0		152,000	152,000	—	20,000	—
20	2	0		159,000	159,000	2,226,000	159,000	159,000
22	4	0		166,000	166,000	2,324,000	166,000	166,000
25	7	0		177,000	177,000	2,478,000	177,000	177,000
27	9	1		193,000	185,000	2,686,000	185,000	185,000
30	12	2		211,500	197,500	2,933,000	197,500	197,500
35	17	3		239,000	220,000	3,308,000	220,000	220,000
40	22	3		261,000	242,000	3,616,000	242,000	242,000
45	27	3		280,000	261,000	3,882,000	261,000	261,000
50	32	2		289,000	275,000	4,018,000	275,000	275,000
55	37	1		298,000	285,000	4,146,000	285,000	285,000
60	42	1		185,000	185,000	2,240,000	10,000	10,000
高校卒・一般職（事務・技術系）								
18	0	0		152,000	152,000	—	20,000	—
20	2	0		159,000	159,000	2,226,000	159,000	159,000
22	4	0		166,000	166,000	2,324,000	166,000	166,000
25	7	0		177,000	177,000	2,478,000	177,000	177,000
30	12	0		197,500	197,500	2,765,000	197,500	197,500
35	17	0		220,000	220,000	3,080,000	220,000	220,000
40	22	0		242,000	242,000	3,388,000	242,000	242,000
高校卒・現業系								
18	0	0		152,000	152,000	—	20,000	—
20	2	0		159,000	159,000	2,226,000	159,000	159,000
22	4	0		166,000	166,000	2,324,000	166,000	166,000
25	7	0		177,000	177,000	2,478,000	177,000	177,000
27	9	1		193,000	185,000	2,686,000	185,000	185,000
30	12	2		211,500	197,500	2,933,000	197,500	197,500
35	17	3		239,000	220,000	3,308,000	220,000	220,000
40	22	3		261,000	242,000	3,616,000	242,000	242,000
45	27	3		280,000	261,000	3,882,000	261,000	261,000
50	32	2		289,000	275,000	4,018,000	275,000	275,000
55	37	1		298,000	285,000	4,146,000	285,000	285,000
60	42	1		185,000	185,000	2,240,000	10,000	10,000

補足的事項

モデル賃金の算定方法
理論モデル

モデル賃金の対象
組合員モデル

労務構成
平均年齢　46.8歳
平均勤続　24.6年
2023年所定内賃金　305,314円
うち基本賃金　280,482円
2022年所定内賃金　302,772円
年間所定労働時間　1,880時間

賃金改定状況
ベースアップを実施

2023年賃上げ額
5,158円　2.28%
うち定昇　4,862円　2.18%

賞与・一時金
・2022年年末
230,000円　1.00ヵ月
前年比　85.00%
・2023年夏季
232,000円　1.00ヵ月
前年比　85.00%

家族手当
配偶者　8,000円
第1子　6,000円
第2子　5,000円
第3子　5,000円
・管理職に対する支給
支給しない
・支給の制限等
14歳まで支給

役付手当
部長　70,000円
課長　40,000円
係長　15,000円
主任　5,000円

役割給　導入なし

役職者への時間外手当の不支給
課長クラスから不支給

時間あたり賃金
年間賃金ベース　2,195円
月例賃金ベース　1,949円

役職者・実在者の平均年収額
部長　月例賃金＋賞与
平均年齢　58.8歳　5,965千円
課長　月例賃金＋賞与
平均年齢　55.6歳　5,736千円

電気機器　H社（200人）　　　　　　　　　　　　　　　　　　　　　　　　（単位：円）

設定条件			役職名	所定労働時間内賃金	うち基本賃金	年間賃金計 モデル月例賃金×12 + 2023年夏季賞与 2022年年末賞与	2023年夏季モデル賞与	2022年年末モデル賞与	補足的事項
年齢(歳)	勤続年数(年)	扶養家族(人)							
大学卒・総合職（事務・技術系）									
22	0	0		220,700	220,700	—	—	—	モデル賃金の算定方法
25	3	0		234,700	234,700	—	—	—	理論モデル
27	5	1		—	—	—	—	—	モデル賃金の対象
30	8	2		305,700	284,700	—	—	—	全従業員モデル
35	13	3		378,700	351,700	—	—	—	労務構成
40	18	3		481,500	424,500	—	—	—	平均年齢　　41.0歳
45	23	3		549,500	482,500	—	—	—	平均勤続　　15.0年
50	28	2		569,500	498,500	—	—	—	
55	33	1		563,500	498,500	—	—	—	賃金改定状況
60	38	1		563,500	498,500	—	—	—	ベースアップを実施
大学卒・一般職（事務・技術系）									2023年賃上げ額
22	0	0							—　4.30%
25	3	0							うち定昇　—　2.00%
27	5	0							賞与・一時金
30	8	0							・2022年年末　—　2.30ヵ月
35	13	0							前年比　—
40	18	0							・2023年夏季　—　2.60ヵ月
45	23	0							前年比　—
短大卒・一般職（事務・技術系）									
20	0	0							家族手当
22	2	0							配偶者　　　15,000円
25	5	0							第1子　　　 6,000円
30	10	0							第2子　　　 6,000円
35	15	0							第3子　　　 6,000円
40	20	0							
高校卒・総合職（事務・技術系）									
18	0	0		191,700	191,700	—	—	—	・管理職に対する支給
20	2	0		192,700	192,700	—	—	—	支給する
22	4	0		201,700	201,700	—	—	—	・支給の制限等
25	7	0		202,800	202,800	—	—	—	18歳まで支給
27	9	1		—	—	—	—	—	役付手当
30	12	2		282,800	261,800	—	—	—	部　長　40,000～50,000円
35	17	3		351,600	324,600	—	—	—	次　長　　　　40,000円
40	22	3		399,600	372,600	—	—	—	課　長　20,000～30,000円
45	27	3		501,500	444,500	—	—	—	役割給　　導入なし
50	32	2		563,500	502,500	—	—	—	役職者への時間外手当の不支給
55	37	1		563,500	498,500	—	—	—	課長クラスから不支給
60	42	1		563,500	498,500	—	—	—	
高校卒・一般職（事務・技術系）									
18	0	0							
20	2	0							
22	4	0							
25	7	0							
30	12	0							
35	17	0							
40	22	0							
高校卒・現業系									
18	0	0							
20	2	0							
22	4	0							
25	7	0							
27	9	1							
30	12	2							
35	17	3							
40	22	3							
45	27	3							
50	32	2							
55	37	1							
60	42	1							

電気機器　I社（200人）

（単位：円）

年齢（歳）	勤続年数（年）	扶養家族（人）	役職名	所定労働時間内賃金	うち基本賃金	年間賃金計（モデル月例賃金×12＋2023年夏季賞与＋2022年年末賞与）	2023年夏季モデル賞与	2022年年末モデル賞与
大学卒・総合職（事務・技術系）								
22	0	0		223,000	223,000	—	101,800	—
25	3	0		243,600	243,600	3,904,100	418,900	562,000
27	5	1		249,600	239,600	4,036,900	479,200	562,500
30	8	2		330,400	245,400	4,934,800	490,800	479,200
35	13	3		303,900	258,900	4,670,600	517,800	506,000
40	18	3		424,700	309,700	6,311,800	619,400	596,000
45	23	3		393,700	309,700	5,939,800	619,400	596,000
50	28	2		360,400	321,400	5,610,400	642,800	642,800
55	33	1		486,600	457,600	7,669,600	915,200	915,200
60	38	1		347,800	330,800	5,508,400	661,600	673,200
大学卒・一般職（事務・技術系）								
22	0	0		—	—	—	—	—
25	3	0		—	—	—	—	—
27	5	0		—	—	—	—	—
30	8	0		—	—	—	—	—
35	13	0		238,100	238,100	3,795,700	442,500	496,000
40	18	0		—	—	—	—	—
45	23	0		—	—	—	—	—
短大卒・一般職（事務・技術系）								
20	0	0						
22	2	0						
25	5	0						
30	10	0						
35	15	0						
40	20	0						
高校卒・総合職（事務・技術系）								
18	0	0		—	—	—	—	—
20	2	0		—	—	—	—	—
22	4	0		231,200	226,200	3,755,600	459,000	522,200
25	7	0		235,600	235,600	3,848,200	458,500	562,500
27	9	1		256,600	239,600	4,080,900	479,200	522,500
30	12	2		—	—	—	—	—
35	17	3		—	—	—	—	—
40	22	3		294,100	264,100	4,603,200	528,200	545,800
45	27	3		—	—	—	—	—
50	32	2		349,000	322,000	5,464,200	644,000	632,200
55	37	1		366,800	337,800	5,729,400	675,600	652,200
60	42	1		—	—	—	—	—
高校卒・一般職（事務・技術系）								
18	0	0		—	—	—	—	—
20	2	0		—	—	—	—	—
22	4	0		198,500	198,500	3,153,900	348,900	423,000
25	7	0		—	—	—	—	—
30	12	0		—	—	—	—	—
35	17	0		—	—	—	—	—
40	22	0		—	—	—	—	—
高校卒・現業系								
18	0	0		—	—	—	—	—
20	2	0		199,900	199,900	3,250,800	389,000	463,000
22	4	0		200,000	200,000	3,212,000	389,000	423,000
25	7	0		217,500	217,500	3,424,000	365,000	449,000
27	9	1		260,500	233,500	3,895,000	257,300	511,700
30	12	2		281,400	246,400	4,628,300	659,000	592,500
35	17	3		327,000	287,000	5,441,000	707,000	810,000
40	22	3		271,000	248,000	4,193,500	419,000	522,500
45	27	3		303,850	273,850	4,589,700	394,500	549,000
50	32	2		311,300	284,300	4,954,600	644,000	575,000
55	37	1		292,500	275,500	4,535,500	450,500	575,000
60	42	1		—	—	—	—	—

補足的事項

モデル賃金の算定方法
実在者の中位の額

モデル賃金の対象
全従業員モデル

労務構成
平均年齢　44.5歳
平均勤続　15.7年
年間所定労働時間　1,976時間

賃金改定状況
ベースアップを実施

2023年賃上げ額
11,331円　4.04％

賞与・一時金
・2022年年末
577,788円　2.50ヵ月
前年比　101.80％
・2023年夏季
523,413円　2.00ヵ月
前年比　231.30％

家族手当
配偶者　10,000円
第1子　10,000円
第2子　3,000円
第3子　3,000円
・管理職に対する支給
支給する
・支給の制限等
22歳まで支給

役付手当　制度なし

役割給　導入なし

役職者への時間外手当の不支給
課長クラスから不支給

役職者・実在者の平均年収額
部　長　年俸制
平均年齢　55.2歳　8,899千円
課　長　年俸制
平均年齢　49.3歳　6,624千円

電気機器　J社（150人）

（単位：円）

年齢（歳）	勤続年数（年）	扶養家族（人）	役職名	所定労働時間内賃金	うち基本賃金	年間賃金計 モデル月例賃金×12＋2023年夏季賞与 2022年年末賞与	2023年夏季モデル賞与	2022年年末モデル賞与
大学卒・総合職（事務・技術系）								
22	0	0		217,100	217,100	—	50,000	—
25	3	0		229,700	229,700	3,508,400	443,000	309,000
27	5	1		242,300	242,300	3,717,600	485,000	325,000
30	8	2		261,200	261,200	4,038,400	520,000	384,000
35	13	3		280,100	280,100	4,290,200	535,000	394,000
40	18	3		288,500	288,500	4,458,000	552,000	444,000
45	23	3		374,900	374,900	5,845,800	741,000	606,000
50	28	2		389,600	389,600	6,394,200	980,000	739,000
55	33	1		423,200	423,200	6,793,400	959,000	756,000
60	38	1		431,600	431,600	6,541,200	562,000	800,000
大学卒・一般職（事務・技術系）								
22	0	0						
25	3	0						
27	5	0						
30	8	0						
35	13	0						
40	18	0						
45	23	0						
短大卒・一般職（事務・技術系）								
20	0	0						
22	2	0						
25	5	0						
30	10	0						
35	15	0						
40	20	0						
高校卒・総合職（事務・技術系）								
18	0	0		191,900	191,900	—	50,000	—
20	2	0		204,500	204,500	3,093,000	379,000	260,000
22	4	0		217,100	217,100	3,295,200	424,000	266,000
25	7	0		229,700	229,700	3,508,400	443,000	309,000
27	9	1		242,300	242,300	3,717,600	485,000	325,000
30	12	2		261,200	261,200	4,038,400	520,000	384,000
35	17	3		280,100	280,100	4,290,200	535,000	394,000
40	22	3		288,500	288,500	4,458,000	552,000	444,000
45	27	3		374,900	374,900	5,845,800	741,000	606,000
50	32	2		389,600	389,600	6,394,200	980,000	739,000
55	37	1		423,200	423,200	6,793,400	959,000	756,000
60	42	1		431,600	431,600	6,541,200	562,000	800,000
高校卒・一般職（事務・技術系）								
18	0	0						
20	2	0						
22	4	0						
25	7	0						
30	12	0						
35	17	0						
40	22	0						
高校卒・現業系								
18	0	0						
20	2	0						
22	4	0						
25	7	0						
27	9	1						
30	12	2						
35	17	3						
40	22	3						
45	27	3						
50	32	2						
55	37	1						
60	42	1						

補足的事項

モデル賃金の算定方法
理論モデル

モデル賃金の対象
全従業員モデル

労務構成
平均年齢　41.7歳
平均勤続　14.4年
2023年所定内賃金　301,732円
うち基本賃金　301,732円
2022年所定内賃金　294,333円
年間所定労働時間　1,815時間

賃金改定状況
ベースアップを実施

2023年賃上げ額
8,100円　2.75％
うち定昇 4,760円　1.62％

賞与・一時金
・2022年年末
484,268円　1.75ヵ月
前年比　104.00％
・2023年夏季
593,153円　1.75ヵ月
前年比　115.00％

家族手当　制度なし
役付手当　制度なし
役割給
（左の賃金表では基本賃金に含まれます）
部　長 410,600～463,100円
次　長 376,785～433,700円
課　長 327,658～412,540円

役職者への時間外手当の不支給
課長クラスから不支給

時間あたり賃金
年間賃金ベース　2,589円
月例賃金ベース　1,995円

役職者・実在者の平均年収額
部　長　月例賃金＋賞与
平均年齢　54.4歳　6,944千円
次　長　月例賃金＋賞与
平均年齢　55.0歳　6,203千円
課　長　月例賃金＋賞与
平均年齢　50.2歳　5,959千円

電気機器　Ｋ社（150人）

（単位：円）

設定条件 年齢（歳）	勤続年数（年）	扶養家族（人）	役職名	所定労働時間内賃金	うち基本賃金	年間賃金計（モデル月例賃金×12＋2023年夏季賞与 2022年年末賞与）	2023年夏季モデル賞与	2022年年末モデル賞与
大学卒・総合職（事務・技術系）								
22	0	0						
25	3	0						
27	5	1						
30	8	2						
35	13	3						
40	18	3						
45	23	3						
50	28	2						
55	33	1						
60	38	1						
大学卒・一般職（事務・技術系）								
22	0	0		230,000	230,000	—	—	—
25	3	0		230,900	230,900	—	—	—
27	5	0		231,800	231,800	—	—	—
30	8	0		232,700	232,700	—	—	—
35	13	0	リーダー	248,600	243,600	—	—	—
40	18	0	リーダー	249,600	244,600	—	—	—
45	23	0	リーダー	250,600	245,600	—	—	—
短大卒・一般職（事務・技術系）								
20	0	0						
22	2	0						
25	5	0						
30	10	0						
35	15	0						
40	20	0						
高校卒・総合職（事務・技術系）								
18	0	0						
20	2	0						
22	4	0						
25	7	0						
27	9	1						
30	12	2						
35	17	3						
40	22	3						
45	27	3						
50	32	2						
55	37	1						
60	42	1						
高校卒・一般職（事務・技術系）								
18	0	0		190,000	190,000	—	—	—
20	2	0		190,650	190,650	—	—	—
22	4	0		193,300	193,300	—	—	—
25	7	0		194,000	194,000	—	—	—
30	12	0		194,700	194,700	—	—	—
35	17	0		198,400	198,400	—	—	—
40	22	0		199,200	199,200	—	—	—
高校卒・現業系								
18	0	0						
20	2	0						
22	4	0						
25	7	0						
27	9	1						
30	12	2						
35	17	3						
40	22	3						
45	27	3						
50	32	2						
55	37	1						
60	42	1						

補足的事項

モデル賃金の算定方法
理論モデル

モデル賃金の対象
組合員モデル

労務構成
平均年齢　48.7歳
平均勤続　17.3年
2023年所定内賃金　366,906円
うち基本賃金　361,870円
2022年所定内賃金　364,748円
年間所定労働時間　1,936時間

賃金改定状況
ベースアップを実施

2023年賃上げ額
5,000円　1.50％
うち定昇　1,000円　0.30％

賞与・一時金
・2022年年末
280,000円　1.00ヵ月
前年比　125.00％
・2023年夏季
280,000円　1.00ヵ月
前年比　100.00％

家族手当
配偶者　10,000円
第１子　3,000円
第２子　3,000円
第３子　3,000円
・管理職に対する支給
支給しない
・支給の制限等
税法上の扶養期間中は年齢に関係なく支給

役付手当
部　長　100,000円
課　長　80,000円
主　任　5,000円

役割給　導入なし

役職者への時間外手当の不支給
課長クラスから不支給

時間あたり賃金
年間賃金ベース　2,563円
月例賃金ベース　2,274円

役職者・実在者の平均年収額
部長（兼任役員）　年俸制
平均年齢　53.0歳　9,620千円
部　長　年俸制
平均年齢　51.0歳　7,600千円
課　長　年俸制
平均年齢　45.0歳　6,000千円

電気機器　L社（60人）

（単位：円）

設定条件			役職名	所定労働時間内賃金	うち基本賃金	年間賃金計 モデル月例賃金×12 + 2023年夏季賞与 2022年年末賞与	2023年夏季モデル賞与	2022年年末モデル賞与
年齢（歳）	勤続年数（年）	扶養家族（人）						
大学卒・総合職（事務・技術系）								
22	0	0		—	—	—	—	—
25	3	0		—	—	—	—	—
27	5	1		260,900	240,600	—	496,800	—
30	8	2		—	—	—	—	—
35	13	3		344,160	313,860	—	627,720	—
40	18	3		—	—	—	—	—
45	23	3		—	—	—	—	—
50	28	2		—	—	—	—	—
55	33	1		—	—	—	—	—
60	38	1		—	—	—	—	—
大学卒・一般職（事務・技術系）								
22	0	0						
25	3	0						
27	5	0						
30	8	0						
35	13	0						
40	18	0						
45	23	0						
短大卒・一般職（事務・技術系）								
20	0	0						
22	2	0						
25	5	0						
30	10	0						
35	15	0						
40	20	0						
高校卒・総合職（事務・技術系）								
18	0	0		—	—	—	—	—
20	2	0		—	—	—	—	—
22	4	0		218,096	210,296	—	436,200	—
25	7	0		—	—	—	—	—
27	9	1		—	—	—	—	—
30	12	2		—	—	—	—	—
35	17	3		—	—	—	—	—
40	22	3		355,050	324,750	—	665,100	—
45	27	3		—	—	—	—	—
50	32	2		430,070	394,770	—	806,200	—
55	37	1		—	—	—	—	—
60	42	1		—	—	—	—	—
高校卒・一般職（事務・技術系）								
18	0	0						
20	2	0						
22	4	0						
25	7	0						
30	12	0						
35	17	0						
40	22	0						
高校卒・現業系								
18	0	0						
20	2	0						
22	4	0						
25	7	0						
27	9	1						
30	12	2						
35	17	3						
40	22	3						
45	27	3						
50	32	2						
55	37	1						
60	42	1						

補足的事項

モデル賃金の算定方法
実在者の平均額

モデル賃金の対象
組合員モデル

労務構成
平均年齢　40.9歳
平均勤続　18.8年
2023年所定内賃金　336,717円
うち基本賃金　326,686円
2022年所定内賃金　323,720円
年間所定労働時間　1,859時間

賃金改定状況
ベースアップを実施

2023年賃上げ額
12,487円　3.86％
うち定昇 5,987円　1.85％

賞与・一時金
・2022年年末
933,945円　3.00ヵ月
前年比　111.11％
・2023年夏季
673,346円　2.00ヵ月
前年比　88.88％

家族手当
配偶者　12,000円
第１子　5,000円
第２子　5,000円
第３子　1,000円
・管理職に対する支給
支給しない
・支給の制限等
18歳まで支給

役付手当
部　長　80,000～120,000円
次　長　60,000～80,000円
課　長　40,000円
係　長　40,000円
主　任　10,000円

役割給　導入なし

役職者への時間外手当の不支給
課長クラスから不支給

時間あたり賃金
年間賃金ベース　3,038円
月例賃金ベース　2,174円

役職者・実在者の平均年収額
部　長　月例賃金＋賞与
平均年齢　50.0歳　9,144千円
次　長　月例賃金＋賞与
平均年齢　59.0歳　8,927千円
課　長　月例賃金＋賞与
平均年齢　49.0歳　7,842千円

輸送用機器　A社（5,100人）

（単位：円）

設定条件			役職名	所定労働時間内賃金	うち基本賃金	年間賃金計（モデル月例賃金×12＋2023年夏季賞与＋2022年年末賞与）	2023年夏季モデル賞与	2022年年末モデル賞与
年齢（歳）	勤続年数（年）	扶養家族（人）						
大学卒・総合職（事務・技術系）								
22	0	0		245,300	245,300	—	140,000	—
25	3	0		264,300	264,300	4,712,400	714,900	825,900
27	5	1		336,300	287,300	5,769,900	804,200	930,100
30	8	2		390,800	337,800	6,940,700	1,046,800	1,204,300
35	13	3		429,800	376,800	7,633,900	1,150,300	1,326,000
40	18	3		—	—	—	—	—
45	23	3		—	—	—	—	—
50	28	2		—	—	—	—	—
55	33	1		—	—	—	—	—
60	38	1		—	—	—	—	—
大学卒・一般職（事務・技術系）								
22	0	0		198,900	198,900	—	110,000	—
25	3	0		217,900	217,900	3,902,700	598,200	689,700
27	5	0		240,900	240,900	4,361,200	682,400	788,000
30	8	0		260,900	260,900	4,714,900	734,900	849,200
35	13	0		—	—	—	—	—
40	18	0		—	—	—	—	—
45	23	0		—	—	—	—	—
短大卒・一般職（事務・技術系）								
20	0	0						
22	2	0						
25	5	0						
30	10	0						
35	15	0						
40	20	0						
高校卒・総合職（事務・技術系）								
18	0	0		183,900	183,900	—	100,000	—
20	2	0		196,900	196,900	3,536,200	545,400	628,000
22	4	0		209,900	209,900	3,763,100	578,100	666,200
25	7	0		238,900	238,900	4,325,700	677,100	781,800
27	9	1		301,900	252,900	5,161,400	713,900	824,700
30	12	2		333,900	272,900	5,659,200	766,400	886,000
35	17	3		402,000	337,000	7,020,800	1,021,500	1,175,300
40	22	3		432,500	371,500	7,635,300	1,136,200	1,309,100
45	27	3		—	—	—	—	—
50	32	2		—	—	—	—	—
55	37	1		—	—	—	—	—
60	42	1		—	—	—	—	—
高校卒・一般職（事務・技術系）								
18	0	0						
20	2	0						
22	4	0						
25	7	0						
30	12	0						
35	17	0						
40	22	0						
高校卒・現業系								
18	0	0		183,900	183,900	—	100,000	—
20	2	0		196,900	196,900	3,536,200	545,400	628,000
22	4	0		209,900	209,900	3,763,100	578,100	666,200
25	7	0		238,900	238,900	4,325,700	677,100	781,800
27	9	1		301,900	252,900	5,161,400	713,900	824,700
30	12	2		333,900	272,900	5,659,200	766,400	886,000
35	17	3		402,000	337,000	7,020,800	1,021,500	1,175,300
40	22	3		432,500	371,500	7,635,300	1,136,200	1,309,100
45	27	3		—	—	—	—	—
50	32	2		—	—	—	—	—
55	37	1		—	—	—	—	—
60	42	1		—	—	—	—	—

補足的事項

モデル賃金の算定方法
理論モデル

モデル賃金の対象
組合員モデル

労務構成
平均年齢　37.6歳
平均勤続　13.3年
2023年所定内賃金　349,755円
うち基本賃金　330,471円
2022年所定内賃金　335,842円
年間所定労働時間　1,919時間10分

賃金改定状況
ベースアップを実施

2023年賃上げ額
18,700円　5.57%
うち定昇　5,200円　1.55%

賞与・一時金
・2022年年末
2,180,000円　6.62ヵ月
前年比　231.90%
・2023年夏季
2,010,000円　5.98ヵ月
前年比　184.40%

家族手当
配偶者　14,500円
第1子　6,000円
第2子　6,000円
第3子　6,000円
・管理職に対する支給
支給しない
・支給の制限等
24歳まで支給

役割給　導入なし

役職者への時間外手当の不支給
課長クラスから不支給

時間あたり賃金
年間賃金ベース　4,370円
月例賃金ベース　2,187円

輸送用機器　Ｂ社（4,300人）

（単位：円）

設定条件 年齢（歳）	勤続年数（年）	扶養家族（人）	役職名	所定労働時間内賃金	うち基本賃金	年間賃金計 モデル月例賃金×12＋2023年夏季賞与 2022年年末賞与	2023年夏季モデル賞与	2022年年末モデル賞与
大学卒・総合職（事務・技術系）								
22	0	0		241,000	211,000	3,383,000	90,000	401,000
25	3	0		269,000	239,000	4,240,950	501,800	511,150
27	5	1	上級担当	305,000	257,000	5,057,300	625,200	772,100
30	8	2	上級担当	324,500	272,000	5,666,750	806,700	966,050
35	13	3		—	—	—	—	1,068,300
40	18	3	課長補佐	516,000	489,000	9,135,100	1,430,800	1,512,300
45	23	3		—	—	—	—	—
50	28	2		—	—	—	—	—
55	33	1		—	—	—	—	—
60	38	1		—	—	—	—	—
大学卒・一般職（事務・技術系）								
22	0	0						
25	3	0						
27	5	0						
30	8	0						
35	13	0						
40	18	0						
45	23	0						
短大卒・一般職（事務・技術系）								
20	0	0						
22	2	0						
25	5	0						
30	10	0						
35	15	0						
40	20	0						
高校卒・総合職（事務・技術系）								
18	0	0						
20	2	0						
22	4	0						
25	7	0						
27	9	1						
30	12	2						
35	17	3						
40	22	3						
45	27	3						
50	32	2						
55	37	1						
60	42	1						
高校卒・一般職（事務・技術系）								
18	0	0						
20	2	0						
22	4	0						
25	7	0						
30	12	0						
35	17	0						
40	22	0						
高校卒・現業系								
18	0	0		203,200	173,200	2,848,300	70,000	339,900
20	2	0		213,560	183,560	3,310,780	372,260	375,800
22	4	0		220,500	190,500	3,467,700	407,000	414,700
25	7	0	中級担当	251,900	221,900	4,059,570	512,370	524,400
27	9	1	中級担当	282,450	234,450	4,524,200	554,400	580,400
30	12	2	上級担当	317,000	294,500	5,284,060	742,900	737,160
35	17	3	指導職	364,400	337,400	6,188,150	876,650	938,700
40	22	3	指導職	356,490	329,490	6,085,490	903,370	904,240
45	27	3	工長職	432,260	405,260	7,464,720	1,076,400	1,201,200
50	32	2	係長職	545,500	523,000	9,442,400	1,441,000	1,455,400
55	37	1	係長ＯＢ職	427,460	409,460	7,445,080	1,176,460	1,139,100
60	42	1		—	—	—	—	—

補足的事項

モデル賃金の算定方法
実在者の平均額

モデル賃金の対象
組合員モデル

労務構成
平均年齢　43.0歳
平均勤続　21.3年
2023年所定内賃金　328,276円
うち基本賃金　328,276円
2022年所定内賃金　321,220円
年間所定労働時間　1,952時間

賃金改定状況
成績に応じて賃金改善を実施

2023年賃上げ額
8,100円　2.44％

賞与・一時金
・2022年年末
864,800円　2.60ヵ月
前年比　105.00％
・2023年夏季
849,100円　2.50ヵ月
前年比　97.00％

家族手当
配偶者　18,000円
第１子　4,500円
第２子　4,500円
第３子　1,000円
・管理職に対する支給
支給しない
・支給の制限等
18歳まで支給

役付手当　制度なし
役割給　導入なし
役職者への時間外手当の不支給
課長クラスから不支給

時間あたり賃金
年間賃金ベース　2,896円
月例賃金ベース　2,018円

輸送用機器　C社（1,500人）

（単位：円）

設定条件 年齢（歳）	勤続年数（年）	扶養家族（人）	役職名	所定労働時間内賃金	うち基本賃金	年間賃金計 モデル月例賃金×12＋2023年夏季賞与 2022年年末賞与	2023年夏季モデル賞与	2022年年末モデル賞与
大学卒・総合職（事務・技術系）								
22	0	0		220,000	220,000	—	80,000	—
25	3	0		232,950	232,600	3,760,690	500,090	465,200
27	5	1		258,947	246,082	4,128,604	529,076	492,164
30	8	2		284,600	270,600	4,538,190	581,790	541,200
35	13	3	主任	324,301	305,444	5,159,205	656,705	610,888
40	18	3	主査	379,546	348,623	6,001,337	749,539	697,246
45	23	3	課長代理	483,111	451,689	7,671,841	971,131	903,378
50	28	2	課長	548,825	498,825	8,656,024	1,072,474	997,650
55	33	1	部長	578,592	508,592	9,053,761	1,093,473	1,017,184
60	38	1	部長	600,961	530,961	9,415,020	1,141,566	1,061,922
大学卒・一般職（事務・技術系）								
22	0	0						
25	3	0						
27	5	0						
30	8	0						
35	13	0						
40	18	0						
45	23	0						
短大卒・一般職（事務・技術系）								
20	0	0						
22	2	0						
25	5	0						
30	10	0						
35	15	0						
40	20	0						
高校卒・総合職（事務・技術系）								
18	0	0		177,000	177,000	—	60,000	—
20	2	0		182,700	182,016	2,947,766	391,334	364,032
22	4	0		192,243	191,565	3,101,911	411,865	383,130
25	7	0		216,184	213,540	3,480,399	459,111	427,080
27	9	1		237,619	223,019	3,776,957	479,491	446,038
30	12	2		260,800	245,100	4,146,765	526,965	490,200
35	17	3		311,636	287,136	4,931,246	617,342	574,272
40	22	3		333,168	309,360	5,281,860	665,124	618,720
45	27	3	主任	385,364	356,650	6,104,466	766,798	713,300
50	32	2	主査	391,528	367,580	6,223,793	790,297	735,160
55	37	1	課長	457,036	431,716	7,276,053	928,189	863,432
60	42	1	部長	535,877	510,734	8,550,070	1,098,078	1,021,468
高校卒・一般職（事務・技術系）								
18	0	0						
20	2	0						
22	4	0						
25	7	0						
30	12	0						
35	17	0						
40	22	0						
高校卒・現業系								
18	0	0						
20	2	0						
22	4	0						
25	7	0						
27	9	1						
30	12	2						
35	17	3						
40	22	3						
45	27	3						
50	32	2						
55	37	1						
60	42	1						

補足的事項

モデル賃金の算定方法
実在者の平均額

モデル賃金の対象
全従業員モデル

労務構成
平均年齢　35.3歳
平均勤続　11.2年
2023年所定内賃金　280,519円
うち基本賃金　276,293円
2022年所定内賃金　270,591円
年間所定労働時間　1,895時間40分

賃金改定状況
ベースアップを実施

2023年賃上げ額
9,528円　3.44%
うち定昇　5,328円　1.92%

賞与・一時金
・2022年年末
546,122円　2.00ヵ月
前年比　95.25%
・2023年夏季
602,179円　2.15ヵ月
前年比　102.75%

家族手当
配偶者　11,000円
第1子　3,000円
第2子　2,000円
第3子　2,000円
・管理職に対する支給
支給しない

役付手当
部　長　70,000円
課　長　50,000円
係　長　25,000円
主　任　10,000円

役割給　導入なし

役職者への時間外手当の不支給
課長クラスから不支給

時間あたり賃金
年間賃金ベース　2,381円
月例賃金ベース　1,776円

役職者・実在者の平均年収額
部　長　月例賃金＋賞与
平均年齢　54.0歳　10,348千円
課　長　月例賃金＋賞与
平均年齢　52.3歳　9,068千円

輸送用機器　D社（1,100人）

（単位：円）

年齢（歳）	勤続年数（年）	扶養家族（人）	役職名	所定労働時間内賃金	うち基本賃金	年間賃金計（モデル月例賃金×12＋2023年夏季賞与 2022年年末賞与）	2023年夏季モデル賞与	2022年年末モデル賞与
大学卒・総合職（事務・技術系）								
22	0	0		210,000	210,000	—	63,000	—
25	3	0		218,920	218,920	—	437,840	—
27	5	1	リーダー	244,290	234,290	—	490,349	—
30	8	2		262,000	256,000	—	584,000	—
35	13	3	職長	257,260	240,760	—	508,520	—
40	18	3	主任	309,120	292,620	—	618,240	—
45	23	3		228,930	222,430	—	444,860	—
50	28	2	マネージャー	560,000	560,000	—	1,115,722	—
55	33	1		307,171	302,171	—	614,342	—
60	38	1	嘱託社員	295,000	290,000	—	295,000	—
大学卒・一般職（事務・技術系）								
22	0	0						
25	3	0						
27	5	0						
30	8	0						
35	13	0						
40	18	0						
45	23	0						
短大卒・一般職（事務・技術系）								
20	0	0						
22	2	0						
25	5	0						
30	10	0						
35	15	0						
40	20	0						
高校卒・総合職（事務・技術系）								
18	0	0		173,000	173,000	—	51,900	—
20	2	0		182,550	182,550	—	365,100	—
22	4	0		191,000	191,000	—	382,000	—
25	7	0		219,390	219,390	—	470,852	—
27	9	1	リーダー	228,530	218,530	—	470,852	—
30	12	2		247,740	241,740	—	495,370	—
35	17	3	主任	308,560	292,060	—	617,120	—
40	22	3		262,500	256,000	—	522,000	—
45	27	3	職長	290,460	274,460	—	575,920	—
50	32	2	マネージャー	560,000	560,000	—	1,115,722	—
55	37	1		295,557	290,557	—	581,114	—
60	42	1	嘱託社員	318,230	313,230	—	611,054	—
高校卒・一般職（事務・技術系）								
18	0	0						
20	2	0						
22	4	0						
25	7	0						
30	12	0						
35	17	0						
40	22	0						
高校卒・現業系								
18	0	0						
20	2	0						
22	4	0						
25	7	0						
27	9	1						
30	12	2						
35	17	3						
40	22	3						
45	27	3						
50	32	2						
55	37	1						
60	42	1						

補足的事項

モデル賃金の算定方法
　実在者の中位の額
モデル賃金の対象
　全従業員モデル
労務構成
　平均年齢　42.0歳
　平均勤続　18.0年
　年間所定労働時間
　1,952時間

賃金改定状況
　ベースアップを実施
2023年賃上げ額
　12,000円　—
　うち定昇　4,080円　—
賞与・一時金
・2022年年末
　557,720円　2.25ヵ月
　前年比　—
・2023年夏季
　500,035円　2.00ヵ月
　前年比　—

家族手当
　配偶者　5,000円
　第1子　1,000円
　第2子　500円
　・管理職に対する支給
　　支給しない
　・支給の制限等
　　23歳まで支給
役付手当　制度なし
役割給　導入なし
役職者への時間外手当の不支給
　課長より下のクラスから不支給

輸送用機器　E社（950人）　　　　　　　　　　　　　　　　　　　　　　　（単位：円）

設定条件			役職名	所定労働時間内賃金	うち基本賃金	年間賃金計 モデル月例賃金×12 + 2023年夏季賞与 2022年年末賞与	2023年夏季モデル賞与	2022年年末モデル賞与	補足的事項
年齢(歳)	勤続年数(年)	扶養家族(人)							
大学卒・総合職（事務・技術系）									モデル賃金の算定方法　理論モデル
22	0	0		228,540	223,200	3,539,623	288,000	509,143	モデル賃金の対象　全従業員モデル
25	3	0		246,740	241,400	4,200,948	644,442	595,626	労務構成
27	5	1		293,340	255,500	4,846,624	688,526	638,018	平均年齢　45.8歳
30	8	2		327,740	286,900	5,497,366	808,926	755,560	平均勤続　20.0年
35	13	3		356,840	328,000	6,138,006	955,754	900,172	2023年所定内賃金
40	18	3		420,240	391,400	7,319,750	1,169,340	1,107,530	403,202円
45	23	3	管理職	540,640	535,300	10,087,680	1,860,000	1,740,000	うち基本賃金　398,631円
50	28	2	管理職	593,140	587,800	11,542,680	2,275,000	2,150,000	2022年所定内賃金
55	33	1	管理職	615,640	610,300	11,812,680	2,275,000	2,150,000	394,886円
60	38	1	管理職	615,640	610,300	11,812,680	2,275,000	2,150,000	年間所定労働時間
大学卒・一般職（事務・技術系）									1,920時間
22	0	0							
25	3	0							賃金改定状況
27	5	0							ベースアップを実施
30	8	0							2023年賃上げ額
35	13	0							19,761円　5.00%
40	18	0							うち定昇　1,663円　1.00%
45	23	0							賞与・一時金
短大卒・一般職（事務・技術系）									・2022年年末
20	0	0							1,187,387円　2.90ヵ月
22	2	0							前年比　108.00%
25	5	0							・2023年夏季
30	10	0							1,277,080円　2.95ヵ月
35	15	0							前年比　108.00%
40	20	0							
高校卒・総合職（事務・技術系）									家族手当
18	0	0							配偶者　　17,500円
20	2	0							第1子　　3,000円
22	4	0							第2子　　3,000円
25	7	0							第3子　　3,000円
27	9	1							・管理職に対する支給
30	12	2							支給しない
35	17	3							・支給の制限等
40	22	3							18歳まで支給
45	27	3							役付手当　　制度なし
50	32	2							役割給　　　導入なし
55	37	1							役職者への時間外手当の不支給
60	42	1							課長より下のクラスから不支給
高校卒・一般職（事務・技術系）									
18	0	0							時間あたり賃金
20	2	0							年間賃金ベース　3,804円
22	4	0							月例賃金ベース　2,520円
25	7	0							
30	12	0							役職者・実在者の平均年収額
35	17	0							部　長　月例賃金＋賞与
40	22	0							平均年齢59.0歳　12,545千円
高校卒・現業系									課　長　月例賃金＋賞与
18	0	0							平均年齢55.0歳　11,613千円
20	2	0							
22	4	0							
25	7	0							
27	9	1							
30	12	2							
35	17	3							
40	22	3							
45	27	3							
50	32	2							
55	37	1							
60	42	1							

輸送用機器　Ｆ社（800人）

（単位：円）

設定条件 年齢（歳）	勤続年数（年）	扶養家族（人）	役職名	所定労働時間内賃金	うち基本賃金	年間賃金計 モデル月例賃金×12＋2023年夏季賞与＋2022年年末賞与	2023年夏季モデル賞与	2022年年末モデル賞与
大学卒・総合職（事務・技術系）								
22	0	0		207,460	179,960	3,087,856	48,000	550,336
25	3	0		218,860	191,360	4,396,940	673,540	1,097,080
27	5	1		226,460	198,960	4,530,547	687,676	1,125,351
30	8	2		237,860	210,360	4,730,959	708,880	1,167,759
35	13	3		268,220	240,720	5,378,987	803,449	1,356,898
40	18	3		320,100	296,600	6,376,886	928,562	1,607,124
45	23	3		330,100	306,600	6,545,486	944,762	1,639,524
50	28	2		340,100	316,600	6,714,086	960,962	1,671,924
55	33	1		350,100	326,600	6,882,686	977,162	1,704,324
60	38	1	再　雇　用	200,800	200,800	4,025,240	621,880	993,760
大学卒・一般職（事務・技術系）								
22	0	0		207,460	179,960	3,087,856	48,000	550,336
25	3	0		218,860	191,360	4,396,940	673,540	1,097,080
27	5	0		226,460	198,960	4,530,547	687,676	1,125,351
30	8	0		237,860	210,360	4,730,959	708,880	1,167,759
35	13	0		268,220	240,720	5,378,987	803,449	1,356,898
40	18	0		320,100	296,600	6,376,886	928,562	1,607,124
45	23	0		330,100	306,600	6,545,486	944,762	1,639,524
短大卒・一般職（事務・技術系）								
20	0	0		189,600	162,100	2,840,316	48,000	517,116
22	2	0		197,200	169,700	3,582,904	633,252	583,252
25	5	0		208,600	181,100	3,762,112	654,456	604,456
30	10	0		227,600	200,100	4,060,792	689,796	639,796
35	15	0		268,220	240,720	5,378,987	803,449	1,356,898
40	20	0		320,100	296,600	6,376,886	928,562	1,607,124
高校卒・総合職（事務・技術系）								
18	0	0		177,700	150,200	2,640,782	45,000	463,382
20	2	0		183,500	156,000	3,739,510	579,170	958,340
22	4	0		189,300	161,800	3,841,474	589,958	979,916
25	7	0		204,040	176,540	4,186,402	645,974	1,091,948
27	9	1		211,640	184,140	4,320,010	660,110	1,120,220
30	12	2		226,840	199,340	4,566,022	681,314	1,162,628
35	17	3		268,220	240,720	5,378,987	803,449	1,356,898
40	22	3		320,100	296,600	6,376,886	928,562	1,607,124
45	27	3		330,100	306,600	6,545,486	944,762	1,639,524
50	32	2		340,100	316,600	6,714,086	960,962	1,671,924
55	37	1		350,100	326,600	6,882,686	977,162	1,704,324
60	42	1	再　雇　用	200,800	200,800	4,025,240	621,880	993,760
高校卒・一般職（事務・技術系）								
18	0	0		177,700	150,200	2,640,782	45,000	463,382
20	2	0		183,500	156,000	3,739,510	579,170	958,340
22	4	0		189,300	161,800	3,841,474	589,958	979,916
25	7	0		204,040	176,540	4,186,402	645,974	1,091,948
30	12	0		226,840	199,340	4,566,022	681,314	1,162,628
35	17	0		268,220	240,720	5,378,987	803,449	1,356,898
40	22	0		320,100	296,600	6,376,886	928,562	1,607,124
高校卒・現業系								
18	0	0		177,700	150,200	2,640,782	45,000	463,382
20	2	0		183,500	156,000	3,739,510	579,170	958,340
22	4	0		189,300	161,800	3,841,474	589,958	979,916
25	7	0		204,040	176,540	4,186,402	645,974	1,091,948
27	9	1		211,640	184,140	4,320,010	660,110	1,120,220
30	12	2		226,840	199,340	4,566,022	681,314	1,162,628
35	17	3		268,220	240,720	5,378,987	803,449	1,356,898
40	22	3		320,100	296,600	6,376,886	928,562	1,607,124
45	27	3		330,100	306,600	6,545,486	944,762	1,639,524
50	32	2		340,100	316,600	6,714,086	960,962	1,671,924
55	37	1		350,100	326,600	6,882,686	977,162	1,704,324
60	42	1	再　雇　用	200,800	200,800	4,025,240	621,880	993,760

補足的事項

モデル賃金の算定方法
理論モデル

モデル賃金の対象
組合員モデル

労務構成
平均年齢　42.6歳
平均勤続　19.7年
2023年所定内賃金　312,096円
うち基本賃金　311,926円
2022年所定内賃金　307,560円
年間所定労働時間　1,952時間

賃金改定状況
若手のみベースアップ

2023年賃上げ額
6,500円　2.10%

賞与・一時金
・2022年年末　―　4.70ヵ月　前年比　―
・2023年夏季　―　2.35ヵ月　前年比　―

家族手当
配偶者　15,000円
第１子　8,000円
第２子　8,000円
第３子　8,000円
・管理職に対する支給
支給しない
・支給の制限等
22歳まで支給

役付手当
部　長　30,000円
次　長　20,000円
課　長　10,000円

役割給
部　長　30,000円
次　長　20,000円
課　長　10,000円

役職者への時間外手当の不支給
課長クラスから不支給

時間あたり賃金
月例賃金ベース　1,919円

輸送用機器　G社（300人）

（単位：円）

設定条件 年齢（歳）	勤続年数（年）	扶養家族（人）	役職名	所定労働時間内賃金	うち基本賃金	年間賃金計 モデル月例賃金×12＋2023年夏季賞与＋2022年年末賞与	2023年夏季モデル賞与	2022年年末モデル賞与
大学卒・総合職（事務・技術系）								
22	0	0		240,120	240,120	—	—	—
25	3	0		248,400	248,400	—	—	—
27	5	1		—	—	—	—	—
30	8	2		—	—	—	—	—
35	13	3		—	—	—	—	—
40	18	3		—	—	—	—	—
45	23	3		—	—	—	—	—
50	28	2		—	—	—	—	—
55	33	1		—	—	—	—	—
60	38	1		—	—	—	—	—
大学卒・一般職（事務・技術系）								
22	0	0		240,120	240,120	—	—	—
25	3	0		248,400	248,400	—	—	—
27	5	0		—	—	—	—	—
30	8	0		—	—	—	—	—
35	13	0		—	—	—	—	—
40	18	0		—	—	—	—	—
45	23	0		—	—	—	—	—
短大卒・一般職（事務・技術系）								
20	0	0		231,840	231,840	—	—	—
22	2	0		248,400	248,400	—	—	—
25	5	0		—	—	—	—	—
30	10	0		—	—	—	—	—
35	15	0		—	—	—	—	—
40	20	0		—	—	—	—	—
高校卒・総合職（事務・技術系）								
18	0	0		223,560	223,560	—	—	—
20	2	0		248,400	248,400	—	—	—
22	4	0		—	—	—	—	—
25	7	0		—	—	—	—	—
27	9	1		—	—	—	—	—
30	12	2		—	—	—	—	—
35	17	3		—	—	—	—	—
40	22	3		—	—	—	—	—
45	27	3		—	—	—	—	—
50	32	2		—	—	—	—	—
55	37	1		—	—	—	—	—
60	42	1		—	—	—	—	—
高校卒・一般職（事務・技術系）								
18	0	0		223,560	223,560	—	—	—
20	2	0		248,400	248,400	—	—	—
22	4	0		—	—	—	—	—
25	7	0		—	—	—	—	—
30	12	0		—	—	—	—	—
35	17	0		—	—	—	—	—
40	22	0		—	—	—	—	—
高校卒・現業系								
18	0	0		223,560	223,560	—	—	—
20	2	0		248,400	248,400	—	—	—
22	4	0		—	—	—	—	—
25	7	0		—	—	—	—	—
27	9	1		—	—	—	—	—
30	12	2		—	—	—	—	—
35	17	3		—	—	—	—	—
40	22	3		—	—	—	—	—
45	27	3		—	—	—	—	—
50	32	2		—	—	—	—	—
55	37	1		—	—	—	—	—
60	42	1		—	—	—	—	—

補足的事項

モデル賃金の算定方法
　理論モデル

モデル賃金の対象
　組合員モデル

労務構成
　平均年齢　39.0歳
　平均勤続　12.0年
　年間所定労働時間　1,984時間

賃金改定状況
　ベースアップを実施

2023年賃上げ額
　11,280円　—
　うち定昇　3,000円　—

賞与・一時金
・2022年年末
　577,495円　2.50ヵ月
　前年比　100.00%
・2023年夏季
　299,356円　1.00ヵ月
　前年比　100.00%

家族手当　制度なし

役付手当
　部　長　200,000円
　次　長　150,000円
　課　長　100,000円
　係　長　25,000円
　主　任　12,000円

役割給　導入なし

役職者への時間外手当の不支給
　課長クラスから不支給

役職者・実在者の平均年収額
　部長（兼任役員）年俸制
　平均年齢　—　8,963千円
　部　長　年俸制
　平均年齢　—　8,218千円
　課　長　年俸制
　平均年齢　—　6,635千円

輸送用機器　H社（200人）　　　　　　　　　　　　　　　　　　　　　　　　　（単位：円）

設定条件			役職名	所定労働時間内賃金	うち基本賃金	年間賃金計 モデル月例賃金×12＋2023年夏季賞与＋2022年年末賞与	2023年夏季モデル賞与	2022年年末モデル賞与	補足的事項
年齢(歳)	勤続年数(年)	扶養家族(人)							
大学卒・総合職（事務・技術系）									モデル賃金の算定方法
22	0	0		217,900	210,700	—	140,467	—	実在者の平均額
25	3	0		—	—	—	—	—	モデル賃金の対象
27	5	1		—	—	—	—	—	新入社員
30	8	2		—	—	—	—	—	労務構成
35	13	3		—	—	—	—	—	平均年齢　　　　　37.6歳
40	18	3		—	—	—	—	—	平均勤続　　　　　11.3年
45	23	3		—	—	—	—	—	2023年所定内賃金
50	28	2		—	—	—	—	—	257,663円
55	33	1		—	—	—	—	—	うち基本賃金　245,228円
60	38	1		—	—	—	—	—	2022年所定内賃金
大学卒・一般職（事務・技術系）									248,182円
22	0	0							
25	3	0							賃金改定状況
27	5	0							ベースアップを実施
30	8	0							2023年賃上げ額
35	13	0							10,000円　4.03%
40	18	0							うち定昇　5,000円　2.01%
45	23	0							
短大卒・一般職（事務・技術系）									賞与・一時金
20	0	0		194,700	187,500	—	125,000	—	・2022年年末　　—　2.00ヵ月
22	2	0		—	—	—	—	—	前年比　—
25	5	0		—	—	—	—	—	・2023年夏季
30	10	0		—	—	—	—	—	488,921円　2.00ヵ月
35	15	0		—	—	—	—	—	前年比　—
40	20	0		—	—	—	—	—	
高校卒・総合職（事務・技術系）									家族手当
18	0	0							配偶者　　　　　6,000円
20	2	0							第1子　　　　　3,500円
22	4	0							第2子　　　　　3,000円
25	7	0							第3子　　　　　2,000円
27	9	1							・管理職に対する支給
30	12	2							支給する
35	17	3							役付手当
40	22	3							部　長　　　　　90,000円
45	27	3							課　長　　　　　70,000円
50	32	2							係　長　　　　　20,000円
55	37	1							主　任　　　　　13,000円
60	42	1							役割給　　　　　導入なし
高校卒・一般職（事務・技術系）									役職者への時間外手当の不支給
18	0	0							課長クラスから不支給
20	2	0							
22	4	0							役職者・実在者の平均年収額
25	7	0							部　長　　　　　年俸制
30	12	0							平均年齢　52.0歳　7,755千円
35	17	0							課　長　　　　　年俸制
40	22	0							平均年齢　51.0歳　6,230千円
高校卒・現業系									
18	0	0		174,700	167,500	—	111,667	—	
20	2	0		—	—	—	—	—	
22	4	0		—	—	—	—	—	
25	7	0		—	—	—	—	—	
27	9	1		—	—	—	—	—	
30	12	2		—	—	—	—	—	
35	17	3		—	—	—	—	—	
40	22	3		—	—	—	—	—	
45	27	3		—	—	—	—	—	
50	32	2		—	—	—	—	—	
55	37	1		—	—	—	—	—	
60	42	1		—	—	—	—	—	

輸送用機器　Ｉ社（150人）　　　　　　　　　　　　　　　　　　　　　　　（単位：円）

設定条件			役職名	所定労働時間内賃金	うち基本賃金	年間賃金計 モデル月例賃金×12 + 2023年夏季賞与 2022年年末賞与	2023年夏季モデル賞与	2022年年末モデル賞与
年齢（歳）	勤続年数（年）	扶養家族（人）						
大学卒・総合職（事務・技術系）								
22	0	0		210,000	210,000	3,367,000	112,000	735,000
25	3	0		219,000	219,000	3,832,500	438,000	766,500
27	5	1		236,000	231,000	4,112,500	472,000	808,500
30	8	2		257,000	247,000	4,442,500	494,000	864,500
35	13	3		291,000	276,000	5,010,000	552,000	966,000
40	18	3		321,000	306,000	5,535,000	612,000	1,071,000
45	23	3		401,000	333,000	6,829,000	666,000	1,351,000
50	28	2	管理職	435,000	360,000	7,530,000	840,000	1,470,000
55	33	1	管理職	472,000	397,000	8,232,500	934,000	1,634,500
60	38	1	管理職	502,000	427,000	8,767,500	1,004,000	1,739,500
大学卒・一般職（事務・技術系）								
22	0	0						
25	3	0						
27	5	0						
30	8	0						
35	13	0						
40	18	0						
45	23	0						
短大卒・一般職（事務・技術系）								
20	0	0						
22	2	0						
25	5	0						
30	10	0						
35	15	0						
40	20	0						
高校卒・総合職（事務・技術系）								
18	0	0						
20	2	0						
22	4	0						
25	7	0						
27	9	1						
30	12	2						
35	17	3						
40	22	3						
45	27	3						
50	32	2						
55	37	1						
60	42	1						
高校卒・一般職（事務・技術系）								
18	0	0						
20	2	0						
22	4	0						
25	7	0						
30	12	0						
35	17	0						
40	22	0						
高校卒・現業系								
18	0	0						
20	2	0						
22	4	0						
25	7	0						
27	9	1						
30	12	2						
35	17	3						
40	22	3						
45	27	3						
50	32	2						
55	37	1						
60	42	1						

補足的事項

モデル賃金の算定方法
　理論モデル
モデル賃金の対象
　全従業員モデル
労務構成
　平均年齢　　　　　41.0歳
　平均勤続　　　　　11.0年
　2023年所定内賃金
　　　　　　　　313,442円
　うち基本賃金　292,137円
　2022年所定内賃金
　　　　　　　　307,934円
　年間所定労働時間
　　　　　　　　1,968時間

賃金改定状況
　定昇のみ実施
2023年賃上げ額
　　　　　8,051円　1.49%
　うち定昇　8,051円　1.49%

賞与・一時金
・2022年年末
　　　1,132,029円　3.50ヵ月
　　　前年比　173.00%
・2023年夏季
　　　569,162円　2.00ヵ月
　　　前年比　98.00%

家族手当
　配偶者　　　　　5,000円
　第1子　　　　　5,000円
　第2子　　　　　5,000円
　第3子　　　　　5,000円
・管理職に対する支給
　　支給する
・支給の制限等
　　22歳まで支給

役付手当
　部　長　　　　 70,000円
　課　長　　　　 60,000円
　係　長　　　　 53,000円
役割給　　　　　導入なし
役職者への時間外手当の不支給
　課長より下のクラスから不支給

時間あたり賃金
　年間賃金ベース　2,776円
　月例賃金ベース　1,911円

役職者・実在者の平均年収額
　部　長　　月例賃金＋賞与
　平均年齢　51.6歳　9,466千円
　課　長　　月例賃金＋賞与
　平均年齢　47.4歳　8,035千円

輸送用機器　J社（50人）

（単位：円）

設定条件 年齢（歳）	設定条件 勤続年数（年）	設定条件 扶養家族（人）	役職名	所定労働時間内賃金	うち基本賃金	年間賃金計（モデル月例賃金×12＋2023年夏季賞与 2022年年末賞与）	2023年夏季モデル賞与	2022年年末モデル賞与
大学卒・総合職（事務・技術系）								
22	0	0		204,000	112,800	2,836,400	50,000	338,400
25	3	0		228,000	126,100	3,719,580	416,130	567,450
27	5	1		249,000	136,000	4,180,000	612,000	580,000
30	8	2		279,500	152,600	4,803,700	686,700	763,000
35	13	3	次長	361,000	183,000	6,070,500	823,500	915,000
40	18	3	部長	425,000	216,200	7,305,240	1,081,000	1,124,240
45	23	3	部長	490,000	252,200	8,578,540	1,387,100	1,311,440
50	28	2		—	—	—	—	—
55	33	1		—	—	—	—	—
60	38	1		—	—	—	—	—
大学卒・一般職（事務・技術系）								
22	0	0						
25	3	0						
27	5	0						
30	8	0						
35	13	0						
40	18	0						
45	23	0						
短大卒・一般職（事務・技術系）								
20	0	0		182,000	99,000	2,531,000	50,000	297,000
22	2	0		188,000	102,300	2,951,640	337,590	358,050
25	5	0		198,000	107,700	3,108,360	355,410	376,950
30	10	0		228,000	124,000	3,579,200	409,200	434,000
35	15	0	係長	263,000	143,000	4,128,400	471,900	500,500
40	20	0	係長	313,000	170,300	4,913,950	561,900	596,050
高校卒・総合職（事務・技術系）								
18	0	0		173,000	94,200	2,408,600	50,000	282,600
20	2	0		179,000	97,400	2,810,300	321,400	340,900
22	4	0		189,000	102,900	2,967,800	339,600	360,200
25	7	0		207,000	112,700	3,250,500	372,000	394,500
27	9	1		245,000	131,700	3,835,700	434,700	461,000
30	12	2		285,500	153,500	4,469,900	506,600	537,300
35	17	3		336,000	180,600	5,260,100	596,000	632,100
40	22	3		—	—	—	—	—
45	27	3		—	—	—	—	—
50	32	2		—	—	—	—	—
55	37	1		—	—	—	—	—
60	42	1		—	—	—	—	—
高校卒・一般職（事務・技術系）								
18	0	0						
20	2	0						
22	4	0						
25	7	0						
30	12	0						
35	17	0						
40	22	0						
高校卒・現業系								
18	0	0						
20	2	0						
22	4	0						
25	7	0						
27	9	1						
30	12	2						
35	17	3						
40	22	3						
45	27	3						
50	32	2						
55	37	1						
60	42	1						

補足的事項

モデル賃金の算定方法
実在者の平均額

モデル賃金の対象
全従業員モデル

労務構成
平均年齢　40.0歳
平均勤続　12.0年
2023年所定内賃金　324,087円
うち基本賃金　178,469円
2022年所定内賃金　320,689円
年間所定労働時間　1,832時間30分

賃金改定状況
定昇のみ実施

2023年賃上げ額
3,398円　1.06％
うち定昇　3,398円　1.06％

賞与・一時金
・2022年年末
683,713円　3.90ヵ月
前年比　100.87％
・2023年夏季
651,553円　3.70ヵ月
前年比　96.50％

家族手当
配偶者　3,000円
第１子　500円
第２子　500円
第３子　500円
・管理職に対する支給
支給する
・支給の制限等
22歳まで支給

役付手当
部長　30,000円
次長　26,000円
課長　20,000円
係長　3,000円

役割給　導入なし

役職者への時間外手当の不支給
課長クラスから不支給

時間あたり賃金
年間賃金ベース　2,851円
月例賃金ベース　2,122円

役職者・実在者の平均年収額
部長　月例賃金＋賞与
平均年齢　51.0歳　8,245千円
次長　月例賃金＋賞与
平均年齢　53.0歳　7,530千円
課長　月例賃金＋賞与
平均年齢　45.0歳　6,431千円

精密機器　A社（4,500人）　　　　　　　　　　　　　　　　　　　　　　　（単位：円）

設定条件			役職名	所定労働時間内賃金	うち基本賃金	年間賃金計 モデル月例賃金×12 + 2023年夏季賞与 2022年年末賞与	2023年夏季モデル賞与	2022年年末モデル賞与	補足的事項
年齢(歳)	勤続年数(年)	扶養家族(人)							
大学卒・総合職（事務・技術系）									モデル賃金の算定方法
22	0	0		238,550	238,550	3,245,602	51,000	332,002	理論モデル
25	3	0		295,350	295,350	4,548,911	554,452	450,259	モデル賃金の対象
27	5	1		313,350	313,350	4,806,817	577,350	469,267	全従業員モデル
30	8	2		378,250	360,250	5,865,762	730,266	596,496	労務構成
35	13	3		448,250	415,250	6,905,040	839,088	686,952	平均年齢　　　45.0歳
40	18	3	グループリーダー	620,000	620,000	10,535,400	1,755,400	1,340,000	平均勤続　　　20.6年
45	23	3	グループリーダー	680,000	680,000	11,620,380	1,962,380	1,498,000	2023年所定内賃金
50	28	2	部　　長	720,000	720,000	12,100,380	1,962,380	1,498,000	394,147円
55	33	1	部　　長	740,000	740,000	12,825,480	2,237,480	1,708,000	うち基本賃金 394,147円
60	38	1	部　　長	760,000	760,000	13,065,480	2,237,480	1,708,000	2022年所定内賃金
大学卒・一般職（事務・技術系）									379,058円
22	0	0							年間所定労働時間
25	3	0							1,840時間
27	5	0							
30	8	0							
35	13	0							賃金改定状況
40	18	0							ベースアップを実施
45	23	0							2023年賃上げ額
短大卒・一般職（事務・技術系）									15,134円　3.99%
20	0	0							うち定昇 5,134円 1.35%
22	2	0							
25	5	0							賞与・一時金
30	10	0							・2022年年末
35	15	0							668,325円　1.82ヵ月
40	20	0							前年比　95.61%
高校卒・総合職（事務・技術系）									・2023年夏季
18	0	0		186,050	186,050	2,549,162	40,000	276,562	814,977円　2.16ヵ月
20	2	0		201,050	201,050	3,069,555	364,553	292,402	前年比　121.94%
22	4	0		216,050	216,050	3,284,476	383,634	308,242	
25	7	0		238,550	238,550	3,606,858	412,256	332,002	家族手当
27	9	1		246,550	246,550	3,721,483	422,433	340,450	第1子　　　18,000円
30	12	2		322,350	304,350	4,893,864	565,901	459,763	第2子　　　15,000円
35	17	3		359,850	326,850	5,396,246	594,523	483,523	第3子　　　15,000円
40	22	3		404,250	371,250	6,203,371	744,259	608,112	・管理職に対する支給
45	27	3		428,750	398,750	6,632,626	818,098	669,528	支給しない
50	32	2		424,750	409,750	6,610,235	832,091	681,144	・支給の制限等
55	37	1		415,250	415,250	6,509,040	839,088	686,952	18歳まで支給、6歳まで
60	42	1		415,250	415,250	6,509,040	839,088	686,952	は18,000円それ以降
高校卒・一般職（事務・技術系）									は15,000円
18	0	0							
20	2	0							役付手当　　　制度なし
22	4	0							役割給
25	7	0							（左の賃金表では基本賃金に含まれます）
30	12	0							部　　長 660,000～920,000円
35	17	0							課　　長 540,000～680,000円
40	22	0							役職者への時間外手当の不支給
高校卒・現業系									課長クラスから不支給
18	0	0							
20	2	0							時間あたり賃金
22	4	0							年間賃金ベース　3,377円
25	7	0							月例賃金ベース　2,571円
27	9	1							
30	12	2							役職者・実在者の平均年収額
35	17	3							部　　長　月例賃金＋賞与
40	22	3							平均年齢 52.1歳 13,476千円
45	27	3							課　　長　月例賃金＋賞与
50	32	2							平均年齢 50.2歳 11,194千円
55	37	1							
60	42	1							

精密機器　B社（1,700人）

（単位：円）

設定条件 年齢（歳）	勤続年数（年）	扶養家族（人）	役職名	所定労働時間内賃金	うち基本賃金	年間賃金計 モデル月例賃金×12＋2023年夏季賞与＋2022年年末賞与	2023年夏季モデル賞与	2022年年末モデル賞与
大学卒・総合職（事務・技術系）								
22	0	0		209,220	209,220	—	—	—
25	3	0		226,900	224,900	3,681,000	479,200	479,000
27	5	1		248,600	246,600	4,101,300	593,000	525,100
30	8	2		258,100	256,100	4,147,100	524,800	525,100
35	13	3		316,150	314,100	5,140,100	647,100	699,200
40	18	3		350,950	348,900	5,720,000	754,100	754,500
45	23	3	課　長	441,120	439,120	7,033,540	704,300	1,035,800
50	28	2	課　長	452,180	449,180	7,306,160	940,000	940,000
55	33	1	部　長	536,800	533,800	8,713,600	1,136,000	1,136,000
60	38	1	部　長	515,500	515,500	8,458,000	1,136,000	1,136,000
大学卒・一般職（事務・技術系）								
22	0	0		—	—	—	—	—
25	3	0		—	—	—	—	—
27	5	0		—	—	—	—	—
30	8	0		169,750	169,750	2,716,200	347,800	331,400
35	13	0		—	—	—	—	—
40	18	0		—	—	—	—	—
45	23	0		—	—	—	—	—
短大卒・一般職（事務・技術系）								
20	0	0		167,550	162,550	—	—	—
22	2	0		—	—	—	—	—
25	5	0		—	—	—	—	—
30	10	0		—	—	—	—	—
35	15	0		—	—	—	—	—
40	20	0		—	—	—	—	—
高校卒・総合職（事務・技術系）								
18	0	0		—	—	—	—	—
20	2	0		—	—	—	—	—
22	4	0		—	—	—	—	—
25	7	0		—	—	—	—	—
27	9	1		—	—	—	—	—
30	12	2		—	—	—	—	—
35	17	3		—	—	—	—	—
40	22	3		260,000	260,000	4,169,900	524,800	525,100
45	27	3		—	—	—	—	—
50	32	2	課　長	450,300	450,300	7,060,800	828,600	828,600
55	37	1	課　長	445,060	445,060	7,220,720	940,000	940,000
60	42	1	部　長	619,800	588,200	10,270,900	1,416,700	1,416,600
高校卒・一般職（事務・技術系）								
18	0	0		193,550	162,550	—	—	—
20	2	0		192,550	166,750	2,983,400	336,300	336,500
22	4	0		192,450	170,950	3,109,400	390,600	409,400
25	7	0		224,050	199,050	3,488,600	390,600	409,400
30	12	0		—	—	—	—	—
35	17	0		245,450	230,850	3,822,600	443,800	433,400
40	22	0		—	—	—	—	—
高校卒・現業系								
18	0	0		205,100	162,550	—	—	—
20	2	0		212,750	166,750	3,242,600	353,100	336,500
22	4	0		203,140	164,040	3,181,880	372,000	372,200
25	7	0		241,600	199,050	3,662,000	372,000	390,800
27	9	1		243,950	202,550	3,793,900	433,100	433,400
30	12	2		280,250	234,250	4,251,100	433,100	455,000
35	17	3		247,950	240,450	4,009,800	529,700	504,700
40	22	3		301,150	255,150	4,622,900	504,400	504,700
45	27	3		—	—	—	—	—
50	32	2		338,600	309,600	5,194,700	565,600	565,900
55	37	1		—	—	—	—	—
60	42	1		—	—	—	—	—

補足的事項

モデル賃金の算定方法
実在者の内設定条件に合致（近似）する者の実額を記載

モデル賃金の対象
全従業員モデル

労務構成
平均年齢　38.2歳
平均勤続　14.2年
2023年所定内賃金　249,105円
うち基本賃金　235,020円
2022年所定内賃金　244,787円
年間所定労働時間　1,939時間35分

賃金改定状況
ベースアップを実施

2023年賃上げ額
5,746円　2.39%
うち定昇　3,287円　1.37%

賞与・一時金
・2022年年末
476,105円　2.02ヵ月
前年比　101.98%
・2023年夏季
476,480円　2.02ヵ月
前年比　101.32%

家族手当　制度なし
役付手当　制度なし
役割給
（左の賃金表では基本賃金に含まれます）
部　長　390,200～542,500円
次　長　326,700～464,500円
課　長　296,700～397,400円

役職者への時間外手当の不支給
課長クラスから不支給

時間あたり賃金
年間賃金ベース　2,032円
月例賃金ベース　1,541円

役職者・実在者の平均年収額
部　長　月例賃金＋賞与
平均年齢　56.9歳　10,409千円
次　長　月例賃金＋賞与
平均年齢　54.1歳　8,737千円
課　長　月例賃金＋賞与
平均年齢　51.2歳　7,351千円

精密機器　C社（300人）　　　　　　　　　　　　　　　　　　　　　　　　　　　　　　　（単位：円）

設定条件			役職名	所定労働時間内賃金	うち基本賃金	年間賃金計 モデル月例賃金×12 + 2023年夏季賞与 2022年年末賞与	2023年夏季モデル賞与	2022年年末モデル賞与	補足的事項
年齢(歳)	勤続年数(年)	扶養家族(人)							
大学卒・総合職（事務・技術系）									モデル賃金の算定方法
22	0	0		231,000	231,000	3,506,600	120,000	614,600	理論モデル
25	3	0		254,000	254,000	4,354,400	653,200	653,200	モデル賃金の対象
27	5	1		279,000	279,000	4,724,400	688,200	688,200	全従業員モデル
30	8	2		291,000	291,000	4,931,000	719,500	719,500	労務構成
35	13	3	係　　　長	345,000	345,000	5,814,200	837,100	837,100	
40	18	3	副　課　長	382,500	382,500	6,466,000	938,000	938,000	平均年齢　　　43.3歳
45	23	3	課　　　長	469,000	469,000	9,327,000	1,849,500	1,849,500	平均勤続　　　14.9年
50	28	2	副　部　長	525,000	525,000	10,220,000	1,960,000	1,960,000	2023年所定内賃金
55	33	1	部　　　長	560,000	560,000	11,190,000	2,235,000	2,235,000	312,690円
60	38	1	部　　　長	571,000	571,000	11,490,000	2,319,000	2,319,000	うち基本賃金　312,690円
大学卒・一般職（事務・技術系）									2022年所定内賃金
22	0	0							283,640円
25	3	0							年間所定労働時間
27	5	0							1,906時間
30	8	0							
35	13	0							
40	18	0							賃金改定状況
45	23	0							ベースアップを実施
短大卒・一般職（事務・技術系）									2023年賃上げ額
20	0	0							2,940円　1.03%
22	2	0							うち定昇　940円　0.33%
25	5	0							賞与・一時金
30	10	0							・2022年年末
35	15	0							1,019,800円　3.60ヵ月
40	20	0							前年比　103.90%
高校卒・総合職（事務・技術系）									・2023年夏季
18	0	0							1,032,100円　3.60ヵ月
20	2	0							前年比　104.30%
22	4	0							
25	7	0							家族手当　　　　制度なし
27	9	1							役付手当　　　　制度なし
30	12	2							役割給　　　　　導入なし
35	17	3							役職者への時間外手当の不支給
40	22	3							課長クラスから不支給
45	27	3							
50	32	2							時間あたり賃金
55	37	1							年間賃金ベース　3,045円
60	42	1							月例賃金ベース　1,969円
高校卒・一般職（事務・技術系）									
18	0	0							役職者・実在者の平均年収額
20	2	0							部　　　長　　　年俸制
22	4	0							平均年齢 58.0歳 11,250千円
25	7	0							次　　　長　　　年俸制
30	12	0							平均年齢 52.3歳 10,300千円
35	17	0							課　　　長　　　年俸制
40	22	0							平均年齢 50.4歳　9,079千円
高校卒・現業系									
18	0	0		187,000	187,000	2,878,600	120,000	514,600	
20	2	0		193,000	193,000	3,419,400	551,700	551,700	
22	4	0		205,500	205,500	3,644,600	589,300	589,300	
25	7	0		220,500	220,500	3,888,600	621,300	621,300	
27	9	1		253,000	253,000	4,385,000	674,500	674,500	
30	12	2		262,000	262,000	4,558,000	707,000	707,000	
35	17	3		292,000	292,000	5,100,000	798,000	798,000	
40	22	3		326,000	326,000	5,721,200	904,600	904,600	
45	27	3	係　　　長	358,000	358,000	6,437,400	1,070,700	1,070,700	
50	32	2	副　課　長	377,000	377,000	7,197,800	1,336,900	1,336,900	
55	37	1	副　課　長	388,000	388,000	7,744,000	1,544,000	1,544,000	
60	42	1	副　課　長	388,000	388,000	7,744,000	1,544,000	1,544,000	

精密機器　D社（300人）　　　　　　　　　　　　　　　　　　　　　　（単位：円）

設定条件			役職名	所定労働時間内賃金	うち基本賃金	年間賃金計 モデル月例賃金×12 + 2023年夏季賞与 2022年年末賞与	2023年夏季モデル賞与	2022年年末モデル賞与	補足的事項
年齢(歳)	勤続年数(年)	扶養家族(人)							
大学卒・総合職（事務・技術系）									モデル賃金の算定方法
22	0	0		205,500	196,500	—	—	—	理論モデル
25	3	0		219,000	210,000	—	—	—	モデル賃金の対象
27	5	1		263,000	227,000	—	—	—	全従業員モデル
30	8	2		291,000	245,000	—	—	—	労務構成
35	13	3	主　　任	345,500	281,500	—	—	—	平均年齢　　　47.0歳
40	18	3	管理主任	388,000	315,000	—	—	—	平均勤続　　　19.3年
45	23	3	課　　長	473,000	352,000	—	—	—	年間所定労働時間
50	28	2	部　　長	526,000	395,000	—	—	—	1,860時間
55	33	1	部　　長	575,000	454,000	—	—	—	
60	38	1	部　　長	592,000	471,000	—	—	—	
大学卒・一般職（事務・技術系）									賃金改定状況
22	0	0							定昇のみ実施
25	3	0							
27	5	0							家族手当
30	8	0							配偶者　　　　　0円
35	13	0							第1子　　　10,000円
40	18	0							第2子　　　10,000円
45	23	0							第3子　　　10,000円
短大卒・一般職（事務・技術系）									・管理職に対する支給
20	0	0							支給する
22	2	0							・支給の制限等
25	5	0							23歳まで支給，23歳以
30	10	0							降は4,000円
35	15	0							
40	20	0							役付手当
高校卒・総合職（事務・技術系）									部　　長　　85,000円
18	0	0							課　　長　　65,000円
20	2	0							係　　長　　17,000円
22	4	0							主　　任　　 8,000円
25	7	0							役割給　　　　導入なし
27	9	1							
30	12	2							
35	17	3							
40	22	3							
45	27	3							
50	32	2							
55	37	1							
60	42	1							
高校卒・一般職（事務・技術系）									
18	0	0							
20	2	0							
22	4	0							
25	7	0							
30	12	0							
35	17	0							
40	22	0							
高校卒・現業系									
18	0	0							
20	2	0							
22	4	0							
25	7	0							
27	9	1							
30	12	2							
35	17	3							
40	22	3							
45	27	3							
50	32	2							
55	37	1							
60	42	1							

精密機器　E社（100人）

（単位：円）

設定条件			役職名	所定労働時間内賃金	うち基本賃金	年間賃金計 モデル月例賃金×12 + 2023年夏季賞与 2022年年末賞与	2023年夏季モデル賞与	2022年年末モデル賞与
年齢（歳）	勤続年数（年）	扶養家族（人）						
大学卒・総合職（事務・技術系）								
22	0	0		210,000	210,000	—	50,000	—
25	3	0		223,200	223,200	—	334,800	—
27	5	1		282,033	268,700	—	403,050	—
30	8	2		252,700	231,200	—	346,800	—
35	13	3		312,500	277,500	—	416,250	—
40	18	3		314,000	294,000	—	441,000	—
45	23	3		296,950	276,950	—	415,430	—
50	28	2	部　　長	437,700	332,700	—	499,050	—
55	33	1	工　場　長	597,500	487,500	—	731,250	—
60	38	1		—	—	—	—	—
大学卒・一般職（事務・技術系）								
22	0	0						
25	3	0						
27	5	0						
30	8	0						
35	13	0						
40	18	0						
45	23	0						
短大卒・一般職（事務・技術系）								
20	0	0						
22	2	0						
25	5	0						
30	10	0						
35	15	0						
40	20	0						
高校卒・総合職（事務・技術系）								
18	0	0		—	—	—	—	—
20	2	0		—	—	—	—	—
22	4	0		—	—	—	—	—
25	7	0		—	—	—	—	—
27	9	1		—	—	—	—	—
30	12	2		—	—	—	—	—
35	17	3		251,900	231,900	—	347,850	—
40	22	3		—	—	—	—	—
45	27	3		—	—	—	—	—
50	32	2		300,700	285,700	—	428,550	—
55	37	1		344,700	334,700	—	502,050	—
60	42	1		—	—	—	—	—
高校卒・一般職（事務・技術系）								
18	0	0						
20	2	0						
22	4	0						
25	7	0						
30	12	0						
35	17	0						
40	22	0						
高校卒・現業系								
18	0	0		173,000	173,000	—	30,000	—
20	2	0		184,400	184,400	—	276,600	—
22	4	0		189,900	189,900	—	284,850	—
25	7	0		212,450	212,450	—	318,680	—
27	9	1		215,500	205,500	—	308,250	—
30	12	2		258,700	243,700	—	365,550	—
35	17	3		303,600	273,600	—	410,400	—
40	22	3		306,700	286,700	—	430,050	—
45	27	3	リーダー	344,900	309,900	—	464,850	—
50	32	2	課　　長	384,283	349,283	—	523,930	—
55	37	1	次　　長	524,000	444,000	—	666,000	—
60	42	1		—	—	—	—	—

補足的事項

モデル賃金の算定方法
実在者の平均額

モデル賃金の対象
全従業員モデル

労務構成
平均年齢　44.4歳
平均勤続　17.0年
2023年所定内賃金　336,266円
うち基本賃金　320,039円
2022年所定内賃金　328,378円
年間所定労働時間　1,924時間33分

賃金改定状況
定昇のみ実施

2023年賃上げ額
6,731円　2.41%
うち定昇　6,731円　2.41%

賞与・一時金
・2023年夏季
440,821円　1.50ヵ月
前年比　110.00%

家族手当
配偶者　10,000円
第1子　5,000円
第2子　5,000円
第3子　5,000円
・管理職に対する支給
支給する
・支給の制限等
18歳まで支給

役付手当
部　長　85,000～100,000円
次　長　85,000～90,000円
課　長　55,000～90,000円
係　長　15,000～24,000円
主　任　10,000～12,000円

役割給　導入なし

役職者への時間外手当の不支給
課長クラスから不支給

時間あたり賃金
月例賃金ベース　2,097円

役職者・実在者の平均年収額
部　長（兼任役員）年俸制
平均年齢　56.0歳　7,650千円
部　長　月例賃金＋賞与
平均年齢　58.0歳　7,932千円
次　長　月例賃金＋賞与
平均年齢　49.0歳　6,765千円
課　長　月例賃金＋賞与
平均年齢　51.0歳　6,127千円

その他製造　A社（10,100人）

（単位：円）

設定条件 年齢（歳）	勤続年数（年）	扶養家族（人）	役職名	所定労働時間内賃金	うち基本賃金	年間賃金計 モデル月例賃金×12＋2023年夏季賞与＋2022年年末賞与	2023年夏季モデル賞与	2022年年末モデル賞与
大学卒・総合職（事務・技術系）								
22	0	0		235,000	235,000	—	132,000	—
25	3	0		264,000	264,000	4,334,980	582,600	584,380
27	5	1		293,700	293,700	4,931,270	738,700	668,170
30	8	2		335,900	320,900	5,629,730	820,300	778,630
35	13	3		—	—	—	—	—
40	18	3		—	—	—	—	—
45	23	3		—	—	—	—	—
50	28	2		—	—	—	—	—
55	33	1		—	—	—	—	—
60	38	1		—	—	—	—	—
大学卒・一般職（事務・技術系）								
22	0	0						
25	3	0						
27	5	0						
30	8	0						
35	13	0						
40	18	0						
45	23	0						
短大卒・一般職（事務・技術系）								
20	0	0						
22	2	0						
25	5	0						
30	10	0						
35	15	0						
40	20	0						
高校卒・総合職（事務・技術系）								
18	0	0						
20	2	0						
22	4	0						
25	7	0						
27	9	1						
30	12	2						
35	17	3						
40	22	3						
45	27	3						
50	32	2						
55	37	1						
60	42	1						
高校卒・一般職（事務・技術系）								
18	0	0						
20	2	0						
22	4	0						
25	7	0						
30	12	0						
35	17	0						
40	22	0						
高校卒・現業系								
18	0	0		189,000	189,000	—	97,000	—
20	2	0		207,500	207,500	3,220,490	364,950	365,540
22	4	0		224,600	224,600	3,459,020	383,750	380,070
25	7	0		243,300	243,300	3,765,260	430,500	415,160
27	9	1		263,400	263,400	4,081,810	469,400	451,610
30	12	2		290,700	275,700	4,465,730	488,100	489,230
35	17	3		332,700	302,700	5,117,510	561,850	563,260
40	22	3		350,600	320,600	5,420,970	606,050	607,720
45	27	3		—	—	—	—	—
50	32	2		—	—	—	—	—
55	37	1		—	—	—	—	—
60	42	1		—	—	—	—	—

補足的事項

モデル賃金の算定方法
理論モデル

モデル賃金の対象
組合員モデル

労務構成
平均年齢　43.8歳
平均勤続　20.1年
年間所定労働時間
1,909時間

賃金改定状況
ベースアップを実施

2023年賃上げ額
13,110円3.91%
うち定昇 6,110円1.82%

賞与・一時金
・2022年年末 1,724,210円　—
前年比　—
・2023年夏季 1,752,480円　—
前年比　—

家族手当
配偶者　0円
第1子　15,000円
第2子　15,000円
第3子　15,000円
・管理職に対する支給
支給する
・支給の制限等
18歳まで支給

役付手当
部　長　65,000円
課　長　60,000円
係　長　30,000円

役職者への時間外手当の不支給
課長クラスから不支給

その他製造　B社（900人）

（単位：円）

設定条件 年齢（歳）	勤続年数（年）	扶養家族（人）	役職名	所定労働時間内賃金	うち基本賃金	年間賃金計 モデル月例賃金×12＋2023年夏季賞与 2022年年末賞与	2023年夏季モデル賞与	2022年年末モデル賞与
大学卒・総合職（事務・技術系）								
22	0	0		233,000	233,000	3,475,000	233,000	446,000
25	3	0		247,700	247,700	4,285,400	681,000	632,000
27	5	1		336,900	263,900	5,443,800	726,000	675,000
30	8	2	主　　任	390,000	305,000	6,304,000	839,000	785,000
35	13	3	係　　長	449,600	356,600	7,298,200	981,000	922,000
40	18	3	課　　長	620,300	507,300	10,144,600	1,424,000	1,277,000
45	23	3	次　　長	660,300	537,300	10,807,600	1,530,000	1,354,000
50	28	2	部　　長	713,300	585,300	11,816,600	1,684,000	1,573,000
55	33	1	本 部 長	793,300	620,300	13,016,600	1,829,000	1,668,000
60	38	1	担当部長	707,300	634,300	11,771,600	1,681,000	1,603,000
大学卒・一般職（事務・技術系）								
22	0	0						
25	3	0						
27	5	0						
30	8	0						
35	13	0						
40	18	0						
45	23	0						
短大卒・一般職（事務・技術系）								
20	0	0		186,100	186,100	2,774,200	187,000	354,000
22	2	0		—	—	—	—	—
25	5	0		217,000	217,000	3,752,000	597,000	551,000
30	10	0		248,500	248,500	4,299,000	683,000	634,000
35	15	0		281,100	281,100	4,867,200	773,000	721,000
40	20	0		306,900	306,900	5,316,800	844,000	790,000
高校卒・総合職（事務・技術系）								
18	0	0						
20	2	0						
22	4	0						
25	7	0						
27	9	1						
30	12	2						
35	17	3						
40	22	3						
45	27	3						
50	32	2						
55	37	1						
60	42	1						
高校卒・一般職（事務・技術系）								
18	0	0						
20	2	0						
22	4	0						
25	7	0						
30	12	0						
35	17	0						
40	22	0						
高校卒・現業系								
18	0	0		183,700	183,700	2,762,400	184,000	374,000
20	2	0		193,300	193,300	3,339,600	532,000	488,000
22	4	0		—	—	—	—	—
25	7	0		230,900	230,900	3,993,800	635,000	588,000
27	9	1		254,000	241,000	4,325,000	663,000	614,000
30	12	2		280,100	262,100	4,753,200	721,000	671,000
35	17	3		318,300	295,300	5,390,600	812,000	759,000
40	22	3	班　　長	359,100	329,100	6,063,200	905,000	849,000
45	27	3	班　　長	393,100	363,100	6,655,200	999,000	939,000
50	32	2	班　　長	415,700	390,700	7,075,400	1,074,000	1,013,000
55	37	1	係　　長	450,200	427,200	7,687,400	1,175,000	1,110,000
60	42	1	係　　長	472,800	449,800	8,080,600	1,237,000	1,170,000

補足的事項

モデル賃金の算定方法
　理論モデル

モデル賃金の対象
　全従業員モデル

労務構成
　平均年齢　44.1歳
　平均勤続　25.5年
　2023年所定内賃金　370,211円
　うち基本賃金　359,495円
　2022年所定内賃金　356,170円
　年間所定労働時間　1,730時間37分

賃金改定状況
　ベースアップを実施

2023年賃上げ額
　14,041円　4.41％
　うち定昇　4,041円　1.18％

賞与・一時金
・2022年年末
　927,456円　2.72ヵ月
　前年比　102.07％
・2023年夏季
　978,101円　2.75ヵ月
　前年比　101.29％

家族手当
　配偶者　13,000円
　第1子　5,000円
　第2子　5,000円
　第3子　10,000円
　・管理職に対する支給
　　支給する
　・支給の制限等
　　25歳まで支給

役付手当
　部　長　50,000円
　次　長　40,000円
　課　長　30,000円
　係　長　10,000円
　主　任　7,000円

役割給　導入なし

役職者への時間外手当の不支給
　課長クラスから不支給

時間あたり賃金
　年間賃金ベース　3,668円
　月例賃金ベース　2,567円

役職者・実在者の平均年収額
　部　長　月例賃金＋賞与
　平均年齢 51.1歳　11,265千円
　次　長　月例賃金＋賞与
　平均年齢 48.7歳　10,040千円
　課　長　月例賃金＋賞与
　平均年齢　48.1歳　9,294千円

その他製造　C社（200人）

（単位：円）

設定条件 年齢（歳）	勤続年数（年）	扶養家族（人）	役職名	所定労働時間内賃金	うち基本賃金	年間賃金計 モデル月例賃金×12＋2023年夏季賞与 2022年年末賞与	2023年夏季モデル賞与	2022年年末モデル賞与
大学卒・総合職（事務・技術系）								
22	0	0						
25	3	0						
27	5	1						
30	8	2						
35	13	3						
40	18	3						
45	23	3						
50	28	2						
55	33	1						
60	38	1						
大学卒・一般職（事務・技術系）								
22	0	0		—	—	—	—	—
25	3	0		216,770	206,450	3,088,634	262,487	224,907
27	5	0		—	—	—	—	—
30	8	0		—	—	—	—	—
35	13	0		—	—	—	—	—
40	18	0		276,870	263,690	3,993,149	335,263	335,446
45	23	0		—	—	—	—	—
短大卒・一般職（事務・技術系）								
20	0	0		—	—	—	—	—
22	2	0		—	—	—	—	—
25	5	0		—	—	—	—	—
30	10	0		—	—	—	—	—
35	15	0		240,570	229,110	3,450,828	291,307	272,681
40	20	0		—	—	—	—	—
高校卒・総合職（事務・技術系）								
18	0	0						
20	2	0						
22	4	0						
25	7	0						
27	9	1						
30	12	2						
35	17	3						
40	22	3						
45	27	3						
50	32	2						
55	37	1						
60	42	1						
高校卒・一般職（事務・技術系）								
18	0	0		152,380	152,380	—	16,379	—
20	2	0		159,210	159,210	2,268,781	183,692	174,569
22	4	0		—	—	—	—	—
25	7	0		—	—	—	—	—
30	12	0		—	—	—	—	—
35	17	0		—	—	—	—	—
40	22	0		—	—	—	—	—
高校卒・現業系								
18	0	0						
20	2	0						
22	4	0						
25	7	0						
27	9	1						
30	12	2						
35	17	3						
40	22	3						
45	27	3						
50	32	2						
55	37	1						
60	42	1						

補足的事項

モデル賃金の算定方法
実在者の中位の額

モデル賃金の対象
組合員モデル

労務構成
平均年齢　47.7歳
平均勤続　24.7年
2023年所定内賃金　305,843円
うち基本賃金　289,358円
2022年所定内賃金　300,095円
年間所定労働時間　1,934時間50分

賃金改定状況
ベースアップを実施

2023年賃上げ額
5,000円　1.60%
うち定昇　4,000円　1.30%

賞与・一時金
・2022年年末
306,865円　1.13ヵ月
前年比　101.10%
・2023年夏季
348,546円　1.18ヵ月
前年比　125.10%

家族手当
配偶者　23,000円
第１子　5,000円
第２子　3,000円
・管理職に対する支給
支給する
・支給の制限等
24歳まで支給

役付手当
部　長　92,490～94,710円
次　長　65,690円
課　長　55,520～59,690円
係　長　21,460～24,120円
主　任　12,450～14,270円

役割給　導入なし

役職者への時間外手当の不支給
課長クラスから不支給

時間あたり賃金
年間賃金ベース　2,236円
月例賃金ベース　1,897円

役職者・実在者の平均年収額
部長（兼任役員）　月例賃金＋賞与
平均年齢　58.0歳　8,904千円
部　長　月例賃金＋賞与
平均年齢　57.0歳　7,472千円
次　長　月例賃金＋賞与
平均年齢　57.0歳　6,167千円
課　長　月例賃金＋賞与
平均年齢　55.0歳　5,374千円

その他製造　D社（150人）　　　　　　　　　　　　　　　　　　　　　（単位：円）

設定条件			役職名	所定労働時間内賃金	うち基本賃金	年間賃金計 モデル月例賃金×12 + 2023年夏季賞与 2022年年末賞与	2023年夏季モデル賞与	2022年年末モデル賞与	補足的事項
年齢(歳)	勤続年数(年)	扶養家族(人)							
大学卒・総合職（事務・技術系）									モデル賃金の算定方法
22	0	0		210,375	210,375	—	—	—	理論モデル
25	3	0		225,940	225,940	—	—	—	モデル賃金の対象
27	5	1		252,250	237,750	—	—	—	全従業員モデル
30	8	2		274,125	254,625	—	—	—	労務構成
35	13	3	主　　任	307,100	277,600	—	—	—	平均年齢　　　　46.0歳
40	18	3	係　　長	328,225	296,725	—	—	—	平均勤続　　　　19.5年
45	23	3	課長補佐	354,650	311,650	—	—	—	2023年所定内賃金
50	28	2	課　　長	372,325	324,325	—	—	—	307,559円
55	33	1	課　　長	374,250	331,250	—	—	—	うち基本賃金 297,836円
60	38	1		—	—	—	—	—	2022年所定内賃金
大学卒・一般職（事務・技術系）									301,634円
22	0	0		201,800	201,800	—	—	—	年間所定労働時間
25	3	0		217,325	217,325	—	—	—	1,925時間30分
27	5	0		229,175	229,175	—	—	—	
30	8	0		246,050	246,050	—	—	—	賃金改定状況
35	13	0		268,750	268,750	—	—	—	定昇のみ実施
40	18	0	主　　任	295,150	288,150	—	—	—	2023年賃上げ額
45	23	0	主　　任	310,075	303,075	—	—	—	5,848円　1.92%
短大卒・一般職（事務・技術系）									うち定昇 5,848円　1.92%
20	0	0							
22	2	0							家族手当
25	5	0							配偶者　　　　14,500円
30	10	0							第1子　　　　　5,000円
35	15	0							第2子　　　　　3,000円
40	20	0							第3子　　　　　3,000円
高校卒・総合職（事務・技術系）									・管理職に対する支給
18	0	0		179,275	179,275	—	—	—	支給する
20	2	0		188,125	188,125	—	—	—	・支給の制限等
22	4	0		197,675	197,675	—	—	—	22歳まで支給
25	7	0		212,600	212,600	—	—	—	役付手当
27	9	1		237,000	222,500	—	—	—	部　　長　　　46,000円
30	12	2		256,625	237,125	—	—	—	次　　長　　　37,000円
35	17	3	主　　任	289,600	260,100	—	—	—	課　　長　　　28,500円
40	22	3	係　　長	309,325	277,825	—	—	—	係　　長　　　　9,000円
45	27	3	課長補佐	336,650	293,650	—	—	—	主　　任　　　　7,000円
50	32	2	課　　長	354,325	306,325	—	—	—	役割給　　　　　導入なし
55	37	1	課　　長	356,300	313,300	—	—	—	役職者への時間外手当の不支給
60	42	1		—	—	—	—	—	課長クラスから不支給
高校卒・一般職（事務・技術系）									
18	0	0		174,250	174,250	—	—	—	時間あたり賃金
20	2	0		183,100	183,100	—	—	—	月例賃金ベース　1,917円
22	4	0		192,650	192,650	—	—	—	
25	7	0		207,575	207,575	—	—	—	
30	12	0		232,100	232,100	—	—	—	
35	17	0		255,075	255,075	—	—	—	
40	22	0	主　　任	279,800	272,800	—	—	—	
高校卒・現業系									
18	0	0							
20	2	0							
22	4	0							
25	7	0							
27	9	1							
30	12	2							
35	17	3							
40	22	3							
45	27	3							
50	32	2							
55	37	1							
60	42	1							

その他製造　E社（100人）

（単位：円）

設定条件 年齢（歳）	勤続年数（年）	扶養家族（人）	役職名	所定労働時間内賃金	うち基本賃金	年間賃金計 モデル月例賃金×12 + 2023年夏季賞与 2022年年末賞与	2023年夏季モデル賞与	2022年年末モデル賞与
大学卒・総合職（事務・技術系）								
22	0	0		238,780	225,780	—	73,000	—
25	3	0		255,580	242,580	3,589,960	243,000	280,000
27	5	1		282,160	259,160	4,007,920	282,000	340,000
30	8	2		315,750	280,750	4,460,000	310,000	361,000
35	13	3	課　　長	376,280	321,280	5,298,360	360,000	423,000
40	18	3	課　　長	404,280	349,280	5,713,360	398,000	464,000
45	23	3	部　　長	497,180	434,180	7,060,160	497,000	597,000
50	28	2	部　　長	567,640	509,640	8,054,680	553,000	690,000
55	33	1	部　　長	608,300	555,300	8,635,600	594,000	742,000
60	38	1	部　　長	618,800	565,800	8,790,600	607,000	758,000
大学卒・一般職（事務・技術系）								
22	0	0						
25	3	0						
27	5	0						
30	8	0						
35	13	0						
40	18	0						
45	23	0						
短大卒・一般職（事務・技術系）								
20	0	0						
22	2	0						
25	5	0						
30	10	0						
35	15	0						
40	20	0						
高校卒・総合職（事務・技術系）								
18	0	0		194,830	194,830	—	52,000	—
20	2	0		209,800	209,800	2,972,600	215,000	240,000
22	4	0		238,780	225,780	3,372,360	235,000	272,000
25	7	0		255,580	242,580	3,589,960	243,000	280,000
27	9	1		282,160	259,160	4,007,920	282,000	340,000
30	12	2		315,750	280,750	4,460,000	310,000	361,000
35	17	3	課　　長	376,280	321,280	5,298,360	360,000	423,000
40	22	3	課　　長	404,280	349,280	5,713,360	398,000	464,000
45	27	3	部　　長	497,180	434,180	7,060,160	497,000	597,000
50	32	2	部　　長	567,640	509,640	8,054,680	553,000	690,000
55	37	1	部　　長	608,300	555,300	8,635,600	594,000	742,000
60	42	1	部　　長	618,800	565,800	8,790,600	607,000	758,000
高校卒・一般職（事務・技術系）								
18	0	0						
20	2	0						
22	4	0						
25	7	0						
30	12	0						
35	17	0						
40	22	0						
高校卒・現業系								
18	0	0						
20	2	0						
22	4	0						
25	7	0						
27	9	1						
30	12	2						
35	17	3						
40	22	3						
45	27	3						
50	32	2						
55	37	1						
60	42	1						

補足的事項

モデル賃金の算定方法
理論モデル

モデル賃金の対象
全従業員モデル

労務構成
平均年齢　47.5歳
平均勤続　21.2年
2023年所定内賃金　331,254円
うち基本賃金　314,852円
2022年所定内賃金　321,603円
年間所定労働時間　1,976時間

賃金改定状況
ベースアップを実施

2023年賃上げ額
10,369円　3.16%
うち定昇　3,992円　1.27%

賞与・一時金
・2022年年末
395,793円　1.34ヵ月
前年比　101.30%
・2023年夏季
336,716円　1.15ヵ月
前年比　100.46%

家族手当
配偶者　10,000円
第１子　5,000円
第２子　5,000円
第３子　5,000円
・管理職に対する支給
支給する

役付手当
部　長　20,000～60,000円
課　長　10,000～20,000円
係　長　5,000～10,000円

役割給　導入なし

役職者への時間外手当の不支給
部長クラスから不支給

時間あたり賃金
年間賃金ベース　2,382円
月例賃金ベース　2,012円

役職者・実在者の平均年収額
部長（兼任役員）
月例賃金＋賞与
平均年齢　58.5歳　10,317千円
部　長　月例賃金＋賞与
平均年齢　53.5歳　6,679千円
課　長　月例賃金＋賞与
平均年齢　48.5歳　5,834千円

建設　A社（16,000人）　　　　　　　　　　　　　　　　　　　　　　　　　　（単位：円）

設定条件			役職名	所定労働時間内賃金	うち基本賃金	年間賃金計 モデル月例賃金×12＋2023年夏季賞与＋2022年年末賞与	2023年夏季モデル賞与	2022年年末モデル賞与
年齢（歳）	勤続年数（年）	扶養家族（人）						
大学卒・総合職（事務・技術系）								
22	0	0		240,000	240,000	4,008,000	100,000	1,028,000
25	3	0		251,000	251,000	5,326,000	1,182,000	1,132,000
27	5	1		269,000	269,000	5,847,000	1,335,000	1,284,000
30	8	2	主　任	316,000	316,000	6,931,000	1,594,000	1,545,000
35	13	3	課　長	477,500	477,500	10,758,000	2,569,000	2,459,000
40	18	3	課　長	535,000	535,000	12,346,000	3,026,000	2,900,000
45	23	3	次　長	636,000	636,000	14,805,000	3,667,000	3,506,000
50	28	2	次　長	678,000	678,000	15,309,000	3,667,000	3,506,000
55	33	1	部　長	759,000	759,000	17,264,000	4,162,000	3,994,000
60	38	1	部　長	799,000	799,000	17,744,000	4,162,000	3,994,000
大学卒・一般職（事務・技術系）								
22	0	0						
25	3	0						
27	5	0						
30	8	0						
35	13	0						
40	18	0						
45	23	0						
短大卒・一般職（事務・技術系）								
20	0	0						
22	2	0						
25	5	0						
30	10	0						
35	15	0						
40	20	0						
高校卒・総合職（事務・技術系）								
18	0	0		204,000	204,000	3,576,000	100,000	1,028,000
20	2	0		216,000	216,000	4,693,000	1,073,000	1,028,000
22	4	0		229,000	229,000	4,849,000	1,073,000	1,028,000
25	7	0		251,000	251,000	5,326,000	1,182,000	1,132,000
27	9	1		269,000	269,000	5,847,000	1,335,000	1,284,000
30	12	2	主　任	316,000	316,000	6,931,000	1,594,000	1,545,000
35	17	3	課　長	477,500	477,500	10,758,000	2,569,000	2,459,000
40	22	3	課　長	535,000	535,000	12,346,000	3,026,000	2,900,000
45	27	3	次　長	636,000	636,000	14,805,000	3,667,000	3,506,000
50	32	2	次　長	678,000	678,000	15,309,000	3,667,000	3,506,000
55	37	1	部　長	759,000	759,000	17,264,000	4,162,000	3,994,000
60	42	1	部　長	799,000	799,000	17,744,000	4,162,000	3,994,000
高校卒・一般職（事務・技術系）								
18	0	0						
20	2	0						
22	4	0						
25	7	0						
30	12	0						
35	17	0						
40	22	0						
高校卒・現業系								
18	0	0						
20	2	0						
22	4	0						
25	7	0						
27	9	1						
30	12	2						
35	17	3						
40	22	3						
45	27	3						
50	32	2						
55	37	1						
60	42	1						

補足的事項

モデル賃金の算定方法
　理論モデル
モデル賃金の対象
　全従業員モデル
労務構成
　平均年齢　　　　　40.3歳
　平均勤続　　　　　15.6年
　2023年所定内賃金
　　　　　　　　380,169円
　うち基本賃金　380,169円
　2022年所定内賃金
　　　　　　　　370,975円
　年間所定労働時間
　　　　　　　　1,936時間

賃金改定状況
　ベースアップを実施
2023年賃上げ額
　　　　14,626円　4.00％
　うち定昇　5,485円　1.50％
賞与・一時金
・2022年年末
　　　1,700,000円　4.60ヵ月
　　前年比　　111.55％
・2023年夏季
　　　1,781,000円　4.80ヵ月
　　前年比　　108.60％

家族手当　　　　　制度なし
役付手当　　　　　制度なし
役割給
（左の賃金表では基本賃金に含まれます）
　部　　長　132,000〜261,000円
　次　　長　111,000〜218,000円
　課　　長　101,000〜195,000円
　係　　長　　5,000〜176,000円
役職者への時間外手当の不支給
　課長クラスから不支給

時間あたり賃金
　年間賃金ベース　　4,154円
　月例賃金ベース　　2,356円

役職者・実在者の平均年収額
　部　　長　　月例賃金＋賞与
　平均年齢 58.0歳　18,646千円
　部　　長　　年俸制
　平均年齢 52.6歳　24,460千円
　次　　長　　月例賃金＋賞与
　平均年齢 55.1歳　16,442千円
　課　　長　　月例賃金＋賞与
　平均年齢 50.0歳　12,415千円

建設　B社（5,600人）

（単位：円）

年齢（歳）	勤続年数（年）	扶養家族（人）	役職名	所定労働時間内賃金	うち基本賃金	年間賃金計 モデル月例賃金×12＋2023年夏季賞与2022年年末賞与	2023年夏季モデル賞与	2022年年末モデル賞与
大学卒・総合職（事務・技術系）								
22	0	0		250,000	250,000	—	100,000	—
25	3	0		257,320	257,320	4,572,378	784,780	699,758
27	5	1		293,773	293,773	5,145,285	857,271	762,738
30	8	2	主　　任	333,474	333,474	5,839,066	927,296	910,082
35	13	3	係　　長	376,290	376,290	6,755,800	1,146,041	1,094,279
40	18	3	課　　長	581,652	531,652	10,139,157	1,608,170	1,551,163
45	23	3	部 次 長	676,175	576,175	11,697,063	1,797,410	1,785,553
50	28	2	部　　長	787,091	587,091	13,260,695	1,922,734	1,892,869
55	33	1	部　　長	800,592	600,592	13,486,002	1,968,480	1,910,418
60	38	1		483,231	483,231	8,786,685	1,435,174	1,552,739
大学卒・一般職（事務・技術系）								
22	0	0		203,765	203,765	—	100,000	—
25	3	0		221,266	221,266	3,939,963	661,957	622,814
27	5	0		231,887	231,887	4,123,215	702,057	638,514
30	8	0		252,402	252,402	4,434,434	722,690	682,920
35	13	0		287,345	287,345	5,093,373	845,483	799,750
40	18	0		296,304	296,304	5,318,248	912,011	850,589
45	23	0		295,390	295,390	5,253,230	883,900	824,650
短大卒・一般職（事務・技術系）								
20	0	0						
22	2	0						
25	5	0						
30	10	0						
35	15	0						
40	20	0						
高校卒・総合職（事務・技術系）								
18	0	0						
20	2	0						
22	4	0						
25	7	0						
27	9	1						
30	12	2						
35	17	3						
40	22	3						
45	27	3						
50	32	2						
55	37	1						
60	42	1						
高校卒・一般職（事務・技術系）								
18	0	0						
20	2	0						
22	4	0						
25	7	0						
30	12	0						
35	17	0						
40	22	0						
高校卒・現業系								
18	0	0						
20	2	0						
22	4	0						
25	7	0						
27	9	1						
30	12	2						
35	17	3						
40	22	3						
45	27	3						
50	32	2						
55	37	1						
60	42	1						

補足的事項

モデル賃金の算定方法
実在者の平均額
モデル賃金の対象
全従業員モデル
労務構成
平均年齢　43.8歳
平均勤続　16.1年
2023年所定内賃金　450,197円
2022年所定内賃金　439,469円
年間所定労働時間　1,777時間12分

賃金改定状況
ベースアップを実施
2023年賃上げ額
11,627円　3.15%
うち定昇 4,747円　1.34%
賞与・一時金
・2022年年末
1,171,563円　6.00ヵ月
前年比　104.00%
・2023年夏季
1,198,658円　6.00ヵ月
前年比　101.02%

家族手当　制度なし
役付手当
部　長 125,000～230,000円
次　長 60,000～120,000円
課　長 40,000～60,000円
役割給　導入なし
役職者への時間外手当の不支給
課長クラスから不支給

時間あたり賃金
年間賃金ベース　4,374円
月例賃金ベース　3,040円

役職者・実在者の平均年収額
部　長　月例賃金＋賞与
平均年齢 54.1歳　13,310千円
次　長　月例賃金＋賞与
平均年齢 55.0歳　11,886千円
課　長　月例賃金＋賞与
平均年齢 50.1歳　11,568千円

建設　C社（2,100人）　　　　　　　　　　　　　　　　　　　　　　　（単位：円）

設定条件			役職名	所定労働時間内賃金	うち基本賃金	年間賃金計 モデル月例賃金×12 + 2023年夏季賞与 2022年年末賞与	2023年夏季モデル賞与	2022年年末モデル賞与	補足的事項
年齢(歳)	勤続年数(年)	扶養家族(人)							
大学卒・総合職			(事務・技術系)						モデル賃金の算定方法
22	0	0		216,797	216,797	—	—	—	実在者の平均額
25	3	0		227,918	227,918	—	—	—	モデル賃金の対象
27	5	1		257,582	240,582	—	—	—	組合員モデル
30	8	2		286,380	263,880	—	—	—	労務構成
35	13	3		326,428	299,428	—	—	—	平均年齢　　34.5歳
40	18	3		340,480	313,480	—	—	—	平均勤続　　14.2年
45	23	3		341,440	314,440	—	—	—	2023年所定内賃金
50	28	2		378,775	356,275	—	—	—	292,722円
55	33	1		435,004	418,004	—	—	—	うち基本賃金 278,051円
60	38	1		—	—	—	—	—	2022年所定内賃金
大学卒・一般職			(事務・技術系)						274,225円
22	0	0							年間所定労働時間
25	3	0							1,832時間
27	5	0							
30	8	0							賃金改定状況
35	13	0							ベースアップを実施
40	18	0							2023年賃上げ額
45	23	0							7,800円　2.84%
短大卒・一般職			(事務・技術系)						うち定昇 4,800円 1.75%
20	0	0							賞与・一時金
22	2	0							・2022年年末
25	5	0							675,000円　2.32ヵ月
30	10	0							前年比　100.00%
35	15	0							・2023年夏季
40	20	0							1,176,000円　4.04ヵ月
高校卒・総合職			(事務・技術系)						前年比　93.80%
18	0	0		173,400	173,400	—	—	—	家族手当
20	2	0		187,275	187,275	—	—	—	配偶者　　17,000円
22	4	0		203,291	203,291	—	—	—	第1子　　5,500円
25	7	0		213,899	213,899	—	—	—	第2子　　4,500円
27	9	1		240,510	223,510	—	—	—	第3子　　4,500円
30	12	2		266,645	244,145	—	—	—	・管理職に対する支給
35	17	3		300,564	273,564	—	—	—	支給しない
40	22	3		319,550	292,550	—	—	—	・支給の制限等
45	27	3		359,671	332,671	—	—	—	22歳まで支給
50	32	2		402,316	379,816	—	—	—	役付手当　　制度なし
55	37	1		353,500	336,500	—	—	—	役割給
60	42	1		—	—	—	—	—	(左の賃金表では基本賃金に含まれます)
高校卒・一般職			(事務・技術系)						部　長 184,000～224,000円
18	0	0							次　長 160,000～206,000円
20	2	0							課　長 138,000～172,000円
22	4	0							役職者への時間外手当の不支給
25	7	0							課長クラスから不支給
30	12	0							
35	17	0							時間あたり賃金
40	22	0							年間賃金ベース　2,928円
高校卒・現業系									月例賃金ベース　1,917円
18	0	0		—	—	—	—	—	役職者・実在者の平均年収額
20	2	0		187,275	187,275	—	—	—	部　長　月例賃金＋賞与
22	4	0		202,436	202,436	—	—	—	平均年齢 — 11,141千円
25	7	0		215,186	215,186	—	—	—	次　長　月例賃金＋賞与
27	9	1		244,422	227,422	—	—	—	平均年齢 — 10,017千円
30	12	2		269,320	246,820	—	—	—	課　長　月例賃金＋賞与
35	17	3		314,756	287,756	—	—	—	平均年齢 — 9,341千円
40	22	3		323,125	296,125	—	—	—	
45	27	3		358,520	331,520	—	—	—	
50	32	2		400,751	378,251	—	—	—	
55	37	1		—	—	—	—	—	
60	42	1		—	—	—	—	—	

建設　D社（1,800人）

（単位：円）

年齢（歳）	勤続年数（年）	扶養家族（人）	役職名	所定労働時間内賃金	うち基本賃金	年間賃金計（モデル月例賃金×12＋2023年夏季賞与 2022年年末賞与）	2023年夏季モデル賞与	2022年年末モデル賞与
大学卒・総合職（事務・技術系）								
22	0	0		252,400	252,400	3,819,200	191,900	598,500
25	3	0		265,300	265,300	4,493,400	679,300	630,500
27	5	1		315,400	272,900	5,233,200	729,400	719,000
30	8	2		338,900	289,900	5,636,700	808,900	761,000
35	13	3	主査・主任	384,500	329,000	6,695,200	1,042,500	1,038,700
40	18	3		—	—	—	—	—
45	23	3		—	—	—	—	—
50	28	2		—	—	—	—	—
55	33	1		—	—	—	—	—
60	38	1		—	—	—	—	—
大学卒・一般職（事務・技術系）								
22	0	0		208,600	208,600	—	—	—
25	3	0		219,500	219,500	3,642,700	510,500	498,200
27	5	0		228,400	228,400	3,845,700	557,400	547,500
30	8	0		241,700	241,700	4,164,900	635,700	628,800
35	13	0		260,200	260,200	4,422,400	654,200	645,800
40	18	0	主　　任	285,000	285,000	4,923,800	755,000	748,800
45	23	0		—	—	—	—	—
短大卒・一般職（事務・技術系）								
20	0	0						
22	2	0						
25	5	0						
30	10	0						
35	15	0						
40	20	0						
高校卒・総合職（事務・技術系）								
18	0	0						
20	2	0						
22	4	0						
25	7	0						
27	9	1						
30	12	2						
35	17	3						
40	22	3						
45	27	3						
50	32	2						
55	37	1						
60	42	1						
高校卒・一般職（事務・技術系）								
18	0	0						
20	2	0						
22	4	0						
25	7	0						
30	12	0						
35	17	0						
40	22	0						
高校卒・現業系								
18	0	0		197,800	197,800	3,002,200	150,300	478,300
20	2	0		203,200	203,200	3,357,900	466,200	453,300
22	4	0		211,400	211,400	3,530,000	502,400	490,800
25	7	0		224,900	224,900	3,797,000	553,900	544,300
27	9	1		279,000	236,500	4,654,500	660,000	646,500
30	12	2		297,500	248,500	4,912,600	678,500	664,100
35	17	3		329,200	273,700	5,446,400	752,200	743,800
40	22	3		356,500	301,000	5,959,600	844,500	837,100
45	27	3		—	—	—	—	—
50	32	2		—	—	—	—	—
55	37	1		—	—	—	—	—
60	42	1		—	—	—	—	—

補足的事項

モデル賃金の算定方法
理論モデル

モデル賃金の対象
組合員モデル
労務構成
平均年齢　33.3歳
平均勤続　9.2年
2023年所定内賃金　295,599円
うち基本賃金　282,703円
2022年所定内賃金　259,204円
年間所定労働時間　1,915時間50分

賃金改定状況
ベースアップを実施

2023年賃上げ額
15,400円　5.94％
うち定昇 4,400円　1.70％

賞与・一時金
・2022年年末
750,000円　2.91ヵ月
前年比　125.00％
・2023年夏季
750,000円　2.68ヵ月
前年比　75.00％

家族手当
配偶者　13,000円
第１子　6,500円
第２子　6,500円
第３子　6,500円
・管理職に対する支給
支給しない
・支給の制限等
18歳まで支給

時間あたり賃金
年間賃金ベース　2,634円
月例賃金ベース　1,852円

建設　E社（1,100人）

（単位：円）

設定条件 年齢（歳）	勤続年数（年）	扶養家族（人）	役職名	所定労働時間内賃金	うち基本賃金	年間賃金計 モデル月例賃金×12＋2023年夏季賞与＋2022年年末賞与	2023年夏季モデル賞与	2022年年末モデル賞与
大学卒・総合職（事務・技術系）								
22	0	0		224,660	224,660	—	70,000	—
25	3	0		291,700	291,700	—	—	—
27	5	1		346,500	326,500	—	—	—
30	8	2		370,000	345,000	—	—	—
35	13	3		392,400	362,400	—	—	—
40	18	3		409,800	379,800	—	—	—
45	23	3		544,100	432,100	—	—	—
50	28	2		560,600	453,600	—	—	—
55	33	1		578,600	476,600	—	—	—
60	38	1		594,600	492,600	—	—	—
大学卒・一般職（事務・技術系）								
22	0	0		208,500	208,500	—	70,000	—
25	3	0		211,300	211,300	—	—	—
27	5	0		219,500	219,500	—	—	—
30	8	0		225,000	225,000	—	—	—
35	13	0		234,000	234,000	—	—	—
40	18	0		245,000	245,000	—	—	—
45	23	0		250,000	250,000	—	—	—
短大卒・一般職（事務・技術系）								
20	0	0		213,000	213,000	—	70,000	—
22	2	0		215,000	215,000	—	—	—
25	5	0		226,000	226,000	—	—	—
30	10	0		233,000	233,000	—	—	—
35	15	0		240,000	240,000	—	—	—
40	20	0		255,000	255,000	—	—	—
高校卒・総合職（事務・技術系）								
18	0	0		195,000	195,000	—	70,000	—
20	2	0		205,000	205,000	—	—	—
22	4	0		237,000	237,000	—	—	—
25	7	0		255,000	255,000	—	—	—
27	9	1		293,000	273,000	—	—	—
30	12	2		320,000	295,000	—	—	—
35	17	3		380,000	350,000	—	—	—
40	22	3		415,000	385,000	—	—	—
45	27	3		443,000	413,000	—	—	—
50	32	2		480,000	455,000	—	—	—
55	37	1		488,000	468,000	—	—	—
60	42	1		495,000	475,000	—	—	—
高校卒・一般職（事務・技術系）								
18	0	0		188,000	188,000	—	70,000	—
20	2	0		195,000	195,000	—	—	—
22	4	0		209,800	209,800	—	—	—
25	7	0		229,000	229,000	—	—	—
30	12	0		230,000	230,000	—	—	—
35	17	0		239,000	239,000	—	—	—
40	22	0		248,000	248,000	—	—	—
高校卒・現業系								
18	0	0		195,000	195,000	—	70,000	—
20	2	0		205,000	205,000	—	—	—
22	4	0		237,000	237,000	—	—	—
25	7	0		255,000	255,000	—	—	—
27	9	1		293,000	273,000	—	—	—
30	12	2		320,000	295,000	—	—	—
35	17	3		380,000	350,000	—	—	—
40	22	3		415,000	385,000	—	—	—
45	27	3		443,000	413,000	—	—	—
50	32	2		480,000	455,000	—	—	—
55	37	1		488,000	468,000	—	—	—
60	42	1		495,000	475,000	—	—	—

補足的事項

モデル賃金の算定方法
理論モデル

モデル賃金の対象
組合員モデル

労務構成
平均年齢　42.8歳
平均勤続　16.9年
2023年所定内賃金　422,100円
うち基本賃金　350,000円
2022年所定内賃金　412,100円
年間所定労働時間　1,935時間

賃金改定状況
定昇のみ実施

2023年賃上げ額
10,000円　2.50%
うち定昇10,000円　2.50%

賞与・一時金
・2022年年末
700,000円　2.00ヵ月
前年比　100.00%
・2023年夏季
700,000円　2.00ヵ月
前年比　100.00%

家族手当
配偶者　20,000円
第1子　5,000円
第2子　5,000円
第3子　5,000円
・管理職に対する支給
支給する
・支給の制限等
22歳まで支給

役付手当
部　長　125,000円
次　長　120,000円
課　長　76,000円

役割給　導入なし

役職者への時間外手当の不支給
部長クラスから不支給

時間あたり賃金
年間賃金ベース　3,341円
月例賃金ベース　2,618円

役職者・実在者の平均年収額
部長（兼任役員）　月例賃金＋賞与
平均年齢 55.0歳　10,740千円
部　長　月例賃金＋賞与
平均年齢 53.0歳　10,280千円
次　長　月例賃金＋賞与
平均年齢　50.0歳　9,940千円
課　長　月例賃金＋賞与
平均年齢　48.0歳　9,600千円

建設　Ｆ社（600人）

（単位：円）

設定条件 年齢（歳）	勤続年数（年）	扶養家族（人）	役職名	所定労働時間内賃金	うち基本賃金	年間賃金計 モデル月例賃金×12＋2023年夏季賞与 2022年年末賞与	2023年夏季モデル賞与	2022年年末モデル賞与
大学卒・総合職（事務・技術系）								
22	0	0		245,000	237,000	—	80,000	—
25	3	0		257,800	249,800	4,202,400	565,200	543,600
27	5	1		293,600	257,100	4,703,300	601,600	578,500
30	8	2		317,200	275,700	5,188,900	715,200	667,300
35	13	3		372,400	325,900	6,399,400	984,200	946,400
40	18	3		407,500	340,500	7,174,000	1,202,000	1,082,000
45	23	3	課　　長	418,500	348,500	7,358,000	1,257,000	1,079,000
50	28	2	副 部 長	462,500	372,500	8,233,000	1,371,000	1,312,000
55	33	1	部　　長	570,000	460,000	10,225,000	1,738,000	1,647,000
60	38	1	部　　長	580,000	460,000	10,310,000	1,781,000	1,569,000
大学卒・一般職（事務・技術系）								
22	0	0		202,000	194,000	—	80,000	—
25	3	0		216,600	208,600	3,559,200	489,000	471,000
27	5	0		232,900	224,900	3,824,800	525,000	505,000
30	8	0		242,500	234,500	4,089,000	604,000	575,000
35	13	0		264,400	256,400	4,460,800	661,000	627,000
40	18	0		278,400	270,400	4,698,800	697,000	661,000
45	23	0		293,200	285,200	4,957,400	734,000	705,000
短大卒・一般職（事務・技術系）								
20	0	0		194,200	186,200	—	60,000	—
22	2	0		202,000	194,000	3,254,000	424,000	406,000
25	5	0		216,600	208,600	3,559,200	489,000	471,000
30	10	0		242,500	234,500	4,089,000	604,000	575,000
35	15	0		264,400	256,400	4,460,800	661,000	627,000
40	20	0		278,400	270,400	4,698,800	697,000	661,000
高校卒・総合職（事務・技術系）								
18	0	0		196,000	188,000	—	50,000	—
20	2	0		226,000	218,000	3,651,100	477,100	462,000
22	4	0		250,000	242,000	4,105,400	572,200	533,200
25	7	0		257,800	249,800	4,202,400	565,200	543,600
27	9	1		293,600	257,100	4,703,300	601,600	578,500
30	12	2		317,200	275,700	5,188,900	715,200	667,300
35	17	3		372,400	325,900	6,399,400	984,200	946,400
40	22	3		407,500	340,500	7,174,000	1,202,000	1,082,000
45	27	3	課　　長	418,500	348,500	7,358,000	1,257,000	1,079,000
50	32	2	副 部 長	462,500	372,500	8,233,000	1,371,000	1,312,000
55	37	1	部　　長	570,000	460,000	10,225,000	1,738,000	1,647,000
60	42	1	部　　長	580,000	460,000	10,310,000	1,781,000	1,569,000
高校卒・一般職（事務・技術系）								
18	0	0		181,000	173,000	—	50,000	—
20	2	0		194,200	186,200	3,146,400	416,000	400,000
22	4	0		202,000	194,000	3,254,000	424,000	406,000
25	7	0		216,600	208,600	3,559,200	489,000	471,000
30	12	0		242,500	234,500	4,089,000	604,000	575,000
35	17	0		264,400	256,400	4,460,800	661,000	627,000
40	22	0		278,400	270,400	4,698,800	697,000	661,000
高校卒・現業系								
18	0	0						
20	2	0						
22	4	0						
25	7	0						
27	9	1						
30	12	2						
35	17	3						
40	22	3						
45	27	3						
50	32	2						
55	37	1						
60	42	1						

補足的事項

モデル賃金の算定方法
理論モデル

モデル賃金の対象
全従業員モデル
労務構成
平均年齢　44.8歳
平均勤続　19.2年
2023年所定内賃金　371,755円
うち基本賃金　363,815円
2022年所定内賃金　368,660円
年間所定労働時間　1,920時間

賃金改定状況
ベースアップを実施

2023年賃上げ額
7,000円　2.41%
うち定昇　3,000円　1.03%

賞与・一時金
・2022年年末
889,097円　2.60ヵ月
前年比　99.10%
・2023年夏季
889,732円　2.60ヵ月
前年比　104.10%

家族手当
配偶者　24,000円
第１子　5,000円
第２子　5,000円
第３子　7,000円
・管理職に対する支給
支給しない
・支給の制限等
18歳まで支給

役付手当
部　長　90,000～110,000円
次　長　90,000～110,000円
課　長　70,000～90,000円

役割給　導入なし

役職者への時間外手当の不支給
課長クラスから不支給

時間あたり賃金
年間賃金ベース　3,250円
月例賃金ベース　2,323円

役職者・実在者の平均年収額
部　長　月例賃金
平均年齢 55.8歳　557千円
次　長　月例賃金
平均年齢 52.6歳　486千円
課　長　月例賃金
平均年齢 50.0歳　439千円

建設　G社（600人）

（単位：円）

年齢（歳）	勤続年数（年）	扶養家族（人）	役職名	所定労働時間内賃金	うち基本賃金	年間賃金計（モデル月例賃金×12＋2023年夏季賞与 2022年年末賞与）	2023年夏季モデル賞与	2022年年末モデル賞与
大学卒・総合職（事務・技術系）								
22	0	0		244,000	244,000	3,485,000	70,000	487,000
25	3	0		250,700	250,700	3,914,400	406,000	500,000
27	5	1		266,700	256,700	4,286,400	487,000	599,000
30	8	2		279,700	265,700	4,481,400	505,000	620,000
35	13	3	主任	301,500	283,500	5,028,000	635,000	775,000
40	18	3	課長補佐	333,400	315,400	5,683,800	761,000	922,000
45	23	3	課長	476,500	346,500	7,690,000	893,000	1,079,000
50	28	2	次長	516,400	376,400	8,582,800	1,071,000	1,315,000
55	33	1	部長	572,100	412,100	9,688,200	1,260,000	1,563,000
60	38	1		535,700	410,700	8,688,400	1,019,000	1,241,000
大学卒・一般職（事務・技術系）								
22	0	0						
25	3	0						
27	5	0						
30	8	0						
35	13	0						
40	18	0						
45	23	0						
短大卒・一般職（事務・技術系）								
20	0	0						
22	2	0						
25	5	0						
30	10	0						
35	15	0						
40	20	0						
高校卒・総合職（事務・技術系）								
18	0	0		206,000	206,000	2,844,000	70,000	302,000
20	2	0		219,000	219,000	3,297,000	298,000	371,000
22	4	0		244,000	244,000	3,809,000	394,000	487,000
25	7	0		250,700	250,700	3,914,400	406,000	500,000
27	9	1		266,700	256,700	4,286,400	487,000	599,000
30	12	2		279,700	265,700	4,481,400	505,000	620,000
35	17	3	主任	301,500	283,500	5,028,000	635,000	775,000
40	22	3	課長補佐	333,400	315,400	5,683,800	761,000	922,000
45	27	3	課長	476,500	346,500	7,690,000	893,000	1,079,000
50	32	2	次長	516,400	376,400	8,582,800	1,071,000	1,315,000
55	37	1	部長	572,100	412,100	9,688,200	1,260,000	1,563,000
60	42	1		535,700	410,700	8,688,400	1,019,000	1,241,000
高校卒・一般職（事務・技術系）								
18	0	0						
20	2	0						
22	4	0						
25	7	0						
30	12	0						
35	17	0						
40	22	0						
高校卒・現業系								
18	0	0						
20	2	0						
22	4	0						
25	7	0						
27	9	1						
30	12	2						
35	17	3						
40	22	3						
45	27	3						
50	32	2						
55	37	1						
60	42	1						

補足的事項

モデル賃金の算定方法
理論モデル

モデル賃金の対象
全従業員モデル

労務構成
平均年齢　31.4歳
平均勤続　8.5年
2023年所定内賃金　359,504円
うち基本賃金　266,737円
2022年所定内賃金　348,504円
年間所定労働時間　1,891時間

賃金改定状況
ベースアップを実施

2023年賃上げ額
13,274円　3.36%
うち定昇　2,274円　0.87%

賞与・一時金
・2022年年末
916,000円　3.00ヵ月
前年比　85.70%
・2023年夏季
810,000円　2.50ヵ月
前年比　83.30%

家族手当
配偶者　10,000円
第1子　4,000円
第2子　4,000円
第3子　4,000円
・管理職に対する支給
支給しない
・支給の制限等
18歳まで支給

役付手当
部　長　160,000円
次　長　140,000円
課　長　130,000円

役割給　導入なし

役職者への時間外手当の不支給
課長クラスから不支給

時間あたり賃金
年間賃金ベース　3,194円
月例賃金ベース　2,281円

役職者・実在者の平均月収額
部長（兼任役員）　月例賃金
平均年齢 58.0歳　722千円
部　長　月例賃金
平均年齢 54.6歳　576千円
次　長　月例賃金
平均年齢 52.0歳　526千円
課　長　月例賃金
平均年齢 50.3歳　500千円

建設　H社（550人）

（単位：円）

設定条件 年齢（歳）	勤続年数（年）	扶養家族（人）	役職名	所定労働時間内賃金	うち基本賃金	年間賃金計 モデル月例賃金×12＋2023年夏季賞与＋2022年年末賞与	2023年夏季モデル賞与	2022年年末モデル賞与
大学卒・総合職（事務・技術系）								
22	0	0		219,910	219,910	—	50,000	—
25	3	0		233,180	233,180	4,236,990	592,870	845,960
27	5	1		264,440	246,940	4,844,060	643,360	1,027,420
30	8	2		294,820	272,820	5,396,220	728,130	1,130,250
35	13	3		312,910	286,410	5,943,210	838,950	1,349,340
40	18	3		349,990	323,490	6,560,230	900,320	1,460,030
45	23	3		342,220	315,720	6,303,740	864,590	1,332,510
50	28	2		318,480	296,480	6,087,930	949,520	1,316,650
55	33	1		—	—	—	—	—
60	38	1		—	—	—	—	—
大学卒・一般職（事務・技術系）								
22	0	0		—	—	—	—	—
25	3	0		—	—	—	—	—
27	5	0		—	—	—	—	—
30	8	0		239,660	239,660	4,516,980	644,660	996,400
35	13	0		289,500	289,500	5,472,510	777,900	1,220,610
40	18	0		—	—	—	—	—
45	23	0		315,720	315,720	5,985,740	864,590	1,332,510
短大卒・一般職（事務・技術系）								
20	0	0		—	—	—	—	—
22	2	0		188,170	188,170	3,315,700	394,760	662,900
25	5	0		209,260	209,260	3,734,900	492,080	731,700
30	10	0		—	—	—	—	—
35	15	0		257,700	257,700	4,625,020	608,680	923,940
40	20	0		—	—	—	—	—
高校卒・総合職（事務・技術系）								
18	0	0		184,400	184,400	—	50,000	—
20	2	0		194,400	194,400	3,566,850	467,860	766,190
22	4	0		206,110	206,110	3,752,780	513,290	766,170
25	7	0		228,020	228,020	4,134,570	544,580	853,750
27	9	1		257,680	240,180	4,576,120	573,710	910,250
30	12	2		277,710	255,710	4,953,940	643,930	977,490
35	17	3		314,300	287,800	5,735,350	751,080	1,212,670
40	22	3		330,750	304,250	6,141,300	861,510	1,310,790
45	27	3		—	—	—	—	—
50	32	2		333,280	311,280	5,844,780	717,240	1,128,180
55	37	1	係　　長	388,480	355,980	7,041,540	889,870	1,489,910
60	42	1		—	—	—	—	—
高校卒・一般職（事務・技術系）								
18	0	0		—	—	—	—	—
20	2	0		—	—	—	—	—
22	4	0		—	—	—	—	—
25	7	0		209,950	209,950	3,831,780	547,960	764,420
30	12	0		—	—	—	—	—
35	17	0		274,330	274,330	5,293,230	810,160	1,191,110
40	22	0		—	—	—	—	—
高校卒・現業系								
18	0	0						
20	2	0						
22	4	0						
25	7	0						
27	9	1						
30	12	2						
35	17	3						
40	22	3						
45	27	3						
50	32	2						
55	37	1						
60	42	1						

補足的事項

モデル賃金の算定方法
実在者の中位の額

モデル賃金の対象
組合員モデル

労務構成
平均年齢　35.7歳
平均勤続　11.8年
2023年所定内賃金　279,165円
うち基本賃金　278,827円
2022年所定内賃金　269,724円
年間所定労働時間　1,950時間30分

賃金改定状況
ベースアップを実施

2023年賃上げ額
9,441円　3.50％
うち定昇　4,273円　1.58％

賞与・一時金
・2022年年末
732,977円　2.80ヵ月
前年比　95.33％
・2023年夏季
1,128,138円　4.60ヵ月
前年比　137.87％

家族手当
配偶者　17,500円
第１子　4,500円
第２子　4,500円
第３子　7,500円
・管理職に対する支給
支給する

役付手当
部　長　105,510～107,830円
次　長　94,890～95,510円
課　長　70,290～78,380円
係　長　15,000円

役割給　導入なし

役職者への時間外手当の不支給
課長クラスから不支給

時間あたり賃金
年間賃金ベース　2,672円
月例賃金ベース　1,717円

役職者・実在者の平均年収額
部　長　月例賃金＋賞与
平均年齢 52.5歳　11,017千円
次　長　月例賃金＋賞与
平均年齢 50.4歳　10,193千円
課　長　月例賃金＋賞与
平均年齢　49.7歳　9,163千円

建設　I社（550人）

（単位：円）

年齢（歳）	勤続年数（年）	扶養家族（人）	役職名	所定労働時間内賃金	うち基本賃金	年間賃金計（モデル月例賃金×12＋2023年夏季賞与＋2022年年末賞与）	2023年夏季モデル賞与	2022年年末モデル賞与
大学卒・総合職（事務・技術系）								
22	0	0		215,000	215,000	3,230,000	120,000	530,000
25	3	0		230,000	230,000	3,803,000	471,000	572,000
27	5	1		264,000	253,000	4,379,000	535,000	676,000
30	8	2		295,000	280,000	5,182,000	760,000	882,000
35	13	3		326,500	307,500	5,810,000	855,000	1,037,000
40	18	3		365,500	346,500	6,729,000	1,058,000	1,285,000
45	23	3	課　長	511,000	472,000	8,575,000	1,103,000	1,340,000
50	28	2	課　長	536,250	501,250	9,134,000	1,262,000	1,437,000
55	33	1	次　長	585,500	549,500	9,873,000	1,286,000	1,561,000
60	38	1	部　長	641,500	600,500	11,487,000	1,711,000	2,078,000
大学卒・一般職（事務・技術系）								
22	0	0		195,000	195,000	2,954,000	110,000	504,000
25	3	0		207,000	207,000	3,428,000	426,000	518,000
27	5	0		225,800	225,800	3,831,600	507,000	615,000
30	8	0		249,400	249,400	4,163,800	529,000	642,000
35	13	0		271,400	271,400	4,819,800	687,000	876,000
40	18	0		304,000	304,000	5,513,000	842,000	1,023,000
45	23	0	課　長	443,600	423,600	7,499,200	958,000	1,218,000
短大卒・一般職（事務・技術系）								
20	0	0		178,000	178,000	2,732,000	100,000	496,000
22	2	0		195,000	195,000	3,284,000	426,000	518,000
25	5	0		207,000	207,000	3,523,000	493,000	546,000
30	10	0		249,400	249,400	4,163,800	529,000	642,000
35	15	0		271,400	271,400	4,819,800	687,000	876,000
40	20	0		304,000	304,000	5,513,000	842,000	1,023,000
高校卒・総合職（事務・技術系）								
18	0	0		173,000	173,000	2,579,000	90,000	413,000
20	2	0		193,000	193,000	3,127,000	350,000	461,000
22	4	0		215,000	215,000	3,524,000	414,000	530,000
25	7	0		230,000	230,000	3,825,000	493,000	572,000
27	9	1		264,000	253,000	4,401,000	557,000	676,000
30	12	2		295,000	280,000	5,223,000	760,000	923,000
35	17	3		326,500	307,500	5,886,000	889,000	1,079,000
40	22	3		365,500	346,500	6,674,500	1,058,500	1,230,000
45	27	3	課　長	511,000	472,000	8,520,000	1,103,000	1,285,000
50	32	2	課　長	536,250	501,250	8,958,000	1,183,000	1,340,000
55	37	1	次　長	585,500	549,500	9,722,000	1,218,000	1,478,000
60	42	1	部　長	641,500	600,500	11,346,000	1,722,000	1,926,000
高校卒・一般職（事務・技術系）								
18	0	0		161,400	161,400	2,411,800	80,000	395,000
20	2	0		178,000	178,000	2,957,000	325,000	496,000
22	4	0		195,000	195,000	3,248,000	390,000	518,000
25	7	0		207,000	207,000	3,456,000	426,000	546,000
30	12	0		249,400	249,400	4,163,800	529,000	642,000
35	17	0		271,400	271,400	4,819,800	687,000	876,000
40	22	0		304,000	304,000	5,513,000	842,000	1,023,000
高校卒・現業系								
18	0	0						
20	2	0						
22	4	0						
25	7	0						
27	9	1						
30	12	2						
35	17	3						
40	22	3						
45	27	3						
50	32	2						
55	37	1						
60	42	1						

補足的事項

モデル賃金の算定方法
理論モデル

モデル賃金の対象
全従業員モデル

労務構成
平均年齢　41.2歳
平均勤続　14.9年
2023年所定内賃金　423,515円
うち基本賃金　383,849円
2022年所定内賃金　424,067円
年間所定労働時間　1,905時間45分

賃金改定状況
定昇のみ実施

2023年賃上げ額
5,454円　1.44％
うち定昇　5,454円　1.44％

賞与・一時金
・2022年年末
1,121,604円　2.92ヵ月
前年比　108.50％
・2023年夏季
883,249円　2.29ヵ月
前年比　97.78％

家族手当
配偶者　11,000円
第１子　4,000円
第２子　4,000円
第３子　4,000円
・**管理職に対する支給**
支給する
・**支給の制限等**
満17歳以下の子ども，満22歳未満の学生である子どもが対象

役付手当
部　長　30,000円
次　長　25,000円
課　長　20,000円

役割給　導入なし

役職者への時間外手当の不支給
課長クラスから不支給

時間あたり賃金
年間賃金ベース　3,719円
月例賃金ベース　2,667円

役職者・実在者の平均年収額
部長（兼任役員）　月例賃金＋賞与
平均年齢 60.0歳　14,282千円
部　長　月例賃金＋賞与
平均年齢 56.4歳　10,041千円
次　長　月例賃金＋賞与
平均年齢 51.3歳　8,816千円
課　長　月例賃金＋賞与
平均年齢 47.6歳　7,348千円

建設　J社（300人）　　　　　　　　　　　　　　　　　　　　　　　　　　　　　　　　　（単位：円）

設定条件			役職名	所定労働時間内賃金	うち基本賃金	年間賃金計 モデル月例賃金×12 + 2023年夏季賞与 2022年年末賞与	2023年夏季モデル賞与	2022年年末モデル賞与	補足的事項
年齢(歳)	勤続年数(年)	扶養家族(人)							
大学卒・総合職（事務・技術系）									
22	0	0		245,727	240,000	—	85,000	—	モデル賃金の算定方法
25	3	0		264,209	255,780	4,294,937	655,229	469,200	実在者の平均額
27	5	1		—	—	—	—	—	モデル賃金の対象
30	8	2		—	—	—	—	—	全従業員モデル
35	13	3		—	—	—	—	—	労務構成
40	18	3		—	—	—	—	—	平均年齢　　41.9歳
45	23	3		—	—	—	—	—	平均勤続　　18.9年
50	28	2	所課長	486,640	461,640	8,149,880	1,377,450	932,750	2023年所定内賃金
55	33	1	所課長	504,675	484,675	8,405,600	1,370,550	978,950	401,512円
60	38	1		—	—	—	—	—	うち基本賃金　380,915円
大学卒・一般職（事務・技術系）									2022年所定内賃金
22	0	0							389,373円
25	3	0							年間所定労働時間
27	5	0							1,928時間
30	8	0							
35	13	0							賃金改定状況
40	18	0							ベースアップを実施
45	23	0							**2023年賃上げ額**
短大卒・一般職（事務・技術系）									14,736円　3.61%
20	0	0							うち定昇11,573円　2.91%
22	2	0							
25	5	0							**賞与・一時金**
30	10	0							・2022年年末
35	15	0							754,307円　2.00ヵ月
40	20	0							前年比　99.40%
高校卒・総合職（事務・技術系）									・2023年夏季
18	0	0		—	—	—	—	—	1,032,905円　2.80ヵ月
20	2	0		—	—	—	—	—	前年比　93.60%
22	4	0		—	—	—	—	—	
25	7	0		—	—	—	—	—	家族手当
27	9	1		—	—	—	—	—	配偶者　　　　　　0円
30	12	2		—	—	—	—	—	第1子　　　　　5,000円
35	17	3		—	—	—	—	—	第2子　　　　　5,000円
40	22	3		—	—	—	—	—	第3子　　　　　5,000円
45	27	3		—	—	—	—	—	・管理職に対する支給
50	32	2		—	—	—	—	—	支給しない
55	37	1		—	—	—	—	—	役付手当　　　　制度なし
60	42	1	所課長	537,230	522,230	8,864,360	1,343,100	1,074,500	役割給
高校卒・一般職（事務・技術系）									（左の賃金表では基本賃金に含まれます）
18	0	0							部　長　332,900〜575,450円
20	2	0							次　長　331,200〜384,700円
22	4	0							課　長　271,500〜309,200円
25	7	0							役職者への時間外手当の不支給
30	12	0							課長クラスから不支給
35	17	0							
40	22	0							時間あたり賃金
高校卒・現業系									年間賃金ベース　　3,426円
18	0	0							月例賃金ベース　　2,499円
20	2	0							
22	4	0							役職者・実在者の平均年収額
25	7	0							部長（兼任役員）
27	9	1							月例賃金＋賞与
30	12	2							平均年齢 56.7歳　11,417千円
35	17	3							部　長　　月例賃金＋賞与
40	22	3							平均年齢 55.0歳　9,144千円
45	27	3							次　長　　月例賃金＋賞与
50	32	2							平均年齢 51.0歳　7,888千円
55	37	1							課　長　　月例賃金＋賞与
60	42	1							平均年齢 48.8歳　7,835千円

建設　K社（150人）　　　　　　　　　　　　　　　　　　　　　　　　　　　　（単位：円）

設定条件			役職名	所定労働時間内賃金	うち基本賃金	年間賃金計（モデル月例賃金×12＋2023年夏季賞与＋2022年年末賞与）	2023年夏季モデル賞与	2022年年末モデル賞与	補足的事項
年齢(歳)	勤続年数(年)	扶養家族(人)							
大学卒・総合職			（事務・技術系）						
22	0	0		210,000	210,000	3,010,000	70,000	420,000	モデル賃金の算定方法
25	3	0		221,600	221,600	3,545,200	443,000	443,000	実在者の中位の額
27	5	1		244,014	229,200	3,830,168	451,000	451,000	モデル賃金の対象
30	8	2		267,991	242,400	4,169,892	477,000	477,000	全従業員モデル
35	13	3		284,700	263,700	4,458,400	526,000	516,000	労務構成
40	18	3	チームリーダー	342,099	304,700	5,273,188	584,000	584,000	平均年齢　　39.6歳
45	23	3	チームリーダー	352,820	315,200	5,523,840	645,000	645,000	平均勤続　　16.1年
50	28	2	グループリーダー	478,606	386,000	7,679,272	968,000	968,000	2023年所定内賃金
55	33	1		374,320	344,100	5,907,840	708,000	708,000	314,941円
60	38	1		365,461	340,500	5,872,532	727,000	760,000	うち基本賃金 278,532円
大学卒・一般職			（事務・技術系）						2022年所定内賃金
22	0	0		186,310	186,310	2,670,720	62,000	373,000	309,444円
25	3	0		196,130	196,130	3,131,560	389,000	389,000	年間所定労働時間
27	5	0		—	—	—	—	—	1,938時間
30	8	0		—	—	—	—	—	
35	13	0		—	—	—	—	—	賃金改定状況
40	18	0		—	—	—	—	—	定昇のみ実施
45	23	0		—	—	—	—	—	2023年賃上げ額
短大卒・一般職			（事務・技術系）						5,496円　1.80%
20	0	0							うち定昇 5,496円 1.80%
22	2	0							賞与・一時金
25	5	0							・2022年年末
30	10	0							609,741円　2.00ヵ月
35	15	0							前年比　101.90%
40	20	0							・2023年夏季
高校卒・総合職			（事務・技術系）						572,737円　2.00ヵ月
18	0	0		169,460	169,460	2,441,520	58,000	350,000	前年比　 99.20%
20	2	0		191,100	191,100	3,023,200	365,000	365,000	家族手当
22	4	0		—	—	—	—	—	配偶者　　　10,000円
25	7	0		—	—	—	—	—	第1子　　　　4,000円
27	9	1		—	—	—	—	—	第2子　　　　4,000円
30	12	2		—	—	—	—	—	第3子　　　　4,000円
35	17	3		—	—	—	—	—	・管理職に対する支給
40	22	3		—	—	—	—	—	支給する
45	27	3		—	—	—	—	—	・支給の制限等
50	32	2		—	—	—	—	—	18歳まで支給
55	37	1		—	—	—	—	—	役付手当
60	42	1		—	—	—	—	—	部　長 70,000～130,000円
高校卒・一般職			（事務・技術系）						次　長 30,000～100,000円
18	0	0							課　長 30,000～100,000円
20	2	0							係　長　　　10,000円
22	4	0							主　任　　　 4,000円
25	7	0							役割給　　　導入なし
30	12	0							役職者への時間外手当の不支給
35	17	0							次長クラスから不支給
40	22	0							時間あたり賃金
高校卒・現業系									年間賃金ベース　2,560円
18	0	0							月例賃金ベース　1,950円
20	2	0							
22	4	0							役職者・実在者の平均年収額
25	7	0							部長（兼任役員）
27	9	1							月例賃金＋賞与
30	12	2							平均年齢 59.0歳 15,307千円
35	17	3							部　　長　月例賃金＋賞与
40	22	3							平均年齢 52.0歳　8,592千円
45	27	3							次　　長　月例賃金＋賞与
50	32	2							平均年齢 49.0歳　7,981千円
55	37	1							課　　長　月例賃金＋賞与
60	42	1							平均年齢 48.0歳　5,646千円

建設　L社（150人）

（単位：円）

設定条件 年齢（歳）	勤続年数（年）	扶養家族（人）	役職名	所定労働時間内賃金	うち基本賃金	年間賃金計 モデル月例賃金×12＋2023年夏季賞与 2022年年末賞与	2023年夏季モデル賞与	2022年年末モデル賞与
大学卒・総合職（事務・技術系）								
22	0	0		200,000	200,000	2,805,000	50,000	355,000
25	3	0		205,000	205,000	3,180,000	360,000	360,000
27	5	1		220,000	205,000	3,370,000	365,000	365,000
30	8	2	副主任	234,000	212,000	3,596,000	394,000	394,000
35	13	3	主任	260,000	231,000	3,996,000	438,000	438,000
40	18	3	主事補	265,000	236,000	4,154,000	487,000	487,000
45	23	3	主事	330,000	281,000	5,042,000	541,000	541,000
50	28	2	課長	367,000	320,000	6,026,000	811,000	811,000
55	33	1	部長	412,000	362,000	6,798,000	927,000	927,000
60	38	1	部長	417,000	362,000	7,064,000	1,030,000	1,030,000
大学卒・一般職（事務・技術系）								
22	0	0		200,000	200,000	2,805,000	50,000	355,000
25	3	0		—	—	—	—	—
27	5	0		—	—	—	—	—
30	8	0		—	—	—	—	—
35	13	0		—	—	—	—	—
40	18	0		—	—	—	—	—
45	23	0		—	—	—	—	—
短大卒・一般職（事務・技術系）								
20	0	0		185,000	185,000	2,589,000	50,000	319,000
22	2	0		—	—	—	—	—
25	5	0		—	—	—	—	—
30	10	0		—	—	—	—	—
35	15	0		—	—	—	—	—
40	20	0		—	—	—	—	—
高校卒・総合職（事務・技術系）								
18	0	0		170,000	170,000	2,377,000	50,000	287,000
20	2	0		—	—	—	—	—
22	4	0		—	—	—	—	—
25	7	0		—	—	—	—	—
27	9	1		—	—	—	—	—
30	12	2		—	—	—	—	—
35	17	3		—	—	—	—	—
40	22	3		—	—	—	—	—
45	27	3		—	—	—	—	—
50	32	2		—	—	—	—	—
55	37	1		—	—	—	—	—
60	42	1		—	—	—	—	—
高校卒・一般職（事務・技術系）								
18	0	0		170,000	170,000	2,377,000	50,000	287,000
20	2	0		—	—	—	—	—
22	4	0		—	—	—	—	—
25	7	0		—	—	—	—	—
30	12	0		—	—	—	—	—
35	17	0		—	—	—	—	—
40	22	0		—	—	—	—	—
高校卒・現業系								
18	0	0		170,000	170,000	2,377,000	50,000	287,000
20	2	0		—	—	—	—	—
22	4	0		—	—	—	—	—
25	7	0		—	—	—	—	—
27	9	1		—	—	—	—	—
30	12	2		—	—	—	—	—
35	17	3		—	—	—	—	—
40	22	3		—	—	—	—	—
45	27	3		—	—	—	—	—
50	32	2		—	—	—	—	—
55	37	1		—	—	—	—	—
60	42	1		—	—	—	—	—

補足的事項

モデル賃金の算定方法
実在者の平均額

モデル賃金の対象
全従業員モデル

労務構成
平均年齢　40.4歳
平均勤続　15.9年
2023年所定内賃金　297,185円
うち基本賃金　263,224円
2022年所定内賃金　292,496円
年間所定労働時間　2,056時間

賃金改定状況
定昇のみ実施

2023年賃上げ額
4,689円　1.90%
うち定昇　4,689円　1.90%

賞与・一時金
・2022年年末
560,249円　2.06ヵ月
前年比　104.70%
・2023年夏季
586,298円　2.10ヵ月
前年比　105.60%

家族手当
配偶者　10,000円
第1子　5,000円
第2子　4,000円
第3子　4,000円
・管理職に対する支給
支給する
・支給の制限等
20歳まで支給

役付手当
部　長　45,000～80,000円
課　長　35,000～60,000円

役割給　導入なし

役職者への時間外手当の不支給
課長クラスから不支給

時間あたり賃金
年間賃金ベース　2,292円
月例賃金ベース　1,735円

役職者・実在者の平均年収額
部　長　月例賃金＋賞与
平均年齢　50.6歳　7,358千円
課　長　月例賃金＋賞与
平均年齢　47.3歳　6,507千円

建設　M社（60人）　　　　　　　　　　　　　　　　　　　　　　　　　　　　　　（単位：円）

設定条件			役職名	所定労働時間内賃金	うち基本賃金	年間賃金計 モデル月例賃金×12 + 2023年夏季賞与 2022年年末賞与	2023年夏季モデル賞与	2022年年末モデル賞与	補足的事項
年齢(歳)	勤続年数(年)	扶養家族(人)							
大学卒・総合職（事務・技術系）									
22	0	0		210,000	204,000	2,987,732	200,000	267,732	モデル賃金の算定方法
25	3	0		222,600	216,600	3,410,676	454,860	284,616	理論モデル
27	5	1		238,000	225,000	3,624,372	472,500	295,872	モデル賃金の対象
30	8	2	主　　任	267,600	237,600	4,301,856	698,544	392,112	全従業員モデル
35	13	3	係　　長	308,600	258,600	5,039,688	837,864	498,624	労務構成
40	18	3	係　　長	329,600	279,600	5,400,888	905,904	539,784	平均年齢　　　41.6歳
45	23	3	課　　長	400,600	300,600	6,538,182	1,061,118	669,864	平均勤続　　　13.6年
50	28	2	課　　長	416,600	321,600	6,851,772	1,135,248	717,324	2023年所定内賃金
55	33	1	課　　長	432,600	342,600	7,165,362	1,209,378	764,784	325,449円
60	38	1	課　　長	441,000	351,000	7,314,798	1,239,030	783,768	うち基本賃金 265,196円
大学卒・一般職（事務・技術系）									2022年所定内賃金
22	0	0		210,000	204,000	2,988,670	200,000	268,670	317,131円
25	3	0		220,500	214,500	3,379,190	450,450	282,740	年間所定労働時間
27	5	0		227,500	221,500	3,487,270	465,150	292,120	2,000時間
30	8	0	主　　任	250,000	232,000	4,065,960	682,080	383,880	
35	13	0	主　　任	277,500	249,500	4,476,810	733,530	413,280	賃金改定状況
40	18	0	主　　任	295,000	267,000	4,767,660	784,960	442,680	定昇概念なし。個人別に昇給額を決定。
45	23	0	主　　任	312,500	284,500	5,058,510	836,430	472,080	2023年賃上げ額
短大卒・一般職（事務・技術系）									8,318円　2.62%
20	0	0		196,000	190,000	2,751,910	150,000	249,910	賞与・一時金
22	2	0		203,000	197,000	3,108,990	413,700	259,290	・2022年年末
25	5	0		213,500	207,500	3,271,110	435,750	273,360	537,717円　1.95ヵ月
30	10	0	主　　任	243,000	225,000	3,949,620	661,500	372,120	前年比　106.28%
35	15	0	主　　任	270,500	242,500	4,360,470	712,950	401,520	・2023年夏季
40	20	0	主　　任	288,000	260,000	4,651,320	764,400	430,920	928,723円　3.27ヵ月
高校卒・総合職（事務・技術系）									前年比　113.17%
18	0	0		182,000	176,000	2,564,212	150,000	230,212	家族手当
20	2	0		190,400	184,400	2,913,508	387,240	241,468	配偶者　　　7,000円
22	4	0		198,800	192,800	3,043,204	404,880	252,724	第1子　　　5,000円
25	7	0		221,400	205,400	3,357,748	431,340	269,608	第2子　　　5,000円
27	9	1		236,800	213,800	3,571,444	448,980	280,864	第3子　　　5,000円
30	12	2	主　　任	266,400	226,400	4,235,712	665,616	373,296	・管理職に対する支給
35	17	3	係　　長	297,400	247,400	4,847,048	801,576	476,672	支給する
40	22	3	係　　長	318,400	268,400	5,208,248	869,616	517,832	・支給の制限等
45	27	3	課　　長	389,400	289,400	6,338,934	1,021,582	644,552	22歳まで支給
50	32	2	課　　長	405,400	310,400	6,652,524	1,095,712	692,012	役付手当
55	37	1	課　　長	421,400	331,400	6,966,114	1,169,842	739,472	部　長　75,000～80,000円
60	42	1	課　　長	438,200	348,200	7,264,986	1,229,146	777,440	次　長　70,000～75,000円
高校卒・一般職（事務・技術系）									課　長　55,000～65,000円
18	0	0		182,000	176,000	2,565,150	150,000	231,150	係　長　 5,000～35,000円
20	2	0		189,000	183,000	2,892,830	384,300	240,530	役割給　導入なし
22	4	0		196,000	190,000	3,000,910	399,000	249,910	役職者への時間外手当の不支給
25	7	0		216,500	200,500	3,283,030	421,050	263,980	部長クラスから不支給
30	12	0	主　　任	246,000	218,000	3,953,280	640,920	360,360	時間あたり賃金
35	17	0	主　　任	263,500	235,500	4,244,130	692,370	389,760	年間賃金ベース　2,686円
40	22	0	主　　任	281,000	253,000	4,534,980	743,820	419,160	月例賃金ベース　1,953円
高校卒・現業系									
18	0	0							役職者・実在者の平均年収額
20	2	0							部長（兼任役員）
22	4	0							月例賃金＋賞与
25	7	0							平均年齢 58.7歳 11,400千円
27	9	1							部　　長　月例賃金＋賞与
30	12	2							平均年齢 55.3歳 7,886千円
35	17	3							次　　長　月例賃金＋賞与
40	22	3							平均年齢 51.1歳 7,289千円
45	27	3							課　　長　月例賃金＋賞与
50	32	2							平均年齢 53.6歳 6,542千円
55	37	1							
60	42	1							

建設　N社（60人）

（単位：円）

設定条件 年齢（歳）	勤続年数（年）	扶養家族（人）	役職名	所定労働時間内賃金	うち基本賃金	年間賃金計 モデル月例賃金×12＋2023年夏季賞与＋2022年年末賞与	2023年夏季モデル賞与	2022年年末モデル賞与
大学卒・総合職（事務・技術系）								
22	0	0		222,000	222,000	—	30,000	—
25	3	0		—	—	—	—	—
27	5	1		—	—	—	—	—
30	8	2	副　主　任	296,800	263,800	—	317,000	—
35	13	3		—	—	—	—	—
40	18	3	主　　任	291,000	271,000	—	244,000	—
45	23	3	主　　任	336,400	294,400	—	324,000	—
50	28	2		—	—	—	—	—
55	33	1		—	—	—	—	—
60	38	1		—	—	—	—	—
大学卒・一般職（事務・技術系）								
22	0	0		—	—	—	—	—
25	3	0		203,400	201,400	—	201,000	—
27	5	0		—	—	—	—	—
30	8	0		—	—	—	—	—
35	13	0		—	—	—	—	—
40	18	0		—	—	—	—	—
45	23	0		—	—	—	—	—
短大卒・一般職（事務・技術系）								
20	0	0		—	—	—	—	—
22	2	0		—	—	—	—	—
25	5	0		196,400	194,400	—	194,000	—
30	10	0		—	—	—	—	—
35	15	0		—	—	—	—	—
40	20	0		—	—	—	—	—
高校卒・総合職（事務・技術系）								
18	0	0		—	—	—	—	—
20	2	0		—	—	—	—	—
22	4	0		202,900	202,900	—	183,000	—
25	7	0		—	—	—	—	—
27	9	1		—	—	—	—	—
30	12	2		—	—	—	—	—
35	17	3	副　主　任	245,850	229,850	—	161,000	—
40	22	3		—	—	—	—	—
45	27	3		—	—	—	—	—
50	32	2	課　　長	331,500	263,500	—	264,000	—
55	37	1		—	—	—	—	—
60	42	1		—	—	—	—	—
高校卒・一般職（事務・技術系）								
18	0	0						
20	2	0						
22	4	0						
25	7	0						
30	12	0						
35	17	0						
40	22	0						
高校卒・現業系								
18	0	0						
20	2	0						
22	4	0						
25	7	0						
27	9	1						
30	12	2						
35	17	3						
40	22	3						
45	27	3						
50	32	2						
55	37	1						
60	42	1						

補足的事項

モデル賃金の算定方法
実在者の平均額

モデル賃金の対象
全従業員モデル

労務構成
平均年齢　39.0歳
平均勤続　17.0年
2023年所定内賃金　274,375円
うち基本賃金　250,911円
2022年所定内賃金　282,437円
年間所定労働時間　2,080時間

賃金改定状況
定昇のみ実施

2023年賃上げ額
2,955円　1.00％
うち定昇　2,955円　1.00％

賞与・一時金
・2022年年末
226,120円　1.00ヵ月
前年比　97.50％
・2023年夏季
221,890円　1.00ヵ月
前年比　96.67％

家族手当　制度なし

役付手当
部　長　70,000円
次　長　50,000円
課　長　40,000円
係　長　15,000円
主　任　6,000～10,000円

役割給　導入なし

役職者への時間外手当の不支給
課長クラスから不支給

時間あたり賃金
年間賃金ベース　1,798円
月例賃金ベース　1,583円

役職者・実在者の平均年収額
部長（兼任役員）　月例賃金＋賞与
平均年齢　54.0歳　7,067千円
部　長　月例賃金＋賞与
平均年齢　64.0歳　6,923千円
次　長　月例賃金＋賞与
平均年齢　66.2歳　4,481千円
課　長　月例賃金＋賞与
平均年齢　53.6歳　4,451千円

卸売　A社（900人）

（単位：円）

設定条件 年齢（歳）	勤続年数（年）	扶養家族（人）	役職名	所定労働時間内賃金	うち基本賃金	年間賃金計 モデル月例賃金×12＋2023年夏季賞与＋2022年年末賞与	2023年夏季モデル賞与	2022年年末モデル賞与
大学卒・総合職（事務・技術系）								
22	0	0		220,000	220,000	—	—	—
25	3	0		232,000	232,000	3,565,000	456,000	325,000
27	5	1		256,500	250,000	3,859,000	456,000	325,000
30	8	2		283,000	270,000	4,381,000	602,000	383,000
35	13	3		286,600	267,100	4,396,200	574,000	383,000
40	18	3		309,500	290,000	4,890,000	742,000	434,000
45	23	3		313,500	294,000	5,169,000	862,000	545,000
50	28	2		315,000	302,000	5,228,000	903,000	545,000
55	33	1	管理職	455,500	449,000	8,087,000	1,679,000	942,000
60	38	1	管理職	302,500	296,000	4,897,000	742,000	525,000
大学卒・一般職（事務・技術系）								
22	0	0						
25	3	0						
27	5	0						
30	8	0						
35	13	0						
40	18	0						
45	23	0						
短大卒・一般職（事務・技術系）								
20	0	0		210,000	210,000	—	—	—
22	2	0		—	—	—	—	—
25	5	0		—	—	—	—	—
30	10	0		—	—	—	—	—
35	15	0		—	—	—	—	—
40	20	0	管理職	449,000	449,000	6,816,000	903,000	525,000
高校卒・総合職（事務・技術系）								
18	0	0		196,000	196,000	—	—	—
20	2	0		—	—	—	—	—
22	4	0		—	—	—	—	—
25	7	0		—	—	—	—	—
27	9	1		—	—	—	—	—
30	12	2		—	—	—	—	—
35	17	3		295,500	276,000	4,967,000	923,000	498,000
40	22	3		—	—	—	—	—
45	27	3		—	—	—	—	—
50	32	2	管理職	611,000	598,000	10,485,000	2,098,000	1,055,000
55	37	1	管理職	445,500	439,000	8,302,000	2,014,000	942,000
60	42	1	管理職	604,500	598,000	10,407,000	2,098,000	1,055,000
高校卒・一般職（事務・技術系）								
18	0	0						
20	2	0						
22	4	0						
25	7	0						
30	12	0						
35	17	0						
40	22	0						
高校卒・現業系								
18	0	0						
20	2	0						
22	4	0						
25	7	0						
27	9	1						
30	12	2						
35	17	3						
40	22	3						
45	27	3						
50	32	2						
55	37	1						
60	42	1						

補足的事項

モデル賃金の算定方法
実在者の中位の額

モデル賃金の対象
全従業員モデル

労務構成
平均年齢　37.7歳
平均勤続　12.2年
年間所定労働時間　1,992時間

賃金改定状況
ベースアップを実施

2023年賃上げ額
14,000円　5.00％
うち定昇 4,000円　1.20％

賞与・一時金
・2022年年末
451,000円　1.60ヵ月
前年比　178.00％
・2023年夏季
750,000円　2.60ヵ月
前年比　180.00％

家族手当
配偶者　6,500円
第１子　6,500円
第２子　6,500円
第３子　6,500円
・管理職に対する支給
支給する
・支給の制限等
19歳まで支給

役付手当　制度なし

役割給
（左の賃金表では基本賃金に含まれます）
部　長 598,000～696,000円
課　長 517,000～591,000円

役職者への時間外手当の不支給
部長クラスから不支給

役職者・実在者の平均年収額
部長（兼任役員）　月例賃金＋賞与
平均年齢 57.1歳　17,232千円
部　長　月例賃金＋賞与
平均年齢 51.6歳　10,912千円
課　長　月例賃金＋賞与
平均年齢　48.7歳　9,480千円

卸売　B社（400人）

（単位：円）

年齢（歳）	勤続年数（年）	扶養家族（人）	役職名	所定労働時間内賃金	うち基本賃金	年間賃金計 モデル月例賃金×12＋2023年夏季賞与＋2022年年末賞与	2023年夏季モデル賞与	2022年年末モデル賞与
大学卒・総合職（事務・技術系）								
22	0	0		218,500	210,500	—	60,000	—
25	3	0		226,400	218,400	3,454,100	432,700	304,600
27	5	1		248,000	227,000	3,761,400	435,700	349,700
30	8	2		291,000	265,500	4,461,600	546,800	422,800
35	13	3		319,500	292,000	4,976,600	638,800	503,800
40	18	3	課　　長	413,000	385,500	6,370,200	802,700	611,500
45	23	3	課　　長	435,500	408,000	6,667,292	815,200	626,092
50	28	2	部　　長	491,000	465,500	7,671,100	998,800	780,300
55	33	1	部　　長	519,000	498,000	8,044,800	1,016,300	800,500
60	38	1	部　　長	544,000	523,000	8,480,300	1,102,000	850,300
大学卒・一般職（事務・技術系）								
22	0	0		195,500	187,500	—	60,000	—
25	3	0		200,000	192,000	3,012,100	359,100	253,000
27	5	0		203,000	195,000	3,054,100	362,100	256,000
30	8	0		221,500	213,500	3,397,500	425,700	313,800
35	13	0		229,000	221,000	3,507,300	430,200	329,100
40	18	0		256,500	248,500	3,901,000	469,200	353,800
45	23	0		270,500	262,500	4,153,800	513,500	394,300
短大卒・一般職（事務・技術系）								
20	0	0		183,000	175,000	—	60,000	—
22	2	0		195,500	187,500	2,958,100	359,100	253,000
25	5	0		200,000	192,000	3,018,100	362,100	256,000
30	10	0		221,500	213,500	3,397,500	425,700	313,800
35	15	0		229,000	221,000	3,507,300	430,200	329,100
40	20	0		256,500	248,500	3,901,000	469,200	353,800
高校卒・総合職（事務・技術系）								
18	0	0		212,500	204,500	—	60,000	—
20	2	0		215,500	207,500	3,215,520	366,670	262,850
22	4	0		218,500	210,500	3,257,520	369,670	265,850
25	7	0		226,400	218,400	3,454,100	432,700	304,600
27	9	1		248,000	227,000	3,761,400	435,700	349,700
30	12	2		291,000	265,500	4,461,600	546,800	422,800
35	17	3		319,500	292,000	4,976,600	638,800	503,800
40	22	3	課　　長	413,000	385,500	6,370,200	802,700	611,500
45	27	3	課　　長	435,500	408,000	6,667,292	815,200	626,092
50	32	2	部　　長	491,000	465,500	7,671,100	998,800	780,300
55	37	1	部　　長	519,000	498,000	8,044,800	1,016,300	800,500
60	42	1	部　　長	544,000	523,000	8,480,300	1,102,000	850,300
高校卒・一般職（事務・技術系）								
18	0	0		180,000	172,000	—	60,000	—
20	2	0		183,000	175,000	2,740,840	322,490	222,350
22	4	0		195,500	187,500	2,958,100	359,100	253,000
25	7	0		200,000	192,000	3,018,100	362,100	256,000
30	12	0		221,500	213,500	3,397,500	425,700	313,800
35	17	0		229,000	221,000	3,507,300	430,200	329,100
40	22	0		256,500	248,500	3,901,000	469,200	353,800
高校卒・現業系								
18	0	0		173,500	165,500	—	60,000	—
20	2	0		176,500	168,500	2,649,840	315,990	215,850
22	4	0		179,500	171,500	2,691,840	318,990	218,850
25	7	0		197,500	189,500	2,977,520	355,670	251,850
27	9	1		213,500	192,500	3,175,520	358,670	254,850
30	12	2		222,500	197,000	3,292,520	363,170	259,350
35	17	3		249,000	221,500	3,749,620	436,770	324,850
40	22	3		277,000	249,500	4,171,100	481,250	365,850
45	27	3		304,500	277,000	4,583,880	524,530	405,350
50	32	2		332,000	306,500	5,037,350	589,500	463,850
55	37	1		335,000	314,000	5,088,440	597,090	471,350
60	42	1		342,500	321,500	5,190,440	603,090	477,350

補足的事項

モデル賃金の算定方法
理論モデル

モデル賃金の対象
全従業員モデル

労務構成
平均年齢　44.0歳
平均勤続　17.9年
2023年所定内賃金　347,163円
2022年所定内賃金　338,185円
年間所定労働時間　1,844時間30分

賃金改定状況
ベースアップを実施

2023年賃上げ額
4,500円　1.20%
うち定昇 1,500円　0.43%

賞与・一時金
・2022年年末
540,855円　1.59ヵ月
前年比　100.80%
・2023年夏季
696,318円　2.06ヵ月
前年比　114.30%

家族手当
配偶者　13,000円
第１子　4,500円
第２子　2,000円
第３子　500円
税制上の扶養に該当する者
・管理職に対する支給
支給する

役付手当　制度なし

役割給
（左の賃金表では基本賃金に含まれます）
部　長 138,250～171,650円
課　長 111,650～131,650円
主　任　71,650～81,650円

役職者への時間外手当の不支給
課長クラスから不支給

時間あたり賃金
年間賃金ベース　2,929円
月例賃金ベース　2,259円

役職者・実在者の平均年収額
部　長　月例賃金＋賞与
平均年齢　53.2歳　7,373千円
課　長　月例賃金＋賞与
平均年齢　46.9歳　6,162千円

卸売　C社（250人）　　　　　　　　　　　　　　　　　　　　　　　　　　　　　　　　（単位：円）

設定条件			役職名	所定労働時間内賃金	うち基本賃金	年間賃金計 モデル月例賃金×12 + 2023年夏季賞与 2022年年末賞与	2023年夏季モデル賞与	2022年年末モデル賞与	補足的事項
年齢(歳)	勤続年数(年)	扶養家族(人)							
大学卒・総合職（事務・技術系）									
22	0	0		215,000	215,000	—	76,000	—	モデル賃金の算定方法
25	3	0		—	—	—	—	—	実在者の中位の額
27	5	1		251,700	251,700	—	540,000	—	モデル賃金の対象
30	8	2		285,100	242,100	—	660,000	—	全従業員モデル
35	13	3		—	—	—	—	—	労務構成
40	18	3	課長代理	404,820	362,820	—	797,000	—	平均年齢　　　48.0歳
45	23	3	課長代理	419,020	387,020	—	939,000	—	平均勤続　　　20.0年
50	28	2	課長代理	452,770	395,770	—	915,000	—	2023年所定内賃金
55	33	1	課　長	631,000	513,000	—	1,570,000	—	306,815円
60	38	1		—	—	—	—	—	2022年所定内賃金
大学卒・一般職（事務・技術系）									295,468円
22	0	0		—	—	—	—	—	年間所定労働時間
25	3	0		226,200	226,200	—	347,000	—	1,912時間
27	5	0		234,100	234,100	—	463,000	—	
30	8	0		270,790	270,790	—	471,000	—	賃金改定状況
35	13	0		274,670	274,670	—	499,000	—	ベースアップを実施
40	18	0		290,610	290,610	—	542,000	—	2023年賃上げ額
45	23	0	課長代理	392,150	367,150	—	631,000	—	11,346円　3.84%
短大卒・一般職（事務・技術系）									賞与・一時金
20	0	0							・2022年年末
22	2	0							531,340円　1.92ヵ月
25	5	0							前年比　108.00%
30	10	0							・2023年夏季
35	15	0							577,300円　1.96ヵ月
40	20	0							前年比　106.00%
高校卒・総合職（事務・技術系）									
18	0	0		—	—	—	—	—	家族手当
20	2	0		—	—	—	—	—	配偶者　　　　10,000円
22	4	0		215,300	215,300	—	395,000	—	第1子　　　　 8,000円
25	7	0		—	—	—	—	—	第2子　　　　 4,000円
27	9	1		—	—	—	—	—	・管理職に対する支給
30	12	2		—	—	—	—	—	支給する
35	17	3		—	—	—	—	—	・支給の制限等
40	22	3		—	—	—	—	—	25歳まで支給
45	27	3		—	—	—	—	—	役付手当
50	32	2		621,150	499,150	—	1,570,000	—	部　長　200,000～230,000円
55	37	1		—	—	—	—	—	課　長　 65,000～100,000円
60	42	1		—	—	—	—	—	係　長　 15,000～ 35,000円
高校卒・一般職（事務・技術系）									主　任　　　　10,000円
18	0	0		—	—	—	—	—	役割給　　　　導入なし
20	2	0		187,480	187,480	—	290,600	—	役職者への時間外手当の不支給
22	4	0		—	—	—	—	—	課長クラスから不支給
25	7	0		—	—	—	—	—	
30	12	0		—	—	—	—	—	
35	17	0		—	—	—	—	—	時間あたり賃金
40	22	0		—	—	—	—	—	年間賃金ベース　2,505円
高校卒・現業系									月例賃金ベース　1,926円
18	0	0		—	—	—	—	—	
20	2	0		187,480	187,480	—	290,600	—	役職者・実在者の平均年収額
22	4	0		—	—	—	—	—	部長（兼任役員）
25	7	0		203,700	203,700	—	389,000	—	月例賃金＋賞与
27	9	1		206,550	206,550	—	388,000	—	平均年齢 59.0歳 15,124千円
30	12	2		—	—	—	—	—	部　長　　月例賃金＋賞与
35	17	3		240,466	240,466	—	567,000	—	平均年齢 59.0歳 12,412千円
40	22	3		—	—	—	—	—	課　長　　月例賃金＋賞与
45	27	3		271,450	271,450	—	509,000	—	平均年齢 55.0歳 10,165千円
50	32	2		307,510	307,510	—	663,000	—	
55	37	1		—	—	—	—	—	
60	42	1		—	—	—	—	—	

卸売　D社（190人）　　　　　　　　　　　　　　　　　　　　　　　　　　　　（単位：円）

設定条件			役職名	所定労働時間内賃金	うち基本賃金	年間賃金計 モデル月例賃金×12＋2023年夏季賞与＋2022年年末賞与	2023年夏季モデル賞与	2022年年末モデル賞与	補足的事項
年齢(歳)	勤続年数(年)	扶養家族(人)							
大学卒・総合職（事務・技術系）									
22	0	0		—	—	—	—	—	モデル賃金の算定方法
25	3	0		—	—	—	—	—	実在者の平均額
27	5	1		269,800	226,300	—	468,756	—	モデル賃金の対象
30	8	2		—	—	—	—	—	全従業員モデル
35	13	3		—	—	—	—	—	労務構成
40	18	3		—	—	—	—	—	平均年齢　　　40.0歳
45	23	3		421,565	336,565	—	809,920	—	平均勤続　　　13.1年
50	28	2		—	—	—	—	—	年間所定労働時間
55	33	1		—	—	—	—	—	1,996時間
60	38	1		—	—	—	—	—	
大学卒・一般職（事務・技術系）									賃金改定状況
22	0	0							ベースアップを実施
25	3	0							2023年賃上げ額
27	5	0							7,900円　3.30％
30	8	0							うち定昇 2,700円　1.20％
35	13	0							賞与・一時金
40	18	0							・2022年年末
45	23	0							482,000円　2.00ヵ月
短大卒・一般職（事務・技術系）									前年比　　100.00％
20	0	0							・2023年夏季
22	2	0							495,000円　2.00ヵ月
25	5	0							前年比　　100.00％
30	10	0							
35	15	0							家族手当
40	20	0							配偶者　　　8,500円
高校卒・総合職（事務・技術系）									第1子　　　4,500円
18	0	0		—	—	—	—	—	第2子　　　4,000円
20	2	0		—	—	—	—	—	第3子　　　4,000円
22	4	0		—	—	—	—	—	・管理職に対する支給
25	7	0		202,800	202,800	—	413,691	—	支給する
27	9	1		—	—	—	—	—	・支給の制限等
30	12	2		—	—	—	—	—	18歳まで支給
35	17	3		—	—	—	—	—	役付手当
40	22	3		238,225	221,225	—	439,144	—	部　長　40,000～70,000円
45	27	3		—	—	—	—	—	課　長　20,000～40,000円
50	32	2		—	—	—	—	—	係　長　　　　10,000円
55	37	1		—	—	—	—	—	役割給　　　　　導入なし
60	42	1		—	—	—	—	—	役職者への時間外手当の不支給
高校卒・一般職（事務・技術系）									課長クラスから不支給
18	0	0							
20	2	0							
22	4	0							
25	7	0							
30	12	0							
35	17	0							
40	22	0							
高校卒・現業系									
18	0	0		—	—	—	—	—	
20	2	0		—	—	—	—	—	
22	4	0		—	—	—	—	—	
25	7	0		—	—	—	—	—	
27	9	1		—	—	—	—	—	
30	12	2		249,900	236,900	—	479,992	—	
35	17	3		—	—	—	—	—	
40	22	3		—	—	—	—	—	
45	27	3		—	—	—	—	—	
50	32	2		—	—	—	—	—	
55	37	1		—	—	—	—	—	
60	42	1		—	—	—	—	—	

卸売　E社（150人）　　　　　　　　　　　　　　　　　　　　　　　　　　　　　　　　　　（単位：円）

設定条件			役職名	所定労働時間内賃金	うち基本賃金	年間賃金計 モデル月例賃金×12 + 2023年夏季賞与 2022年年末賞与	2023年夏季モデル賞与	2022年年末モデル賞与	補足的事項
年齢(歳)	勤続年数(年)	扶養家族(人)							
大学卒・総合職（事務・技術系）									
22	0	0		223,200	215,200	—	5,000	—	モデル賃金の算定方法
25	3	0		273,000	265,000	4,924,000	850,000	798,000	理論モデル
27	5	1		336,000	301,000	5,908,000	966,000	910,000	モデル賃金の対象
30	8	2		395,000	355,000	6,958,000	1,139,000	1,079,000	全従業員モデル
35	13	3	主　　　任	485,000	430,000	8,514,000	1,380,000	1,314,000	労務構成
40	18	3	課　　　長	561,000	466,000	9,654,000	1,495,000	1,427,000	平均年齢　　　　40.2歳
45	23	3	課　　　長	591,000	486,000	10,141,000	1,560,000	1,489,000	平均勤続　　　　14.6年
50	28	2	部 長 代 理	622,000	522,000	10,741,000	1,675,000	1,602,000	2023年所定内賃金
55	33	1	部　　　長	697,000	542,000	11,768,000	1,739,000	1,665,000	407,000円
60	38	1		250,000	250,000	—	—	—	うち基本賃金　374,000円
大学卒・一般職（事務・技術系）									2022年所定内賃金
22	0	0		223,200	215,200	—	5,000	—	396,000円
25	3	0		240,000	232,000	4,318,000	744,000	694,000	年間所定労働時間
27	5	0		262,000	244,000	4,659,000	783,000	732,000	1,752時間
30	8	0	主　　　任	290,000	262,000	5,109,000	841,000	788,000	賃金改定状況
35	13	0	主　　　任	317,000	289,000	5,604,000	927,000	873,000	ベースアップを実施
40	18	0	主　　　任	335,000	307,000	5,934,000	985,000	929,000	**2023年賃上げ額**
45	23	0	主　　　任	342,000	314,000	6,062,000	1,007,000	951,000	17,600円　　4.80%
短大卒・一般職（事務・技術系）									うち定昇 7,600円　2.10%
20	0	0							賞与・一時金
22	2	0							・2022年年末
25	5	0							1,153,000円　3.13ヵ月
30	10	0							前年比　　　117.00%
35	15	0							・2023年夏季
40	20	0							1,219,000円　3.21ヵ月
高校卒・総合職（事務・技術系）									前年比　　　116.80%
18	0	0							家族手当
20	2	0							配偶者　　　35,000円
22	4	0							第1子　　　　5,000円
25	7	0							第2子　　　　5,000円
27	9	1							第3子　　　　5,000円
30	12	2							・管理職に対する支給
35	17	3							支給する
40	22	3							・支給の制限等
45	27	3							15歳まで支給
50	32	2							役付手当
55	37	1							部　長　　　50,000円
60	42	1							役割給
高校卒・一般職（事務・技術系）									部　長　70,000～100,000円
18	0	0							次　長　　　60,000円
20	2	0							課　長　50,000～60,000円
22	4	0							係　長　　　40,000円
25	7	0							主　任　　　10,000円
30	12	0							役職者への時間外手当の不支給
35	17	0							部長クラスから不支給
40	22	0							時間あたり賃金
高校卒・現業系									年間賃金ベース　4,142円
18	0	0							月例賃金ベース　2,788円
20	2	0							役職者・実在者の平均年収額
22	4	0							部　長　月例賃金＋賞与
25	7	0							平均年齢 52.0歳 12,307千円
27	9	1							次　長　月例賃金＋賞与
30	12	2							平均年齢 50.0歳 10,761千円
35	17	3							課　長　月例賃金＋賞与
40	22	3							平均年齢 40.0歳 9,913千円
45	27	3							
50	32	2							
55	37	1							
60	42	1							

卸売　F社（130人）

（単位：円）

設定条件 年齢（歳）	勤続年数（年）	扶養家族（人）	役職名	所定労働時間内賃金	うち基本賃金	年間賃金計 モデル月例賃金×12＋2023年夏季賞与 2022年年末賞与	2023年夏季モデル賞与	2022年年末モデル賞与
大学卒・総合職（事務・技術系）								
22	0	0		226,000	226,000	3,730,000	68,000	950,000
25	3	0		251,500	251,500	4,844,000	407,000	1,419,000
27	5	1		264,500	262,500	5,084,000	425,000	1,485,000
30	8	2		295,500	292,000	5,681,000	473,000	1,662,000
35	13	3		358,500	354,000	6,909,000	573,000	2,034,000
40	18	3	管理職	429,500	425,000	8,302,000	688,000	2,460,000
45	23	3	管理職	459,500	455,000	8,891,000	737,000	2,640,000
50	28	2	管理職	533,000	530,000	10,344,000	858,000	3,090,000
55	33	1	管理職	562,000	560,000	10,921,000	907,000	3,270,000
60	38	1	管理職	562,000	560,000	10,921,000	907,000	3,270,000
大学卒・一般職（事務・技術系）								
22	0	0		207,000	207,000	3,410,000	62,000	864,000
25	3	0		217,200	217,200	4,170,600	351,000	1,213,200
27	5	0		224,000	224,000	4,304,000	362,000	1,254,000
30	8	0		237,200	237,200	4,563,600	384,000	1,333,200
35	13	0		257,200	257,200	4,955,600	416,000	1,453,200
40	18	0		282,200	282,200	5,446,600	457,000	1,603,200
45	23	0		301,700	301,700	5,828,600	488,000	1,720,200
短大卒・一般職（事務・技術系）								
20	0	0		199,000	199,000	3,276,000	60,000	828,000
22	2	0		207,000	207,000	3,971,000	335,000	1,152,000
25	5	0		217,200	217,200	4,170,600	351,000	1,213,200
30	10	0		237,200	237,200	4,563,600	384,000	1,333,200
35	15	0		257,200	257,200	4,955,600	416,000	1,453,200
40	20	0		282,200	282,200	5,446,600	457,000	1,603,200
高校卒・総合職（事務・技術系）								
18	0	0		196,000	196,000	3,226,000	59,000	815,000
20	2	0		211,000	211,000	4,050,000	342,000	1,176,000
22	4	0		226,000	226,000	4,344,000	366,000	1,266,000
25	7	0		251,500	251,500	4,844,000	407,000	1,419,000
27	9	1		264,500	262,500	5,084,000	425,000	1,485,000
30	12	2		295,500	292,000	5,681,000	473,000	1,662,000
35	17	3		358,500	354,000	6,909,000	573,000	2,034,000
40	22	3	管理職	429,500	425,000	8,302,000	688,000	2,460,000
45	27	3	管理職	459,500	455,000	8,891,000	737,000	2,640,000
50	32	2	管理職	533,000	530,000	10,344,000	858,000	3,090,000
55	37	1	管理職	562,000	560,000	10,921,000	907,000	3,270,000
60	42	1	管理職	562,000	560,000	10,921,000	907,000	3,270,000
高校卒・一般職（事務・技術系）								
18	0	0		184,000	184,000	3,023,000	55,000	760,000
20	2	0		199,000	199,000	3,814,000	322,000	1,104,000
22	4	0		207,000	207,000	3,971,000	335,000	1,152,000
25	7	0		217,200	217,200	4,170,600	351,000	1,213,200
30	12	0		237,200	237,200	4,563,600	384,000	1,333,200
35	17	0		257,200	257,200	4,955,600	416,000	1,453,200
40	22	0		282,200	282,200	5,446,600	457,000	1,603,200
高校卒・現業系								
18	0	0						
20	2	0						
22	4	0						
25	7	0						
27	9	1						
30	12	2						
35	17	3						
40	22	3						
45	27	3						
50	32	2						
55	37	1						
60	42	1						

補足的事項

モデル賃金の算定方法
理論モデル

モデル賃金の対象
全従業員モデル

労務構成
平均年齢　40.1歳
平均勤続　15.4年
2023年所定内賃金　345,714円
うち基本賃金 344,041円
2022年所定内賃金　325,947円
年間所定労働時間　1,687時間

賃金改定状況
ベースアップを実施

2023年賃上げ額
19,766円　6.09%
うち定昇 4,766円　1.47%

賞与・一時金
・2022年年末
2,085,572円　6.54ヵ月
前年比　94.24%
・2023年夏季
536,428円　1.76ヵ月
前年比　93.83%

家族手当
配偶者　2,000円
第１子　1,500円
第２子　1,000円
・管理職に対する支給
支給する
・支給の制限等
22歳まで支給

役付手当　制度なし
役割給　導入なし
役職者への時間外手当の不支給
課長クラスから不支給

時間あたり賃金
年間賃金ベース　4,013円
月例賃金ベース　2,459円

卸売　G社（100人）

（単位：円）

設定条件 年齢（歳）	勤続年数（年）	扶養家族（人）	役職名	所定労働時間内賃金	うち基本賃金	年間賃金計 モデル月例賃金×12＋2023年夏季賞与 2022年年末賞与	2023年夏季モデル賞与	2022年年末モデル賞与
大学卒・総合職（事務・技術系）								
22	0	0		235,500	235,500	—	100,000	—
25	3	0		—	—	—	—	—
27	5	1		—	—	—	—	—
30	8	2		297,100	284,100	—	—	—
35	13	3		—	—	—	—	—
40	18	3		402,500	347,500	—	—	—
45	23	3		—	—	—	—	—
50	28	2		—	—	—	—	—
55	33	1		—	—	—	—	—
60	38	1		—	—	—	—	—
大学卒・一般職（事務・技術系）								
22	0	0						
25	3	0						
27	5	0						
30	8	0						
35	13	0						
40	18	0						
45	23	0						
短大卒・一般職（事務・技術系）								
20	0	0						
22	2	0						
25	5	0						
30	10	0						
35	15	0						
40	20	0						
高校卒・総合職（事務・技術系）								
18	0	0						
20	2	0						
22	4	0						
25	7	0						
27	9	1						
30	12	2						
35	17	3						
40	22	3						
45	27	3						
50	32	2						
55	37	1						
60	42	1						
高校卒・一般職（事務・技術系）								
18	0	0						
20	2	0						
22	4	0						
25	7	0						
30	12	0						
35	17	0						
40	22	0						
高校卒・現業系								
18	0	0						
20	2	0						
22	4	0						
25	7	0						
27	9	1						
30	12	2						
35	17	3						
40	22	3						
45	27	3						
50	32	2						
55	37	1						
60	42	1						

補足的事項

モデル賃金の算定方法
実在者の平均額

モデル賃金の対象
全従業員モデル

労務構成
平均年齢　39.9歳
平均勤続　14.7年
2023年所定内賃金　389,332円
うち基本賃金　285,311円
2022年所定内賃金　375,550円
年間所定労働時間　1,849時間30分

賃金改定状況
ベースアップを実施

2023年賃上げ額
10,734円　3.79%
うち定昇　3,965円　1.40%

家族手当
配偶者　0円
第1子　10,000円
第2子　10,000円
第3子　10,000円
・管理職に対する支給
支給する
・支給の制限等
22歳まで支給

役職者への時間外手当の不支給
課長クラスから不支給

時間あたり賃金
月例賃金ベース　2,526円

卸売　H社（100人）

（単位：円）

設定条件 年齢（歳）	勤続年数（年）	扶養家族（人）	役職名	所定労働時間内賃金	うち基本賃金	年間賃金計（モデル月例賃金×12＋2023年夏季賞与＋2022年年末賞与）	2023年夏季モデル賞与	2022年年末モデル賞与
大学卒・総合職（事務・技術系）								
22	0	0		—	—	—	—	—
25	3	0		—	—	—	—	—
27	5	1		—	—	—	—	—
30	8	2		—	—	—	—	—
35	13	3		—	—	—	—	—
40	18	3	課　長	407,000	335,000	—	280,000	—
45	23	3		—	—	—	—	—
50	28	2		—	—	—	—	—
55	33	1		—	—	—	—	—
60	38	1		—	—	—	—	—
大学卒・一般職（事務・技術系）								
22	0	0		—	—	—	—	—
25	3	0		—	—	—	—	—
27	5	0		—	—	—	—	—
30	8	0		—	—	—	—	—
35	13	0		—	—	—	—	—
40	18	0	係　長	347,000	340,000	—	260,000	—
45	23	0		—	—	—	—	—
短大卒・一般職（事務・技術系）								
20	0	0		—	—	—	—	—
22	2	0		—	—	—	—	—
25	5	0		—	—	—	—	—
30	10	0	係　長	347,000	340,000	—	220,000	—
35	15	0		—	—	—	—	—
40	20	0		—	—	—	—	—
高校卒・総合職（事務・技術系）								
18	0	0		—	—	—	—	—
20	2	0		—	—	—	—	—
22	4	0		—	—	—	—	—
25	7	0		—	—	—	—	—
27	9	1		—	—	—	—	—
30	12	2		—	—	—	—	—
35	17	3		—	—	—	—	—
40	22	3		—	—	—	—	—
45	27	3	課　長	513,000	360,000	—	320,000	—
50	32	2		—	—	—	—	—
55	37	1		—	—	—	—	—
60	42	1		—	—	—	—	—
高校卒・一般職（事務・技術系）								
18	0	0		—	—	—	—	—
20	2	0		—	—	—	—	—
22	4	0		—	—	—	—	—
25	7	0		—	—	—	—	—
30	12	0		—	—	—	—	—
35	17	0		—	—	—	—	—
40	22	0	係　長	335,000	325,000	—	230,000	—
高校卒・現業系								
18	0	0		—	—	—	—	—
20	2	0		—	—	—	—	—
22	4	0		—	—	—	—	—
25	7	0		—	—	—	—	—
27	9	1		—	—	—	—	—
30	12	2	主　任	298,000	280,000	—	190,000	—
35	17	3		—	—	—	—	—
40	22	3		—	—	—	—	—
45	27	3		—	—	—	—	—
50	32	2		—	—	—	—	—
55	37	1		—	—	—	—	—
60	42	1		—	—	—	—	—

補足的事項

モデル賃金の算定方法
実在者の中位の額

モデル賃金の対象
全従業員モデル

労務構成
平均年齢　48.1歳
平均勤続　23.4年
2023年所定内賃金　312,929円
うち基本賃金　278,252円
2022年所定内賃金　307,290円
年間所定労働時間　1,992時間

賃金改定状況
ベースアップを実施

2023年賃上げ額
6,000円　2.25%
うち定昇 4,000円　1.50%

賞与・一時金
・2022年年末
229,902円　0.82ヵ月
前年比　104.30%
・2023年夏季
206,868円　0.67ヵ月
前年比　103.10%

家族手当
配偶者　6,000円
第１子　8,000円
第２子　8,000円
第３子　8,000円
・管理職に対する支給
支給する
・支給の制限等
18歳まで支給

役付手当
部　長　80,000～150,000円
次　長　70,000～80,000円
課　長　30,000～60,000円
係　長　7,000円
主　任　4,000円

役割給　導入なし

役職者への時間外手当の不支給
課長クラスから不支給

時間あたり賃金
年間賃金ベース　2,104円
月例賃金ベース　1,885円

役職者・実在者の平均月収額
部長（兼任役員）月例賃金
平均年齢 59.0歳　560千円
部　長　月例賃金
平均年齢 57.0歳　480千円
課　長　月例賃金
平均年齢 50.0歳　390千円

卸売　I社（100人）

（単位：円）

設定条件 年齢（歳）	勤続年数（年）	扶養家族（人）	役職名	所定労働時間内賃金	うち基本賃金	年間賃金計 モデル月例賃金×12＋2023年夏季賞与 2022年年末賞与	2023年夏季モデル賞与	2022年年末モデル賞与
大学卒・総合職（事務・技術系）								
22	0	0		219,150	219,150	—	50,000	—
25	3	0		227,250	227,250	—	—	—
27	5	1		232,650	232,650	—	—	—
30	8	2		275,840	255,840	—	—	—
35	13	3		317,860	289,860	—	—	—
40	18	3	課　長	378,000	292,000	—	—	—
45	23	3	次　長	463,200	367,200	—	—	—
50	28	2	次　長	478,200	382,200	—	—	—
55	33	1	部　長	563,600	470,600	—	—	—
60	38	1	部　長	570,600	485,600	—	—	—
大学卒・一般職（事務・技術系）								
22	0	0						
25	3	0						
27	5	0						
30	8	0						
35	13	0						
40	18	0						
45	23	0						
短大卒・一般職（事務・技術系）								
20	0	0						
22	2	0						
25	5	0						
30	10	0						
35	15	0						
40	20	0						
高校卒・総合職（事務・技術系）								
18	0	0						
20	2	0						
22	4	0						
25	7	0						
27	9	1						
30	12	2						
35	17	3						
40	22	3						
45	27	3						
50	32	2						
55	37	1						
60	42	1						
高校卒・一般職（事務・技術系）								
18	0	0						
20	2	0						
22	4	0						
25	7	0						
30	12	0						
35	17	0						
40	22	0						
高校卒・現業系								
18	0	0						
20	2	0						
22	4	0						
25	7	0						
27	9	1						
30	12	2						
35	17	3						
40	22	3						
45	27	3						
50	32	2						
55	37	1						
60	42	1						

補足的事項

モデル賃金の算定方法
理論モデル

モデル賃金の対象
全従業員モデル

労務構成
平均年齢　45.3歳
平均勤続　12.1年
年間所定労働時間　1,936時間

賃金改定状況
ベースアップを実施

2023年賃上げ額
13,572円　4.09％
うち定昇 4,028円　1.07％

賞与・一時金
・2022年年末
572,655円　1.84ヵ月
前年比　102.00％
・2023年夏季
713,321円　2.29ヵ月
前年比　110.50％

家族手当
配偶者　20,000円
第１子　8,000円
第２子　8,000円
・管理職に対する支給
支給する
・支給の制限等
22歳まで支給

役付手当
部　長　65,000円
次　長　55,000～60,000円
課　長　40,000～50,000円

役割給
（左の賃金表では基本賃金に含まれます）
部　長 461,600～551,600円
次　長 367,200～457,200円
課　長 286,000～376,000円
係　長 146,200～206,590円
主　任 109,600～164,200円

役職者への時間外手当の不支給
次長クラスから不支給

卸売　J社（100人）

（単位：円）

設定条件 年齢（歳）	設定条件 勤続年数（年）	設定条件 扶養家族（人）	役職名	所定労働時間内賃金	うち基本賃金	年間賃金計（モデル月例賃金×12＋2023年夏季賞与＋2022年年末賞与）	2023年夏季モデル賞与	2022年年末モデル賞与
大学卒・総合職（事務・技術系）								
22	0	0		221,000	221,000	—	108,000	—
25	3	0		231,000	231,000	3,982,000	641,000	569,000
27	5	1		251,000	241,000	4,304,000	699,000	593,000
30	8	2		286,000	261,000	4,831,000	738,000	661,000
35	13	3		321,000	276,000	5,353,000	790,000	711,000
40	18	3	管理職	423,000	398,000	7,353,000	1,187,000	1,090,000
45	23	3	管理職	430,000	405,000	7,540,000	1,271,000	1,109,000
50	28	2	管理職	462,000	447,000	8,079,000	1,318,000	1,217,000
55	33	1	管理職	482,000	482,000	8,548,000	1,436,000	1,328,000
60	38	1	管理職	482,000	482,000	8,643,000	1,564,000	1,295,000
大学卒・一般職（事務・技術系）								
22	0	0		187,000	187,000	—	—	—
25	3	0		209,000	206,000	3,599,000	580,000	511,000
27	5	0		219,000	216,000	3,767,000	605,000	534,000
30	8	0		239,000	236,000	4,103,000	654,000	581,000
35	13	0		—	—	—	—	—
40	18	0		283,000	280,000	4,962,000	843,000	723,000
45	23	0	管理職	447,000	447,000	7,834,000	1,285,000	1,185,000
短大卒・一般職（事務・技術系）								
20	0	0		187,000	187,000	—	—	—
22	2	0		—	—	—	—	—
25	5	0		—	—	—	—	—
30	10	0		—	—	—	—	—
35	15	0	事務	259,000	256,000	4,543,000	774,000	661,000
40	20	0	事務	283,000	280,000	4,922,000	803,000	723,000
高校卒・総合職（事務・技術系）								
18	0	0						
20	2	0						
22	4	0						
25	7	0						
27	9	1						
30	12	2						
35	17	3						
40	22	3						
45	27	3						
50	32	2						
55	37	1						
60	42	1						
高校卒・一般職（事務・技術系）								
18	0	0						
20	2	0						
22	4	0						
25	7	0						
30	12	0						
35	17	0						
40	22	0						
高校卒・現業系								
18	0	0						
20	2	0						
22	4	0						
25	7	0						
27	9	1						
30	12	2						
35	17	3						
40	22	3						
45	27	3						
50	32	2						
55	37	1						
60	42	1						

補足的事項

モデル賃金の算定方法
実在者の中位の額

モデル賃金の対象
全従業員モデル

労務構成
平均年齢　41.4歳
平均勤続　15.5年
2023年所定内賃金　332,173円
うち基本賃金　324,615円
2022年所定内賃金　322,902円
年間所定労働時間　1,880時間

賃金改定状況
ベースアップを実施

2023年賃上げ額
10,000円　3.70%
うち定昇 5,000円　1.86%

賞与・一時金
・2022年年末
783,512円　2.58ヵ月
前年比　101.00%
・2023年夏季
877,151円　2.81ヵ月
前年比　105.00%

家族手当
第1子　15,000円
第2子　10,000円
第3子　10,000円
・管理職に対する支給
支給しない
・支給の制限等
18歳まで支給，または学校教育法で定める在校生

役付手当　制度なし
役割給　導入なし
役職者への時間外手当の不支給
課長クラスから不支給

時間あたり賃金
年間賃金ベース　3,004円
月例賃金ベース　2,120円

役職者・実在者の平均年収額
部長（兼任役員）　月例賃金＋賞与
平均年齢 51.0歳　11,416千円
部　長　月例賃金＋賞与
平均年齢 53.0歳　8,699千円
次　長　月例賃金＋賞与
平均年齢 49.0歳　7,767千円
課　長　月例賃金＋賞与
平均年齢 48.0歳　6,991千円

卸売　K社（80人）

（単位：円）

設定条件 年齢（歳）	勤続年数（年）	扶養家族（人）	役職名	所定労働時間内賃金	うち基本賃金	年間賃金計 モデル月例賃金×12＋2023年夏季賞与2022年年末賞与	2023年夏季モデル賞与	2022年年末モデル賞与
大学卒・総合職（事務・技術系）								
22	0	0		216,000	206,000	2,969,700	48,100	329,600
25	3	0		218,200	208,200	3,243,100	291,500	333,200
27	5	1		248,850	211,850	3,621,800	296,600	339,000
30	8	2	主　　任	265,750	215,750	3,836,300	302,100	345,200
35	13	3	主　　任	280,450	227,450	4,047,900	318,500	364,000
40	18	3	主　　任	289,470	236,470	4,183,140	331,100	378,400
45	23	3	主　　任	303,160	250,160	4,388,520	350,300	400,300
50	28	2	主　　任	289,170	239,170	4,187,640	334,900	382,700
55	33	1		—	—	—	—	—
60	38	1		—	—	—	—	—
大学卒・一般職（事務・技術系）								
22	0	0		210,400	200,400	2,892,300	46,800	320,700
25	3	0		212,790	202,790	3,161,980	284,000	324,500
27	5	0		216,440	206,440	3,216,780	289,100	330,400
30	8	0	主　　任	230,340	210,340	3,395,180	294,500	336,600
35	13	0	主　　任	242,040	222,040	3,570,680	310,900	355,300
40	18	0	主　　任	251,060	231,060	3,705,920	323,500	369,700
45	23	0		—	—	—	—	—
短大卒・一般職（事務・技術系）								
20	0	0						
22	2	0						
25	5	0						
30	10	0						
35	15	0						
40	20	0						
高校卒・総合職（事務・技術系）								
18	0	0		199,500	189,500	2,741,500	44,300	303,200
20	2	0		200,640	190,640	2,979,680	266,900	305,100
22	4	0		202,950	192,950	3,014,400	270,200	308,800
25	7	0		207,970	197,970	3,089,640	277,200	316,800
27	9	1		238,530	201,530	3,467,060	282,200	322,500
30	12	2	主　　任	258,620	208,620	3,729,340	292,100	333,800
35	17	3	主　　任	271,690	218,690	3,916,480	306,200	350,000
40	22	3	主　　任	288,290	235,290	4,165,480	329,500	376,500
45	27	3	主　　任	300,870	247,870	4,354,140	347,100	396,600
50	32	2	主　　任	289,170	239,170	4,187,640	334,900	382,700
55	37	1		—	—	—	—	—
60	42	1		—	—	—	—	—
高校卒・一般職（事務・技術系）								
18	0	0		193,500	183,500	2,658,500	42,900	293,600
20	2	0		194,640	184,640	2,889,680	258,500	295,500
22	4	0		197,140	187,140	2,927,180	262,000	299,500
25	7	0		202,160	192,160	3,002,520	269,100	307,500
30	12	0	主　　任	222,810	202,810	3,282,220	284,000	324,500
35	17	0	主　　任	232,880	212,880	3,433,360	298,100	340,700
40	22	0	主　　任	249,440	229,440	3,681,780	321,300	367,200
高校卒・現業系								
18	0	0						
20	2	0						
22	4	0						
25	7	0						
27	9	1						
30	12	2						
35	17	3						
40	22	3						
45	27	3						
50	32	2						
55	37	1						
60	42	1						

補足的事項

モデル賃金の算定方法
理論モデル

モデル賃金の対象
組合員モデル

労務構成
平均年齢　29.5歳
平均勤続　7.3年
2023年所定内賃金
225,960円
うち基本賃金 212,860円
2022年所定内賃金
215,960円
年間所定労働時間
1,920時間

賃金改定状況
ベースアップを実施

2023年賃上げ額
10,000円　4.63%
うち定昇 5,000円　2.32%

賞与・一時金
・2022年年末
329,900円　1.60ヵ月
前年比　113.10%
・2023年夏季
303,016円　1.40ヵ月
前年比　103.20%

家族手当
配偶者　12,000円
第１子　3,000円
第２子　3,000円
第３子　3,000円
・管理職に対する支給
支給しない
・支給の制限等
22歳まで支給

役付手当　制度なし
役割給　導入なし
役職者への時間外手当の不支給
次長クラスから不支給

時間あたり賃金
年間賃金ベース　1,742円
月例賃金ベース　1,412円

役職者・実在者の平均年収額
部長（兼任役員）年俸制
平均年齢　63.5歳　7,860千円
部　長　年俸制
平均年齢　52.7歳　7,267千円
次　長　年俸制
平均年齢　53.7歳　6,700千円
課　長　年俸制
平均年齢　48.8歳　6,546千円

卸売　L社（60人）

（単位：円）

設定条件 年齢（歳）	勤続年数（年）	扶養家族（人）	役職名	所定労働時間内賃金	うち基本賃金	年間賃金計 モデル月例賃金×12＋2023年夏季賞与 2022年年末賞与	2023年夏季モデル賞与	2022年年末モデル賞与
大学卒・総合職（事務・技術系）								
22	0	0		244,000	188,000	—	100,000	—
25	3	0		255,500	198,000	4,786,000	893,000	827,000
27	5	1		—	—	—	—	—
30	8	2		—	—	—	—	—
35	13	3		—	—	—	—	—
40	18	3		—	—	—	—	—
45	23	3		—	—	—	—	—
50	28	2		—	—	—	—	—
55	33	1		—	—	—	—	—
60	38	1		—	—	—	—	—
大学卒・一般職（事務・技術系）								
22	0	0						
25	3	0						
27	5	0						
30	8	0						
35	13	0						
40	18	0						
45	23	0						
短大卒・一般職（事務・技術系）								
20	0	0						
22	2	0						
25	5	0						
30	10	0						
35	15	0						
40	20	0						
高校卒・総合職（事務・技術系）								
18	0	0						
20	2	0						
22	4	0						
25	7	0						
27	9	1						
30	12	2						
35	17	3						
40	22	3						
45	27	3						
50	32	2						
55	37	1						
60	42	1						
高校卒・一般職（事務・技術系）								
18	0	0						
20	2	0						
22	4	0						
25	7	0						
30	12	0						
35	17	0						
40	22	0						
高校卒・現業系								
18	0	0						
20	2	0						
22	4	0						
25	7	0						
27	9	1						
30	12	2						
35	17	3						
40	22	3						
45	27	3						
50	32	2						
55	37	1						
60	42	1						

補足的事項

モデル賃金の算定方法
実在者の平均額

モデル賃金の対象
組合員モデル

労務構成
平均年齢　36.2歳
平均勤続　9.3年
2023年所定内賃金　331,739円
うち基本賃金　240,342円
2022年所定内賃金　322,772円
年間所定労働時間　1,785時間

賃金改定状況
ベースアップを実施

2023年賃上げ額
15,000円　6.96％

賞与・一時金
・2022年年末
914,000円　3.30ヵ月
前年比　165.00％
・2023年夏季
1,023,000円　3.80ヵ月
前年比　180.95％

家族手当
配偶者　23,000円
第１子　2,000円
第２子　2,000円
第３子　2,000円
・管理職に対する支給
支給する
・支給の制限等
22歳まで支給

役付手当
部　長　65,000～80,000円
課　長　45,000～55,000円
主　任　5,000円

役割給　導入なし

役職者への時間外手当の不支給
課長クラスから不支給

時間あたり賃金
年間賃金ベース　3,315円
月例賃金ベース　2,230円

役職者・実在者の平均年収額
部長（兼任役員）　月例賃金＋賞与
平均年齢 53.0歳　12,806千円
部　長　月例賃金＋賞与
平均年齢 50.3歳　10,061千円
課　長　月例賃金＋賞与
平均年齢 42.2歳　7,749千円

卸売　M社（50人）　　　　　　　　　　　　　　　　　　　　　　　　（単位：円）

設定条件			役職名	所定労働時間内賃金	うち基本賃金	年間賃金計 モデル月例賃金×12 + 2023年夏季賞与 2022年年末賞与	2023年夏季モデル賞与	2022年年末モデル賞与	補足的事項
年齢(歳)	勤続年数(年)	扶養家族(人)							
大学卒・総合職（事務・技術系）									
22	0	0		228,000	198,000	—	337,000	—	モデル賃金の算定方法
25	3	0		244,000	214,000	—	—	—	理論モデル
27	5	1	主　　任	283,000	229,000	—	—	—	モデル賃金の対象
30	8	2	係　　長	324,000	258,000	—	—	—	全従業員モデル
35	13	3	課長補佐	384,000	308,000	—	—	—	労務構成
40	18	3	課　　長	466,000	358,000	—	—	—	平均年齢　　37.1歳
45	23	3	次　　長	520,000	402,000	—	—	—	平均勤続　　14.0年
50	28	2	部　　長	556,000	423,000	—	—	—	2023年所定内賃金
55	33	1	部　　長	560,000	432,000	—	—	—	347,868円
60	38	1	部　　長	564,000	436,000	—	—	—	うち基本賃金 290,079円
大学卒・一般職（事務・技術系）									2022年所定内賃金
22	0	0		214,000	184,000	—	313,000	—	333,184円
25	3	0		230,000	200,000	—	—	—	年間所定労働時間
27	5	0		244,000	214,000	—	—	—	1,987時間5分
30	8	0		261,000	231,000	—	—	—	
35	13	0	主　　任	289,000	256,000	—	—	—	賃金改定状況
40	18	0	係　　長	317,000	277,000	—	—	—	ベースアップを実施
45	23	0	課長補佐	342,000	297,000	—	—	—	2023年賃上げ額
短大卒・一般職（事務・技術系）									14,684円　4.40%
20	0	0		204,000	174,000	—	296,000	—	うち定昇 5,263円 1.60%
22	2	0		214,000	184,000	—	—	—	賞与・一時金
25	5	0		230,000	200,000	—	—	—	・2022年年末
30	10	0		261,000	231,000	—	—	—	699,000円　2.10ヵ月
35	15	0	主　　任	289,000	256,000	—	—	—	前年比　137.10%
40	20	0	係　　長	317,000	277,000	—	—	—	・2023年夏季
高校卒・総合職（事務・技術系）									1,979,000円　5.70ヵ月
18	0	0		196,000	166,000	—	282,000	—	前年比　106.80%
20	2	0		207,000	177,000	—	—	—	家族手当
22	4	0		221,000	191,000	—	—	—	配偶者　　　15,000円
25	7	0		242,000	212,000	—	—	—	第1子　　　　5,000円
27	9	1		275,000	224,000	—	—	—	第2子　　　　5,000円
30	12	2	主　　任	301,000	242,000	—	—	—	第3子　　　　5,000円
35	17	3	係　　長	339,000	268,000	—	—	—	・管理職に対する支給
40	22	3	課長補佐	365,000	289,000	—	—	—	支給する
45	27	3	課　　長	416,000	308,000	—	—	—	・支給の制限等
50	32	2	次　　長	436,000	323,000	—	—	—	17歳まで支給
55	37	1	部　　長	460,000	332,000	—	—	—	役付手当
60	42	1	部　　長	464,000	336,000	—	—	—	部　　長　　80,000円
高校卒・一般職（事務・技術系）									次　　長　　60,000円
18	0	0		196,000	166,000	—	282,000	—	課　　長　　50,000円
20	2	0		204,000	174,000	—	—	—	係　　長　　10,000円
22	4	0		214,000	184,000	—	—	—	主　　任　3,000〜9,000円
25	7	0		230,000	200,000	—	—	—	役割給　　　　導入なし
30	12	0		261,000	231,000	—	—	—	役職者への時間外手当の不支給
35	17	0	主　　任	289,000	256,000	—	—	—	課長クラスから不支給
40	22	0	係　　長	317,000	277,000	—	—	—	時間あたり賃金
高校卒・現業系									年間賃金ベース　3,448円
18	0	0							月例賃金ベース　2,101円
20	2	0							
22	4	0							役職者・実在者の平均年収額
25	7	0							部長（兼任役員）
27	9	1							月例賃金＋賞与
30	12	2							平均年齢　60.0歳　—
35	17	3							部　　長　月例賃金＋賞与
40	22	3							平均年齢　51.0歳　—
45	27	3							次　　長　月例賃金＋賞与
50	32	2							平均年齢　43.0歳　—
55	37	1							課　　長　月例賃金＋賞与
60	42	1							平均年齢　45.0歳　—

卸売　N社（30人）

（単位：円）

年齢（歳）	勤続年数（年）	扶養家族（人）	役職名	所定労働時間内賃金	うち基本賃金	年間賃金計（モデル月例賃金×12＋2023年夏季賞与 2022年年末賞与）	2023年夏季モデル賞与	2022年年末モデル賞与
大学卒・総合職（事務・技術系）								
22	0	0						
25	3	0						
27	5	1						
30	8	2						
35	13	3						
40	18	3						
45	23	3						
50	28	2						
55	33	1						
60	38	1						
大学卒・一般職（事務・技術系）								
22	0	0						
25	3	0						
27	5	0						
30	8	0						
35	13	0						
40	18	0						
45	23	0						
短大卒・一般職（事務・技術系）								
20	0	0						
22	2	0						
25	5	0						
30	10	0						
35	15	0						
40	20	0						
高校卒・総合職（事務・技術系）								
18	0	0		—	—	—	—	—
20	2	0		—	—	—	—	—
22	4	0		—	—	—	—	—
25	7	0		211,300	171,300	2,874,800	171,300	167,900
27	9	1		—	—	—	—	—
30	12	2		—	—	—	—	—
35	17	3		—	—	—	—	—
40	22	3		—	—	—	—	—
45	27	3		—	—	—	—	—
50	32	2		—	—	—	—	—
55	37	1		—	—	—	—	—
60	42	1		—	—	—	—	—
高校卒・一般職（事務・技術系）								
18	0	0						
20	2	0						
22	4	0						
25	7	0						
30	12	0						
35	17	0						
40	22	0						
高校卒・現業系								
18	0	0						
20	2	0						
22	4	0						
25	7	0						
27	9	1						
30	12	2						
35	17	3						
40	22	3						
45	27	3						
50	32	2						
55	37	1						
60	42	1						

補足的事項

モデル賃金の算定方法
　実在者の平均額
モデル賃金の対象
　組合員モデル
労務構成
　平均年齢　38.0歳
　平均勤続　14.0年
　2023年所定内賃金　236,515円
　2022年所定内賃金　228,728円
　年間所定労働時間　1,895時間

賃金改定状況
　定期昇給と若手社員のみベースアップ
2023年賃上げ額
　7,787円　3.30％
賞与・一時金
・2022年年末]
　236,908円　1.04ヵ月
　前年比　101.00％
・2023年夏季
　237,241円　1.00ヵ月
　前年比　100.00％

家族手当
　配偶者　16,000円
　第１子　5,500円
　第２子　5,500円
　第３子　5,500円
　・管理職に対する支給
　　支給する
　・支給の制限等
　　18歳まで支給
役付手当
　部　長　30,000円
　次　長　29,000円
　課　長　26,000円
　係　長　22,000円
役割給　導入なし
役職者への時間外手当の不支給
　課長より下のクラスから不支給

時間あたり賃金
　年間賃金ベース　1,748円
　月例賃金ベース　1,498円

役職者・実在者の平均年収額
　部長（兼任役員）　年俸制
　平均年齢　51.0歳　7,905千円
　部　長　月例賃金＋賞与
　平均年齢　59.0歳　4,781千円
　次　長　月例賃金＋賞与
　平均年齢　51.0歳　4,585千円
　課　長　月例賃金＋賞与
　平均年齢　45.0歳　4,294千円

卸売　O社（20人）

（単位：円）

設定条件			役職名	所定労働時間内賃金	うち基本賃金	年間賃金計 モデル月例賃金×12 + 2023年夏季賞与 2022年年末賞与	2023年夏季モデル賞与	2022年年末モデル賞与	補足的事項
年齢（歳）	勤続年数（年）	扶養家族（人）							
大学卒・総合職（事務・技術系）									モデル賃金の算定方法
22	0	0		190,400	180,400	—	50,000	—	実在者の平均額
25	3	0		—	—	—	—	—	モデル賃金の対象
27	5	1		—	—	—	—	—	全従業員モデル
30	8	2		—	—	—	—	—	労務構成
35	13	3		—	—	—	—	—	平均年齢　　　　40.8歳
40	18	3		331,100	266,100	—	—	—	平均勤続　　　　8.5年
45	23	3		—	—	—	—	—	2023年所定内賃金
50	28	2		411,800	318,800	—	—	—	310,457円
55	33	1		—	—	—	—	—	うち基本賃金　269,028円
60	38	1		—	—	—	—	—	2022年所定内賃金
大学卒・一般職（事務・技術系）									301,095円
22	0	0							年間所定労働時間
25	3	0							1,952時間
27	5	0							
30	8	0							賃金改定状況
35	13	0							ベースアップを実施
40	18	0							2023年賃上げ額
45	23	0							12,572円　4.92%
短大卒・一般職（事務・技術系）									うち定昇 1,930円　0.72%
20	0	0							
22	2	0							賞与・一時金
25	5	0							・2022年年末
30	10	0							390,200円　1.50ヵ月
35	15	0							前年比　　100.00%
40	20	0							・2023年夏季
高校卒・総合職（事務・技術系）									408,158円　1.50ヵ月
18	0	0							前年比　　100.00%
20	2	0							
22	4	0							家族手当
25	7	0							配偶者　　　　10,000円
27	9	1							第1子　　　　　3,000円
30	12	2							第2子　　　　　2,000円
35	17	3							第3子　　　　　1,000円
40	22	3							・管理職に対する支給
45	27	3							支給する
50	32	2							・支給の制限等
55	37	1							18歳または大学卒業まで支給
60	42	1							役付手当
高校卒・一般職（事務・技術系）									部　長　　　　70,000円
18	0	0							次　長　　　　60,000円
20	2	0							課　長　　　　50,000円
22	4	0							係　長　　　　10,000円
25	7	0							役割給　　　　　導入なし
30	12	0							役職者への時間外手当の不支給
35	17	0							課長クラスから不支給
40	22	0							
高校卒・現業系									時間あたり賃金
18	0	0							年間賃金ベース　2,318円
20	2	0							月例賃金ベース　1,909円
22	4	0							
25	7	0							役職者・実在者の平均年収額
27	9	1							部長（兼任役員）
30	12	2							月例賃金＋賞与
35	17	3							平均年齢　51.6歳　6,150千円
40	22	3							部　長　　月例賃金＋賞与
45	27	3							平均年齢　55.0歳　6,043千円
50	32	2							課　長　　月例賃金＋賞与
55	37	1							平均年齢　47.0歳　4,660千円
60	42	1							

卸売　P社（20人）

（単位：円）

設定条件 年齢（歳）	勤続年数（年）	扶養家族（人）	役職名	所定労働時間内賃金	うち基本賃金	年間賃金計 モデル月例賃金×12＋2023年夏季賞与 2022年年末賞与	2023年夏季モデル賞与	2022年年末モデル賞与
大学卒・総合職（事務・技術系）								
22	0	0		—	—	—	—	—
25	3	0		—	—	—	—	—
27	5	1		—	—	—	—	—
30	8	2	係　　長	290,400	218,400	—	—	—
35	13	3		—	—	—	—	—
40	18	3	課　　長	368,440	265,440	—	—	—
45	23	3		—	—	—	—	—
50	28	2	次　　長	414,080	262,080	—	—	—
55	33	1		—	—	—	—	—
60	38	1	部　　長	456,960	288,960	—	—	—
大学卒・一般職（事務・技術系）								
22	0	0						
25	3	0						
27	5	0						
30	8	0						
35	13	0						
40	18	0						
45	23	0						
短大卒・一般職（事務・技術系）								
20	0	0						
22	2	0						
25	5	0						
30	10	0						
35	15	0						
40	20	0						
高校卒・総合職（事務・技術系）								
18	0	0						
20	2	0						
22	4	0						
25	7	0						
27	9	1						
30	12	2						
35	17	3						
40	22	3						
45	27	3						
50	32	2						
55	37	1						
60	42	1						
高校卒・一般職（事務・技術系）								
18	0	0						
20	2	0						
22	4	0						
25	7	0						
30	12	0						
35	17	0						
40	22	0						
高校卒・現業系								
18	0	0						
20	2	0						
22	4	0						
25	7	0						
27	9	1						
30	12	2						
35	17	3						
40	22	3						
45	27	3						
50	32	2						
55	37	1						
60	42	1						

補足的事項

モデル賃金の算定方法
実在者の平均額

モデル賃金の対象
全従業員モデル

労務構成
平均年齢　45.0歳
平均勤続　22.0年
2023年所定内賃金　286,300円
うち基本賃金　234,500円
2022年所定内賃金　286,300円
年間所定労働時間　2,000時間

賃金改定状況
凍結

賞与・一時金
・2022年年末
100,000円　0.40ヵ月
前年比　60.00%
・2023年夏季
100,000円　0.40ヵ月
前年比はなし

家族手当
配偶者　20,000円
第１子　14,000円
第２子　14,000円
第３子　14,000円
・管理職に対する支給
支給する
・支給の制限等
18歳まで支給

役付手当
部　長　60,000円
次　長　50,000円
課　長　25,000円
係　長　8,000円
主　任　5,000円

役割給　導入なし

役職者への時間外手当の不支給
課長クラスから不支給

時間あたり賃金
年間賃金ベース　1,818円
月例賃金ベース　1,718円

役職者・実在者の平均年収額
部　長　月例賃金＋賞与
平均年齢　59.0歳　5,570千円
次　長　月例賃金＋賞与
平均年齢　51.0歳　4,820千円
課　長　月例賃金＋賞与
平均年齢　47.0歳　4,070千円

小売　A社（1,200人）

（単位：円）

年齢（歳）	勤続年数（年）	扶養家族（人）	役職名	所定労働時間内賃金	うち基本賃金	年間賃金計（モデル月例賃金×12＋2023年夏季賞与 2022年年末賞与）	2023年夏季モデル賞与	2022年年末モデル賞与
大学卒・総合職（事務・技術系）								
22	0	0		218,000	218,000	—	40,000	—
25	3	0		238,500	233,500	3,805,000	477,000	466,000
27	5	1		258,700	240,700	4,076,200	491,400	480,400
30	8	2		285,500	259,500	4,483,000	535,000	522,000
35	13	3		313,000	282,000	4,903,000	580,000	567,000
40	18	3		335,500	304,500	5,263,000	625,000	612,000
45	23	3		358,000	327,000	5,623,000	670,000	657,000
50	28	2		375,500	349,500	5,923,000	715,000	702,000
55	33	1		393,000	372,000	6,223,000	760,000	747,000
60	38	1		396,000	375,000	6,271,000	766,000	753,000
大学卒・一般職（事務・技術系）								
22	0	0						
25	3	0						
27	5	0						
30	8	0						
35	13	0						
40	18	0						
45	23	0						
短大卒・一般職（事務・技術系）								
20	0	0						
22	2	0						
25	5	0						
30	10	0						
35	15	0						
40	20	0						
高校卒・総合職（事務・技術系）								
18	0	0		188,600	188,600	—	30,000	—
20	2	0		202,000	202,000	—	—	394,000
22	4	0		218,000	218,000	—	—	426,000
25	7	0		233,500	233,500	—	—	466,000
27	9	1		253,700	240,700	—	—	480,400
30	12	2		277,500	259,500	—	—	522,000
35	17	3		305,000	282,000	—	—	567,000
40	22	3		327,500	304,500	—	—	612,000
45	27	3		350,000	327,000	—	—	657,000
50	32	2		367,500	349,500	—	—	702,000
55	37	1		385,000	372,000	—	—	747,000
60	42	1		388,000	375,000	—	—	753,000
高校卒・一般職（事務・技術系）								
18	0	0						
20	2	0						
22	4	0						
25	7	0						
30	12	0						
35	17	0						
40	22	0						
高校卒・現業系								
18	0	0						
20	2	0						
22	4	0						
25	7	0						
27	9	1						
30	12	2						
35	17	3						
40	22	3						
45	27	3						
50	32	2						
55	37	1						
60	42	1						

補足的事項

モデル賃金の算定方法
理論モデル

モデル賃金の対象
組合員モデル

労務構成
平均年齢　41.3歳
平均勤続　18.4年
2023年所定内賃金　335,667円
うち基本賃金　311,136円
2022年所定内賃金　321,459円
年間所定労働時間　2,016時間

賃金改定状況
ベースアップを実施

2023年賃上げ額
14,208円　4.42%
うち定昇 4,710円　1.47%

賞与・一時金
・2022年年末
620,238円　2.00ヵ月
前年比　102.44%
・2023年夏季
648,008円　2.00ヵ月
前年比　104.10%

家族手当
配偶者　13,000円
第１子　5,000円
第２子　5,000円
第３子　5,000円
・管理職に対する支給
支給する
・支給の制限等
22歳まで支給

役付手当
部　長　110,000円
次　長　91,000円
課　長　76,000円
係　長　15,000円
主　任　8,000円

役割給　導入なし

役職者への時間外手当の不支給
課長クラスから不支給

時間あたり賃金
年間賃金ベース　2,627円
月例賃金ベース　1,998円

役職者・実在者の平均年収額
部長（兼任役員）　月例賃金＋賞与
平均年齢　57.3歳　10,502千円
部　長　月例賃金＋賞与
平均年齢　51.5歳　9,919千円
次　長　月例賃金＋賞与
平均年齢　51.4歳　8,437千円
課　長　月例賃金＋賞与
平均年齢　46.7歳　7,897千円

小売　B社（1,000人）

（単位：円）

設定条件 年齢（歳）	勤続年数（年）	扶養家族（人）	役職名	所定労働時間内賃金	うち基本賃金	年間賃金計 モデル月例賃金×12＋2023年夏季賞与＋2022年年末賞与	2023年夏季モデル賞与	2022年年末モデル賞与
大学卒・総合職（事務・技術系）								
22	0	0		219,500	219,500	—	134,000	—
25	3	0		253,066	225,740	3,725,792	557,000	132,000
27	5	1		251,835	231,835	4,052,020	540,000	490,000
30	8	2	主　　任	291,300	269,300	4,915,600	746,000	674,000
35	13	3	主　　任	330,570	305,570	5,478,840	807,000	705,000
40	18	3	係長代理	396,250	363,250	6,772,000	1,031,000	986,000
45	23	3	係　　長	455,390	430,390	7,647,680	1,114,000	1,069,000
50	28	2	課長代理	596,520	561,520	9,507,240	1,260,000	1,089,000
55	33	1	課　　長	676,720	582,720	10,770,640	1,301,000	1,349,000
60	38	1	課長代理	535,950	515,950	8,776,400	1,133,000	1,212,000
大学卒・一般職（事務・技術系）								
22	0	0		182,500	182,500	—	115,000	—
25	3	0		234,575	193,750	3,714,900	474,000	426,000
27	5	0		210,500	205,500	3,532,000	533,000	473,000
30	8	0		230,020	225,020	3,532,240	416,000	356,000
35	13	0		—	—	—	—	—
40	18	0	係長補	321,510	313,510	5,501,120	860,000	783,000
45	23	0		—	—	—	—	—
短大卒・一般職（事務・技術系）								
20	0	0						
22	2	0						
25	5	0						
30	10	0						
35	15	0						
40	20	0						
高校卒・総合職（事務・技術系）								
18	0	0		211,500	211,500	—	108,000	—
20	2	0		221,500	221,500	3,544,000	468,000	418,000
22	4	0		226,500	226,500	3,599,000	450,000	431,000
25	7	0		232,340	232,340	3,865,080	570,000	507,000
27	9	1		251,730	231,730	4,095,760	569,000	506,000
30	12	2	係長代理	303,550	273,550	5,458,600	934,000	882,000
35	17	3	係長補	344,780	311,780	5,691,360	813,000	741,000
40	22	3	係長補	360,890	335,890	5,879,680	772,000	777,000
45	27	3	課長補	454,630	429,630	7,715,560	1,156,000	1,104,000
50	32	2	課長代理	520,760	490,760	8,623,120	1,213,000	1,161,000
55	37	1	部　　長	791,660	673,660	11,335,920	918,000	918,000
60	42	1	課長補	350,372	325,372	6,298,464	1,092,000	1,002,000
高校卒・一般職（事務・技術系）								
18	0	0						
20	2	0						
22	4	0						
25	7	0						
30	12	0						
35	17	0						
40	22	0						
高校卒・現業系								
18	0	0		—	—	—	—	—
20	2	0		243,250	243,250	3,747,000	435,000	393,000
22	4	0		227,750	227,750	3,595,000	452,000	410,000
25	7	0		228,972	228,972	3,621,664	458,000	416,000
27	9	1		—	—	—	—	—
30	12	2		299,550	269,550	4,658,600	557,000	507,000
35	17	3		—	—	—	—	—
40	22	3	係長代理	392,140	359,140	6,746,680	1,059,000	982,000
45	27	3	課長代理	557,530	532,530	7,878,360	594,000	594,000
50	32	2	係　　長	475,100	445,100	7,957,200	1,154,000	1,102,000
55	37	1	課長補	495,147	467,147	7,718,764	904,000	873,000
60	42	1		—	—	—	—	—

補足的事項

モデル賃金の算定方法
実在者の中位の額

モデル賃金の対象
全従業員モデル

労務構成
平均年齢　40.8歳
平均勤続　16.3年
2023年所定内賃金　389,073円
うち基本賃金　368,500円
2022年所定内賃金　360,987円
年間所定労働時間　1,976時間

賃金改定状況
ベースアップを実施

2023年賃上げ額
31,424円　9.72％
うち定昇　6,424円　1.99％

賞与・一時金
・2022年年末
766,000円　2.43ヵ月
前年比　96.80％
・2023年夏季
801,000円　2.63ヵ月
前年比　105.00％

家族手当
配偶者　20,000円
第１子　2,000円
第２子　3,000円
第３子　10,000円
・管理職に対する支給
支給する
・支給の制限等
18歳まで支給

役付手当
部　長　92,000～98,000円
次　長　80,000～92,000円
課　長　74,000～86,000円

役割給　導入なし

役職者への時間外手当の不支給
課長クラスから不支給

時間あたり賃金
年間賃金ベース　3,156円
月例賃金ベース　2,363円

役職者・実在者の平均年収額
部長（兼任役員）月例賃金
平均年齢　59.6歳　1,250千円
部　長　月例賃金＋賞与
平均年齢　54.2歳　10,786千円
次　長　月例賃金＋賞与
平均年齢　53.7歳　9,859千円
課　長　月例賃金＋賞与
平均年齢　49.3歳　9,360千円

小売　C社（700人）　　　　　　　　　　　　　　　　　　　　　　　　　　　　（単位：円）

設定条件			役職名	所定労働時間内賃金	うち基本賃金	年間賃金計 モデル月例賃金×12 + 2023年夏季賞与 2022年年末賞与	2023年夏季モデル賞与	2022年年末モデル賞与	補足的事項
年齢(歳)	勤続年数(年)	扶養家族(人)							
大学卒・総合職（事務・技術系）									モデル賃金の算定方法
22	0	0		231,000	231,000	3,625,100	438,900	414,200	理論モデル
25	3	0		246,000	246,000	3,904,100	467,400	484,700	モデル賃金の対象
27	5	1		266,000	256,000	4,182,100	486,400	503,700	全従業員モデル
30	8	2		338,000	278,000	5,396,800	613,700	727,100	労務構成
35	13	3	店　　　長	391,000	311,000	6,301,200	685,900	923,300	平均年齢　　　　40.1歳
40	18	3	Ｓ　　Ｉ	441,000	351,000	7,119,400	761,900	1,065,500	平均勤続　　　　14.5年
45	23	3	ブロックリーダー	551,000	451,000	8,771,800	951,900	1,207,900	2023年所定内賃金
50	28	2	ゾーンリーダー	604,000	499,000	9,622,300	1,043,100	1,331,200	374,202円
55	33	1	部　　　長	679,000	569,000	10,766,500	1,176,100	1,442,400	うち基本賃金　327,690円
60	38	1	部　　　長	721,000	611,000	11,432,000	1,255,900	1,524,100	2022年所定内賃金
大学卒・一般職（事務・技術系）									347,776円
22	0	0	トレーニー	207,900	207,900	3,241,880	395,010	352,070	年間所定労働時間
25	3	0	チーフ	221,400	221,400	3,495,755	420,660	418,295	1,992時間
27	5	0	チーフ	230,400	230,400	3,637,005	437,760	434,445	
30	8	0	ストアチーフ	295,200	250,200	4,755,140	560,880	651,860	賃金改定状況
35	13	0	店　　　長	339,900	279,900	5,544,265	626,810	838,655	ベースアップを実施
40	18	0	店　　　長	366,000	306,000	5,996,350	676,400	927,950	2023年賃上げ額
45	23	0	店　　　長	384,900	324,900	6,288,130	712,310	957,020	25,795円　7.58%
短大卒・一般職（事務・技術系）									うち定昇　4,597円　1.35%
20	0	0		198,900	198,900	3,100,630	377,910	335,920	賞与・一時金
22	2	0		207,900	207,900	3,283,880	395,010	394,070	・2022年年末
25	5	0		221,400	221,400	3,495,755	420,660	418,295	600,627円　2.10ヵ月
30	10	0	ストアチーフ	293,400	248,400	4,733,350	557,460	655,090	前年比　97.80%
35	15	0	店　　　長	338,100	278,100	5,563,320	623,390	882,730	
40	20	0	店　　　長	365,100	305,100	5,987,070	674,690	931,180	家族手当
高校卒・総合職（事務・技術系）									配偶者　　　　10,000円
18	0	0							第1子　　　　　5,000円
20	2	0							第2子　　　　　5,000円
22	4	0							・管理職に対する支給
25	7	0							支給する
27	9	1							・支給の制限等
30	12	2							18歳まで支給
35	17	3							役付手当
40	22	3							部　　長　　100,000円
45	27	3							次　　長　　　90,000円
50	32	2							課　　長　　　80,000円
55	37	1							係　　長　　　60,000円
60	42	1							主　　任　　　45,000円
高校卒・一般職（事務・技術系）									役割給　　　　導入なし
18	0	0							役職者への時間外手当の不支給
20	2	0							課長クラスから不支給
22	4	0							
25	7	0							時間あたり賃金
30	12	0							月例賃金ベース　　2,254円
35	17	0							
40	22	0							役職者・実在者の平均年収額
高校卒・現業系									部長（兼任役員）年俸制
18	0	0							平均年齢 58.1歳 12,403千円
20	2	0							部　　長　月例賃金＋賞与
22	4	0							平均年齢　52.0歳　661千円
25	7	0							部　　長　　　　年俸制
27	9	1							平均年齢 56.8歳 10,953千円
30	12	2							次　　長　　　月例賃金
35	17	3							平均年齢　49.9歳　589千円
40	22	3							課　　長　　　月例賃金
45	27	3							平均年齢　48.8歳　536千円
50	32	2							
55	37	1							
60	42	1							

小売　D社（600人）　　　　　　　　　　　　　　　　　　　　　　　　（単位：円）

設定条件 年齢（歳）	勤続年数（年）	扶養家族（人）	役職名	所定労働時間内賃金	うち基本賃金	年間賃金計 モデル月例賃金×12 + 2023年夏季賞与 2022年年末賞与	2023年夏季モデル賞与	2022年年末モデル賞与	補足的事項
大学卒・総合職（事務・技術系）									モデル賃金の算定方法
22	0	0		200,430	196,500	2,767,329	50,000	312,169	実在者の平均額
25	3	0		222,494	210,844	3,753,259	569,875	513,456	モデル賃金の対象
27	5	1		246,008	216,461	4,095,085	593,914	549,075	全従業員モデル
30	8	2	主　任	263,187	228,757	4,373,864	598,240	617,380	労務構成
35	13	3	主　任	284,874	248,543	4,709,571	662,283	628,800	平均年齢　　38.4歳
40	18	3	係　長	319,843	277,783	5,497,266	822,650	836,500	平均勤続　　15.9年
45	23	3	課　長	435,383	331,523	7,139,896	971,800	943,500	2023年所定内賃金
50	28	2		—	—	—	—	—	307,837円
55	33	1	係　長	342,955	311,225	5,928,160	831,700	981,000	うち基本賃金 268,910円
60	38	1		—	—	—	—	—	2022年所定内賃金
大学卒・一般職（事務・技術系）									292,337円
22	0	0							年間所定労働時間
25	3	0							1,905時間
27	5	0							
30	8	0							賃金改定状況
35	13	0							ベースアップを実施
40	18	0							2023年賃上げ額
45	23	0							11,721円　4.49%
短大卒・一般職（事務・技術系）									うち定昇 4,325円　1.66%
20	0	0		188,600	184,900	2,588,533	40,000	285,333	賞与・一時金
22	2	0		206,430	196,500	3,443,900	503,600	463,140	・2022年年末
25	5	0		217,198	205,583	3,633,322	526,913	500,033	690,888円　2.40ヵ月
30	10	0		237,435	222,725	4,049,170	604,650	595,300	前年比　100.50%
35	15	0	主　任	273,838	248,735	4,677,269	699,813	691,400	・2023年夏季
40	20	0	課長代理	339,780	293,812	5,739,695	812,260	850,075	726,172円　2.40ヵ月
高校卒・総合職（事務・技術系）									前年比　107.90%
18	0	0		177,480	174,000	2,423,760	30,000	264,000	家族手当
20	2	0		190,267	184,900	3,131,479	423,550	424,725	配偶者　　18,000円
22	4	0		—	—	—	—	—	第1子　　3,000円
25	7	0		—	—	—	—	—	第2子　　3,000円
27	9	1		—	—	—	—	—	第3子　　3,000円
30	12	2		—	—	—	—	—	・管理職に対する支給
35	17	3		—	—	—	—	—	支給する
40	22	3		—	—	—	—	—	・支給の制限等
45	27	3		—	—	—	—	—	18歳まで支給
50	32	2	係　長	333,790	296,850	5,511,280	733,400	772,400	役付手当
55	37	1	課　長	411,970	347,470	6,486,040	950,000	592,400	部　長　　50,000円
60	42	1		—	—	—	—	—	次　長　　40,000円
高校卒・一般職（事務・技術系）									課　長　　30,000円
18	0	0							係　長　　6,000円
20	2	0							主　任　　3,000円
22	4	0							役割給　導入なし
25	7	0							役職者への時間外手当の不支給
30	12	0							課長クラスから不支給
35	17	0							
40	22	0							時間あたり賃金
高校卒・現業系									年間賃金ベース　2,683円
18	0	0							月例賃金ベース　1,939円
20	2	0							
22	4	0							役職者・実在者の平均年収額
25	7	0							部長（兼任役員）
27	9	1							月例賃金＋賞与
30	12	2							平均年齢 56.3歳　11,300千円
35	17	3							部　長　　月例賃金＋賞与
40	22	3							平均年齢 54.4歳　9,756千円
45	27	3							次　長　　月例賃金＋賞与
50	32	2							平均年齢 51.4歳　8,495千円
55	37	1							課　長　　月例賃金＋賞与
60	42	1							平均年齢 50.3歳　7,349千円

小売　E社（550人）

（単位：円）

設定条件			役職名	所定労働時間内賃金	うち基本賃金	年間賃金計（モデル月例賃金×12＋2023年夏季賞与＋2022年年末賞与）	2023年夏季モデル賞与	2022年年末モデル賞与
年齢（歳）	勤続年数（年）	扶養家族（人）						
大学卒・総合職（事務・技術系）								
22	0	0	チーフ	225,000	220,000	—	—	—
25	3	0	店長	262,000	252,000	—	—	—
27	5	1	店長	312,000	282,000	—	—	—
30	8	2	統轄店長	457,000	312,000	—	—	—
35	13	3	SV	504,000	354,000	—	—	—
40	18	3	部長	594,000	414,000	—	—	—
45	23	3	部長	604,000	424,000	—	—	—
50	28	2	部長	609,000	434,000	—	—	—
55	33	1	部長	614,000	444,000	—	—	—
60	38	1	部長	624,000	454,000	—	—	—
大学卒・一般職（事務・技術系）								
22	0	0						
25	3	0						
27	5	0						
30	8	0						
35	13	0						
40	18	0						
45	23	0						
短大卒・一般職（事務・技術系）								
20	0	0						
22	2	0						
25	5	0						
30	10	0						
35	15	0						
40	20	0						
高校卒・総合職（事務・技術系）								
18	0	0		190,000	190,000	—	—	—
20	2	0	チーフ	215,000	210,000	—	—	—
22	4	0	チーフ	237,000	232,000	—	—	—
25	7	0	店長	264,000	254,000	—	—	—
27	9	1	店長	312,000	282,000	—	—	—
30	12	2	統轄店長	457,000	312,000	—	—	—
35	17	3	SV	504,000	354,000	—	—	—
40	22	3	部長	594,000	414,000	—	—	—
45	27	3	部長	604,000	424,000	—	—	—
50	32	2	部長	609,000	434,000	—	—	—
55	37	1	部長	614,000	444,000	—	—	—
60	42	1	部長	624,000	454,000	—	—	—
高校卒・一般職（事務・技術系）								
18	0	0						
20	2	0						
22	4	0						
25	7	0						
30	12	0						
35	17	0						
40	22	0						
高校卒・現業系								
18	0	0						
20	2	0						
22	4	0						
25	7	0						
27	9	1						
30	12	2						
35	17	3						
40	22	3						
45	27	3						
50	32	2						
55	37	1						
60	42	1						

補足的事項

モデル賃金の算定方法
理論モデル

モデル賃金の対象
全従業員モデル

労務構成
平均年齢　39.6歳
平均勤続　11.6年
2023年所定内賃金　299,568円
うち基本賃金　263,132円
2022年所定内賃金　299,335円
年間所定労働時間　2,008時間

賃金改定状況
高卒初任給を１万円上げたため，同等級の社員の金額を引き上げた

2023年賃上げ額
2,000円　0.74％
うち定昇　2,000円　0.74％

賞与・一時金
・2022年年末
497,351円　1.70ヵ月
前年比　141.09％
・2023年夏季
473,518円　1.60ヵ月
前年比　105.99％

家族手当
配偶者　20,000円
第１子　5,000円
第２子　5,000円
第３子　5,000円
・管理職に対する支給
支給する

役付手当
部長　150,000円
次長　120,000円
課長　100,000円
係長　10,000円
主任　5,000円

役職者への時間外手当の不支給
課長クラスから不支給

時間あたり賃金
年間賃金ベース　2,274円
月例賃金ベース　1,790円

役職者・実在者の平均年収額
部長（兼任役員）　月例賃金＋賞与
平均年齢　50.5歳　10,981千円
部長　月例賃金＋賞与
平均年齢　49.1歳　8,506千円
次長　月例賃金＋賞与
平均年齢　47.3歳　7,681千円
課長　月例賃金＋賞与
平均年齢　44.8歳　6,735千円

小売　F社（500人）　　　　　　　　　　　　　　　　　　　　　　　　　　（単位：円）

設定条件 年齢(歳)	勤続年数(年)	扶養家族(人)	役職名	所定労働時間内賃金	うち基本賃金	年間賃金計 モデル月例賃金×12 + 2023年夏季賞与 2022年年末賞与	2023年夏季モデル賞与	2022年年末モデル賞与	補足的事項
大学卒・総合職（事務・技術系）									モデル賃金の算定方法
22	0	0		210,000	210,000	2,643,000	60,000	63,000	理論モデル
25	3	0		250,940	250,940	3,614,280	498,000	105,000	モデル賃金の対象
27	5	1		282,140	260,140	4,054,680	538,000	131,000	全従業員モデル
30	8	2	係　長	346,360	320,360	4,978,320	662,000	160,000	労務構成
35	13	3	係　長	402,440	373,440	5,784,280	770,000	185,000	平均年齢　　　　　38.8歳
40	18	3	課　長	469,070	469,070	7,151,840	1,211,000	312,000	平均勤続　　　　　15.0年
45	23	3	課　長	539,210	539,210	8,222,520	1,383,000	369,000	2023年所定内賃金
50	28	2	部　長	611,510	611,510	9,230,120	1,500,000	392,000	282,211円
55	33	1	部　長	652,770	652,770	9,943,240	1,679,000	431,000	うち基本賃金 270,302円
60	38	1	部　長	680,190	680,190	10,362,280	1,750,000	450,000	2022年所定内賃金
大学卒・一般職（事務・技術系）									276,911円
22	0	0							年間所定労働時間
25	3	0							2,064時間
27	5	0							
30	8	0							賃金改定状況
35	13	0							ベースアップを実施
40	18	0							2023年賃上げ額
45	23	0							5,300円　2.00%
短大卒・一般職（事務・技術系）									うち定昇 2,139円　0.80%
20	0	0							賞与・一時金
22	2	0							・2022年年末
25	5	0							111,009円　0.41ヵ月
30	10	0							前年比　53.10%
35	15	0							・2023年夏季
40	20	0							539,092円　1.99ヵ月
高校卒・総合職（事務・技術系）									前年比　484.10%
18	0	0		185,400	185,400	2,340,800	60,000	56,000	
20	2	0		191,500	191,500	2,758,000	380,000	80,000	家族手当
22	4	0		226,810	226,810	3,266,720	450,000	95,000	配偶者　　　　　22,000円
25	7	0		250,940	250,940	3,614,280	498,000	105,000	第1子　　　　　　4,000円
27	9	1		282,140	260,140	4,054,680	538,000	131,000	第2子　　　　　　3,000円
30	12	2	係　長	346,360	320,360	4,978,320	662,000	160,000	第3子　　　　　　3,000円
35	17	3	係　長	402,440	373,440	5,784,280	770,000	185,000	・管理職に対する支給
40	22	3	課　長	469,070	469,070	7,151,840	1,211,000	312,000	支給しない
45	27	3	課　長	539,210	539,210	8,222,520	1,383,000	369,000	・支給の制限等
50	32	2	部　長	611,510	611,510	9,230,120	1,500,000	392,000	18歳まで支給
55	37	1	部　長	652,770	652,770	9,943,240	1,679,000	431,000	役付手当　　　　制度なし
60	42	1	部　長	680,190	680,190	10,362,280	1,750,000	450,000	役割給　　　　　導入なし
高校卒・一般職（事務・技術系）									役職者への時間外手当の不支給
18	0	0							課長より下のクラスから不
20	2	0							支給
22	4	0							
25	7	0							
30	12	0							時間あたり賃金
35	17	0							年間賃金ベース　　1,956円
40	22	0							月例賃金ベース　　1,641円
高校卒・現業系									
18	0	0							役職者・実在者の平均年収額
20	2	0							部　長　月例賃金＋賞与
22	4	0							
25	7	0							平均年齢 55.2歳 8,688千円
27	9	1							
30	12	2							課　長　月例賃金＋賞与
35	17	3							
40	22	3							平均年齢 48.0歳 6,590千円
45	27	3							
50	32	2							
55	37	1							
60	42	1							

小売　G社（400人）

（単位：円）

設定条件 年齢（歳）	勤続年数（年）	扶養家族（人）	役職名	所定労働時間内賃金	うち基本賃金	年間賃金計（モデル月例賃金×12＋2023年夏季賞与 2022年年末賞与）	2023年夏季モデル賞与	2022年年末モデル賞与
大学卒・総合職（事務・技術系）								
22	0	0		225,000	225,000	—	—	285,000
25	3	0		240,000	240,000	3,450,000	285,000	285,000
27	5	1		277,000	277,000	4,024,000	350,000	350,000
30	8	2	リーダー	307,000	295,000	4,504,000	410,000	410,000
35	13	3	リーダー	350,000	330,000	5,020,000	410,000	410,000
40	18	3	マネージャー	428,000	408,000	6,286,000	575,000	575,000
45	23	3	マネージャー	448,000	428,000	6,526,000	575,000	575,000
50	28	2	マネージャー	466,000	454,000	7,072,000	740,000	740,000
55	33	1	ディレクター	554,000	554,000	8,458,000	905,000	905,000
60	38	1	ディレクター	634,000	634,000	9,418,000	905,000	905,000
大学卒・一般職（事務・技術系）								
22	0	0						
25	3	0						
27	5	0						
30	8	0						
35	13	0						
40	18	0						
45	23	0						
短大卒・一般職（事務・技術系）								
20	0	0						
22	2	0						
25	5	0						
30	10	0						
35	15	0						
40	20	0						
高校卒・総合職（事務・技術系）								
18	0	0						
20	2	0						
22	4	0						
25	7	0						
27	9	1						
30	12	2						
35	17	3						
40	22	3						
45	27	3						
50	32	2						
55	37	1						
60	42	1						
高校卒・一般職（事務・技術系）								
18	0	0						
20	2	0						
22	4	0						
25	7	0						
30	12	0						
35	17	0						
40	22	0						
高校卒・現業系								
18	0	0						
20	2	0						
22	4	0						
25	7	0						
27	9	1						
30	12	2						
35	17	3						
40	22	3						
45	27	3						
50	32	2						
55	37	1						
60	42	1						

補足的事項

モデル賃金の算定方法
理論モデル

モデル賃金の対象
全従業員モデル

労務構成
平均年齢　41.0歳
平均勤続　11.0年
2023年所定内賃金　314,047円
うち基本賃金　314,047円
2022年所定内賃金　310,581円
年間所定労働時間　1,914時間

賃金改定状況
定昇のみ実施

2023年賃上げ額
5,000円　1.59%
うち定昇　5,000円　1.59%

賞与・一時金
・2022年年末
338,690円　1.09ヵ月
前年比　100.00%
・2023年夏季
360,595円　1.15ヵ月
前年比　105.00%

家族手当
第１子　12,000円
第２子　8,000円
第３子　8,000円
・管理職に対する支給
支給する
・支給の制限等
18歳まで支給

役付手当　制度なし

役割給
（左の賃金表では基本賃金に含まれます）
部　長 544,000～784,000円
次　長 454,000～610,000円
課　長 400,000～496,000円
係　長 280,000～380,000円
主　任 245,000～330,000円

役職者への時間外手当の不支給
課長クラスから不支給

時間あたり賃金
年間賃金ベース　2,334円
月例賃金ベース　1,969円

役職者・実在者の平均年収額
部長（兼任役員）　月例賃金＋賞与
平均年齢　46.0歳　9,792千円
部　長　月例賃金＋賞与
平均年齢　51.0歳　8,670千円
次　長　月例賃金＋賞与
平均年齢　47.0歳　6,726千円
課　長　月例賃金＋賞与
平均年齢　48.0歳　5,975千円

小売　H社（250人）　　　　　　　　　　　　　　　　　　　　　　　　　　　　　（単位：円）

設定条件			役職名	所定労働時間内賃金	うち基本賃金	年間賃金計 モデル月例賃金×12 + 2023年夏季賞与 2022年年末賞与	2023年夏季モデル賞与	2022年年末モデル賞与	補足的事項
年齢(歳)	勤続年数(年)	扶養家族(人)							
大学卒・総合職（事務・技術系）									労務構成
22	0	0		202,000	202,000	—	—	—	平均年齢　　　　　40.0歳
25	3	0		217,200	217,200	—	—	—	平均勤続　　　　　18.0年
27	5	1		—	—	—	—	—	2023年所定内賃金
30	8	2		—	—	—	—	—	345,318円
35	13	3		—	—	—	—	—	うち基本賃金　302,816円
40	18	3		—	—	—	—	—	2022年所定内賃金
45	23	3		—	—	—	—	—	341,465円
50	28	2		—	—	—	—	—	年間所定労働時間
55	33	1		—	—	—	—	—	2,000時間
60	38	1		—	—	—	—	—	
大学卒・一般職（事務・技術系）									賃金改定状況
22	0	0							凍結
25	3	0							賞与・一時金　　　制度なし
27	5	0							
30	8	0							家族手当
35	13	0							扶養者手当　　　20,000円
40	18	0							養育手当　　　　 1,000円
45	23	0							扶養者手当は人数制限なし，ただし，子どもの扶養手当は，22歳まで
短大卒・一般職（事務・技術系）									
20	0	0		187,000	187,000	—	—	—	・管理職に対する支給
22	2	0		192,090	192,090	—	—	—	支給する
25	5	0		—	—	—	—	—	・支給の制限等
30	10	0		—	—	—	—	—	18歳まで支給
35	15	0		—	—	—	—	—	
40	20	0		—	—	—	—	—	役付手当
高校卒・総合職（事務・技術系）									課　長　　　　100,000円
18	0	0							係　長　　60,000～90,000円
20	2	0							役割給　　　　　　導入なし
22	4	0							役職者への時間外手当の不支給
25	7	0							課長より下のクラスから不支給
27	9	1							
30	12	2							
35	17	3							時間あたり賃金
40	22	3							月例賃金ベース　　2,072円
45	27	3							
50	32	2							役職者・実在者の平均年収額
55	37	1							部　長　　　　　　年俸制
60	42	1							平均年齢　53.0歳　7,889千円
高校卒・一般職（事務・技術系）									課　長　　月例賃金＋賞与
18	0	0							平均年齢　56.0歳　4,989,902円
20	2	0							
22	4	0							
25	7	0							
30	12	0							
35	17	0							
40	22	0							
高校卒・現業系									
18	0	0							
20	2	0							
22	4	0							
25	7	0							
27	9	1							
30	12	2							
35	17	3							
40	22	3							
45	27	3							
50	32	2							
55	37	1							
60	42	1							

小売　I社（200人）　　　　　　　　　　　　　　　　　　　　　　　　　　　　（単位：円）

設定条件			役職名	所定労働時間内賃金	うち基本賃金	年間賃金計 モデル月例賃金×12 + 2023年夏季賞与 2022年年末賞与	2023年夏季モデル賞与	2022年年末モデル賞与	補足的事項
年齢(歳)	勤続年数(年)	扶養家族(人)							
大学卒・総合職			（事務・技術系）						モデル賃金の算定方法
22	0	0	スタッフ	219,750	216,750	—	—	102,825	理論モデル
25	3	0	スタッフ	230,320	227,320	2,976,852	108,756	104,256	モデル賃金の対象
27	5	1	マネージャー	320,580	310,580	4,137,600	145,320	145,320	全従業員モデル
30	8	2	マネージャー	377,830	362,830	4,904,600	185,320	185,320	労務構成
35	13	3	マネージャー	422,830	402,830	5,494,000	210,020	210,020	平均年齢　　　39.0歳
40	18	3	マネージャー	464,830	444,830	6,060,400	241,220	241,220	平均勤続　　　11.0年
45	23	3	マネージャー	504,830	484,830	6,564,000	253,020	253,020	2023年所定内賃金
50	28	2	マネージャー	546,250	531,250	—	—	—	399,129円
55	33	1	スーパーバイザー	564,280	554,280	—	—	—	うち基本賃金 147,561円
60	38	1	スーパーバイザー	584,280	554,280	—	—	—	2022年所定内賃金
大学卒・一般職			（事務・技術系）						386,180円
22	0	0							年間所定労働時間
25	3	0							2,080時間
27	5	0							
30	8	0							賃金改定状況
35	13	0							ベースアップを実施
40	18	0							2023年賃上げ額
45	23	0							6,031円　4.30%
短大卒・一般職			（事務・技術系）						賞与・一時金
20	0	0							・2022年年末
22	2	0							149,713円 0.44ヵ月
25	5	0							前年比　—
30	10	0							・2023年夏季
35	15	0							150,483円 0.44ヵ月
40	20	0							前年比 100.00%
高校卒・総合職			（事務・技術系）						家族手当
18	0	0	スタッフ	202,790	199,790	—	—	—	配偶者　　　10,000円
20	2	0	スタッフ	209,180	206,180	—	—	—	第1子　　　 5,000円
22	4	0	スタッフ	219,750	216,750	2,842,650	102,825	102,825	第2子　　　 5,000円
25	7	0	スタッフ	230,320	227,320	2,976,852	108,756	104,256	第3子　　　 5,000円
27	9	1	マネージャー	320,580	310,580	4,137,600	145,320	145,320	・管理職に対する支給
30	12	2	マネージャー	377,830	362,830	4,904,600	185,320	185,320	支給する
35	17	3	マネージャー	422,830	402,830	5,494,000	210,020	210,020	・支給の制限等
40	22	3	マネージャー	464,830	444,830	6,060,400	241,220	241,220	18歳まで支給
45	27	3	マネージャー	504,830	484,830	6,564,000	253,020	253,020	役付手当
50	32	2	マネージャー	499,830	484,830	6,504,000	253,020	253,020	（左の賃金表では基本賃金に含まれます）
55	37	1	マネージャー	494,830	484,830	6,444,000	253,020	253,020	部　　長 366,190〜386,190円
60	42	1	マネージャー	494,830	484,830	—	—	—	課　　長 175,063〜224,063円
高校卒・一般職			（事務・技術系）						主　　任　71,700〜76,700円
18	0	0							役割給　　　導入なし
20	2	0							役職者への時間外手当の不支給
22	4	0							課長クラスから不支給
25	7	0							
30	12	0							時間あたり賃金
35	17	0							年間賃金ベース　2,447円
40	22	0							月例賃金ベース　2,303円
高校卒・現業系									役職者・実在者の平均月収額
18	0	0							部　　長　　　　月例賃金
20	2	0							平均年齢 52.0歳　616千円
22	4	0							課　　長　　　　月例賃金
25	7	0							平均年齢 44.6歳　378千円
27	9	1							
30	12	2							
35	17	3							
40	22	3							
45	27	3							
50	32	2							
55	37	1							
60	42	1							

小売　J社（200人）　　　　　　　　　　　　　　　　　　　　　　　　　　　（単位：円）

設定条件			役職名	所定労働時間内賃金	うち基本賃金	年間賃金計 モデル月例賃金×12 + 2023年夏季賞与 2022年年末賞与	2023年夏季モデル賞与	2022年年末モデル賞与	補足的事項
年齢(歳)	勤続年数(年)	扶養家族(人)							
大学卒・総合職（事務・技術系）									モデル賃金の算定方法
22	0	0		208,500	208,500	—	—	—	理論モデル
25	3	0		235,500	235,500	—	—	—	モデル賃金の対象
27	5	1		268,500	253,500	—	—	—	全従業員モデル
30	8	2		296,500	280,500	—	—	—	労務構成
35	13	3	係　　長	347,500	325,500	—	—	—	平均年齢　　　　42.8歳
40	18	3	課　　長	401,500	370,500	—	—	—	平均勤続　　　　21.1年
45	23	3	課　　長	452,500	415,500	—	—	—	年間所定労働時間
50	28	2	課　　長	496,500	460,500	—	—	—	1,891時間
55	33	1	部　　長	542,500	502,500	—	—	—	
60	38	1	部　　長	578,500	528,500	—	—	—	
大学卒・一般職（事務・技術系）									賃金改定状況
22	0	0							ベースアップを実施
25	3	0							2023年賃上げ額
27	5	0							12,000円　—
30	8	0							うち定昇　　　3,000円　—
35	13	0							賞与・一時金
40	18	0							・2022年年末　610,523円　—
45	23	0							前年比　　　　　　　—
短大卒・一般職（事務・技術系）									
20	0	0							家族手当
22	2	0							配偶者　　　　15,000円
25	5	0							第1子　　　　　1,000円
30	10	0							第2子　　　　　1,000円
35	15	0							第3子　　　　　1,000円
40	20	0							・管理職に対する支給
高校卒・総合職（事務・技術系）									支給する
18	0	0		165,000	165,000	—	—	—	・支給の制限等
20	2	0		180,600	180,600	—	—	—	18歳まで支給
22	4	0		196,200	196,200	—	—	—	役付手当
25	7	0		219,600	219,600	—	—	—	
27	9	1		250,200	235,200	—	—	—	部　長　25,000～35,000円
30	12	2		274,600	258,600	—	—	—	課　長　14,000～20,000円
35	17	3		314,600	297,600	—	—	—	係　長　　　　　5,000円
40	22	3		353,600	336,600	—	—	—	役割給
45	27	3	係　　長	397,600	375,600	—	—	—	導入なし
50	32	2	課　　長	444,600	414,600	—	—	—	役職者への時間外手当の不支給
55	37	1	課　　長	485,600	450,600	—	—	—	課長クラスから不支給
60	42	1	課　　長	504,800	469,800	—	—	—	
高校卒・一般職（事務・技術系）									
18	0	0							
20	2	0							
22	4	0							
25	7	0							
30	12	0							
35	17	0							
40	22	0							
高校卒・現業系									
18	0	0							
20	2	0							
22	4	0							
25	7	0							
27	9	1							
30	12	2							
35	17	3							
40	22	3							
45	27	3							
50	32	2							
55	37	1							
60	42	1							

小売　K社（200人）

（単位：円）

設定条件 年齢（歳）	勤続年数（年）	扶養家族（人）	役職名	所定労働時間内賃金	うち基本賃金	年間賃金計 モデル月例賃金×12＋2023年夏季賞与＋2022年年末賞与	2023年夏季モデル賞与	2022年年末モデル賞与
大学卒・総合職（事務・技術系）								
22	0	0		207,006	178,880	—	129,378	—
25	3	0		224,364	193,880	—	560,910	—
27	5	1		237,106	204,880	—	592,765	—
30	8	2		261,407	225,880	—	653,517	—
35	13	3		314,743	271,980	—	786,857	—
40	18	3	課　長	394,805	329,840	—	989,050	—
45	23	3	課　長	429,200	363,420	—	1,089,705	—
50	28	2	課　長	485,612	413,150	—	1,195,287	—
55	33	1	部　長	541,455	467,880	—	1,353,612	—
60	38	1	部　長	597,821	516,600	—	1,494,552	—
大学卒・一般職（事務・技術系）								
22	0	0						
25	3	0						
27	5	0						
30	8	0						
35	13	0						
40	18	0						
45	23	0						
短大卒・一般職（事務・技術系）								
20	0	0						
22	2	0						
25	5	0						
30	10	0						
35	15	0						
40	20	0						
高校卒・総合職（事務・技術系）								
18	0	0		170,213	157,800	—	106,383	—
20	2	0		177,977	165,000	—	444,942	—
22	4	0		203,073	175,480	—	507,682	—
25	7	0		224,364	193,880	—	560,910	—
27	9	1		237,106	204,880	—	592,765	—
30	12	2		254,464	219,880	—	636,160	—
35	17	3		307,800	265,980	—	769,500	—
40	22	3	課　長	383,704	319,900	—	959,260	—
45	27	3	課　長	422,385	357,420	—	1,071,715	—
50	32	2	課　長	484,416	413,150	—	1,195,287	—
55	37	1	部　長	541,455	467,880	—	1,353,637	—
60	42	1	部　長	597,821	516,600	—	1,494,552	—
高校卒・一般職（事務・技術系）								
18	0	0						
20	2	0						
22	4	0						
25	7	0						
30	12	0						
35	17	0						
40	22	0						
高校卒・現業系								
18	0	0						
20	2	0						
22	4	0						
25	7	0						
27	9	1						
30	12	2						
35	17	3						
40	22	3						
45	27	3						
50	32	2						
55	37	1						
60	42	1						

補足的事項

モデル賃金の算定方法
理論モデル

モデル賃金の対象
全従業員モデル

労務構成
平均年齢　45.0歳
平均勤続　19.0年
2023年所定内賃金
302,421円
うち基本賃金 260,192円
2022年所定内賃金
298,051円
年間所定労働時間
1,960時間

賃金改定状況
定昇のみ実施

2023年賃上げ額
5,264円　2.00%
うち定昇 5,264円　2.00%

賞与・一時金
・2022年年末
577,113円　1.90ヵ月
前年比　100.00%
・2023年夏季
759,360円　2.50ヵ月
前年比　138.00%

家族手当　制度なし
役付手当　制度なし
役割給　導入なし
役職者への時間外手当の不支給
課長クラスから不支給

時間あたり賃金
年間賃金ベース　2,533円
月例賃金ベース　1,852円

役職者・実在者の平均年収額
部　長　月例賃金＋賞与
平均年齢　56.0歳　9,075千円
課　長　月例賃金＋賞与
平均年齢　49.6歳　6,723千円

小売　L社（200人）

（単位：円）

設定条件 年齢（歳）	勤続年数（年）	扶養家族（人）	役職名	所定労働時間内賃金	うち基本賃金	年間賃金計 モデル月例賃金×12＋2023年夏季賞与＋2022年年末賞与	2023年夏季モデル賞与	2022年年末モデル賞与
大学卒・総合職（事務・技術系）								
22	0	0		203,000	184,500	3,292,400	118,400	738,000
25	3	0		219,600	201,100	4,746,800	1,106,100	1,005,500
27	5	1		258,600	215,100	5,361,800	1,183,100	1,075,500
30	8	2		287,000	235,500	5,916,800	1,295,300	1,177,500
35	13	3		352,200	292,700	7,299,800	1,609,900	1,463,500
40	18	3		396,400	336,900	8,294,300	1,853,000	1,684,500
45	23	3	課　　長	495,600	415,100	10,526,300	2,398,600	2,180,500
50	28	2	課　　長	521,500	449,000	11,193,000	2,585,000	2,350,000
55	33	1	部　　長	607,300	533,800	13,207,500	3,100,900	2,819,000
60	38	1	部　　長	607,300	533,800	13,207,500	3,100,900	2,819,000
大学卒・一般職（事務・技術系）								
22	0	0		180,700	162,200	2,935,600	118,400	648,800
25	3	0		197,700	179,200	4,254,000	985,600	896,000
27	5	0		209,300	190,800	4,515,000	1,049,400	954,000
30	8	0		226,100	207,600	4,893,000	1,141,800	1,038,000
35	13	0		267,500	235,000	5,824,500	1,369,500	1,245,000
40	18	0		295,200	262,700	6,447,800	1,521,900	1,383,500
45	23	0		319,000	286,500	6,983,300	1,652,800	1,502,500
短大卒・一般職（事務・技術系）								
20	0	0		170,200	151,700	2,762,000	112,800	606,800
22	2	0		180,700	162,200	3,871,500	892,100	811,000
25	5	0		197,700	179,200	4,254,000	985,600	896,000
30	10	0		226,100	207,600	4,893,000	1,141,800	1,038,000
35	15	0		267,500	235,000	5,824,500	1,369,500	1,245,000
40	20	0		295,200	262,700	6,447,800	1,521,900	1,383,500
高校卒・総合職（事務・技術系）								
18	0	0		174,800	156,300	2,831,300	108,500	625,200
20	2	0		186,600	168,100	4,004,300	924,600	840,500
22	4	0		203,000	184,500	4,373,300	1,014,800	922,500
25	7	0		219,600	201,100	4,746,800	1,106,100	1,005,500
27	9	1		258,600	215,100	5,361,800	1,183,100	1,075,500
30	12	2		287,000	235,500	5,916,800	1,295,300	1,177,500
35	17	3		352,200	292,700	7,299,800	1,609,900	1,463,500
40	22	3		396,400	336,900	8,294,300	1,853,000	1,684,500
45	27	3	課　　長	495,600	415,100	10,526,300	2,398,600	2,180,500
50	32	2	課　　長	521,500	449,000	11,193,000	2,585,000	2,350,000
55	37	1	部　　長	607,300	533,800	13,207,500	3,100,900	2,819,000
60	42	1	部　　長	607,300	533,800	13,207,500	3,100,900	2,819,000
高校卒・一般職（事務・技術系）								
18	0	0		159,700	141,200	2,589,700	108,500	564,800
20	2	0		170,200	151,700	3,635,300	834,400	758,500
22	4	0		180,700	162,200	3,871,500	892,100	811,000
25	7	0		197,700	179,200	4,254,000	985,600	896,000
30	12	0		226,100	207,600	4,893,000	1,141,800	1,038,000
35	17	0		267,500	235,000	5,824,500	1,369,500	1,245,000
40	22	0		295,200	262,700	6,447,800	1,521,900	1,383,500
高校卒・現業系								
18	0	0		174,800	156,300	2,814,500	108,500	608,400
20	2	0		186,600	168,100	3,960,200	901,500	819,500
22	4	0		203,000	184,500	4,329,200	991,700	901,500
25	7	0		219,600	201,100	4,746,800	1,106,100	1,005,500
27	9	1		258,600	215,100	5,361,800	1,183,100	1,075,500
30	12	2		287,000	235,500	5,916,800	1,295,300	1,177,500
35	17	3		352,200	292,700	7,299,800	1,609,900	1,463,500
40	22	3		396,400	336,900	8,294,300	1,853,000	1,684,500
45	27	3	課　　長	495,600	415,100	10,526,300	2,398,600	2,180,500
50	32	2	課　　長	521,500	449,000	11,193,000	2,585,000	2,350,000
55	37	1	課　　長	541,500	477,000	11,727,000	2,739,000	2,490,000
60	42	1	課　　長	407,100	342,600	8,703,000	1,999,800	1,818,000

補足的事項

モデル賃金の算定方法
理論モデル

モデル賃金の対象
全従業員モデル

労務構成
平均年齢　44.5歳
平均勤続　17.5年
2023年所定内賃金　395,953円
うち基本賃金　329,447円
2022年所定内賃金　388,904円
年間所定労働時間　1,837時間30分

賃金改定状況
定昇のみ実施

2023年賃上げ額
5,994円　1.85％
うち定昇　5,994円　1.85％

賞与・一時金
・2022年年末
1,670,490円　5.00ヵ月
前年比　102.93％
・2023年夏季
1,769,011円　5.50ヵ月
前年比　110.15％

家族手当
配偶者　17,500円
第1子　8,000円
第2子　8,000円
第3子　8,000円
・管理職に対する支給
支給する
・支給の制限等
22歳まで支給

役付手当
部　長　30,000円
課　長　21,000円

役割給　導入なし

役職者への時間外手当の不支給
課長クラスから不支給

時間あたり賃金
年間賃金ベース　4,458円
月例賃金ベース　2,586円

役職者・実在者の平均年収額
部長（兼任役員）　月例賃金＋賞与
平均年齢 57.4歳　15,550千円
部　長　月例賃金＋賞与
平均年齢 55.6歳　13,079千円
課　長　月例賃金＋賞与
平均年齢 48.1歳　10,634千円

小売　M社（150人）　　　　　　　　　　　　　　　　　　　　　　　　　　　（単位：円）

設定条件			役職名	所定労働時間内賃金	うち基本賃金	年間賃金計 モデル月例賃金×12 + 2023年夏季賞与 2022年年末賞与	2023年夏季モデル賞与	2022年年末モデル賞与	補足的事項
年齢(歳)	勤続年数(年)	扶養家族(人)							
大学卒・総合職（事務・技術系）									**労務構成**
22	0	0							平均年齢　　　　47.1歳
25	3	0							平均勤続　　　　20.7年
27	5	1							2023年所定内賃金
30	8	2							367,088円
35	13	3							うち基本賃金　277,341円
40	18	3							2022年所定内賃金
45	23	3							371,613円
50	28	2							年間所定労働時間
55	33	1							1,715時間
60	38	1							
大学卒・一般職（事務・技術系）									**賃金改定状況**
22	0	0							定昇のみ実施
25	3	0							2023年賃上げ額
27	5	0							5,662円　1.52%
30	8	0							うち定　昇5,662円　1.52%
35	13	0							**賞与・一時金**
40	18	0							・2022年年末
45	23	0							281,414円　0.73ヵ月
短大卒・一般職（事務・技術系）									前年比　24.74%
20	0	0							・2023年夏季
22	2	0							312,082円　0.83ヵ月
25	5	0							前年比　13.76%
30	10	0							
35	15	0							**家族手当**
40	20	0							配偶者　　　　10,000円
高校卒・総合職（事務・技術系）									第1子　　　　　6,000円
18	0	0							第2子　　　　　6,000円
20	2	0							第3子　　　　　6,000円
22	4	0							・管理職に対する支給
25	7	0							支給しない
27	9	1							・支給の制限等
30	12	2							18歳まで支給
35	17	3							ただし，18～22歳で在
40	22	3							学中は4,000円支給
45	27	3							**役割給**
50	32	2							（左の賃金表では基本賃金に含まれます）
55	37	1							部　長　40,000～80,000円
60	42	1							次　長　35,000～60,000円
高校卒・一般職（事務・技術系）									課　長　30,000～45,000円
18	0	0							**役職者への時間外手当の不支給**
20	2	0							課長クラスから不支給
22	4	0							
25	7	0							**時間あたり賃金**
30	12	0							年間賃金ベース　2,915円
35	17	0							月例賃金ベース　2,569円
40	22	0							
高校卒・現業系									**役職者・実在者の平均年収額**
18	0	0							部　長　　　　　月例賃金
20	2	0							平均年齢 57.8歳　597千円
22	4	0							次　長　　月例賃金＋賞与
25	7	0							平均年齢 55.5歳 7,192千円
27	9	1							課　長　　　　　月例賃金
30	12	2							平均年齢 53.5歳　482千円
35	17	3							
40	22	3							
45	27	3							
50	32	2							
55	37	1							
60	42	1							

小売　N社（150人）　　　　　　　　　　　　　　　　　　　　　　　　　　　（単位：円）

設定条件			役職名	所定労働時間内賃金	うち基本賃金	年間賃金計 モデル月例賃金×12 + 2023年夏季賞与 2022年年末賞与	2023年夏季モデル賞与	2022年年末モデル賞与	補足的事項
年齢(歳)	勤続年数(年)	扶養家族(人)							
大学卒・総合職（事務・技術系）									モデル賃金の算定方法
22	0	0		—	—	—	—	—	実在者の平均額
25	3	0		—	—	—	—	—	モデル賃金の対象
27	5	1		—	—	—	—	—	全従業員モデル
30	8	2		—	—	—	—	—	労務構成
35	13	3		—	—	—	—	—	平均年齢　　　　39.9歳
40	18	3		300,320	280,820	4,375,840	363,000	409,000	平均勤続　　　　17.9年
45	23	3	チーフ	325,670	288,470	5,130,040	575,000	647,000	2023年所定内賃金
50	28	2		347,910	333,410	5,469,920	611,000	684,000	281,364円
55	33	1	センター長	474,530	364,530	7,521,360	849,000	978,000	うち基本賃金　277,880円
60	38	1		—	—	—	—	—	2022年所定内賃金
大学卒・一般職（事務・技術系）									269,659円
22	0	0							年間所定労働時間
25	3	0							1,992時間
27	5	0							
30	8	0							賃金改定状況
35	13	0							ベースアップを実施
40	18	0							2023年賃上げ額
45	23	0							10,613円　4.00%
短大卒・一般職（事務・技術系）									うち定昇　3,079円　1.16%
20	0	0							賞与・一時金
22	2	0							・2022年年末
25	5	0							564,072円　2.00ヵ月
30	10	0							前年比　103.80%
35	15	0							・2023年夏季
40	20	0							488,462円　1.73ヵ月
高校卒・総合職（事務・技術系）									前年比　102.90%
18	0	0		165,220	165,220	—	70,000	—	
20	2	0		171,860	171,860	2,710,320	305,000	343,000	家族手当
22	4	0		180,380	180,380	2,815,560	303,000	348,000	配偶者　　　　　9,500円
25	7	0	チーフ	217,650	195,450	3,442,800	393,000	438,000	第1子　　　　　5,000円
27	9	1	チーフ	230,740	199,040	3,548,880	372,000	408,000	第2子　　　　　5,000円
30	12	2		243,300	228,800	3,769,600	385,000	465,000	第3子　　　　　5,000円
35	17	3	チーフ	293,540	256,340	4,591,480	504,000	565,000	・管理職に対する支給
40	22	3	チーフ	305,780	268,580	4,681,360	486,000	526,000	支給する
45	27	3	チーフ	330,260	293,060	5,102,120	557,000	582,000	・支給の制限等
50	32	2	店　　長	424,830	330,330	6,597,960	768,000	732,000	18歳まで支給
55	37	1	チーフ	355,450	328,250	5,536,400	589,000	682,000	役付手当
60	42	1		343,870	334,370	5,444,440	627,000	691,000	部　　　長　　　120,000円
高校卒・一般職（事務・技術系）									次　　　長　　　80,000円
18	0	0							課　　　長　60,000～80,000円
20	2	0							係　　　長　　　60,000円
22	4	0							主　　　任　　　17,700円
25	7	0							役割給　　　　　導入なし
30	12	0							役職者への時間外手当の不支給
35	17	0							課長クラスから不支給
40	22	0							時間あたり賃金
高校卒・現業系									年間賃金ベース　　2,223円
18	0	0							月例賃金ベース　　1,695円
20	2	0							
22	4	0							役職者・実在者の平均年収額
25	7	0							部長（兼任役員）月例賃金
27	9	1							平均年齢　61.0歳　700,000円
30	12	2							部　　長　月例賃金＋賞与
35	17	3							平均年齢　53.0歳　8,129千円
40	22	3							課　　長　月例賃金＋賞与
45	27	3							平均年齢　44.5歳　6,849千円
50	32	2							
55	37	1							
60	42	1							

小売　O社（90人）

（単位：円）

設定条件 年齢（歳）	勤続年数（年）	扶養家族（人）	役職名	所定労働時間内賃金	うち基本賃金	年間賃金計（モデル月例賃金×12＋2023年夏季賞与＋2022年年末賞与）	2023年夏季モデル賞与	2022年年末モデル賞与
大学卒・総合職（事務・技術系）								
22	0	0		214,500	214,500	2,754,240	50,000	130,240
25	3	0		229,500	229,500	3,130,260	191,760	184,500
27	5	1		248,500	233,500	3,368,400	210,000	176,400
30	8	2		281,700	264,700	3,774,440	223,100	170,940
35	13	3		282,700	263,700	3,783,990	222,130	169,460
40	18	3	管理職	399,000	380,000	5,608,160	352,000	468,160
45	23	3		378,000	359,000	5,328,000	401,280	390,720
50	28	2	管理職	401,000	384,000	5,658,060	403,560	442,500
55	33	1	管理職	487,650	472,650	7,031,160	561,600	617,760
60	38	1		332,250	317,250	4,437,000	225,000	225,000
大学卒・一般職（事務・技術系）								
22	0	0						
25	3	0						
27	5	0						
30	8	0						
35	13	0						
40	18	0						
45	23	0						
短大卒・一般職（事務・技術系）								
20	0	0						
22	2	0						
25	5	0						
30	10	0						
35	15	0						
40	20	0						
高校卒・総合職（事務・技術系）								
18	0	0		189,500	189,500	2,437,520	35,000	128,520
20	2	0		189,500	189,500	2,472,900	66,705	132,195
22	4	0		204,500	204,500	2,688,280	98,410	135,870
25	7	0		219,500	219,500	2,939,040	161,820	143,220
27	9	1		231,500	216,500	3,129,400	178,600	172,800
30	12	2		253,500	236,500	3,351,090	163,560	145,530
35	17	3		287,700	268,700	3,822,120	196,560	173,160
40	22	3		347,350	328,350	4,758,060	303,480	286,380
45	27	3	管理職	407,000	388,000	5,694,000	410,400	399,600
50	32	2	管理職	496,000	479,000	7,000,770	495,360	553,410
55	37	1		415,000	400,000	6,480,000	600,000	900,000
60	42	1		400,000	385,000	5,493,000	346,500	346,500
高校卒・一般職（事務・技術系）								
18	0	0						
20	2	0						
22	4	0						
25	7	0						
30	12	0						
35	17	0						
40	22	0						
高校卒・現業系								
18	0	0						
20	2	0						
22	4	0						
25	7	0						
27	9	1						
30	12	2						
35	17	3						
40	22	3						
45	27	3						
50	32	2						
55	37	1						
60	42	1						

補足的事項

モデル賃金の算定方法
実在者の中位の額

モデル賃金の対象
全従業員モデル

労務構成
平均年齢　44.0歳
平均勤続　17.3年
2023年所定内賃金　338,358円
うち基本賃金　313,589円
2022年所定内賃金　334,610円
年間所定労働時間　2,083時間

賃金改定状況
賃金制度を改定

賞与・一時金
・2022年年末
289,144円　1.80ヵ月
前年比　105.00％
・2023年夏季
267,328円　1.60ヵ月
前年比　103.00％

家族手当
配偶者　15,000円
第1子　2,000円
第2子　2,000円
第3子　2,000円
・管理職に対する支給
支給する
・支給の制限等
17歳まで支給

役付手当
部　長　80,000～200,000円
次　長　65,000円
課　長　60,000円

役割給　導入なし

役職者への時間外手当の不支給
課長クラスから不支給

時間あたり賃金
年間賃金ベース　2,216円
月例賃金ベース　1,949円

役職者・実在者の平均年収額
部長（兼任役員）　月例賃金＋賞与
平均年齢　51.6歳　8,700千円
部　長　月例賃金＋賞与
平均年齢　49.0歳　6,754千円
次　長　月例賃金＋賞与
平均年齢　49.6歳　5,821千円
課　長　月例賃金＋賞与
平均年齢　48.3歳　5,281千円

その他商業　A社（5,500人）

（単位：円）

年齢（歳）	勤続年数（年）	扶養家族（人）	役職名	所定労働時間内賃金	うち基本賃金	年間賃金計 モデル月例賃金×12＋2023年夏季賞与 2022年年末賞与	2023年夏季モデル賞与	2022年年末モデル賞与
大学卒・総合職（事務・技術系）								
22	0	0		305,000	305,000	—	305,000	—
25	3	0		340,000	340,000	—	340,000	—
27	5	1		471,100	471,100	10,477,800	3,807,300	1,017,300
30	8	2		496,700	496,700	11,654,800	4,627,200	1,067,200
35	13	3	管理職	588,500	588,500	16,991,400	8,354,700	1,574,700
40	18	3	管理職	758,800	758,800	20,435,600	9,970,000	1,360,000
45	23	3	管理職	841,000	841,000	25,106,800	13,432,400	1,582,400
50	28	2	管理職	841,000	841,000	26,956,800	15,282,400	1,582,400
55	33	1	管理職	841,000	841,000	29,056,800	17,382,400	1,582,400
60	38	1		—	—	—	—	—
大学卒・一般職（事務・技術系）								
22	0	0						
25	3	0						
27	5	0						
30	8	0						
35	13	0						
40	18	0						
45	23	0						
短大卒・一般職（事務・技術系）								
20	0	0						
22	2	0						
25	5	0						
30	10	0						
35	15	0						
40	20	0						
高校卒・総合職（事務・技術系）								
18	0	0						
20	2	0						
22	4	0						
25	7	0						
27	9	1						
30	12	2						
35	17	3						
40	22	3						
45	27	3						
50	32	2						
55	37	1						
60	42	1						
高校卒・一般職（事務・技術系）								
18	0	0		—	—	—	—	—
20	2	0		—	—	—	—	—
22	4	0		—	—	—	—	—
25	7	0		—	—	—	—	—
30	12	0		—	—	—	—	—
35	17	0		—	—	—	—	—
40	22	0	非管理職	393,800	393,800	9,204,400	3,640,400	838,400
高校卒・現業系								
18	0	0						
20	2	0						
22	4	0						
25	7	0						
27	9	1						
30	12	2						
35	17	3						
40	22	3						
45	27	3						
50	32	2						
55	37	1						
60	42	1						

補足的事項

モデル賃金の算定方法
理論モデル

モデル賃金の対象
全従業員モデル

労務構成
平均年齢　42.4歳
平均勤続　18.0年
2023年所定内賃金　663,583円
うち基本賃金　663,583円
2022年所定内賃金　584,492円
年間所定労働時間　1,783時間30分

賃金改定状況
ベースアップを実施

2023年賃上げ額
51,658円　8.84％
うち定昇15,620円　2.67％

賞与・一時金
・2022年年末 1,297,017円　—
前年比　101.34％
・2023年夏季 8,352,244円　—
前年比　102.01％

家族手当　制度なし
役付手当　制度なし
役割給　導入なし
役職者への時間外手当の不支給
課長より下のクラスから不支給

時間あたり賃金
月例賃金ベース　4,465円

役職者・実在者の平均月収額
部　長　月例賃金
平均年齢 51.7歳　829千円
課　長　月例賃金
平均年齢 44.1歳　640千円

その他商業　B社（250人）

（単位：円）

設定条件 年齢（歳）	勤続年数（年）	扶養家族（人）	役職名	所定労働時間内賃金	うち基本賃金	年間賃金計 モデル月例賃金×12＋2023年夏季賞与＋2022年年末賞与	2023年夏季モデル賞与	2022年年末モデル賞与
大学卒・総合職（事務・技術系）								
22	0	0		340,000	340,000	—	—	—
25	3	0		400,000	400,000	—	—	—
27	5	1		430,000	430,000	—	—	—
30	8	2		500,000	500,000	—	—	—
35	13	3	係　長	640,000	640,000	—	—	—
40	18	3	係　長	670,000	670,000	—	—	—
45	23	3	係　長	710,000	710,000	—	—	—
50	28	2	課　長	830,000	830,000	—	—	—
55	33	1	課　長	875,000	875,000	—	—	—
60	38	1	課　長	875,000	875,000	—	—	—
大学卒・一般職（事務・技術系）								
22	0	0		267,000	267,000	—	—	—
25	3	0		312,000	312,000	—	—	—
27	5	0		342,000	342,000	—	—	—
30	8	0		375,000	375,000	—	—	—
35	13	0		400,000	400,000	—	—	—
40	18	0		425,000	425,000	—	—	—
45	23	0		500,000	500,000	—	—	—
短大卒・一般職（事務・技術系）								
20	0	0						
22	2	0						
25	5	0						
30	10	0						
35	15	0						
40	20	0						
高校卒・総合職（事務・技術系）								
18	0	0						
20	2	0						
22	4	0						
25	7	0						
27	9	1						
30	12	2						
35	17	3						
40	22	3						
45	27	3						
50	32	2						
55	37	1						
60	42	1						
高校卒・一般職（事務・技術系）								
18	0	0						
20	2	0						
22	4	0						
25	7	0						
30	12	0						
35	17	0						
40	22	0						
高校卒・現業系								
18	0	0						
20	2	0						
22	4	0						
25	7	0						
27	9	1						
30	12	2						
35	17	3						
40	22	3						
45	27	3						
50	32	2						
55	37	1						
60	42	1						

補足的事項

モデル賃金の算定方法
　理論モデル
モデル賃金の対象
　全従業員モデル
労務構成
　平均年齢　40.5歳
　平均勤続　9.5年
　2023年所定内賃金　618,000円
　2022年所定内賃金　620,000円
　年間所定労働時間　1,716時間

賃金改定状況
　賃金制度を改定
2023年賃上げ額
　14,000円　2.30%
賞与・一時金
・2022年年末　607,610円　—
　前年比　—
・2023年夏季　607,610円　—
　前年比　—

家族手当　制度なし
役付手当　制度なし
役割給　導入なし
役職者への時間外手当の不支給
　課長クラスから不支給

時間あたり賃金
　年間賃金ベース　5,030円
　月例賃金ベース　4,322円

役職者・実在者の平均年収額
　部　長　月例賃金＋賞与
　平均年齢　—　15,823千円
　部　長　年俸制
　平均年齢　—　12,200千円
　課　長　月例賃金＋賞与
　平均年齢　—　13,665千円
　課　長　年俸制
　平均年齢　—　10,700千円

銀行・信用金庫　A社（900人）

（単位：円）

設定条件 年齢（歳）	勤続年数（年）	扶養家族（人）	役職名	所定労働時間内賃金	うち基本賃金	年間賃金計 モデル月例賃金×12＋2023年夏季賞与2022年年末賞与	2023年夏季モデル賞与	2022年年末モデル賞与
大学卒・総合職（事務・技術系）								
22	0	0		210,000	210,000	—	175,962	—
25	3	0		229,500	229,500	—	—	—
27	5	1		237,500	237,500	—	—	—
30	8	2		273,000	273,000	—	—	—
35	13	3		510,000	510,000	—	—	—
40	18	3		525,000	525,000	—	—	—
45	23	3		565,000	565,000	—	—	—
50	28	2		595,000	595,000	—	—	—
55	33	1		595,000	595,000	—	—	—
60	38	1		485,000	485,000	—	—	—
大学卒・一般職（事務・技術系）								
22	0	0						
25	3	0						
27	5	0						
30	8	0						
35	13	0						
40	18	0						
45	23	0						
短大卒・一般職（事務・技術系）								
20	0	0						
22	2	0						
25	5	0						
30	10	0						
35	15	0						
40	20	0						
高校卒・総合職（事務・技術系）								
18	0	0		170,000	170,000	—	142,446	—
20	2	0		190,000	190,000	—	—	—
22	4	0		210,000	210,000	—	—	—
25	7	0		218,000	218,000	—	—	—
27	9	1		233,500	233,500	—	—	—
30	12	2		245,500	245,500	—	—	—
35	17	3		273,000	273,000	—	—	—
40	22	3		293,000	293,000	—	—	—
45	27	3		305,000	305,000	—	—	—
50	32	2		305,000	305,000	—	—	—
55	37	1		—	—	—	—	—
60	42	1		—	—	—	—	—
高校卒・一般職（事務・技術系）								
18	0	0						
20	2	0						
22	4	0						
25	7	0						
30	12	0						
35	17	0						
40	22	0						
高校卒・現業系								
18	0	0						
20	2	0						
22	4	0						
25	7	0						
27	9	1						
30	12	2						
35	17	3						
40	22	3						
45	27	3						
50	32	2						
55	37	1						
60	42	1						

補足的事項

モデル賃金の算定方法
理論モデル

モデル賃金の対象
組合員モデル

労務構成
平均年齢　38.0歳
平均勤続　16.0年
年間所定労働時間
1,789時間20分

賃金改定状況
定昇のみ実施

2023年賃上げ額
1,888円　0.93%
うち定昇 1,888円　0.93%

賞与・一時金
・2022年年末　723,611円　—
前年比　90.40%
・2023年夏季　715,648円　—
前年比　91.20%

家族手当　制度なし

役割給
（左の賃金表では基本賃金に含まれます）
部　長 530,000～745,000円
次　長 420,000～555,000円

役職者への時間外手当の不支給
次長クラスから不支給

役職者・実在者の平均年収額
部長（兼任役員）
月例賃金＋賞与
平均年齢 58.0歳　12,616千円
部　長　月例賃金＋賞与
平均年齢 53.0歳　11,599千円
次　長　月例賃金＋賞与
平均年齢　47.0歳　8,887千円

銀行・信用金庫　B社（650人）　　　　　　　　　　　　　　　　　　　（単位：円）

設定条件			役職名	所定労働時間内賃金	うち基本賃金	年間賃金計 モデル月例賃金×12 + 2023年夏季賞与 2022年年末賞与	2023年夏季モデル賞与	2022年年末モデル賞与	補足的事項
年齢(歳)	勤続年数(年)	扶養家族(人)							
大学卒・総合職（事務・技術系）									
22	0	0		200,000	200,000	—	150,000	—	モデル賃金の算定方法
25	3	0		226,600	226,600	3,996,200	674,000	603,000	設定条件で上位の額
27	5	1		—	—	—	—	—	モデル賃金の対象
30	8	2		—	—	—	—	—	組合員モデル
35	13	3		—	—	—	—	—	労務構成
40	18	3		—	—	—	—	—	平均年齢　　43.0歳
45	23	3		—	—	—	—	—	平均勤続　　17.0年
50	28	2		—	—	—	—	—	2023年所定内賃金
55	33	1		—	—	—	—	—	348,916円
60	38	1		—	—	—	—	—	うち基本賃金 337,728円
大学卒・一般職（事務・技術系）									
22	0	0							2022年所定内賃金
25	3	0							345,214円
27	5	0							年間所定労働時間
30	8	0							1,830時間
35	13	0							
40	18	0							賃金改定状況
45	23	0							定昇のみ実施
									2023年賃上げ額
短大卒・一般職（事務・技術系）									
20	0	0							3,702円　1.07%
22	2	0							うち定昇 3,702円 1.07%
25	5	0							賞与・一時金
30	10	0							・2022年年末
35	15	0							916,930円　2.75ヵ月
40	20	0							前年比　　102.40%
									・2023年夏季
									959,391円　2.75ヵ月
高校卒・総合職（事務・技術系）									
18	0	0		150,000	150,000	—	125,000	—	前年比　　111.20%
20	2	0		170,000	170,000	3,057,000	544,000	473,000	家族手当
22	4	0		210,000	210,000	3,674,000	618,000	536,000	第1扶養　　　16,000円
25	7	0		—	—	—	—	—	第2扶養　　　 6,000円
27	9	1		—	—	—	—	—	第3扶養　　　 3,000円
30	12	2		—	—	—	—	—	・管理職に対する支給
35	17	3		—	—	—	—	—	支給する
40	22	3		—	—	—	—	—	・支給の制限等
45	27	3		—	—	—	—	—	18歳まで支給
50	32	2		—	—	—	—	—	役付手当　　　　制度なし
55	37	1		—	—	—	—	—	役割給　　　　　導入なし
60	42	1		—	—	—	—	—	役職者への時間外手当の不支給
高校卒・一般職（事務・技術系）									
18	0	0							課長クラスから不支給
20	2	0							時間あたり賃金
22	4	0							年間賃金ベース　3,313円
25	7	0							月例賃金ベース　2,288円
30	12	0							
35	17	0							役職者・実在者の平均年収額
40	22	0							部長（兼任役員）月例賃金
高校卒・現業系									
18	0	0							平均年齢　57.5歳　624千円
20	2	0							部　長　　月例賃金＋賞与
22	4	0							平均年齢 53.4歳　10,787千円
25	7	0							課　長　　月例賃金＋賞与
27	9	1							平均年齢 49.0歳　10,008千円
30	12	2							
35	17	3							
40	22	3							
45	27	3							
50	32	2							
55	37	1							
60	42	1							

銀行・信用金庫　C社（600人）

（単位：円）

設定条件 年齢（歳）	勤続年数（年）	扶養家族（人）	役職名	所定労働時間内賃金	うち基本賃金	年間賃金計 モデル月例賃金×12＋2023年夏季賞与＋2022年年末賞与	2023年夏季モデル賞与	2022年年末モデル賞与
大学卒・総合職（事務・技術系）								
22	0	0		200,000	200,000	—	166,700	—
25	3	0		216,500	206,000	3,647,500	530,500	519,000
27	5	1		240,200	216,000	3,945,600	537,200	526,000
30	8	2	主　　任	267,800	238,100	4,583,600	696,700	673,300
35	13	3	副　　長	329,100	291,900	5,390,600	780,300	661,100
40	18	3	次長・管理職	475,000	475,000	7,389,800	848,500	841,300
45	23	3	支 店 長	505,000	505,000	8,900,000	1,300,000	1,540,000
50	28	2	支 店 長	525,000	525,000	8,940,000	1,350,000	1,290,000
55	33	1	支 店 長	525,000	525,000	9,240,000	1,550,000	1,390,000
60	38	1		—	—	—	—	—
大学卒・一般職（事務・技術系）								
22	0	0						
25	3	0						
27	5	0						
30	8	0						
35	13	0						
40	18	0						
45	23	0						
短大卒・一般職（事務・技術系）								
20	0	0						
22	2	0						
25	5	0						
30	10	0						
35	15	0						
40	20	0						
高校卒・総合職（事務・技術系）								
18	0	0		165,000	165,000	—	137,500	—
20	2	0		180,000	180,000	2,975,400	463,500	351,900
22	4	0		200,000	200,000	3,436,500	575,000	461,500
25	7	0		214,500	204,000	3,612,900	525,300	513,600
27	9	1		237,200	213,000	4,071,700	612,400	612,900
30	12	2	主　　任	262,800	233,100	4,482,200	670,200	658,400
35	17	3		—	—	—	—	—
40	22	3	主　　任	281,580	281,580	4,615,560	619,500	617,100
45	27	3	支 店 長	515,000	515,000	8,720,000	1,250,000	1,290,000
50	32	2	支 店 長	525,000	525,000	8,840,000	1,250,000	1,290,000
55	37	1		—	—	—	—	—
60	42	1		—	—	—	—	—
高校卒・一般職（事務・技術系）								
18	0	0						
20	2	0						
22	4	0						
25	7	0						
30	12	0						
35	17	0						
40	22	0						
高校卒・現業系								
18	0	0						
20	2	0						
22	4	0						
25	7	0						
27	9	1						
30	12	2						
35	17	3						
40	22	3						
45	27	3						
50	32	2						
55	37	1						
60	42	1						

補足的事項

モデル賃金の算定方法
実在者の中位の額

モデル賃金の対象
全従業員モデル

労務構成
平均年齢　39.7歳
平均勤続　17.2年
2023年所定内賃金
328,879円
うち基本賃金 302,083円
2022年所定内賃金
312,064円
年間所定労働時間
1,952時間

賃金改定状況
ベースアップを実施

2023年賃上げ額
16,815円　5.39%
うち定昇13,782円　4.42%

賞与・一時金
・2022年年末
781,456円　2.60ヵ月
前年比　103.10%
・2023年夏季
769,544円　2.50ヵ月
前年比　98.90%

家族手当
配偶者　13,700円
第1子　5,500円
第2子　7,500円
第3子　11,000円
・管理職に対する支給
支給しない
・支給の制限等
学生の間は支給

役付手当　制度なし

役割給
（左の賃金表では基本賃金に含まれます）
部　長 415,000～475,000円
次　長 325,000～365,000円

役職者への時間外手当の不支給
次長クラスから不支給

時間あたり賃金
年間賃金ベース　2,816円
月例賃金ベース　2,022円

役職者・実在者の平均年収額
部長（兼任役員）　年俸制
平均年齢 58.0歳　10,280千円
部　長　年俸制
平均年齢　53.0歳　9,840千円
次　長　年俸制
平均年齢　48.1歳　7,800千円

銀行・信用金庫　D社（300人）

（単位：円）

設定条件 年齢（歳）	勤続年数（年）	扶養家族（人）	役職名	所定労働時間内賃金	うち基本賃金	年間賃金計 モデル月例賃金×12＋2023年夏季賞与 2022年年末賞与	2023年夏季モデル賞与	2022年年末モデル賞与
大学卒・総合職（事務・技術系）								
22	0	0		215,000	215,000	2,944,000	106,000	258,000
25	3	0		224,000	224,000	3,584,000	448,000	448,000
27	5	1	主　　任	254,000	254,000	4,064,000	508,000	508,000
30	8	2	主　　任	269,500	264,500	4,292,000	529,000	529,000
35	13	3	係　　長	313,000	301,000	4,960,000	602,000	602,000
40	18	3	代　　理	355,000	343,000	5,632,000	686,000	686,000
45	23	3	支 店 長	466,000	454,000	7,408,000	908,000	908,000
50	28	2	支 店 長	507,000	502,000	8,092,000	1,004,000	1,004,000
55	33	1	支 店 長	512,000	512,000	8,192,000	1,024,000	1,024,000
60	38	1	部　　長	565,000	565,000	9,080,000	1,150,000	1,150,000
大学卒・一般職（事務・技術系）								
22	0	0		200,000	200,000	—	—	240,000
25	3	0		206,000	206,000	3,296,000	412,000	412,000
27	5	0		210,000	210,000	3,360,000	420,000	420,000
30	8	0		216,000	216,000	3,456,000	432,000	432,000
35	13	0	主　　任	235,000	235,000	3,760,000	470,000	470,000
40	18	0	主　　任	245,000	245,000	3,920,000	490,000	490,000
45	23	0	上級主任	268,750	258,750	4,300,000	537,500	537,500
短大卒・一般職（事務・技術系）								
20	0	0						
22	2	0						
25	5	0						
30	10	0						
35	15	0						
40	20	0						
高校卒・総合職（事務・技術系）								
18	0	0						
20	2	0						
22	4	0						
25	7	0						
27	9	1						
30	12	2						
35	17	3						
40	22	3						
45	27	3						
50	32	2						
55	37	1						
60	42	1						
高校卒・一般職（事務・技術系）								
18	0	0						
20	2	0						
22	4	0						
25	7	0						
30	12	0						
35	17	0						
40	22	0						
高校卒・現業系								
18	0	0						
20	2	0						
22	4	0						
25	7	0						
27	9	1						
30	12	2						
35	17	3						
40	22	3						
45	27	3						
50	32	2						
55	37	1						
60	42	1						

補足的事項

モデル賃金の算定方法
理論モデル

モデル賃金の対象
全従業員モデル

労務構成
平均年齢　38.4歳
平均勤続　15.5年
2023年所定内賃金　300,188円
うち基本賃金　294,877円
2022年所定内賃金　277,441円
年間所定労働時間　1,930時間

賃金改定状況
ベースアップを実施

2023年賃上げ額
22,746円　8.20%

賞与・一時金
・2022年年末
527,826円　2.00ヵ月
前年比　111.80%
・2023年夏季
567,398円　2.00ヵ月
前年比　110.50%

家族手当
第１子　5,000円
第２子　7,000円
第３子　10,000円
・管理職に対する支給
支給する
・支給の制限等
22歳まで支給

役付手当　制度なし

役割給
（左の賃金表では基本賃金に含まれます）
部　長 267,000～307,000円
次　長 232,000～272,000円
課　長 202,000～242,000円
係　長 137,000～157,000円

役職者への時間外手当の不支給
課長クラスから不支給

時間あたり賃金
年間賃金ベース　2,434円
月例賃金ベース　1,866円

役職者・実在者の平均年収額
部長（兼任役員）　月例賃金＋賞与
平均年齢　56.0歳　9,900千円
部　長　月例賃金＋賞与
平均年齢　55.0歳　9,140千円
次　長　月例賃金＋賞与
平均年齢　53.0歳　8,214千円
課　長　月例賃金＋賞与
平均年齢　51.0歳　7,279千円

不動産　A社（2,800人）　　　　　　　　　　　　　　　　　　　　　　　　　　　（単位：円）

設定条件			役職名	所定労働時間内賃金	うち基本賃金	年間賃金計 モデル月例賃金×12 + 2023年夏季賞与 2022年年末賞与	2023年夏季モデル賞与	2022年年末モデル賞与	補足的事項
年齢(歳)	勤続年数(年)	扶養家族(人)							
大学卒・総合職（事務・技術系）									
22	0	0		230,000	150,000	2,860,000	50,000	50,000	モデル賃金の算定方法
25	3	0		250,400	170,400	3,454,800	400,000	50,000	理論モデル
27	5	1		266,100	186,100	3,643,200	400,000	50,000	モデル賃金の対象
30	8	2	主　　任	298,800	198,800	4,110,600	475,000	50,000	全従業員モデル
35	13	3	係　　長	360,000	240,000	4,920,000	550,000	50,000	労務構成
40	18	3	マネージャー	545,000	525,000	—	721,350	—	平均年齢　　　　42.2歳
45	23	3	副 部 長	682,500	662,500	—	880,650	—	平均勤続　　　　10.0年
50	28	2	部　　長	779,100	769,100	—	1,032,300	—	2023年所定内賃金
55	33	1	部　　長	769,100	769,100	—	1,032,300	—	361,709円
60	38	1	副 部 長	662,500	662,500	—	880,650	—	2022年所定内賃金
大学卒・一般職（事務・技術系）									336,404円
22	0	0		190,000	130,000	2,380,000	50,000	50,000	年間所定労働時間
25	3	0		207,000	147,000	2,894,000	360,000	50,000	1,888時間
27	5	0		219,600	159,600	3,045,200	360,000	50,000	
30	8	0	主　　任	255,000	185,000	3,537,500	427,500	50,000	賃金改定状況
35	13	0	係　　長	308,600	228,600	4,248,200	495,000	50,000	ベースアップを実施
40	18	0	マネージャー	474,100	474,100	—	721,350	—	2023年賃上げ額
45	23	0	マネージャー	474,100	474,100	—	721,350	—	20,000円　5.94%
短大卒・一般職（事務・技術系）									うち定昇 4,210円 1.25%
20	0	0		160,000	100,000	2,020,000	50,000	50,000	賞与・一時金
22	2	0		190,000	130,000	2,690,000	360,000	50,000	・2022年年末
25	5	0		207,000	147,000	2,894,000	360,000	50,000	50,000円　0.15ヵ月
30	10	0	主　　任	255,000	185,000	3,537,500	427,500	50,000	前年比　―
35	15	0	係　　長	308,600	228,600	4,248,200	495,000	50,000	・2023年夏季
40	20	0	マネージャー	534,100	474,100	—	721,350	—	374,063円　1.11ヵ月
高校卒・総合職（事務・技術系）									前年比　―
18	0	0		190,000	110,000	2,380,000	50,000	50,000	家族手当
20	2	0		200,000	120,000	2,850,000	400,000	50,000	第1子　　　10,000円
22	4	0		230,000	150,000	3,210,000	400,000	50,000	第2子　　　10,000円
25	7	0		250,400	170,400	3,454,800	400,000	50,000	第3子　　　10,000円
27	9	1		266,100	186,100	3,643,200	400,000	50,000	・管理職に対する支給
30	12	2	主　　任	298,800	198,800	4,110,600	475,000	50,000	支給する
35	17	3	係　　長	360,000	240,000	4,920,000	550,000	50,000	・支給の制限等
40	22	3	マネージャー	545,000	525,000	—	721,350	—	17歳まで支給
45	27	3	副 部 長	682,500	662,500	—	880,650	—	役付手当
50	32	2	部　　長	779,100	769,100	—	1,032,300	—	係　長　　　20,000円
55	37	1	部　　長	769,100	769,100	—	1,032,300	—	主　任　　　10,000円
60	42	1	副 部 長	662,500	662,500	—	880,650	—	役職者への時間外手当の不支給
高校卒・一般職（事務・技術系）									次長クラスから不支給
18	0	0		150,000	90,000	1,900,000	50,000	50,000	時間あたり賃金
20	2	0		160,000	100,000	2,330,000	360,000	50,000	年間賃金ベース　2,524円
22	4	0		190,000	130,000	2,690,000	360,000	50,000	月例賃金ベース　2,299円
25	7	0		207,000	147,000	2,894,000	360,000	50,000	
30	12	0	主　　任	255,000	185,000	3,537,500	427,500	50,000	役職者・実在者の平均年収額
35	17	0	係　　長	308,600	228,600	4,248,200	495,000	50,000	部　長　　　　年俸制
40	22	0	マネージャー	474,100	474,100	—	721,350	—	平均年齢 49.1歳 12,008千円
高校卒・現業系									次　長　　　　年俸制
18	0	0							平均年齢 47.6歳 9,970千円
20	2	0							課　長　　　　年俸制
22	4	0							平均年齢 45.2歳 8,488千円
25	7	0							
27	9	1							
30	12	2							
35	17	3							
40	22	3							
45	27	3							
50	32	2							
55	37	1							
60	42	1							

不動産　B社（250人）

（単位：円）

年齢（歳）	勤続年数（年）	扶養家族（人）	役職名	所定労働時間内賃金	うち基本賃金	年間賃金計（モデル月例賃金×12＋2023年夏季賞与＋2022年年末賞与）	2023年夏季モデル賞与	2022年年末モデル賞与
大学卒・総合職（事務・技術系）								
22	0	0		234,000	230,000	—	50,000	—
25	3	0		244,800	240,800	4,061,000	565,900	557,500
27	5	1		287,000	248,000	4,601,200	582,800	574,400
30	8	2		311,000	269,000	4,985,800	632,200	621,600
35	13	3		352,800	307,800	5,667,000	723,400	710,000
40	18	3		380,500	335,500	6,131,500	788,500	777,000
45	23	3	課　　長	469,400	439,400	7,688,600	1,032,600	1,023,200
50	28	2	部　　長	548,300	488,300	8,863,700	1,147,600	1,136,500
55	33	1	部　　長	560,700	500,700	9,076,900	1,176,700	1,171,800
60	38	1	部　　長	562,200	502,200	9,106,800	1,180,200	1,180,200
大学卒・一般職（事務・技術系）								
22	0	0		193,100	189,100	—	50,000	—
25	3	0		198,200	194,200	3,287,700	456,400	452,900
27	5	0		201,300	197,300	3,339,200	463,700	459,900
30	8	0		205,900	201,900	3,416,300	474,500	471,000
35	13	0		215,200	211,200	3,569,800	496,400	491,000
40	18	0		227,900	223,900	3,779,200	526,200	518,200
45	23	0		239,500	235,500	3,975,300	553,500	547,800
短大卒・一般職（事務・技術系）								
20	0	0		189,400	185,400	—	50,000	—
22	2	0		193,100	189,100	3,202,300	444,400	440,700
25	5	0		198,200	194,200	3,287,700	456,400	452,900
30	10	0		205,900	201,900	3,416,300	474,500	471,000
35	15	0		215,200	211,200	3,569,800	496,400	491,000
40	20	0		227,900	223,900	3,779,200	526,200	518,200
高校卒・総合職（事務・技術系）								
18	0	0						
20	2	0						
22	4	0						
25	7	0						
27	9	1						
30	12	2						
35	17	3						
40	22	3						
45	27	3						
50	32	2						
55	37	1						
60	42	1						
高校卒・一般職（事務・技術系）								
18	0	0						
20	2	0						
22	4	0						
25	7	0						
30	12	0						
35	17	0						
40	22	0						
高校卒・現業系								
18	0	0						
20	2	0						
22	4	0						
25	7	0						
27	9	1						
30	12	2						
35	17	3						
40	22	3						
45	27	3						
50	32	2						
55	37	1						
60	42	1						

補足的事項

モデル賃金の算定方法
理論モデル

モデル賃金の対象
全従業員モデル

労務構成
平均年齢　41.0歳
平均勤続　7.0年
2023年所定内賃金　342,198円
うち基本賃金　316,702円
2022年所定内賃金　324,514円
年間所定労働時間　1,815時間

賃金改定状況
ベースアップを実施

2023年賃上げ額
16,555円　5.60%
うち定昇　5,645円　2.00%

賞与・一時金
・2022年年末
684,488円　2.35ヵ月
前年比　102.00%
・2023年夏季
699,813円　2.35ヵ月
前年比　94.00%

家族手当
配偶者　7,000円
第1子　3,000円
第2子　3,000円
第3子　3,000円
・管理職に対する支給
支給しない

役付手当
部　長　60,000円
次　長　40,000円
課　長　30,000円

役割給　導入なし

役職者への時間外手当の不支給
課長クラスから不支給

時間あたり賃金
年間賃金ベース　3,025円
月例賃金ベース　2,262円

役職者・実在者の平均年収額
部長（兼任役員）　月例賃金＋賞与
平均年齢　55.0歳　12,860千円
部　長　月例賃金＋賞与
平均年齢　50.0歳　8,785千円
課　長　月例賃金＋賞与
平均年齢　47.0歳　7,656千円

不動産　C社（100人）　　　　　　　　　　　　　　　　　　　　　　　　　（単位：円）

設定条件			役職名	所定労働時間内賃金	うち基本賃金	年間賃金計 モデル月例賃金×12 + 2023年夏季賞与 2022年年末賞与	2023年夏季モデル賞与	2022年年末モデル賞与	補足的事項
年齢(歳)	勤続年数(年)	扶養家族(人)							
大学卒・総合職（事務・技術系）									モデル賃金の算定方法
22	0	0		220,000	178,900	—	220,000		実在者の中位の額
25	3	0	係　　長	245,000	200,000	3,966,000	527,000	499,000	モデル賃金の対象
27	5	1	係　　長	262,000	213,000	4,269,000	578,000	547,000	全従業員モデル
30	8	2	課　　長	305,000	230,000	4,807,000	591,000	556,000	労務構成
35	13	3	課　　長	356,200	269,200	5,867,400	876,000	717,000	平均年齢　　　　48.9歳
40	18	3	部長代理	384,200	297,200	6,378,400	895,000	873,000	平均勤続　　　　17.8年
45	23	3	部長代理	458,200	316,200	7,417,200	969,600	949,200	2023年所定内賃金
50	28	2	副 部 長	470,100	351,900	7,731,200	1,057,000	1,033,000	385,920円
55	33	1	部　　長	505,000	356,000	8,260,800	1,132,800	1,068,000	うち基本賃金 357,770円
60	38	1							2022年所定内賃金
大学卒・一般職（事務・技術系）									377,562円
22	0	0							年間所定労働時間
25	3	0							1,807時間30分
27	5	0							
30	8	0							賃金改定状況
35	13	0							定昇のみ実施
40	18	0							**2023年賃上げ額**
45	23	0							10,960円　3.16%
短大卒・一般職（事務・技術系）									うち定昇10,960円　3.16%
20	0	0							
22	2	0							賞与・一時金
25	5	0							・2022年年末
30	10	0							847,487円　2.35ヵ月
35	15	0							前年比　91.90%
40	20	0							・2023年夏季
高校卒・総合職（事務・技術系）									866,333円　2.48ヵ月
18	0	0							前年比　94.50%
20	2	0							
22	4	0							家族手当
25	7	0							配偶者　　　　8,000円
27	9	1							第1子　　　　2,000円
30	12	2							第2子　　　　2,000円
35	17	3							第3子　　　　2,000円
40	22	3							・管理職に対する支給
45	27	3							支給する
50	32	2							・支給の制限等
55	37	1							18歳まで支給
60	42	1							役付手当
高校卒・一般職（事務・技術系）									部　　長　　　105,000円
18	0	0							次　　長　75,000～85,000円
20	2	0							課　　長　45,000～55,000円
22	4	0							役職者への時間外手当の不支給
25	7	0							課長クラスから不支給
30	12	0							
35	17	0							時間あたり賃金
40	22	0							年間賃金ベース　3,510円
高校卒・現業系									月例賃金ベース　2,562円
18	0	0							
20	2	0							
22	4	0							
25	7	0							
27	9	1							
30	12	2							
35	17	3							
40	22	3							
45	27	3							
50	32	2							
55	37	1							
60	42	1							

鉄道・バス　A社（1,000人）

（単位：円）

年齢（歳）	勤続年数（年）	扶養家族（人）	役職名	所定労働時間内賃金	うち基本賃金	年間賃金計 モデル月例賃金×12＋2023年夏季賞与＋2022年年末賞与	2023年夏季モデル賞与	2022年年末モデル賞与
大学卒・総合職（事務・技術系）								
22	0	0		230,000	230,000	2,910,000	50,000	100,000
25	3	0		255,600	255,600	3,474,600	187,700	219,700
27	5	1		279,800	274,800	3,826,900	221,000	248,300
30	8	2		317,800	307,800	4,404,300	294,500	296,200
35	13	3		346,600	331,600	4,865,000	362,000	343,800
40	18	3	リーダー	399,800	354,800	5,808,000	505,200	505,200
45	23	3	リーダー	428,600	383,600	6,240,000	548,400	548,400
50	28	2	マネージャー	490,700	420,700	7,485,200	798,400	798,400
55	33	1	マネージャー	517,700	452,700	7,937,200	862,400	862,400
60	38	1	マネージャー	537,700	472,700	8,257,200	902,400	902,400
大学卒・一般職（事務・技術系）								
22	0	0		180,000	180,000	—	—	80,000
25	3	0		203,400	203,400	2,841,900	201,000	200,100
27	5	0		225,500	225,500	3,163,000	225,000	232,000
30	8	0		239,800	239,800	3,401,700	237,600	286,500
35	13	0		264,200	264,200	3,655,800	217,800	267,600
40	18	0		277,000	277,000	3,785,100	231,000	230,100
45	23	0		281,800	281,800	3,861,350	241,000	238,750
短大卒・一般職（事務・技術系）								
20	0	0		175,000	175,000	—	—	80,000
22	2	0		188,000	188,000	2,654,700	198,000	200,700
25	5	0		203,400	203,400	2,800,200	178,200	181,200
30	10	0		222,900	222,900	3,110,500	216,000	219,700
35	15	0		233,800	233,800	3,266,250	241,000	219,650
40	20	0		257,800	257,800	3,534,700	231,000	210,100
高校卒・総合職（事務・技術系）								
18	0	0		190,000	190,000	2,390,000	30,000	80,000
20	2	0		197,800	197,800	2,732,500	167,000	191,900
22	4	0		208,200	208,200	2,890,400	201,000	191,000
25	7	0		236,400	236,400	3,322,300	239,600	245,900
27	9	1		257,400	252,400	3,649,500	271,000	289,700
30	12	2		303,800	293,800	4,327,600	332,000	350,000
35	17	3		336,600	321,600	4,675,800	331,000	305,600
40	22	3	リーダー	393,400	348,400	5,712,000	495,600	495,600
45	27	3	リーダー	422,200	377,200	6,144,000	538,800	538,800
50	32	2	マネージャー	486,700	416,700	7,421,200	790,400	790,400
55	37	1	マネージャー	513,700	448,700	7,873,200	854,400	854,400
60	42	1	マネージャー	533,700	468,700	8,193,200	894,400	894,400
高校卒・一般職（事務・技術系）								
18	0	0		170,000	170,000	2,150,000	30,000	80,000
20	2	0		183,000	183,000	2,529,800	181,000	152,800
22	4	0		183,900	183,900	2,618,800	221,000	191,000
25	7	0		203,400	203,400	2,841,800	221,000	180,000
30	12	0		238,500	238,500	3,312,650	231,000	219,650
35	17	0		262,600	262,600	3,639,600	221,000	267,400
40	22	0		277,000	277,000	3,813,000	232,000	257,000
高校卒・現業系								
18	0	0		201,200	201,200	2,538,900	41,500	83,000
20	2	0		222,350	222,350	3,054,461	169,000	217,261
22	4	0		224,350	224,350	3,189,700	286,250	211,250
25	7	0		227,350	227,350	3,256,866	243,333	285,333
27	9	1		242,350	237,350	3,497,867	312,000	277,667
30	12	2		257,850	247,850	3,682,200	289,167	298,833
35	17	3		270,350	255,350	3,889,309	294,700	350,409
40	22	3	副班長	282,850	262,850	3,978,277	278,000	306,077
45	27	3	班長	307,850	282,850	4,329,575	328,815	306,560
50	32	2	班長	312,850	292,850	4,369,187	289,273	325,714
55	37	1	職長	327,850	302,850	4,490,250	260,250	295,800
60	42	1	職長	337,850	312,850	4,611,193	280,538	276,455

補足的事項

モデル賃金の算定方法
理論モデル

モデル賃金の対象
全従業員モデル

労務構成
平均年齢　40.2歳
平均勤続　13.2年
2023年所定内賃金　279,475円
うち基本賃金　259,697円
2022年所定内賃金　271,479円
年間所定労働時間　2,080時間

賃金改定状況
ベースアップを実施

2023年賃上げ額
8,658円　3.19%
うち定昇　3,974円　1.46%

賞与・一時金
・2022年年末　360,067円　—
前年比　144.90%
・2023年夏季　362,809円　—
前年比　108.00%

家族手当
配偶者　5,000円
第1子　5,000円
第2子　5,000円
第3子　10,000円
・管理職に対する支給
支給する
・支給の制限等
18歳まで支給

役付手当
部　長　60,000円
課　長　30,000円

役割給　導入なし

役職者への時間外手当の不支給
課長クラスから不支給

時間あたり賃金
年間賃金ベース　1,960円
月例賃金ベース　1,612円

役職者・実在者の平均年収額
部長（兼任役員）　年俸制
平均年齢　58.7歳　9,972千円
部　長　年俸制
平均年齢　53.4歳　7,434千円
課　長　年俸制
平均年齢　50.7歳　6,397千円

鉄道・バス　B社（80人）

（単位：円）

設定条件			役職名	所定労働時間内賃金	うち基本賃金	年間賃金計 モデル月例賃金×12＋2023年夏季賞与＋2022年年末賞与	2023年夏季モデル賞与	2022年年末モデル賞与
年齢（歳）	勤続年数（年）	扶養家族（人）						
大学卒・総合職（事務・技術系）								
22	0	0						
25	3	0						
27	5	1						
30	8	2						
35	13	3						
40	18	3						
45	23	3						
50	28	2						
55	33	1						
60	38	1						
大学卒・一般職（事務・技術系）								
22	0	0						
25	3	0						
27	5	0						
30	8	0						
35	13	0						
40	18	0						
45	23	0						
短大卒・一般職（事務・技術系）								
20	0	0						
22	2	0						
25	5	0						
30	10	0						
35	15	0						
40	20	0						
高校卒・総合職（事務・技術系）								
18	0	0						
20	2	0						
22	4	0						
25	7	0						
27	9	1						
30	12	2						
35	17	3						
40	22	3						
45	27	3						
50	32	2						
55	37	1						
60	42	1						
高校卒・一般職（事務・技術系）								
18	0	0						
20	2	0						
22	4	0						
25	7	0						
30	12	0						
35	17	0						
40	22	0						
高校卒・現業系								
18	0	0	構内係兼技術係	170,200	167,700	—	95,724	—
20	2	0	操車係兼技術係	182,000	168,700	—	—	—
22	4	0	操車係兼技術係	183,900	170,600	—	—	—
25	7	0		—	—	—	—	—
27	9	1		—	—	—	—	—
30	12	2		—	—	—	—	—
35	17	3		—	—	—	—	—
40	22	3		—	—	—	—	—
45	27	3		—	—	—	—	—
50	32	2	助　　役	253,000	220,400	—	—	—
55	37	1		—	—	—	—	—
60	42	1		—	—	—	—	—

補足的事項

モデル賃金の算定方法
実在者に近い人の金額

モデル賃金の対象
全従業員モデル

労務構成
平均年齢　47.0歳
平均勤続　19.9年
2023年所定内賃金　205,317円
うち基本賃金　199,706円
2022年所定内賃金　204,346円
年間所定労働時間　2,016時間40分

賃金改定状況
定昇なし
ベースアップのみ

2023年賃上げ額
2,600円　1.27％

賞与・一時金
・2022年年末
391,284円　1.90ヵ月
前年比　105.60％
・2023年夏季
337,984円　1.70ヵ月
前年比　96.60％

家族手当
配偶者　7,000円
第1子　3,000円
第2子　3,000円
第3子　3,000円
・管理職に対する支給
支給する
・支給の制限等
18歳まで支給

役付手当
部　長　110,500円
次　長　74,500円
課　長　40,000～50,000円

役割給　導入なし

役職者への時間外手当の不支給
課長クラスから不支給

時間あたり賃金
年間賃金ベース　1,583円
月例賃金ベース　1,222円

役職者・実在者の平均年収額
部長（兼任役員）　月例賃金＋賞与
平均年齢　62.0歳　6,996千円
次　長　月例賃金＋賞与
平均年齢　53.0歳　5,943千円
課　長　月例賃金＋賞与
平均年齢　48.0歳　5,116千円

陸・海・空運　A社（1,000人）

（単位：円）

年齢（歳）	勤続年数（年）	扶養家族（人）	役職名	所定労働時間内賃金	うち基本賃金	年間賃金計（モデル月例賃金×12＋2023年夏季賞与 2022年年末賞与）	2023年夏季モデル賞与	2022年年末モデル賞与
大学卒・総合職（事務・技術系）								
22	0	0		250,000	250,000	3,610,000	80,000	530,000
25	3	0		262,400	262,400	4,493,800	632,000	713,000
27	5	1		306,900	273,400	5,391,800	800,000	909,000
30	8	2		330,400	291,400	5,881,800	933,000	984,000
35	13	3		367,400	323,900	6,930,800	1,216,000	1,306,000
40	18	3	課　　長	482,600	427,600	8,742,200	1,150,000	1,801,000
45	23	3	次　　長	556,600	491,600	9,973,200	1,300,000	1,994,000
50	28	2	部　　長	645,600	560,600	11,555,200	1,500,000	2,308,000
55	33	1	部　　長	674,400	589,400	11,900,800	1,500,000	2,308,000
60	38	1	部　　長	674,400	589,400	11,900,800	1,500,000	2,308,000
大学卒・一般職（事務・技術系）								
22	0	0						
25	3	0						
27	5	0						
30	8	0						
35	13	0						
40	18	0						
45	23	0						
短大卒・一般職（事務・技術系）								
20	0	0						
22	2	0						
25	5	0						
30	10	0						
35	15	0						
40	20	0						
高校卒・総合職（事務・技術系）								
18	0	0						
20	2	0						
22	4	0						
25	7	0						
27	9	1						
30	12	2						
35	17	3						
40	22	3						
45	27	3						
50	32	2						
55	37	1						
60	42	1						
高校卒・一般職（事務・技術系）								
18	0	0						
20	2	0						
22	4	0						
25	7	0						
30	12	0						
35	17	0						
40	22	0						
高校卒・現業系								
18	0	0						
20	2	0						
22	4	0						
25	7	0						
27	9	1						
30	12	2						
35	17	3						
40	22	3						
45	27	3						
50	32	2						
55	37	1						
60	42	1						

補足的事項

モデル賃金の算定方法
理論モデル

モデル賃金の対象
全従業員モデル

労務構成
平均年齢　33.4歳
平均勤続　9.4年
2023年所定内賃金　286,714円
2022年所定内賃金　263,814円
年間所定労働時間　1,911時間20分

賃金改定状況
ベースアップを実施

2023年賃上げ額
22,900円　8.70%
うち定昇 6,000円　2.30%

賞与・一時金
・2022年年末
903,000円　3.38ヵ月
前年比　107.90%
・2023年夏季
840,000円　2.98ヵ月
前年比　101.90%

家族手当
配偶者　18,500円
第１子　5,500円
第２子　4,500円
第３子　4,000円
・管理職に対する支給
支給しない

役付手当
部　長　80,000～100,000円
次　長　60,000円
課　長　40,000～50,000円

役割給　導入なし

役職者への時間外手当の不支給
課長クラスから不支給

時間あたり賃金
年間賃金ベース　2,712円
月例賃金ベース　1,800円

役職者・実在者の平均年収額
部長（兼任役員）　年俸制
平均年齢 51.0歳　12,385千円
部　長　年俸制
平均年齢 52.1歳　10,318千円
次　長　年俸制
平均年齢　50.0歳　9,278千円
課　長　年俸制
平均年齢　45.1歳　8,471千円

陸・海・空運　B社（900人）　　　　　　　　　　　　　　　　　　　　　　　　　　　　（単位：円）

設定条件			役職名	所定労働時間内賃金	うち基本賃金	年間賃金計 モデル月例賃金×12 +2023年夏季賞与 2022年年末賞与	2023年夏季モデル賞与	2022年年末モデル賞与	補足的事項
年齢(歳)	勤続年数(年)	扶養家族(人)							
大学卒・総合職（事務・技術系）									モデル賃金の算定方法
22	0	0		215,000	215,000	—	250,500	—	理論モデル
25	3	0		235,000	235,000	3,647,000	427,000	400,000	モデル賃金の対象
27	5	1		259,000	248,000	4,042,000	487,500	446,500	全従業員モデル
30	8	2		274,600	260,100	4,471,700	613,000	563,500	労務構成
35	13	3		307,400	289,400	5,181,300	782,000	710,500	平均年齢　　　　39.0歳
40	18	3	係　　長	346,750	318,750	6,044,000	965,000	918,000	平均勤続　　　　15.8年
45	23	3	室　　長	436,000	388,000	7,654,000	1,243,500	1,178,500	2023年所定内賃金
50	28	2	室　　長	455,500	411,000	8,038,500	1,317,500	1,255,000	269,000円
55	33	1	部　　長	511,300	460,300	9,062,100	1,494,500	1,432,000	うち基本賃金　262,000円
60	38	1	部　　長	525,300	474,300	9,311,600	1,536,000	1,472,000	2022年所定内賃金
大学卒・一般職（事務・技術系）									258,000円
22	0	0							年間所定労働時間
25	3	0							1,921時間25分
27	5	0							
30	8	0							
35	13	0							賃金改定状況
40	18	0							ベースアップを実施
45	23	0							2023年賃上げ額
短大卒・一般職（事務・技術系）									10,000円　3.88%
20	0	0		183,650	183,650	—	222,000	—	賞与・一時金
22	2	0		193,550	193,550	—	292,500	—	・2022年年末
25	5	0		208,300	208,300	—	349,500	—	608,000円　2.36ヵ月
30	10	0		235,400	235,400	—	526,000	—	前年比　126.70%
35	15	0		258,900	258,900	—	708,500	—	・2023年夏季
40	20	0		273,700	273,700	—	749,000	—	635,000円　2.36ヵ月
高校卒・総合職（事務・技術系）									前年比　104.40%
18	0	0							
20	2	0							家族手当
22	4	0							配偶者　　　　11,000円
25	7	0							第1子　　　　 3,500円
27	9	1							第2子　　　　 3,500円
30	12	2							・管理職に対する支給
35	17	3							支給する
40	22	3							・支給の制限等
45	27	3							18歳まで支給
50	32	2							役付手当
55	37	1							部　長　　　　40,000円
60	42	1							課　長　20,000〜40,000円
高校卒・一般職（事務・技術系）									係　長　　　　10,000円
18	0	0							役割給　　　　　導入なし
20	2	0							役職者への時間外手当の不支給
22	4	0							課長クラスから不支給
25	7	0							
30	12	0							時間あたり賃金
35	17	0							年間賃金ベース　2,327円
40	22	0							月例賃金ベース　1,680円
高校卒・現業系									
18	0	0		175,000	175,000	—	178,000	—	役職者・実在者の平均月収額
20	2	0		189,000	189,000	2,967,500	356,000	343,500	課　長　　　　月例賃金
22	4	0		—	—	—	—	389,000	平均年齢 50.5歳　457千円
25	7	0		216,000	216,000	3,525,000	475,000	458,000	
27	9	1		—	—	—	—	503,000	
30	12	2		248,500	234,000	4,143,500	591,000	570,500	
35	17	3		268,000	250,000	4,610,000	709,000	685,000	
40	22	3		281,000	263,000	4,884,500	770,000	742,500	
45	27	3		294,000	276,000	5,131,500	816,000	787,500	
50	32	2		301,500	287,000	5,310,500	861,000	831,500	
55	37	1		303,000	292,000	5,410,500	901,000	873,500	
60	42	1		302,000	291,000	5,463,500	933,000	906,500	

陸・海・空運　C社（800人）　　　　　　　　　　　　　　　　　　　　　　　（単位：円）

設定条件 年齢(歳)	勤続年数(年)	扶養家族(人)	役職名	所定労働時間内賃金	うち基本賃金	年間賃金計 モデル月例賃金×12＋2023年夏季賞与＋2022年年末賞与	2023年夏季モデル賞与	2022年年末モデル賞与
大学卒・総合職（事務・技術系）								
22	0	0		213,500	206,000	2,882,000	90,000	230,000
25	3	0		229,610	222,110	3,638,320	450,000	433,000
27	5	1		262,410	233,410	4,216,920	585,000	483,000
30	8	2		304,500	270,000	4,823,000	609,000	560,000
35	13	3		337,900	287,900	5,391,800	672,000	665,000
40	18	3	管理職	445,000	350,000	7,002,000	990,000	672,000
45	23	3	管理職	510,420	415,420	8,325,040	1,129,000	1,071,000
50	28	2	管理職	551,390	451,890	9,069,680	1,235,000	1,218,000
55	33	1	管理職	585,720	476,720	9,688,640	1,330,000	1,330,000
60	38	1	管理職	607,560	478,560	9,952,720	1,320,000	1,342,000
大学卒・一般職（事務・技術系）								
22	0	0						
25	3	0						
27	5	0						
30	8	0						
35	13	0						
40	18	0						
45	23	0						
短大卒・一般職（事務・技術系）								
20	0	0						
22	2	0						
25	5	0						
30	10	0						
35	15	0						
40	20	0						
高校卒・総合職（事務・技術系）								
18	0	0						
20	2	0						
22	4	0						
25	7	0						
27	9	1						
30	12	2						
35	17	3						
40	22	3						
45	27	3						
50	32	2						
55	37	1						
60	42	1						
高校卒・一般職（事務・技術系）								
18	0	0						
20	2	0						
22	4	0						
25	7	0						
30	12	0						
35	17	0						
40	22	0						
高校卒・現業系								
18	0	0						
20	2	0						
22	4	0						
25	7	0						
27	9	1						
30	12	2						
35	17	3						
40	22	3						
45	27	3						
50	32	2						
55	37	1						
60	42	1						

補足的事項

モデル賃金の算定方法
　理論モデル
モデル賃金の対象
　全従業員モデル
労務構成
　平均年齢　　　　　38.9歳
　平均勤続　　　　　12.1年
　2023年所定内賃金
　　　　　　　　　323,359円
　　うち基本賃金　291,795円
　2022年所定内賃金
　　　　　　　　　311,267円
　年間所定労働時間
　　　　　　　　　1,920時間

賃金改定状況
　ベースアップを実施
2023年賃上げ額
　　　　　　12,058円　4.31%
　　うち定昇　7,058円　2.52%
賞与・一時金
・2022年年末
　　　　　632,989円　2.10ヵ月
　　　　　前年比　　104.68%
・2023年夏季
　　　　　649,100円　2.10ヵ月
　　　　　前年比　　107.84%

家族手当
　配偶者　　　　　14,000円
　第1子　　　　　　5,500円
　第2子　　　　　　5,500円
　第3子　　　　　　5,500円
　・管理職に対する支給
　　　支給する
　・支給の制限等
　　　18歳まで支給
役付手当
　部　長　65,000〜100,000円
　次　長　50,000〜60,000円
　課　長　30,000〜55,000円
役割給　導入なし
役職者への時間外手当の不支給
　課長クラスから不支給
時間あたり賃金
　年間賃金ベース　2,689円
　月例賃金ベース　2,021円

役職者・実在者の平均年収額
　部長（兼任役員）
　　　　　　　月例賃金＋賞与
　　平均年齢　57.5歳　9,876千円
　部　長　　月例賃金＋賞与
　　平均年齢　54.0歳　9,330千円
　次　長　　月例賃金＋賞与
　　平均年齢　55.0歳　8,531千円
　課　長　　月例賃金＋賞与
　　平均年齢　49.6歳　7,588千円

陸・海・空運　D社（750人）　　　　　　　　　　　　　　　　　　　　　　（単位：円）

設定条件			役職名	所定労働時間内賃金	うち基本賃金	年間賃金計 モデル月例賃金×12＋2023年夏季賞与＋2022年年末賞与	2023年夏季モデル賞与	2022年年末モデル賞与	補足的事項
年齢(歳)	勤続年数(年)	扶養家族(人)							
大学卒・総合職（事務・技術系）									
22	0	0		191,500	191,500	—	60,000	—	モデル賃金の算定方法
25	3	0		199,900	199,900	3,182,800	406,000	378,000	実在者の中位の額
27	5	1		223,400	198,900	3,670,800	489,000	501,000	モデル賃金の対象
30	8	2		—	—	—	—	—	組合員モデル
35	13	3		—	—	—	—	—	労務構成
40	18	3		—	—	—	—	—	平均年齢　　　　43.0歳
45	23	3		—	—	—	—	—	平均勤続　　　　15.0年
50	28	2		—	—	—	—	—	2023年所定内賃金
55	33	1		—	—	—	—	—	288,156円
60	38	1		—	—	—	—	—	うち基本賃金　219,271円
大学卒・一般職（事務・技術系）									2022年所定内賃金
22	0	0							281,781円
25	3	0							年間所定労働時間
27	5	0							1,984時間
30	8	0							
35	13	0							賃金改定状況
40	18	0							ベースアップを実施
45	23	0							賞与・一時金
短大卒・一般職（事務・技術系）									・2022年年末　506,023円　—
20	0	0		—	—	—	—	—	前年比　100.10%
22	2	0		189,200	189,200	—	54,000	—	・2023年夏季　507,011円　—
25	5	0		—	—	—	—	—	前年比　100.20%
30	10	0		—	—	—	—	—	
35	15	0		—	—	—	—	—	家族手当
40	20	0		—	—	—	—	—	配偶者　　　　　8,000円
高校卒・総合職（事務・技術系）									第1子　　　　　2,000円
18	0	0		166,500	166,500	—	50,000	—	第2子　　　　　2,000円
20	2	0		—	—	—	—	—	第3子　　　　　2,000円
22	4	0		—	—	—	—	—	・管理職に対する支給
25	7	0		—	—	—	—	—	支給する
27	9	1		—	—	—	—	—	・支給の制限等
30	12	2		—	—	—	—	—	18歳まで支給
35	17	3		—	—	—	—	—	役付手当
40	22	3	係　　長	253,360	231,360	4,328,320	637,000	651,000	係　　長　　　10,000円
45	27	3		—	—	—	—	—	主　　任　　　 8,000円
50	32	2		—	—	—	—	—	役割給　　　　　導入なし
55	37	1		—	—	—	—	—	役職者への時間外手当の不支給
60	42	1		—	—	—	—	—	課長クラスから不支給
高校卒・一般職（事務・技術系）									
18	0	0		166,500	166,500	—	50,000	—	時間あたり賃金
20	2	0		—	—	—	—	—	年間賃金ベース　2,253円
22	4	0		—	—	—	—	—	月例賃金ベース　1,743円
25	7	0		—	—	—	—	—	
30	12	0		—	—	—	—	—	
35	17	0		—	—	—	—	—	
40	22	0		229,239	229,239	—	—	—	
高校卒・現業系									
18	0	0		166,500	166,500	—	50,000	—	
20	2	0		—	—	—	—	—	
22	4	0		—	—	—	—	—	
25	7	0		—	—	—	—	—	
27	9	1		—	—	—	—	—	
30	12	2		—	—	—	—	—	
35	17	3		—	—	—	—	—	
40	22	3		—	—	—	—	—	
45	27	3	班　　長	241,950	203,950	4,047,400	552,000	592,000	
50	32	2		—	—	—	—	—	
55	37	1		—	—	—	—	—	
60	42	1		—	—	—	—	—	

陸・海・空運　E社（650人）

（単位：円）

設定条件 年齢（歳）	勤続年数（年）	扶養家族（人）	役職名	所定労働時間内賃金	うち基本賃金	年間賃金計 モデル月例賃金×12＋2023年夏季賞与 2022年年末賞与	2023年夏季モデル賞与	2022年年末モデル賞与
大学卒・総合職（事務・技術系）								
22	0	0		212,000	212,000	2,964,100	100,000	320,100
25	3	0		214,000	214,000	3,822,000	627,000	627,000
27	5	1		232,100	232,100	4,348,200	786,000	777,000
30	8	2	主任	291,800	261,800	5,368,600	893,000	974,000
35	13	3	主任	328,000	298,000	5,796,000	874,000	986,000
40	18	3	課長代理	420,800	420,800	7,434,100	1,201,000	1,183,500
45	23	3	課長	467,200	467,200	8,792,400	1,607,000	1,579,000
50	28	2	副支店長	555,000	552,000	11,240,000	2,290,000	2,290,000
55	33	1	支店長	610,200	607,200	11,571,150	2,127,500	2,121,250
60	38	1	部長	612,500	612,500	11,775,500	2,216,750	2,208,750
大学卒・一般職（事務・技術系）								
22	0	0		169,000	169,000	2,321,000	80,000	213,000
25	3	0		189,500	189,500	3,143,300	456,300	413,000
27	5	0		184,300	184,300	3,097,000	372,400	513,000
30	8	0		189,500	189,500	3,230,000	469,000	487,000
35	13	0		198,700	198,700	3,316,000	477,200	454,400
40	18	0		205,400	205,400	3,406,800	476,000	466,000
45	23	0	主任	279,200	249,200	4,743,400	664,000	729,000
短大卒・一般職（事務・技術系）								
20	0	0		168,000	168,000	2,313,000	125,000	172,000
22	2	0		169,000	169,000	2,689,000	336,000	325,000
25	5	0		189,200	189,200	3,435,400	565,000	600,000
30	10	0		174,200	174,200	2,731,400	345,000	296,000
35	15	0		198,700	198,700	3,316,000	477,200	454,400
40	20	0		204,200	204,200	3,426,400	488,000	488,000
高校卒・総合職（事務・技術系）								
18	0	0		164,000	164,000	2,251,000	80,000	203,000
20	2	0		167,150	167,150	2,734,800	355,000	374,000
22	4	0	サブリーダー	198,200	188,200	3,380,400	467,000	535,000
25	7	0	サブリーダー	196,900	186,900	3,630,800	634,000	634,000
27	9	1	サブリーダー	235,400	225,400	3,835,600	360,000	650,800
30	12	2	リーダー	228,300	208,300	4,092,600	652,000	701,000
35	17	3	主任	297,700	267,700	5,610,400	1,074,000	964,000
40	22	3	主任	263,800	233,800	4,703,600	830,000	708,000
45	27	3	営業所長代理	423,400	420,400	7,249,800	1,087,000	1,082,000
50	32	2	営業所長	476,200	473,200	8,515,100	1,374,200	1,426,500
55	37	1	営業所長	480,200	477,200	8,686,400	1,381,000	1,543,000
60	42	1		262,700	262,700	4,242,400	537,000	553,000
高校卒・一般職（事務・技術系）								
18	0	0		164,000	164,000	2,251,000	80,000	203,000
20	2	0		167,150	167,150	2,734,800	355,000	374,000
22	4	0		169,200	169,200	2,863,400	438,000	395,000
25	7	0		173,700	173,700	2,963,800	433,100	446,300
30	12	0		189,500	189,500	3,230,000	469,000	487,000
35	17	0		—	—	—	—	—
40	22	0	主任	263,800	233,800	4,703,600	830,000	708,000
高校卒・現業系								
18	0	0		164,000	164,000	2,251,000	80,000	203,000
20	2	0		167,150	167,150	2,734,800	355,000	374,000
22	4	0		169,200	169,200	2,863,400	438,000	395,000
25	7	0		173,700	173,700	2,963,800	433,100	446,300
27	9	1		186,500	186,500	2,997,100	379,100	380,000
30	12	2		189,500	189,500	3,230,000	469,000	487,000
35	17	3		—	—	—	—	—
40	22	3	サブリーダー	244,100	234,100	4,319,500	698,500	691,800
45	27	3	リーダー	256,200	236,200	4,544,400	770,000	700,000
50	32	2	リーダー	262,400	242,400	4,396,800	624,000	624,000
55	37	1	営業所長代行	347,100	312,100	6,489,200	1,162,000	1,162,000
60	42	1		262,700	262,700	4,242,400	537,000	553,000

補足的事項

モデル賃金の算定方法
実在者の平均額

モデル賃金の対象
全従業員モデル

労務構成
平均年齢　45.1歳
平均勤続　11.0年
2023年所定内賃金　244,500円
うち基本賃金　159,300円
2022年所定内賃金　240,900円
年間所定労働時間　1,952時間

賃金改定状況
ベースアップを実施

2023年賃上げ額
3,747円　1.51％
うち定昇　927円　0.37％

賞与・一時金
・2022年年末
655,700円　2.66ヵ月
前年比　121.76％
・2023年夏季
650,800円　2.65ヵ月
前年比　106.22％

家族手当　制度なし

役付手当
係　長　30,000円
主　任　10,000円

役割給
（左の賃金表では基本賃金に含まれます）
部　長　390,000～470,000円
次　長　390,00円
課　長　325,000～360,000円

役職者への時間外手当の不支給
課長クラスから不支給

時間あたり賃金
年間賃金ベース　2,172円
月例賃金ベース　1,503円

役職者・実在者の平均年収額
部　長　月例賃金＋賞与
平均年齢 52.2歳　11,574千円
次　長　月例賃金＋賞与
平均年齢 50.0歳　11,217千円
課　長　月例賃金＋賞与
平均年齢　47.7歳　8,618千円

陸・海・空運　F社（600人）

（単位：円）

設定条件 年齢（歳）	勤続年数（年）	扶養家族（人）	役職名	所定労働時間内賃金	うち基本賃金	年間賃金計 モデル月例賃金×12＋2023年夏季賞与 2022年年末賞与	2023年夏季モデル賞与	2022年年末モデル賞与
大学卒・総合職（事務・技術系）								
22	0	0		216,800	165,000	—	—	—
25	3	0		219,800	171,800	3,100,100	225,000	237,500
27	5	1		221,200	174,200	3,146,900	242,500	250,000
30	8	2	主任	309,140	224,140	4,271,280	278,100	283,500
35	13	3	センター長	369,340	259,340	5,345,280	453,200	460,000
40	18	3	センター長	384,940	274,940	5,649,430	533,500	496,650
45	23	3	センター長	369,940	262,940	5,572,280	566,500	566,500
50	28	2	チーム長	451,940	343,940	6,618,950	589,000	606,670
55	33	1	部長代行	445,640	310,640	6,495,180	577,500	570,000
60	38	1	部長代行	515,528	312,440	7,416,336	633,450	596,550
大学卒・一般職（事務・技術系）								
22	0	0		190,000	146,000	—	—	—
25	3	0		192,150	149,150	2,505,800	100,000	100,000
27	5	0		194,450	151,450	2,533,400	100,000	100,000
30	8	0		197,800	172,800	2,573,600	100,000	100,000
35	13	0		206,000	173,400	2,672,000	100,000	100,000
40	18	0		216,600	208,600	2,799,200	100,000	100,000
45	23	0		222,950	202,900	2,875,400	100,000	100,000
短大卒・一般職（事務・技術系）								
20	0	0		—	—	—	—	—
22	2	0		190,000	146,000	—	—	—
25	5	0		192,150	149,150	2,505,800	100,000	100,000
30	10	0		197,800	172,800	2,573,600	100,000	100,000
35	15	0		206,000	173,400	2,672,000	100,000	100,000
40	20	0		216,600	208,600	2,799,200	100,000	100,000
高校卒・総合職（事務・技術系）								
18	0	0		—	—	—	—	—
20	2	0		—	—	—	—	—
22	4	0		190,000	146,000	—	—	—
25	7	0		192,150	149,150	2,505,800	100,000	100,000
27	9	1		194,450	151,450	2,533,400	100,000	100,000
30	12	2		197,800	172,800	2,573,600	100,000	100,000
35	17	3		206,000	173,400	2,672,000	100,000	100,000
40	22	3		216,600	208,600	2,799,200	100,000	100,000
45	27	3		222,950	202,900	2,875,400	100,000	100,000
50	32	2		—	—	—	—	—
55	37	1		—	—	—	—	—
60	42	1		—	—	—	—	—
高校卒・一般職（事務・技術系）								
18	0	0		—	—	—	—	—
20	2	0		—	—	—	—	—
22	4	0		190,000	146,000	—	—	—
25	7	0		192,150	149,150	2,505,800	100,000	100,000
30	12	0		197,800	172,800	2,573,600	100,000	100,000
35	17	0		206,000	173,400	2,672,000	100,000	100,000
40	22	0		216,600	208,600	2,799,200	100,000	100,000
高校卒・現業系								
18	0	0		—	—	—	—	—
20	2	0		—	—	—	—	—
22	4	0		190,000	146,000	—	—	—
25	7	0		192,150	149,150	2,505,800	100,000	100,000
27	9	1		194,450	151,450	2,533,400	100,000	100,000
30	12	2		197,800	172,800	2,573,600	100,000	100,000
35	17	3		206,000	173,400	2,672,000	100,000	100,000
40	22	3		216,600	208,600	2,799,200	100,000	100,000
45	27	3		222,950	202,900	2,875,400	100,000	100,000
50	32	2		—	—	—	—	—
55	37	1		—	—	—	—	—
60	42	1		—	—	—	—	—

補足的事項

モデル賃金の算定方法
理論モデル

モデル賃金の対象
全従業員モデル

労務構成
平均年齢　46.5歳
平均勤続　8.7年
年間所定労働時間　2,064時間

賃金改定状況
定昇のみ実施

2023年賃上げ額
2,000円　—
うち定昇　2,000円　—

賞与・一時金
・2022年年末　1.50ヵ月
前年比　96.88％
・2023年夏季　1.50ヵ月
前年比　99.91％

家族手当
配偶者　2,000円
第1子　1,000円
第2子　1,000円
第3子　1,000円
・管理職に対する支給
支給する
・支給の制限等
上限なしで支給

役付手当
部　長　150,000円
次　長　130,000円
課　長　100,000円
係　長　80,000円
主　任　5,000円

役職者への時間外手当の不支給
課長より下のクラスから不支給

役職者・実在者の平均年収額
部長（兼任役員）　月例賃金＋賞与
平均年齢 52.0歳　10,600千円
部　長　月例賃金＋賞与
平均年齢 49.0歳　7,193千円
次　長　月例賃金＋賞与
平均年齢 48.0歳　6,659千円
課　長　月例賃金＋賞与
平均年齢 45.0歳　5,732千円

陸・海・空運　G社（400人）

（単位：円）

年齢（歳）	勤続年数（年）	扶養家族（人）	役職名	所定労働時間内賃金	うち基本賃金	年間賃金計（モデル月例賃金×12＋2023年夏季賞与＋2022年年末賞与）	2023年夏季モデル賞与	2022年年末モデル賞与
大学卒・総合職（事務・技術系）								
22	0	0		200,000	200,000	2,794,282	107,668	286,614
25	3	0		215,000	215,000	3,250,109	347,225	322,884
27	5	1		238,500	233,500	3,614,876	385,178	367,698
30	8	2		257,700	251,500	3,918,357	416,186	409,771
35	13	3	係長	312,800	288,600	4,763,009	505,172	504,237
40	18	3	課長代理	384,900	347,700	5,860,873	621,614	620,459
45	23	3	課長代理	421,400	384,200	6,416,658	680,561	679,297
50	28	2	課長	487,900	441,700	7,429,254	787,959	786,495
55	33	1	副部長	543,200	488,200	8,271,307	877,268	875,639
60	38	1		—	—	—	—	—
大学卒・一般職（事務・技術系）								
22	0	0						
25	3	0						
27	5	0						
30	8	0						
35	13	0						
40	18	0						
45	23	0						
短大卒・一般職（事務・技術系）								
20	0	0		169,800	169,800	2,365,006	91,409	235,997
22	2	0		180,400	180,400	2,711,165	291,346	255,019
25	5	0		193,600	193,600	2,923,768	312,664	287,904
30	10	0		225,500	225,500	3,429,015	364,183	358,832
35	15	0		261,100	261,100	3,975,771	421,677	420,894
40	20	0	係長	318,200	301,200	4,845,232	513,893	512,939
高校卒・総合職（事務・技術系）								
18	0	0		172,000	172,000	2,393,882	92,595	237,287
20	2	0		185,800	185,800	2,796,856	300,067	267,189
22	4	0		201,200	201,200	3,027,886	324,938	288,548
25	7	0		216,200	216,200	3,267,898	349,163	324,335
27	9	1		239,700	234,700	3,633,148	387,116	369,632
30	12	2		258,900	252,700	3,936,629	418,124	411,705
35	17	3	係長	314,000	289,800	4,780,311	507,110	505,201
40	22	3	課長代理	386,100	348,900	5,879,146	623,552	622,394
45	27	3	課長代理	422,600	385,400	6,434,931	682,499	681,232
50	32	2	課長	489,100	442,900	7,447,527	789,897	788,430
55	37	1	副部長	544,400	489,400	8,289,579	879,206	877,573
60	42	1		—	—	—	—	—
高校卒・一般職（事務・技術系）								
18	0	0		160,000	160,000	2,224,078	86,135	217,943
20	2	0		170,400	170,400	2,556,960	275,196	236,964
22	4	0		181,000	181,000	2,720,301	292,315	255,986
25	7	0		194,200	194,200	2,932,904	313,633	288,871
30	12	0		226,100	226,100	3,437,184	365,152	358,832
35	17	0		261,700	261,700	3,984,907	422,646	421,861
40	22	0		301,800	301,800	4,595,509	487,407	486,502
高校卒・現業系								
18	0	0		168,920	168,920	2,390,276	90,936	272,300
20	2	0		169,520	169,520	2,581,282	273,775	273,267
22	4	0		170,800	170,800	2,600,772	275,842	275,330
25	7	0		183,800	183,800	2,798,723	296,837	296,286
27	9	1		201,100	196,100	3,062,151	324,777	324,174
30	12	2		226,500	220,300	3,448,916	365,798	365,118
35	17	3		243,000	235,800	3,700,161	392,445	391,716
40	22	3	班長	281,000	268,800	4,278,787	453,815	452,972
45	27	3	副職長	347,500	325,300	5,291,383	561,213	560,170
50	32	2	職長	396,500	370,300	6,037,506	640,348	639,158
55	37	1	職長	393,800	368,800	5,996,393	635,987	634,806
60	42	1		—	—	—	—	—

補足的事項

モデル賃金の算定方法
理論モデル

モデル賃金の対象
全従業員モデル

労務構成
平均年齢　39.2歳
平均勤続　14.8年
2023年所定内賃金　297,760円
うち基本賃金　297,760円
2022年所定内賃金　287,132円
年間所定労働時間　1,788時間

賃金改定状況
賃金制度を改定

賞与・一時金
・2022年年末
447,700円　1.61ヵ月
前年比　100.31％
・2023年夏季
448,500円　1.62ヵ月
前年比　100.49％

家族手当
配偶者　5,000円
第1子　1,200円
第2子　1,000円
・管理職に対する支給
支給する
・支給の制限等
18歳まで支給
健康保険等の扶養者の人数に対して支給

役付手当
部　長　50,000円
次　長　50,000円
課　長　30,000～40,000円
係　長　17,000円

役割給　導入なし

役職者への時間外手当の不支給
課長クラスから不支給

時間あたり賃金
年間賃金ベース　2,500円
月例賃金ベース　1,998円

役職者・実在者の平均年収額
部長（兼任役員）　年俸制
平均年齢　56.0歳　10,800千円
部　長　月例賃金＋賞与
平均年齢　53.6歳　8,679千円
課　長　月例賃金＋賞与
平均年齢　52.5歳　7,604千円

陸・海・空運　H社（300人）　　　　　　　　　　　　　　　　　　　　　　　　（単位：円）

設定条件			役職名	所定労働時間内賃金	うち基本賃金	年間賃金計 モデル月例賃金×12 + 2023年夏季賞与 2022年年末賞与	2023年夏季モデル賞与	2022年年末モデル賞与	補足的事項
年齢(歳)	勤続年数(年)	扶養家族(人)							
大学卒・総合職（事務・技術系）									
22	0	0		196,310	196,310	—	50,000	—	モデル賃金の算定方法
25	3	0		208,780	208,780	—	—	—	実在者の平均額
27	5	1		236,500	221,000	—	—	—	モデル賃金の対象
30	8	2	主　任	258,210	237,210	—	—	—	組合員モデル
35	13	3	係　長	292,690	266,190	—	—	—	労務構成
40	18	3		—	—	—	—	—	平均年齢　　　　41.9歳
45	23	3		—	—	—	—	—	平均勤続　　　　13.1年
50	28	2		—	—	—	—	—	年間所定労働時間
55	33	1		—	—	—	—	—	1,919時間5分
60	38	1		—	—	—	—	—	
大学卒・一般職（事務・技術系）									賃金改定状況
22	0	0							ベースアップを実施
25	3	0							**2023年賃上げ額**
27	5	0							7,260円　2.69%
30	8	0							うち定昇　4,260円　1.58%
35	13	0							**賞与・一時金**
40	18	0							・2022年年末
45	23	0							665,720円　2.52ヵ月
短大卒・一般職（事務・技術系）									前年比　118.70%
20	0	0							・2023年夏季
22	2	0							571,153円　2.11ヵ月
25	5	0							前年比　101.80%
30	10	0							
35	15	0							**家族手当**
40	20	0							配偶者　　　　　15,500円
高校卒・総合職（事務・技術系）									第1子　　　　　　2,000円
18	0	0							第2子　　　　　　2,000円
20	2	0							第3子　　　　　　2,000円
22	4	0							・管理職に対する支給
25	7	0							支給する
27	9	1							・支給の制限等
30	12	2							18歳まで支給
35	17	3							**役付手当**
40	22	3							部　　長　　　　13,000円
45	27	3							次　　長　　　　11,000円
50	32	2							課　　長　　　　10,000円
55	37	1							係　　長　　　　 5,000円
60	42	1							主　　任　　　　 2,500円
高校卒・一般職（事務・技術系）									役割給　　　　　導入なし
18	0	0							**役職者への時間外手当の不支給**
20	2	0							課長クラスから不支給
22	4	0							
25	7	0							
30	12	0							
35	17	0							
40	22	0							
高校卒・現業系									
18	0	0							
20	2	0							
22	4	0							
25	7	0							
27	9	1							
30	12	2							
35	17	3							
40	22	3							
45	27	3							
50	32	2							
55	37	1							
60	42	1							

陸・海・空運　Ｉ社（250人）　　　　　　　　　　　　　　　　　　　　　　　　　　　（単位：円）

設定条件			役職名	所定労働時間内賃金	うち基本賃金	年間賃金計 モデル月例賃金×12＋2023年夏季賞与＋2022年年末賞与	2023年夏季モデル賞与	2022年年末モデル賞与	補足的事項
年齢(歳)	勤続年数(年)	扶養家族(人)							
大学卒・総合職（事務・技術系）									
22	0	0		203,700	173,700	—	—	—	モデル賃金の算定方法
25	3	0		208,700	178,700	3,188,023	431,130	252,493	理論モデル
27	5	1		233,700	193,700	3,552,348	466,439	281,509	モデル賃金の対象
30	8	2		276,700	231,700	4,206,227	559,544	326,283	全従業員モデル
35	13	3		320,200	270,200	4,871,057	648,465	380,192	労務構成
40	18	3	係　　　長	343,700	273,700	5,195,372	674,279	396,693	平均年齢　　　　45.3歳
45	23	3	Ｇ　　Ｍ	443,500	303,500	6,753,787	906,147	525,640	平均勤続　　　　12.9年
50	28	2	副　部　長	523,500	338,500	7,975,883	1,072,043	621,840	2023年所定内賃金
55	33	1	部　　　長	568,500	363,500	8,650,312	1,150,672	677,640	282,986円
60	38	1	部　　　長	568,500	363,500	8,650,312	1,150,672	677,640	うち基本賃金　230,865円
大学卒・一般職（事務・技術系）									2022年所定内賃金
22	0	0							278,775円
25	3	0							年間所定労働時間
27	5	0							2,064時間
30	8	0							
35	13	0							賃金改定状況
40	18	0							ベースアップを実施
45	23	0							**2023年賃上げ額**
短大卒・一般職（事務・技術系）									3,546円　1.77%
20	0	0							うち定昇　2,086円　1.04%
22	2	0							
25	5	0							賞与・一時金
30	10	0							・2022年年末
35	15	0							313,350円　1.20ヵ月
40	20	0							前年比　98.60%
高校卒・総合職（事務・技術系）									・2023年夏季
18	0	0		—	—	—	—	—	532,491円　2.05ヵ月
20	2	0		—	—	—	—	—	前年比　91.60%
22	4	0		—	—	—	—	—	
25	7	0		215,900	185,900	3,230,975	381,095	259,080	家族手当
27	9	1		230,900	190,900	3,521,225	473,345	277,080	配偶者　　　　10,000円
30	12	2		244,100	199,100	3,722,525	500,405	292,920	第1子　　　　　5,000円
35	17	3		258,600	208,600	3,943,650	530,130	310,320	第2子　　　　　5,000円
40	22	3		262,100	212,100	3,997,025	537,305	314,520	第3子　　　　　5,000円
45	27	3	班　　　長	279,800	219,800	4,266,950	573,590	335,760	・管理職に対する支給
50	32	2	班　　　長	276,300	221,300	4,213,575	566,415	331,560	支給しない
55	37	1	職　　　長	284,500	224,500	4,338,625	583,225	341,400	・支給の制限等
60	42	1	職　　　長	280,500	220,500	4,277,625	575,025	336,600	22歳まで支給
高校卒・一般職（事務・技術系）									役付手当
18	0	0							部　　長　　　175,500円
20	2	0							次　　長　　　155,000円
22	4	0							課　　長　　　110,000円
25	7	0							係　　長　　　 20,000円
30	12	0							役割給　　　　　導入なし
35	17	0							役職者への時間外手当の不支給
40	22	0							課長クラスから不支給
高校卒・現業系									
18	0	0							時間あたり賃金
20	2	0							年間賃金ベース　2,055円
22	4	0							月例賃金ベース　1,645円
25	7	0							
27	9	1							役職者・実在者の平均年収額
30	12	2							部長（兼任役員）
35	17	3							月例賃金＋賞与
40	22	3							平均年齢 55.0歳 10,899千円
45	27	3							部　　長　月例賃金＋賞与
50	32	2							平均年齢 51.0歳　8,650千円
55	37	1							次　　長　月例賃金＋賞与
60	42	1							平均年齢 50.0歳　7,976千円
									課　　長　月例賃金＋賞与
									平均年齢 51.0歳　6,754千円

陸・海・空運　J社（250人）　　　　　　　　　　　　　　　　　　　　　　　（単位：円）

設定条件 年齢(歳)	勤続年数(年)	扶養家族(人)	役職名	所定労働時間内賃金	うち基本賃金	年間賃金計 モデル月例賃金×12 + 2023年夏季賞与 2022年年末賞与	2023年夏季モデル賞与	2022年年末モデル賞与	補足的事項
大学卒・総合職（事務・技術系）									モデル賃金の算定方法
22	0	0		―	―	―	―	―	実在者の中位の額
25	3	0		―	―	―	―	―	モデル賃金の対象
27	5	1		―	―	―	―	―	全従業員モデル
30	8	2		―	―	―	―	―	労務構成
35	13	3		―	―	―	―	―	平均年齢　　　　41.9歳
40	18	3	課　長	409,500	324,500	6,540,700	827,100	799,600	平均勤続　　　　 9.4年
45	23	3		―	―	―	―	―	2023年所定内賃金
50	28	2		―	―	―	―	―	302,274円
55	33	1	部　長	532,100	413,100	8,659,700	1,153,400	1,121,100	うち基本賃金 248,425円
60	38	1		―	―	―	―	―	年間所定労働時間
大学卒・一般職（事務・技術系）									2,030時間
22	0	0							
25	3	0							
27	5	0							賃金改定状況
30	8	0							定昇のみ実施
35	13	0							**2023年賃上げ額**
40	18	0							10,920円　3.50%
45	23	0							賞与・一時金
短大卒・一般職（事務・技術系）									・2022年年末
20	0	0							455,074円　1.60ヵ月
22	2	0							前年比　110.60%
25	5	0							・2023年夏季
30	10	0							451,686円　1.60ヵ月
35	15	0							前年比　105.10%
40	20	0							
高校卒・総合職（事務・技術系）									家族手当
18	0	0		―	―	―	―	―	配偶者　　　　12,000円
20	2	0		―	―	―	―	―	第1子　　　　　3,000円
22	4	0		―	―	―	―	―	第2子　　　　　3,000円
25	7	0		―	―	―	―	―	第3子　　　　　3,000円
27	9	1		―	―	―	―	―	・管理職に対する支給
30	12	2	係　長	277,900	242,900	4,591,400	638,300	618,300	支給する
35	17	3		―	―	―	―	―	・支給の制限等
40	22	3		―	―	―	―	―	20歳まで支給
45	27	3		―	―	―	―	―	役付手当
50	32	2	課　長	436,700	354,700	7,125,400	953,500	931,500	部　長　　　　75,000円
55	37	1		―	―	―	―	―	次　長　　　　60,000円
60	42	1		―	―	―	―	―	課　長　　　　50,000円
高校卒・一般職（事務・技術系）									係　長　　　　10,000円
18	0	0							主　任　　　　 5,000円
20	2	0							役割給　　　　導入なし
22	4	0							役職者への時間外手当の不支給
25	7	0							課長クラスから不支給
30	12	0							
35	17	0							時間あたり賃金
40	22	0							年間賃金ベース　2,234円
高校卒・現業系									月例賃金ベース　1,787円
18	0	0		191,000	173,000	―	125,600	―	
20	2	0		―	―	―	―	―	役職者・実在者の平均月収額
22	4	0		―	―	―	―	―	部長（兼任役員）月例賃金
25	7	0		―	―	―	―	―	平均年齢 58.0歳 1,000千円
27	9	1		―	―	―	―	―	
30	12	2		―	―	―	―	―	
35	17	3		―	―	―	―	―	
40	22	3		―	―	―	―	―	
45	27	3		―	―	―	―	―	
50	32	2		―	―	―	―	―	
55	37	1		―	―	―	―	―	
60	42	1		―	―	―	―	―	

陸・海・空運　K社（200人）

（単位：円）

設定条件 年齢（歳）	勤続年数（年）	扶養家族（人）	役職名	所定労働時間内賃金	うち基本賃金	年間賃金計 モデル月例賃金×12＋2023年夏季賞与 2022年年末賞与	2023年夏季モデル賞与	2022年年末モデル賞与
大学卒・総合職（事務・技術系）								
22	0	0		215,000	200,000	—	46,000	—
25	3	0		229,900	229,900	3,579,800	362,000	459,000
27	5	1		256,310	244,310	4,037,720	418,000	544,000
30	8	2		281,810	264,410	4,474,720	482,000	611,000
35	13	3		—	—	—	—	—
40	18	3		—	—	—	—	—
45	23	3		—	—	—	—	—
50	28	2		—	—	—	—	—
55	33	1		—	—	—	—	—
60	38	1		—	—	—	—	—
大学卒・一般職（事務・技術系）								
22	0	0						
25	3	0						
27	5	0						
30	8	0						
35	13	0						
40	18	0						
45	23	0						
短大卒・一般職（事務・技術系）								
20	0	0						
22	2	0						
25	5	0						
30	10	0						
35	15	0						
40	20	0						
高校卒・総合職（事務・技術系）								
18	0	0						
20	2	0						
22	4	0						
25	7	0						
27	9	1						
30	12	2						
35	17	3						
40	22	3						
45	27	3						
50	32	2						
55	37	1						
60	42	1						
高校卒・一般職（事務・技術系）								
18	0	0		166,200	166,200	—	36,000	—
20	2	0		—	—	—	—	—
22	4	0		180,180	180,180	2,832,160	296,000	374,000
25	7	0		193,590	193,590	3,075,080	334,000	418,000
30	12	0		—	—	—	—	—
35	17	0		226,570	226,570	3,572,840	364,000	490,000
40	22	0		238,070	238,070	3,761,840	386,000	519,000
高校卒・現業系								
18	0	0						
20	2	0						
22	4	0						
25	7	0						
27	9	1						
30	12	2						
35	17	3						
40	22	3						
45	27	3						
50	32	2						
55	37	1						
60	42	1						

補足的事項

モデル賃金の算定方法
実在者の中位の額

モデル賃金の対象
組合員モデル

労務構成
平均年齢　44.6歳
平均勤続　16.2年
2023年所定内賃金　300,614円
うち基本賃金　275,741円
2022年所定内賃金　295,559円
年間所定労働時間　1,976時間

賃金改定状況
ベースアップを実施

2023年賃上げ額
11,706円　4.34%
うち定昇　8,126円　3.01%

賞与・一時金
・2022年年末
615,149円　2.30ヵ月
前年比　104.42%
・2023年夏季
484,160円　1.67ヵ月
前年比　105.38%

家族手当
配偶者　12,000円
第1子　5,400円
第2子　4,300円
第3子　4,300円
・管理職に対する支給
支給する
・支給の制限等
22歳まで支給

役付手当
部　長　55,000円
次　長　50,000円
課　長　30,000～42,000円
係　長　11,000円

役割給　導入なし

役職者への時間外手当の不支給
課長クラスから不支給

時間あたり賃金
年間賃金ベース　2,382円
月例賃金ベース　1,826円

役職者・実在者の平均年収額
部長（兼任役員）　月例賃金＋賞与
平均年齢　55.0歳　9,650千円
部　長　月例賃金＋賞与
平均年齢　51.7歳　6,665千円
次　長　月例賃金＋賞与
平均年齢　48.0歳　6,162千円
課　長　月例賃金＋賞与
平均年齢　45.4歳　5,520千円

陸・海・空運　L社（200人）

(単位：円)

設定条件 年齢(歳)	勤続年数(年)	扶養家族(人)	役職名	所定労働時間内賃金	うち基本賃金	年間賃金計 モデル月例賃金×12＋2023年夏季賞与＋2022年年末賞与	2023年夏季モデル賞与	2022年年末モデル賞与
大学卒・総合職（事務・技術系）								
22	0	0		210,000	210,000	—	50,000	—
25	3	0		236,000	236,000	—	559,000	—
27	5	1		257,000	247,000	—	594,000	—
30	8	2		307,000	281,000	—	680,000	—
35	13	3		348,700	308,700	—	720,000	—
40	18	3		352,600	312,600	—	750,000	—
45	23	3		372,000	332,000	—	782,000	—
50	28	2		383,000	353,000	—	838,000	—
55	33	1		380,000	360,000	—	865,000	—
60	38	1		385,000	365,000	—	880,000	—
大学卒・一般職（事務・技術系）								
22	0	0						
25	3	0						
27	5	0						
30	8	0						
35	13	0						
40	18	0						
45	23	0						
短大卒・一般職（事務・技術系）								
20	0	0		195,000	195,000	—	—	—
22	2	0		—	—	—	—	—
25	5	0		—	—	—	—	—
30	10	0		—	—	—	—	—
35	15	0		—	—	—	—	—
40	20	0		—	—	—	—	—
高校卒・総合職（事務・技術系）								
18	0	0						
20	2	0						
22	4	0						
25	7	0						
27	9	1						
30	12	2						
35	17	3						
40	22	3						
45	27	3						
50	32	2						
55	37	1						
60	42	1						
高校卒・一般職（事務・技術系）								
18	0	0		180,000	180,000	—	50,000	—
20	2	0		—	—	—	—	—
22	4	0		—	—	—	—	—
25	7	0		—	—	—	—	—
30	12	0		—	—	—	—	—
35	17	0		—	—	—	—	—
40	22	0		—	—	—	—	—
高校卒・現業系								
18	0	0						
20	2	0						
22	4	0						
25	7	0						
27	9	1						
30	12	2						
35	17	3						
40	22	3						
45	27	3						
50	32	2						
55	37	1						
60	42	1						

補足的事項

モデル賃金の算定方法
　理論モデル
モデル賃金の対象
　組合員モデル
労務構成
　平均年齢　　　　　37.0歳
　平均勤続　　　　　 9.9年
　2023年所定内賃金
　　　　　　　　290,336円
　うち基本賃金　290,336円
　2022年所定内賃金
　　　　　　　　277,537円
　年間所定労働時間
　　　　　　　　1,830時間

賃金改定状況
　定昇のみ実施
2023年賃上げ額
　　　　　13,640円　5.00%
　うち定昇13,640円　5.00%

賞与・一時金
・2022年年末
　　　　655,211円　2.40ヵ月
　　　　前年比　　103.00%
・2023年夏季
　　　　663,107円　2.50ヵ月
　　　　前年比　　103.00%

家族手当
　配偶者　　　　　10,000円
　第1子　　　　　 10,000円
　第2子　　　　　 10,000円
　第3子　　　　　 10,000円
　　税扶養対象に支給
・管理職に対する支給
　　支給しない
役付手当
　部　　長　　　　32,000円
　次　　長　　　　22,000円
　課　　長　　　　17,000円
　係　　長　　　　10,000円
　主　　任　　　　 6,000円
役割給
<small>（左の賃金表では基本賃金に含まれます）</small>
　部　　長　480,000～600,000円
　次　　長　440,000～550,000円
　課　　長　400,000～520,000円
役職者への時間外手当の不支給
　課長クラスから不支給

時間あたり賃金
　年間賃金ベース　　2,624円
　月例賃金ベース　　1,904円

役職者・実在者の平均年収額
　部　　長　月例賃金＋賞与
　　平均年齢　49.8歳　9,314千円
　次　　長　月例賃金＋賞与
　　平均年齢　48.0歳　8,838千円
　課　　長　月例賃金＋賞与
　　平均年齢　47.0歳　8,256千円

陸・海・空運　M社（200人）

（単位：円）

設定条件 年齢（歳）	勤続年数（年）	扶養家族（人）	役職名	所定労働時間内賃金	うち基本賃金	年間賃金計（モデル月例賃金×12＋2023年夏季賞与 2022年年末賞与）	2023年夏季モデル賞与	2022年年末モデル賞与
大学卒・総合職（事務・技術系）								
22	0	0		200,900	200,900	2,671,970	60,270	200,900
25	3	0		214,400	214,400	3,108,800	321,600	214,400
27	5	1		237,400	226,400	3,414,800	339,600	226,400
30	8	2		255,900	241,400	3,674,300	362,100	241,400
35	13	3		284,340	267,340	4,080,430	401,010	267,340
40	18	3		318,100	301,100	4,569,950	451,650	301,100
45	23	3	課長	403,100	366,100	5,752,450	549,150	366,100
50	28	2	部長	462,600	418,100	6,596,450	627,150	418,100
55	33	1	部長	480,100	439,100	6,858,950	658,650	439,100
60	38	1	部長	501,100	460,100	7,163,450	690,150	460,100
大学卒・一般職（事務・技術系）								
22	0	0		174,140	174,140	2,316,062	52,242	174,140
25	3	0		187,040	187,040	2,712,080	280,560	187,040
27	5	0		198,040	198,040	2,871,580	297,060	198,040
30	8	0		211,540	211,540	3,067,330	317,310	211,540
35	13	0		236,560	236,560	3,430,120	354,840	236,560
40	18	0		266,540	266,540	3,864,830	399,810	266,540
45	23	0		291,820	291,820	4,231,390	437,730	291,820
短大卒・一般職（事務・技術系）								
20	0	0		172,540	172,540	2,294,782	51,762	172,540
22	2	0		185,340	185,340	2,687,430	278,010	185,340
25	5	0		198,240	198,240	2,874,480	297,360	198,240
30	10	0		219,940	219,940	3,189,130	329,910	219,940
35	15	0		245,140	245,140	3,554,530	367,710	245,140
40	20	0		271,440	271,440	3,935,880	407,160	271,440
高校卒・総合職（事務・技術系）								
18	0	0		189,000	189,000	2,513,700	56,700	189,000
20	2	0		208,900	208,900	3,029,050	313,350	208,900
22	4	0		218,900	218,900	3,174,050	328,350	218,900
25	7	0		236,700	236,700	3,432,150	355,050	236,700
27	9	1		257,700	246,700	3,709,150	370,050	246,700
30	12	2		276,380	261,880	3,971,260	392,820	261,880
35	17	3		303,780	286,780	4,362,310	430,170	286,780
40	22	3		337,340	320,340	4,848,930	480,510	320,340
45	27	3	課長	403,100	366,100	5,752,450	549,150	366,100
50	32	2	部長	462,600	418,100	6,596,450	627,150	418,100
55	37	1	部長	480,100	439,100	6,858,950	658,650	439,100
60	42	1	部長	501,100	460,100	7,163,450	690,150	460,100
高校卒・一般職（事務・技術系）								
18	0	0		168,540	168,540	2,241,582	50,562	168,540
20	2	0		181,340	181,340	2,629,430	272,010	181,340
22	4	0		190,940	190,940	2,768,630	286,410	190,940
25	7	0		206,440	206,440	2,993,380	309,660	206,440
30	12	0		230,980	230,980	3,349,210	346,470	230,980
35	17	0		254,380	254,380	3,688,510	381,570	254,380
40	22	0		284,740	284,740	4,128,730	427,110	284,740
高校卒・現業系								
18	0	0						
20	2	0						
22	4	0						
25	7	0						
27	9	1						
30	12	2						
35	17	3						
40	22	3						
45	27	3						
50	32	2						
55	37	1						
60	42	1						

補足的事項

モデル賃金の算定方法
理論モデル

モデル賃金の対象
全従業員モデル

労務構成
平均年齢　44.2歳
平均勤続　17.1年
2023年所定内賃金　357,678円
うち基本賃金　337,812円
2022年所定内賃金　353,641円
年間所定労働時間　1,782時間

賃金改定状況
定昇のみ実施

2023年賃上げ額
4,025円　1.31％
うち定昇　4,025円　1.31％

賞与・一時金
・2022年年末
340,129円　1.00ヵ月
前年比　117.00％
・2023年夏季
507,454円　1.50ヵ月
前年比　150.00％

家族手当
配偶者　11,000円
第１子　3,500円
第２子　2,500円
・管理職に対する支給
支給する
・支給の制限等
22歳まで支給

役付手当
部　長　30,000～200,000円
次　長　25,000円
課　長　20,000円

役割給　導入なし

役職者への時間外手当の不支給
課長クラスから不支給

時間あたり賃金
年間賃金ベース　2,884円
月例賃金ベース　2,409円

役職者・実在者の平均年収額
部長（兼任役員）　月例賃金＋賞与
平均年齢　58.8歳　9,087千円
部　長　月例賃金＋賞与
平均年齢　51.8歳　7,033千円
課　長　月例賃金＋賞与
平均年齢　48.9歳　6,027千円

陸・海・空運　N社（100人）

（単位：円）

設定条件 年齢（歳）	勤続年数（年）	扶養家族（人）	役職名	所定労働時間内賃金	うち基本賃金	年間賃金計 モデル月例賃金×12＋2023年夏季賞与＋2022年年末賞与	2023年夏季モデル賞与	2022年年末モデル賞与
大学卒・総合職（事務・技術系）								
22	0	0	主任見習	213,500	205,500	—	100,000	—
25	3	0	主任	238,000	218,000	—	—	—
27	5	1		—	—	—	—	—
30	8	2	係長	279,500	246,500	—	600,000	—
35	13	3	課長代理	350,500	274,500	—	800,000	—
40	18	3		—	—	—	—	—
45	23	3		—	—	—	—	—
50	28	2	部長代理	397,500	294,500	—	1,000,000	—
55	33	1		—	—	—	—	—
60	38	1		—	—	—	—	—
大学卒・一般職（事務・技術系）								
22	0	0						
25	3	0						
27	5	0						
30	8	0						
35	13	0						
40	18	0						
45	23	0						
短大卒・一般職（事務・技術系）								
20	0	0						
22	2	0						
25	5	0						
30	10	0						
35	15	0						
40	20	0						
高校卒・総合職（事務・技術系）								
18	0	0						
20	2	0						
22	4	0						
25	7	0						
27	9	1						
30	12	2						
35	17	3						
40	22	3						
45	27	3						
50	32	2						
55	37	1						
60	42	1						
高校卒・一般職（事務・技術系）								
18	0	0						
20	2	0						
22	4	0						
25	7	0						
30	12	0						
35	17	0						
40	22	0						
高校卒・現業系								
18	0	0		—	—	—	—	—
20	2	0		—	—	—	—	—
22	4	0		—	—	—	—	—
25	7	0	リーダー	208,800	204,800	—	433,428	—
27	9	1		—	—	—	—	—
30	12	2	副班長	244,200	224,200	—	519,968	—
35	17	3		—	—	—	—	—
40	22	3	作業主任	292,950	260,950	—	700,902	—
45	27	3		—	—	—	—	—
50	32	2		—	—	—	—	—
55	37	1	作業係長	298,150	270,150	—	737,393	—
60	42	1		—	—	—	—	—

補足的事項

モデル賃金の算定方法
実在者の平均額

モデル賃金の対象
全従業員モデル

労務構成
平均年齢　41.7歳
平均勤続　11.0年
2023年所定内賃金　267,349円
うち基本賃金　262,112円
2022年所定内賃金　266,349円
年間所定労働時間　2,032時間

賃金改定状況
ベースアップを実施

2023年賃上げ額
12,500円　4.70%
うち定昇11,500円　4.32%

賞与・一時金
・2022年年末
489,223円　2.13ヵ月
前年比　100.40%
・2023年夏季
483,629円　2.12ヵ月
前年比　110.70%

家族手当
配偶者　10,000円
第1子　3,000円
第2子　3,000円
・管理職に対する支給
支給する
・支給の制限等
18歳まで支給，ただし，18歳以上の学生は支給対象とする

役付手当
課　長　60,000～80,000円
係　長　20,000円
主　任　10,000円

役割給
部　長　90,000～100,000円

役職者への時間外手当の不支給
課長クラスから不支給

時間あたり賃金
年間賃金ベース　2,058円
月例賃金ベース　1,579円

役職者・実在者の平均年収額
部　長（兼任役員）　月例賃金＋賞与
平均年齢　50.0歳　12,200千円
部　長　月例賃金＋賞与
平均年齢　50.0歳　7,370千円
課　長　月例賃金＋賞与
平均年齢　35.0歳　5,290千円

陸・海・空運　O社（100人）　　　　　　　　　　　　　　　　　　　　　　　　（単位：円）

設定条件 年齢(歳)	勤続年数(年)	扶養家族(人)	役職名	所定労働時間内賃金	うち基本賃金	年間賃金計 モデル月例賃金×12 + 2023年夏季賞与 2022年年末賞与	2023年夏季モデル賞与	2022年年末モデル賞与	補足的事項
大学卒・総合職（事務・技術系）									モデル賃金の算定方法
22	0	0		208,300	205,300	—	30,000	—	理論モデル
25	3	0		223,300	220,300	—	377,916	—	モデル賃金の対象
27	5	1		248,800	230,300	—	464,280	—	全従業員モデル
30	8	2		277,300	245,300	—	514,680	—	労務構成
35	13	3		315,800	270,300	—	590,246	—	平均年齢　　　　53.0歳
40	18	3		325,800	270,300	—	603,572	—	平均勤続　　　　26.2年
45	23	3		385,800	270,300	—	743,080	—	
50	28	2		442,300	270,300	—	1,150,000	—	賃金改定状況
55	33	1		478,800	270,300	—	1,375,000	—	35歳まで5,000円昇給
60	38	1		538,800	270,300	—	1,533,000	—	2023年賃上げ額
大学卒・一般職（事務・技術系）									5,000円　—
22	0	0							うち定昇　　　　5,000円
25	3	0							賞与・一時金
27	5	0							・2022年年末　641,000円　—
30	8	0							前年比　　120.90%
35	13	0							・2023年夏季　630,000円　—
40	18	0							前年比　　107.70%
45	23	0							
短大卒・一般職（事務・技術系）									家族手当
20	0	0							配偶者　　　　11,500円
22	2	0							第1子　　　　　3,500円
25	5	0							第2子　　　　　3,500円
30	10	0							第3子　　　　　2,500円
35	15	0							・支給の制限等
40	20	0							22歳まで支給
高校卒・総合職（事務・技術系）									役付手当
18	0	0							部　長　　10,000～20,000円
20	2	0							課　長　　　　10,000円
22	4	0							役割給　　　　　導入なし
25	7	0							役職者への時間外手当の不支給
27	9	1							課長クラスから不支給
30	12	2							
35	17	3							役職者・実在者の平均年収額
40	22	3							部　長　　　月例賃金＋賞与
45	27	3							平均年齢 55.1歳　9,516千円
50	32	2							課　長　　　月例賃金＋賞与
55	37	1							平均年齢 49.0歳　7,927千円
60	42	1							
高校卒・一般職（事務・技術系）									
18	0	0							
20	2	0							
22	4	0							
25	7	0							
30	12	0							
35	17	0							
40	22	0							
高校卒・現業系									
18	0	0							
20	2	0							
22	4	0							
25	7	0							
27	9	1							
30	12	2							
35	17	3							
40	22	3							
45	27	3							
50	32	2							
55	37	1							
60	42	1							

陸・海・空運　P社（100人）

（単位：円）

設定条件 年齢（歳）	勤続年数（年）	扶養家族（人）	役職名	所定労働時間内賃金	うち基本賃金	年間賃金計 モデル月例賃金×12＋2023年夏季賞与＋2022年年末賞与	2023年夏季モデル賞与	2022年年末モデル賞与
大学卒・総合職（事務・技術系）								
22	0	0		220,200	190,200	—	190,500	—
25	3	0		235,800	205,800	3,911,600	509,000	573,000
27	5	1		252,200	216,200	4,146,900	526,500	594,000
30	8	2	係長	292,500	247,500	5,008,000	711,000	787,000
35	13	3	課長	391,700	318,700	6,604,400	899,000	1,005,000
40	18	3	課長	415,200	362,200	7,025,900	961,000	1,082,500
45	23	3	課長	458,700	405,700	7,687,400	1,023,000	1,160,000
50	28	2	課長	497,200	449,200	8,288,900	1,085,000	1,237,500
55	33	1	課長	507,200	471,200	8,479,400	1,116,500	1,276,500
60	38	1		335,900	329,900	5,686,300	776,000	879,500
大学卒・一般職（事務・技術系）								
22	0	0						
25	3	0						
27	5	0						
30	8	0						
35	13	0						
40	18	0						
45	23	0						
短大卒・一般職（事務・技術系）								
20	0	0						
22	2	0						
25	5	0						
30	10	0						
35	15	0						
40	20	0						
高校卒・総合職（事務・技術系）								
18	0	0		155,100	155,100	—	155,500	—
20	2	0		168,800	168,800	2,969,100	446,000	497,500
22	4	0		209,200	179,200	3,492,400	463,500	518,500
25	7	0		214,800	194,800	3,618,100	490,000	550,500
27	9	1		257,900	231,900	4,352,300	593,000	664,500
30	12	2		288,500	250,500	4,788,500	624,500	702,000
35	17	3		324,500	281,500	5,336,500	677,000	765,500
40	22	3		330,900	307,900	5,615,800	775,000	870,000
45	27	3	係長	372,900	342,900	6,329,300	873,000	981,500
50	32	2	係長	392,400	367,400	6,654,800	914,500	1,031,500
55	37	1	係長	397,900	384,900	6,785,800	944,000	1,067,000
60	42	1		275,500	269,500	4,808,000	710,000	792,000
高校卒・一般職（事務・技術系）								
18	0	0						
20	2	0						
22	4	0						
25	7	0						
30	12	0						
35	17	0						
40	22	0						
高校卒・現業系								
18	0	0		166,100	155,100	—	155,500	—
20	2	0		179,800	168,800	3,101,100	446,000	497,500
22	4	0		220,500	179,200	3,628,000	463,500	518,500
25	7	0		226,400	194,800	3,757,300	490,000	550,500
27	9	1		270,200	231,900	4,499,900	593,000	664,500
30	12	2		301,200	250,500	4,940,900	624,500	702,000
35	17	3		337,200	281,500	5,488,900	677,000	765,500
40	22	3		343,600	307,900	5,768,200	775,000	870,000
45	27	3	係長	385,600	342,900	6,481,700	873,000	981,500
50	32	2	係長	405,100	367,400	6,807,200	914,500	1,031,500
55	37	1	係長	410,600	384,900	6,938,200	944,000	1,067,000
60	42	1		288,200	269,500	4,960,400	710,000	792,000

補足的事項

モデル賃金の算定方法
理論モデル

モデル賃金の対象
全従業員モデル

労務構成
平均年齢　32.0歳
平均勤続　11.2年
2023年所定内賃金　265,073円
うち基本賃金　249,678円
2022年所定内賃金　258,724円
年間所定労働時間　1,911時間

賃金改定状況
定昇のみ実施

2023年賃上げ額
5,412円　2.04%
うち定昇　5,412円　2.04%

賞与・一時金
・2022年年末
706,000円　2.83ヵ月
前年比　106.12%
・2023年夏季
642,000円　2.51ヵ月
前年比　106.09%

家族手当
配偶者　6,000円
第1子　12,000円
・管理職に対する支給
支給する
・支給の制限等
22歳まで支給

役付手当
部　長　80,000円
次　長　50,000円
課　長　30,000円
係　長　7,000円

役割給　導入なし

役職者への時間外手当の不支給
課長クラスから不支給

時間あたり賃金
年間賃金ベース　2,370円
月例賃金ベース　1,665円

役職者・実在者の平均年収額
部長（兼任役員）　月例賃金＋賞与
平均年齢 54.5歳　17,064千円
部　長　月例賃金＋賞与
平均年齢 52.0歳　8,943千円
次　長　月例賃金＋賞与
平均年齢 42.7歳　6,898千円
課　長　月例賃金＋賞与
平均年齢 37.2歳　6,337千円

陸・海・空運　Q社（100人）

（単位：円）

設定条件			役職名	所定労働時間内賃金	うち基本賃金	年間賃金計 モデル月例賃金×12 + 2023年夏季賞与 2022年年末賞与	2023年夏季モデル賞与	2022年年末モデル賞与	補足的事項
年齢（歳）	勤続年数（年）	扶養家族（人）							
大学卒・総合職（事務・技術系）									モデル賃金の算定方法
22	0	0		209,770	202,770	―	577,890	―	実在者の平均額
25	3	0		―	―	―	―	―	モデル賃金の対象
27	5	1		232,460	225,460	―	―	―	全従業員モデル
30	8	2		262,465	255,465	―	―	―	労務構成
35	13	3		―	―	―	―	―	平均年齢　　　　44.0歳
40	18	3	管理職	479,450	479,450	―	―	―	平均勤続　　　　17.0年
45	23	3	管理職	572,140	572,140	―	―	―	2023年所定内賃金
50	28	2	管理職	572,140	572,140	―	―	―	401,457円
55	33	1	管理職	632,320	632,320	―	―	―	うち基本賃金 401,457円
60	38	1	管理職	388,000	388,000	―	―	―	2022年所定内賃金
大学卒・一般職（事務・技術系）									387,145円
22	0	0							年間所定労働時間
25	3	0							1,822時間24分
27	5	0							
30	8	0							賃金改定状況
35	13	0							ベースアップを実施
40	18	0							**2023年賃上げ額**
45	23	0							9,313円　2.60%
短大卒・一般職（事務・技術系）									うち定昇 6,422円　1.80%
20	0	0							賞与・一時金
22	2	0							・2022年年末
25	5	0							902,920円　2.33ヵ月
30	10	0							前年比　　　101.00%
35	15	0							・2023年夏季
40	20	0							917,504円　2.28ヵ月
高校卒・総合職（事務・技術系）									前年比　　　102.00%
18	0	0							
20	2	0							家族手当　　　　制度なし
22	4	0							役付手当
25	7	0							部　　長　　　80,000円
27	9	1							次　　長　　　60,000円
30	12	2							課　　長　　　40,000円
35	17	3							役割給
40	22	3							（左の賃金表では基本賃金に含まれます）
45	27	3							部　長 453,240～560,000円
50	32	2							次　長 419,450～487,990円
55	37	1							課　長 368,000～441,400円
60	42	1							役職者への時間外手当の不支給
高校卒・一般職（事務・技術系）									課長クラスから不支給
18	0	0							
20	2	0							時間あたり賃金
22	4	0							年間賃金ベース　3,642円
25	7	0							月例賃金ベース　2,643円
30	12	0							役職者・実在者の平均年収額
35	17	0							部長（兼任役員）月例賃金
40	22	0							平均年齢　57.0歳 1,002千円
高校卒・現業系									部　　長　　　月例賃金
18	0	0							平均年齢 53.0歳　588千円
20	2	0							次　　長　　　月例賃金
22	4	0							平均年齢 48.0歳　509千円
25	7	0							課　　長　　　月例賃金
27	9	1							平均年齢 48.0歳　452千円
30	12	2							
35	17	3							
40	22	3							
45	27	3							
50	32	2							
55	37	1							
60	42	1							

倉庫　A社（90人）　　　　　　　　　　　　　　　　　　　　　　　　　　　（単位：円）

設定条件			役職名	所定労働時間内賃金	うち基本賃金	年間賃金計 モデル月例賃金×12 + 2023年夏季賞与 2022年年末賞与	2023年夏季モデル賞与	2022年年末モデル賞与	補足的事項
年齢(歳)	勤続年数(年)	扶養家族(人)							
大学卒・総合職（事務・技術系）									
22	0	0		190,000	190,000	—	70,000	—	モデル賃金の算定方法
25	3	0		200,000	200,000	—	—	—	実在者の平均額
27	5	1		210,000	210,000	—	—	—	モデル賃金の対象
30	8	2	主　　任	220,000	210,000	—	—	—	全従業員モデル
35	13	3	リーダー	250,000	230,000	—	—	—	労務構成
40	18	3	係　　長	310,000	280,000	—	—	—	平均年齢　　　　　45.3歳
45	23	3	課長代理	360,000	320,000	—	—	—	平均勤続　　　　　16.7年
50	28	2	課　　長	420,000	370,000	—	—	—	2023年所定内賃金
55	33	1		—	—	—	—	—	392,892円
60	38	1		—	—	—	—	—	うち基本賃金　352,636円
大学卒・一般職（事務・技術系）									2022年所定内賃金
22	0	0							378,762円
25	3	0							年間所定労働時間
27	5	0							1,784時間30分
30	8	0							
35	13	0							賃金改定状況
40	18	0							定昇のみ実施
45	23	0							2023年賃上げ額
短大卒・一般職（事務・技術系）									14,131円　　4.00%
20	0	0		180,000	180,000	—	70,000	—	うち定昇14,131円　4.00%
22	2	0		190,000	190,000	—	—	—	賞与・一時金
25	5	0		200,000	200,000	—	—	—	・2022年年末
30	10	0	主　　任	220,000	210,000	—	—	—	1,153,646円　3.00ヵ月
35	15	0	リーダー	250,000	230,000	—	—	—	前年比　　110.63%
40	20	0	係　　長	310,000	280,000	—	—	—	・2023年夏季
高校卒・総合職（事務・技術系）									888,500円　2.30ヵ月
18	0	0							前年比　　96.23%
20	2	0							
22	4	0							家族手当　　　　　　制度なし
25	7	0							役付手当
27	9	1							部　　長　90,000～100,000円
30	12	2							次　　長　60,000～70,000円
35	17	3							課　　長　40,000～50,000円
40	22	3							係　　長　　　　　30,000円
45	27	3							主　　任　　　　　20,000円
50	32	2							役割給　　　　　　導入なし
55	37	1							役職者への時間外手当の不支給
60	42	1							課長クラスから不支給
高校卒・一般職（事務・技術系）									
18	0	0							時間あたり賃金
20	2	0							年間賃金ベース　　3,786円
22	4	0							月例賃金ベース　　2,642円
25	7	0							
30	12	0							役職者・実在者の平均年収額
35	17	0							部長（兼任役員）
40	22	0							月例賃金＋賞与
高校卒・現業系									平均年齢　61.0歳　14,072千円
18	0	0							部　　長　月例賃金＋賞与
20	2	0							平均年齢　56.0歳　10,925千円
22	4	0							次　　長　月例賃金＋賞与
25	7	0							平均年齢　51.0歳　9,712千円
27	9	1							課　　長　月例賃金＋賞与
30	12	2							平均年齢　51.0歳　7,413千円
35	17	3							
40	22	3							
45	27	3							
50	32	2							
55	37	1							
60	42	1							

マスコミ関連　A社（5,200人）

（単位：円）

設定条件 年齢（歳）	勤続年数（年）	扶養家族（人）	役職名	所定労働時間内賃金	うち基本賃金	年間賃金計 モデル月例賃金×12＋2023年夏季賞与2022年年末賞与	2023年夏季モデル賞与	2022年年末モデル賞与
大学卒・総合職（事務・技術系）								
22	0	0		355,925	275,600	—	—	—
25	3	0		389,225	302,000	—	—	990,000
27	5	1		525,213	390,700	—	—	1,341,200
30	8	2		679,700	498,800	—	—	2,096,300
35	13	3		792,625	574,000	—	—	2,656,500
40	18	3		922,663	677,000	—	—	2,940,600
45	23	3		964,325	710,000	—	—	3,067,600
50	28	2	管理職	1,166,300	860,000	—	—	2,380,000
55	33	1	管理職	1,246,300	940,000	—	—	2,105,000
60	38	1		1,093,700	860,000	—	—	1,959,580
大学卒・一般職（事務・技術系）								
22	0	0						
25	3	0						
27	5	0						
30	8	0						
35	13	0						
40	18	0						
45	23	0						
短大卒・一般職（事務・技術系）								
20	0	0						
22	2	0						
25	5	0						
30	10	0						
35	15	0						
40	20	0						
高校卒・総合職（事務・技術系）								
18	0	0						
20	2	0						
22	4	0						
25	7	0						
27	9	1						
30	12	2						
35	17	3						
40	22	3						
45	27	3						
50	32	2						
55	37	1						
60	42	1						
高校卒・一般職（事務・技術系）								
18	0	0						
20	2	0						
22	4	0						
25	7	0						
30	12	0						
35	17	0						
40	22	0						
高校卒・現業系								
18	0	0						
20	2	0						
22	4	0						
25	7	0						
27	9	1						
30	12	2						
35	17	3						
40	22	3						
45	27	3						
50	32	2						
55	37	1						
60	42	1						

補足的事項

モデル賃金の算定方法
実在者の平均額

モデル賃金の対象
全従業員モデル

労務構成
平均年齢　40.5歳
平均勤続　17.1年
2023年所定内賃金　823,346円
うち基本賃金　627,117円
2022年所定内賃金　703,124円
年間所定労働時間　1,715時間

賃金改定状況
ベースアップを実施
ただし，給与制度改定（みなし残業代の時間数増加分も含む）

2023年賃上げ額
29,224円　8.60%
うち定昇 7,636円　2.30%

賞与・一時金
・2022年年末
2,227,297円　2.52ヵ月
前年比　70.18%

家族手当
配偶者　24,000円
第1子　18,000円
第2子　18,000円
第3子　18,000円
・管理職に対する支給
支給しない
・支給の制限等
22歳まで支給

役付手当
部　長 350,000～450,000円
課　長 200,000～300,000円

役割給　導入なし

役職者への時間外手当の不支給
課長クラスから不支給

役職者・実在者の平均月収額
部　長　月例賃金
平均年齢 52.7歳　1,464,467円
課　長　月例賃金
平均年齢 48.7歳　1,170,414円

学校　A社（700人）

（単位：円）

設定条件 年齢（歳）	勤続年数（年）	扶養家族（人）	役職名	所定労働時間内賃金	うち基本賃金	年間賃金計（モデル月例賃金×12＋2023年夏季賞与＋2022年年末賞与）	2023年夏季モデル賞与	2022年年末モデル賞与
大学卒・総合職（事務・技術系）								
22	0	0	主　事	207,567	188,500	3,301,354	413,898	396,652
25	3	0	主　事	233,367	214,300	3,721,894	470,548	450,942
27	5	1	主　事	265,050	226,300	4,153,690	496,897	476,193
30	8	2	主　任	295,017	243,100	4,707,084	595,854	571,026
35	13	3	主　任	337,817	275,900	5,378,124	676,249	648,071
40	18	3	副課長	391,017	324,100	6,247,884	794,390	761,290
45	23	3	副課長	413,017	341,100	6,593,484	836,058	801,222
50	28	2	副課長	424,517	367,600	6,858,684	901,011	863,469
55	33	1	課　長	487,950	388,200	8,011,560	1,101,018	1,055,142
60	38	1	課　長	492,750	393,000	8,092,200	1,112,783	1,066,417
大学卒・一般職（事務・技術系）								
22	0	0						
25	3	0						
27	5	0						
30	8	0						
35	13	0						
40	18	0						
45	23	0						
短大卒・一般職（事務・技術系）								
20	0	0						
22	2	0						
25	5	0						
30	10	0						
35	15	0						
40	20	0						
高校卒・総合職（事務・技術系）								
18	0	0						
20	2	0						
22	4	0						
25	7	0						
27	9	1						
30	12	2						
35	17	3						
40	22	3						
45	27	3						
50	32	2						
55	37	1						
60	42	1						
高校卒・一般職（事務・技術系）								
18	0	0						
20	2	0						
22	4	0						
25	7	0						
30	12	0						
35	17	0						
40	22	0						
高校卒・現業系								
18	0	0						
20	2	0						
22	4	0						
25	7	0						
27	9	1						
30	12	2						
35	17	3						
40	22	3						
45	27	3						
50	32	2						
55	37	1						
60	42	1						

補足的事項

モデル賃金の算定方法
理論モデル

モデル賃金の対象
全従業員モデル

労務構成
平均年齢　46.4歳
平均勤続　12.3年
年間所定労働時間
1,883時間15分

賃金改定状況
人事院勧告に準じた内容の予定（現時点で詳細未定）

賞与・一時金
・2022年年末
970,729円　2.15ヵ月
前年比　96.66％
・2023年夏季
977,138円　2.20ヵ月
前年比　102.25％

家族手当
配偶者　6,500円
第１子　10,000円
第２子　10,000円
第３子　10,000円
・管理職に対する支給
支給する
・支給の制限等
22歳まで支給

役付手当
部　長　88,500円
課　長　61,000円

役職者への時間外手当の不支給
課長クラスから不支給

学校　B社（700人）

（単位：円）

設定条件			役職名	所定労働時間内賃金	うち基本賃金	年間賃金計 モデル月例賃金×12 + 2023年夏季賞与 2022年年末賞与	2023年夏季モデル賞与	2022年年末モデル賞与	補足的事項
年齢（歳）	勤続年数（年）	扶養家族（人）							
大学卒・総合職（事務・技術系）									モデル賃金の算定方法
22	0	0		231,000	201,000	3,915,450	222,970	920,480	理論モデル
25	3	0		257,200	227,200	4,693,300	595,380	1,011,520	モデル賃金の対象
27	5	1		327,300	273,300	5,921,120	750,560	1,242,960	全従業員モデル
30	8	2		383,100	319,100	6,914,630	880,570	1,436,860	労務構成
35	13	3		468,150	394,150	8,428,950	1,078,740	1,732,410	平均年齢　　　　43.6歳
40	18	3	課長補佐	555,400	474,400	9,982,440	1,282,030	2,035,610	平均勤続　　　　17.4年
45	23	3	課　　長	664,500	535,800	11,921,400	1,535,770	2,414,030	2023年所定内賃金
50	28	2	副部長	742,400	594,400	13,311,970	1,717,740	2,685,430	483,359円
55	33	1	部　　長	809,700	641,200	14,510,250	1,874,550	2,919,300	うち基本賃金 481,781円
60	38	1	主　　幹	738,000	659,000	13,233,630	1,707,490	2,670,140	2022年所定内賃金
大学卒・一般職（事務・技術系）									481,781円
22	0	0							年間所定労働時間
25	3	0							1,917時間40分
27	5	0							
30	8	0							賃金改定状況
35	13	0							定昇のみ実施
40	18	0							2023年賃上げ額
45	23	0							12,048円　2.50%
短大卒・一般職（事務・技術系）									うち定昇 12,048円　2.50%
20	0	0							賞与・一時金
22	2	0							・2022年年末
25	5	0							2,000,771円　3.09ヵ月
30	10	0							前年比　99.27%
35	15	0							・2023年夏季
40	20	0							1,237,572円　2.45ヵ月
高校卒・総合職（事務・技術系）									前年比　98.40%
18	0	0							家族手当
20	2	0							配偶者　　　　20,500円
22	4	0							第1子　　　　10,000円
25	7	0							第2子　　　　10,000円
27	9	1							第3子　　　　10,000円
30	12	2							・管理職に対する支給
35	17	3							支給する
40	22	3							・支給の制限等
45	27	3							23歳まで支給
50	32	2							ただし，16～23歳は
55	37	1							14,500円
60	42	1							役付手当
高校卒・一般職（事務・技術系）									部　　長　　　100,000円
18	0	0							次　　長　　　 65,000円
20	2	0							課　　長　　　 50,000円
22	4	0							係　　長　　　 7,000円
25	7	0							役割給　　　　導入なし
30	12	0							役職者への時間外手当の不支給
35	17	0							課長クラスから不支給
40	22	0							時間あたり賃金
高校卒・現業系									年間賃金ベース　4,713円
18	0	0							月例賃金ベース　3,025円
20	2	0							役職者・実在者の平均年収額
22	4	0							部　　長　月例賃金＋賞与
25	7	0							平均年齢　　 56.9歳　―
27	9	1							次　　長　月例賃金＋賞与
30	12	2							平均年齢　　 54.9歳　―
35	17	3							課　　長　月例賃金＋賞与
40	22	3							平均年齢　　 50.7歳　―
45	27	3							
50	32	2							
55	37	1							
60	42	1							

学校　C社（250人）

（単位：円）

年齢（歳）	勤続年数（年）	扶養家族（人）	役職名	所定労働時間内賃金	うち基本賃金	年間賃金計 モデル月例賃金×12＋2023年夏季賞与 2022年年末賞与	2023年夏季モデル賞与	2022年年末モデル賞与
大学卒・総合職（事務・技術系）								
22	0	0		221,276	185,200	3,385,751	226,018	504,421
25	3	0		242,746	204,200	3,896,854	426,880	557,022
27	5	1		265,459	217,800	4,270,952	468,899	616,545
30	8	2		299,020	237,500	4,822,703	530,987	703,476
35	13	3	主任	348,203	266,600	5,625,034	612,726	833,872
40	18	3	課長補佐	423,657	302,400	6,897,474	761,565	1,052,025
45	23	3	課長	484,857	342,400	7,900,571	874,785	1,207,502
50	28	2	部長代理	534,576	378,700	8,687,736	966,766	1,306,058
55	33	1	部長	571,357	412,400	9,271,762	1,034,810	1,380,668
60	38	1	部長	608,816	436,700	9,876,254	1,104,110	1,466,352
大学卒・一般職（事務・技術系）								
22	0	0		221,276	185,200	3,385,751	226,018	504,421
25	3	0		242,746	204,200	3,896,854	426,880	557,022
27	5	0		258,114	217,800	4,151,229	455,311	598,550
30	8	0		280,375	237,500	4,518,790	496,494	657,796
35	13	0		312,580	266,000	5,050,098	556,073	743,065
40	18	0		349,870	299,000	5,660,141	625,060	836,641
45	23	0		367,272	314,400	5,937,425	657,253	872,908
短大卒・一般職（事務・技術系）								
20	0	0		191,557	158,900	2,921,447	193,922	428,841
22	2	0		203,874	169,800	3,260,749	354,967	459,294
25	5	0		228,621	191,700	3,666,617	400,749	522,416
30	10	0		265,685	224,500	4,275,466	469,317	617,929
35	15	0		299,359	254,300	4,829,890	531,614	705,968
40	20	0		334,841	285,700	5,415,445	597,256	800,097
高校卒・総合職（事務・技術系）								
18	0	0		181,613	150,100	2,767,016	183,182	404,478
20	2	0		191,557	158,900	3,059,705	332,180	428,841
22	4	0		203,874	169,800	3,260,749	354,967	459,294
25	7	0		228,621	191,700	3,666,617	400,749	522,416
27	9	1		250,091	204,200	4,016,577	440,468	575,017
30	12	2		284,330	224,500	4,579,380	503,811	663,609
35	17	3		329,304	254,300	5,317,993	587,012	779,333
40	22	3	課長補佐	407,272	287,900	6,627,077	731,253	1,008,560
45	27	3	課長	467,794	327,300	7,624,936	843,219	1,168,189
50	32	2	部長代理	517,739	363,800	8,418,830	935,617	1,270,345
55	37	1	部長	553,955	397,000	8,989,494	1,002,617	1,339,417
60	42	1	部長	601,132	429,900	9,753,496	1,089,894	1,450,018
高校卒・一般職（事務・技術系）								
18	0	0		181,613	150,100	2,767,016	183,182	404,478
20	2	0		191,557	158,900	3,059,705	332,180	428,841
22	4	0		203,874	169,800	3,260,749	354,967	459,294
25	7	0		228,621	191,700	3,666,617	400,749	522,416
30	12	0		265,685	224,500	4,275,466	469,317	617,929
35	17	0		299,359	254,300	4,829,890	531,614	705,968
40	22	0		334,841	285,700	5,415,445	597,256	800,097
高校卒・現業系								
18	0	0						
20	2	0						
22	4	0						
25	7	0						
27	9	1						
30	12	2						
35	17	3						
40	22	3						
45	27	3						
50	32	2						
55	37	1						
60	42	1						

補足的事項

モデル賃金の算定方法
理論モデル

モデル賃金の対象
大学職員

労務構成
平均年齢　43.2歳
平均勤続　13.8年
2023年所定内賃金　375,581円
うち基本賃金　304,389円
2022年所定内賃金　376,645円
年間所定労働時間　1,819時間45分

賃金改定状況
国家公務員の俸給表を１年遅れで使用

家族手当
配偶者　6,500円
第１子　10,000円
第２子　10,000円
第３子　10,000円
・管理職に対する支給
支給する

役付手当
部　長　86,000～96,000円
次　長　76,000円
課　長　56,000～66,000円
係　長　40,000～46,000円
主　任　5,000円

役割給　導入なし

役職者への時間外手当の不支給
課長より下のクラスから不支給

時間あたり賃金
月例賃金ベース　2,477円

役職者・実在者の平均年収額
部　長　月例賃金＋賞与
平均年齢　57.3歳　9,475千円
次　長　月例賃金＋賞与
平均年齢　59.0歳　—
課　長　月例賃金＋賞与
平均年齢　55.2歳　8,353千円

学校　D社（100人）

(単位：円)

設定条件 年齢(歳)	勤続年数(年)	扶養家族(人)	役職名	所定労働時間内賃金	うち基本賃金	年間賃金計 モデル月例賃金×12+2023年夏季賞与+2022年年末賞与	2023年夏季モデル賞与	2022年年末モデル賞与
大学卒・総合職（事務・技術系）								
22	0	0		210,000	210,000	2,833,000	40,000	273,000
25	3	0		220,000	220,000	3,186,000	273,000	273,000
27	5	1		—	—	—	—	—
30	8	2	課　　長	303,000	253,000	4,423,800	393,900	393,900
35	13	3		—	—	—	—	—
40	18	3	部　　長	404,000	324,000	5,898,400	525,200	525,200
45	23	3		—	—	—	—	—
50	28	2		—	—	—	—	—
55	33	1		—	—	—	—	—
60	38	1		—	—	—	—	—
大学卒・一般職（事務・技術系）								
22	0	0						
25	3	0						
27	5	0						
30	8	0						
35	13	0						
40	18	0						
45	23	0						
短大卒・一般職（事務・技術系）								
20	0	0						
22	2	0						
25	5	0						
30	10	0						
35	15	0						
40	20	0						
高校卒・総合職（事務・技術系）								
18	0	0						
20	2	0						
22	4	0						
25	7	0						
27	9	1						
30	12	2						
35	17	3						
40	22	3						
45	27	3						
50	32	2						
55	37	1						
60	42	1						
高校卒・一般職（事務・技術系）								
18	0	0						
20	2	0						
22	4	0						
25	7	0						
30	12	0						
35	17	0						
40	22	0						
高校卒・現業系								
18	0	0						
20	2	0						
22	4	0						
25	7	0						
27	9	1						
30	12	2						
35	17	3						
40	22	3						
45	27	3						
50	32	2						
55	37	1						
60	42	1						

補足的事項

モデル賃金の算定方法
　実在者の中位の額
モデル賃金の対象
　全従業員モデル
労務構成
　平均年齢　　　　　45.0歳
　平均勤続　　　　　10.0年
　2023年所定内賃金
　　　　　　　　275,000円
　うち基本賃金　243,000円
　2022年所定内賃金
　　　　　　　　274,000円
　年間所定労働時間
　　　　　　1,725時間30分

賃金改定状況
　定昇のみ実施
2023年賃上げ額
　　　　　10,000円　4.70%
　うち定昇10,000円　4.70%

賞与・一時金
・2022年年末
　　　　378,454円　1.30ヵ月
　　　　前年比　100.00%
・2023年夏季
　　　　378,454円　1.30ヵ月
　　　　前年比　100.00%

家族手当　　　　　制度なし
役付手当
　部　長　80,000～120,000円
　課　長　50,000～80,000円
　係　長　10,000～30,000円
役割給　　　　　　導入なし
役職者への時間外手当の不支給
　課長より下のクラスから不支給

時間あたり賃金
　年間賃金ベース　　2,351円
　月例賃金ベース　　1,912円

役職者・実在者の平均年収額
　部　長　　月例賃金＋賞与
　平均年齢　50.0歳　5,898千円
　課　長　　月例賃金＋賞与
　平均年齢　45.0歳　4,424千円

学校　E社（60人）

（単位：円）

設定条件 年齢（歳）	勤続年数（年）	扶養家族（人）	役職名	所定労働時間内賃金	うち基本賃金	年間賃金計 モデル月例賃金×12 + 2023年夏季賞与 2022年年末賞与	2023年夏季モデル賞与	2022年年末モデル賞与
大学卒・総合職（事務・技術系）								
22	0	0	主　事	191,700	191,700	2,845,786	123,646	421,740
25	3	0	主　事	209,300	209,300	3,422,055	449,995	460,460
27	5	1	主　事	225,700	219,200	3,674,595	477,455	488,740
30	8	2	主　事	259,600	243,100	4,204,860	538,340	551,320
35	13	3	主　事	292,100	265,600	4,702,485	591,465	605,820
40	18	3	主　事	311,500	285,000	5,029,425	637,925	653,500
45	23	3	主　事	319,900	293,400	5,166,765	655,985	671,980
50	28	2	主　事	321,000	299,500	5,196,750	664,350	680,400
55	33	1	主　事	310,700	304,200	5,064,345	660,205	675,740
60	38	1	主　事	310,700	304,200	5,064,345	660,205	675,740
大学卒・一般職（事務・技術系）								
22	0	0						
25	3	0						
27	5	0						
30	8	0						
35	13	0						
40	18	0						
45	23	0						
短大卒・一般職（事務・技術系）								
20	0	0						
22	2	0						
25	5	0						
30	10	0						
35	15	0						
40	20	0						
高校卒・総合職（事務・技術系）								
18	0	0	主　事	158,900	158,900	2,358,870	102,490	349,580
20	2	0	主　事	169,800	169,800	2,776,230	365,070	373,560
22	4	0	主　事	185,200	185,200	3,028,020	398,180	407,440
25	7	0	主　事	204,200	204,200	3,338,670	439,030	449,240
27	9	1	主　事	220,800	214,300	3,594,480	466,920	477,960
30	12	2	主　事	242,800	226,300	3,930,180	502,220	514,360
35	17	3	主　事	277,400	250,900	4,462,140	559,860	573,480
40	22	3	主　事	300,500	274,000	4,849,575	614,275	629,300
45	27	3	主　事	316,300	289,800	5,107,905	648,245	664,060
50	32	2	主　事	317,300	295,800	5,136,255	656,395	672,260
55	37	1	主　事	308,400	301,900	5,026,740	655,260	670,680
60	42	1	主　事	310,700	304,200	5,064,345	660,205	675,740
高校卒・一般職（事務・技術系）								
18	0	0						
20	2	0						
22	4	0						
25	7	0						
30	12	0						
35	17	0						
40	22	0						
高校卒・現業系								
18	0	0						
20	2	0						
22	4	0						
25	7	0						
27	9	1						
30	12	2						
35	17	3						
40	22	3						
45	27	3						
50	32	2						
55	37	1						
60	42	1						

補足的事項

モデル賃金の算定方法
理論モデル

モデル賃金の対象
専任事務職員のみを対象とした

労務構成
平均年齢　39.4歳
平均勤続　8.3年
年間所定労働時間　1,883時間15分

賃金改定状況
ベースアップを実施

賞与・一時金
・2022年年末
628,193円　2.20ヵ月
前年比　108.60%
・2023年夏季
600,937円　2.15ヵ月
前年比　100.80%

家族手当
配偶者　6,500円
第１子　10,000円
第２子　10,000円
第３子　10,000円
・管理職に対する支給
支給する
・支給の制限等
22歳まで支給
16～22歳までは5,000円加算

役付手当
部　長　88,500～130,300円
次　長　79,700～88,500円
課　長　54,000～62,300円

役割給　導入なし

役職者への時間外手当の不支給
課長クラスから不支給

役職者・実在者の平均年収額
次　長　月例賃金＋賞与
平均年齢　56.0歳　8,617千円
課　長　月例賃金＋賞与
平均年齢　54.0歳　7,638千円

農協・生協　A社（7,000人）　　　　　　　　　　　　　　　　　　（単位：円）

設定条件			役職名	所定労働時間内賃金	うち基本賃金	年間賃金計 モデル月例賃金×12 + 2023年夏季賞与 2022年年末賞与	2023年夏季モデル賞与	2022年年末モデル賞与	補足的事項
年齢(歳)	勤続年数(年)	扶養家族(人)							
大学卒・総合職（事務・技術系）									モデル賃金の算定方法
22	0	0		214,308	184,308	3,063,184	122,872	368,616	理論モデル
25	3	0		225,573	210,573	3,549,168	421,146	421,146	モデル賃金の対象
27	5	1	主　　任	245,512	234,712	3,908,192	481,024	481,024	全従業員モデル
30	8	2	係　　長	306,264	267,464	4,900,224	612,528	612,528	労務構成
35	13	3	係　　長	371,110	322,310	5,937,760	742,220	742,220	平均年齢　　　　36.4歳
40	18	3	課　　長	426,595	372,795	6,825,520	853,190	853,190	平均勤続　　　　7.0年
45	23	3	室　　長	454,650	394,850	7,274,400	909,300	909,300	2023年所定内賃金
50	28	2	部　　長	552,005	474,205	8,832,080	1,104,010	1,104,010	372,514円
55	33	1	部　　長	593,630	504,830	9,498,080	1,187,260	1,187,260	うち基本賃金 326,221円
60	38	1	部　　長	496,110	407,310	7,937,760	992,220	992,220	2022年所定内賃金
大学卒・一般職（事務・技術系）									366,115円
22	0	0		178,280	158,280	2,561,440	105,520	316,560	年間所定労働時間
25	3	0		193,769	181,269	3,050,304	362,538	362,538	1,870時間40分
27	5	0		208,651	201,151	3,308,416	402,302	402,302	
30	8	0		225,936	225,936	3,614,976	451,872	451,872	賃金改定状況
35	13	0		240,702	240,702	3,851,232	481,404	481,404	ベースアップを実施
40	18	0		253,572	253,572	4,057,152	507,144	507,144	2023年賃上げ額
45	23	0		263,517	263,517	4,216,272	527,034	527,034	11,447円　4.22%
短大卒・一般職（事務・技術系）									うち定昇 5,695円 2.10%
20	0	0		178,280	158,280	2,561,440	105,520	316,560	賞与・一時金
22	2	0		185,120	170,120	2,901,920	340,240	340,240	・2022年年末
25	5	0		208,651	201,151	3,308,416	402,302	402,302	867,780円　2.47ヵ月
30	10	0		232,980	232,980	3,727,680	465,960	465,960	前年比　100.50%
35	15	0		245,850	245,850	3,933,600	491,700	491,700	・2023年夏季
40	20	0		257,550	257,550	4,120,800	515,100	515,100	649,966円　1.89ヵ月
高校卒・総合職（事務・技術系）									前年比　100.00%
18	0	0							
20	2	0							家族手当
22	4	0							配偶者　　　　5,800円
25	7	0							第1子　　　　10,000円
27	9	1							第2子　　　　10,000円
30	12	2							第3子　　　　10,000円
35	17	3							・管理職に対する支給
40	22	3							支給する
45	27	3							役付手当
50	32	2							部　　長 74,700～91,300円
55	37	1							課　　長 55,800～68,200円
60	42	1							係　　長 23,000～34,000円
高校卒・一般職（事務・技術系）									役割給　　　導入なし
18	0	0		169,856	149,856	2,437,888	99,904	299,712	役職者への時間外手当の不支給
20	2	0		173,280	158,280	2,712,480	316,560	316,560	部長クラスから不支給
22	4	0		180,120	170,120	2,841,920	340,240	340,240	時間あたり賃金
25	7	0		203,651	201,151	3,248,416	402,302	402,302	年間賃金ベース　3,201円
30	12	0		232,980	232,980	3,727,680	465,960	465,960	月例賃金ベース　2,390円
35	17	0		245,850	245,850	3,933,600	491,700	491,700	役職者・実在者の平均年収額
40	22	0		257,550	257,550	4,120,800	515,100	515,100	部　　長　　月例賃金＋賞与
高校卒・現業系									平均年齢 57.4歳 8,972千円
18	0	0							課　　長　　月例賃金＋賞与
20	2	0							平均年齢 54.7歳 8,562千円
22	4	0							
25	7	0							
27	9	1							
30	12	2							
35	17	3							
40	22	3							
45	27	3							
50	32	2							
55	37	1							
60	42	1							

農協・生協　B社（500人）

（単位：円）

設定条件 年齢（歳）	勤続年数（年）	扶養家族（人）	役職名	所定労働時間内賃金	うち基本賃金	年間賃金計 モデル月例賃金×12＋2023年夏季賞与＋2022年年末賞与	2023年夏季モデル賞与	2022年年末モデル賞与
大学卒・総合職（事務・技術系）								
22	0	0		210,000	210,000	3,250,000	100,000	630,000
25	3	0		220,300	220,300	3,745,100	440,600	660,900
27	5	1		256,900	240,900	4,287,300	481,800	722,700
30	8	2		279,900	257,900	4,648,300	515,800	773,700
35	13	3		346,400	318,400	5,748,800	636,800	955,200
40	18	3	管理職	444,800	416,800	7,338,240	791,920	1,208,720
45	23	3	管理職	517,600	489,600	8,485,632	936,480	1,337,952
50	28	2	管理職	566,100	544,100	9,326,022	1,043,330	1,489,492
55	33	1	管理職	614,400	598,400	10,163,328	1,149,920	1,640,608
60	38	1	管理職	614,400	598,400	9,193,920	850,720	970,400
大学卒・一般職（事務・技術系）								
22	0	0		185,000	185,000	2,875,000	100,000	555,000
25	3	0		189,000	189,000	3,213,000	378,000	567,000
27	5	0		200,000	200,000	3,400,000	400,000	600,000
30	8	0		213,500	213,500	3,629,500	427,000	640,500
35	13	0		251,900	251,900	4,282,300	503,800	755,700
40	18	0		302,900	302,900	5,149,300	605,800	908,700
45	23	0		333,400	333,400	5,667,800	666,800	1,000,200
短大卒・一般職（事務・技術系）								
20	0	0						
22	2	0						
25	5	0						
30	10	0						
35	15	0						
40	20	0						
高校卒・総合職（事務・技術系）								
18	0	0						
20	2	0						
22	4	0						
25	7	0						
27	9	1						
30	12	2						
35	17	3						
40	22	3						
45	27	3						
50	32	2						
55	37	1						
60	42	1						
高校卒・一般職（事務・技術系）								
18	0	0						
20	2	0						
22	4	0						
25	7	0						
30	12	0						
35	17	0						
40	22	0						
高校卒・現業系								
18	0	0						
20	2	0						
22	4	0						
25	7	0						
27	9	1						
30	12	2						
35	17	3						
40	22	3						
45	27	3						
50	32	2						
55	37	1						
60	42	1						

補足的事項

モデル賃金の算定方法
理論モデル

モデル賃金の対象
全従業員モデル

労務構成
平均年齢　41.7歳
平均勤続　17.3年
2023年所定内賃金　342,806円
うち基本賃金　331,724円
2022年所定内賃金　339,531円
年間所定労働時間　1,842時間45分

賃金改定状況
ベースアップを実施

2023年賃上げ額
7,728円　2.36%
うち定昇　4,876円　1.49%

賞与・一時金
・2022年年末
889,884円　2.62ヵ月
前年比　99.20%
・2023年夏季
614,821円　1.79ヵ月
前年比　103.00%

家族手当
配偶者　16,000円
第1子　6,000円
第2子　6,000円
第3子　6,000円
・管理職に対する支給
支給する
・支給の制限等
22歳まで支給
ただし，23歳以上の健康保健の被扶養者は2,000円支給

役付手当　制度なし

役割給
（左の賃金表では基本賃金に含まれます）
部　長　310,000円
次　長　280,000円
課　長　250,000円
係　長　210,000円
主　任　138,000円

役職者への時間外手当の不支給
課長より下のクラスから不支給

時間あたり賃金
年間賃金ベース　3,049円
月例賃金ベース　2,232円

役職者・実在者の平均年収額
部　長　月例賃金＋賞与
平均年齢　55.4歳　9,469千円
次　長　月例賃金＋賞与
平均年齢　52.3歳　8,994千円
課　長　月例賃金＋賞与
平均年齢　49.3歳　8,249千円

農協・生協　C社（200人）　　　　　　　　　　　　　　　　　　　　　（単位：円）

設定条件			役職名	所定労働時間内賃金	うち基本賃金	年間賃金計 モデル月例賃金×12 + 2023年夏季賞与 2022年年末賞与	2023年夏季モデル賞与	2022年年末モデル賞与	補足的事項
年齢（歳）	勤続年数（年）	扶養家族（人）							
大学卒・総合職			（事務・技術系）						モデル賃金の算定方法
22	0	0		206,900	206,300	—	137,533		実在者の中位の額
25	3	0		230,150	229,550	3,666,520	459,100	445,620	モデル賃金の対象
27	5	1		249,500	233,900	3,932,860	467,800	471,060	全従業員モデル
30	8	2	リーダー	303,690	266,750	4,750,160	560,180	545,700	労務構成
35	13	3		296,450	266,850	4,614,500	533,700	523,400	平均年齢　　42.5歳
40	18	3		320,200	290,600	4,972,430	595,730	534,300	平均勤続　　17.8年
45	23	3		329,000	299,400	5,070,300	598,800	523,500	2023年所定内賃金
50	28	2	店　　長	422,400	421,800	6,741,000	843,600	828,600	291,377円
55	33	1	マネジャー	422,400	421,800	6,741,000	843,600	828,600	2022年所定内賃金
60	38	1		338,900	323,300	5,352,700	646,600	639,300	285,314円
大学卒・一般職			（事務・技術系）						年間所定労働時間
22	0	0							2,024時間
25	3	0							
27	5	0							
30	8	0							賃金改定状況
35	13	0							ベースアップを実施
40	18	0							2023年賃上げ額
45	23	0							4,961円　1.85%
短大卒・一般職			（事務・技術系）						うち定昇 1,838円　0.69%
20	0	0	担　　当	192,200	191,600	—	127,733	—	賞与・一時金
22	2	0							・2022年年末
25	5	0		—	—	—	—	—	570,117円　2.00ヵ月
30	10	0		—	—	—	—	—	前年比　100.00%
35	15	0		—	—	—	—	—	・2023年夏季
40	20	0		—	—	—	—	—	575,034円　2.00ヵ月
高校卒・総合職			（事務・技術系）						前年比　100.00%
18	0	0							
20	2	0							家族手当
22	4	0							配偶者　　　15,000円
25	7	0							第1子　　　 7,000円
27	9	1							第2子　　　 7,000円
30	12	2							第3子　　　 4,000円
35	17	3							・管理職に対する支給
40	22	3							支給しない
45	27	3							・支給の制限等
50	32	2							22歳まで支給
55	37	1							
60	42	1							役割給
高校卒・一般職			（事務・技術系）						（左の賃金表では基本賃金に含まれます）
18	0	0		182,600	182,000	—	72,800	—	部　　長 472,250～481,400円
20	2	0		200,600	200,000	2,869,200	240,000	222,000	課　　長 395,450～447,400円
22	4	0		202,600	202,000	2,902,320	242,400	228,720	係　　長 373,300～377,900円
25	7	0		—	—	—	—	—	役職者への時間外手当の不支給
30	12	0		—	—	—	—	—	課長クラスから不支給
35	17	0		—	—	—	—	—	
40	22	0		—	—	—	—	—	
高校卒・現業系									時間あたり賃金
18	0	0							年間賃金ベース　2,293円
20	2	0							月例賃金ベース　1,728円
22	4	0							
25	7	0							役職者・実在者の平均年収額
27	9	1							部長（兼任役員）
30	12	2							月例賃金＋賞与
35	17	3							平均年齢　47.6歳　7,626千円
40	22	3							課　　長　月例賃金＋賞与
45	27	3							平均年齢　47.4歳　6,605千円
50	32	2							
55	37	1							
60	42	1							

農協・生協　D社（50人）

（単位：円）

設定条件 年齢（歳）	勤続年数（年）	扶養家族（人）	役職名	所定労働時間内賃金	うち基本賃金	年間賃金計 モデル月例賃金×12＋2023年夏季賞与 2022年年末賞与	2023年夏季モデル賞与	2022年年末モデル賞与
大学卒・総合職（事務・技術系）								
22	0	0		200,431	176,431	—	77,488	—
25	3	0		207,101	186,301	3,471,037	455,267	530,558
27	5	1		232,779	197,179	3,815,841	471,775	550,718
30	8	2		259,834	219,034	4,228,179	508,443	601,728
35	13	3		322,299	258,499	5,362,046	674,993	819,465
40	18	3		370,569	299,569	6,228,206	806,723	974,655
45	23	3	課　長	417,354	341,354	7,058,594	907,311	1,143,035
50	28	2	次　長	477,596	385,596	8,082,731	1,049,731	1,301,848
55	33	1	部　長	551,186	442,186	9,365,372	1,272,450	1,478,690
60	38	1	部　長	584,056	473,056	9,754,532	1,265,720	1,480,140
大学卒・一般職（事務・技術系）								
22	0	0						
25	3	0						
27	5	0						
30	8	0						
35	13	0						
40	18	0						
45	23	0						
短大卒・一般職（事務・技術系）								
20	0	0						
22	2	0						
25	5	0						
30	10	0						
35	15	0						
40	20	0						
高校卒・総合職（事務・技術系）								
18	0	0						
20	2	0						
22	4	0						
25	7	0						
27	9	1						
30	12	2						
35	17	3						
40	22	3						
45	27	3						
50	32	2						
55	37	1						
60	42	1						
高校卒・一般職（事務・技術系）								
18	0	0						
20	2	0						
22	4	0						
25	7	0						
30	12	0						
35	17	0						
40	22	0						
高校卒・現業系								
18	0	0						
20	2	0						
22	4	0						
25	7	0						
27	9	1						
30	12	2						
35	17	3						
40	22	3						
45	27	3						
50	32	2						
55	37	1						
60	42	1						

補足的事項

モデル賃金の算定方法
理論モデル

モデル賃金の対象
全従業員モデル

労務構成
平均年齢　40.6歳
平均勤続　18.1年
2023年所定内賃金　372,776円
うち基本賃金　315,911円
2022年所定内賃金　362,268円
年間所定労働時間　1,830時間

賃金改定状況
ベースアップを実施，および初任給調整手当の引上げ

2023年賃上げ額
10,192円　3.23％
うち定昇 7,552円　2.48％

賞与・一時金
・2022年年末
929,063円　2.40ヵ月
前年比　91.21％
・2023年夏季
756,927円　2.15ヵ月
前年比　99.10％

家族手当
配偶者　18,000円
第１子　10,000円
第２子　6,000円
第３子　6,000円
・管理職に対する支給
支給する
・支給の制限等
24歳まで支給，また，専門学校，短大，大学，大学院在学中は，１万円を加算

役付手当
部　長　40,000円
次　長　30,000円
課　長　20,000円

役割給
部　長　42,000円
次　長　40,000円
課　長　33,000円
係　長　31,000円
主　任　26,000円

役職者への時間外手当の不支給
課長クラスから不支給

時間あたり賃金
年間賃金ベース　3,366円
月例賃金ベース　2,444円

ソフトウェア等　A社（1,100人）　　　　　　　　　　　　　　　　　　　　　　　　（単位：円）

設定条件			役職名	所定労働時間内賃金	うち基本賃金	年間賃金計 モデル月例賃金×12 + 2023年夏季賞与 2022年年末賞与	2023年夏季モデル賞与	2022年年末モデル賞与	補足的事項
年齢(歳)	勤続年数(年)	扶養家族(人)							
大学卒・総合職（事務・技術系）									
22	0	0		226,500	200,000	—	60,000	—	モデル賃金の算定方法
25	3	0		246,050	219,550	3,957,800	530,800	474,400	理論モデル
27	5	1		265,450	226,950	4,258,100	538,200	534,500	モデル賃金の対象
30	8	2		303,850	250,350	4,880,000	618,800	615,000	全従業員モデル
35	13	3	チームリーダー	342,200	278,700	5,562,900	729,900	726,600	労務構成
40	18	3	課　　長	496,500	490,000	8,646,000	1,344,000	1,344,000	平均年齢　　　35.8歳
45	23	3	副部長	557,500	551,000	9,734,600	1,522,300	1,522,300	平均勤続　　　13.4年
50	28	2	部　　長	623,500	617,000	10,904,400	1,711,200	1,711,200	2023年所定内賃金
55	33	1	副事業部長	675,500	669,000	11,930,000	1,912,000	1,912,000	260,073円
60	38	1	再雇用	258,500	220,000	3,462,000	180,000	180,000	うち基本賃金 252,857円
大学卒・一般職（事務・技術系）									2022年所定内賃金
22	0	0		226,500	200,000	—	60,000	—	261,165円
25	3	0		246,050	219,550	3,957,800	530,800	474,400	年間所定労働時間
27	5	0		253,450	226,950	4,114,100	538,200	534,500	1,936時間
30	8	0		276,850	250,350	4,556,000	618,800	615,000	
35	13	0	チームリーダー	305,200	278,700	5,118,900	729,900	726,600	賃金改定状況
40	18	0	課　　長	496,500	490,000	8,646,000	1,344,000	1,344,000	定期昇給と物価高騰に対す
45	23	0	副部長	557,500	551,000	9,734,600	1,522,300	1,522,300	る「生活応援手当」を管理職・非管理職一律月額支給
短大卒・一般職（事務・技術系）									2023年賃上げ額
20	0	0		197,350	170,850	—	50,000	—	10,248円　4.22%
22	2	0		226,500	200,000	3,567,700	468,700	381,000	うち定昇10,248円 4.22%
25	5	0		246,050	219,550	4,025,300	538,200	534,500	賞与・一時金
30	10	0		276,850	250,350	4,556,000	618,800	615,000	・2022年年末
35	15	0	チームリーダー	305,200	278,700	5,118,900	729,900	726,600	578,534円　2.30ヵ月
40	20	0	課　　長	496,500	490,000	8,646,000	1,344,000	1,344,000	前年比　98.53%
高校卒・総合職（事務・技術系）									・2023年夏季
18	0	0		183,150	156,650	—	40,000	—	589,560円　2.30ヵ月
20	2	0		197,350	170,850	3,112,300	366,400	377,700	前年比　99.31%
22	4	0		226,500	200,000	3,567,700	468,700	381,000	
25	7	0		246,050	219,550	3,957,800	530,800	474,400	家族手当
27	9	1		265,450	226,950	4,258,100	538,200	534,500	配偶者　　　　5,000円
30	12	2		303,850	250,350	4,880,000	618,800	615,000	第1子　　　 15,000円
35	17	3	チームリーダー	342,200	278,700	5,562,900	729,900	726,600	第2子　　　 10,000円
40	22	3	課　　長	496,500	490,000	8,646,000	1,344,000	1,344,000	第3子　　　 10,000円
45	27	3	副部長	557,500	551,000	9,734,600	1,522,300	1,522,300	・管理職に対する支給
50	32	2	部　　長	623,500	617,000	10,904,400	1,711,200	1,711,200	支給しない
55	37	1	副事業部長	675,500	669,000	11,930,000	1,912,000	1,912,000	・支給の制限等
60	42	1	再雇用	258,500	220,000	3,462,000	180,000	180,000	18歳まで支給
高校卒・一般職（事務・技術系）									
18	0	0		183,150	156,650	—	40,000	—	役付手当　　　制度なし
20	2	0		197,350	170,850	3,112,300	366,400	377,700	役割給　　　　導入なし
22	4	0		226,500	200,000	3,567,700	468,700	381,000	役職者への時間外手当の不支給
25	7	0		246,050	219,550	3,957,800	530,800	474,400	課長より下のクラスから不
30	12	0		276,850	250,350	4,556,000	618,800	615,000	支給
35	17	0	チームリーダー	305,200	278,700	5,118,900	729,900	726,600	
40	22	0	課　　長	496,500	490,000	8,646,000	1,344,000	1,344,000	時間あたり賃金
高校卒・現業系									年間賃金ベース　2,215円
18	0	0		183,150	156,650	—	40,000	—	月例賃金ベース　1,612円
20	2	0		197,350	170,850	3,112,300	366,400	377,700	
22	4	0		226,500	200,000	3,567,700	468,700	381,000	
25	7	0		246,050	219,550	3,957,800	530,800	474,400	役職者・実在者の平均年収額
27	9	1		265,450	226,950	4,258,100	538,200	534,500	部　　長　　月例賃金＋賞与
30	12	2		303,850	250,350	4,880,000	618,800	615,000	平均年齢 48.9歳 10,663千円
35	17	3	チームリーダー	342,200	278,700	5,562,900	729,900	726,600	次　　長　　月例賃金＋賞与
40	22	3	課　　長	496,500	490,000	8,646,000	1,344,000	1,344,000	平均年齢 47.6歳 9,460千円
45	27	3	副部長	557,500	551,000	9,734,600	1,522,300	1,522,300	課　　長　　月例賃金＋賞与
50	32	2	部　　長	623,500	617,000	10,904,400	1,711,200	1,711,200	平均年齢 46.1歳 8,529千円
55	37	1	副事業部長	675,500	669,000	11,930,000	1,912,000	1,912,000	
60	42	1	再雇用	258,500	220,000	3,462,000	180,000	180,000	

ソフトウェア等　B社（550人）

(単位：円)

設定条件 年齢(歳)	勤続年数(年)	扶養家族(人)	役職名	所定労働時間内賃金	うち基本賃金	年間賃金計 モデル月例賃金×12 + 2023年夏季賞与 2022年年末賞与	2023年夏季モデル賞与	2022年年末モデル賞与
大学卒・総合職（事務・技術系）								
22	0	0		238,700	218,700	—	65,700	
25	3	0		250,500	230,500	4,141,700	585,900	549,800
27	5	1		280,800	255,800	4,630,700	650,200	610,900
30	8	2		290,700	263,700	4,788,700	670,300	630,000
35	13	3		337,600	308,600	5,574,100	784,400	738,500
40	18	3		475,000	431,000	7,829,700	1,095,500	1,034,200
45	23	3	管理職	515,000	471,000	8,477,500	1,189,100	1,108,400
50	28	3	管理職	565,000	523,000	9,332,000	1,320,400	1,231,600
55	33	1	管理職	613,000	573,000	10,191,600	1,466,400	1,369,200
60	38	1	管理職	663,000	623,000	11,039,600	1,594,300	1,489,300
大学卒・一般職（事務・技術系）								
22	0	0						
25	3	0						
27	5	0						
30	8	0						
35	13	0						
40	18	0						
45	23	0						
短大卒・一般職（事務・技術系）								
20	0	0						
22	2	0						
25	5	0						
30	10	0						
35	15	0						
40	20	0						
高校卒・総合職（事務・技術系）								
18	0	0						
20	2	0						
22	4	0						
25	7	0						
27	9	1						
30	12	2						
35	17	3						
40	22	3						
45	27	3						
50	32	2						
55	37	1						
60	42	1						
高校卒・一般職（事務・技術系）								
18	0	0						
20	2	0						
22	4	0						
25	7	0						
30	12	0						
35	17	0						
40	22	0						
高校卒・現業系								
18	0	0						
20	2	0						
22	4	0						
25	7	0						
27	9	1						
30	12	2						
35	17	3						
40	22	3						
45	27	3						
50	32	2						
55	37	1						
60	42	1						

補足的事項

モデル賃金の算定方法
　理論モデル
モデル賃金の対象
　全従業員モデル
労務構成
　平均年齢　　　　　　37.7歳
　平均勤続　　　　　　10.9年
　2023年所定内賃金
　　　　　　　　　308,675円
　　うち基本賃金　277,065円
　2022年所定内賃金
　　　　　　　　　299,063円
　年間所定労働時間
　　　　　　　1,883時間15分

賃金改定状況
　ベースアップを実施
2023年賃上げ額
　　　　　　9,612円　3.55%
　うち定昇　4,008円　2.40%

賞与・一時金
・2022年年末
　　　　　688,382円　2.42ヵ月
　　　　　前年比　108.49%
・2023年夏季
　　　　　688,382円　2.54ヵ月
　　　　　前年比　114.00%

家族手当
　配偶者　　　　　　5,000円
　第1子　　　　　　2,000円
　第2子　　　　　　2,000円
　第3子　　　　　　2,000円
　・管理職に対する支給
　　支給する
　・支給の制限等
　　21歳まで支給
役付手当
　部　長　　　　　15,000円
　次　長　　　　　15,000円
　課　長　　　　　15,000円
役割給　　　　　導入なし
役職者への時間外手当の不支給
　課長クラスから不支給

時間あたり賃金
　年間賃金ベース　　2,698円
　月例賃金ベース　　1,967円

役職者・実在者の平均年収額
　部　長　　月例賃金＋賞与
　平均年齢　51.4歳　9,962千円
　課　長　　月例賃金＋賞与
　平均年齢　46.1歳　8,322千円

ソフトウェア等　C社（520人）　　　　　　　　　　　　　　　　　　　　（単位：円）

設定条件			役職名	所定労働時間内賃金	うち基本賃金	年間賃金計 モデル月例賃金×12 + 2023年夏季賞与 2022年年末賞与	2023年夏季モデル賞与	2022年年末モデル賞与	補足的事項
年齢(歳)	勤続年数(年)	扶養家族(人)							
大学卒・総合職（事務・技術系）									モデル賃金の算定方法
22	0	0		210,000	210,000	3,144,728	84,000	540,728	実在者の平均額
25	3	0		229,015	229,015	3,920,680	581,815	590,685	モデル賃金の対象
27	5	1		241,537	241,537	4,114,837	598,187	618,206	全従業員モデル
30	8	2		255,108	255,108	4,264,816	565,910	637,610	労務構成
35	13	3		256,531	256,531	4,300,963	605,755	616,836	平均年齢　　　　36.4歳
40	18	3		297,068	297,068	5,101,487	749,230	787,441	平均勤続　　　　12.3年
45	23	3	課　長	424,774	384,774	7,006,788	942,250	967,250	2023年所定内賃金
50	28	2	次　長	457,090	397,090	7,803,048	1,142,725	1,175,243	266,513円
55	33	1	部　長	601,825	521,825	10,281,369	1,504,563	1,554,906	うち基本賃金 261,931円
60	38	1		—	—	—	—	—	2022年所定内賃金
大学卒・一般職（事務・技術系）									259,853円
22	0	0		—	—	—	—	—	年間所定労働時間
25	3	0		—	—	—	—	—	1,715時間
27	5	0		—	—	—	—	—	
30	8	0		251,961	251,961	4,329,324	645,823	659,969	賃金改定状況
35	13	0		263,474	263,474	4,495,924	658,685	675,551	定昇のみ実施
40	18	0		264,875	264,875	4,543,583	678,733	686,350	**2023年賃上げ額**
45	23	0		265,000	265,000	4,528,850	662,500	686,350	8,621円　3.40%
短大卒・一般職（事務・技術系）									うち定昇 8,621円 3.40%
20	0	0		—	—	—	—	—	賞与・一時金
22	2	0		—	—	—	—	—	・2022年年末
25	5	0		—	—	—	—	—	658,888円　2.50ヵ月
30	10	0		—	—	—	—	—	前年比　　93.00%
35	15	0		258,500	258,500	4,410,750	646,250	662,500	・2023年夏季
40	20	0		265,000	265,000	4,528,850	662,500	686,350	640,711円　2.50ヵ月
高校卒・総合職（事務・技術系）									前年比　　104.00%
18	0	0							家族手当　　　　　制度なし
20	2	0							役付手当
22	4	0							部　長　　　　80,000円
25	7	0							次　長　　　　60,000円
27	9	1							課　長　　　　40,000円
30	12	2							係　長　　　　20,000円
35	17	3							主　任　　　　 5,000円
40	22	3							役割給
45	27	3							（左の賃金表では基本賃金に含まれます）
50	32	2							部　長　452,000～551,000円
55	37	1							次　長　388,000～484,000円
60	42	1							課　長　333,000～387,000円
高校卒・一般職（事務・技術系）									係　長　265,500～289,500円
18	0	0							主　任　265,500～301,500円
20	2	0							役職者への時間外手当の不支給
22	4	0							課長クラスから不支給
25	7	0							
30	12	0							時間あたり賃金
35	17	0							年間賃金ベース　2,623円
40	22	0							月例賃金ベース　1,865円
高校卒・現業系									役職者・実在者の平均年収額
18	0	0							部　長　　月例賃金＋賞与
20	2	0							平均年齢 55.0歳 9,947千円
22	4	0							次　長　　月例賃金＋賞与
25	7	0							平均年齢 55.0歳 8,363千円
27	9	1							課　長　　月例賃金＋賞与
30	12	2							平均年齢 47.0歳 6,542千円
35	17	3							
40	22	3							
45	27	3							
50	32	2							
55	37	1							
60	42	1							

ソフトウェア等　D社（500人）　　　　　　　　　　　　　　　　　　　　　　　　　　（単位：円）

設定条件			役職名	所定労働時間内賃金	うち基本賃金	年間賃金計 モデル月例賃金×12 +2023年夏季賞与 2022年年末賞与	2023年夏季モデル賞与	2022年年末モデル賞与	補足的事項
年齢(歳)	勤続年数(年)	扶養家族(人)							
大学卒・総合職（事務・技術系）									モデル賃金の算定方法
22	0	0		211,250	211,250	3,073,625	20,000	518,625	実在者の中位の額
25	3	0	主　任	230,100	225,100	3,849,350	470,200	617,950	モデル賃金の対象
27	5	1	主　事	285,580	280,580	4,665,170	561,160	677,050	組合員モデル
30	8	2	主　査	405,980	395,980	6,479,220	791,960	815,500	労務構成
35	13	3		─	─	─	─	─	平均年齢　　　　　39.9歳
40	18	3		─	─	─	─	─	平均勤続　　　　　15.9年
45	23	3		─	─	─	─	─	2023年所定内賃金
50	28	2		─	─	─	─	─	340,903円
55	33	1		─	─	─	─	─	うち基本賃金　328,591円
60	38	1		─	─	─	─	─	2022年所定内賃金
大学卒・一般職（事務・技術系）									326,242円
22	0	0							年間所定労働時間
25	3	0							1,928時間
27	5	0							
30	8	0							賃金改定状況
35	13	0							ベースアップを実施
40	18	0							2023年賃上げ額
45	23	0							7,291円　3.69％
短大卒・一般職（事務・技術系）									うち定昇　3,491円　1.79％
20	0	0							賞与・一時金
22	2	0							・2022年年末
25	5	0							778,316円　2.50ヵ月
30	10	0							前年比　125.60％
35	15	0							・2023年夏季
40	20	0							614,085円　2.00ヵ月
高校卒・総合職（事務・技術系）									前年比　100.90％
18	0	0							
20	2	0							家族手当
22	4	0							配偶者　　　　25,000円
25	7	0							第1子　　　　 5,000円
27	9	1							第2子　　　　 5,000円
30	12	2							第3子　　　　 5,000円
35	17	3							・管理職に対する支給
40	22	3							支給する
45	27	3							・支給の制限等
50	32	2							18歳まで支給
55	37	1							役付手当
60	42	1							部　長　　　　45,000円
高校卒・一般職（事務・技術系）									次　長　　　　40,000円
18	0	0							課　長　　　　35,000円
20	2	0							主　任　　　　 5,000円
22	4	0							役割給　　　　　導入なし
25	7	0							役職者への時間外手当の不支給
30	12	0							課長より下のクラスから不
35	17	0							支給
40	22	0							
高校卒・現業系									時間あたり賃金
18	0	0							年間賃金ベース　　2,844円
20	2	0							月例賃金ベース　　2,122円
22	4	0							
25	7	0							役職者・実在者の平均年収額
27	9	1							部長（兼任役員）　年俸制
30	12	2							平均年齢　53.2歳　8,118千円
35	17	3							部　　長　　　　　年俸制
40	22	3							平均年齢　53.3歳　7,203千円
45	27	3							次　　長　　　　　年俸制
50	32	2							平均年齢　47.5歳　6,707千円
55	37	1							課　　長　　　　　年俸制
60	42	1							平均年齢　46.6歳　5,752千円

ソフトウェア等　E社（350人）

（単位：円）

設定条件 年齢（歳）	勤続年数（年）	扶養家族（人）	役職名	所定労働時間内賃金	うち基本賃金	年間賃金計 モデル月例賃金×12＋2023年夏季賞与＋2022年年末賞与	2023年夏季モデル賞与	2022年年末モデル賞与
大学卒・総合職（事務・技術系）								
22	0	0		213,000	213,000	3,159,800	50,000	553,800
25	3	0		225,910	225,910	4,066,380	768,094	587,366
27	5	1		254,510	234,810	4,462,980	798,354	610,506
30	8	2		278,310	250,410	4,842,180	851,394	651,066
35	13	3		309,910	275,410	5,371,380	936,394	716,066
40	18	3	副課長	347,600	307,600	6,049,800	1,064,540	814,060
45	23	3	副課長	361,100	321,100	6,292,800	1,110,440	849,160
50	28	2	課長代理	391,900	354,100	6,886,800	1,237,600	946,400
55	33	1	課長	413,350	379,350	7,322,100	1,338,410	1,023,490
60	38	1	課長	403,950	369,950	7,152,900	1,306,450	999,050
大学卒・一般職（事務・技術系）								
22	0	0						
25	3	0						
27	5	0						
30	8	0						
35	13	0						
40	18	0						
45	23	0						
短大卒・一般職（事務・技術系）								
20	0	0						
22	2	0						
25	5	0						
30	10	0						
35	15	0						
40	20	0						
高校卒・総合職（事務・技術系）								
18	0	0		165,000	165,000	2,459,000	50,000	429,000
20	2	0		183,640	183,640	3,305,520	624,376	477,464
22	4	0		204,900	204,900	3,688,200	696,660	532,740
25	7	0		211,200	211,200	3,801,600	718,080	549,120
27	9	1		239,800	220,100	4,198,200	748,340	572,260
30	12	2		270,200	242,300	4,696,200	823,820	629,980
35	17	3		308,400	273,900	5,344,200	931,260	712,140
40	22	3	副課長	347,600	307,600	6,049,800	1,064,540	814,060
45	27	3	副課長	361,100	321,100	6,292,800	1,110,440	849,160
50	32	2	課長代理	391,900	354,100	6,886,800	1,237,600	946,400
55	37	1	課長	413,350	379,350	7,322,100	1,338,410	1,023,490
60	42	1	課長	403,950	369,950	7,152,900	1,306,450	999,050
高校卒・一般職（事務・技術系）								
18	0	0						
20	2	0						
22	4	0						
25	7	0						
30	12	0						
35	17	0						
40	22	0						
高校卒・現業系								
18	0	0						
20	2	0						
22	4	0						
25	7	0						
27	9	1						
30	12	2						
35	17	3						
40	22	3						
45	27	3						
50	32	2						
55	37	1						
60	42	1						

補足的事項

モデル賃金の算定方法
理論モデル

モデル賃金の対象
組合員モデル

労務構成
平均年齢　39.3歳
平均勤続　16.9年
2023年所定内賃金　291,826円
うち基本賃金　244,399円
2022年所定内賃金　288,225円
年間所定労働時間　1,855時間

賃金改定状況
定昇のみ実施

2023年賃上げ額
3,601円　1.25%
うち定昇　3,601円　1.25%

賞与・一時金
・2022年年末
749,385円　2.60ヵ月
前年比　115.56%
・2023年夏季
992,208円　3.40ヵ月
前年比　130.00%

家族手当
配偶者　19,700円
第1子　8,200円
第2子　6,600円
第3子　6,600円
・管理職に対する支給
支給しない
・支給の制限等
22歳まで支給

役付手当
課長　14,300円
係長　9,900円
主任　5,500円

役割給　導入なし

役職者への時間外手当の不支給
次長クラスから不支給

時間あたり賃金
年間賃金ベース　2,827円
月例賃金ベース　1,888円

役職者・実在者の平均年収額
部長（兼任役員）月例賃金
平均年齢 63.0歳　676千円
部長　月例賃金＋賞与
平均年齢 57.0歳　10,890千円
次長　月例賃金＋賞与
平均年齢 55.9歳　9,484千円
課長　月例賃金＋賞与
平均年齢 52.9歳　7,053千円

ソフトウェア等　F社（30人）

(単位：円)

設定条件			役職名	所定労働時間内賃金	うち基本賃金	年間賃金計 モデル月例賃金×12 + 2023年夏季賞与 2022年年末賞与	2023年夏季モデル賞与	2022年年末モデル賞与	補足的事項
年齢(歳)	勤続年数(年)	扶養家族(人)							
大学卒・総合職（事務・技術系）									モデル賃金の算定方法
22	0	0		237,100	210,500	3,476,200	110,000	521,000	理論モデル
25	3	0		248,000	214,500	4,034,000	529,000	529,000	モデル賃金の対象
27	5	1		263,600	218,500	4,237,200	537,000	537,000	全従業員モデル
30	8	2		270,800	224,500	4,347,600	549,000	549,000	労務構成
35	13	3	企画職	292,300	235,000	4,647,600	570,000	570,000	平均年齢　　　　51.2歳
40	18	3	企画職	312,800	247,500	4,943,600	595,000	595,000	平均勤続　　　　11.1年
45	23	3	企画職	330,700	260,000	5,208,400	620,000	620,000	2023年所定内賃金
50	28	2	企画職	346,800	270,000	5,441,600	640,000	640,000	344,266円
55	33	1	支援職	319,100	276,000	5,133,200	652,000	652,000	うち基本賃金　281,971円
60	38	1		—	—	—	—	—	2022年所定内賃金
大学卒・一般職（事務・技術系）									334,500円
22	0	0							年間所定労働時間
25	3	0							1,960時間
27	5	0							
30	8	0							賃金改定状況
35	13	0							ベースアップを実施
40	18	0							**2023年賃上げ額**
45	23	0							8,154円　2.43%
短大卒・一般職（事務・技術系）									うち定昇　4,654円　1.39%
20	0	0		203,000	200,000	—	—	400,000	賞与・一時金
22	2	0		214,000	210,000	3,408,000	420,000	420,000	・2022年年末
25	5	0		229,000	224,000	3,604,000	428,000	428,000	474,873円　2.00ヵ月
30	10	0		242,000	235,000	3,772,000	434,000	434,000	前年比　96.69%
35	15	0		245,000	237,500	3,808,000	434,000	434,000	・2023年夏季
40	20	0		249,500	241,500	3,866,000	436,000	436,000	706,668円　2.00ヵ月
高校卒・総合職（事務・技術系）									前年比　107.25%
18	0	0							
20	2	0							家族手当　　　　制度なし
22	4	0							役付手当
25	7	0							部　長　150,000～200,000円
27	9	1							次　長　100,000～120,000円
30	12	2							課　長　　50,000～ 75,000円
35	17	3							役割給
40	22	3							部　長　 60,000～ 90,000円
45	27	3							次　長　 50,000～ 65,000円
50	32	2							課　長　 20,000～ 70,000円
55	37	1							役職者への時間外手当の不支給
60	42	1							課長クラスから不支給
高校卒・一般職（事務・技術系）									
18	0	0							時間あたり賃金
20	2	0							年間賃金ベース　　2,711円
22	4	0							月例賃金ベース　　2,108円
25	7	0							
30	12	0							
35	17	0							
40	22	0							
高校卒・現業系									
18	0	0							
20	2	0							
22	4	0							
25	7	0							
27	9	1							
30	12	2							
35	17	3							
40	22	3							
45	27	3							
50	32	2							
55	37	1							
60	42	1							

建物設計・地質調査　A社（1,200人）

（単位：円）

設定条件 年齢（歳）	勤続年数（年）	扶養家族（人）	役職名	所定労働時間内賃金	うち基本賃金	年間賃金計 モデル月例賃金×12＋2023年夏季賞与 2022年年末賞与	2023年夏季モデル賞与	2022年年末モデル賞与
大学卒・総合職（事務・技術系）								
22	0	0		234,000	234,000	3,378,600	131,000	439,600
25	3	0		346,180	346,180	5,164,460	481,800	528,500
27	5	1		377,600	376,600	5,608,000	513,800	563,000
30	8	2		355,888	350,388	5,171,506	360,250	540,600
35	13	3		451,400	445,400	6,656,675	626,000	613,875
40	18	3	管　理　職	481,034	479,367	7,013,741	675,333	566,000
45	23	3	管　理　職	475,100	475,100	7,247,950	693,250	853,500
50	28	2	管　理　職	562,818	562,818	8,418,361	771,545	893,000
55	33	1	管　理　職	522,600	504,267	7,879,267	711,667	896,400
60	38	1	管　理　職	564,675	564,675	8,363,600	772,500	815,000
大学卒・一般職（事務・技術系）								
22	0	0						
25	3	0						
27	5	0						
30	8	0						
35	13	0						
40	18	0						
45	23	0						
短大卒・一般職（事務・技術系）								
20	0	0		—	—	—	—	—
22	2	0		—	—	—	—	—
25	5	0		—	—	—	—	—
30	10	0		254,700	254,700	3,794,400	248,000	490,000
35	15	0		269,800	269,800	4,105,100	364,000	503,500
40	20	0		361,800	361,800	5,430,267	524,000	564,667
高校卒・総合職（事務・技術系）								
18	0	0		—	—	—	—	—
20	2	0		169,500	169,500	2,579,000	272,000	273,000
22	4	0		—	—	—	—	—
25	7	0		—	—	—	—	—
27	9	1		—	—	—	—	—
30	12	2		246,933	243,933	3,844,529	425,333	456,000
35	17	3		261,550	255,550	4,075,100	451,000	485,500
40	22	3		349,850	343,850	5,269,700	538,500	533,000
45	27	3		465,267	459,267	6,879,537	624,333	672,000
50	32	2		483,867	469,200	7,260,571	654,667	799,500
55	37	1	管　理　職	511,150	511,150	7,766,800	722,000	911,000
60	42	1	管　理　職	560,400	560,400	8,295,800	753,000	818,000
高校卒・一般職（事務・技術系）								
18	0	0						
20	2	0						
22	4	0						
25	7	0						
30	12	0						
35	17	0						
40	22	0						
高校卒・現業系								
18	0	0						
20	2	0						
22	4	0						
25	7	0						
27	9	1						
30	12	2						
35	17	3						
40	22	3						
45	27	3						
50	32	2						
55	37	1						
60	42	1						

補足的事項

モデル賃金の算定方法
実在者の平均額

モデル賃金の対象
全従業員モデル

労務構成
平均年齢　41.1歳
平均勤続　15.5年
2023年所定内賃金　433,934円
うち基本賃金　430,611円
2022年所定内賃金　427,947円
年間所定労働時間　1,694時間

賃金改定状況
ベースアップを実施

2023年賃上げ額
12,400円　3.00%
うち定昇　9,400円　2.30%

賞与・一時金
・2022年年末
676,646円　2.00ヵ月
前年比　83.00%
・2023年夏季
593,897円　1.00ヵ月
前年比　102.30%

家族手当
第１子　3,000円
第２子　3,000円
・管理職に対する支給
支給しない

役付手当　制度なし
役割給　導入なし
役職者への時間外手当の不支給
課長クラスから不支給

時間あたり賃金
年間賃金ベース　3,824円
月例賃金ベース　3,074円

役職者・実在者の平均年収額
部　長　月例賃金＋賞与
平均年齢　52.9歳　—
次　長　月例賃金＋賞与
平均年齢　53.7歳　—
課　長　月例賃金＋賞与
平均年齢　48.2歳　—

建物設計・地質調査　B社（1,100人）　　　　　　　　　　　　　　　　　　　（単位：円）

設定条件			役職名	所定労働時間内賃金	うち基本賃金	年間賃金計 モデル月例賃金×12 + 2023年夏季賞与 2022年年末賞与	2023年夏季モデル賞与	2022年年末モデル賞与	補足的事項
年齢(歳)	勤続年数(年)	扶養家族(人)							
大学卒・総合職（事務・技術系）									
22	0	0		256,300	222,300	4,117,600	263,000	779,000	モデル賃金の算定方法
25	3	0		270,100	236,100	4,918,200	850,000	827,000	理論モデル
27	5	1		300,300	245,300	5,346,600	884,000	859,000	モデル賃金の対象
30	8	2	主　　任	332,700	271,700	5,922,400	979,000	951,000	管理職は40歳まで
35	13	3	主　　査	393,100	312,100	6,934,200	1,124,000	1,093,000	労務構成
40	18	3	プロジェクトマネージャー	547,500	366,500	9,883,000	1,680,000	1,633,000	平均年齢　　　46.0歳
45	23	3		—	—	—	—	—	平均勤続　　　16.0年
50	28	2		—	—	—	—	—	年間所定労働時間
55	33	1		—	—	—	—	—	1,687時間
60	38	1		—	—	—	—	—	
大学卒・一般職（事務・技術系）									
22	0	0							賃金改定状況
25	3	0							ベースアップを実施
27	5	0							**2023年賃上げ額**
30	8	0							15,000円　—
35	13	0							うち定昇　7,000円　—
40	18	0							**賞与・一時金**
45	23	0							・2022年年末　—　3.50ヵ月
短大卒・一般職（事務・技術系）									前年比　100.00%
20	0	0	主　　事	213,300	187,300	3,437,600	222,000	656,000	・2023年夏季　—　3.60ヵ月
22	2	0	主　　事	223,500	197,500	4,085,000	711,000	692,000	前年比　66.00%
25	5	0	主　　事	238,800	212,800	4,377,600	767,000	745,000	**家族手当**
30	10	0		—	—	—	—	—	配偶者　　　　15,000円
35	15	0		—	—	—	—	—	第1子　　　　　6,000円
40	20	0		—	—	—	—	—	第2子　　　　　6,000円
高校卒・総合職（事務・技術系）									第3子　　　　　6,000円
18	0	0							・管理職に対する支給
20	2	0							支給する
22	4	0							・支給の制限等
25	7	0							22歳まで支給
27	9	1							**役付手当**
30	12	2							部　長　135,000〜155,000円
35	17	3							次　長　110,000〜130,000円
40	22	3							課　長　100,000〜105,000円
45	27	3							**役割給**　　　　導入なし
50	32	2							**役職者への時間外手当の不支給**
55	37	1							課長クラスから不支給
60	42	1							
高校卒・一般職（事務・技術系）									
18	0	0	主　　事	203,100	177,100	3,267,200	210,000	620,000	**役職者・実在者の平均年収額**
20	2	0	主　　事	213,300	187,300	3,890,600	675,000	656,000	部　長　月例賃金＋賞与
22	4	0	主　　事	223,500	197,500	4,085,000	711,000	692,000	平均年齢 59.0歳 11,698千円
25	7	0	主　　事	238,800	212,800	4,377,600	767,000	745,000	次　長　月例賃金＋賞与
30	12	0		—	—	—	—	—	平均年齢 50.0歳 10,362千円
35	17	0		—	—	—	—	—	課　長　月例賃金＋賞与
40	22	0		—	—	—	—	—	平均年齢 50.0歳 9,393千円
高校卒・現業系									
18	0	0							
20	2	0							
22	4	0							
25	7	0							
27	9	1							
30	12	2							
35	17	3							
40	22	3							
45	27	3							
50	32	2							
55	37	1							
60	42	1							

建物設計・地質調査　C社（350人）

（単位：円）

設定条件			役職名	所定労働時間内賃金	うち基本賃金	年間賃金計（モデル月例賃金×12＋2023年夏季賞与 2022年年末賞与）	2023年夏季モデル賞与	2022年年末モデル賞与
年齢（歳）	勤続年数（年）	扶養家族（人）						
大学卒・総合職（事務・技術系）								
22	0	0		240,000	200,000	3,930,000	150,000	900,000
25	3	0		252,000	212,000	4,706,000	282,000	1,400,000
27	5	1	主任	280,000	240,000	5,393,000	333,000	1,700,000
30	8	2	係長	315,000	260,000	6,020,000	340,000	1,900,000
35	13	3	課長補佐	390,000	285,000	7,035,000	355,000	2,000,000
40	18	3	課長	525,000	390,000	9,430,000	530,000	2,600,000
45	23	3	次長	560,000	410,000	9,970,000	550,000	2,700,000
50	28	2	部長	615,000	440,000	10,980,000	600,000	3,000,000
55	33	1	部長	675,000	480,000	12,200,000	700,000	3,400,000
60	38	1	部長(執行役員)	725,000	550,000	13,050,000	750,000	3,600,000
大学卒・一般職（事務・技術系）								
22	0	0						
25	3	0						
27	5	0						
30	8	0						
35	13	0						
40	18	0						
45	23	0						
短大卒・一般職（事務・技術系）								
20	0	0						
22	2	0						
25	5	0						
30	10	0						
35	15	0						
40	20	0						
高校卒・総合職（事務・技術系）								
18	0	0						
20	2	0						
22	4	0						
25	7	0						
27	9	1						
30	12	2						
35	17	3						
40	22	3						
45	27	3						
50	32	2						
55	37	1						
60	42	1						
高校卒・一般職（事務・技術系）								
18	0	0						
20	2	0						
22	4	0						
25	7	0						
30	12	0						
35	17	0						
40	22	0						
高校卒・現業系								
18	0	0						
20	2	0						
22	4	0						
25	7	0						
27	9	1						
30	12	2						
35	17	3						
40	22	3						
45	27	3						
50	32	2						
55	37	1						
60	42	1						

補足的事項

モデル賃金の算定方法
実在者の中位の額
モデル賃金の対象
全従業員モデル
労務構成
平均年齢　40.3歳
平均勤続　13.6年
2023年所定内賃金　359,155円
うち基本賃金　337,015円
2022年所定内賃金　340,973円
年間所定労働時間　1,936時間

賃金改定状況
ベースアップを実施
2023年賃上げ額
18,182円　5.33%
うち定昇 7,020円　2.05%
賞与・一時金
・2022年年末
2,239,700円　7.00ヵ月
前年比　100.00%
・2023年夏季
438,100円　1.30ヵ月
前年比　100.00%

家族手当
第１子　10,000円
第２子　10,000円
第３子　5,000円
・管理職に対する支給
支給しない
・支給の制限等
18歳まで支給
役付手当
部　長　125,000～145,000円
次　長　100,000円
課　長　85,000円
係　長　30,000円
主　任　25,000円
役割給　導入なし
役職者への時間外手当の不支給
課長クラスから不支給

時間あたり賃金
年間賃金ベース　3,609円
月例賃金ベース　2,226円

役職者・実在者の平均年収額
部長（兼任役員）　月例賃金＋賞与
平均年齢 54.5歳　13,050千円
部　長　月例賃金＋賞与
平均年齢 52.6歳　10,980千円
次　長　月例賃金＋賞与
平均年齢　52.4歳　9,970千円
課　長　月例賃金＋賞与
平均年齢　49.5歳　9,430千円

建物設計・地質調査　D社（300人）　　　　　　　　　　　　　　　　（単位：円）

設定条件			役職名	所定労働時間内賃金	うち基本賃金	年間賃金計 モデル月例賃金×12 + 2023年夏季賞与 2022年年末賞与	2023年夏季モデル賞与	2022年年末モデル賞与	補足的事項
年齢(歳)	勤続年数(年)	扶養家族(人)							
大学卒・総合職（事務・技術系）									モデル賃金の算定方法
22	0	0		235,300	220,300	3,363,750	110,150	430,000	理論モデル
25	3	0		258,300	243,300	3,818,300	243,300	475,400	モデル賃金の対象
27	5	1	主　　任	291,000	261,000	4,263,000	261,000	510,000	組合員モデル
30	8	2	係　　長	322,400	288,900	4,722,700	288,900	565,000	労務構成
35	13	3	課長補佐	374,200	336,200	5,485,600	336,200	659,000	平均年齢　　　32.4歳
40	18	3		—	—	—	—	—	平均勤続　　　 7.4年
45	23	3		—	—	—	—	—	2023年所定内賃金
50	28	2		—	—	—	—	—	290,504円
55	33	1		—	—	—	—	—	うち基本賃金 262,781円
60	38	1		—	—	—	—	—	2022年所定内賃金
大学卒・一般職（事務・技術系）									283,306円
22	0	0		203,200	188,200	2,898,500	94,100	366,000	年間所定労働時間
25	3	0		222,800	207,800	3,286,200	207,800	404,800	1,713時間40分
27	5	0	主　　任	224,700	224,700	3,359,100	224,700	438,000	
30	8	0	係　　長	242,100	242,100	3,578,100	242,100	430,800	賃金改定状況
35	13	0	課長補佐	277,700	277,700	4,164,900	277,700	554,800	ベースアップを実施
40	18	0	課長補佐	289,800	289,800	4,334,400	289,800	567,000	2023年賃上げ額
45	23	0	課長補佐	289,800	289,800	4,334,400	289,800	567,000	10,462円　4.08%
短大卒・一般職（事務・技術系）									うち定昇 4,656円 1.83%
20	0	0		191,700	176,700	2,732,150	88,350	343,400	賞与・一時金
22	2	0		203,200	188,200	2,992,600	188,200	366,000	・2022年年末
25	5	0		222,800	207,800	3,286,200	207,800	404,800	508,066円 2.00ヵ月
30	10	0	係　　長	242,100	242,100	3,620,100	242,100	472,800	前年比　101.78%
35	15	0	課長補佐	277,700	277,700	4,164,900	277,700	554,800	・2023年夏季
40	20	0	課長補佐	289,800	289,800	4,324,400	289,800	557,000	253,697円 1.00ヵ月
高校卒・総合職（事務・技術系）									前年比　105.70%
18	0	0							
20	2	0							家族手当
22	4	0							配偶者　　　14,000円
25	7	0							第1子　　　 3,500円
27	9	1							第2子　　　 3,500円
30	12	2							第3子　　　 3,500円
35	17	3							・管理職に対する支給
40	22	3							支給しない
45	27	3							・支給の制限等
50	32	2							18歳まで支給
55	37	1							役付手当
60	42	1							部　長　　　80,000円
高校卒・一般職（事務・技術系）									次　長　　　60,000円
18	0	0							課　長　　　50,000円
20	2	0							役割給　　　　導入なし
22	4	0							役職者への時間外手当の不支給
25	7	0							課長クラスから不支給
30	12	0							
35	17	0							時間あたり賃金
40	22	0							年間賃金ベース　2,479円
高校卒・現業系									月例賃金ベース　2,034円
18	0	0							
20	2	0							役職者・実在者の平均年収額
22	4	0							部長（兼任役員）　年俸制
25	7	0							平均年齢 53.4歳 8,213千円
27	9	1							部　長　　　　　年俸制
30	12	2							平均年齢 52.6歳 7,850千円
35	17	3							次　長　　　　　年俸制
40	22	3							平均年齢 51.5歳 7,020千円
45	27	3							課　長　　　　　年俸制
50	32	2							平均年齢 48.9歳 6,115千円
55	37	1							
60	42	1							

コンサルタント　A社（400人）

（単位：円）

設定条件			役職名	所定労働時間内賃金		年間賃金計		
年齢（歳）	勤続年数（年）	扶養家族（人）			うち基本賃金	モデル月例賃金×12＋2023年夏季賞与＋2022年年末賞与	2023年夏季モデル賞与	2022年年末モデル賞与
大学卒・総合職（事務・技術系）								
22	0	0		260,000	260,000	—	—	1,250,000
25	3	0		275,000	275,000	6,775,000	825,000	2,650,000
27	5	1		285,000	285,000	7,025,000	855,000	2,750,000
30	8	2	副主任	320,000	320,000	7,900,000	960,000	3,100,000
35	13	3	主任	370,000	365,000	9,085,000	1,095,000	3,550,000
40	18	3	課長・主任技師	435,000	415,000	10,415,000	1,245,000	3,950,000
45	23	3	次長・上級主任技師	455,000	435,000	10,965,000	1,305,000	4,200,000
50	28	2	部長	655,000	435,000	15,965,000	1,905,000	6,200,000
55	33	1	部長	675,000	455,000	16,565,000	1,965,000	6,500,000
60	38	1	部長	720,000	500,000	17,740,000	2,100,000	7,000,000
大学卒・一般職（事務・技術系）								
22	0	0						
25	3	0						
27	5	0						
30	8	0						
35	13	0						
40	18	0						
45	23	0						
短大卒・一般職（事務・技術系）								
20	0	0						
22	2	0						
25	5	0						
30	10	0						
35	15	0						
40	20	0						
高校卒・総合職（事務・技術系）								
18	0	0						
20	2	0						
22	4	0						
25	7	0						
27	9	1						
30	12	2						
35	17	3						
40	22	3						
45	27	3						
50	32	2						
55	37	1						
60	42	1						
高校卒・一般職（事務・技術系）								
18	0	0						
20	2	0						
22	4	0						
25	7	0						
30	12	0						
35	17	0						
40	22	0						
高校卒・現業系								
18	0	0						
20	2	0						
22	4	0						
25	7	0						
27	9	1						
30	12	2						
35	17	3						
40	22	3						
45	27	3						
50	32	2						
55	37	1						
60	42	1						

補足的事項

モデル賃金の算定方法
理論モデル

モデル賃金の対象
全従業員モデル

労務構成
平均年齢　42.2歳
平均勤続　14.9年
2023年所定内賃金　406,122円
2022年所定内賃金　359,141円
年間所定労働時間　1,701時間

賃金改定状況
ベースアップを実施

2023年賃上げ額
11,247円　3.40%

賞与・一時金
・2022年年末
3,246,153円　10.00ヵ月
前年比　98.61%
・2023年夏季
1,094,627円　3.00ヵ月
前年比　153.22%

家族手当　制度なし

役付手当
部　長　200,000円

役割給　導入なし

役職者への時間外手当の不支給
部長クラスから不支給

時間あたり賃金
年間賃金ベース　5,417円
月例賃金ベース　2,865円

役職者・実在者の平均年収額
部　長　月例賃金＋賞与
平均年齢 55.1歳　16,825千円

その他サービス　A社（17,500人）

（単位：円）

年齢（歳）	勤続年数（年）	扶養家族（人）	役職名	所定労働時間内賃金	うち基本賃金	年間賃金計（モデル月例賃金×12＋2023年夏季賞与＋2022年年末賞与）	2023年夏季モデル賞与	2022年年末モデル賞与
大学卒・総合職（事務・技術系）								
22	0	0		236,000	219,000	—	50,000	—
25	3	0		246,720	229,720	4,366,716	703,038	703,038
27	5	1		260,220	235,220	4,639,464	784,113	732,711
30	8	2	主任	285,310	249,310	5,082,442	829,361	829,361
35	13	3	係長	321,940	272,940	5,516,382	826,551	826,551
40	18	3	課長	429,910	312,910	7,247,522	1,066,301	1,022,301
45	23	3	課長	460,210	343,210	7,469,112	973,296	973,296
50	28	2	部長	526,760	405,760	8,584,128	1,131,504	1,131,504
55	33	1	支店長	865,310	648,310	14,955,142	2,285,711	2,285,711
60	38	1	関連会社社長	837,450	677,450	14,352,984	2,074,792	2,228,792
大学卒・一般職（事務・技術系）								
22	0	0		231,000	214,000	—	50,000	—
25	3	0		234,260	217,260	3,904,278	556,479	536,679
27	5	0		240,120	223,120	3,683,736	401,148	401,148
30	8	0		247,740	230,740	4,189,722	618,321	598,521
35	13	0	主任	284,090	262,090	5,026,376	808,648	808,648
40	18	0	係長	334,430	305,430	6,033,078	1,009,959	1,009,959
45	23	0	課長	416,350	319,350	6,840,854	922,327	922,327
短大卒・一般職（事務・技術系）								
20	0	0		190,500	190,500	—	50,000	—
22	2	0		193,800	193,800	2,842,077	264,537	251,940
25	5	0		206,400	206,400	3,013,440	268,320	268,320
30	10	0		215,000	215,000	3,166,950	293,475	293,475
35	15	0	主任	235,000	230,000	3,492,750	336,375	336,375
40	20	0	主任	282,010	260,010	5,034,152	844,816	805,216
高校卒・総合職（事務・技術系）								
18	0	0		—	—	—	—	—
20	2	0		—	—	—	—	—
22	4	0		—	—	—	—	—
25	7	0		—	—	—	—	—
27	9	1		—	—	—	—	—
30	12	2	主任	245,700	218,700	4,374,110	712,855	712,855
35	17	3	係長	298,200	249,200	5,014,560	727,980	708,180
40	22	3	工場長	391,000	274,000	6,027,840	585,420	750,420
45	27	3	課長	426,520	309,520	7,050,456	966,108	966,108
50	32	2	所長	461,160	350,160	7,701,448	1,083,764	1,083,764
55	37	1	課長	527,370	417,370	8,378,960	1,025,260	1,025,260
60	42	1	課長	543,420	438,420	8,938,026	1,178,793	1,238,193
高校卒・一般職（事務・技術系）								
18	0	0		191,400	191,400	—	50,000	—
20	2	0		193,500	193,500	2,816,845	249,034	245,811
22	4	0		197,700	197,700	2,886,420	257,010	257,010
25	7	0		200,400	200,400	3,003,996	299,598	299,598
30	12	0	主任	215,600	210,600	3,189,516	301,158	301,158
35	17	0	班長	248,000	246,000	3,743,520	383,760	383,760
40	22	0	工場長	344,300	247,300	5,481,690	675,045	675,045
高校卒・現業系								
18	0	0		167,400	167,400	—	50,000	—
20	2	0		170,400	170,400	2,443,536	199,368	199,368
22	4	0		188,800	188,800	2,779,620	257,010	257,010
25	7	0		195,200	193,200	2,894,952	276,276	276,276
27	9	1		216,400	213,400	3,217,943	302,110	319,033
30	12	2		216,900	214,900	3,217,414	307,307	307,307
35	17	3		230,500	228,500	3,916,050	575,025	575,025
40	22	3		239,600	231,600	3,537,576	331,188	331,188
45	27	3		255,000	255,000	4,649,500	794,750	794,750
50	32	2		270,870	270,870	4,544,310	656,935	636,935
55	37	1		282,700	279,700	4,119,620	363,610	363,610
60	42	1		323,000	311,000	5,650,300	887,150	887,150

補足的事項

モデル賃金の算定方法
理論モデル

モデル賃金の対象
全従業員モデル

労務構成
平均年齢　37.0歳
平均勤続　9.0年
2023年所定内賃金　245,302円
うち基本賃金　223,166円
2022年所定内賃金　237,281円
年間所定労働時間　2,040時間

賃金改定状況
賃金制度を改定

賞与・一時金
・2022年年末
387,400円　2.00ヵ月
前年比　101.03%
・2023年夏季
381,467円　2.00ヵ月
前年比　101.01%

家族手当
配偶者　8,000円
第1子　6,000円
第2子　6,000円
第3子　6,000円
・管理職に対する支給
支給する
・支給の制限等
扶養対象者であれば制限なし

役付手当
部　長　30,000〜50,000円
課　長　10,000〜20,000円
係　長　12,000円
主　任　5,000円

役割給
部　長　70,000円
課　長　70,000円

役職者への時間外手当の不支給
課長クラスから不支給

時間あたり賃金
年間賃金ベース　1,820円
月例賃金ベース　1,443円

役職者・実在者の平均年収額
部長（兼任役員）　月例賃金＋賞与
平均年齢　57.8歳　22,008千円
部　長　月例賃金＋賞与
平均年齢　49.9歳　8,724千円
課　長　月例賃金＋賞与
平均年齢　46.0歳　6,924千円

その他サービス　B社（1,300人）

（単位：円）

設定条件			役職名	所定労働時間内賃金		年間賃金計		
年齢（歳）	勤続年数（年）	扶養家族（人）			うち基本賃金	モデル月例賃金×12＋2023年夏季賞与2022年年末賞与	2023年夏季モデル賞与	2022年年末モデル賞与
大学卒・総合職（事務・技術系）								
22	0	0		220,000	205,000	—	50,000	—
25	3	0		—	—	—	—	—
27	5	1		—	—	—	—	—
30	8	2		—	—	—	—	—
35	13	3		—	—	—	—	—
40	18	3		—	—	—	—	—
45	23	3		—	—	—	—	—
50	28	2		—	—	—	—	—
55	33	1		—	—	—	—	—
60	38	1		—	—	—	—	—
大学卒・一般職（事務・技術系）								
22	0	0		190,000	190,000	—	10,000	—
25	3	0		—	—	—	—	—
27	5	0		—	—	—	—	—
30	8	0		—	—	—	—	—
35	13	0		—	—	—	—	—
40	18	0		—	—	—	—	—
45	23	0		—	—	—	—	—
短大卒・一般職（事務・技術系）								
20	0	0						
22	2	0						
25	5	0						
30	10	0						
35	15	0						
40	20	0						
高校卒・総合職（事務・技術系）								
18	0	0						
20	2	0						
22	4	0						
25	7	0						
27	9	1						
30	12	2						
35	17	3						
40	22	3						
45	27	3						
50	32	2						
55	37	1						
60	42	1						
高校卒・一般職（事務・技術系）								
18	0	0						
20	2	0						
22	4	0						
25	7	0						
30	12	0						
35	17	0						
40	22	0						
高校卒・現業系								
18	0	0		166,000	166,000	—	—	—
20	2	0		—	—	—	—	—
22	4	0		—	—	—	—	—
25	7	0		—	—	—	—	—
27	9	1		—	—	—	—	—
30	12	2		—	—	—	—	—
35	17	3		—	—	—	—	—
40	22	3		—	—	—	—	—
45	27	3		—	—	—	—	—
50	32	2		—	—	—	—	—
55	37	1		—	—	—	—	—
60	42	1		—	—	—	—	—

補足的事項

モデル賃金の算定方法
理論モデル

モデル賃金の対象
新入社員のみ

労務構成
平均年齢　43.0歳
平均勤続　6.1年

賃金改定状況
定昇のみ実施

2023年賃上げ額
1,000円　—
うち定昇　1,000円　—

賞与・一時金
・2022年年末　—　1.50ヵ月
前年比　—
・2023年夏季　—　1.00ヵ月
前年比　—

家族手当
配偶者　0円
第1子　3,000円
第2子　2,000円
・支給の制限等
18歳まで支給

役付手当
部　長　110,000～220,000円
次　長　100,000円
課　長　60,000～90,000円
係　長　10,000円
主　任　5,000円

役割給　導入なし

役職者への時間外手当の不支給
課長クラスから不支給

役職者・実在者の平均年収額
部長（兼任役員）　月例賃金＋賞与
平均年齢　48.0歳　7,975千円
部　長　月例賃金＋賞与
平均年齢　49.0歳　6,348千円
次　長　月例賃金＋賞与
平均年齢　49.0歳　5,583千円
課　長　月例賃金＋賞与
平均年齢　46.0歳　4,423千円

その他サービス　C社（1,100人）　　　　　　　　　　　　　　　　　　　　　　　　（単位：円）

設定条件			役職名	所定労働時間内賃金	うち基本賃金	年間賃金計 モデル月例賃金×12 + 2023年夏季賞与 2022年年末賞与	2023年夏季モデル賞与	2022年年末モデル賞与	補足的事項
年齢(歳)	勤続年数(年)	扶養家族(人)							
大学卒・総合職（事務・技術系）									
22	0	0		222,000	222,000	3,182,000	80,000	438,000	モデル賃金の算定方法
25	3	0		235,800	235,800	3,890,600	571,000	490,000	理論モデル
27	5	1		268,200	268,200	4,556,400	714,000	624,000	モデル賃金の対象
30	8	2		309,000	309,000	5,238,000	816,000	714,000	全従業員モデル
35	13	3		332,500	332,500	5,766,000	951,000	825,000	労務構成
40	18	3		373,600	373,600	6,591,200	1,144,000	964,000	平均年齢　　40.9歳
45	23	3	管理職	465,300	465,300	8,672,600	1,648,000	1,441,000	平均勤続　　12.7年
50	28	2	管理職	476,800	476,800	9,081,600	1,793,000	1,567,000	2023年所定内賃金
55	33	1	管理職	477,700	477,700	9,099,400	1,797,000	1,570,000	346,273円
60	38	1	管理職	449,700	449,700	8,228,400	1,511,000	1,321,000	うち基本賃金 344,423円
大学卒・一般職（事務・技術系）									2022年所定内賃金
22	0	0							331,845円
25	3	0							年間所定労働時間
27	5	0							1,906時間30分
30	8	0							
35	13	0							賃金改定状況
40	18	0							ベースアップを実施
45	23	0							2023年賃上げ額
短大卒・一般職（事務・技術系）									8,966円　2.70%
20	0	0		191,000	191,000	2,718,000	70,000	356,000	うち定昇 2,071円　0.90%
22	2	0		220,000	220,000	3,520,000	467,000	413,000	賞与・一時金
25	5	0		226,300	226,300	3,681,600	519,000	447,000	・2022年年末
30	10	0		292,000	292,000	4,867,000	736,000	627,000	874,122円　2.58ヵ月
35	15	0		302,900	302,900	5,109,800	797,000	678,000	前年比　109.60%
40	20	0		327,200	327,200	5,523,400	854,000	743,000	・2023年夏季
高校卒・総合職（事務・技術系）									957,215円　2.78ヵ月
18	0	0							前年比　109.50%
20	2	0							
22	4	0							家族手当　　　制度なし
25	7	0							役付手当
27	9	1							部　長　50,000～60,000円
30	12	2							課　長　　　　　45,000円
35	17	3							係　長　30,000～40,000円
40	22	3							主　任　　　　　20,000円
45	27	3							役割給　　　　導入なし
50	32	2							役職者への時間外手当の不支給
55	37	1							課長より下のクラスから不支給
60	42	1							
高校卒・一般職（事務・技術系）									時間あたり賃金
18	0	0		178,000	178,000	2,527,000	60,000	331,000	年間賃金ベース　3,140円
20	2	0		181,000	181,000	2,941,000	413,000	356,000	月例賃金ベース　2,180円
22	4	0		220,000	220,000	3,520,000	467,000	413,000	役職者・実在者の平均年収額
25	7	0		226,000	226,000	3,678,000	519,000	447,000	部　長　　　　年俸制
30	12	0		292,000	292,000	4,867,000	736,000	627,000	平均年齢 58.0歳 14,468千円
35	17	0		302,900	302,900	5,109,800	797,000	678,000	部　長　月例賃金＋賞与
40	22	0		327,200	327,200	5,523,400	854,000	743,000	平均年齢 55.0歳 12,234千円
高校卒・現業系									課　長　月例賃金＋賞与
18	0	0		178,000	178,000	2,527,000	60,000	331,000	平均年齢 50.7歳 10,380千円
20	2	0		181,000	181,000	2,941,000	413,000	356,000	
22	4	0		220,000	220,000	3,520,000	467,000	413,000	
25	7	0		226,000	226,000	3,678,000	519,000	447,000	
27	9	1		268,000	268,000	4,343,000	603,000	524,000	
30	12	2		292,000	292,000	4,867,000	736,000	627,000	
35	17	3		302,900	302,900	5,109,800	797,000	678,000	
40	22	3		327,200	327,200	5,523,400	854,000	743,000	
45	27	3		338,800	338,800	5,789,600	922,000	802,000	
50	32	2		359,600	359,600	6,168,200	989,000	864,000	
55	37	1		371,900	371,900	6,461,800	1,068,000	931,000	
60	42	1		350,400	350,400	5,583,800	736,000	643,000	

その他サービス　D社（1,100人）

（単位：円）

設定条件			役職名	所定労働時間内賃金	うち基本賃金	年間賃金計 モデル月例賃金×12＋2023年夏季賞与 2022年年末賞与	2023年夏季モデル賞与	2022年年末モデル賞与
年齢（歳）	勤続年数（年）	扶養家族（人）						
大学卒・総合職（事務・技術系）								
22	0	0		173,080	173,080	—	—	—
25	3	0		187,540	187,540	2,974,310	393,830	330,000
27	5	1		207,720	196,720	3,265,610	413,110	359,860
30	8	2	チーフ	236,460	213,960	3,739,540	466,110	435,910
35	13	3	アシスタントマネージャー	270,960	241,460	4,239,960	532,260	456,180
40	18	3	マネージャー	319,620	267,120	5,026,690	634,450	556,800
45	23	3	リーダー	355,620	298,120	5,602,420	710,000	624,980
50	28	2	副部長	399,020	338,520	6,325,230	807,490	729,500
55	33	1	部長	407,440	346,440	6,473,930	817,650	767,000
60	38	1	部長	418,440	357,440	6,638,260	826,980	790,000
大学卒・一般職（事務・技術系）								
22	0	0						
25	3	0						
27	5	0						
30	8	0						
35	13	0						
40	18	0						
45	23	0						
短大卒・一般職（事務・技術系）								
20	0	0		165,500	165,500	—	—	—
22	2	0		171,400	171,400	2,711,140	359,940	294,400
25	5	0		183,580	183,580	2,914,870	385,510	326,400
30	10	0	チーフ	219,460	211,460	3,564,130	460,860	469,750
35	15	0	アシスタントマネージャー	242,820	230,820	3,906,040	509,920	482,280
40	20	0	マネージャー	309,600	274,600	4,940,120	650,160	574,760
高校卒・総合職（事務・技術系）								
18	0	0		158,120	158,120	—	—	—
20	2	0		165,500	165,500	2,627,950	347,550	294,400
22	4	0		173,080	173,080	2,742,228	363,468	301,800
25	7	0		185,380	185,380	2,943,858	389,298	330,000
27	9	1		207,340	196,340	3,258,594	412,314	358,200
30	12	2	チーフ	232,680	210,180	3,678,318	458,178	427,980
35	17	3	アシスタントマネージャー	263,760	234,260	4,154,946	517,146	472,680
40	22	3	マネージャー	316,100	263,600	4,970,020	627,060	549,760
45	27	3	リーダー	354,560	297,060	5,579,826	707,826	617,280
50	32	2	部長	398,620	334,120	6,339,384	806,652	749,292
55	37	1	部長	404,800	343,800	6,465,000	826,980	780,420
60	42	1	部長	400,840	339,840	6,401,772	818,664	773,028
高校卒・一般職（事務・技術系）								
18	0	0						
20	2	0						
22	4	0						
25	7	0						
30	12	0						
35	17	0						
40	22	0						
高校卒・現業系								
18	0	0						
20	2	0						
22	4	0						
25	7	0						
27	9	1						
30	12	2						
35	17	3						
40	22	3						
45	27	3						
50	32	2						
55	37	1						
60	42	1						

補足的事項

モデル賃金の算定方法
理論モデル

モデル賃金の対象
全従業員モデル

労務構成
平均年齢　33.6歳
平均勤続　9.4年
2023年所定内賃金　231,000円
うち基本賃金　217,540円
2022年所定内賃金　221,520円
年間所定労働時間　1,984時間

賃金改定状況
定昇のみ実施

2023年賃上げ額
10,095円　4.50%
うち定昇10,095円　4.50%

賞与・一時金
・2022年年末
430,724円　2.00ヵ月
前年比　410.00%
・2023年夏季
481,910円　2.10ヵ月
前年比　111.00%

家族手当
配偶者　11,000円
第1子　3,500円
第2子　3,000円
第3子　2,500円
・管理職に対する支給
支給する
・支給の制限等
22歳まで支給

役付手当
部長　50,000円
次長　46,000円
課長　40,000円
係長　12,000円
主任　8,000円

役割給　導入なし

役職者への時間外手当の不支給
課長クラスから不支給

時間あたり賃金
年間賃金ベース　1,857円
月例賃金ベース　1,397円

役職者・実在者の平均年収額
部長　月例賃金＋賞与
平均年齢　52.0歳　6,408千円
次長　月例賃金＋賞与
平均年齢　56.0歳　6,192千円
課長　月例賃金＋賞与
平均年齢　47.0歳　5,534千円

その他サービス　E社（900人）　　　　　　　　　　　　　　　　　　　　　　　（単位：円）

設定条件			役職名	所定労働時間内賃金	うち基本賃金	年間賃金計 モデル月例賃金×12 + 2023年夏季賞与 2022年年末賞与	2023年夏季モデル賞与	2022年年末モデル賞与	補足的事項
年齢(歳)	勤続年数(年)	扶養家族(人)							
大学卒・総合職（事務・技術系）									モデル賃金の算定方法
22	0	0		208,000	208,000	3,533,920	520,000	517,920	理論モデル
25	3	0		221,500	221,500	3,763,285	553,750	551,535	モデル賃金の対象
27	5	1		254,800	239,800	4,254,202	599,500	597,102	組合員モデル
30	8	2		279,800	254,800	4,629,052	637,000	634,452	労務構成
35	13	3		323,600	288,600	5,323,314	721,500	718,614	平均年齢　　　　41.1歳
40	18	3		370,700	335,700	6,123,543	839,250	835,893	平均勤続　　　　18.1年
45	23	3		399,600	354,600	6,564,654	886,500	882,954	2023年所定内賃金
50	28	2		435,600	400,600	7,226,194	1,001,500	997,494	344,082円
55	33	1		433,500	418,500	7,290,315	1,046,250	1,042,065	うち基本賃金 332,224円
60	38	1		433,500	418,500	7,290,315	1,046,250	1,042,065	2022年所定内賃金
大学卒・一般職（事務・技術系）									334,146円
22	0	0							年間所定労働時間
25	3	0							1,864時間20分
27	5	0							
30	8	0							賃金改定状況
35	13	0							ベースアップを実施
40	18	0							**2023年賃上げ額**
45	23	0							8,100円　2.60%
短大卒・一般職（事務・技術系）									うち定昇 3,400円　1.09%
20	0	0		182,000	182,000	3,092,180	455,000	453,180	賞与・一時金
22	2	0		206,000	206,000	3,499,940	515,000	512,940	・2022年年末
25	5	0		219,500	219,500	3,729,305	548,750	546,555	738,000円　2.49ヵ月
30	10	0		252,800	252,800	4,295,072	632,000	629,472	前年比　101.20%
35	15	0		286,000	286,000	4,862,134	716,500	713,634	・2023年夏季
40	20	0		333,700	333,700	5,669,563	834,250	830,913	742,000円　2.50ヵ月
高校卒・総合職（事務・技術系）									前年比　101.40%
18	0	0		169,000	169,000	2,871,310	422,500	420,810	家族手当
20	2	0		180,000	180,000	3,058,200	450,000	448,200	配偶者　　　　15,000円
22	4	0		204,000	204,000	3,465,960	510,000	507,960	第1子　　　　10,000円
25	7	0		217,500	217,500	3,695,325	543,750	541,575	第2子　　　　10,000円
27	9	1		250,800	235,800	4,186,242	589,500	587,142	第3子　　　　10,000円
30	12	2		275,800	250,800	4,561,092	627,000	624,492	・管理職に対する支給
35	17	3		319,600	284,600	5,255,354	711,500	708,654	支給する
40	22	3		366,700	331,700	6,055,583	829,250	825,933	・支給の制限等
45	27	3		395,600	350,600	6,496,694	876,500	872,994	中学生まで10,000円，
50	32	2		431,600	396,600	7,158,234	991,500	987,534	高校・短大・専門学校
55	37	1		429,500	414,500	7,222,355	1,036,250	1,032,105	生15,000円，大学生
60	42	1		429,500	414,500	7,222,355	1,036,250	1,032,105	20,000円
高校卒・一般職（事務・技術系）									役付手当
18	0	0							部　長　　　100,000円
20	2	0							課　長　60,000～70,000円
22	4	0							役割給　　　　導入なし
25	7	0							役職者への時間外手当の不支給
30	12	0							課長クラスから不支給
35	17	0							
40	22	0							時間あたり賃金
高校卒・現業系									年間賃金ベース　3,009円
18	0	0							月例賃金ベース　2,215円
20	2	0							
22	4	0							役職者・実在者の平均年収額
25	7	0							部長（兼任役員）
27	9	1							月例賃金＋賞与
30	12	2							平均年齢 59.8歳 13,825千円
35	17	3							部　長　　月例賃金＋賞与
40	22	3							平均年齢 56.7歳 10,838千円
45	27	3							課　長　　月例賃金＋賞与
50	32	2							平均年齢 52.5歳 9,112千円
55	37	1							
60	42	1							

その他サービス　F社（400人）

（単位：円）

設定条件 年齢（歳）	勤続年数（年）	扶養家族（人）	役職名	所定労働時間内賃金	うち基本賃金	年間賃金計 モデル月例賃金×12＋2023年夏季賞与＋2022年年末賞与	2023年夏季モデル賞与	2022年年末モデル賞与
大学卒・総合職（事務・技術系）								
22	0	0	シニア	225,000	205,000	—	123,000	—
25	3	0	チーフ	247,500	212,500	3,801,350	425,000	406,350
27	5	1	チーフ	250,500	215,500	3,864,550	452,550	406,000
30	8	2		—	—	—	—	—
35	13	3	マネージャー	324,500	278,000	5,194,800	667,200	633,600
40	18	3		—	—	—	—	—
45	23	3	マネージャー	322,500	302,500	5,117,401	635,251	612,150
50	28	2	マネージャー	331,500	313,000	5,204,000	626,000	600,000
55	33	1		—	—	—	—	—
60	38	1		—	—	—	—	—
大学卒・一般職（事務・技術系）								
22	0	0						
25	3	0						
27	5	0						
30	8	0						
35	13	0						
40	18	0						
45	23	0						
短大卒・一般職（事務・技術系）								
20	0	0	スタッフ	180,000	180,000	—	108,000	—
22	2	0		—	—	—	—	—
25	5	0	チーフ	212,500	212,500	3,364,800	446,250	368,550
30	10	0	チーフ	251,500	221,500	3,901,150	465,150	418,000
35	15	0	チーフ	277,000	242,500	4,241,000	485,000	432,000
40	20	0	チーフ	282,000	263,500	4,413,000	527,000	502,000
高校卒・総合職（事務・技術系）								
18	0	0						
20	2	0						
22	4	0						
25	7	0						
27	9	1						
30	12	2						
35	17	3						
40	22	3						
45	27	3						
50	32	2						
55	37	1						
60	42	1						
高校卒・一般職（事務・技術系）								
18	0	0		—	—	—	—	—
20	2	0		—	—	—	—	—
22	4	0		—	—	—	—	—
25	7	0	シニア	205,000	185,000	3,194,500	388,500	346,000
30	12	0	チーフ	236,500	216,500	3,721,050	454,650	428,400
35	17	0	チーフ	250,000	250,000	4,000,000	525,000	475,000
40	22	0	マネージャー	356,000	292,000	5,556,300	671,600	612,700
高校卒・現業系								
18	0	0						
20	2	0						
22	4	0						
25	7	0						
27	9	1						
30	12	2						
35	17	3						
40	22	3						
45	27	3						
50	32	2						
55	37	1						
60	42	1						

補足的事項

モデル賃金の算定方法
実在者の平均額

モデル賃金の対象
組合員モデル

労務構成
平均年齢　40.0歳
平均勤続　16.4年
2023年所定内賃金　256,627円
うち基本賃金　256,627円
2022年所定内賃金　254,871円
年間所定労働時間　1,897時間30分

賃金改定状況
ベースアップを実施

2023年賃上げ額
12,252円　4.80％
うち定昇　2,252円　0.88％

賞与・一時金
・2022年年末
480,000円　2.00ヵ月
前年比　—
・2023年夏季
501,000円　2.00ヵ月
前年比　104.00％

家族手当
配偶者　8,000円
第１子　8,000円
第２子　8,000円
第３子　8,000円
・管理職に対する支給
支給しない
・支給の制限等
18歳まで支給

役付手当
部　長　477,500～493,000円
次　長　433,000～454,000円
課　長　393,000～405,000円

役割給　導入なし

役職者への時間外手当の不支給
課長クラスから不支給

時間あたり賃金
年間賃金ベース　2,140円
月例賃金ベース　1,623円

役職者・実在者の平均年収額
部　長　月例賃金＋賞与
平均年齢　56.0歳　—
次　長　月例賃金＋賞与
平均年齢　52.0歳　—
課　長　月例賃金＋賞与
平均年齢　52.0歳　—

その他サービス　G社（400人）

（単位：円）

設定条件 年齢（歳）	勤続年数（年）	扶養家族（人）	役職名	所定労働時間内賃金	うち基本賃金	年間賃金計 モデル月例賃金×12＋2023年夏季賞与 2022年年末賞与	2023年夏季モデル賞与	2022年年末モデル賞与
大学卒・総合職（事務・技術系）								
22	0	0		200,000	200,000	—	—	—
25	3	0		220,000	220,000	—	—	100,000
27	5	1		240,000	240,000	—	—	120,000
30	8	2		275,000	245,000	—	—	150,000
35	13	3		310,000	250,000	—	—	200,000
40	18	3		330,000	270,000	—	—	250,000
45	23	3		360,000	280,000	—	—	250,000
50	28	2		380,000	300,000	—	—	300,000
55	33	1		450,000	350,000	—	—	300,000
60	38	1		500,000	400,000	—	—	300,000
大学卒・一般職（事務・技術系）								
22	0	0		200,000	200,000	—	—	—
25	3	0		210,000	210,000	—	—	100,000
27	5	0		240,000	240,000	—	—	120,000
30	8	0		275,000	245,000	—	—	150,000
35	13	0		310,000	250,000	—	—	200,000
40	18	0		330,000	270,000	—	—	250,000
45	23	0		360,000	280,000	—	—	250,000
短大卒・一般職（事務・技術系）								
20	0	0		200,000	200,000	—	—	—
22	2	0		205,000	205,000	—	—	80,000
25	5	0		210,000	210,000	—	—	100,000
30	10	0		250,000	250,000	—	—	150,000
35	15	0		280,000	250,000	—	—	200,000
40	20	0		310,000	250,000	—	—	250,000
高校卒・総合職（事務・技術系）								
18	0	0		190,000	190,000	—	—	—
20	2	0		195,000	195,000	—	—	80,000
22	4	0		200,000	200,000	—	—	80,000
25	7	0		220,000	220,000	—	—	100,000
27	9	1		240,000	240,000	—	—	120,000
30	12	2		275,000	245,000	—	—	150,000
35	17	3		310,000	250,000	—	—	200,000
40	22	3		330,000	270,000	—	—	250,000
45	27	3		360,000	280,000	—	—	250,000
50	32	2		380,000	300,000	—	—	300,000
55	37	1		450,000	350,000	—	—	300,000
60	42	1		500,000	400,000	—	—	300,000
高校卒・一般職（事務・技術系）								
18	0	0		190,000	190,000	—	—	—
20	2	0		195,000	195,000	—	—	80,000
22	4	0		200,000	200,000	—	—	80,000
25	7	0		220,000	220,000	—	—	100,000
30	12	0		275,000	245,000	—	—	120,000
35	17	0		310,000	250,000	—	—	150,000
40	22	0		330,000	270,000	—	—	200,000
高校卒・現業系								
18	0	0		190,000	190,000	—	—	—
20	2	0		195,000	195,000	—	—	80,000
22	4	0		200,000	200,000	—	—	80,000
25	7	0		220,000	220,000	—	—	100,000
27	9	1		240,000	240,000	—	—	120,000
30	12	2		275,000	245,000	—	—	150,000
35	17	3		310,000	250,000	—	—	200,000
40	22	3		330,000	270,000	—	—	250,000
45	27	3		360,000	280,000	—	—	250,000
50	32	2		380,000	300,000	—	—	300,000
55	37	1		450,000	350,000	—	—	300,000
60	42	1		500,000	400,000	—	—	300,000

補足的事項

モデル賃金の算定方法
理論モデル

モデル賃金の対象
全従業員モデル

労務構成
平均年齢　38.7歳
平均勤続　7.5年
2023年所定内賃金　304,000円
うち基本賃金　265,000円
年間所定労働時間　1,957時間30分

賃金改定状況
賃金制度を改定

賞与・一時金
・2022年年末
271,500円　1.00ヵ月
前年比　103.00％

家族手当　制度なし

役付手当
部　長　100,000円
次　長　80,000円
課　長　60,000円
係　長　30,000円
主　任　30,000円

役割給　導入なし

役職者への時間外手当の不支給
課長クラスから不支給

時間あたり賃金
月例賃金ベース　1,864円

役職者・実在者の平均月収額
部長（兼任役員）月例賃金
平均年齢　55.0歳　380千円
部　長　月例賃金
平均年齢 43.6歳　293千円
次　長　月例賃金
平均年齢 48.0歳　280千円
課　長　月例賃金
平均年齢 44.6歳　260千円

その他サービス　H社（200人）

（単位：円）

設定条件 年齢（歳）	勤続年数（年）	扶養家族（人）	役職名	所定労働時間内賃金	うち基本賃金	年間賃金計 モデル月例賃金×12＋2023年夏季賞与 2022年年末賞与	2023年夏季モデル賞与	2022年年末モデル賞与
大学卒・総合職（事務・技術系）								
22	0	0		210,000	210,000	—	54,900	—
25	3	0		229,700	227,700	3,913,000	606,400	550,200
27	5	1		252,600	242,600	4,272,700	660,700	580,800
30	8	2		296,000	260,000	4,950,600	755,500	643,100
35	13	3		370,100	306,100	5,903,700	752,000	710,500
40	18	3		366,200	320,200	5,823,700	780,500	648,800
45	23	3	管理職	437,600	361,600	6,973,300	885,700	836,400
50	28	2	管理職	466,000	360,000	7,757,700	1,155,600	1,010,100
55	33	1	管理職	470,500	407,500	7,569,600	991,800	931,800
60	38	1		—	—	—	—	—
大学卒・一般職（事務・技術系）								
22	0	0						
25	3	0						
27	5	0						
30	8	0						
35	13	0						
40	18	0						
45	23	0						
短大卒・一般職（事務・技術系）								
20	0	0						
22	2	0						
25	5	0						
30	10	0						
35	15	0						
40	20	0						
高校卒・総合職（事務・技術系）								
18	0	0		195,000	195,000	—	44,600	—
20	2	0		200,000	200,000	3,291,000	448,200	442,800
22	4	0		221,900	218,900	3,861,300	640,100	558,400
25	7	0		256,000	240,000	4,381,000	692,700	616,300
27	9	1		283,900	262,900	4,835,200	779,100	649,300
30	12	2		295,700	266,700	5,030,300	779,100	702,800
35	17	3	管理職	402,500	326,500	6,556,900	924,000	802,900
40	22	3		357,200	307,700	5,717,600	750,900	680,300
45	27	3	管理職	496,300	379,300	8,086,800	1,217,700	913,500
50	32	2		403,000	340,000	6,452,500	845,900	770,600
55	37	1	管理職	417,000	365,000	6,950,600	1,040,900	905,700
60	42	1		—	—	—	—	—
高校卒・一般職（事務・技術系）								
18	0	0						
20	2	0						
22	4	0						
25	7	0						
30	12	0						
35	17	0						
40	22	0						
高校卒・現業系								
18	0	0						
20	2	0						
22	4	0						
25	7	0						
27	9	1						
30	12	2						
35	17	3						
40	22	3						
45	27	3						
50	32	2						
55	37	1						
60	42	1						

補足的事項

モデル賃金の算定方法
実在者の中位の額

モデル賃金の対象
全従業員モデル

労務構成
平均年齢　44.9歳
平均勤続　10.5年
2023年所定内賃金　312,997円
うち基本賃金　281,413円
2022年所定内賃金　307,793円
年間所定労働時間　2,032時間

賃金改定状況
定昇のみ実施

2023年賃上げ額
7,183円　2.50%
うち定昇　7,183円　2.50%

賞与・一時金
・2022年年末
586,458円　2.10ヵ月
前年比　104.00%
・2023年夏季
660,366円　2.30ヵ月
前年比　127.00%

家族手当
第１子　8,000円
第２子　8,000円
第３子　8,000円
・管理職に対する支給
支給する
・支給の制限等
22歳まで支給

役付手当
部　長　80,000～90,000円
課　長　45,000～55,000円
係　長　25,000～35,000円
主　任　10,000～20,000円

役割給　導入なし

役職者への時間外手当の不支給
課長クラスから不支給

時間あたり賃金
年間賃金ベース　2,462円
月例賃金ベース　1,848円

役職者・実在者の平均年収額
部長（兼任役員）月例賃金
平均年齢　58.0歳　755千円
部　長　月例賃金＋賞与
平均年齢　50.2歳　7,980千円
課　長　月例賃金＋賞与
平均年齢　48.6歳　6,764千円

その他サービス　I社（100人）　　　　　　　　　　　　　　　　　　　（単位：円）

設定条件			役職名	所定労働時間内賃金	うち基本賃金	年間賃金計 モデル月例賃金×12 + 2023年夏季賞与 2022年年末賞与	2023年夏季モデル賞与	2022年年末モデル賞与	補足的事項
年齢(歳)	勤続年数(年)	扶養家族(人)							
大学卒・総合職（事務・技術系）									モデル賃金の算定方法
22	0	0		205,000	205,000	—	35,000	—	実在者の平均額
25	3	0		—	—	—	—	—	モデル賃金の対象
27	5	1		—	—	—	—	—	全従業員モデル
30	8	2		—	—	—	—	—	労務構成
35	13	3		—	—	—	—	—	平均年齢　　　　45.1歳
40	18	3		—	—	—	—	—	平均勤続　　　　15.9年
45	23	3		—	—	—	—	—	2023年所定内賃金
50	28	2		—	—	—	—	—	319,236円
55	33	1		—	—	—	—	—	うち基本賃金　267,984円
60	38	1		—	—	—	—	—	2022年所定内賃金
大学卒・一般職（事務・技術系）									321,619円
22	0	0							年間所定労働時間
25	3	0							2,080時間
27	5	0							
30	8	0							賃金改定状況
35	13	0							ベースアップを実施
40	18	0							**2023年賃上げ額**
45	23	0							7,841円　2.96％
短大卒・一般職（事務・技術系）									うち定昇　3,000円　1.13％
20	0	0							賞与・一時金
22	2	0							・2022年年末
25	5	0							737,764円　2.50ヵ月
30	10	0							前年比　263.10％
35	15	0							・2023年夏季
40	20	0							318,945円　1.00ヵ月
高校卒・総合職（事務・技術系）									前年比　106.10％
18	0	0							
20	2	0							家族手当
22	4	0							配偶者　　　　15,000円
25	7	0							第1子　　　　 4,000円
27	9	1							第2子　　　　 4,000円
30	12	2							第3子　　　　 4,000円
35	17	3							・管理職に対する支給
40	22	3							支給する
45	27	3							・支給の制限等
50	32	2							22歳まで支給
55	37	1							役付手当
60	42	1							部　　長　　　150,000円
高校卒・一般職（事務・技術系）									次　　長　　　120,000円
18	0	0							課　　長　　　100,000円
20	2	0							係　　長　　　 16,000円
22	4	0							主　　任　　　 10,000円
25	7	0							役割給　　　　　導入なし
30	12	0							役職者への時間外手当の不支給
35	17	0							課長クラスから不支給
40	22	0							
高校卒・現業系									時間あたり賃金
18	0	0							年間賃金ベース　　2,350円
20	2	0							月例賃金ベース　　1,842円
22	4	0							
25	7	0							役職者・実在者の平均年収額
27	9	1							部　長　月例賃金＋賞与
30	12	2							平均年齢　53.8歳　7,900千円
35	17	3							次　長　月例賃金＋賞与
40	22	3							平均年齢　51.6歳　7,130千円
45	27	3							課　長　月例賃金＋賞与
50	32	2							平均年齢　52.0歳　6,355千円
55	37	1							
60	42	1							

その他サービス　J社（60人）　　　　　　　　　　　　　　　　　　　（単位：円）

設定条件			役職名	所定労働時間内賃金	うち基本賃金	年間賃金計 モデル月例賃金×12 + 2023年夏季賞与 2022年年末賞与	2023年夏季モデル賞与	2022年年末モデル賞与	補足的事項
年齢（歳）	勤続年数（年）	扶養家族（人）							
大学卒・総合職（事務・技術系）									モデル賃金の算定方法
22	0	0		203,000	150,000	2,536,000	50,000	50,000	新入社員のみ
25	3	0		─	─	─	─	─	労務構成
27	5	1		─	─	─	─	─	平均年齢　　　32.6歳
30	8	2		─	─	─	─	─	平均勤続　　　8.6年
35	13	3		─	─	─	─	─	2023年所定内賃金
40	18	3		─	─	─	─	─	226,980円
45	23	3		─	─	─	─	─	うち基本賃金　153,612円
50	28	2		─	─	─	─	─	2022年所定内賃金
55	33	1		─	─	─	─	─	212,712円
60	38	1		─	─	─	─	─	年間所定労働時間
大学卒・一般職（事務・技術系）									2,056時間
22	0	0							
25	3	0							賃金改定状況
27	5	0							ベースアップを実施
30	8	0							2023年賃上げ額
35	13	0							8,067円　6.70%
40	18	0							うち定昇　5,965円　4.00%
45	23	0							賞与・一時金
短大卒・一般職（事務・技術系）									・2022年年末
20	0	0		181,000	140,000	2,272,000	50,000	50,000	344,804円　1.43ヵ月
22	2	0		─	─	─	─	─	前年比　113.90%
25	5	0		─	─	─	─	─	・2023年夏季
30	10	0		─	─	─	─	─	292,413円　1.15ヵ月
35	15	0		─	─	─	─	─	前年比　119.50%
40	20	0		─	─	─	─	─	
高校卒・総合職（事務・技術系）									家族手当
18	0	0		170,000	135,000	2,140,000	50,000	50,000	配偶者　　　10,000円
20	2	0		─	─	─	─	─	第1子　　　 5,000円
22	4	0		─	─	─	─	─	第2子　　　 3,000円
25	7	0		─	─	─	─	─	第3子　　　 3,000円
27	9	1		─	─	─	─	─	・管理職に対する支給
30	12	2		─	─	─	─	─	支給する
35	17	3		─	─	─	─	─	・支給の制限等
40	22	3		─	─	─	─	─	18歳まで支給
45	27	3		─	─	─	─	─	役付手当　　　制度なし
50	32	2		─	─	─	─	─	役割給　　　　導入なし
55	37	1		─	─	─	─	─	役職者への時間外手当の不支給
60	42	1		─	─	─	─	─	課長より下のクラスから不支給
高校卒・一般職（事務・技術系）									時間あたり賃金
18	0	0							年間賃金ベース　1,635円
20	2	0							月例賃金ベース　1,325円
22	4	0							
25	7	0							
30	12	0							
35	17	0							
40	22	0							
高校卒・現業系									
18	0	0							
20	2	0							
22	4	0							
25	7	0							
27	9	1							
30	12	2							
35	17	3							
40	22	3							
45	27	3							
50	32	2							
55	37	1							
60	42	1							

その他サービス　K社（30人）

(単位：円)

設定条件 年齢(歳)	勤続年数(年)	扶養家族(人)	役職名	所定労働時間内賃金	うち基本賃金	年間賃金計 モデル月例賃金×12 + 2023年夏季賞与 2022年年末賞与	2023年夏季モデル賞与	2022年年末モデル賞与	補足的事項
大学卒・総合職（事務・技術系）									**労務構成**
22	0	0							平均年齢　　　　　51.2歳
25	3	0							平均勤続　　　　　14.4年
27	5	1							2023年所定内賃金
30	8	2							323,455円
35	13	3							うち基本賃金　303,964円
40	18	3							2022年所定内賃金
45	23	3							331,516円
50	28	2							年間所定労働時間
55	33	1							1,984時間
60	38	1							
大学卒・一般職（事務・技術系）									**賃金改定状況**
22	0	0							定昇のみ実施
25	3	0							**2023年賃上げ額**
27	5	0							1,998円　0.62%
30	8	0							うち定昇　1,998円　0.62%
35	13	0							**賞与・一時金**
40	18	0							・2022年年末
45	23	0							321,992円　1.00ヵ月
短大卒・一般職（事務・技術系）									前年比　70.10%
20	0	0							・2023年夏季
22	2	0							323,929円　1.00ヵ月
25	5	0							前年比　95.50%
30	10	0							
35	15	0							**家族手当**　　　制度なし
40	20	0							**役付手当**
高校卒・総合職（事務・技術系）									部　長　　　100,000円
18	0	0							次　長　　　 70,000円
20	2	0							課　長　　　 60,000円
22	4	0							係　長　　　 20,000円
25	7	0							主　任　　　 10,000円
27	9	1							**役割給**　　　導入なし
30	12	2							**役職者への時間外手当の不支給**
35	17	3							課長クラスから不支給
40	22	3							
45	27	3							**時間あたり賃金**
50	32	2							年間賃金ベース　2,282円
55	37	1							月例賃金ベース　1,956円
60	42	1							
高校卒・一般職（事務・技術系）									**役職者・実在者の平均年収額**
18	0	0							部　長（兼任役員）
20	2	0							月例賃金＋賞与
22	4	0							平均年齢　63.0歳　9,503千円
25	7	0							次　長　　月例賃金＋賞与
30	12	0							平均年齢　52.7歳　5,718千円
35	17	0							課　長　　月例賃金＋賞与
40	22	0							平均年齢　57.0歳　5,312千円
高校卒・現業系									
18	0	0							
20	2	0							
22	4	0							
25	7	0							
27	9	1							
30	12	2							
35	17	3							
40	22	3							
45	27	3							
50	32	2							
55	37	1							
60	42	1							

（調査回答企業名はすべて匿名とします）

業　種	
従業員数	（正社員数）　　　　　　　　人
ご担当者名	部　　　　　　課　　　　　様
電話番号	（　　　　）
Ｅメール	

◆個人情報の取り扱いについて
　ご担当者の個人情報につきましては、調査内容のお問い合わせ、調査結果の報告、アンケートに利用させていただきます。なお詳細は弊社のホームページをご覧ください。https://www.e-sanro.net/

2023年度 モデル賃金、賞与・一時金調査票

◆産労総合研究所　モデル賃金調査係　TEL 03(5860)9791　FAX 0120(703)641◆

◆**モデル賃金**　本調査と同様のモデル賃金表を作成されていましたら、そのままコピーをお送りください。

〔該当する番号を○で囲んでください。また、空欄にご記入ください〕

① ご記入いただく下記「モデル賃金表」について	② 労務構成、平均賃金、労働時間（1人あたりの平均）
〔算定方法〕（実在者が該当年齢に不在の時は、記入要領でご確認ください） 1. 理論モデル（賃金表などにより）で記入 2. 実在者のうち設定条件にあわせてその平均額を記入 3. 実在者のうち設定条件にあわせてその中位の額を記入 4. その他（具体的に：　　　　　　　）	平均年齢、所定労働時間内賃金には、管理職を　1.含む　2.含まない 平均年齢　　　歳　　平均勤続年数　　　年 2023年賃上げ**後**の所定労働時間内賃金　　　円 うち基本賃金　　　円 2023年賃上げ**前**の所定労働時間内賃金　　　円
〔対　象〕 1. 組合員（もしくは非管理職）のみを対象 2. 全従業員（管理職を含む）を対象 3. その他（具体的に：　　　　　　　）	**1年間の所定労働時間（2023年度）**（1人あたりの平均） （1日の所定労働時間（休憩時間、残業を除く）×年間勤務日数（365日－年間休日日数）） 　　　時間　　　分

モデル賃金表

（単位：円）

設定条件			役職名または（非管理職・管理職）	① 所定労働時間内賃金（2023年度モデル賃金）					② モデル賞与・一時金	
年齢	勤続	扶養家族	コード		合計 (a+b+c+d)	基本賃金 (a)	役付手当 (b)	家族手当 (c)	その他の手当（通勤手当は除く）(d)	2023年夏季	2022年年末（2022年のモデル設定条件によってご記入ください）別紙記入要領参照

(010) 大学卒・総合職（事務・技術系）　　　1.定年あり（　　歳）　2.定年なし　　　2023年新卒入社者の夏季賞与・一時金

年齢	勤続	扶養	コード
22	0	0	01
25	3	0	02
27	5	1	03
30	8	2	04
35	13	3	05
40	18	3	06
45	23	3	07
50	28	2	08
55	33	1	09
60	38	1	10

見本

(020) 大学卒・一般職（事務・技術系）　　　　　　　　　　　　　　　　　　　　　2023年新卒入社者の夏季賞与・一時金

年齢	勤続	扶養	コード
22	0	0	01
25	3	0	02
27	5	0	03
30	8	0	04
35	13	0	05
40	18	0	06
45	23	0	07

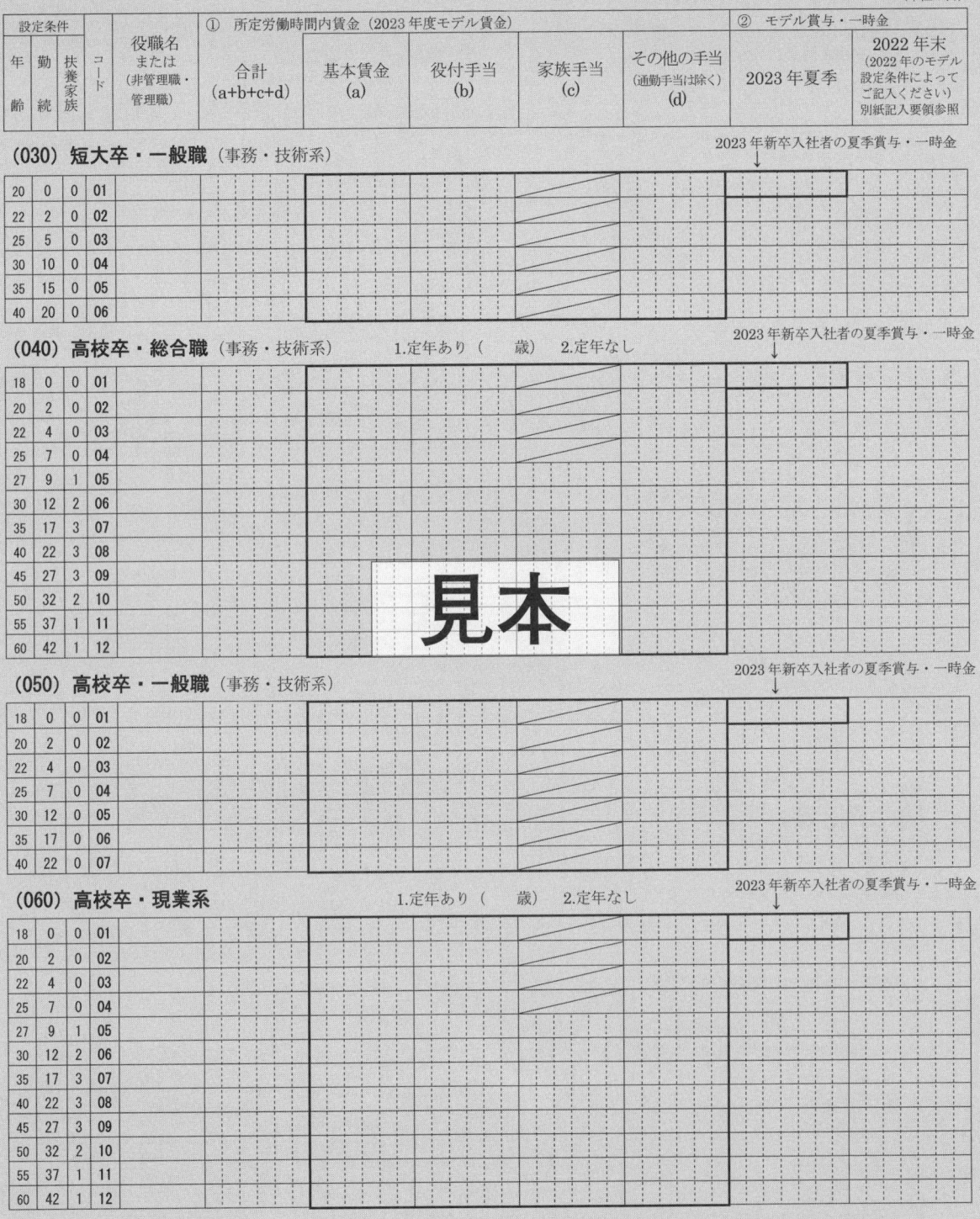

◆賃上げ状況、賞与・一時金、各種手当等について
〔該当する番号を〇で囲んでください。また、空欄にご記入ください〕

③ 2023年度の賃上げについて

〔賃金改定状況〕

1. 賃上げあり（定期昇給もベースアップも）
2. 賃上げあり（定期昇給のみ）
3. 賃上げゼロ（賃金据え置き）
4. 賃下げ（ベースダウン）
5. 賃金制度改定のため比較できない
6. その他
   （具体的に：　　　　　　　　　　　　）

〔賃上げ額・率〕（1人あたりの平均）

- 賃上げ額：　　　　　　　円
- 賃上げ率：　　　　　　　％
- うち定期昇給分：　　　　円　　　　％

④ 賞与・一時金平均支給額（1人あたりの平均）

- 賞与・一時金制度：　1. あり　2. なし

2022年年末：　　　　　円　　　　カ月
　　　　　前年比　　　　％

2023年夏季：　　　　　円　　　　カ月
　　　　　前年比　　　　％

⑤ 家族手当（扶養手当）制度の有無と手当額

- 制度の有無：1. あり　2. なし
- 管理職への支給：1. 支給する　2. 支給しない

配偶者	第1子	第2子	第3子
円	円	円	円

支給の制限等について

- 支給する子の年齢上限：　　歳　まで支給する
- 子の年齢よって支給額が異なる場合は、具体的にご記入ください
[　　　　　　　　　　　　　　　　　　　　　]

⑥ 役付手当（管理職手当）制度の有無と手当額

※ここでの役職者とは、資格上の役職に就いている人ではなく、組織上のポジションとしての役職に就いている人を指します

- 時間外手当が**不支給**になるのは、どのクラスからですか
  1. 部長クラスから　2. 次長クラスから　3. 課長クラスから　4. それ以下のクラスから
- 役付手当（管理職手当）制度の有無：1. あり　2. なし
- 管理職層への「役割給」の導入：　1. 導入している　2. 導入していない
  ⇒ 1. 部長クラス以上　2. 次長クラス以上　3. 課長クラス以上　4. それ以下のクラスから

＊役付手当と役割給の両方を導入している場合はそれぞれにご記入ください

		部長クラス	次長クラス	課長クラス	係長クラス	主任クラス
役付手当	定額	円	円	円	円	円
	幅がある時 最高額	円	円	円	円	円
	幅がある時 最低額	円	円	円	円	円
役割給	定額	円	円	円	円	円
	幅がある時 最高額	円	円	円	円	円
	幅がある時 最低額	円	円	円	円	円

⑦ 役職者の平均賃金〔実在者の平均賃金をご記入ください〕役付手当・役割給のどちらの場合もご記入をお願いします

※ここでの役職者とは、資格上の役職に就いている人ではなく、組織上のポジションとしての役職に就いている人を指します

月例賃金の場合はこちらにご記入ください

役職名	所定内賃金（月額）	うち役付手当（役割給）	平均一時金 2022年年末	平均一時金 2023年夏季	平均年齢	平均勤続年数	人数
部長クラス（兼任役員）	円	円	円	円	歳	年	人
部長クラス	円	円	円	円	歳	年	人
次長クラス	円	円	円	円	歳	年	人
課長クラス	円	円	円	円	歳	年	人

年俸制の場合はこちらにご記入ください →

役職名	平均年俸額	平均年齢	平均勤続年数	人数
部長クラス（兼任役員）	円	歳	年	人
部長クラス	円	歳	年	人
次長クラス	円	歳	年	人
課長クラス	円	歳	年	人

見本

2023年特別調査（昨年と異なります）

⑧ 賃金カーブの現状と今後のあり方

下の図より、貴社の現在の賃金カーブに一番近いものに○をつけてください

① 一律上昇型　　　② 早期立上げ型
③ 上昇率逓減型　　④ 上昇後フラット型
⑤ 上昇後減少型　　⑥ 上昇後査定変動型
⑦ その他（　　　　　　　　　　　）

現在の貴社の賃金カーブの課題を下記からあてはまる番号すべてに○をつけてください

1. 年齢や勤続の要素が強い
2. 若年層（30歳程度まで）の賃金カーブの立ち上がりが緩やかである
3. 若年層の賃金カーブの立ち上がりが急である
4. 中堅層（30～49歳程度）の賃金カーブが中だるみしている
5. 中堅層の賃金カーブが高止まりしている
6. 高年齢者（50歳以上）の賃金カーブの下がり方が急である
7. 高年齢者の賃金カーブが高止まりしている
8. とくにない
9. その他　具体的にご記入ください
[　　　　　　　　　　　　　　　　　]

今後の賃金カーブについて一番近いものに○をつけてください

1. 変更する
2. 変更するかどうか検討中
3. 変更は考えていない

上記で1または2と回答した方にお聞きします
今後の賃金カーブのイメージについて、下の図で一番近いもの1つに○をつけてください

① 一律上昇型　　　② 早期立上げ型
③ 上昇率逓減型　　④ 上昇後フラット型
⑤ 上昇後減少型　　⑥ 上昇後査定変動型
⑦ その他　具体的にご記入ください
[　　　　　　　　　　　　　　　　　]

今後、賃金のピークはどの年齢層にしたいと考えていますか

1. 20歳代　　　2. 30～34歳　　3. 35～39歳
4. 40～44歳　　5. 45～49歳　　6. 50～54歳
7. 55～59歳　　8. 年齢層では考えない
9. その他具体的にご記入ください
[　　　　　　　　　　　　　　　　　]

上記で「8. 年齢層では考えない」と回答した方にお尋ねします。ピークは以下のなにで考えいますか。あてはまる番号すべてに○をつけてください

① 役職　② 職務　③ 役割　④ 成果　⑤ 仕事
⑥ その他（　　　　　　　　　　　　　　）

見本

賃金カーブのイメージ図（入社から定年まで） ＊記入要綱もご覧ください

①一律上昇型	②早期立上げ型	③上昇率逓減型	④上昇後フラット型	⑤上昇後減少型	⑥上昇後査定変動型
年齢や経験年数などとともに一定に上昇していく	若年層のうちから賃金が大きく上昇する	最初は順調に上昇していくものの、一定の時期から上昇幅が少なくなっていく	一定の時期までは上昇し、その後は賃金が変わらない	一定の時期まで上昇したあと、賃金が下がっていく	一定の時期までは③のように上昇するが、その後、成果などによって変動する幅が大きくなる

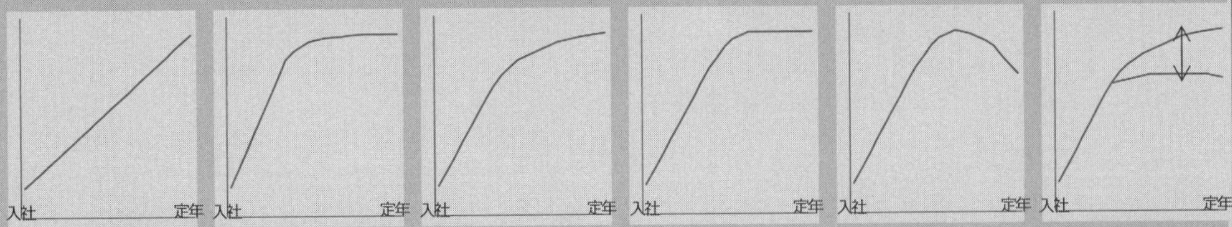

◆産労総合研究所　モデル賃金調査係　TEL 03(5860)9791　FAX 0120(70)3641◆

ご記入ありがとうございました。

【 記入要領 】

1. **モデル賃金**とは、学校卒業後、直ちに入社し、その後標準的に昇進・昇格した正規従業員の賃金です。賃金規程などにより各設定条件者の賃金が想定できる場合はその金額を、想定できない場合は、実在者の中から設定条件に合致する標準者の金額をご記入ください。また、実在者がいない場合には、それに近い人の金額から想定してご記入ください。
   いずれの場合も、調査票の「算定方法」欄の選択肢のなかから、貴社の設定条件に該当する番号を○で囲んでください。

2. **モデル賃金**は、職務系統別（総合職・一般職）にご記入ください。「総合職」に対応する職務系統は、広域勤務（勤務地非限定）コース、基幹的・判断的職務（コース）などとし、「一般職」に対応する職務系統は、勤務地限定コース、定型的・補助的職務（コース）などとします。いずれの区分もない場合は「総合職」欄にご記入ください。

3. **モデル賞与・一時金**は、前述のモデル賃金（月例賃金）を「賞与・一時金」に置き換えたものです。モデル賃金の場合と同一の設定条件のもとに、それに合致する者の賞与・一時金を、想定モデルもしくは実在者モデルのいずれかの方法でご記入ください。
   「2023年夏季分」は、月例モデル賃金と同一の設定条件によって記入していただきますが、「2022年年末」分は、昨年（2022年）年末のモデル賞与・一時金をご記入ください。つまり、個人でみるならば、25歳欄の「年末賞与・一時金」は、今年現在26歳の人の昨年（2022年）年末時点での賞与・一時金となります。このため、「夏季」と「年末」では、年齢が1歳ずれることになります。

4. **平均年齢、平均勤続年数**は、小数点以下第1位までをご記入ください。

5. **所定労働時間内賃金**とは、所定労働時間働いた場合に支払われる現金給与をいいます。したがって、時間外・休日労働手当、宿日直手当、賞与・一時金、現物給与などは除かれます。具体的には、(a)基本賃金　(b)役付手当　(c)家族手当　(d)その他の手当（通勤手当は除く）の合計額です。

6. **基本賃金**とは、一般にいう本給、本人給、職能給、能力給、職務給、勤続給、年齢給、経験給、職種給、資格給、役割給などを総称したものです。

7. **家族手当**とは、扶養家族の有無、人数に応じて支払われている手当です。名称の如何にかかわらず、家族数に応じて支給額が決められているものは「家族手当」としてください。

8. **役付手当**とは、部下を有する役職者に対して支払われる手当で、役職手当、管理職手当などともいわれます。部下の有無にかかわらず、資格等級に応じて、定額もしくは定率で支給されている資格手当などは、前記の「基本賃金」に含めてください。

9. **役割給**とは、仕事を基準として決められる賃金のひとつです。職責（責任や権限の大きさ）レベルに達成目標のレベルを加味した役割のレベルごとに基準額を設定して決められる賃金で、職能給や年齢給とは異なるものです。

10. **役職者の平均賃金**の欄は、資格上の役職者ではなく、実際のポジションとして役職についている人の平均賃金をご記入ください。
    年俸制の場合は、2023年度の見込額をご記入ください。

11. **賃金カーブ**とは、縦軸を賃金、横軸を年齢としたグラフで表示される曲線のことです。この調査では、大卒・総合職で入社から定年までについてのモデル賃金カーブで、自社に近いものを選択してください。

本調査はご記入いただく項目が多く、お手数と存じます。貴社で本調査票と同様の「モデル賃金表」等を作成しておられましたら、そのままコピー等でお送りください。

2024年版 モデル賃金実態資料

第2部 関連資料

[賃金センサス（厚生労働省「賃金構造基本統計調査」）の活用と新規学卒者初任給の動向]

1. 賃金センサスを自社賃金の検討に活かす

コム情報センタ 所長 尾上友章

(1) 個別賃金傾向値表による1歳1年キザミの標準労働者賃金の推計 …… 304

[標準者個別賃金推計値表一覧]

■規模別／産業別

大学院・男性／大学院卒・男性／大学卒・男性／
大学卒・女性／高校卒・男性／高校卒・女性

■組合員モデル

■職階別

(2) 賃金センサスでみる地域別賃金格差の動向 …… 366

2. 2023年度　決定初任給　調査結果

産労総合研究所

調査結果の概要 …… 372

3. 新規学卒者初任給情報（2023年春季卒業者）

厚生労働省 …… 385

第2部　関連資料

1. 賃金センサスを自社賃金の検討に活かす

[1] 個別賃金傾向値表による1歳1年キザミの標準者賃金の推計

[1]個別賃金傾向値表による1歳1年キザミの標準者賃金の推計……P.304

賃金センサスに基づく標準労働者の個別賃金推計値表一覧……P.317

[2]賃金センサスでみる地域別賃金格差の動向……P.366

集計表・都道府県別にみた年齢階層別賃金（産業・学歴計・男性）……P.368

コム情報センタ　所長　尾上　友章

1　賃金センサスの使いづらさと個別賃金傾向値表のメリット

■賃金センサスの問題点

　厚生労働省が毎年発表する『賃金構造基本統計調査（賃金センサス）』は、日本の賃金についてもっとも包括的なデータを提供してくれる統計である。しかし賃金センサスには二つの「使いにくさ」がともなう。その一つは、主な集計表の年齢、勤続年数区分が「35～39歳」「15～19年」のように、5歳5年キザミになっていることである。もう一つは、賃金センサスで表示されている所定内賃金が「高め」であることだ。高めの集計値となっている原因は、賃金センサスで集計されている所定内賃金に通勤手当が含まれていることにある。本書で紹介している「モデル賃金」もそうであるが、通常の賃金調査では、通勤手当を除いた額が調査対象となっている。したがって他の調査結果と比較すると、賃金センサスの集計値がその分高くなってしまうのである。

■個別賃金傾向値の活用

　これらの問題を解消し、賃金センサスを活用して、使い勝手のよい1歳1年キザミのデータに加工したものが「個別賃金推計値表」である。

　305頁**図表1** **1** は、2022年6月時点の産業計企業規模計の男性大学卒の所定内賃金、306頁**図表2** は年間賃金の賃金推計値を示している。いずれも通勤手当相当分を除いた推計値である。具体的には所定内賃金の2.7％を通勤手当とみなし、その分を除外するという操作を行っている。この2.7％は、厚生労働省「令和2年就労条件総合調査」の調査結果をもとにしている。

　表の右端部分 **2** は、各年齢の「標準労働者」の推計値を取り出したものである。標準労働者とは、学校を卒業後ただちに就職し、同一企業に継続勤務している者を指す。この表によって、各年齢の標準労働者ばかりではなく、中途採用者（勤続0年がこれに該当する）についても年齢別の平均的な水準を

図表1　個別賃金傾向値表および標準者個別賃金推計値表〔所定内賃金〕

（産業計規模計・男性大学卒　通勤手当を除いた所定内賃金を推計）

1　（単位：千円）

年齢＼勤続年数	0	1	2	3	4	5	6	7	8	9	10	11	12	13	14	15	16	17	18	19	20	21	22	23	24	25	26	27	28	29	30	31	32	33	34	35	36	37	38
22	223																																						
23	232	230																																					
24	241	239	237																																				
25	250	247	246	245																																			
26	259	256	254	253	253																																		
27	267	264	262	261	261	262																																	
28	276	273	271	270	270	270	272																																
29	284	281	279	278	278	278	280	282																															
30	292	289	287	286	285	286	287	289	292																														
31	300	297	295	294	293	294	295	297	300	303																													
32	308	305	303	301	301	301	303	304	307	310	314																												
33	316	313	310	309	308	309	310	312	314	318	321	326																											
34	324	320	318	316	316	316	317	319	321	325	328	333	337																										
35	331	328	325	324	323	323	324	326	328	331	335	339	344	349																									
36	339	335	332	331	330	330	331	333	335	338	342	346	350	356	361																								
37	346	342	340	338	337	337	338	340	342	345	348	352	357	362	367	373																							
38	353	349	347	345	344	344	345	346	348	351	354	358	363	368	373	379	385																						
39	360	356	354	352	351	351	351	353	355	357	361	365	369	374	379	385	391	397																					
40	367	363	360	358	357	357	358	359	361	364	367	371	375	379	385	390	396	402	409																				
41	374	370	367	365	364	364	364	365	367	370	373	376	380	385	390	395	401	407	414	420																			
42	380	376	373	371	370	370	370	371	373	376	379	382	386	391	395	401	406	412	418	425	432																		
43	387	383	380	378	377	376	376	377	379	381	384	388	392	396	401	406	411	417	423	429	436	443																	
44	393	389	386	384	383	382	382	383	385	387	390	393	397	401	406	411	416	422	428	434	440	447	454																
45	399	395	392	390	389	388	388	389	391	393	395	398	402	406	411	415	421	426	432	438	444	451	457	464															
46		401	398	396	395	394	394	395	396	398	401	404	407	411	415	420	425	430	436	442	448	454	461	467	474														
47			404	402	400	399	399	400	401	403	406	409	412	416	420	425	429	435	440	446	452	458	464	470	477	484													
48				407	406	405	405	405	407	408	411	414	417	420	424	429	434	439	444	449	455	461	467	473	479	486	492												
49					411	410	410	411	412	413	416	418	421	425	429	433	438	442	448	453	458	464	470	476	482	488	494	501											
50						416	415	416	417	418	420	423	426	429	433	437	442	446	451	456	462	467	473	478	484	490	496	502	508										
51							420	421	422	423	425	427	430	434	437	441	445	450	455	459	465	470	475	481	486	492	498	504	510	515									
52								426	426	428	429	432	434	438	441	445	449	453	458	463	467	472	478	483	488	494	499	505	510	516	522								
53									431	432	434	436	439	442	445	448	452	457	461	465	470	475	480	485	490	495	501	506	511	516	522	527							
54										436	438	440	442	445	448	452	456	460	464	468	473	477	482	487	492	497	502	507	512	517	522	527	532						
55											442	444	446	449	452	455	459	463	467	471	475	479	484	488	493	498	502	507	512	517	521	526	531	535					
56												448	450	453	455	458	462	465	469	473	477	481	486	490	494	499	503	508	512	516	521	525	529	534	538				
57													454	456	459	462	465	468	472	475	479	483	487	491	495	500	504	508	512	516	520	524	528	532	536	539			
58														459	462	464	467	471	474	478	481	485	489	493	496	500	504	508	512	515	519	523	526	530	533	537	540		
59															465	467	470	473	476	480	483	486	490	494	497	501	504	508	511	515	518	521	524	528	531	534	536	539	
60																470	472	475	478	481	485	488	491	494	498	501	504	507	511	514	517	520	522	525	528	530	533	535	537

2　（単位：百円）

年齢	賃金
22	2,234
23	2,298
24	2,369
25	2,447
26	2,532
27	2,622
28	2,718
29	2,819
30	2,923
31	3,032
32	3,144
33	3,258
34	3,375
35	3,493
36	3,612
37	3,732
38	3,851
39	3,970
40	4,088
41	4,204
42	4,318
43	4,429
44	4,537
45	4,641
46	4,741
47	4,836
48	4,925
49	5,008
50	5,085
51	5,155
52	5,217
53	5,271
54	5,316
55	5,352
56	5,379
57	5,395
58	5,400
59	5,393
60	5,375

（注）**1**が通勤手当を除いて推計した個別賃金傾向値表のおおもとになるもの。図表２も同じ。
2が，**1**のうちの22歳・勤続ゼロ年から60歳・勤続38年までの稜線の部分を取り出したもので，p.323の規模計の所定内賃金と一致する。

図表２　個別賃金傾向値表および標準者個別賃金推計値表〔年間賃金〕

（産業計規模計・男性大学卒　「通勤手当を除いた所定内賃金」×12＋「賞与一時金」の算式で推計）

1

（単位：万円）

年齢＼勤続年数	0	1	2	3	4	5	6	7	8	9	10	11	12	13	14	15	16	17	18	19	20	21	22	23	24	25	26	27	28	29	30	31	32	33	34	35	36	37	38
22	331																																						
23	343	346																																					
24	354	357	362																																				
25	365	368	373	378																																			
26	376	379	383	389	395																																		
27	387	390	394	400	406	413																																	
28	397	400	405	410	416	424	432																																
29	408	411	415	420	427	434	442	451																															
30	418	421	425	431	437	444	452	461	470																														
31	429	432	436	441	447	454	462	471	480	490																													
32	439	442	446	451	457	464	471	480	490	500	511																												
33	449	452	456	461	466	473	481	490	499	509	520	531																											
34	459	462	465	470	476	483	490	499	508	518	529	540	552																										
35	469	471	475	480	485	492	500	508	517	527	537	549	560	572																									
36	478	481	485	489	495	501	509	517	526	535	546	557	569	581	593																								
37	488	491	494	499	504	510	517	525	534	544	554	565	577	589	601	614																							
38	497	500	503	508	513	519	526	534	543	552	562	573	584	596	609	621	635																						
39	507	509	512	517	522	528	535	542	551	560	570	581	592	604	616	629	642	655																					
40	516	518	521	526	531	536	543	551	559	568	578	588	599	611	623	635	648	662	675																				
41	525	527	530	534	539	545	551	559	567	575	585	595	606	617	629	642	655	668	681	695																			
42	534	536	539	543	548	553	559	566	574	583	592	602	612	624	635	648	660	673	687	701	714																		
43	543	545	548	551	556	561	567	574	582	590	599	609	619	630	641	653	666	679	692	706	719	733																	
44	551	553	556	560	564	569	575	581	589	597	605	615	625	636	647	659	671	684	697	710	724	738	752																
45	560	562	565	568	572	577	582	589	596	603	612	621	631	641	652	664	676	688	701	714	728	741	755	769															
46		570	573	576	580	585	590	596	603	610	618	627	636	646	657	668	680	692	705	718	731	745	758	772	786														
47			581	584	588	592	597	603	609	616	624	632	641	651	662	672	684	696	708	721	734	747	761	775	789	802													
48				592	595	599	604	610	616	622	630	638	646	656	666	676	687	699	711	723	736	749	763	777	790	804	818												
49					603	607	611	616	622	628	635	643	651	660	670	680	690	702	713	725	738	751	764	778	791	805	819	832											
50						614	618	622	628	634	640	648	656	664	673	683	693	704	715	727	739	752	765	778	791	805	819	832	846										
51							624	629	634	639	645	652	660	668	676	686	695	706	717	728	740	752	765	778	791	804	818	831	845	858									
52								635	639	644	650	657	664	671	679	688	697	707	718	729	740	752	764	777	790	803	816	829	843	856	869								
53									645	650	655	661	667	674	682	690	699	708	718	729	740	751	763	775	788	800	813	826	840	853	866	879							
54										654	659	665	670	677	684	692	700	709	718	728	739	750	761	773	785	797	810	823	836	849	862	875	888						
55											663	668	673	679	686	693	701	709	718	727	737	747	758	770	781	793	806	818	831	844	857	870	883	895					
56												671	676	682	688	694	701	709	717	726	735	745	755	766	777	789	801	813	825	838	851	863	876	889	901				
57													679	683	689	695	701	708	716	724	732	742	751	762	772	783	795	806	819	831	843	856	868	881	893	905			
58														685	690	695	701	707	714	721	729	738	747	756	767	777	788	799	811	823	835	847	859	872	884	896	908		
59															690	695	700	705	712	718	726	733	742	751	760	770	780	791	802	814	825	837	849	861	874	886	897	909	
60																694	699	703	709	715	721	728	736	744	753	762	772	782	793	804	815	826	838	850	862	874	885	897	908

2　（単位：千円）

年齢	賃金
22	3,313
23	3,460
24	3,616
25	3,781
26	3,954
27	4,133
28	4,318
29	4,509
30	4,704
31	4,903
32	5,106
33	5,311
34	5,517
35	5,725
36	5,933
37	6,140
38	6,346
39	6,551
40	6,752
41	6,950
42	7,144
43	7,333
44	7,516
45	7,693
46	7,863
47	8,025
48	8,179
49	8,323
50	8,457
51	8,581
52	8,693
53	8,792
54	8,879
55	8,952
56	9,010
57	9,054
58	9,081
59	9,092
60	9,085

知ることができる。

また，60歳までの標準者賃金を足し上げれば，生涯賃金の算出も可能である。具体的な作成方法については，316頁の別項を参照願いたい。

2　個別賃金傾向値表とモデル賃金等との比較

■賃金センサスの標準者賃金（実測値）との比較

では，この個別賃金傾向値表に示される賃金の「推計値」は，どの程度「使える」ものなのであろうか。賃金センサスでは，産業大分類に限られてはいるが，標準労働者の１歳ごとの集計も行われている。そこに示される標準労働者賃金実測値と，回帰分析の手法で推計された標準者賃金とを比べてみることにしよう。308頁の**図表３**と**図表４**がそれであり，規模計の産業計と卸売業小売業の男性大学卒について，推計値（太線）と実測値（点線）を対比させている。

２つの図をみると，凹凸のある実測値を縫うように，推計値が走っていることがわかる。図表３の産業計の実測値は，40歳台後半まではほぼなめらかな線となっているが，それ以降は相当に不規則である。図表４の卸売業小売業では，図表３産業計よりも全年齢で相当に大きな凹凸である。

産業別や規模別など，該当者が比較的少ないデータでこのような図をつくると，図表４で卸売業小売業について示したように，実測値のカーブの凹凸は相当に大きなものとなる。実測値の年齢別カーブに凹凸が生じるのは，調査対象者が１歳ごとでは相当に少なくなってしまうことに伴うものであり，統計上やむを得ないものであろう。それに対し，回帰分析の手法で求めた推計値は，当然のことながらなめらかな曲線を描き，凹凸の実測値の中央を貫き水準的にも妥当な結果がでているといえる。年齢別の傾向や産業間業種間の比較を行うためには，あるいは経年的な変化をみるためには，凹凸がない分，実測値よりも使い勝手がよい，傾向を把握しやすい数値だ，ということができる。

■モデル賃金データとの比較

次に，賃金センサスデータから求めた標準労働者推計値と，産労総合研究所が集計する年齢別モデル賃金の数字を比べてみよう。それを示したのが309頁の**図表５**である。表の1「モデル賃金」欄の数字は，産労総合研究所が2022年に行ったモデル賃金調査の，産業計規模計，男性大学卒（総合職）についての集計結果である。賃金センサスの最新公表データは2022年６月調査なので，産労総合研究所の調査結果も2022年調査のものを使用している。

2の「全従業員，通勤手当含む」欄の数字は，賃金センサスの集計値そのままを解析した推計値である。グラフでみると，とくに30歳台後半以降，モデル賃金平均値よりも高い水準となっていることがわかる。45歳での両者の差は３万400円，6.8ポイントである。

両者が乖離する大きな理由の一つは，モデル賃金調査では集計対象外としている通勤手当である。そこで賃金センサスのデータから通勤手当部分を取り除いて解析し，推計値を求めたのが，3「全従業員，通勤手当除く」の欄の数字である。45歳でのモデル賃金との差は１万7,500円で，差は１万2,900円小さくなったが，中堅層以降で差は依然として相当にあることがわかる。

乖離が生じるもう一つの理由は，管理職賃金算入の問題である。賃金センサスは管理職も含めた全従業員の集計であるが，モデル賃金調査では，統一された扱いとはなっていない。ある企業にとってのモデル賃金は，標準的な管理職昇進を含めたものであるが，別の企業では，標準的な昇進コースといったものがなく，結果的に組合員レベルのみのモデル賃金となっていることが考えられる。したがって集計されたモデル賃金は，管理職賃金が部分的に算入されたものとなっていることが考えられる。管理職賃金が一部除外された分，モデル賃金調査の結果が低くなってしまうわけである。

そこで，賃金センサスのうち，組合員レベルについての算出結果を示したのが4「組合員，通勤手当除く」欄の数字である（具体的には賃金センサスの役職別集計の数値を活用し，「部長級」と「課長級」を除いた分を「組合員」とみなし，推計値算出を行っている）。

そのカーブをみると，30歳まで「通勤手当除く，全従業員」とほとんど重なりあっていることが，それ以降の年齢では，管理職比率が徐々に高まっていくとともに，低位となっていく。「モデル賃金調査」の結果を重ね合わせてみると，40歳以上の年齢で

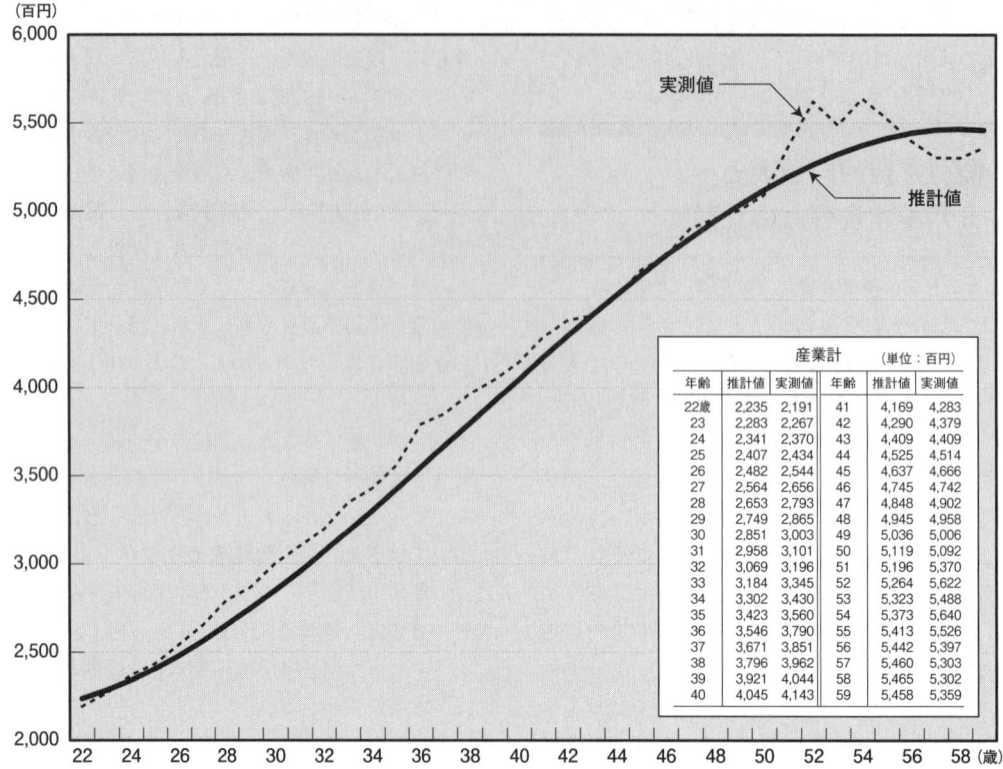

図表 3　標準者賃金推計値と賃金センサス実態値の比較（産業計規模計，男性大学卒）

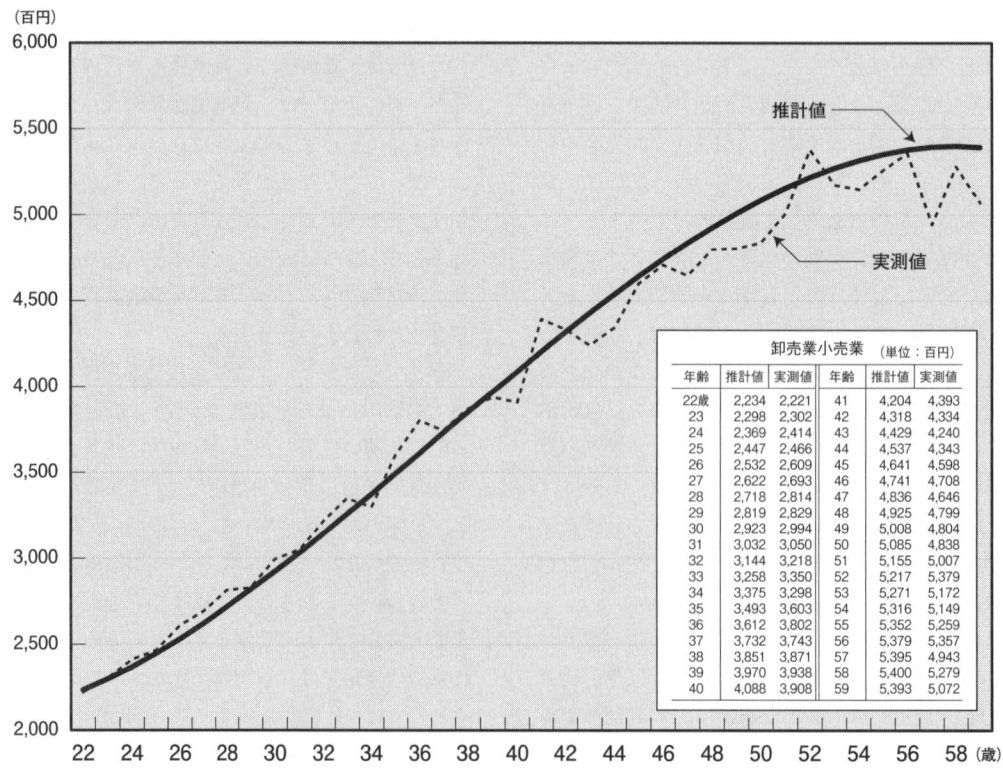

産業計（単位：百円）

年齢	推計値	実測値	年齢	推計値	実測値
22歳	2,235	2,191	41	4,169	4,283
23	2,283	2,267	42	4,290	4,379
24	2,341	2,370	43	4,409	4,409
25	2,407	2,434	44	4,525	4,514
26	2,482	2,544	45	4,637	4,666
27	2,564	2,656	46	4,745	4,742
28	2,653	2,793	47	4,848	4,902
29	2,749	2,865	48	4,945	4,958
30	2,851	3,003	49	5,036	5,006
31	2,958	3,101	50	5,119	5,092
32	3,069	3,196	51	5,196	5,370
33	3,184	3,345	52	5,264	5,622
34	3,302	3,430	53	5,323	5,488
35	3,423	3,560	54	5,373	5,640
36	3,546	3,790	55	5,413	5,526
37	3,671	3,851	56	5,442	5,397
38	3,796	3,962	57	5,460	5,303
39	3,921	4,044	58	5,465	5,302
40	4,045	4,143	59	5,458	5,359

図表 4　標準者賃金推計値と賃金センサス実態値の比較（卸売業小売業規模計，男性大学卒）

卸売業小売業（単位：百円）

年齢	推計値	実測値	年齢	推計値	実測値
22歳	2,234	2,221	41	4,204	4,393
23	2,298	2,302	42	4,318	4,334
24	2,369	2,414	43	4,429	4,240
25	2,447	2,466	44	4,537	4,343
26	2,532	2,609	45	4,641	4,598
27	2,622	2,693	46	4,741	4,708
28	2,718	2,814	47	4,836	4,646
29	2,819	2,829	48	4,925	4,799
30	2,923	2,994	49	5,008	4,804
31	3,032	3,050	50	5,085	4,838
32	3,144	3,218	51	5,155	5,007
33	3,258	3,350	52	5,217	5,379
34	3,375	3,298	53	5,271	5,172
35	3,493	3,603	54	5,316	5,149
36	3,612	3,802	55	5,352	5,259
37	3,732	3,743	56	5,379	5,357
38	3,851	3,871	57	5,395	4,943
39	3,970	3,938	58	5,400	5,279
40	4,088	3,908	59	5,393	5,072

図表 5　賃金センサス推計値とモデル賃金の比較（産業計規模計，男性大学卒）

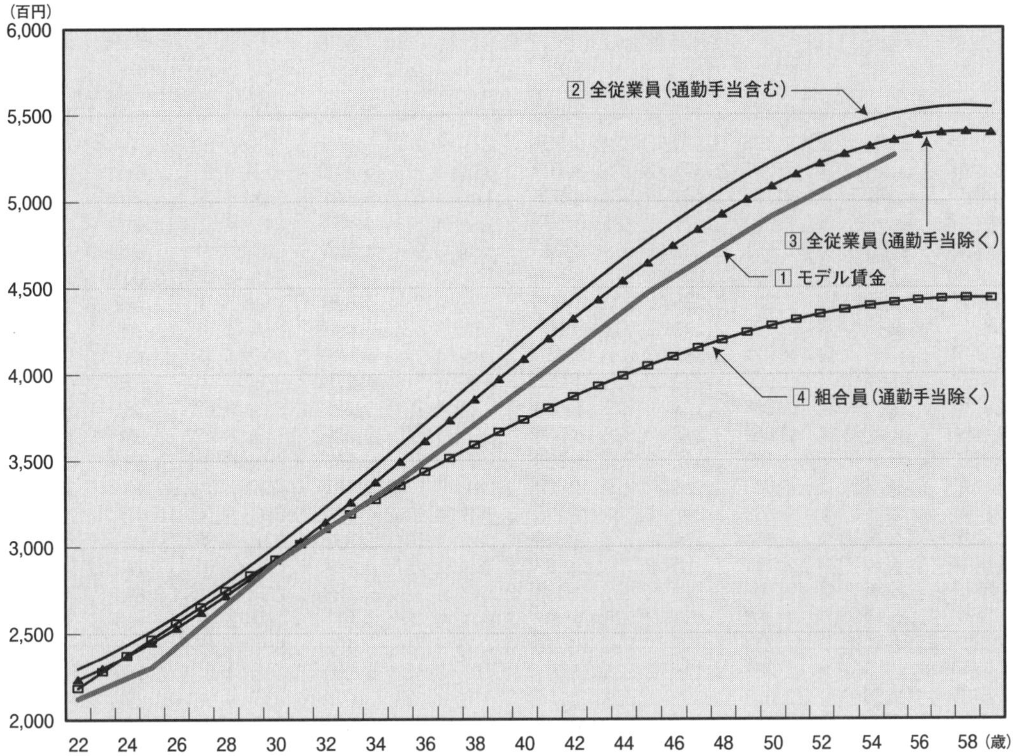

（単位：百円）

年齢（歳）	1モデル賃金 男性大学卒総合職		賃金センサスから算出した推計値（産業計規模計，男性大学卒）					
			2全従業員，通勤手当含む		3全従業員，通勤手当除く		4組合員，通勤手当除く	
	金額	指数	金額	指数	金額	指数	金額	指数
22	2,121	100.0	2,296	108.2	2,234	105.3	2,183	102.9
25	2,303	100.0	2,515	109.2	2,447	106.3	2,468	107.2
30	2,909	100.0	3,005	103.3	2,923	100.5	2,928	100.6
35	3,385	100.0	3,590	106.1	3,493	103.2	3,355	99.1
40	3,920	100.0	4,201	107.2	4,088	104.3	3,734	95.2
45	4,466	100.0	4,770	106.8	4,641	103.9	4,047	90.6
50	4,912	100.0	5,226	106.4	5,085	103.5	4,278	87.1
55	5,264	100.0	5,501	104.5	5,352	101.7	4,411	83.8

「全従業員，通勤手当除く」より低く，「組合員，通勤手当除く」よりは高い位置にあることがわかる。40歳が，課長昇進が本格化する年齢であることを考えると，整合的な結果だといえよう。

このように，賃金センサスから作成する「標準者賃金推計値」は，「管理職が含まれ，中堅以降の年齢で高めの水準になる」ということに注意し，かつ通勤手当相当分を除外すれば，かなり活用度の高い集計表なのである。

3　標準者個別賃金傾向値の活用ポイントと留意点

■産業中分類55産業の賃金データを網羅

「標準者賃金推計値」の活用方法を紹介していくことにしよう。

推計値の一番のメリットは，賃金センサスでは標準労働者集計が行われていない産業中分類についても，標準労働者賃金の推計結果が得られることである。「鉄鋼業」や「飲食料品小売業」，「銀行業」な

図表6　産業中分類別の年齢別所定内賃金と生涯賃金　企業規模計

（男性大学卒）

産業	年齢別の所定内賃金推計値（単位:百円）									生涯賃金(単位:万円)		
	22歳	25歳	30歳	35歳	40歳	45歳	50歳	55歳	60歳	所定内	賞与	年間
産業計	2,234	2,447	2,923	3,493	4,088	4,641	5,085	5,352	5,375	19,019	7,058	26,078
総合工事業	2,106	2,573	3,224	3,759	4,234	4,703	5,219	5,836	6,609	20,300	8,297	28,597
職別工事	1,797	2,375	3,106	3,604	3,937	4,170	4,373	4,612	4,955	17,662	5,294	22,956
設備工事業	2,195	2,461	2,973	3,538	4,118	4,672	5,164	5,552	5,799	19,419	9,117	28,536
食料品製造業	2,084	2,124	2,481	3,073	3,752	4,371	4,783	4,841	4,398	17,125	6,475	23,600
飲料・たばこ・飼料製造業	2,195	2,282	2,549	2,942	3,426	3,968	4,536	5,096	5,615	17,138	5,710	22,848
繊維工業	1,897	2,096	2,475	2,896	3,341	3,793	4,233	4,644	5,008	16,093	5,019	21,112
パルプ・紙・紙加工品製造業	2,238	2,235	2,500	3,006	3,638	4,284	4,829	5,159	5,161	17,529	6,390	23,919
印刷・同関連業	1,992	2,291	2,711	3,056	3,353	3,628	3,906	4,214	4,577	15,751	3,276	19,026
化学工業	2,074	2,331	2,896	3,570	4,286	4,974	5,565	5,991	6,183	20,231	8,135	28,366
プラスチック製品製造業	2,068	2,272	2,723	3,256	3,808	4,316	4,716	4,946	4,940	17,648	6,619	24,267
ゴム製品製造業	2,058	2,273	2,779	3,403	4,071	4,704	5,227	5,563	5,636	19,084	7,171	26,255
窯業土石製品製造業	2,049	2,347	2,838	3,336	3,857	4,416	5,030	5,715	6,487	19,054	7,198	26,252
鉄鋼業	2,133	2,357	2,829	3,393	4,015	4,661	5,295	5,884	6,392	19,587	7,480	27,067
非鉄金属製造業	2,040	2,328	2,877	3,474	4,081	4,656	5,161	5,555	5,798	19,193	7,324	26,517
金属製品製造業	2,006	2,247	2,667	3,115	3,602	4,136	4,724	5,376	6,100	17,911	6,739	24,650
はん用機械器具製造業	2,064	2,278	2,774	3,389	4,054	4,704	5,272	5,691	5,894	19,255	7,584	26,839
生産用機械器具製造業	2,137	2,316	2,730	3,238	3,780	4,297	4,728	5,013	5,094	17,746	7,342	25,089
業務用機械器具製造業	2,308	2,348	2,661	3,194	3,849	4,526	5,128	5,555	5,708	18,690	7,397	26,087
電子部品・デバイス製造業	2,283	2,459	2,879	3,402	3,960	4,486	4,915	5,180	5,215	18,519	7,807	26,326
電気機械器具製造業	2,249	2,355	2,711	3,216	3,781	4,316	4,732	4,941	4,854	17,658	7,118	24,776
情報通信機械器具製造業	2,065	2,498	2,572	3,077	4,062	5,013	5,590	5,441	4,212	18,789	6,885	25,673
輸送用機械器具製造業	2,028	2,184	2,659	3,302	3,997	4,628	5,076	5,226	4,961	18,292	7,328	25,620
電気業	2,058	2,441	3,265	4,216	5,171	6,008	6,603	6,833	6,577	23,348	8,006	31,355
ガス業	1,990	2,462	3,209	3,887	4,477	4,958	5,312	5,517	5,554	20,114	8,778	28,892
水道業	2,017	2,265	2,708	3,171	3,629	4,058	4,437	4,742	4,949	17,013	6,173	23,186
通信業	2,253	2,506	3,237	4,173	5,104	5,819	6,108	5,762	4,570	21,613	8,234	29,847
放送業	2,374	2,733	3,426	4,196	4,993	5,766	6,467	7,046	7,452	23,716	10,372	34,088
情報サービス業	2,187	2,477	3,002	3,542	4,053	4,491	4,812	4,972	4,928	18,444	6,394	24,838
映像・音声・文字情報制作	2,281	2,652	3,297	3,961	4,629	5,284	5,911	6,493	7,015	22,096	7,076	29,173
鉄道業	2,111	2,285	2,728	3,349	4,129	5,049	6,091	7,236	8,466	21,755	6,965	28,720
道路旅客運送業	2,244	2,665	3,098	3,313	3,444	3,628	4,000	4,695	5,849	17,193	2,671	19,865
道路貨物運送業	2,129	2,255	2,617	3,091	3,587	4,015	4,285	4,307	3,991	16,207	5,131	21,338
航空運輸業	4,960	5,063	5,650	6,635	7,879	9,244	10,590	11,779	12,671	39,226	1,438	40,664
郵便局＋郵便業	2,098	2,195	2,562	3,087	3,655	4,153	4,468	4,485	4,092	16,517	5,396	21,912
各種商品卸売業	2,730	3,237	4,253	5,365	6,433	7,319	7,886	7,993	7,504	28,541	24,177	52,718
各種商品小売業	2,095	2,347	2,882	3,480	4,048	4,494	4,724	4,645	4,165	17,747	4,945	22,693
織物・衣服・身の回り品小売業	1,943	2,318	2,944	3,528	4,020	4,371	4,532	4,453	4,084	17,413	4,049	21,461
飲食料品小売業	2,060	2,140	2,433	2,847	3,289	3,668	3,890	3,865	3,501	14,813	4,076	18,889
機械器具小売業	2,195	2,487	2,917	3,285	3,605	3,890	4,151	4,401	4,653	16,756	5,414	22,169
銀行業	2,045	2,363	3,251	4,353	5,397	6,112	6,227	5,471	3,572	21,548	9,106	30,654
協同組織金融業	2,056	2,270	2,848	3,574	4,298	4,873	5,150	4,980	4,217	18,607	6,836	25,443
金融商品,先物取引業	2,281	2,886	4,044	5,232	6,268	6,971	7,158	6,648	5,259	25,759	14,396	40,155
保険業	2,138	2,869	4,091	5,231	6,195	6,885	7,203	7,055	6,342	26,277	11,698	37,975
不動産取引業	2,207	2,754	3,571	4,280	4,889	5,411	5,856	6,234	6,557	22,387	11,228	33,615
不動産賃貸業・管理業	2,108	2,443	3,075	3,754	4,429	5,051	5,570	5,936	6,099	20,589	8,197	28,786
物品賃貸業	2,182	2,476	3,042	3,666	4,307	4,920	5,462	5,890	6,161	20,317	7,727	28,045
広告業	2,526	2,982	3,761	4,549	5,333	6,099	6,833	7,521	8,149	25,436	7,318	32,755
宿泊業	1,923	2,102	2,449	2,835	3,233	3,619	3,966	4,250	4,444	15,290	1,794	17,084
飲食店	1,929	2,251	2,777	3,248	3,614	3,827	3,836	3,593	3,048	15,238	3,231	18,469
娯楽業	1,947	2,340	2,915	3,416	3,873	4,317	4,780	5,292	5,883	18,465	4,432	22,897
学校教育	2,081	2,504	3,166	3,770	4,309	4,780	5,176	5,493	5,726	19,804	7,422	27,226
医療業	2,195	2,404	2,754	3,118	3,508	3,936	4,415	4,957	5,575	17,285	5,016	22,301
社会福祉・介護事業	2,142	2,249	2,558	2,980	3,452	3,914	4,306	4,567	4,637	16,340	5,414	21,754
協同組合	2,013	2,133	2,441	2,844	3,298	3,756	4,172	4,502	4,699	15,811	5,790	21,601
廃棄物処理業	2,113	2,392	2,847	3,283	3,688	4,052	4,363	4,612	4,788	17,102	5,098	22,201

図表7　産業中分類別の年齢別所定内賃金と生涯賃金　1,000人以上規模
(男性大学卒)

産　業	年齢別の所定内賃金推計値（単位：百円）									生涯賃金（単位：万円）		
	22歳	25歳	30歳	35歳	40歳	45歳	50歳	55歳	60歳	所定内	賞与	年間
産　業　計	2,317	2,539	3,094	3,784	4,499	5,130	5,569	5,706	5,432	20,443	8,297	28,740
総　合　工　事　業	2,065	2,572	3,413	4,227	4,992	5,681	6,272	6,738	7,058	23,094	11,223	34,316
職　別　工　事	2,525	2,247	2,347	2,962	3,875	4,870	5,729	6,236	6,174	19,520	8,822	28,342
設　備　工　事　業	2,179	2,456	3,053	3,737	4,410	4,977	5,341	5,406	5,076	19,734	11,019	30,753
食　料　品　製　造　業	2,220	2,155	2,420	3,012	3,768	4,525	5,119	5,388	5,169	17,990	7,375	25,365
飲料・たばこ・飼料製造業	2,359	2,414	2,751	3,310	3,997	4,716	5,371	5,867	6,109	19,533	6,947	26,480
繊　維　工　業	2,474	2,540	3,055	3,886	4,810	5,605	6,050	5,924	5,003	21,286	9,562	30,848
パルプ・紙・紙加工品製造業	2,274	2,286	2,702	3,437	4,291	5,059	5,540	5,532	4,832	19,376	7,637	27,013
印　刷・同　関　連　業	1,903	2,362	3,060	3,665	4,165	4,547	4,801	4,914	4,875	18,479	7,210	25,689
化　学　工　業	2,054	2,434	3,268	4,238	5,213	6,062	6,653	6,856	6,539	23,452	9,842	33,293
プラスチック製品製造業	2,159	2,352	2,941	3,735	4,583	5,335	5,841	5,950	5,512	20,716	9,204	29,920
ゴ　ム　製　品　製　造　業	2,132	2,402	3,006	3,731	4,500	5,232	5,848	6,268	6,414	21,148	9,086	30,234
窯業土石製品製造業	2,189	2,475	3,126	3,912	4,744	5,527	6,171	6,583	6,671	22,182	10,992	33,174
鉄　鋼　業	1,990	2,312	2,958	3,693	4,459	5,197	5,852	6,364	6,676	21,121	8,186	29,307
非　鉄　金　属　製　造　業	2,027	2,302	2,964	3,775	4,610	5,346	5,858	6,024	5,718	20,847	8,322	29,169
金　属　製　品　製　造　業	2,139	2,230	2,692	3,417	4,261	5,079	5,725	6,056	5,927	20,084	8,051	28,135
はん用機械器具製造業	2,109	2,409	3,056	3,804	4,559	5,224	5,704	5,902	5,723	20,716	8,671	29,388
生産用機械器具製造業	2,104	2,319	2,851	3,524	4,247	4,927	5,476	5,801	5,812	19,833	10,138	29,971
業務用機械器具製造業	2,418	2,428	2,798	3,468	4,275	5,056	5,650	5,891	5,618	20,082	8,890	28,972
電子部品・デバイス製造業	2,156	2,599	3,246	3,799	4,275	4,694	5,076	5,440	5,806	19,790	9,177	28,967
電気機械器具製造業	2,227	2,411	2,970	3,710	4,476	5,112	5,464	5,378	4,697	19,714	9,084	28,799
情報通信機械器具製造業	3,161	2,624	2,577	3,260	4,288	5,276	5,841	5,599	4,165	19,689	7,623	27,312
輸送用機械器具製造業	2,127	2,205	2,682	3,437	4,288	5,056	5,559	5,617	5,049	19,423	8,451	27,874
電　気　業	2,136	2,466	3,276	4,273	5,301	6,201	6,815	6,985	6,554	23,832	8,179	32,011
ガ　ス　業	1,651	2,525	3,724	4,636	5,309	5,788	6,117	6,341	6,507	23,161	11,816	34,977
水　道　業	2,008	2,316	2,822	3,309	3,763	4,172	4,523	4,803	5,000	17,445	6,330	23,776
通　信　業	2,297	2,513	3,316	4,409	5,490	6,258	6,409	5,642	3,655	22,137	8,426	30,563
放　送　業	2,238	3,079	4,230	5,150	5,938	6,689	7,501	8,470	9,694	28,291	14,295	42,586
情報サービス業	2,342	2,634	3,225	3,868	4,470	4,939	5,180	5,102	4,612	19,617	6,946	26,563
映像・音声・文字情報制作	3,870	3,711	4,007	4,782	5,780	6,744	7,418	7,544	6,865	26,993	9,042	36,035
鉄　道　業	2,162	2,309	2,747	3,400	4,239	5,235	6,359	7,582	8,875	22,511	7,258	29,769
道　路　旅　客　運　送　業	2,040	2,934	3,607	3,640	3,471	3,539	4,282	6,141	9,553	20,003	739	20,742
道　路　貨　物　運　送　業	2,217	2,321	2,644	3,080	3,539	3,934	4,178	4,181	3,856	16,002	5,490	21,493
航　空　運　輸　業	2,162	3,666	5,931	7,868	9,448	10,642	11,422	11,758	11,622	40,842	1,602	42,444
郵便局＋郵便業	2,096	2,193	2,560	3,085	3,654	4,153	4,469	4,486	4,090	16,512	5,388	21,900
各　種　商　品　卸　売　業	2,790	3,387	4,517	5,701	6,806	7,699	8,245	8,311	7,765	29,949	26,840	56,789
各　種　商　品　小　売　業	2,089	2,368	2,936	3,553	4,129	4,575	4,801	4,717	4,233	18,045	5,220	23,265
織物・衣服・身の回り品小売業	2,567	2,682	3,074	3,619	4,202	4,712	5,032	5,050	4,651	19,032	5,388	24,420
飲　食　料　品　小　売　業	2,206	2,265	2,553	2,981	3,440	3,819	4,007	3,895	3,372	15,291	4,631	19,922
機　械　器　具　小　売　業	2,261	2,537	2,947	3,302	3,607	3,869	4,092	4,283	4,448	16,636	5,487	22,123
銀　行　業	2,029	2,368	3,290	4,421	5,484	6,203	6,300	5,500	3,526	21,769	9,353	31,122
協同組織金融業	2,087	2,412	3,193	4,110	4,973	5,596	5,790	5,366	4,137	20,673	8,337	29,010
金融商品,先物取引業	2,041	2,802	4,088	5,288	6,279	6,937	7,139	6,762	5,681	25,907	15,270	41,177
保　険　業	2,022	3,009	4,491	5,726	6,668	7,268	7,481	7,258	6,552	27,747	12,722	40,469
不　動　産　取　引　業	2,257	2,655	3,327	4,020	4,742	5,505	6,319	7,193	8,137	23,393	13,653	37,047
不動産賃貸業・管理業	2,302	2,564	3,184	3,955	4,789	5,598	6,294	6,787	6,991	22,686	10,671	33,357
物　品　賃　貸　業	2,321	2,513	3,059	3,790	4,591	5,348	5,945	6,269	6,204	21,429	8,885	30,315
広　告　業	3,009	3,575	4,682	5,901	7,126	8,248	9,160	9,756	9,926	32,985	9,839	42,824
宿　泊　業	2,093	2,218	2,575	3,048	3,552	4,001	4,311	4,398	4,177	16,232	2,003	18,234
飲　食　店	1,844	2,295	2,867	3,262	3,543	3,767	3,994	4,284	4,696	16,276	2,836	19,112
娯　楽　業	1,862	2,287	2,885	3,416	3,965	4,614	5,448	6,549	8,002	20,505	4,985	25,490
学　校　教　育	2,036	2,432	3,118	3,800	4,433	4,973	5,376	5,599	5,596	20,087	8,006	28,093
医　療　業	2,335	2,543	2,934	3,368	3,826	4,291	4,745	5,169	5,546	18,378	5,564	23,941
社会福祉・介護事業	2,168	2,286	2,653	3,166	3,745	4,311	4,783	5,081	5,127	17,723	6,345	24,067
協　同　組　合	2,041	2,199	2,573	3,047	3,577	4,115	4,617	5,038	5,332	17,248	6,508	23,756
廃　棄　物　処　理　業	2,077	2,524	3,065	3,459	3,835	4,319	5,038	6,120	7,690	19,926	3,732	23,658

図表8　生涯賃金水準のランキング（男性大学卒標準者の所定内賃金と賞与・一時金の合計生涯額について算出）

（単位：百万円）

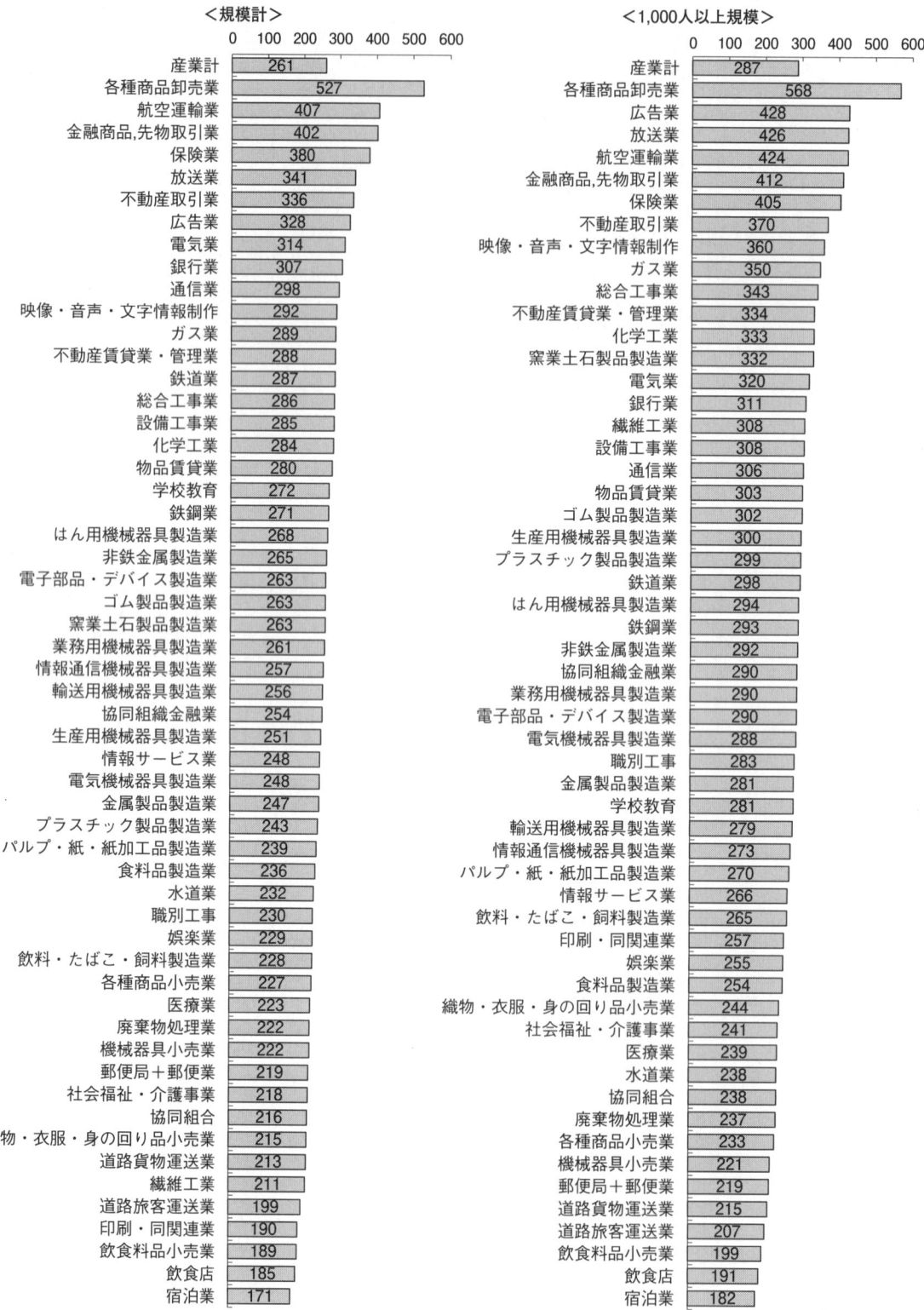

ど賃金センサスでは91の産業中分類について集計が行われているが、310〜311頁の**図表6**と**図表7**はそのうちの55産業と産業計について、年齢別の推計値と生涯賃金（22歳から60歳までの賃金を足し上げて算出。通勤手当、超過勤務手当、退職金は含まれていない）を示したものである。図表6は企業規模計、図表7は1,000人以上規模で、いずれも男性大卒者についての算出である。

また、318〜361頁に掲載した表は、主要産業中分類の男女それぞれの大学院卒、大学卒、高校卒についての1歳キザミの推計値表である。

312頁の**図表8**は、産業計と55産業の男性大卒者生涯賃金（所定内賃金と賞与・一時金の合計）のランキングを示したものである。企業規模計では最高は各種商品卸売業（総合商社）が5億円台、ついで航空運輸業と金融商品、先物取引業（証券会社等）が4億円台、保険業、放送業、不動産取引業、広告業、電気業、銀行業が3億円台で続いている。下位では、宿泊業、飲食店、飲食料品小売業、印刷・同関連業、道路旅客運送業が2億円以下の水準である。右側1,000人以上規模の集計でもトップは各種商品卸売業で5億6,800万円、他に広告業など5産業が4億をこえる水準となっている。

313頁**図表9**は、産業計標準労働者の生涯賃金を学歴別企業規模別に比較を行ったものである。企業規模ごとに6本の棒グラフを描いているが、左から順に男性の大学院卒、大学卒、高校卒、女性の大学院卒、大学卒、高校卒である。10〜99人規模を除き、女性の大学院卒と男性大学卒がほぼ同水準、女性の大学卒は男性高校卒とほぼ同水準という傾向になっていることが注目される。

男性大卒者について規模別に比較してみると、1,000人以上規模2億8,740万、10〜99人規模2億1,007万で、ほぼ100対75の比率となっている。企業規模計の大卒対大学院卒の水準差は男性100対117、女性は100対119である。

■役職者賃金の比較

役職別の推計値も算出が可能である。集計されている役職は「部長級」「課長級」「係長級」「非役職」の4つであり、364〜365頁には、産業計の男性大学卒と男性高校卒についての役職別集計結果を掲載している。

314頁**図表10**は、大学卒の役職別賃金カーブに、モデル賃金調査（総合職）の結果を重ね合わせたものである。「係長級」のカーブが、30歳前後では「非役職」を約2万円上回っているものの、水準的な優位性は次第に縮小、45歳以上では「非役職」の水準を下回るのが大学卒係長級カーブの特徴である。大学卒の場合、役職につかなくても賃金面で処遇する制度が整っているということであろう。

モデル賃金調査の平均値は、年齢とともに「非役職」を上回り、「課長級」のカーブに近づいていく

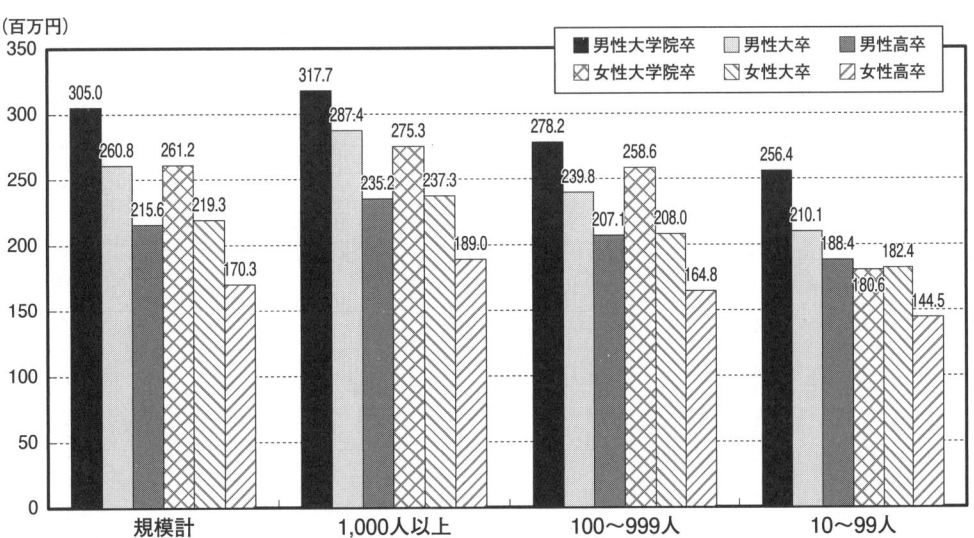

図表9　標準労働者生涯賃金の規模別比較（産業計）

傾向となっている。これはすでに述べたとおり，「モデル賃金」に管理職昇進まで含めて考えている企業と，組合員レベルで考えている企業が混在している結果だと思われる。

■年齢別賃金の比較

推計値は年齢別の賃金プロファイルの比較にも便利である。315頁**図表11**は，産業計規模計の男性大学卒（大学院卒を含む）と高卒者の賃金プロファイルの変遷を示したもので，それぞれ，バブル期以前の1985年，水準がピークとなった1997年，水準低下傾向がようやく終わる2015年と直近の2022年の４時点の推移を描いたものである。

大学卒と高校卒で共通して指摘できることは，まず1985年から1997年にかけて，全年齢で水準が上昇したことである。生涯所定内賃金の上昇率は，大学卒が18.4ポイント，高校卒が20.2ポイントである。1997年以降2015年までは下降局面である。生涯賃金の下降幅は大学卒5.9ポイント，高校卒8.5ポイントである。年齢別では，大学卒，高校卒ともに40歳以上で低下幅が大きい。2015年以降は，平均賃金でみる限り緩やかな上昇期なのであるが，標準労働者の年齢別では，とくに中堅以降の年齢層で下降傾向が続いている。６年間の生涯賃金の低下幅は，大学卒1.3ポイント，高校卒0.6ポイントである。

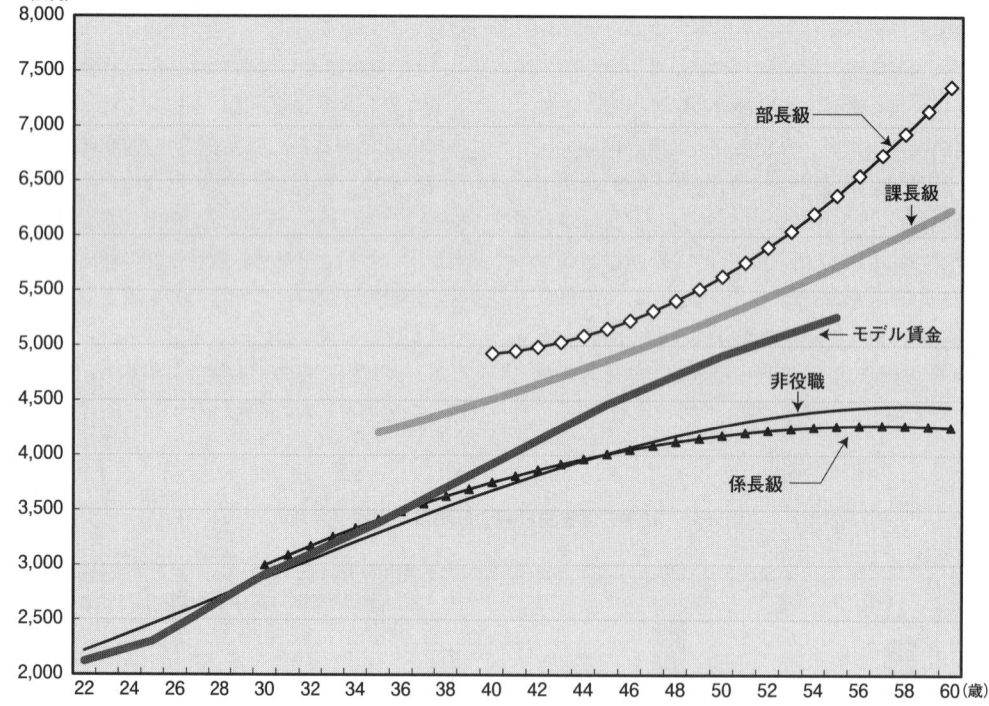

図表10　役職別の賃金カーブとモデル賃金（産業計規模計，男性大学卒）

（単位:百円）

年齢	モデル賃金 大学卒総合職		賃金センサスから算出した推計値（産業計規模計，男性大学卒）							
			非役職		係長級		課長級		部長級	
(歳)	金額	指数	金額	指数	金額	指数	金額	指数	金額	指数
22	2,097	100.0	2,218	105.8	—	—	—	—	—	—
25	2,288	100.0	2,459	107.5	—	—	—	—	—	—
30	2,898	100.0	2,877	99.3	2,997	103.4	—	—	—	—
35	3,404	100.0	3,293	96.7	3,414	100.3	4,207	123.6	—	—
40	3,960	100.0	3,680	92.9	3,753	94.8	4,513	114.0	—	—
45	4,536	100.0	4,014	88.5	4,011	88.4	4,867	107.3	5,152	113.6
50	4,983	100.0	4,270	85.7	4,184	84.0	5,272	105.8	5,634	113.1
55	5,281	100.0	4,421	83.7	4,266	80.8	5,728	108.5	6,371	120.6

図表11　男性標準労働者の賃金カーブの変遷（産業計規模計，通勤手当を除く所定内賃金推計値）

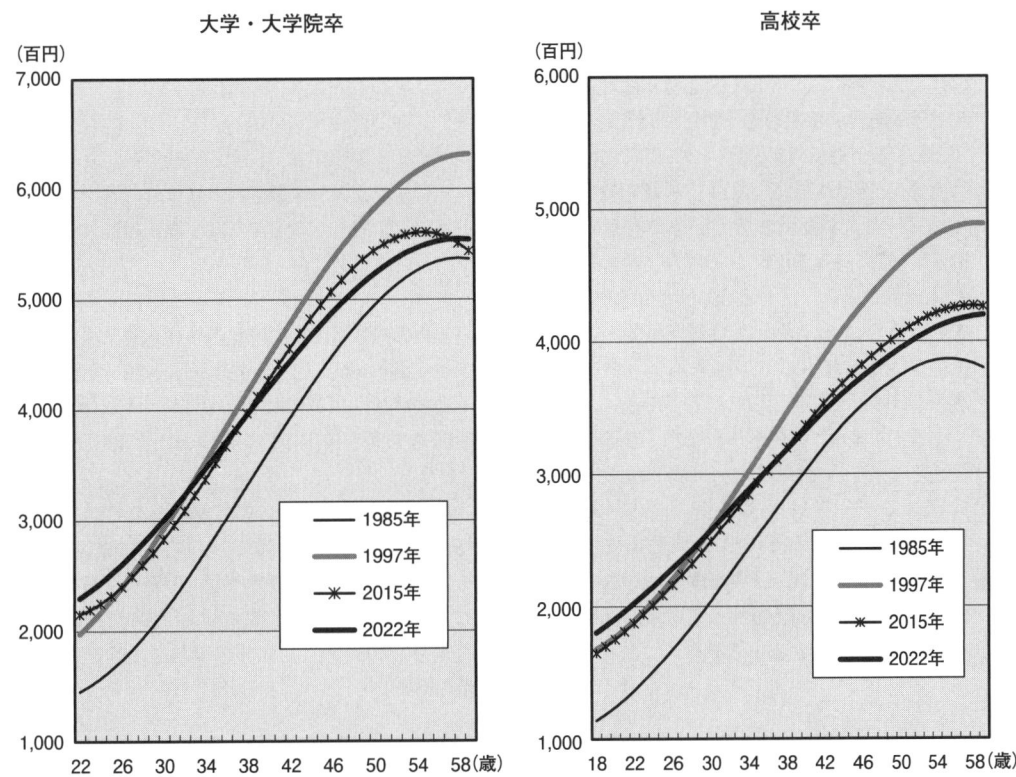

通勤手当を除く全従業員の所定内賃金推計値。単位100円，生涯賃金は所定内賃金部分のみで，単位は万円。

年		22歳	25歳	30歳	35歳	40歳	45歳	50歳	55歳	生涯所定内賃金（万円）
〈男性　大学・大学院卒〉										
推計値	1985年	1,450	1,647	2,175	2,867	3,624	4,348	4,941	5,305	16,402
	1997年	1,975	2,278	2,927	3,685	4,472	5,209	5,814	6,207	20,098
	2015年	2,151	2,318	2,829	3,521	4,269	4,950	5,439	5,611	18,923
	2022年	2,296	2,515	3,005	3,590	4,201	4,770	5,226	5,501	18,884
時系列指数	1985年	73.4	72.3	74.3	77.8	81.0	83.5	85.0	85.5	81.6
（1997年=100）	1997年	100.0	100.0	100.0	100.0	100.0	100.0	100.0	100.0	100.0
	2015年	108.9	101.8	96.7	95.5	95.5	95.0	93.6	90.4	94.1
	2022年	116.3	110.4	102.7	97.4	93.9	91.6	89.9	88.6	94.0
〈男性　高校卒〉										
推計値	1985年	1,364	1,590	2,041	2,537	3,023	3,443	3,743	3,866	13,799
	1997年	1,893	2,119	2,588	3,124	3,673	4,177	4,583	4,834	17,292
	2015年	1,874	2,084	2,490	2,931	3,366	3,756	4,060	4,239	15,827
	2022年	2,023	2,217	2,575	2,955	3,329	3,668	3,945	4,133	15,840
時系列指数	1985年	72.1	75.0	78.8	81.2	82.3	82.4	81.7	80.0	79.8
（1997年=100）	1997年	100.0	100.0	100.0	100.0	100.0	100.0	100.0	100.0	100.0
	2015年	99.0	98.4	96.2	93.8	91.7	89.9	88.6	87.7	91.5
	2022年	106.9	104.6	99.5	94.6	90.6	87.8	86.1	85.5	91.6

個別賃金傾向値表の作成方法

参考として掲げた表が，『賃金センサス』の代表的な集計スタイルである「年齢階級，勤続年数階級別所定内給与額」という集計表である。タテ軸に年齢階層，ヨコ軸に勤続年数階層をとり，階層ごとの平均所定内賃金，年間賞与と人員が示されている。参考表では，年間賞与を省略しているほか，年齢階層では19歳以下の１区分と60歳以上の３区分を省略している。「個別賃金傾向値表」は，この５歳・５年キザミの階層別データを１歳・１年キザミに加工したものである。

１歳・１年キザミのデータに加工するにあたっては，たとえば「30～34歳・勤続10～14年」のデータは「32.5歳・12.5年」のデータと解釈し，人員ウエイトも加味して「回帰分析」を行い，係数を算出した後に展開して，推計値の算出を行っている。使用する回帰式は，次のとおりである。

$$W=a_0+a_1x+a_2x^2+a_3x^3+a_4y+a_5y^2+a_6xy+a_7x^2y^2+a_8x^3y$$

W：賃金

x：勤続年数（企業内経験年数）

y：企業外経験年数（具体的には「年齢－学校卒業年齢－勤続年数」）

a：係数

分析の対象は，賃金決定基準が一般とは異なる年齢60歳以上，および採用年齢（年齢－勤続年数）が45歳以上の者を除外し，「年齢60歳未満・採用年齢45歳未満」に限定している。

なお『賃金センサス』で集計されている「賞与」は，「調査前年の１年間に支払われた」金額で，所定内賃金とは１年のズレがある。したがって「年間賃金」は，当年の所定内賃金12カ月分に，前年の賞与を加えた金額である。

参考表　2022賃金センサスの「年齢階級，勤続年数階級別所定内給与額」集計表

〔産業計規模計・男性大学卒〕

（単位：百円，下段（　）内は人員数：十人）

年齢	勤続年数								
	０年	１～２年	３～４年	５～９年	10～14年	15～19年	20～24年	25～29年	30年以上
20～24歳	2,283 (15,223)	2,405 (19,106)	2,423 (238)	1,967 (102)	—	—	—	—	—
25～29歳	2,714 (7,905)	2,665 (17,130)	2,657 (26,511)	2,866 (22,171)	2,734 (70)	—	—	—	—
30～34歳	3,345 (4,894)	3,161 (9,187)	2,948 (10,541)	3,156 (33,831)	3,421 (14,965)	2,785 (57)	—	—	—
35～39歳	3,745 (3,512)	3,584 (6,819)	3,502 (7,731)	3,611 (16,333)	3,778 (26,464)	4,055 (16,424)	2,796 (15)	—	—
40～44歳	3,994 (2,190)	3,957 (4,897)	3,870 (5,832)	3,904 (11,977)	3,996 (13,320)	4,250 (26,191)	4,562 (12,583)	3,158 (67)	—
45～49歳	3,773 (2,486)	4,164 (4,570)	4,035 (4,078)	4,119 (9,477)	4,344 (9,655)	4,542 (12,173)	4,753 (25,905)	5,034 (14,441)	4,455 (84)
50～54歳	4,249 (1,825)	4,343 (3,745)	4,228 (3,430)	4,176 (7,109)	4,779 (6,504)	4,550 (6,888)	4,706 (7,121)	5,336 (24,437)	5,671 (16,078)
55～59歳	3,978 (1,845)	4,402 (3,157)	4,444 (2,737)	4,848 (4,896)	4,649 (3,914)	4,986 (4,258)	5,077 (3,590)	5,161 (3,444)	5,467 (31,861)

賃金センサスに基づく標準労働者の個別賃金推計値表一覧

集計表１　大学院卒・男性の年齢別賃金、賞与、年間賃金（通勤手当除く）

1－1　規模別にみた大学院卒・男性の個別賃金推計値（産業計）……P.318
1－2　産業別にみた大学院卒・男性の個別賃金推計値（規模計）……P.319
（1）化学工業、業務用機器、電子部品・デバイス・電子回路、情報通信機器（2）通信業、学術・開発研究機関、技術サービス業、学校教育

集計表２　大学院卒・女性の年齢別賃金、賞与、年間賃金（通勤手当除く）

2－1　規模別にみた大学院卒・女性の個別賃金推計値（産業計）……P.321
2－2　産業別にみた大学院卒・女性の個別賃金推計値（規模計）……P.322
化学工業、業務用機器、学術・開発研究機関、学校教育

集計表３　大学卒・男性の年齢別賃金、賞与、年間賃金（通勤手当除く）

3－1　規模別にみた大学卒・男性の個別賃金推計値（産業計）……P.323
3－2　産業別にみた大学卒・男性の個別賃金推計値（規模計）……P.324
（1）建設業、食料品、繊維工業、パルプ・紙・紙加工品（2）印刷・同関連業、化学工業、プラスチック製品、ゴム製品（3）窯業・土石製品、鉄鋼業、非鉄金属、生産用機器（4）電気機器、情報通信機器、輸送用機器、電気業（5）ガス業、通信業、放送業、情報サービス業（6）映像・音声・文字情報制作、鉄道業、道路旅客運送業、道路貨物運送業（7）航空運輸業、卸売業、各種商品卸売業、各種商品小売業（8）飲食料品小売業、機械器具小売業、銀行業、金融商品・商品先物取引業（9）保険業、不動産業、物品賃貸業、広告業（10）宿泊業、飲食店、医療業、社会保険・社会福祉・介護事業

集計表４　大学卒・女性の年齢別賃金、賞与、年間賃金（通勤手当除く）

4－1　規模別にみた大学卒・女性の個別賃金推計値（産業計）……P.334
4－2　産業別にみた大学卒・女性の個別賃金推計値（規模計）……P.335
（1）建設業、食料品、繊維工業、パルプ・紙・紙加工品（2）印刷・同関連業、化学工業、プラスチック製品、ゴム製品（3）窯業・土石製品、鉄鋼業、非鉄金属、金属製品（4）生産用機器、電気機器、情報通信機器、輸送用機器（5）電気業、ガス業、通信業、放送業（6）情報サービス業、映像・音声・文字情報制作、鉄道業、道路貨物運送業（7）航空運輸業、卸売業、各種商品卸売業、各種商品小売業（8）飲食料品小売業、機械器具小売業、銀行業、金融商品・商品先物取引業（9）保険業、不動産業、広告業、宿泊業（10）飲食店、学校教育、医療業、社会保険・社会福祉・介護事業

集計表５　高校卒・男性の年齢別賃金、賞与、年間賃金（通勤手当除く）

5－1　規模別にみた高校卒・男性の個別賃金推計値（産業計）……P.345
5－2　産業別にみた高校卒・男性の個別賃金推計値（規模計）……P.346
（1）建設業、食料品、繊維工業、パルプ・紙・紙加工品（2）印刷・同関連業、化学工業、プラスチック製品、ゴム製品（3）窯業・土石製品、鉄鋼業、非鉄金属、金属製品（4）生産用機器、電気機器、情報通信機器、輸送用機器（5）電気業、ガス業、鉄道業、道路旅客運送業（6）道路貨物運送業、各種商品小売業、飲食料品小売業、機械器具小売業（7）不動産業、宿泊業、飲食店、社会保険・社会福祉・介護事業

集計表６　高校卒・女性の年齢別賃金、賞与、年間賃金（通勤手当除く）

6－1　規模別にみた高校卒・女性の個別賃金推計値（産業計）……P.353
6－2　産業別にみた高校卒・女性の個別賃金推計値（規模計）……P.354
（1）建設業、食料品、繊維工業、パルプ・紙・紙加工品（2）化学工業、プラスチック製品、ゴム製品、窯業・土石製品（3）鉄鋼業、金属製品、生産用機器、電気機器（4）情報通信機器、輸送用機器、電気業、ガス業（5）鉄道業、道路旅客運送業、道路貨物運送業、卸売業（6）各種商品小売業、飲食料品小売業、機械器具小売業、銀行業（7）金融商品・商品先物取引業、保険業、不動産業、物品賃貸業（8）宿泊業、飲食店、医療業、社会保険・社会福祉・介護事業

集計表７　組合員の年齢別賃金、賞与、年間賃金（通勤手当除く）

7－1　規模別にみた大学卒・男性組合員の個別賃金推計値（産業計）……P.362
7－2　規模別にみた高校卒・男性組合員の個別賃金推計値（産業計）……P.363

集計表８　職階別にみた年齢別賃金、賞与、年間賃金（通勤手当除く）

8－1　職階別にみた大学卒・男性の個別賃金推計値（産業計・10人以上規模）……P.364
8－2　職階別にみた高校卒・男性の個別賃金推計値（産業計・10人以上規模）……P.365

個別賃金推計値表① 大学院卒・男性の年齢別賃金，賞与，年間賃金（通勤手当除く）

表①-1 規模別にみた大学院卒・男性の個別賃金推計値（産業計）

（単位：百円）

年齢（歳）	規模計 所定内 金額	規模計 所定内 指数	規模計 年間 賞与	規模計 年間 賃金	1,000人以上規模 所定内 金額	1,000人以上規模 所定内 指数	1,000人以上規模 年間 賞与	1,000人以上規模 年間 賃金	100～999人規模 所定内 金額	100～999人規模 所定内 指数	100～999人規模 年間 賞与	100～999人規模 年間 賃金	10～99人規模 所定内 金額	10～99人規模 所定内 指数	10～99人規模 年間 賞与	10～99人規模 年間 賃金
18																
19																
20																
21																
22																
23																
24	2,444	100.0	6,857	36,179	2,455	100.0	8,400	37,859	2,328	100.0	6,884	34,818	2,295	100.0	2,436	29,982
25	2,545	104.1	8,614	39,150	2,580	105.1	9,813	40,769	2,416	103.8	8,595	37,591	2,391	104.2	4,395	33,085
26	2,654	108.6	10,246	42,092	2,711	110.4	11,174	43,711	2,510	107.8	10,148	40,269	2,488	108.4	6,081	35,935
27	2,770	113.4	11,761	45,004	2,850	116.1	12,484	46,680	2,609	112.1	11,552	42,859	2,586	112.7	7,539	38,573
28	2,893	118.4	13,166	47,886	2,994	122.0	13,744	49,670	2,712	116.5	12,819	45,366	2,686	117.0	8,804	41,036
29	3,023	123.7	14,467	50,738	3,143	128.0	14,957	52,674	2,820	121.1	13,959	47,796	2,787	121.4	9,910	43,355
30	3,157	129.2	15,673	53,558	3,297	134.3	16,124	55,685	2,931	125.9	14,984	50,155	2,890	125.9	10,882	45,557
31	3,296	134.9	16,789	56,346	3,454	140.7	17,246	58,698	3,045	130.8	15,903	52,448	2,994	130.4	11,742	47,666
32	3,440	140.8	17,823	59,102	3,615	147.3	18,325	61,705	3,163	135.9	16,729	54,681	3,100	135.0	12,505	49,701
33	3,587	146.8	18,781	61,824	3,778	153.9	19,364	64,702	3,283	141.0	17,471	56,861	3,208	139.7	13,182	51,676
34	3,737	152.9	19,672	64,512	3,943	160.6	20,363	67,681	3,404	146.2	18,140	58,992	3,319	144.6	13,776	53,601
35	3,889	159.1	20,501	67,165	4,109	167.4	21,324	70,635	3,528	151.5	18,748	61,081	3,433	149.6	14,286	55,481
36	4,042	165.4	21,275	69,784	4,276	174.2	22,249	73,560	3,652	156.9	19,305	63,133	3,551	154.7	14,706	57,319
37	4,197	171.8	22,002	72,366	4,442	181.0	23,139	76,448	3,778	162.3	19,822	65,155	3,674	160.1	15,024	59,111
38	4,352	178.1	22,688	74,911	4,608	187.7	23,996	79,292	3,903	167.7	20,310	67,151	3,802	165.6	15,221	60,849
39	4,507	184.4	23,341	77,419	4,772	194.4	24,821	82,088	4,029	173.1	20,779	69,127	3,937	171.5	15,275	62,522
40	4,660	190.7	23,968	79,890	4,934	201.0	25,617	84,828	4,154	178.5	21,240	71,090	4,080	177.7	15,157	64,113
41	4,812	196.9	24,575	82,321	5,093	207.5	26,385	87,506	4,278	183.8	21,705	73,045	4,213	183.5	14,641	65,201
42	4,962	203.1	25,169	84,714	5,249	213.8	27,127	90,115	4,401	189.1	22,184	74,997	4,346	189.3	14,159	66,314
43	5,109	209.1	25,757	87,066	5,401	220.0	27,843	92,650	4,522	194.3	22,688	76,953	4,477	195.1	13,752	67,481
44	5,253	215.0	26,347	89,378	5,547	226.0	28,536	95,104	4,641	199.4	23,227	78,919	4,606	200.7	13,461	68,734
45	5,392	220.7	26,945	91,649	5,689	231.7	29,208	97,471	4,757	204.4	23,812	80,899	4,731	206.1	13,327	70,100
46	5,527	226.2	27,559	93,877	5,824	237.2	29,860	99,744	4,870	209.2	24,455	82,901	4,852	211.4	13,390	71,610
47	5,656	231.5	28,194	96,063	5,952	242.5	30,493	101,917	4,980	213.9	25,166	84,928	4,967	216.4	13,691	73,292
48	5,779	236.5	28,859	98,206	6,073	247.4	31,110	103,983	5,086	218.5	25,956	86,988	5,076	221.1	14,271	75,177
49	5,895	241.3	29,560	100,306	6,186	252.0	31,711	105,937	5,188	222.8	26,836	89,087	5,177	225.5	15,171	77,294
50	6,005	245.7	30,304	102,360	6,289	256.2	32,299	107,772	5,284	227.0	27,816	91,229	5,270	229.6	16,432	79,673
51	6,106	249.9	31,099	104,370	6,384	260.0	32,875	109,482	5,376	230.9	28,907	93,420	5,354	233.2	18,094	82,342
52	6,199	253.7	31,950	106,333	6,468	263.5	33,441	111,060	5,462	234.6	30,121	95,667	5,428	236.5	20,198	85,332
53	6,282	257.1	32,865	108,250	6,542	266.5	33,998	112,500	5,542	238.1	31,467	97,975	5,491	239.2	22,785	88,672
54	6,356	260.1	33,851	110,120	6,604	269.0	34,549	113,796	5,616	241.3	32,957	100,350	5,541	241.4	25,896	92,392
55	6,419	262.7	34,916	111,943	6,654	271.0	35,094	114,941	5,683	244.1	34,602	102,797	5,579	243.0	29,571	96,520
56	6,471	264.8	36,065	113,716	6,691	272.6	35,635	115,929	5,743	246.7	36,412	105,322	5,603	244.1	33,852	101,087
57	6,511	266.5	37,306	115,441	6,715	273.5	36,174	116,754	5,794	248.9	38,399	107,932	5,612	244.5	38,778	106,123
58	6,539	267.6	38,646	117,116	6,725	273.9	36,713	117,409	5,838	250.8	40,572	110,631	5,605	244.2	44,392	111,655
59	6,554	268.2	40,092	118,740	6,720	273.7	37,253	117,888	5,874	252.3	42,944	113,427	5,582	243.2	50,733	117,715
60	6,555	268.3	41,650	120,313	6,699	272.9	37,796	118,185	5,900	253.4	45,524	116,323	5,541	241.4	57,843	124,332

累計値：
- 規模計：生涯賃金計 30,502（万円） 所定内賃金部分 21,309 賞与部分 9,193
- 1,000人以上規模：生涯賃金計 31,768（万円） 所定内賃金部分 22,256 賞与部分 9,512
- 100～999人規模：生涯賃金計 27,824（万円） 所定内賃金部分 19,092 賞与部分 8,731
- 10～99人規模：生涯賃金計 25,506（万円） 所定内賃金部分 18,753 賞与部分 6,754

（注）累計値欄の数値は，所定内賃金部分は各年齢の所定内賃金の12倍（1年分）の24歳（大学卒は22歳，高校卒は18歳）から60歳までを累計したもの。賞与部分は表記金額の全年齢の累計値。生涯賃金計はその両者の合計値あるいは年間賃金の表記金額の全年齢累計値である。四捨五入の関係上，「累計値」欄の生涯賃金計は所定内賃金および賞与の合計と一致しない（以下同じ）。

表1-2-(1) 産業別にみた大学院卒・男性の個別賃金推計値（規模計）
（化学工業，業務用機器，電子部品・デバイス・電子回路，情報通信機器）

(単位：百円)

年齢(歳)	化学工業 所定内 金額	化学工業 所定内 指数	化学工業 年間賞与	化学工業 年間賃金	業務用機器 所定内 金額	業務用機器 所定内 指数	業務用機器 年間賞与	業務用機器 年間賃金	電子部品・デバイス・電子回路 所定内 金額	電子部品・デバイス・電子回路 所定内 指数	電子部品・デバイス・電子回路 年間賞与	電子部品・デバイス・電子回路 年間賃金	情報通信機器 所定内 金額	情報通信機器 所定内 指数	情報通信機器 年間賞与	情報通信機器 年間賃金
18																
19																
20																
21																
22																
23																
24	2,368	100.0	11,037	39,456	2,186	100.0	8,676	34,912	2,577	100.0	9,523	40,445	1,907	100.0	2,971	25,850
25	2,462	103.9	11,373	40,912	2,346	107.3	9,974	38,129	2,664	103.4	10,538	42,509	2,267	118.9	5,991	33,191
26	2,564	108.2	11,814	42,576	2,502	114.5	11,195	41,223	2,758	107.0	11,549	44,650	2,618	137.3	8,699	40,118
27	2,673	112.9	12,352	44,433	2,655	121.4	12,342	44,202	2,859	110.9	12,553	46,858	2,961	155.3	11,108	46,644
28	2,791	117.8	12,979	46,467	2,804	128.2	13,421	47,069	2,965	115.0	13,547	49,122	3,296	172.9	13,235	52,782
29	2,915	123.1	13,687	48,663	2,950	134.9	14,435	49,831	3,075	119.3	14,529	51,432	3,621	189.9	15,095	58,546
30	3,045	128.6	14,468	51,006	3,092	141.4	15,389	52,491	3,190	123.8	15,496	53,778	3,937	206.5	16,703	63,947
31	3,181	134.3	15,312	53,479	3,231	147.8	16,287	55,056	3,308	128.4	16,446	56,148	4,244	222.6	18,075	68,999
32	3,321	140.3	16,212	56,069	3,367	154.0	17,132	57,531	3,430	133.1	17,375	58,532	4,541	238.2	19,226	73,716
33	3,467	146.4	17,159	58,760	3,499	160.1	17,929	59,921	3,553	137.9	18,280	60,920	4,828	253.2	20,172	78,109
34	3,616	152.7	18,145	61,537	3,629	166.0	18,683	62,232	3,678	142.7	19,160	63,301	5,105	267.8	20,927	82,192
35	3,768	159.1	19,162	64,383	3,756	171.8	19,398	64,467	3,804	147.6	20,012	65,665	5,373	281.8	21,507	85,978
36	3,924	165.7	20,201	67,285	3,880	177.4	20,077	66,633	3,931	152.5	20,832	68,000	5,629	295.3	21,928	89,479
37	4,081	172.3	21,254	70,226	4,001	183.0	20,725	68,735	4,057	157.4	21,619	70,298	5,875	308.2	22,205	92,710
38	4,240	179.0	22,312	73,191	4,119	188.4	21,347	70,778	4,181	162.3	22,369	72,546	6,111	320.5	22,353	95,682
39	4,400	185.8	23,368	76,166	4,235	193.7	21,945	72,768	4,305	167.0	23,080	74,735	6,335	332.3	22,388	98,409
40	4,560	192.6	24,413	79,135	4,349	198.9	22,526	74,709	4,425	171.7	23,749	76,853	6,548	343.5	22,325	100,903
41	4,720	199.3	25,439	82,082	4,460	204.0	23,092	76,606	4,543	176.3	24,373	78,891	6,750	354.0	22,180	103,178
42	4,880	206.0	26,436	84,992	4,568	208.9	23,649	78,466	4,657	180.7	24,950	80,838	6,940	364.0	21,967	105,246
43	5,038	212.7	27,398	87,851	4,674	213.8	24,200	80,293	4,767	185.0	25,477	82,683	7,118	373.4	21,703	107,121
44	5,194	219.3	28,315	90,642	4,779	218.6	24,749	82,092	4,872	189.1	25,951	84,416	7,285	382.1	21,402	108,816
45	5,348	225.8	29,180	93,351	4,881	223.2	25,301	83,869	4,971	192.9	26,371	86,026	7,439	390.2	21,080	110,343
46	5,498	232.2	29,983	95,962	4,981	227.8	25,860	85,628	5,064	196.5	26,732	87,503	7,580	397.6	20,752	111,715
47	5,645	238.4	30,717	98,459	5,079	232.3	26,430	87,376	5,150	199.9	27,032	88,836	7,709	404.4	20,434	112,946
48	5,788	244.4	31,374	100,829	5,175	236.7	27,015	89,117	5,229	202.9	27,269	90,015	7,826	410.5	20,141	114,048
49	5,926	250.2	31,944	103,054	5,270	241.0	27,620	90,856	5,299	205.6	27,440	91,029	7,929	415.9	19,889	115,035
50	6,058	255.8	32,420	105,121	5,363	245.3	28,249	92,599	5,360	208.0	27,542	91,867	8,019	420.6	19,692	115,919
51	6,185	261.2	32,793	107,013	5,454	249.4	28,905	94,351	5,412	210.0	27,573	92,520	8,095	424.6	19,567	116,713
52	6,305	266.2	33,055	108,716	5,544	253.6	29,594	96,118	5,454	211.6	27,529	92,976	8,158	427.9	19,528	117,430
53	6,418	271.0	33,198	110,215	5,632	257.6	30,319	97,903	5,485	212.8	27,409	93,225	8,208	430.5	19,591	118,083
54	6,523	275.5	33,213	111,493	5,719	261.6	31,085	99,713	5,504	213.6	27,209	93,256	8,243	432.3	19,772	118,686
55	6,620	279.6	33,092	112,536	5,805	265.5	31,896	101,553	5,511	213.9	26,927	93,059	8,264	433.4	20,085	119,250
56	6,708	283.3	32,826	113,328	5,889	269.4	32,756	103,428	5,505	213.6	26,560	92,624	8,270	433.8	20,546	119,790
57	6,787	286.6	32,408	113,854	5,973	273.2	33,669	105,344	5,486	212.9	26,106	91,939	8,262	433.4	21,171	120,317
58	6,856	289.5	31,829	114,099	6,055	277.0	34,639	107,304	5,453	211.6	25,561	90,995	8,239	432.2	21,974	120,846
59	6,914	292.0	31,080	114,048	6,137	280.7	35,671	109,316	5,405	209.7	24,923	89,780	8,201	430.2	22,972	121,389
60	6,961	293.9	30,153	113,685	6,218	284.4	36,769	111,383	5,341	207.3	24,190	88,285	8,148	427.4	24,179	121,958
累計値	生涯賃金計 30,351(万円) 所定内賃金部分 21,330 賞与部分 9,021				生涯賃金計 28,340(万円) 所定内賃金部分 19,711 賞与部分 8,629				生涯賃金計 27,766(万円) 所定内賃金部分 19,588 賞与部分 8,178				生涯賃金計 34,861(万円) 所定内賃金部分 27,826 賞与部分 7,035			

表①-2-(2) 産業別にみた大学院卒・男性の個別賃金推計値（規模計）
（通信業，学術・開発研究機関，技術サービス業，学校教育）

(単位：百円)

年齢(歳)	通信業 所定内 金額	通信業 所定内 指数	通信業 年間賞与	通信業 年間賃金	学術・開発研究機関 所定内 金額	学術・開発研究機関 所定内 指数	学術・開発研究機関 年間賞与	学術・開発研究機関 年間賃金	技術サービス業 所定内 金額	技術サービス業 所定内 指数	技術サービス業 年間賞与	技術サービス業 年間賃金	学校教育 所定内 金額	学校教育 所定内 指数	学校教育 年間賞与	学校教育 年間賃金
18																
19																
20																
21																
22																
23																
24	2,713	100.0	6,178	38,739	2,560	100.0	8,491	39,211	2,363	100.0	5,273	33,635	2,858	100.0	5,092	39,385
25	2,673	98.5	8,049	40,129	2,619	102.3	10,148	41,578	2,507	106.1	8,497	38,586	2,950	103.2	6,634	42,033
26	2,691	99.2	9,919	42,211	2,697	105.4	11,751	44,119	2,650	112.1	11,342	43,139	3,045	106.6	8,087	44,629
27	2,762	101.8	11,779	44,918	2,793	109.1	13,300	46,816	2,791	118.1	13,833	47,321	3,143	110.0	9,455	47,175
28	2,880	106.2	13,620	48,184	2,905	113.5	14,794	49,651	2,930	124.0	15,995	51,155	3,244	113.5	10,740	49,670
29	3,042	112.1	15,434	51,942	3,031	118.4	16,233	52,606	3,068	129.8	17,855	54,669	3,347	117.1	11,948	52,114
30	3,243	119.5	17,211	56,127	3,170	123.8	17,618	55,662	3,204	135.6	19,438	57,887	3,452	120.8	13,080	54,509
31	3,477	128.2	18,944	60,673	3,321	129.7	18,948	58,802	3,339	141.3	20,768	60,835	3,559	124.6	14,140	56,853
32	3,741	137.9	20,622	65,513	3,482	136.0	20,223	62,007	3,472	146.9	21,873	63,539	3,668	128.4	15,133	59,148
33	4,029	148.5	22,238	70,581	3,651	142.6	21,443	65,258	3,604	152.5	22,776	66,023	3,778	132.2	16,061	61,393
34	4,336	159.8	23,782	75,811	3,828	149.5	22,608	68,538	3,734	158.0	23,505	68,314	3,889	136.1	16,927	63,590
35	4,658	171.7	25,246	81,137	4,009	156.6	23,718	71,828	3,863	163.4	24,083	70,438	4,000	140.0	17,736	65,737
36	4,989	183.9	26,621	86,493	4,195	163.9	24,772	75,110	3,990	168.8	24,537	72,419	4,112	143.9	18,490	67,836
37	5,326	196.3	27,898	91,812	4,383	171.2	25,770	78,366	4,116	174.1	24,892	74,283	4,224	147.8	19,194	69,887
38	5,663	208.7	29,068	97,028	4,572	178.6	26,713	81,577	4,240	179.4	25,174	76,056	4,337	151.8	19,849	71,890
39	5,996	221.0	30,123	102,075	4,760	186.0	27,600	84,725	4,363	184.6	25,408	77,764	4,449	155.7	20,461	73,845
40	6,319	232.9	31,053	106,887	4,947	193.2	28,430	87,792	4,484	189.7	25,620	79,431	4,560	159.6	21,032	75,753
41	6,629	244.3	31,851	111,398	5,130	200.4	29,205	90,760	4,604	194.8	25,834	81,084	4,671	163.4	21,566	77,613
42	6,920	255.0	32,507	115,541	5,307	207.3	29,924	93,610	4,723	199.8	26,077	82,747	4,780	167.3	22,066	79,427
43	7,187	264.9	33,012	119,251	5,478	214.0	30,586	96,324	4,839	204.8	26,374	84,448	4,888	171.1	22,535	81,194
44	7,425	273.7	33,357	122,461	5,641	220.3	31,192	98,884	4,955	209.6	26,751	86,210	4,995	174.8	22,978	82,915
45	7,631	281.2	33,535	125,105	5,794	226.3	31,741	101,271	5,069	214.5	27,233	88,060	5,099	178.4	23,397	84,590
46	7,798	287.4	33,535	127,117	5,936	231.9	32,234	103,468	5,181	219.2	27,845	90,023	5,202	182.0	23,796	86,219
47	7,923	292.0	33,350	128,430	6,066	236.9	32,670	105,456	5,293	223.9	28,614	92,124	5,302	185.5	24,179	87,802
48	8,001	294.9	32,969	128,979	6,181	241.4	33,048	107,216	5,402	228.6	29,563	94,390	5,399	188.9	24,548	89,341
49	8,026	295.8	32,386	128,697	6,280	245.3	33,370	108,732	5,510	233.2	30,720	96,846	5,494	192.2	24,908	90,834
50	7,994	294.6	31,590	127,519	6,362	248.5	33,635	109,983	5,617	237.7	32,109	99,517	5,585	195.4	25,261	92,283
51	7,900	291.2	30,573	125,377	6,426	251.0	33,842	110,952	5,723	242.1	33,757	102,429	5,673	198.5	25,612	93,687
52	7,740	285.3	29,327	122,206	6,469	252.7	33,992	111,621	5,827	246.5	35,687	105,607	5,757	201.5	25,962	95,048
53	7,508	276.7	27,842	117,940	6,491	253.5	34,084	111,972	5,929	250.9	37,927	109,077	5,837	204.3	26,317	96,364
54	7,200	265.4	26,109	112,512	6,489	253.5	34,118	111,986	6,030	255.2	40,501	112,865	5,913	206.9	26,680	97,637
55	6,811	251.0	24,120	105,857	6,462	252.4	34,095	111,644	6,130	259.4	43,435	116,996	5,985	209.4	27,053	98,867
56	6,337	233.5	21,866	97,908	6,410	250.4	34,014	110,930	6,228	263.5	46,755	121,495	6,051	211.7	27,440	100,054
57	5,772	212.7	19,339	88,598	6,329	247.2	33,875	109,824	6,325	267.6	50,485	126,388	6,113	213.9	27,846	101,198
58	5,111	188.4	16,529	77,862	6,219	242.9	33,677	108,307	6,421	271.7	54,652	131,701	6,169	215.9	28,272	102,299
59	4,351	160.3	13,427	65,634	6,079	237.4	33,421	106,363	6,515	275.7	59,280	137,460	6,220	217.6	28,723	103,359
60	3,485	128.4	10,026	51,847	5,905	230.7	33,107	103,973	6,608	279.6	64,396	143,689	6,265	219.2	29,202	104,376

累計値
- 通信業：生涯賃金計 33,605(万円)　所定内賃金部分 24,755　賞与部分 8,850
- 学術・開発研究機関：生涯賃金計 31,769(万円)　所定内賃金部分 21,885　賞与部分 9,884
- 技術サービス業：生涯賃金計 31,387(万円)　所定内賃金部分 20,598　賞与部分 10,789
- 学校教育：生涯賃金計 28,406(万円)　所定内賃金部分 20,882　賞与部分 7,524

個別賃金推計値表2　大学院卒・女性の年齢別賃金，賞与，年間賃金（通勤手当除く）

表2－1　規模別にみた大学院卒・女性の個別賃金推計値（産業計）

（単位：百円）

年齢（歳）	規模計				1,000人以上規模				100～999人規模				10～99人規模			
	所定内 金額	所定内 指数	年間賞与	年間賃金	所定内 金額	所定内 指数	年間賞与	年間賃金	所定内 金額	所定内 指数	年間賞与	年間賃金	所定内 金額	所定内 指数	年間賞与	年間賃金
18																
19																
20																
21																
22																
23																
24	2,556	100.0	8,249	38,917	2,697	100.0	8,947	41,315	2,287	100.0	6,718	34,159	2,578.1	100.0	7,736	38,672
25	2,593	101.5	9,004	40,119	2,719	100.8	9,943	42,571	2,409	105.4	7,649	36,559	2,513.0	97.5	7,435	37,591
26	2,638	103.2	9,741	41,403	2,754	102.1	10,877	43,924	2,522	110.3	8,553	38,822	2,472.2	95.9	7,234	36,899
27	2,692	105.3	10,462	42,766	2,801	103.9	11,755	45,368	2,628	114.9	9,429	40,959	2,453.7	95.2	7,123	36,568
28	2,753	107.7	11,166	44,203	2,860	106.0	12,580	46,899	2,725	119.2	10,277	42,982	2,455.9	95.3	7,098	36,568
29	2,821	110.4	11,854	45,711	2,929	108.6	13,356	48,509	2,817	123.2	11,097	44,904	2,476.7	96.1	7,149	36,870
30	2,896	113.3	12,527	47,285	3,009	111.5	14,089	50,194	2,904	127.0	11,889	46,736	2,514.5	97.5	7,271	37,445
31	2,978	116.5	13,185	48,921	3,097	114.8	14,782	51,949	2,987	130.6	12,652	48,491	2,567.2	99.6	7,456	38,263
32	3,066	119.9	13,828	50,615	3,194	118.4	15,441	53,767	3,066	134.1	13,387	50,180	2,633.2	102.1	7,697	39,295
33	3,159	123.6	14,458	52,363	3,298	122.3	16,069	55,643	3,144	137.5	14,093	51,815	2,710.4	105.1	7,987	40,512
34	3,257	127.5	15,074	54,160	3,409	126.4	16,670	57,572	3,220	140.8	14,770	53,409	2,797.2	108.5	8,319	41,885
35	3,361	131.5	15,677	56,004	3,525	130.7	17,250	59,549	3,296	144.1	15,419	54,974	2,891.6	112.2	8,686	43,384
36	3,469	135.7	16,267	57,889	3,646	135.2	17,812	61,567	3,374	147.5	16,037	56,521	2,991.8	116.0	9,079	44,981
37	3,581	140.1	16,845	59,812	3,772	139.8	18,361	63,621	3,453	151.0	16,627	58,062	3,095.9	120.1	9,494	46,645
38	3,696	144.6	17,411	61,769	3,900	144.6	18,902	65,706	3,535	154.6	17,187	59,610	3,202.1	124.2	9,921	48,347
39	3,816	149.3	17,966	63,754	4,031	149.5	19,438	67,816	3,622	158.4	17,717	61,177	3,308.6	128.3	10,355	50,059
40	3,938	154.1	18,511	65,765	4,164	154.4	19,975	69,945	3,713	162.4	18,216	62,774	3,413.5	132.4	10,788	51,751
41	4,063	159.0	19,045	67,797	4,298	159.3	20,516	72,089	3,811	166.6	18,686	64,413	3,515.0	136.3	11,213	53,393
42	4,190	163.9	19,569	69,846	4,431	164.3	21,066	74,241	3,915	171.2	19,126	66,107	3,611.2	140.1	11,623	54,957
43	4,319	169.0	20,084	71,909	4,564	169.2	21,629	76,396	4,028	176.1	19,534	67,868	3,700.3	143.5	12,011	56,414
44	4,449	174.1	20,590	73,980	4,695	174.1	22,210	78,549	4,150	181.5	19,912	69,707	3,780.4	146.6	12,369	57,733
45	4,581	179.2	21,088	76,056	4,823	178.8	22,813	80,694	4,281	187.2	20,260	71,637	3,849.6	149.3	12,690	58,886
46	4,713	184.4	21,578	78,132	4,949	183.5	23,443	82,826	4,424	193.5	20,576	73,669	3,906.2	151.5	12,969	59,843
47	4,845	189.6	22,060	80,205	5,070	187.9	24,104	84,938	4,580	200.3	20,860	75,816	3,948.3	153.2	13,196	60,576
48	4,978	194.8	22,535	82,271	5,186	192.3	24,800	87,027	4,748	207.6	21,114	78,090	3,974.0	154.1	13,365	61,054
49	5,110	200.0	23,004	84,325	5,296	196.3	25,535	89,085	4,931	215.6	21,335	80,502	3,981.6	154.4	13,470	61,249
50	5,241	205.1	23,467	86,363	5,399	200.2	26,315	91,107	5,128	224.3	21,525	83,064	3,969.0	154.0	13,502	61,131
51	5,371	210.2	23,924	88,382	5,495	203.7	27,143	93,089	5,342	233.6	21,683	85,790	3,934.6	152.6	13,456	60,671
52	5,500	215.2	24,376	90,376	5,583	207.0	28,024	95,024	5,573	243.7	21,809	88,689	3,876.5	150.4	13,323	59,840
53	5,627	220.2	24,823	92,343	5,662	209.9	28,962	96,907	5,823	254.6	21,902	91,776	3,792.7	147.1	13,097	58,609
54	5,751	225.0	25,266	94,277	5,731	212.5	29,962	98,732	6,092	266.4	21,963	95,061	3,681.5	142.8	12,770	56,948
55	5,873	229.8	25,705	96,176	5,789	214.6	31,028	100,494	6,381	279.0	21,991	98,557	3,541.0	137.4	12,335	54,828
56	5,991	234.4	26,141	98,034	5,835	216.3	32,165	102,188	6,691	292.6	21,986	102,275	3,369.5	130.7	11,786	52,219
57	6,106	238.9	26,574	99,847	5,869	217.6	33,376	103,808	7,023	307.1	21,948	106,229	3,164.9	122.8	11,115	49,093
58	6,217	243.3	27,005	101,612	5,890	218.4	34,666	105,347	7,379	322.7	21,877	110,428	2,925.5	113.5	10,315	45,421
59	6,324	247.5	27,434	103,325	5,897	218.6	36,041	106,802	7,760	339.3	21,772	114,887	2,649.4	102.8	9,378	41,172
60	6,427	251.5	27,861	104,981	5,889	218.3	37,503	108,166	8,165	357.1	21,634	119,616	2,334.9	90.6	8,299	36,318
累計値	生涯賃金計 26,117（万円） 所定内賃金部分 19,073 賞与部分 7,044				生涯賃金計 27,534（万円） 所定内賃金部分 19,459 賞与部分 8,075				生涯賃金計 25,863（万円） 所定内賃金部分 19,431 賞与部分 6,432				生涯賃金計 18,061（万円） 所定内賃金部分 14,230 賞与部分 3,831			

表②-2 産業別にみた大学院卒・女性の個別賃金推計値（規模計）
（化学工業，業務用機器，学術・開発研究機関，学校教育）

(単位：百円)

年齢(歳)	化学工業 所定内 金額	指数	年間賞与	年間賃金	業務用機器 所定内 金額	指数	年間賞与	年間賃金	学術・開発研究機関 所定内 金額	指数	年間賞与	年間賃金	学校教育 所定内 金額	指数	年間賞与	年間賃金
18																
19																
20																
21																
22																
23																
24	2,711	100.0	9,533	42,065	2,187	100.0	5,008	31,250	2,380	100.0	11,223	39,784	2,677	100.0	5,941	38,062
25	2,673	98.6	10,568	42,640	2,354	107.7	8,090	36,343	2,491	104.7	11,955	41,849	2,745	102.6	6,553	39,496
26	2,665	98.3	11,610	43,591	2,507	114.6	10,727	40,811	2,607	109.5	12,698	43,985	2,818	105.3	7,206	41,023
27	2,686	99.1	12,652	44,881	2,646	121.0	12,952	44,703	2,728	114.6	13,448	46,183	2,895	108.2	7,897	42,636
28	2,732	100.8	13,690	46,473	2,772	126.8	14,798	48,067	2,852	119.8	14,205	48,434	2,975	111.2	8,620	44,326
29	2,801	103.3	14,715	48,330	2,888	132.1	16,297	50,952	2,980	125.2	14,965	50,728	3,059	114.3	9,372	46,085
30	2,891	106.6	15,722	50,417	2,993	136.9	17,483	53,404	3,111	130.7	15,728	53,057	3,146	117.5	10,149	47,906
31	2,999	110.6	16,704	52,695	3,090	141.3	18,389	55,473	3,244	136.3	16,489	55,412	3,236	120.9	10,945	49,780
32	3,123	115.2	17,655	55,129	3,180	145.4	19,048	57,207	3,378	141.9	17,249	57,784	3,328	124.3	11,758	51,699
33	3,259	120.2	18,568	57,681	3,264	149.2	19,492	58,654	3,513	147.6	18,003	60,164	3,423	127.9	12,582	53,656
34	3,407	125.7	19,437	60,316	3,342	152.8	19,756	59,863	3,649	153.3	18,751	62,542	3,519	131.5	13,413	55,642
35	3,562	131.4	20,255	62,996	3,418	156.3	19,871	60,881	3,785	159.0	19,489	64,911	3,617	135.1	14,247	57,649
36	3,722	137.3	21,016	65,684	3,490	159.6	19,871	61,756	3,920	164.7	20,217	67,261	3,716	138.8	15,080	59,670
37	3,886	143.3	21,714	68,345	3,562	162.9	19,788	62,538	4,054	170.3	20,931	69,582	3,816	142.6	15,907	61,695
38	4,050	149.4	22,342	70,941	3,635	166.2	19,657	63,274	4,186	175.9	21,630	71,867	3,916	146.3	16,724	63,718
39	4,212	155.4	22,894	73,435	3,709	169.6	19,509	64,012	4,316	181.4	22,311	74,106	4,017	150.1	17,527	65,730
40	4,369	161.2	23,363	75,792	3,785	173.1	19,378	64,801	4,443	186.7	22,972	76,290	4,118	153.8	18,311	67,724
41	4,519	166.7	23,743	77,973	3,866	176.8	19,298	65,688	4,567	191.9	23,612	78,410	4,218	157.6	19,073	69,690
42	4,660	171.9	24,027	79,944	3,952	180.7	19,300	66,723	4,686	196.9	24,227	80,458	4,318	161.3	19,807	71,621
43	4,788	176.6	24,209	81,666	4,045	185.0	19,417	67,954	4,801	201.7	24,816	82,424	4,417	165.0	20,510	73,510
44	4,902	180.8	24,283	83,103	4,145	189.6	19,684	69,427	4,910	206.3	25,377	84,299	4,514	168.6	21,177	75,348
45	4,998	184.4	24,241	84,219	4,255	194.6	20,133	71,193	5,014	210.7	25,907	86,074	4,610	172.2	21,804	77,126
46	5,075	187.2	24,079	84,977	4,375	200.1	20,797	73,298	5,111	214.8	26,405	87,741	4,704	175.7	22,387	78,838
47	5,129	189.2	23,788	85,339	4,507	206.1	21,708	75,792	5,202	218.6	26,868	89,290	4,796	179.2	22,921	80,475
48	5,159	190.3	23,364	85,270	4,652	212.7	22,901	78,722	5,285	222.0	27,294	90,712	4,886	182.5	23,402	82,029
49	5,161	190.4	22,799	84,733	4,811	220.0	24,407	82,137	5,360	225.2	27,681	91,999	4,972	185.8	23,826	83,491
50	5,134	189.4	22,086	83,691	4,985	228.0	26,261	86,085	5,426	228.0	28,026	93,141	5,056	188.9	24,189	84,855
51	5,074	187.2	21,221	82,108	5,177	236.7	28,494	90,614	5,483	230.4	28,328	94,130	5,136	191.9	24,486	86,112
52	4,979	183.7	20,195	79,946	5,386	246.3	31,141	95,773	5,531	232.4	28,585	94,957	5,212	194.7	24,712	87,253
53	4,847	178.8	19,003	77,169	5,615	256.7	34,233	101,609	5,568	234.0	28,794	95,612	5,284	197.4	24,865	88,272
54	4,675	172.5	17,638	73,740	5,864	268.1	37,805	108,171	5,594	235.1	28,953	96,086	5,352	199.9	24,938	89,159
55	4,461	164.5	16,094	69,624	6,135	280.5	41,889	115,507	5,609	235.7	29,060	96,371	5,415	202.3	24,929	89,907
56	4,201	155.0	14,364	64,782	6,429	294.0	46,517	123,665	5,612	235.8	29,113	96,458	5,473	204.5	24,832	90,508
57	3,895	143.7	12,442	59,178	6,747	308.5	51,724	132,694	5,602	235.4	29,110	96,338	5,526	206.4	24,644	90,954
58	3,538	130.5	10,322	52,776	7,092	324.3	57,542	142,641	5,579	234.4	29,049	96,001	5,573	208.2	24,360	91,237
59	3,129	115.4	7,996	45,538	7,463	341.3	64,003	153,556	5,543	232.9	28,926	95,439	5,614	209.7	23,976	91,348
60	2,664	98.3	5,459	37,429	7,862	359.5	71,142	165,485	5,492	230.7	28,741	94,643	5,649	211.1	23,487	91,281
累計値	生涯賃金計 24,346(万円) 所定内賃金部分 17,608 賞与部分 6,738				生涯賃金計 28,807(万円) 所定内賃金部分 19,222 賞与部分 9,585				生涯賃金計 28,045(万円) 所定内賃金部分 19,634 賞与部分 8,411				生涯賃金計 25,595(万円) 所定内賃金部分 18,930 賞与部分 6,666			

個別賃金推計値表③ 大学卒・男性の年齢別賃金，賞与，年間賃金（通勤手当除く）

表③-1　規模別にみた大学卒・男性の個別賃金推計値（産業計）

（単位：百円）

年齢(歳)	規模計 所定内 金額	規模計 所定内 指数	規模計 年間賞与	規模計 年間賃金	1,000人以上規模 所定内 金額	1,000人以上規模 所定内 指数	1,000人以上規模 年間賞与	1,000人以上規模 年間賃金	100～999人規模 所定内 金額	100～999人規模 所定内 指数	100～999人規模 年間賞与	100～999人規模 年間賃金	10～99人規模 所定内 金額	10～99人規模 所定内 指数	10～99人規模 年間賞与	10～99人規模 年間賃金
18																
19																
20																
21																
22	2,234	100.0	6,319	33,127	2,317	100.0	7,449	35,249	2,189	100.0	5,464	31,727	2,057	100.0	4,553	29,236
23	2,298	102.9	7,028	34,600	2,380	102.7	8,317	36,874	2,254	103.0	6,272	33,318	2,155	104.8	5,025	30,888
24	2,369	106.0	7,738	36,165	2,454	105.9	9,194	38,645	2,323	106.2	7,045	34,925	2,252	109.5	5,486	32,505
25	2,447	109.5	8,448	37,812	2,539	109.6	10,077	40,551	2,397	109.5	7,785	36,547	2,346	114.1	5,937	34,090
26	2,532	113.3	9,156	39,536	2,634	113.7	10,965	42,577	2,474	113.0	8,493	38,182	2,439	118.6	6,379	35,642
27	2,622	117.4	9,863	41,328	2,738	118.2	11,854	44,712	2,555	116.7	9,171	39,827	2,529	123.0	6,811	37,163
28	2,718	121.7	10,566	43,181	2,850	123.0	12,743	46,943	2,638	120.6	9,821	41,481	2,618	127.3	7,234	38,652
29	2,819	126.2	11,266	45,088	2,969	128.2	13,629	49,256	2,725	124.5	10,443	43,142	2,705	131.5	7,648	40,110
30	2,923	130.9	11,961	47,042	3,094	133.6	14,511	51,640	2,814	128.6	11,040	44,806	2,790	135.7	8,052	41,537
31	3,032	135.7	12,650	49,034	3,225	139.2	15,385	54,082	2,905	132.7	11,612	46,473	2,874	139.7	8,447	42,935
32	3,144	140.7	13,333	51,059	3,360	145.0	16,251	56,569	2,998	137.0	12,162	48,141	2,956	143.7	8,833	44,303
33	3,258	145.9	14,009	53,108	3,499	151.0	17,105	59,088	3,093	141.3	12,691	49,806	3,036	147.6	9,210	45,643
34	3,375	151.1	14,677	55,175	3,640	157.1	17,945	61,626	3,189	145.7	13,200	51,467	3,115	151.4	9,578	46,954
35	3,493	156.4	15,336	57,251	3,784	163.3	18,770	64,172	3,286	150.1	13,691	53,122	3,192	155.2	9,938	48,238
36	3,612	161.7	15,985	59,329	3,928	169.6	19,576	66,712	3,384	154.6	14,165	54,769	3,267	158.8	10,289	49,494
37	3,732	167.0	16,623	61,403	4,073	175.8	20,362	69,233	3,482	159.1	14,624	56,405	3,341	162.4	10,632	50,724
38	3,851	172.4	17,250	63,464	4,216	182.0	21,126	71,723	3,580	163.6	15,069	58,029	3,413	166.0	10,966	51,927
39	3,970	177.7	17,864	65,506	4,359	188.1	21,865	74,169	3,678	168.1	15,502	59,639	3,484	169.4	11,293	53,105
40	4,088	183.0	18,465	67,521	4,499	194.2	22,577	76,559	3,776	172.5	15,925	61,232	3,554	172.8	11,611	54,258
41	4,204	188.2	19,051	69,502	4,635	200.1	23,260	78,880	3,872	176.9	16,337	62,806	3,622	176.1	11,921	55,386
42	4,318	193.3	19,623	71,441	4,767	205.8	23,911	81,118	3,968	181.3	16,743	64,359	3,689	179.3	12,223	56,491
43	4,429	198.3	20,179	73,331	4,894	211.3	24,529	83,262	4,062	185.6	17,141	65,889	3,755	182.5	12,517	57,571
44	4,537	203.1	20,718	75,164	5,016	216.5	25,112	85,299	4,155	189.8	17,535	67,395	3,819	185.7	12,804	58,629
45	4,641	207.8	21,239	76,935	5,130	221.4	25,656	87,216	4,246	194.0	17,926	68,873	3,882	188.7	13,083	59,664
46	4,741	212.2	21,742	78,634	5,237	226.0	26,160	89,000	4,334	198.0	18,315	70,322	3,944	191.7	13,355	60,678
47	4,836	216.5	22,225	80,254	5,335	230.3	26,621	90,639	4,420	201.9	18,703	71,740	4,004	194.7	13,619	61,670
48	4,925	220.5	22,688	81,789	5,423	234.1	27,038	92,119	4,503	205.7	19,092	73,124	4,064	197.6	13,877	62,641
49	5,008	224.2	23,130	83,231	5,502	237.5	27,408	93,429	4,582	209.4	19,485	74,473	4,122	200.4	14,127	63,592
50	5,085	227.6	23,550	84,573	5,569	240.4	27,729	94,555	4,659	212.9	19,881	75,784	4,179	203.2	14,370	64,523
51	5,155	230.8	23,947	85,807	5,624	242.8	27,998	95,486	4,731	216.2	20,282	77,056	4,236	205.9	14,606	65,434
52	5,217	233.5	24,321	86,926	5,666	244.6	28,214	96,207	4,800	219.3	20,691	78,286	4,291	208.6	14,836	66,327
53	5,271	235.9	24,670	87,922	5,694	245.8	28,375	96,707	4,864	222.2	21,109	79,472	4,345	211.3	15,059	67,202
54	5,316	238.0	24,993	88,789	5,708	246.4	28,477	96,973	4,923	224.9	21,536	80,611	4,399	213.9	15,275	68,059
55	5,352	239.6	25,290	89,518	5,706	246.3	28,519	96,992	4,977	227.4	21,975	81,703	4,451	216.4	15,485	68,899
56	5,379	240.8	25,560	90,103	5,688	245.5	28,499	96,751	5,027	229.7	22,427	82,745	4,503	218.9	15,689	69,723
57	5,395	241.5	25,802	90,536	5,652	244.0	28,414	96,238	5,070	231.7	22,893	83,734	4,554	221.4	15,886	70,530
58	5,400	241.7	26,014	90,810	5,598	241.7	28,262	95,440	5,108	233.4	23,376	84,669	4,604	223.8	16,078	71,322
59	5,393	241.4	26,197	90,918	5,525	238.5	28,041	94,345	5,139	234.8	23,875	85,548	4,653	226.2	16,263	72,098
60	5,375	240.6	26,350	90,852	5,432	234.5	27,749	92,939	5,164	236.0	24,394	86,368	4,701	228.6	16,442	72,860

累計値	生涯賃金計 26,078（万円） 所定内賃金部分 19,019 賞　与　部　分 7,058	生涯賃金計 28,740（万円） 所定内賃金部分 20,443 賞　与　部　分 8,297	生涯賃金計 23,980（万円） 所定内賃金部分 17,801 賞　与　部　分 6,179	生涯賃金計 21,007（万円） 所定内賃金部分 16,553 賞　与　部　分 4,454

表③-2-(1) 産業別にみた大学卒・男性の個別賃金推計値（規模計）
（建設業，食料品，繊維工業，パルプ・紙・紙加工品）

(単位：百円)

年齢(歳)	建設業 所定内 金額	建設業 所定内 指数	建設業 年間賞与	建設業 年間賃金	食料品 所定内 金額	食料品 所定内 指数	食料品 年間賞与	食料品 年間賃金	繊維工業 所定内 金額	繊維工業 所定内 指数	繊維工業 年間賞与	繊維工業 年間賃金	パルプ・紙・紙加工品 所定内 金額	パルプ・紙・紙加工品 所定内 指数	パルプ・紙・紙加工品 年間賞与	パルプ・紙・紙加工品 年間賃金
18																
19																
20																
21																
22	2,101	100.0	6,227	31,441	2,084	100.0	6,345	31,356	1,897	100.0	5,831	28,593	2,238	100.0	7,543	34,399
23	2,241	106.7	7,315	34,213	2,080	99.8	6,426	31,390	1,961	103.4	5,927	29,455	2,221	99.2	7,343	33,997
24	2,377	113.1	8,363	36,889	2,094	100.5	6,639	31,770	2,027	106.9	6,077	30,403	2,220	99.2	7,281	33,925
25	2,509	119.4	9,371	39,475	2,124	101.9	6,975	32,469	2,096	110.5	6,277	31,432	2,235	99.8	7,348	34,163
26	2,636	125.5	10,342	41,976	2,170	104.1	7,423	33,463	2,168	114.3	6,525	32,538	2,263	101.1	7,534	34,689
27	2,760	131.3	11,278	44,396	2,230	107.0	7,972	34,728	2,241	118.2	6,817	33,714	2,305	103.0	7,829	35,485
28	2,880	137.1	12,181	46,740	2,302	110.5	8,612	36,238	2,317	122.2	7,149	34,956	2,359	105.4	8,226	36,529
29	2,997	142.6	13,053	49,013	2,386	114.5	9,331	37,969	2,395	126.3	7,517	36,259	2,424	108.3	8,714	37,802
30	3,110	148.0	13,894	51,220	2,481	119.1	10,120	39,896	2,475	130.5	7,919	37,616	2,500	111.7	9,283	39,284
31	3,221	153.3	14,709	53,366	2,586	124.1	10,967	41,994	2,556	134.8	8,349	39,023	2,586	115.5	9,926	40,953
32	3,330	158.5	15,497	55,455	2,698	129.4	11,862	44,238	2,639	139.1	8,806	40,475	2,680	119.7	10,632	42,790
33	3,436	163.5	16,262	57,493	2,817	135.2	12,795	46,604	2,723	143.6	9,285	41,965	2,782	124.3	11,391	44,775
34	3,540	168.5	17,005	59,484	2,943	141.2	13,754	49,067	2,809	148.1	9,783	43,490	2,891	129.2	12,195	46,887
35	3,642	173.3	17,728	61,433	3,073	147.4	14,728	51,603	2,896	152.7	10,296	45,043	3,006	134.3	13,035	49,105
36	3,743	178.1	18,433	63,345	3,206	153.8	15,709	54,185	2,983	157.3	10,820	46,619	3,126	139.7	13,900	51,411
37	3,842	182.8	19,122	65,225	3,342	160.4	16,683	56,790	3,072	161.9	11,353	48,214	3,250	145.2	14,782	53,783
38	3,940	187.5	19,797	67,078	3,479	166.9	17,642	59,392	3,161	166.6	11,890	49,821	3,377	150.9	15,672	56,202
39	4,037	192.2	20,459	68,908	3,616	173.5	18,574	61,968	3,251	171.4	12,428	51,436	3,507	156.7	16,559	58,646
40	4,134	196.8	21,111	70,721	3,752	180.0	19,469	64,491	3,341	176.1	12,963	53,052	3,638	162.6	17,435	61,096
41	4,231	201.3	21,754	72,521	3,885	186.4	20,316	66,938	3,431	180.9	13,491	54,666	3,770	168.5	18,290	63,532
42	4,327	205.9	22,391	74,313	4,015	192.6	21,104	69,284	3,522	185.7	14,010	56,271	3,901	174.3	19,115	65,933
43	4,423	210.5	23,023	76,102	4,140	198.6	21,823	71,503	3,612	190.4	14,516	57,863	4,031	180.1	19,900	68,278
44	4,520	215.1	23,653	77,892	4,259	204.3	22,462	73,571	3,703	195.2	15,005	59,435	4,159	185.8	20,637	70,549
45	4,617	219.8	24,281	79,690	4,371	209.7	23,011	75,464	3,793	199.9	15,473	60,983	4,284	191.4	21,316	72,724
46	4,716	224.4	24,911	81,498	4,475	214.7	23,458	77,156	3,882	204.7	15,917	62,502	4,405	196.8	21,927	74,783
47	4,815	229.2	25,543	83,323	4,569	219.2	23,793	78,622	3,971	209.4	16,333	63,986	4,520	202.0	22,462	76,706
48	4,916	234.0	26,180	85,169	4,653	223.2	24,006	79,838	4,059	214.0	16,718	65,429	4,630	206.9	22,911	78,473
49	5,018	238.8	26,824	87,042	4,724	226.7	24,086	80,780	4,147	218.6	17,068	66,828	4,733	211.5	23,264	80,064
50	5,122	243.8	27,477	88,945	4,783	229.5	24,022	81,421	4,233	223.2	17,380	68,175	4,829	215.8	23,512	81,457
51	5,229	248.8	28,140	90,883	4,828	231.6	23,803	81,738	4,318	227.6	17,649	69,467	4,916	219.6	23,646	82,634
52	5,337	254.0	28,816	92,863	4,857	233.0	23,419	81,706	4,402	232.1	17,874	70,697	4,993	223.1	23,657	83,573
53	5,448	259.3	29,506	94,887	4,870	233.7	22,859	81,300	4,484	236.4	18,049	71,860	5,060	226.1	23,535	84,254
54	5,563	264.7	30,212	96,962	4,865	233.4	22,113	80,494	4,565	240.7	18,171	72,952	5,116	228.6	23,271	84,658
55	5,680	270.3	30,936	99,092	4,841	232.3	21,170	79,265	4,644	244.8	18,237	73,967	5,159	230.5	22,855	84,764
56	5,800	276.0	31,681	101,282	4,797	230.2	20,019	77,588	4,721	248.9	18,244	74,899	5,189	231.9	22,279	84,551
57	5,924	281.9	32,447	103,536	4,732	227.1	18,650	75,437	4,796	252.9	18,187	75,743	5,206	232.6	21,532	84,000
58	6,052	288.0	33,238	105,861	4,645	222.9	17,051	72,788	4,869	256.7	18,063	76,495	5,207	232.7	20,606	83,090
59	6,184	294.3	34,054	108,260	4,534	217.5	15,213	69,617	4,940	260.4	17,868	77,148	5,192	232.0	19,492	81,801
60	6,320	300.8	34,898	110,738	4,398	211.0	13,125	65,898	5,008	264.0	17,599	77,698	5,161	230.6	18,179	80,113

累計値																
生涯賃金計 (万円)	28,087				23,600				21,112				23,919			
所定内賃金部分	19,766				17,125				16,093				17,529			
賞与部分	8,321				6,475				5,019				6,390			

324

表3−2−(2) 産業別にみた大学卒・男性の個別賃金推計値（規模計）
（印刷・同関連業，化学工業，プラスチック製品，ゴム製品）

(単位：百円)

年齢(歳)	印刷・同関連業 所定内 金額	指数	年間賞与	年間賃金	化学工業 所定内 金額	指数	年間賞与	年間賃金	プラスチック製品 所定内 金額	指数	年間賞与	年間賃金	ゴム製品 所定内 金額	指数	年間賞与	年間賃金
18																
19																
20																
21																
22	1,992	100.0	4,924	28,831	2,074	100.0	7,354	32,241	2,068	100.0	6,477	31,291	2,058	100.0	7,306	31,998
23	2,096	105.2	4,651	29,805	2,152	103.7	8,574	34,394	2,129	103.0	7,166	32,716	2,120	103.1	7,646	33,092
24	2,196	110.2	4,431	30,779	2,238	107.9	9,697	36,548	2,197	106.3	7,823	34,192	2,192	106.5	8,034	34,342
25	2,291	115.0	4,263	31,754	2,331	112.4	10,730	38,704	2,272	109.9	8,451	35,715	2,273	110.4	8,466	35,737
26	2,382	119.6	4,144	32,730	2,432	117.3	11,678	40,862	2,352	113.8	9,052	37,282	2,361	114.7	8,939	37,267
27	2,470	124.0	4,074	33,708	2,539	122.4	12,548	43,021	2,438	117.9	9,628	38,887	2,456	119.4	9,450	38,921
28	2,553	128.2	4,050	34,689	2,653	127.9	13,345	45,180	2,529	122.3	10,182	40,529	2,558	124.3	9,996	40,689
29	2,634	132.2	4,070	35,674	2,772	133.7	14,077	47,339	2,624	126.9	10,716	42,202	2,665	129.5	10,575	42,560
30	2,711	136.1	4,132	36,663	2,896	139.6	14,749	49,498	2,723	131.7	11,233	43,903	2,779	135.0	11,181	44,525
31	2,785	139.8	4,235	37,657	3,024	145.8	15,367	51,656	2,825	136.6	11,733	45,629	2,897	140.8	11,814	46,572
32	2,857	143.4	4,378	38,656	3,156	152.2	15,938	53,812	2,929	141.7	12,221	47,374	3,019	146.7	12,469	48,692
33	2,925	146.8	4,557	39,662	3,292	158.7	16,467	55,967	3,037	146.9	12,697	49,136	3,144	152.8	13,144	50,874
34	2,992	150.2	4,771	40,674	3,430	165.4	16,962	58,120	3,146	152.1	13,164	50,911	3,273	159.0	13,836	53,108
35	3,056	153.4	5,018	41,694	3,570	172.2	17,427	60,270	3,256	157.4	13,625	52,694	3,403	165.4	14,541	55,383
36	3,119	156.5	5,297	42,722	3,712	179.0	17,870	62,417	3,367	162.8	14,082	54,483	3,536	171.8	15,257	57,688
37	3,179	159.6	5,606	43,760	3,855	185.9	18,296	64,561	3,478	168.2	14,537	56,272	3,670	178.3	15,980	60,014
38	3,239	162.6	5,942	44,806	3,999	192.8	18,712	66,701	3,589	173.6	14,992	58,059	3,804	184.8	16,708	62,351
39	3,297	165.5	6,305	45,863	4,143	199.8	19,123	68,837	3,699	178.9	15,449	59,839	3,937	191.4	17,437	64,686
40	3,353	168.3	6,691	46,931	4,286	206.7	19,536	70,967	3,808	184.2	15,912	61,609	4,071	197.8	18,164	67,011
41	3,409	171.1	7,100	48,010	4,428	213.5	19,958	73,093	3,915	189.3	16,381	63,365	4,202	204.2	18,886	69,315
42	3,464	173.9	7,530	49,102	4,568	220.3	20,393	75,212	4,020	194.4	16,860	65,102	4,332	210.5	19,600	71,588
43	3,519	176.6	7,978	50,206	4,706	226.9	20,849	77,326	4,122	199.4	17,350	66,818	4,460	216.7	20,304	73,819
44	3,573	179.4	8,443	51,324	4,842	233.5	21,332	79,433	4,221	204.1	17,854	68,508	4,584	222.8	20,993	75,997
45	3,628	182.1	8,923	52,457	4,974	239.8	21,847	81,533	4,316	208.7	18,374	70,168	4,704	228.6	21,666	78,113
46	3,682	184.8	9,416	53,604	5,102	246.0	22,401	83,626	4,407	213.1	18,913	71,796	4,820	234.2	22,318	80,155
47	3,737	187.6	9,921	54,767	5,226	252.0	23,001	85,711	4,493	217.3	19,472	73,385	4,931	239.6	22,948	82,114
48	3,793	190.4	10,435	55,946	5,345	257.7	23,651	87,787	4,573	221.2	20,054	74,934	5,036	244.7	23,551	83,980
49	3,849	193.2	10,957	57,142	5,458	263.2	24,359	89,855	4,648	224.8	20,661	76,438	5,135	249.5	24,124	85,741
50	3,906	196.0	11,484	58,355	5,565	268.3	25,131	91,914	4,716	228.1	21,296	77,893	5,227	254.0	24,666	87,387
51	3,964	199.0	12,016	59,587	5,666	273.2	25,972	93,963	4,778	231.1	21,960	79,296	5,311	258.1	25,172	88,909
52	4,024	202.0	12,550	60,838	5,759	277.7	26,890	96,002	4,832	233.7	22,656	80,643	5,388	261.8	25,639	90,295
53	4,085	205.1	13,084	62,108	5,845	281.8	27,889	98,030	4,879	235.9	23,386	81,929	5,456	265.1	26,065	91,535
54	4,149	208.2	13,617	63,399	5,923	285.6	28,977	100,047	4,916	237.8	24,153	83,151	5,514	268.0	26,447	92,619
55	4,214	211.5	14,146	64,711	5,991	288.9	30,159	102,053	4,946	239.2	24,958	84,305	5,563	270.4	26,781	93,537
56	4,281	214.9	14,671	66,044	6,050	291.7	31,442	104,047	4,965	240.1	25,805	85,387	5,601	272.2	27,064	94,277
57	4,351	218.4	15,188	67,399	6,100	294.1	32,831	106,029	4,975	240.6	26,694	86,394	5,628	273.5	27,293	94,831
58	4,423	222.0	15,697	68,778	6,139	296.0	34,334	107,999	4,974	240.6	27,630	87,322	5,643	274.3	27,466	95,186
59	4,499	225.8	16,195	70,180	6,167	297.3	35,955	109,955	4,963	240.0	28,612	88,166	5,646	274.4	27,579	95,333
60	4,577	229.7	16,680	71,606	6,183	298.1	37,702	111,897	4,940	238.9	29,645	88,924	5,636	273.9	27,628	95,262

累計値
- 印刷・同関連業：生涯賃金計 19,026(万円)　所定内賃金部分 15,751　賞与部分 3,276
- 化学工業：生涯賃金計 28,366(万円)　所定内賃金部分 20,231　賞与部分 8,135
- プラスチック製品：生涯賃金計 24,267(万円)　所定内賃金部分 17,648　賞与部分 6,619
- ゴム製品：生涯賃金計 26,255(万円)　所定内賃金部分 19,084　賞与部分 7,171

表3-2-(3) 産業別にみた大学卒・男性の個別賃金推計値（規模計）
(窯業・土石製品，鉄鋼業，非鉄金属，生産用機器)

(単位：百円)

年齢(歳)	窯業・土石製品 所定内 金額	窯業・土石製品 所定内 指数	窯業・土石製品 年間賞与	窯業・土石製品 年間賃金	鉄鋼業 所定内 金額	鉄鋼業 所定内 指数	鉄鋼業 年間賞与	鉄鋼業 年間賃金	非鉄金属 所定内 金額	非鉄金属 所定内 指数	非鉄金属 年間賞与	非鉄金属 年間賃金	生産用機器 所定内 金額	生産用機器 所定内 指数	生産用機器 年間賞与	生産用機器 年間賃金
18																
19																
20																
21																
22	2,049	100.0	7,151	31,743	2,133	100.0	6,607	32,197	2,040	100.0	6,408	30,888	2,137	100.0	7,652	33,300
23	2,149	104.9	7,561	33,352	2,202	103.2	6,965	33,386	2,132	104.5	7,241	32,826	2,190	102.5	7,794	34,072
24	2,249	109.7	7,958	34,941	2,277	106.8	7,352	34,671	2,228	109.2	8,065	34,804	2,249	105.2	8,011	35,004
25	2,347	114.5	8,345	36,514	2,357	110.5	7,765	36,047	2,328	114.1	8,877	36,818	2,316	108.3	8,297	36,085
26	2,446	119.4	8,727	38,077	2,442	114.5	8,206	37,510	2,432	119.2	9,677	38,864	2,388	111.7	8,649	37,306
27	2,544	124.1	9,105	39,633	2,532	118.7	8,673	39,059	2,539	124.5	10,466	40,936	2,466	115.4	9,062	38,656
28	2,642	128.9	9,483	41,188	2,627	123.2	9,166	40,687	2,649	129.9	11,243	43,032	2,549	119.3	9,533	40,126
29	2,740	133.7	9,864	42,746	2,726	127.8	9,685	42,393	2,762	135.4	12,006	45,146	2,637	123.4	10,057	41,705
30	2,838	138.5	10,251	44,312	2,829	132.6	10,230	44,172	2,877	141.0	12,756	47,274	2,730	127.7	10,629	43,385
31	2,937	143.3	10,647	45,890	2,935	137.6	10,799	46,020	2,993	146.7	13,492	49,412	2,826	132.2	11,246	45,154
32	3,036	148.1	11,055	47,484	3,045	142.8	11,394	47,935	3,112	152.5	14,214	51,556	2,925	136.8	11,903	47,002
33	3,135	153.0	11,478	49,100	3,158	148.1	12,013	49,911	3,232	158.4	14,922	53,700	3,027	141.6	12,597	48,921
34	3,235	157.9	11,919	50,742	3,274	153.5	12,657	51,947	3,352	164.3	15,613	55,842	3,131	146.5	13,322	50,899
35	3,336	162.8	12,381	52,414	3,393	159.1	13,324	54,037	3,474	170.3	16,289	57,976	3,238	151.5	14,075	52,927
36	3,438	167.8	12,867	54,122	3,514	164.8	14,015	56,179	3,596	176.3	16,949	60,098	3,345	156.5	14,851	54,996
37	3,541	172.8	13,381	55,869	3,637	170.5	14,729	58,369	3,718	182.2	17,593	62,204	3,454	161.6	15,647	57,094
38	3,645	177.8	13,925	57,660	3,761	176.4	15,466	60,602	3,839	188.2	18,219	64,290	3,563	166.7	16,458	59,212
39	3,750	183.0	14,502	59,500	3,888	182.3	16,225	62,877	3,960	194.1	18,827	66,351	3,672	171.8	17,280	61,340
40	3,857	188.2	15,115	61,394	4,015	188.3	17,007	65,188	4,081	200.0	19,417	68,383	3,780	176.9	18,108	63,468
41	3,965	193.5	15,768	63,346	4,143	194.3	17,811	67,532	4,199	205.9	19,989	70,382	3,887	181.9	18,939	65,587
42	4,075	198.8	16,463	65,360	4,272	200.3	18,636	69,906	4,317	211.6	20,541	72,342	3,993	186.8	19,768	67,685
43	4,186	204.3	17,204	67,441	4,402	206.4	19,483	72,305	4,432	217.3	21,074	74,261	4,097	191.7	20,591	69,754
44	4,300	209.8	17,994	69,595	4,531	212.5	20,350	74,727	4,546	222.8	21,587	76,134	4,198	196.4	21,404	71,783
45	4,416	215.5	18,835	71,824	4,661	218.6	21,239	77,167	4,656	228.3	22,079	77,955	4,297	201.0	22,203	73,762
46	4,534	221.2	19,730	74,135	4,790	224.6	22,147	79,622	4,764	233.5	22,550	79,722	4,392	205.5	22,983	75,682
47	4,654	227.1	20,683	76,531	4,918	230.6	23,076	82,089	4,869	238.7	23,000	81,429	4,483	209.7	23,740	77,531
48	4,777	233.1	21,697	79,018	5,045	236.6	24,024	84,563	4,970	243.6	23,428	83,072	4,569	213.8	24,470	79,302
49	4,902	239.2	22,775	81,599	5,171	242.5	24,991	87,041	5,068	248.4	23,834	84,648	4,651	217.6	25,168	80,982
50	5,030	245.5	23,919	84,279	5,295	248.3	25,977	89,520	5,161	253.0	24,216	86,151	4,728	221.2	25,831	82,564
51	5,161	251.8	25,134	87,064	5,418	254.1	26,982	91,995	5,250	257.4	24,575	87,578	4,798	224.5	26,455	84,035
52	5,295	258.4	26,421	89,956	5,538	259.7	28,006	94,464	5,334	261.5	24,910	88,923	4,863	227.5	27,035	85,387
53	5,432	265.0	27,784	92,962	5,656	265.2	29,047	96,921	5,414	265.4	25,221	90,183	4,920	230.2	27,566	86,610
54	5,572	271.9	29,226	96,086	5,772	270.6	30,106	99,365	5,487	269.0	25,507	91,354	4,971	232.6	28,045	87,694
55	5,715	278.9	30,750	99,332	5,884	275.9	31,183	101,790	5,555	272.3	25,768	92,430	5,013	234.6	28,468	88,628
56	5,862	286.1	32,359	102,704	5,993	281.0	32,276	104,194	5,617	275.4	26,003	93,409	5,048	236.2	28,830	89,402
57	6,013	293.4	34,057	106,208	6,099	286.0	33,386	106,573	5,673	278.1	26,212	94,284	5,073	237.4	29,127	90,008
58	6,167	300.9	35,845	109,848	6,201	290.8	34,512	108,923	5,722	280.5	26,393	95,053	5,090	238.1	29,354	90,434
59	6,325	308.7	37,728	113,629	6,299	295.4	35,655	111,241	5,764	282.5	26,548	95,711	5,097	238.5	29,509	90,671
60	6,487	316.6	39,707	117,555	6,392	299.8	36,813	113,523	5,798	284.2	26,675	96,253	5,094	238.3	29,585	90,709

| 累計値 | 生涯賃金計 26,252(万円) 所定内賃金部分 19,054 賞与部分 7,198 | 生涯賃金計 27,067(万円) 所定内賃金部分 19,587 賞与部分 7,480 | 生涯賃金計 26,517(万円) 所定内賃金部分 19,193 賞与部分 7,324 | 生涯賃金計 25,089(万円) 所定内賃金部分 17,746 賞与部分 7,342 |

表③-2-(4) 産業別にみた大学卒・男性の個別賃金推計値（規模計）
(電気機器，情報通信機器，輸送用機器，電気業)

(単位：百円)

年齢(歳)	電気機器 所定内 金額	指数	年間賞与	年間賃金	情報通信機器 所定内 金額	指数	年間賞与	年間賃金	輸送用機器 所定内 金額	指数	年間賞与	年間賃金	電気業 所定内 金額	指数	年間賞与	年間賃金
18																
19																
20																
21																
22	2,249	100.0	7,375	34,368	2,065	100.0	5,979	30,756	2,028	100.0	7,055	31,388	2,058	100.0	5,213	29,913
23	2,274	101.1	8,136	35,423	2,286	110.7	8,061	35,490	2,067	101.9	7,708	32,509	2,174	105.6	5,630	31,721
24	2,309	102.7	8,861	36,572	2,423	117.3	9,518	38,591	2,119	104.5	8,378	33,805	2,302	111.8	6,138	33,763
25	2,355	104.7	9,552	37,810	2,498	121.0	10,505	40,486	2,184	107.7	9,060	35,263	2,441	118.6	6,731	36,022
26	2,410	107.1	10,211	39,130	2,533	122.7	11,162	41,555	2,260	111.4	9,755	36,869	2,590	125.8	7,401	38,477
27	2,474	110.0	10,840	40,526	2,543	123.2	11,608	42,129	2,346	115.7	10,459	38,611	2,747	133.5	8,143	41,112
28	2,546	113.2	11,442	41,992	2,545	123.3	11,944	42,490	2,442	120.4	11,171	40,474	2,913	141.5	8,949	43,908
29	2,625	116.7	12,019	43,522	2,552	123.6	12,252	42,873	2,547	125.6	11,887	42,446	3,086	149.9	9,812	46,847
30	2,711	120.5	12,574	45,109	2,572	124.6	12,595	43,464	2,659	131.1	12,608	44,513	3,265	158.6	10,728	49,909
31	2,803	124.6	13,109	46,747	2,615	126.7	13,019	44,402	2,778	137.0	13,329	46,662	3,449	167.6	11,688	53,077
32	2,900	128.9	13,627	48,431	2,685	130.1	13,551	45,776	2,903	143.1	14,050	48,880	3,637	176.7	12,686	56,332
33	3,002	133.5	14,129	50,153	2,786	134.9	14,197	47,629	3,032	149.5	14,767	51,153	3,828	186.0	13,716	59,656
34	3,108	138.2	14,618	51,909	2,917	141.3	14,946	49,955	3,166	156.1	15,480	53,469	4,022	195.4	14,770	63,030
35	3,216	143.0	15,096	53,690	3,077	149.0	15,771	52,698	3,302	162.9	16,186	55,813	4,216	204.8	15,843	66,437
36	3,327	147.9	15,566	55,492	3,261	158.0	16,621	55,757	3,441	169.7	16,882	58,173	4,411	214.3	16,928	69,857
37	3,440	152.9	16,030	57,308	3,463	167.7	17,430	58,981	3,581	176.6	17,567	60,536	4,605	223.7	18,018	73,272
38	3,553	158.0	16,491	59,133	3,671	177.8	18,113	62,170	3,721	183.5	18,239	62,888	4,797	233.0	19,106	76,665
39	3,667	163.0	16,951	60,959	3,876	187.7	18,566	65,078	3,860	190.4	18,896	65,215	4,986	242.2	20,186	80,016
40	3,781	168.1	17,412	62,780	4,062	196.7	18,666	67,409	3,997	197.1	19,535	67,505	5,171	251.2	21,252	83,307
41	3,893	173.1	17,876	64,591	4,265	206.6	19,105	70,285	4,132	203.8	20,155	69,744	5,352	260.0	22,296	86,519
42	4,003	178.0	18,346	66,385	4,464	216.2	19,523	73,096	4,264	210.3	20,753	71,920	5,527	268.5	23,313	89,635
43	4,111	182.8	18,825	68,156	4,657	225.6	19,919	75,808	4,391	216.5	21,328	74,018	5,695	276.7	24,294	92,636
44	4,215	187.4	19,314	69,898	4,841	234.5	20,292	78,385	4,512	222.5	21,877	76,025	5,856	284.5	25,235	95,504
45	4,316	191.9	19,816	71,605	5,013	242.8	20,642	80,794	4,628	228.2	22,398	77,929	6,008	291.9	26,128	98,219
46	4,411	196.1	20,333	73,270	5,169	250.4	20,969	83,000	4,736	233.5	22,889	79,716	6,150	298.8	26,967	100,765
47	4,502	200.1	20,869	74,888	5,308	257.1	21,271	84,969	4,835	238.5	23,348	81,372	6,281	305.2	27,745	103,122
48	4,586	203.9	21,424	76,451	5,426	262.8	21,549	86,667	4,926	242.9	23,774	82,885	6,401	311.0	28,455	105,272
49	4,663	207.3	22,002	77,954	5,521	267.4	21,802	88,059	5,006	246.9	24,163	84,240	6,509	316.2	29,091	107,196
50	4,732	210.4	22,604	79,392	5,590	270.7	22,030	89,110	5,076	250.3	24,514	85,426	6,603	320.8	29,647	108,877
51	4,794	213.1	23,234	80,756	5,630	272.7	22,231	89,787	5,134	253.2	24,825	86,428	6,682	324.6	30,115	110,295
52	4,846	215.4	23,893	82,042	5,637	273.0	22,406	90,054	5,178	255.4	25,093	87,233	6,745	327.7	30,489	111,433
53	4,888	217.3	24,584	83,243	5,610	271.7	22,554	89,878	5,209	256.9	25,318	87,829	6,792	330.0	30,763	112,272
54	4,920	218.7	25,309	84,353	5,546	268.6	22,675	89,224	5,225	257.7	25,495	88,201	6,822	331.4	30,929	112,794
55	4,941	219.7	26,071	85,366	5,441	263.5	22,768	88,058	5,226	257.7	25,625	88,336	6,833	332.0	30,982	112,979
56	4,950	220.1	26,872	86,275	5,293	256.3	22,832	86,344	5,210	256.9	25,703	88,222	6,825	331.6	30,914	112,811
57	4,947	219.9	27,714	87,075	5,099	246.9	22,868	84,050	5,176	255.3	25,729	87,845	6,796	330.2	30,720	112,270
58	4,930	219.2	28,600	87,759	4,856	235.2	22,874	81,140	5,124	252.7	25,700	87,191	6,746	327.7	30,392	111,339
59	4,899	217.8	29,531	88,321	4,561	220.9	22,851	77,581	5,053	249.2	25,615	86,247	6,673	324.2	29,924	109,998
60	4,854	215.8	30,512	88,755	4,212	204.0	22,797	73,337	4,961	244.7	25,470	85,001	6,577	319.5	29,309	108,229
累計値	生涯賃金計 24,776(万円) 所定内賃金部分 17,658 賞与部分 7,118				生涯賃金計 25,673(万円) 所定内賃金部分 18,789 賞与部分 6,885				生涯賃金計 25,620(万円) 所定内賃金部分 18,292 賞与部分 7,328				生涯賃金計 31,355(万円) 所定内賃金部分 23,348 賞与部分 8,006			

表③-2-(5) 産業別にみた大学卒・男性の個別賃金推計値（規模計）
（ガス業，通信業，放送業，情報サービス業）

(単位：百円)

年齢(歳)	ガス業 所定内 金額	指数	年間賞与	年間賃金	通信業 所定内 金額	指数	年間賞与	年間賃金	放送業 所定内 金額	指数	年間賞与	年間賃金	情報サービス業 所定内 金額	指数	年間賞与	年間賃金
18																
19																
20																
21																
22	1,990	100.0	7,905	31,786	2,253	100.0	6,081	33,112	2,374	100.0	10,847	39,340	2,187	100.0	6,168	32,417
23	2,149	108.0	9,483	35,273	2,318	102.9	7,621	35,432	2,488	104.8	12,862	42,721	2,281	104.3	6,868	34,241
24	2,307	115.9	10,957	38,637	2,403	106.7	9,108	37,938	2,608	109.8	14,644	45,940	2,378	108.7	7,559	36,093
25	2,462	123.7	12,331	41,879	2,506	111.2	10,539	40,607	2,733	115.1	16,208	49,006	2,477	113.2	8,242	37,969
26	2,616	131.5	13,608	45,002	2,626	116.6	11,914	43,420	2,863	120.6	17,570	51,929	2,579	117.9	8,916	39,864
27	2,768	139.1	14,794	48,008	2,760	122.5	13,232	46,354	2,998	126.3	18,744	54,722	2,683	122.6	9,580	41,773
28	2,917	146.6	15,893	50,900	2,908	129.1	14,493	49,391	3,137	132.1	19,747	57,393	2,788	127.5	10,234	43,691
29	3,064	154.0	16,908	53,680	3,068	136.2	15,696	52,508	3,280	138.1	20,592	59,953	2,895	132.3	10,877	45,614
30	3,209	161.2	17,845	56,350	3,237	143.7	16,840	55,684	3,426	144.3	21,295	62,413	3,002	137.3	11,508	47,537
31	3,350	168.4	18,708	58,913	3,415	151.6	17,926	58,900	3,576	150.6	21,872	64,783	3,111	142.2	12,127	49,455
32	3,489	175.3	19,501	61,372	3,599	159.8	18,950	62,133	3,728	157.0	22,338	67,074	3,219	147.2	12,734	51,363
33	3,625	182.2	20,227	63,728	3,787	168.1	19,915	65,364	3,882	163.5	22,707	69,295	3,327	152.1	13,328	53,257
34	3,758	188.8	20,893	65,984	3,979	176.7	20,817	68,571	4,039	170.1	22,995	71,458	3,435	157.0	13,908	55,131
35	3,887	195.3	21,502	68,143	4,173	185.3	21,658	71,734	4,196	176.7	23,218	73,573	3,542	161.9	14,473	56,982
36	4,012	201.6	22,058	70,207	4,366	193.8	22,436	74,831	4,355	183.4	23,390	75,650	3,648	166.8	15,024	58,804
37	4,134	207.8	22,565	72,178	4,558	202.3	23,150	77,841	4,514	190.1	23,526	77,700	3,753	171.6	15,560	60,592
38	4,253	213.7	23,029	74,060	4,745	210.7	23,800	80,745	4,674	196.9	23,642	79,733	3,855	176.2	16,080	62,342
39	4,367	219.4	23,453	75,853	4,928	218.8	24,385	83,520	4,834	203.6	23,754	81,759	3,956	180.8	16,583	64,049
40	4,477	224.9	23,841	77,561	5,104	226.6	24,904	86,147	4,993	210.3	23,875	83,790	4,053	185.3	17,070	65,709
41	4,582	230.3	24,199	79,185	5,271	234.0	25,357	88,604	5,151	216.9	24,023	85,834	4,148	189.6	17,539	67,316
42	4,683	235.3	24,530	80,730	5,427	240.9	25,743	90,870	5,308	223.5	24,210	87,904	4,240	193.8	17,990	68,865
43	4,780	240.2	24,838	82,196	5,572	247.4	26,062	92,925	5,463	230.1	24,454	90,009	4,328	197.8	18,422	70,353
44	4,871	244.8	25,129	83,586	5,703	253.2	26,312	94,747	5,616	236.5	24,768	92,159	4,412	201.7	18,835	71,773
45	4,958	249.1	25,405	84,903	5,819	258.3	26,493	96,317	5,766	242.9	25,169	94,366	4,491	205.3	19,228	73,122
46	5,040	253.2	25,673	86,150	5,917	262.7	26,604	97,612	5,914	249.1	25,671	96,639	4,566	208.7	19,601	74,395
47	5,116	257.1	25,935	87,327	5,997	266.2	26,645	98,612	6,058	255.1	26,290	98,989	4,636	211.9	19,954	75,586
48	5,187	260.6	26,197	88,439	6,057	268.9	26,614	99,297	6,199	261.1	27,040	101,427	4,701	214.9	20,285	76,692
49	5,252	263.9	26,462	89,487	6,094	270.5	26,512	99,644	6,335	266.8	27,938	103,962	4,759	217.6	20,594	77,707
50	5,312	266.9	26,735	90,474	6,108	271.2	26,337	99,635	6,467	272.4	28,998	106,605	4,812	220.0	20,880	78,626
51	5,365	269.6	27,021	91,401	6,096	270.6	26,089	99,247	6,594	277.7	30,235	109,368	4,859	222.1	21,144	79,445
52	5,413	272.0	27,323	92,273	6,058	268.9	25,767	98,460	6,716	282.9	31,665	112,259	4,898	223.9	21,383	80,160
53	5,454	274.0	27,646	93,090	5,990	265.9	25,371	97,252	6,832	287.7	33,303	115,290	4,930	225.4	21,599	80,764
54	5,488	275.8	27,994	93,856	5,892	261.6	24,899	95,604	6,942	292.4	35,163	118,470	4,955	226.5	21,790	81,255
55	5,517	277.2	28,372	94,573	5,762	255.8	24,351	93,494	7,046	296.7	37,262	121,812	4,972	227.3	21,956	81,626
56	5,538	278.3	28,784	95,242	5,598	248.5	23,726	90,901	7,142	300.8	39,615	125,324	4,981	227.7	22,096	81,872
57	5,553	279.0	29,234	95,868	5,398	239.7	23,024	87,805	7,232	304.6	42,236	129,017	4,982	227.7	22,210	81,991
58	5,560	279.4	29,727	96,451	5,162	229.1	22,244	84,184	7,313	308.0	45,140	132,902	4,973	227.3	22,297	81,975
59	5,561	279.4	30,266	96,995	4,886	216.9	21,386	80,018	7,387	311.1	48,344	136,988	4,955	226.5	22,356	81,821
60	5,554	279.1	30,857	97,502	4,570	202.9	20,447	75,286	7,452	313.8	51,862	141,288	4,928	225.3	22,388	81,525
累計値	生涯賃金計 28,892(万円) 所定内賃金部分 20,114 賞与部分 8,778				生涯賃金計 29,847(万円) 所定内賃金部分 21,613 賞与部分 8,234				生涯賃金計 34,088(万円) 所定内賃金部分 23,716 賞与部分 10,372				生涯賃金計 24,838(万円) 所定内賃金部分 18,444 賞与部分 6,394			

表3-2-(6) 産業別にみた大学卒・男性の個別賃金推計値（規模計）
（映像・音声・文字情報制作，鉄道業，道路旅客運送業，道路貨物運送業）

(単位：百円)

年齢(歳)	映像・音声・文字情報制作 所定内 金額	指数	年間賞与	年間賃金	鉄道業 所定内 金額	指数	年間賞与	年間賃金	道路旅客運送業 所定内 金額	指数	年間賞与	年間賃金	道路貨物運送業 所定内 金額	指数	年間賞与	年間賃金
18																
19																
20																
21																
22	2,281	100.0	3,333	30,700	2,111	100.0	5,824	31,161	2,244	100.0	768	27,696	2,129	100.0	6,441	31,990
23	2,403	105.4	4,727	33,559	2,161	102.4	6,415	32,347	2,400	107.0	1,383	30,187	2,162	101.5	6,530	32,471
24	2,526	110.8	6,043	36,360	2,219	105.1	6,999	33,625	2,540	113.2	1,945	32,429	2,204	103.5	6,667	33,114
25	2,652	116.3	7,285	39,106	2,285	108.2	7,578	34,993	2,665	118.8	2,457	34,438	2,255	105.9	6,850	33,908
26	2,778	121.8	8,456	41,797	2,358	111.7	8,153	36,452	2,776	123.7	2,923	36,231	2,314	108.7	7,074	34,841
27	2,906	127.4	9,559	44,436	2,440	115.5	8,725	37,999	2,873	128.0	3,346	37,824	2,380	111.8	7,337	35,902
28	3,036	133.1	10,597	47,024	2,528	119.7	9,295	39,636	2,959	131.8	3,729	39,233	2,453	115.2	7,637	37,079
29	3,166	138.8	11,573	49,561	2,625	124.3	9,864	41,360	3,033	135.2	4,075	40,474	2,532	118.9	7,970	38,360
30	3,297	144.6	12,490	52,051	2,728	129.2	10,433	43,171	3,098	138.1	4,388	41,564	2,617	122.9	8,333	39,733
31	3,429	150.3	13,351	54,494	2,839	134.4	11,004	45,068	3,154	140.6	4,670	42,519	2,705	127.1	8,724	41,188
32	3,561	156.1	14,159	56,892	2,956	140.0	11,576	47,052	3,202	142.7	4,925	43,354	2,798	131.4	9,139	42,713
33	3,694	162.0	14,918	59,246	3,081	145.9	12,153	49,120	3,244	144.6	5,156	44,087	2,893	135.9	9,575	44,295
34	3,827	167.8	15,630	61,559	3,212	152.1	12,733	51,273	3,281	146.2	5,366	44,734	2,991	140.5	10,030	45,924
35	3,961	173.7	16,298	63,830	3,349	158.6	13,320	53,510	3,313	147.6	5,559	45,310	3,091	145.2	10,500	47,588
36	4,095	179.6	16,925	66,063	3,493	165.4	13,913	55,830	3,341	148.9	5,738	45,832	3,191	149.9	10,983	49,275
37	4,229	185.4	17,515	68,258	3,643	172.5	14,514	58,232	3,368	150.1	5,905	46,316	3,291	154.6	11,476	50,973
38	4,362	191.3	18,070	70,417	3,799	179.9	15,124	60,715	3,393	151.2	6,065	46,778	3,391	159.3	11,975	52,671
39	4,496	197.1	18,594	72,542	3,961	187.6	15,743	63,280	3,418	152.3	6,220	47,235	3,490	163.9	12,478	54,358
40	4,629	203.0	19,089	74,634	4,129	195.6	16,374	65,924	3,444	153.5	6,374	47,703	3,587	168.5	12,981	56,022
41	4,761	208.8	19,559	76,694	4,303	203.8	17,017	68,649	3,472	154.7	6,530	48,198	3,681	172.9	13,483	57,651
42	4,893	214.6	20,007	78,725	4,481	212.3	17,674	71,452	3,504	156.1	6,690	48,736	3,771	177.1	13,979	59,233
43	5,024	220.3	20,436	80,727	4,666	221.0	18,345	74,333	3,540	157.7	6,859	49,333	3,858	181.2	14,467	60,758
44	5,155	226.0	20,848	82,703	4,855	229.9	19,031	77,292	3,581	159.6	7,040	50,007	3,939	185.0	14,945	62,212
45	5,284	231.7	21,247	84,653	5,049	239.2	19,734	80,327	3,628	161.7	7,235	50,771	4,015	188.6	15,408	63,586
46	5,412	237.3	21,636	86,579	5,249	248.6	20,454	83,438	3,683	164.1	7,448	51,644	4,084	191.8	15,854	64,867
47	5,539	242.9	22,017	88,483	5,453	258.2	21,193	86,625	3,747	167.0	7,682	52,642	4,147	194.8	16,280	66,044
48	5,664	248.4	22,395	90,366	5,661	268.1	21,952	89,887	3,820	170.2	7,940	53,780	4,202	197.3	16,684	67,104
49	5,788	253.8	22,772	92,230	5,874	278.2	22,732	93,222	3,904	174.0	8,226	55,074	4,248	199.5	17,062	68,037
50	5,911	259.2	23,150	94,077	6,091	288.5	23,534	96,631	4,000	178.2	8,543	56,542	4,285	201.3	17,411	68,831
51	6,031	264.5	23,534	95,907	6,313	299.0	24,360	100,113	4,109	183.1	8,894	58,199	4,312	202.5	17,728	69,474
52	6,150	269.7	23,926	97,723	6,538	309.7	25,209	103,666	4,232	188.6	9,282	60,061	4,329	203.3	18,011	69,955
53	6,266	274.8	24,330	99,525	6,767	320.5	26,084	107,291	4,370	194.7	9,710	62,145	4,334	203.6	18,256	70,262
54	6,381	279.8	24,747	101,316	7,000	331.5	26,985	110,986	4,524	201.6	10,183	64,466	4,327	203.2	18,460	70,383
55	6,493	284.7	25,182	103,097	7,236	342.7	27,913	114,751	4,695	209.2	10,702	67,042	4,307	202.3	18,621	70,307
56	6,603	289.5	25,637	104,869	7,476	354.1	28,870	118,585	4,885	217.7	11,271	69,888	4,274	200.7	18,735	70,023
57	6,710	294.2	26,116	106,634	7,719	365.6	29,857	122,487	5,094	227.0	11,893	73,020	4,226	198.5	18,800	69,518
58	6,814	298.8	26,621	108,394	7,965	377.2	30,875	126,457	5,324	237.2	12,572	76,455	4,164	195.6	18,813	68,781
59	6,916	303.3	27,155	110,150	8,214	389.0	31,924	130,495	5,575	248.4	13,311	80,209	4,086	191.9	18,771	67,800
60	7,015	307.6	27,722	111,903	8,466	401.0	33,007	134,598	5,849	260.6	14,112	84,299	3,991	187.5	18,670	66,565
累計値	生涯賃金計 29,847(万円) 所定内賃金部分 21,613 賞与部分 8,234				生涯賃金計 28,720(万円) 所定内賃金部分 21,755 賞与部分 6,965				生涯賃金計 19,865(万円) 所定内賃金部分 17,193 賞与部分 2,671				生涯賃金計 21,338(万円) 所定内賃金部分 16,207 賞与部分 5,131			

表3-2-(7) 産業別にみた大学卒・男性の個別賃金推計値（規模計）
（航空運輸業，卸売業，各種商品卸売業，各種商品小売業）

(単位：百円)

年齢(歳)	航空運輸業 所定内 金額	指数	年間賞与	年間賃金	卸売業 所定内 金額	指数	年間賞与	年間賃金	各種商品卸売業 所定内 金額	指数	年間賞与	年間賃金	各種商品小売業 所定内 金額	指数	年間賞与	年間賃金
18																
19																
20																
21																
22	4,960	100.0	3,590	63,109	2,301	100.0	7,624	35,236	2,730	100.0	8,187	40,944	2,095	100.0	4,388	29,525
23	4,971	100.2	3,478	63,131	2,364	102.8	8,508	36,880	2,888	105.8	12,553	47,203	2,171	103.7	5,196	31,251
24	5,006	100.9	3,386	63,456	2,437	105.9	9,378	38,618	3,057	112.0	16,820	53,502	2,256	107.7	5,975	33,041
25	5,063	102.1	3,311	64,071	2,517	109.4	10,234	40,442	3,237	118.6	20,986	59,826	2,347	112.0	6,726	34,887
26	5,142	103.7	3,254	64,960	2,606	113.2	11,075	42,342	3,426	125.5	25,049	66,157	2,444	116.7	7,449	36,780
27	5,241	105.7	3,213	66,110	2,701	117.4	11,900	44,311	3,623	132.7	29,004	72,481	2,547	121.6	8,143	38,710
28	5,360	108.1	3,186	67,505	2,802	121.8	12,710	46,339	3,827	140.2	32,850	78,780	2,655	126.7	8,808	40,668
29	5,497	110.8	3,174	69,132	2,910	126.4	13,504	48,418	4,038	147.9	36,583	85,038	2,767	132.1	9,444	42,645
30	5,650	113.9	3,174	70,976	3,022	131.3	14,280	50,539	4,253	155.8	40,201	91,240	2,882	137.6	10,050	44,632
31	5,820	117.3	3,185	73,023	3,138	136.4	15,040	52,694	4,472	163.8	43,700	97,369	2,999	143.2	10,627	46,619
32	6,004	121.1	3,208	75,258	3,258	141.6	15,781	54,873	4,694	172.0	47,077	103,408	3,119	148.9	11,174	48,598
33	6,202	125.0	3,239	77,667	3,380	146.9	16,505	57,069	4,918	180.2	50,330	109,343	3,239	154.6	11,691	50,560
34	6,413	129.3	3,280	80,235	3,505	152.3	17,209	59,272	5,142	188.4	53,456	115,155	3,360	160.4	12,178	52,494
35	6,635	133.8	3,327	82,949	3,632	157.8	17,895	61,473	5,365	196.5	56,452	120,830	3,480	166.1	12,634	54,393
36	6,868	138.5	3,381	85,793	3,759	163.4	18,560	63,665	5,586	204.6	59,314	126,351	3,599	171.8	13,059	56,247
37	7,109	143.3	3,439	88,753	3,886	168.9	19,205	65,838	5,805	212.7	62,041	131,702	3,716	177.4	13,454	58,046
38	7,359	148.4	3,502	91,815	4,013	174.4	19,830	67,984	6,020	220.5	64,629	136,867	3,830	182.9	13,817	59,782
39	7,616	153.6	3,568	94,965	4,138	179.9	20,433	70,094	6,230	228.2	67,074	141,829	3,941	188.2	14,149	61,446
40	7,879	158.9	3,636	98,188	4,262	185.2	21,014	72,159	6,433	235.7	69,375	146,572	4,048	193.3	14,449	63,028
41	8,147	164.3	3,704	101,469	4,383	190.5	21,573	74,171	6,629	242.9	71,529	151,080	4,150	198.1	14,717	64,519
42	8,418	169.7	3,773	104,794	4,501	195.6	22,110	76,121	6,817	249.7	73,531	155,337	4,246	202.7	14,953	65,910
43	8,692	175.3	3,839	108,149	4,615	200.6	22,623	78,000	6,996	256.3	75,381	159,327	4,336	207.0	15,156	67,192
44	8,968	180.8	3,904	111,519	4,724	205.3	23,112	79,800	7,163	262.4	77,073	163,033	4,419	211.0	15,327	68,355
45	9,244	186.4	3,965	114,891	4,828	209.8	23,577	81,512	7,319	268.1	78,607	166,440	4,494	214.5	15,465	69,391
46	9,519	191.9	4,021	118,248	4,926	214.1	24,018	83,128	7,463	273.4	79,978	169,530	4,560	217.7	15,570	70,291
47	9,792	197.4	4,072	121,578	5,017	218.0	24,433	84,637	7,592	278.1	81,184	172,289	4,617	220.4	15,642	71,045
48	10,063	202.9	4,116	124,866	5,101	221.7	24,823	86,033	7,706	282.3	82,222	174,699	4,664	222.6	15,680	71,644
49	10,329	208.2	4,152	128,097	5,177	225.0	25,186	87,306	7,805	285.9	83,089	176,744	4,700	224.4	15,685	72,079
50	10,590	213.5	4,179	131,257	5,244	227.9	25,523	88,448	7,886	288.9	83,782	178,409	4,724	225.5	15,655	72,340
51	10,845	218.6	4,196	134,331	5,301	230.4	25,832	89,450	7,948	291.2	84,299	179,677	4,736	226.1	15,591	72,420
52	11,092	223.6	4,202	137,305	5,349	232.5	26,114	90,302	7,991	292.7	84,635	180,531	4,735	226.0	15,493	72,308
53	11,331	228.4	4,196	140,165	5,386	234.1	26,367	90,998	8,014	293.6	84,789	180,956	4,720	225.3	15,360	71,995
54	11,560	233.1	4,176	142,896	5,411	235.2	26,592	91,527	8,015	293.6	84,758	180,936	4,690	223.9	15,192	71,472
55	11,779	237.5	4,143	145,484	5,424	235.7	26,788	91,882	7,993	292.8	84,538	180,454	4,645	221.8	14,989	70,731
56	11,985	241.6	4,093	147,915	5,425	235.8	26,954	92,053	7,947	291.1	84,126	179,494	4,584	218.8	14,751	69,761
57	12,179	245.5	4,028	150,173	5,412	235.2	27,090	92,032	7,877	288.5	83,520	178,040	4,506	215.1	14,477	68,554
58	12,358	249.2	3,944	152,245	5,385	234.0	27,195	91,810	7,780	285.0	82,717	176,076	4,411	210.6	14,167	67,101
59	12,523	252.5	3,842	154,116	5,342	232.2	27,270	91,378	7,656	280.5	81,714	173,584	4,298	205.2	13,821	65,392
60	12,671	255.5	3,721	155,772	5,285	229.7	27,312	90,729	7,504	274.9	80,508	170,551	4,165	198.8	13,439	63,418

累計値
- 航空運輸業：生涯賃金計 40,664（万円）／所定内賃金部分 39,226／賞与部分 1,438
- 卸売業：生涯賃金計 27,396（万円）／所定内賃金部分 19,544／賞与部分 7,852
- 各種商品卸売業：生涯賃金計 52,718（万円）／所定内賃金部分 28,541／賞与部分 24,177
- 各種商品小売業：生涯賃金計 22,693（万円）／所定内賃金部分 17,747／賞与部分 4,945

表③-2-(8) 産業別にみた大学卒・男性の個別賃金推計値（規模計）
（飲食料品小売業，機械器具小売業，銀行業，金融商品・商品先物取引業）

(単位：百円)

年齢(歳)	飲食料品小売業 所定内 金額	指数	年間賞与	年間賃金	機械器具小売業 所定内 金額	指数	年間賞与	年間賃金	銀行業 所定内 金額	指数	年間賞与	年間賃金	金融商品・商品先物取引業 所定内 金額	指数	年間賞与	年間賃金
18																
19																
20																
21																
22	2,060	100.0	5,422	30,146	2,195	100.0	5,200	31,538	2,045	100.0	6,434	30,971	2,281	100.0	2,673	30,044
23	2,077	100.8	5,655	30,582	2,295	104.6	6,243	33,788	2,128	104.1	7,421	32,953	2,472	108.4	6,915	36,574
24	2,104	102.1	5,914	31,163	2,393	109.0	7,210	35,923	2,234	109.3	8,519	35,332	2,674	117.2	10,925	43,010
25	2,140	103.9	6,196	31,878	2,487	113.3	8,102	37,948	2,363	115.5	9,715	38,067	2,886	126.5	14,709	49,339
26	2,185	106.0	6,499	32,716	2,579	117.5	8,925	39,867	2,510	122.8	10,996	41,119	3,106	136.2	18,270	55,546
27	2,237	108.6	6,820	33,666	2,667	121.5	9,680	41,685	2,675	130.8	12,349	44,450	3,334	146.2	21,611	61,617
28	2,297	111.5	7,156	34,715	2,753	125.4	10,371	43,406	2,855	139.6	13,760	48,019	3,567	156.4	24,737	67,540
29	2,362	114.7	7,505	35,852	2,836	129.2	11,002	45,035	3,048	149.1	15,216	51,788	3,804	166.8	27,650	73,299
30	2,433	118.1	7,865	37,067	2,917	132.9	11,576	46,576	3,251	159.0	16,704	55,718	4,044	177.3	30,354	78,882
31	2,510	121.8	8,232	38,347	2,995	136.4	12,095	48,034	3,463	169.4	18,211	59,768	4,285	187.9	32,854	84,274
32	2,590	125.7	8,605	39,681	3,071	139.9	12,564	49,413	3,681	180.0	19,723	63,900	4,526	198.4	35,152	89,462
33	2,673	129.7	8,980	41,058	3,144	143.3	12,985	50,717	3,904	190.9	21,227	68,075	4,765	208.9	37,253	94,431
34	2,759	133.9	9,355	42,466	3,216	146.5	13,362	51,952	4,129	201.9	22,710	72,253	5,001	219.2	39,159	99,168
35	2,847	138.2	9,728	43,894	3,285	149.7	13,698	53,121	4,353	212.9	24,159	76,395	5,232	229.4	40,875	103,660
36	2,936	142.5	10,095	45,330	3,353	152.8	13,996	54,229	4,575	223.8	25,560	80,462	5,457	239.3	42,404	107,891
37	3,026	146.9	10,455	46,764	3,418	155.7	14,260	55,281	4,793	234.4	26,901	84,414	5,675	248.8	43,749	111,849
38	3,115	151.2	10,804	48,183	3,482	158.7	14,493	56,280	5,004	244.7	28,167	88,212	5,884	258.0	44,915	115,520
39	3,203	155.5	11,140	49,576	3,545	161.5	14,697	57,232	5,206	254.6	29,347	91,817	6,082	266.6	45,905	118,889
40	3,289	159.7	11,461	50,932	3,605	164.3	14,877	58,141	5,397	263.9	30,426	95,190	6,268	274.8	46,723	121,943
41	3,373	163.7	11,763	52,239	3,665	167.0	15,035	59,011	5,575	272.7	31,391	98,291	6,441	282.4	47,372	124,669
42	3,453	167.6	12,045	53,487	3,723	169.6	15,175	59,847	5,738	280.6	32,229	101,081	6,600	289.3	47,856	127,051
43	3,530	171.3	12,304	54,662	3,779	172.2	15,300	60,653	5,883	287.7	32,926	103,521	6,742	295.6	48,178	129,077
44	3,602	174.8	12,537	55,755	3,835	174.7	15,414	61,434	6,008	293.8	33,471	105,572	6,866	301.0	48,342	130,733
45	3,668	178.0	12,741	56,753	3,890	177.2	15,518	62,194	6,112	298.9	33,848	107,193	6,971	305.6	48,352	132,004
46	3,728	180.9	12,914	57,646	3,943	179.7	15,618	62,938	6,192	302.8	34,046	108,347	7,056	309.3	48,211	132,877
47	3,781	183.5	13,053	58,421	3,996	182.1	15,716	63,670	6,245	305.4	34,051	108,994	7,118	312.1	47,923	133,338
48	3,826	185.7	13,157	59,068	4,048	184.4	15,815	64,394	6,270	306.7	33,849	109,094	7,157	313.8	47,492	133,374
49	3,863	187.5	13,221	59,575	4,100	186.8	15,919	65,115	6,265	306.4	33,427	108,608	7,171	314.4	46,921	132,970
50	3,890	188.8	13,244	59,930	4,151	189.1	16,030	65,838	6,227	304.5	32,773	107,497	7,158	313.8	46,214	132,113
51	3,908	189.7	13,224	60,122	4,201	191.4	16,153	66,567	6,154	301.0	31,873	105,721	7,118	312.1	45,375	130,788
52	3,915	190.0	13,156	60,140	4,251	193.7	16,290	67,307	6,044	295.6	30,713	103,242	7,048	309.0	44,406	128,982
53	3,911	189.8	13,039	59,973	4,301	196.0	16,444	68,061	5,895	288.3	29,280	100,021	6,947	304.6	43,312	126,682
54	3,895	189.0	12,871	59,608	4,351	198.2	16,620	68,834	5,705	279.0	27,562	96,017	6,815	298.8	42,097	123,872
55	3,865	187.6	12,648	59,034	4,401	200.5	16,819	69,632	5,471	267.5	25,544	91,191	6,648	291.5	40,763	120,541
56	3,823	185.5	12,369	58,241	4,451	202.8	17,046	70,458	5,191	253.9	23,215	85,505	6,446	282.6	39,315	116,672
57	3,765	182.8	12,030	57,216	4,501	205.1	17,304	71,316	4,863	237.8	20,559	78,919	6,208	272.2	37,756	112,254
58	3,693	179.3	11,628	55,948	4,551	207.4	17,595	72,212	4,486	219.4	17,565	71,393	5,932	260.1	36,090	107,271
59	3,605	175.0	11,163	54,426	4,602	209.7	17,924	73,150	4,056	198.4	14,219	62,889	5,616	246.2	34,320	101,711
60	3,501	169.9	10,629	52,638	4,653	212.0	18,293	74,133	3,572	174.7	10,508	53,367	5,259	230.6	32,451	95,559
累計値	生涯賃金計 18,889(万円) 所定内賃金部分 14,813 賞与部分 4,076				生涯賃金計 22,169(万円) 所定内賃金部分 16,756 賞与部分 5,414				生涯賃金計 30,654(万円) 所定内賃金部分 21,548 賞与部分 9,106				生涯賃金計 40,155(万円) 所定内賃金部分 25,759 賞与部分 14,396			

表3-2-(9) 産業別にみた大学卒・男性の個別賃金推計値（規模計）
（保険業，不動産業，物品賃貸業，広告業）

(単位：百円)

年齢(歳)	保険業 所定内 金額	保険業 所定内 指数	保険業 年間賞与	保険業 年間賃金	不動産業 所定内 金額	不動産業 所定内 指数	不動産業 年間賞与	不動産業 年間賃金	物品賃貸業 所定内 金額	物品賃貸業 所定内 指数	物品賃貸業 年間賞与	物品賃貸業 年間賃金	広告業 所定内 金額	広告業 所定内 指数	広告業 年間賞与	広告業 年間賃金
18																
19																
20																
21																
22	2,138	100.0	10,141	35,796	2,197	100.0	4,228	30,589	2,182	100.0	6,724	32,913	2,526	100.0	3,151	33,460
23	2,380	111.3	11,028	39,585	2,342	106.6	6,704	34,804	2,276	104.3	7,440	34,746	2,677	106.0	4,554	36,676
24	2,624	122.7	12,033	43,518	2,486	113.2	8,960	38,793	2,373	108.8	8,169	36,651	2,829	112.0	5,912	39,861
25	2,869	134.2	13,146	47,576	2,630	119.7	11,009	42,567	2,476	113.4	8,911	38,620	2,982	118.1	7,226	43,014
26	3,115	145.7	14,353	51,737	2,773	126.2	12,860	46,135	2,582	118.3	9,662	40,648	3,137	124.2	8,494	46,133
27	3,361	157.2	15,644	55,979	2,915	132.7	14,527	49,509	2,692	123.4	10,422	42,730	3,292	130.3	9,717	49,216
28	3,606	168.7	17,007	60,282	3,056	139.1	16,020	52,698	2,806	128.6	11,188	44,859	3,447	136.5	10,894	52,263
29	3,850	180.1	18,429	64,625	3,197	145.5	17,352	55,712	2,922	133.9	11,960	47,029	3,604	142.7	12,025	55,271
30	4,091	191.3	19,900	68,987	3,336	151.8	18,535	58,562	3,042	139.4	12,734	49,234	3,761	148.9	13,110	58,239
31	4,328	202.5	21,407	73,347	3,473	158.1	19,579	61,257	3,163	144.9	13,510	51,469	3,918	155.1	14,149	61,165
32	4,562	213.4	22,939	77,683	3,609	164.3	20,497	63,809	3,287	150.6	14,285	53,728	4,076	161.4	15,140	64,048
33	4,791	224.1	24,483	81,975	3,744	170.4	21,301	66,226	3,412	156.4	15,058	56,005	4,233	167.6	16,085	66,886
34	5,014	234.5	26,028	86,201	3,877	176.5	22,002	68,520	3,539	162.2	15,827	58,293	4,391	173.9	16,982	69,676
35	5,231	244.7	27,563	90,341	4,007	182.4	22,611	70,701	3,666	168.0	16,591	60,588	4,549	180.1	17,831	72,419
36	5,441	254.5	29,075	94,373	4,136	188.3	23,142	72,778	3,795	173.9	17,347	62,882	4,707	186.3	18,633	75,111
37	5,644	264.0	30,554	98,276	4,263	194.1	23,604	74,762	3,923	179.8	18,094	65,171	4,864	192.6	19,386	77,752
38	5,837	273.0	31,986	102,030	4,388	199.7	24,011	76,662	4,051	185.6	18,830	67,448	5,021	198.8	20,091	80,340
39	6,021	281.6	33,360	105,614	4,510	205.3	24,373	78,490	4,180	191.5	19,553	69,707	5,177	205.0	20,747	82,873
40	6,195	289.8	34,665	109,005	4,629	210.7	24,703	80,256	4,307	197.3	20,262	71,942	5,333	211.1	21,353	85,349
41	6,358	297.4	35,888	112,184	4,746	216.1	25,012	81,969	4,433	203.1	20,954	74,149	5,488	217.3	21,911	87,767
42	6,509	304.5	37,019	115,128	4,861	221.3	25,312	83,639	4,558	208.8	21,628	76,320	5,642	223.4	22,418	90,126
43	6,648	310.9	38,044	117,818	4,972	226.3	25,614	85,278	4,681	214.5	22,283	78,449	5,796	229.5	22,876	92,423
44	6,773	316.8	38,953	120,232	5,080	231.3	25,931	86,894	4,801	220.0	22,916	80,532	5,948	235.5	23,283	94,658
45	6,885	322.0	39,734	122,349	5,185	236.0	26,274	88,499	4,920	225.4	23,526	82,561	6,099	241.5	23,640	96,827
46	6,981	326.5	40,375	124,148	5,287	240.7	26,654	90,103	5,035	230.7	24,111	84,531	6,249	247.4	23,947	98,931
47	7,062	330.3	40,864	125,607	5,386	245.2	27,084	91,715	5,147	235.9	24,669	86,437	6,397	253.3	24,202	100,967
48	7,127	333.3	41,189	126,707	5,481	249.5	27,576	93,345	5,256	240.8	25,199	88,272	6,544	259.1	24,405	102,933
49	7,174	335.6	41,339	127,425	5,572	253.6	28,140	95,005	5,361	245.6	25,698	90,030	6,689	264.8	24,557	104,828
50	7,203	336.9	41,301	127,741	5,660	257.6	28,789	96,704	5,462	250.3	26,165	91,705	6,833	270.5	24,657	106,651
51	7,214	337.4	41,065	127,634	5,743	261.4	29,534	98,452	5,558	254.7	26,598	93,293	6,975	276.1	24,705	108,399
52	7,205	337.0	40,618	127,082	5,823	265.1	30,387	100,260	5,649	258.8	26,996	94,785	7,114	281.7	24,700	110,072
53	7,176	335.7	39,949	126,065	5,898	268.5	31,360	102,137	5,735	262.8	27,357	96,178	7,252	287.1	24,643	111,666
54	7,126	333.3	39,045	124,562	5,969	271.7	32,464	104,094	5,816	266.5	27,678	97,464	7,387	292.5	24,532	113,182
55	7,055	330.0	37,896	122,551	6,036	274.8	33,712	106,142	5,890	269.9	27,959	98,638	7,521	297.8	24,369	114,617
56	6,960	325.6	36,489	120,011	6,098	277.6	35,114	108,289	5,958	273.0	28,196	99,695	7,652	302.9	24,151	115,969
57	6,843	320.1	34,812	116,922	6,155	280.2	36,683	110,547	6,020	275.8	28,390	100,627	7,780	308.0	23,880	117,237
58	6,701	313.4	32,854	113,262	6,208	282.6	38,431	112,926	6,074	278.3	28,537	101,429	7,906	313.0	23,554	118,420
59	6,534	305.6	30,603	109,010	6,256	284.8	40,368	115,435	6,122	280.5	28,637	102,096	8,029	317.9	23,174	119,516
60	6,342	296.6	28,047	104,146	6,298	286.7	42,508	118,085	6,161	282.3	28,687	102,622	8,149	322.6	22,739	120,522
累計値	生涯賃金計 37,975(万円) 所定内賃金部分 26,277 賞与部分 11,698				生涯賃金計 30,924(万円) 所定内賃金部分 21,394 賞与部分 9,530				生涯賃金計 28,045(万円) 所定内賃金部分 20,317 賞与部分 7,727				生涯賃金計 32,755(万円) 所定内賃金部分 25,436 賞与部分 7,318			

表3-2-(10) 産業別にみた大学卒・男性の個別賃金推計値（規模計）
（宿泊業，飲食店，医療業，社会保険・社会福祉・介護事業）

（単位：百円）

年齢(歳)	宿泊業 所定内 金額	指数	年間賞与	年間賃金	飲食店 所定内 金額	指数	年間賞与	年間賃金	医療業 所定内 金額	指数	年間賞与	年間賃金	社会保険・社会福祉・介護事業 所定内 金額	指数	年間賞与	年間賃金
18																
19																
20																
21																
22	1,923	100.0	2,904	25,977	1,929	100.0	4,586	27,731	2,195	100.0	4,853	31,198	2,142	100.0	9,268	34,968
23	1,980	103.0	2,958	26,714	2,036	105.5	4,687	29,115	2,265	103.2	5,791	32,973	2,170	101.3	9,138	35,174
24	2,039	106.1	3,031	27,505	2,143	111.1	4,816	30,533	2,335	106.3	6,643	34,659	2,206	103.0	9,064	35,531
25	2,102	109.3	3,122	28,347	2,251	116.7	4,970	31,978	2,404	109.5	7,412	36,262	2,249	105.0	9,044	36,029
26	2,167	112.7	3,228	29,235	2,358	122.3	5,147	33,443	2,474	112.7	8,104	37,789	2,299	107.3	9,074	36,661
27	2,235	116.2	3,349	30,166	2,465	127.8	5,344	34,921	2,543	115.9	8,724	39,245	2,355	110.0	9,152	37,417
28	2,304	119.9	3,481	31,134	2,570	133.3	5,561	36,405	2,613	119.0	9,277	40,638	2,418	112.9	9,275	38,289
29	2,376	123.6	3,623	32,135	2,675	138.7	5,793	37,889	2,684	122.2	9,769	41,972	2,486	116.1	9,440	39,268
30	2,449	127.4	3,773	33,165	2,777	144.0	6,040	39,365	2,754	125.5	10,203	43,255	2,558	119.5	9,644	40,345
31	2,524	131.3	3,931	34,221	2,877	149.2	6,299	40,826	2,826	128.7	10,585	44,492	2,636	123.1	9,883	41,512
32	2,600	135.2	4,092	35,297	2,975	154.2	6,568	42,266	2,897	132.0	10,920	45,690	2,717	126.9	10,156	42,760
33	2,678	139.3	4,257	36,389	3,069	159.1	6,844	43,677	2,970	135.3	11,214	46,855	2,802	130.8	10,460	44,079
34	2,756	143.3	4,423	37,493	3,161	163.9	7,126	45,053	3,044	138.6	11,470	47,993	2,889	134.9	10,790	45,463
35	2,835	147.4	4,588	38,606	3,248	168.4	7,411	46,387	3,118	142.0	11,695	49,111	2,980	139.1	11,145	46,900
36	2,914	151.6	4,750	39,721	3,331	172.7	7,696	47,671	3,193	145.5	11,892	50,214	3,072	143.4	11,522	48,384
37	2,994	155.7	4,908	40,836	3,410	176.8	7,981	48,899	3,270	148.9	12,068	51,309	3,166	147.8	11,917	49,905
38	3,074	159.9	5,059	41,946	3,484	180.6	8,262	50,064	3,348	152.5	12,227	52,402	3,261	152.2	12,328	51,454
39	3,154	164.0	5,203	43,047	3,552	184.1	8,537	51,159	3,427	156.1	12,375	53,499	3,356	156.7	12,752	53,023
40	3,233	168.2	5,336	44,134	3,614	187.4	8,805	52,177	3,508	159.8	12,515	54,607	3,452	161.2	13,185	54,603
41	3,312	172.3	5,458	45,204	3,671	190.3	9,062	53,111	3,590	163.5	12,654	55,732	3,547	165.6	13,626	56,186
42	3,390	176.3	5,567	46,251	3,721	192.9	9,307	53,954	3,674	167.3	12,796	56,879	3,641	170.0	14,070	57,762
43	3,468	180.4	5,660	47,272	3,763	195.1	9,538	54,699	3,759	171.2	12,947	58,056	3,734	174.3	14,516	59,322
44	3,544	184.3	5,736	48,262	3,799	197.0	9,752	55,340	3,846	175.2	13,111	59,268	3,825	178.6	14,960	60,859
45	3,619	188.2	5,793	49,218	3,827	198.4	9,947	55,869	3,936	179.3	13,293	60,521	3,914	182.7	15,399	62,364
46	3,692	192.0	5,829	50,134	3,847	199.4	10,121	56,279	4,027	183.4	13,498	61,822	4,000	186.8	15,831	63,827
47	3,764	195.7	5,842	51,007	3,858	200.0	10,272	56,564	4,120	187.7	13,732	63,178	4,082	190.6	16,252	65,240
48	3,833	199.4	5,831	51,832	3,860	200.1	10,397	56,716	4,216	192.0	14,000	64,593	4,161	194.3	16,660	66,594
49	3,901	202.9	5,793	52,605	3,853	199.8	10,494	56,729	4,314	196.5	14,305	66,075	4,236	197.8	17,052	67,881
50	3,966	206.3	5,728	53,322	3,836	198.9	10,562	56,595	4,415	201.1	14,655	67,630	4,306	201.0	17,424	69,092
51	4,029	209.5	5,633	53,978	3,809	197.5	10,597	56,308	4,518	205.8	15,053	69,263	4,370	204.1	17,774	70,218
52	4,089	212.6	5,505	54,570	3,772	195.6	10,598	55,861	4,623	210.6	15,504	70,982	4,429	206.8	18,099	71,250
53	4,146	215.6	5,345	55,092	3,724	193.1	10,562	55,247	4,731	215.5	16,014	72,791	4,482	209.3	18,396	72,179
54	4,199	218.4	5,148	55,541	3,664	190.0	10,488	54,459	4,843	220.6	16,587	74,699	4,528	211.4	18,663	72,998
55	4,250	221.0	4,915	55,913	3,593	186.3	10,373	53,490	4,957	225.8	17,229	76,710	4,567	213.2	18,895	73,697
56	4,297	223.5	4,643	56,203	3,510	182.0	10,215	52,332	5,074	231.1	17,945	78,831	4,598	214.7	19,091	74,267
57	4,340	225.7	4,329	56,406	3,414	177.0	10,011	50,980	5,194	236.6	18,739	81,068	4,621	215.8	19,247	74,700
58	4,379	227.7	3,973	56,519	3,306	171.4	9,760	49,426	5,318	242.2	19,617	83,428	4,635	216.4	19,361	74,987
59	4,414	229.6	3,573	56,538	3,184	165.1	9,458	47,663	5,444	248.0	20,584	85,916	4,641	216.7	19,429	75,119
60	4,444	231.1	3,126	56,457	3,048	158.0	9,105	45,685	5,575	253.9	21,644	88,539	4,637	216.5	19,449	75,088
累計値	生涯賃金計 17,084（万円） 所定内賃金部分 15,290 賞与部分 1,794				生涯賃金計 18,469（万円） 所定内賃金部分 15,238 賞与部分 3,231				生涯賃金計 22,301（万円） 所定内賃金部分 17,285 賞与部分 5,016				生涯賃金計 21,754（万円） 所定内賃金部分 16,340 賞与部分 5,414			

個別賃金推計値表 4　大学卒・女性の年齢別賃金, 賞与, 年間賃金 (通勤手当除く)

表 4-1　規模別にみた大学卒・女性の個別賃金推計値 (産業計)

(単位：百円)

年齢(歳)	規模計 所定内 金額	規模計 所定内 指数	規模計 年間賞与	規模計 年間賃金	1,000人以上規模 所定内 金額	1,000人以上規模 所定内 指数	1,000人以上規模 年間賞与	1,000人以上規模 年間賃金	100〜999人規模 所定内 金額	100〜999人規模 所定内 指数	100〜999人規模 年間賞与	100〜999人規模 年間賃金	10〜99人規模 所定内 金額	10〜99人規模 所定内 指数	10〜99人規模 年間賞与	10〜99人規模 年間賃金
18																
19																
20																
21																
22	2,220	100.0	5,495	32,137	2,317	100.0	6,402	34,205	2,174	100.0	5,268	31,356	2,139	100.0	3,979	29,643
23	2,270	102.2	6,245	33,481	2,361	101.9	7,308	35,637	2,223	102.2	5,836	32,506	2,185	102.2	4,558	30,781
24	2,321	104.5	6,945	34,793	2,409	104.0	8,160	37,064	2,271	104.5	6,365	33,622	2,232	104.4	5,095	31,884
25	2,373	106.9	7,598	36,078	2,460	106.2	8,962	38,487	2,321	106.8	6,858	34,707	2,280	106.6	5,593	32,955
26	2,427	109.3	8,208	37,337	2,516	108.6	9,716	39,906	2,371	109.0	7,319	35,765	2,328	108.9	6,055	33,996
27	2,483	111.8	8,777	38,574	2,575	111.1	10,426	41,322	2,421	111.4	7,749	36,800	2,377	111.2	6,481	35,008
28	2,540	114.4	9,308	39,791	2,637	113.8	11,094	42,735	2,472	113.7	8,152	37,816	2,426	113.5	6,876	35,992
29	2,599	117.0	9,806	40,990	2,702	116.6	11,723	44,144	2,524	116.1	8,532	38,817	2,476	115.8	7,240	36,950
30	2,659	119.7	10,273	42,175	2,769	119.5	12,317	45,551	2,576	118.5	8,892	39,806	2,526	118.1	7,577	37,884
31	2,720	122.5	10,714	43,349	2,840	122.6	12,878	46,954	2,630	121.0	9,234	40,788	2,576	120.4	7,889	38,796
32	2,782	125.3	11,130	44,514	2,912	125.7	13,409	48,356	2,684	123.4	9,562	41,767	2,626	122.8	8,177	39,687
33	2,846	128.2	11,525	45,672	2,987	128.9	13,912	49,754	2,739	126.0	9,878	42,746	2,676	125.1	8,444	40,559
34	2,910	131.1	11,903	46,828	3,063	132.2	14,392	51,151	2,795	128.6	10,187	43,729	2,727	127.5	8,693	41,413
35	2,976	134.1	12,267	47,982	3,141	135.6	14,850	52,546	2,853	131.2	10,490	44,721	2,777	129.9	8,926	42,252
36	3,043	137.1	12,621	49,139	3,221	139.0	15,290	53,939	2,911	133.9	10,792	45,725	2,828	132.2	9,145	43,076
37	3,111	140.1	12,967	50,301	3,301	142.5	15,715	55,330	2,971	136.7	11,095	46,745	2,878	134.6	9,352	43,888
38	3,180	143.2	13,309	51,470	3,383	146.0	16,127	56,720	3,032	139.5	11,403	47,785	2,928	136.9	9,550	44,689
39	3,250	146.4	13,650	52,650	3,465	149.6	16,529	58,109	3,094	142.3	11,718	48,850	2,978	139.3	9,741	45,481
40	3,321	149.6	13,993	53,843	3,548	153.1	16,925	59,497	3,158	145.3	12,044	49,942	3,028	141.6	9,927	46,265
41	3,392	152.8	14,342	55,052	3,631	156.7	17,317	60,884	3,224	148.3	12,383	51,066	3,078	143.9	10,111	47,044
42	3,465	156.1	14,701	56,279	3,713	160.3	17,708	62,270	3,291	151.4	12,740	52,226	3,127	146.2	10,295	47,818
43	3,538	159.4	15,072	57,528	3,796	163.8	18,101	63,656	3,359	154.5	13,116	53,425	3,176	148.5	10,480	48,589
44	3,612	162.7	15,458	58,801	3,879	167.4	18,500	65,042	3,429	157.7	13,516	54,668	3,224	150.8	10,670	49,359
45	3,686	166.0	15,864	60,101	3,960	170.9	18,906	66,427	3,501	161.1	13,941	55,959	3,272	153.0	10,867	50,131
46	3,762	169.4	16,292	61,431	4,041	174.4	19,322	67,813	3,575	164.5	14,397	57,301	3,319	155.2	11,073	50,904
47	3,837	172.8	16,745	62,793	4,121	177.8	19,753	69,199	3,651	167.9	14,884	58,698	3,366	157.4	11,290	51,682
48	3,914	176.3	17,228	64,190	4,199	181.2	20,200	70,586	3,729	171.5	15,407	60,155	3,412	159.5	11,521	52,465
49	3,990	179.7	17,742	65,625	4,276	184.5	20,667	71,974	3,809	175.2	15,969	61,675	3,457	161.7	11,767	53,255
50	4,067	183.2	18,292	67,101	4,351	187.8	21,156	73,362	3,891	179.0	16,573	63,262	3,502	163.7	12,032	54,055
51	4,145	186.7	18,881	68,621	4,423	190.9	21,671	74,752	3,975	182.8	17,222	64,920	3,546	165.8	12,317	54,865
52	4,223	190.2	19,512	70,186	4,494	194.0	22,213	76,143	4,061	186.8	17,919	66,653	3,588	167.8	12,625	55,687
53	4,301	193.7	20,189	71,801	4,562	196.9	22,787	77,536	4,150	190.9	18,667	68,465	3,630	169.8	12,958	56,523
54	4,379	197.3	20,914	73,467	4,628	199.7	23,395	78,930	4,241	195.1	19,469	70,360	3,671	171.7	13,319	57,375
55	4,458	200.8	21,692	75,188	4,690	202.4	24,041	80,326	4,334	199.4	20,329	72,342	3,711	173.5	13,709	58,244
56	4,537	204.3	22,524	76,966	4,750	205.0	24,726	81,725	4,430	203.8	21,249	74,414	3,750	175.4	14,131	59,132
57	4,616	207.9	23,416	78,804	4,806	207.4	25,453	83,125	4,529	208.3	22,233	76,581	3,788	177.1	14,587	60,040
58	4,695	211.5	24,369	80,705	4,858	209.7	26,227	84,528	4,630	213.0	23,283	78,847	3,824	178.8	15,079	60,971
59	4,774	215.0	25,388	82,671	4,907	211.8	27,049	85,934	4,734	217.8	24,404	81,214	3,860	180.5	15,611	61,925
60	4,853	218.6	26,475	84,705	4,952	213.7	27,923	87,343	4,841	222.7	25,597	83,689	3,893	182.1	16,184	62,905
累計値	生涯賃金計 21,931(万円) 所定内賃金部分 16,113 賞与部分 5,818				生涯賃金計 23,730(万円) 所定内賃金部分 16,997 賞与部分 6,732				生涯賃金計 20,799(万円) 所定内賃金部分 15,553 賞与部分 5,247				生涯賃金計 18,242(万円) 所定内賃金部分 14,302 賞与部分 3,939			

表4-2-(1) 産業別にみた大学卒・女性の個別賃金推計値（規模計）
（建設業，食料品，繊維工業，パルプ・紙・紙加工品）

(単位：百円)

年齢(歳)	建設業 所定内 金額	建設業 所定内 指数	建設業 年間賞与	建設業 年間賃金	食料品 所定内 金額	食料品 所定内 指数	食料品 年間賞与	食料品 年間賃金	繊維工業 所定内 金額	繊維工業 所定内 指数	繊維工業 年間賞与	繊維工業 年間賃金	パルプ・紙・紙加工品 所定内 金額	パルプ・紙・紙加工品 所定内 指数	パルプ・紙・紙加工品 年間賞与	パルプ・紙・紙加工品 年間賃金
18																
19																
20																
21																
22	2,104	100.0	5,369	30,617	2,143	100.0	4,994	30,710	1,948	100.0	1,148	24,529	2,139	100.0	4,521	30,190
23	2,221	105.6	6,634	33,290	2,150	100.3	5,911	31,709	2,048	105.1	2,028	26,609	2,178	101.8	5,367	31,508
24	2,324	110.4	7,744	35,630	2,162	100.9	6,752	32,702	2,138	109.7	2,829	28,480	2,215	103.6	6,093	32,676
25	2,413	114.7	8,711	37,662	2,181	101.8	7,521	33,693	2,217	113.8	3,553	30,155	2,250	105.2	6,708	33,708
26	2,489	118.3	9,544	39,410	2,205	102.9	8,222	34,683	2,287	117.4	4,207	31,646	2,283	106.7	7,221	34,617
27	2,554	121.4	10,256	40,900	2,235	104.3	8,860	35,677	2,348	120.5	4,793	32,967	2,314	108.2	7,643	35,417
28	2,608	124.0	10,857	42,157	2,270	105.9	9,437	36,676	2,401	123.2	5,316	34,129	2,345	109.6	7,982	36,121
29	2,654	126.1	11,359	43,206	2,310	107.8	9,960	37,685	2,447	125.6	5,779	35,146	2,375	111.0	8,248	36,743
30	2,692	127.9	11,773	44,072	2,356	109.9	10,432	38,705	2,487	127.6	6,187	36,030	2,404	112.4	8,450	37,296
31	2,723	129.4	12,109	44,781	2,407	112.3	10,857	39,740	2,521	129.4	6,544	36,795	2,433	113.7	8,598	37,795
32	2,748	130.6	12,380	45,357	2,463	114.9	11,239	40,792	2,550	130.9	6,854	37,452	2,463	115.1	8,701	38,252
33	2,769	131.6	12,595	45,826	2,523	117.8	11,583	41,865	2,574	132.1	7,121	38,015	2,493	116.5	8,770	38,681
34	2,787	132.5	12,766	46,213	2,589	120.8	11,893	42,961	2,596	133.2	7,349	38,497	2,524	118.0	8,812	39,096
35	2,803	133.2	12,905	46,543	2,659	124.1	12,173	44,084	2,614	134.2	7,542	38,909	2,556	119.5	8,838	39,510
36	2,818	134.0	13,022	46,841	2,734	127.6	12,428	45,235	2,630	135.0	7,704	39,266	2,590	121.1	8,857	39,937
37	2,834	134.7	13,128	47,132	2,813	131.3	12,661	46,418	2,645	135.8	7,839	39,579	2,626	122.8	8,879	40,390
38	2,851	135.5	13,235	47,441	2,897	135.2	12,876	47,637	2,659	136.5	7,951	39,861	2,664	124.5	8,913	40,883
39	2,870	136.4	13,353	47,794	2,985	139.3	13,079	48,893	2,673	137.2	8,044	40,126	2,705	126.5	8,968	41,430
40	2,893	137.5	13,494	48,216	3,076	143.6	13,273	50,190	2,689	138.0	8,123	40,386	2,749	128.5	9,055	42,044
41	2,922	138.9	13,669	48,731	3,172	148.0	13,462	51,530	2,705	138.8	8,191	40,653	2,796	130.7	9,181	42,738
42	2,956	140.5	13,889	49,365	3,272	152.7	13,651	52,917	2,724	139.8	8,252	40,941	2,847	133.1	9,358	43,527
43	2,998	142.5	14,165	50,143	3,376	157.5	13,843	54,354	2,746	140.9	8,310	41,261	2,902	135.7	9,594	44,423
44	3,049	144.9	14,508	51,090	3,483	162.5	14,044	55,842	2,771	142.2	8,370	41,628	2,962	138.5	9,899	45,441
45	3,109	147.7	14,929	52,232	3,594	167.7	14,257	57,386	2,801	143.8	8,436	42,054	3,026	141.5	10,283	46,593
46	3,179	151.1	15,440	53,592	3,708	173.0	14,487	58,988	2,837	145.6	8,511	42,550	3,095	144.7	10,754	47,894
47	3,262	155.1	16,051	55,198	3,826	178.5	14,737	60,651	2,878	147.7	8,599	43,131	3,170	148.2	11,322	49,357
48	3,358	159.6	16,773	57,073	3,947	184.2	15,012	62,377	2,925	150.1	8,705	43,809	3,250	151.9	11,997	50,996
49	3,469	164.9	17,618	59,243	4,071	190.0	15,316	64,171	2,980	153.0	8,833	44,597	3,336	156.0	12,788	52,823
50	3,595	170.8	18,597	61,732	4,198	195.9	15,654	66,034	3,043	156.2	8,987	45,507	3,429	160.3	13,705	54,854
51	3,737	177.6	19,721	64,567	4,328	202.0	16,029	67,969	3,115	159.9	9,170	46,552	3,529	165.0	14,757	57,100
52	3,898	185.3	21,001	67,772	4,461	208.2	16,446	69,980	3,196	164.1	9,387	47,745	3,635	169.9	15,953	59,577
53	4,077	193.8	22,447	71,372	4,597	214.5	16,909	72,070	3,288	168.8	9,642	49,098	3,749	175.3	17,304	62,296
54	4,277	203.3	24,072	75,393	4,735	220.9	17,422	74,240	3,391	174.0	9,938	50,625	3,871	181.0	18,818	65,273
55	4,498	213.8	25,886	79,859	4,875	227.5	17,990	76,495	3,505	179.9	10,281	52,338	4,001	187.1	20,504	68,520
56	4,741	225.4	27,901	84,796	5,018	234.2	18,616	78,837	3,631	186.4	10,673	54,251	4,140	193.5	22,374	72,051
57	5,009	238.1	30,127	90,229	5,164	241.0	19,306	81,269	3,771	193.6	11,120	56,374	4,287	200.4	24,435	75,880
58	5,301	251.9	32,576	96,183	5,311	247.8	20,062	83,793	3,925	201.4	11,625	58,723	4,444	207.7	26,697	80,020
59	5,619	267.1	35,258	102,683	5,460	254.8	20,890	86,414	4,093	210.1	12,192	61,308	4,610	215.5	29,170	84,485
60	5,964	283.5	38,185	109,754	5,612	261.9	21,793	89,132	4,277	219.5	12,824	64,143	4,785	223.7	31,863	89,287

累計値
- 建設業: 生涯賃金計 21,941(万円) / 所定内賃金部分 15,501 / 賞与部分 6,440
- 食料品: 生涯賃金計 21,245(万円) / 所定内賃金部分 16,004 / 賞与部分 5,241
- 繊維工業: 生涯賃金計 16,359(万円) / 所定内賃金部分 13,329 / 賞与部分 3,030
- パルプ・紙・紙加工品: 生涯賃金計 18,994(万円) / 所定内賃金部分 14,180 / 賞与部分 4,814

表4-2-(2) 産業別にみた大学卒・女性の個別賃金推計値（規模計）
（印刷・同関連業，化学工業，プラスチック製品，ゴム製品）

（単位：百円）

年齢（歳）	印刷・同関連業 所定内 金額	印刷・同関連業 所定内 指数	印刷・同関連業 年間賞与	印刷・同関連業 年間賃金	化学工業 所定内 金額	化学工業 所定内 指数	化学工業 年間賞与	化学工業 年間賃金	プラスチック製品 所定内 金額	プラスチック製品 所定内 指数	プラスチック製品 年間賞与	プラスチック製品 年間賃金	ゴム製品 所定内 金額	ゴム製品 所定内 指数	ゴム製品 年間賞与	ゴム製品 年間賃金
18																
19																
20																
21																
22	2,275	100.0	860	28,159	2,052	100.0	8,769	33,388	2,114	100.0	5,195	30,566	1,862	100.0	2,667	25,015
23	2,272	99.9	1,186	28,453	2,157	105.2	9,200	35,088	2,158	102.1	6,036	31,931	1,993	107.0	4,916	28,835
24	2,283	100.3	1,577	28,972	2,266	110.4	9,693	36,884	2,202	104.1	6,777	33,196	2,107	113.2	6,827	32,116
25	2,306	101.3	2,025	29,693	2,377	115.9	10,242	38,766	2,246	106.2	7,426	34,374	2,206	118.5	8,428	34,901
26	2,339	102.8	2,523	30,593	2,490	121.4	10,840	40,722	2,291	108.3	7,994	35,481	2,291	123.0	9,743	37,234
27	2,382	104.7	3,063	31,650	2,605	127.0	11,483	42,741	2,337	110.5	8,490	36,530	2,363	126.9	10,798	39,159
28	2,434	107.0	3,637	32,841	2,721	132.6	12,163	44,811	2,384	112.8	8,925	37,536	2,425	130.2	11,618	40,718
29	2,492	109.5	4,238	34,142	2,837	138.3	12,875	46,922	2,434	115.1	9,308	38,514	2,477	133.0	12,229	41,957
30	2,556	112.4	4,859	35,532	2,954	144.0	13,612	49,063	2,486	117.6	9,648	39,476	2,522	135.4	12,656	42,918
31	2,625	115.4	5,492	36,986	3,071	149.7	14,369	51,222	2,540	120.1	9,956	40,439	2,560	137.5	12,924	43,645
32	2,696	118.5	6,129	38,483	3,187	155.4	15,138	53,387	2,598	122.9	10,240	41,415	2,594	139.3	13,058	44,182
33	2,770	121.7	6,763	40,000	3,303	161.0	15,915	55,549	2,659	125.8	10,512	42,419	2,624	140.9	13,085	44,571
34	2,844	125.0	7,387	41,513	3,417	166.5	16,693	57,695	2,724	128.8	10,780	43,465	2,652	142.4	13,029	44,858
35	2,917	128.2	7,993	43,000	3,529	172.0	17,466	59,815	2,793	132.1	11,055	44,569	2,681	143.9	12,916	45,085
36	2,989	131.4	8,574	44,438	3,639	177.4	18,228	61,897	2,866	135.6	11,346	45,743	2,710	145.5	12,772	45,295
37	3,057	134.4	9,121	45,804	3,746	182.6	18,972	63,930	2,945	139.3	11,662	47,002	2,743	147.3	12,621	45,534
38	3,121	137.2	9,628	47,075	3,851	187.7	19,694	65,903	3,029	143.3	12,015	48,361	2,780	149.3	12,489	45,843
39	3,178	139.7	10,087	48,229	3,952	192.6	20,385	67,804	3,118	147.5	12,412	49,833	2,822	151.5	12,401	46,267
40	3,229	142.0	10,491	49,242	4,049	197.3	21,041	69,624	3,214	152.0	12,865	51,433	2,872	154.2	12,383	46,849
41	3,272	143.8	10,831	50,092	4,141	201.8	21,656	71,349	3,316	156.8	13,382	53,175	2,931	157.4	12,460	47,633
42	3,305	145.3	11,101	50,756	4,229	206.1	22,222	72,970	3,425	162.0	13,974	55,074	3,000	161.1	12,658	48,663
43	3,326	146.2	11,293	51,211	4,312	210.2	22,735	74,474	3,541	167.5	14,650	57,144	3,082	165.5	13,002	49,982
44	3,336	146.6	11,400	51,434	4,389	213.9	23,188	75,851	3,665	173.3	15,420	59,398	3,176	170.6	13,517	51,633
45	3,332	146.5	11,413	51,402	4,460	217.4	23,574	77,090	3,796	179.6	16,294	61,852	3,286	176.4	14,229	53,660
46	3,314	145.7	11,326	51,093	4,524	220.5	23,889	78,179	3,936	186.2	17,282	64,519	3,412	183.2	15,162	56,108
47	3,279	144.2	11,131	50,483	4,582	223.3	24,125	79,107	4,085	193.2	18,392	67,414	3,556	191.0	16,344	59,019
48	3,227	141.9	10,820	49,550	4,632	225.8	24,276	79,863	4,243	200.7	19,636	70,550	3,720	199.7	17,798	62,437
49	3,157	138.8	10,386	48,271	4,675	227.9	24,338	80,436	4,410	208.6	21,022	73,943	3,905	209.7	19,550	66,405
50	3,067	134.8	9,822	46,623	4,709	229.5	24,302	80,815	4,587	217.0	22,561	77,607	4,112	220.8	21,626	70,968
51	2,955	129.9	9,120	44,583	4,735	230.8	24,164	80,988	4,774	225.8	24,262	81,555	4,343	233.2	24,051	76,168
52	2,821	124.0	8,272	42,129	4,752	231.6	23,917	80,944	4,972	235.2	26,135	85,802	4,600	247.0	26,850	82,050
53	2,664	117.1	7,271	39,237	4,760	232.0	23,555	80,672	5,181	245.1	28,189	90,363	4,884	262.2	30,050	88,656
54	2,481	109.1	6,109	35,885	4,757	231.9	23,072	80,161	5,401	255.5	30,435	95,251	5,197	279.0	33,674	96,032
55	2,273	99.9	4,780	32,050	4,745	231.3	22,462	79,400	5,633	266.4	32,882	100,481	5,539	297.4	37,749	104,219
56	2,036	89.5	3,275	27,709	4,721	230.1	21,719	78,377	5,877	278.0	35,540	106,067	5,914	317.5	42,299	113,262
57	1,771	77.8	1,586	22,838	4,687	228.5	20,837	77,081	6,134	290.1	38,419	112,023	6,321	339.4	47,351	123,205
58	1,476	64.9		17,417	4,641	226.2	19,809	75,502	6,403	302.8	41,527	118,363	6,763	363.2	52,930	134,090
59	1,149	50.5		11,420	4,583	223.4	18,629	73,627	6,686	316.2	44,876	125,103	7,242	388.9	59,061	145,962
60	790	34.7		4,826	4,513	220.0	17,292	71,446	6,982	330.2	48,475	132,255	7,758	416.6	65,769	158,864

累計値	印刷・同関連業	化学工業	プラスチック製品	ゴム製品
生涯賃金計	14,938（万円）	25,235（万円）	24,602（万円）	24,640（万円）
所定内賃金部分	12,456	17,970	17,542	16,803
賞与部分	2,483	7,265	7,060	7,837

（注）空白部分は人員構成等の理由で推計値が異常値となるため未掲載。339頁，344頁同じ。

表4−2−(3)　産業別にみた大学卒・女性の個別賃金推計値（規模計）
（窯業・土石製品，鉄鋼業，非鉄金属，金属製品）

(単位：百円)

年齢(歳)	窯業・土石製品 所定内 金額	指数	年間賞与	年間賃金	鉄鋼業 所定内 金額	指数	年間賞与	年間賃金	非鉄金属 所定内 金額	指数	年間賞与	年間賃金	金属製品 所定内 金額	指数	年間賞与	年間賃金
18																
19																
20																
21																
22	2,472	100.0	6,571	36,240	2,141	100.0	5,480	31,166	2,130	100.0	5,841	31,405	2,135	100.0	6,073	31,689
23	2,325	94.0	6,409	34,310	2,172	101.5	5,950	32,014	2,191	102.9	6,991	33,284	2,154	100.9	6,998	32,842
24	2,210	89.4	6,336	32,855	2,211	103.3	6,430	32,966	2,250	105.6	7,999	34,999	2,174	101.9	7,807	33,900
25	2,125	86.0	6,347	31,849	2,258	105.5	6,916	34,011	2,307	108.3	8,876	36,562	2,197	102.9	8,507	34,868
26	2,069	83.7	6,436	31,260	2,311	108.0	7,405	35,137	2,363	110.9	9,632	37,990	2,221	104.0	9,106	35,756
27	2,039	82.5	6,597	31,063	2,370	110.7	7,896	36,334	2,418	113.5	10,278	39,297	2,247	105.3	9,610	36,571
28	2,033	82.2	6,825	31,227	2,434	113.7	8,384	37,591	2,473	116.1	10,826	40,496	2,275	106.6	10,026	37,321
29	2,051	82.9	7,114	31,724	2,502	116.9	8,868	38,895	2,526	118.6	11,286	41,603	2,304	108.0	10,361	38,013
30	2,089	84.5	7,458	32,526	2,574	120.3	9,344	40,237	2,580	121.1	11,670	42,633	2,336	109.4	10,623	38,655
31	2,146	86.8	7,853	33,604	2,650	123.8	9,810	41,605	2,634	123.6	11,989	43,599	2,370	111.0	10,818	39,256
32	2,220	89.8	8,291	34,929	2,727	127.4	10,263	42,988	2,689	126.2	12,253	44,517	2,406	112.7	10,953	39,822
33	2,309	93.4	8,767	36,474	2,806	131.1	10,700	44,375	2,744	128.8	12,473	45,400	2,444	114.5	11,036	40,362
34	2,411	97.5	9,277	38,209	2,886	134.8	11,119	45,755	2,800	131.4	12,662	46,264	2,484	116.4	11,073	40,884
35	2,524	102.1	9,814	40,106	2,967	138.6	11,515	47,117	2,858	134.1	12,829	47,123	2,527	118.4	11,071	41,394
36	2,647	107.1	10,372	42,136	3,047	142.3	11,888	48,449	2,917	136.9	12,985	47,992	2,572	120.5	11,038	41,902
37	2,777	112.3	10,947	44,272	3,126	146.0	12,234	49,740	2,978	139.8	13,143	48,885	2,620	122.7	10,980	42,415
38	2,913	117.8	11,532	46,483	3,203	149.6	12,549	50,980	3,042	142.8	13,312	49,816	2,670	125.1	10,904	42,940
39	3,052	123.4	12,121	48,742	3,277	153.1	12,832	52,157	3,108	145.9	13,504	50,801	2,722	127.5	10,818	43,486
40	3,193	129.1	12,710	51,021	3,348	156.4	13,080	53,260	3,177	149.1	13,729	51,853	2,778	130.1	10,728	44,059
41	3,333	134.8	13,293	53,290	3,416	159.6	13,289	54,278	3,249	152.5	14,000	52,988	2,836	132.8	10,642	44,669
42	3,472	140.4	13,863	55,521	3,479	162.5	13,457	55,200	3,324	156.1	14,326	54,219	2,896	135.7	10,566	45,323
43	3,606	145.8	14,415	57,686	3,536	165.2	13,582	56,015	3,404	159.8	14,719	55,562	2,960	138.7	10,507	46,028
44	3,734	151.0	14,944	59,755	3,588	167.6	13,659	56,711	3,487	163.7	15,190	57,031	3,027	141.8	10,473	46,792
45	3,855	155.9	15,444	61,702	3,633	169.7	13,688	57,278	3,574	167.8	15,749	58,641	3,096	145.0	10,470	47,624
46	3,966	160.4	15,910	63,496	3,670	171.5	13,664	57,705	3,666	172.1	16,409	60,405	3,169	148.4	10,505	48,530
47	4,065	164.4	16,335	65,109	3,700	172.8	13,585	57,980	3,763	176.7	17,180	62,340	3,244	152.0	10,586	49,519
48	4,150	167.8	16,714	66,514	3,720	173.8	13,449	58,092	3,865	181.4	18,072	64,458	3,323	155.7	10,720	50,599
49	4,220	170.7	17,042	67,680	3,732	174.3	13,252	58,030	3,973	186.5	19,098	66,775	3,405	159.5	10,913	51,776
50	4,272	172.8	17,312	68,580	3,733	174.4	12,991	57,783	4,087	191.8	20,267	69,306	3,491	163.5	11,172	53,060
51	4,305	174.1	17,520	69,186	3,723	173.9	12,665	57,340	4,206	197.4	21,592	72,064	3,579	167.7	11,505	54,458
52	4,317	174.6	17,660	69,468	3,702	172.9	12,269	56,690	4,332	203.3	23,082	75,064	3,672	172.0	11,918	55,977
53	4,306	174.2	17,725	69,398	3,668	171.4	11,802	55,822	4,464	209.6	24,750	78,322	3,767	176.5	12,419	57,626
54	4,270	172.7	17,711	68,948	3,622	169.2	11,260	54,724	4,604	216.1	26,606	81,851	3,866	181.1	13,014	59,412
55	4,206	170.1	17,612	68,089	3,562	166.4	10,641	53,385	4,750	223.0	28,661	85,666	3,969	186.0	13,711	61,343
56	4,114	166.4	17,421	66,792	3,488	162.9	9,941	51,795	4,905	230.2	30,926	89,782	4,076	190.9	14,516	63,427
57	3,991	161.4	17,135	65,029	3,399	158.8	9,159	49,942	5,067	237.8	33,412	94,213	4,186	196.1	15,437	65,671
58	3,835	155.1	16,746	62,771	3,294	153.9	8,291	47,816	5,237	245.8	36,130	98,974	4,300	201.5	16,480	68,084
59	3,645	147.4	16,249	59,990	3,172	148.2	7,335	45,404	5,416	254.2	39,092	104,078	4,418	207.0	17,653	70,673
60	3,418	138.3	15,639	56,658	3,034	141.7	6,287	42,696	5,603	263.0	42,308	109,542	4,540	212.7	18,963	73,445
累計値	生涯賃金計 19,847(万円) 所定内賃金部分 14,962 賞与部分 4,885				生涯賃金計 18,795(万円) 所定内賃金部分 14,625 賞与部分 4,169				生涯賃金計 23,058(万円) 所定内賃金部分 16,220 賞与部分 6,838				生涯賃金計 18,502(万円) 所定内賃金部分 14,095 賞与部分 4,407			

表4-2-(4) 産業別にみた大学卒・女性の個別賃金推計値（規模計）
(生産用機器, 電気機器, 情報通信機器, 輸送用機器)

(単位：百円)

年齢(歳)	生産用機器 所定内 金額	指数	年間賞与	年間賃金	電気機器 所定内 金額	指数	年間賞与	年間賃金	情報通信機器 所定内 金額	指数	年間賞与	年間賃金	輸送用機器 所定内 金額	指数	年間賞与	年間賃金
18																
19																
20																
21																
22	2,100	100.0	10,437	35,635	2,173	100.0	6,875	32,957	1,876	100.0	5,206	27,719	2,319	100.0	7,480	35,303
23	2,146	102.2	10,418	36,171	2,215	101.9	7,640	34,222	2,075	110.6	7,192	32,094	2,264	97.6	7,577	34,743
24	2,187	104.2	10,419	36,669	2,259	103.9	8,349	35,452	2,258	120.4	8,978	36,076	2,234	96.4	7,785	34,593
25	2,225	106.0	10,444	37,144	2,304	106.0	9,009	36,652	2,426	129.3	10,574	39,686	2,227	96.1	8,095	34,823
26	2,259	107.6	10,496	37,609	2,351	108.2	9,622	37,830	2,579	137.5	11,991	42,944	2,242	96.7	8,496	35,400
27	2,292	109.1	10,579	38,078	2,400	110.4	10,195	38,989	2,719	144.9	13,239	45,871	2,276	98.2	8,980	36,291
28	2,322	110.6	10,696	38,564	2,450	112.7	10,731	40,136	2,847	151.7	14,329	48,490	2,328	100.4	9,535	37,466
29	2,352	112.0	10,853	39,082	2,503	115.2	11,236	41,277	2,962	157.9	15,272	50,819	2,395	103.3	10,152	38,891
30	2,383	113.5	11,051	39,645	2,559	117.7	11,714	42,417	3,067	163.5	16,078	52,882	2,476	106.8	10,821	40,534
31	2,414	115.0	11,297	40,267	2,616	120.4	12,169	43,563	3,162	168.5	16,758	54,697	2,569	110.8	11,532	42,364
32	2,448	116.6	11,592	40,962	2,676	123.1	12,607	44,719	3,247	173.1	17,323	56,287	2,673	115.3	12,276	44,348
33	2,483	118.3	11,941	41,743	2,738	126.0	13,032	45,892	3,324	177.2	17,783	57,672	2,784	120.1	13,043	46,454
34	2,523	120.1	12,348	42,623	2,803	129.0	13,448	47,087	3,394	180.9	18,149	58,874	2,902	125.2	13,822	48,650
35	2,567	122.2	12,817	43,618	2,871	132.1	13,861	48,311	3,457	184.3	18,431	59,912	3,025	130.5	14,603	50,904
36	2,616	124.6	13,351	44,740	2,941	135.3	14,275	49,568	3,514	187.3	18,640	60,809	3,150	135.9	15,378	53,183
37	2,671	127.2	13,955	46,002	3,014	138.7	14,695	50,865	3,566	190.1	18,788	61,585	3,277	141.3	16,135	55,457
38	2,732	130.1	14,631	47,420	3,090	142.2	15,125	52,207	3,615	192.7	18,884	62,261	3,402	146.7	16,866	57,691
39	2,802	133.4	15,384	49,006	3,169	145.8	15,571	53,600	3,660	195.1	18,938	62,858	3,525	152.0	17,560	59,855
40	2,880	137.1	16,219	50,775	3,251	149.6	16,036	55,050	3,703	197.4	18,963	63,396	3,642	157.1	18,207	61,916
41	2,967	141.3	17,137	52,739	3,336	153.5	16,525	56,563	3,744	199.6	18,968	63,898	3,754	161.9	18,798	63,842
42	3,064	145.9	18,144	54,914	3,425	157.6	17,044	58,144	3,785	201.7	18,964	64,383	3,857	166.3	19,322	65,601
43	3,172	151.1	19,244	57,311	3,517	161.8	17,596	59,799	3,826	203.9	18,962	64,873	3,949	170.3	19,770	67,161
44	3,292	156.8	20,439	59,946	3,612	166.2	18,187	61,534	3,868	206.2	18,972	65,389	4,030	173.8	20,132	68,489
45	3,425	163.1	21,734	62,831	3,711	170.7	18,821	63,354	3,912	208.5	19,005	65,952	4,096	176.7	20,398	69,554
46	3,571	170.0	23,133	65,981	3,814	175.5	19,502	65,266	3,959	211.0	19,071	66,582	4,147	178.9	20,558	70,323
47	3,731	177.7	24,640	69,410	3,920	180.4	20,236	67,275	4,010	213.7	19,182	67,301	4,180	180.3	20,602	70,764
48	3,906	186.0	26,257	73,130	4,030	185.4	21,028	69,386	4,065	216.7	19,348	68,129	4,194	180.9	20,521	70,846
49	4,097	195.1	27,990	77,156	4,144	190.7	21,881	71,606	4,126	219.9	19,579	69,087	4,186	180.5	20,304	70,536
50	4,305	205.0	29,842	81,501	4,262	196.1	22,800	73,940	4,193	223.5	19,886	70,197	4,155	179.2	19,941	69,801
51	4,530	215.7	31,817	86,179	4,384	201.7	23,791	76,395	4,267	227.4	20,280	71,479	4,099	176.8	19,423	68,610
52	4,774	227.3	33,918	91,205	4,510	207.5	24,857	78,975	4,349	231.8	20,772	72,955	4,016	173.2	18,741	66,931
53	5,037	239.9	36,150	96,590	4,640	213.5	26,004	81,686	4,439	236.6	21,371	74,645	3,904	168.4	17,883	64,731
54	5,320	253.3	38,516	102,350	4,775	219.7	27,236	84,535	4,540	242.0	22,090	76,570	3,762	162.2	16,840	61,978
55	5,623	267.8	41,020	108,498	4,914	226.1	28,558	87,527	4,651	247.9	22,937	78,751	3,587	154.7	15,602	58,641
56	5,949	283.3	43,666	115,048	5,058	232.7	29,974	90,667	4,774	254.4	23,925	81,209	3,377	145.7	14,159	54,687
57	6,296	299.8	46,457	122,013	5,206	239.5	31,490	93,962	4,908	261.6	25,063	83,965	3,132	135.1	12,502	50,084
58	6,667	317.5	49,399	129,407	5,359	246.6	33,109	97,417	5,056	269.5	26,363	87,040	2,848	122.8	10,621	44,799
59	7,063	336.3	52,493	137,244	5,517	253.8	34,837	101,038	5,218	278.2	27,834	90,455	2,525	108.9	8,505	38,801
60	7,483	356.3	55,745	145,537	5,679	261.3	36,678	104,831	5,395	287.6	29,488	94,231	2,159	93.1	6,145	32,058
累計値	生涯賃金計 25,747(万円) 所定内賃金部分 16,881 賞与部分 8,867				生涯賃金計 23,747(万円) 所定内賃金部分 16,584 賞与部分 7,163				生涯賃金計 24,520(万円) 所定内賃金部分 17,345 賞与部分 7,176				生涯賃金計 20,771(万円) 所定内賃金部分 15,080 賞与部分 5,691			

表4-2-(5) 産業別にみた大学卒・女性の個別賃金推計値（規模計）
（電気業，ガス業，通信業，放送業）

（単位：百円）

年齢(歳)	電気業 所定内 金額	指数	年間賞与	年間賃金	ガス業 所定内 金額	指数	年間賞与	年間賃金	通信業 所定内 金額	指数	年間賞与	年間賃金	放送業 所定内 金額	指数	年間賞与	年間賃金
18																
19																
20																
21																
22	2,079	100.0	8,110	33,055	1,690	100.0	7,477	27,762	2,212	100.0	6,489	33,032	2,522	100.0	10,443	40,706
23	2,162	104.0	7,180	33,124	1,963	116.1	9,326	32,879	2,319	104.8	6,778	34,602	2,403	95.3	10,880	39,710
24	2,253	108.4	6,533	33,573	2,217	131.2	11,033	37,638	2,430	109.9	7,173	36,338	2,325	92.2	11,360	39,265
25	2,352	113.2	6,147	34,374	2,454	145.2	12,606	42,053	2,547	115.1	7,665	38,225	2,288	90.7	11,882	39,335
26	2,458	118.2	5,999	35,496	2,674	158.2	14,050	46,140	2,667	120.6	8,244	40,247	2,287	90.7	12,442	39,887
27	2,570	123.6	6,067	36,910	2,879	170.3	15,372	49,916	2,791	126.2	8,904	42,392	2,321	92.0	13,037	40,887
28	2,688	129.3	6,330	38,587	3,068	181.5	16,581	53,395	2,917	131.9	9,634	44,644	2,386	94.6	13,664	42,301
29	2,811	135.2	6,766	40,496	3,243	191.8	17,681	56,594	3,047	137.7	10,428	46,988	2,481	98.4	14,320	44,094
30	2,938	141.3	7,352	42,609	3,404	201.4	18,681	59,527	3,178	143.7	11,276	49,409	2,603	103.2	15,003	46,233
31	3,069	147.6	8,067	44,895	3,552	210.1	19,587	62,212	3,310	149.7	12,171	51,894	2,748	109.0	15,709	48,684
32	3,203	154.1	8,888	47,326	3,688	218.2	20,405	64,664	3,444	155.7	13,102	54,427	2,915	115.6	16,435	51,413
33	3,340	160.7	9,793	49,872	3,813	225.6	21,144	66,897	3,578	161.7	14,063	56,995	3,101	122.9	17,179	54,386
34	3,478	167.3	10,761	52,503	3,927	232.3	21,808	68,929	3,711	167.8	15,045	59,581	3,303	131.0	17,937	57,568
35	3,618	174.1	11,770	55,189	4,031	238.4	22,406	70,775	3,844	173.8	16,039	62,172	3,518	139.5	18,707	60,926
36	3,759	180.8	12,797	57,902	4,125	244.1	22,945	72,449	3,976	179.8	17,036	64,753	3,745	148.5	19,485	64,426
37	3,899	187.6	13,820	60,611	4,212	249.2	23,430	73,969	4,107	185.7	18,029	67,309	3,980	157.8	20,269	68,034
38	4,039	194.3	14,818	63,287	4,290	253.8	23,869	75,350	4,235	191.5	19,009	69,826	4,222	167.4	21,055	71,716
39	4,178	201.0	15,768	65,900	4,362	258.0	24,268	76,607	4,360	197.1	19,967	72,290	4,466	177.1	21,841	75,438
40	4,314	207.5	16,649	68,422	4,427	261.9	24,635	77,757	4,482	202.6	20,895	74,684	4,712	186.8	22,624	79,165
41	4,449	214.0	17,438	70,822	4,486	265.4	24,977	78,814	4,601	208.0	21,785	76,995	4,955	196.5	23,400	82,865
42	4,580	220.3	18,113	73,070	4,541	268.7	25,299	79,795	4,715	213.2	22,627	79,209	5,195	206.0	24,167	86,502
43	4,707	226.4	18,653	75,138	4,592	271.7	25,609	80,715	4,825	218.1	23,415	81,310	5,427	215.2	24,921	90,043
44	4,830	232.4	19,035	76,996	4,640	274.5	25,914	81,590	4,929	222.8	24,138	83,284	5,649	224.0	25,661	93,454
45	4,948	238.0	19,237	78,613	4,685	277.1	26,221	82,437	5,027	227.3	24,789	85,116	5,860	232.4	26,382	96,701
46	5,060	243.4	19,238	79,962	4,728	279.7	26,536	83,269	5,119	231.4	25,360	86,792	6,056	240.1	27,082	99,750
47	5,166	248.5	19,014	81,011	4,770	282.2	26,867	84,104	5,205	235.3	25,841	88,297	6,234	247.2	27,758	102,566
48	5,266	253.3	18,546	81,732	4,811	284.6	27,219	84,956	5,283	238.8	26,225	89,617	6,392	253.5	28,407	105,117
49	5,357	257.7	17,809	82,095	4,853	287.1	27,600	85,842	5,353	242.0	26,502	90,736	6,528	258.9	29,026	107,367
50	5,441	261.7	16,783	82,070	4,897	289.7	28,017	86,777	5,415	244.8	26,665	91,640	6,639	263.3	29,612	109,284
51	5,515	265.3	15,444	81,629	4,942	292.3	28,477	87,777	5,467	247.2	26,705	92,315	6,722	266.6	30,162	110,832
52	5,581	268.5	13,772	80,740	4,989	295.2	28,986	88,858	5,511	249.1	26,614	92,745	6,775	268.7	30,674	111,979
53	5,636	271.1	11,745	79,376	5,040	298.2	29,551	90,035	5,545	250.7	26,383	92,917	6,796	269.5	31,143	112,689
54	5,681	273.3	9,339	77,505	5,095	301.4	30,179	91,324	5,568	251.7	26,003	92,815	6,780	268.9	31,567	112,929
55	5,714	274.9	6,534	75,099	5,155	305.0	30,877	92,741	5,580	252.3	25,467	92,426	6,727	266.7	31,944	112,665
56	5,735	275.9	3,306	72,129	5,221	308.9	31,652	94,301	5,581	252.3	24,765	91,733	6,633	263.0	32,269	111,864
57	5,744	276.3		68,564	5,293	313.1	32,510	96,021	5,569	251.8	23,890	90,724	6,496	257.6	32,541	110,490
58	5,740	276.1		64,375	5,371	317.8	33,459	97,915	5,546	250.7	22,833	89,382	6,313	250.3	32,756	108,510
59	5,722	275.2		59,533	5,458	322.9	34,504	100,000	5,509	249.1	21,585	87,694	6,082	241.2	32,912	105,890
60	5,689	273.7		54,007	5,553	328.5	35,654	102,291	5,459	246.8	20,138	85,645	5,799	230.0	33,005	102,596

累計値

電気業：生涯賃金計 23,886（万円）　所定内賃金部分 19,892　賞与部分 3,994
ガス業：生涯賃金計 28,851（万円）　所定内賃金部分 19,577　賞与部分 9,274
通信業：生涯賃金計 27,612（万円）　所定内賃金部分 20,275　賞与部分 7,337
放送業：生涯賃金計 30,783（万円）　所定内賃金部分 21,886　賞与部分 8,897

表4-2-(6) 産業別にみた大学卒・女性の個別賃金推計値（規模計）
（情報サービス業，映像・音声・文字情報制作，鉄道業，道路貨物運送業）

(単位：百円)

年齢(歳)	情報サービス業 所定内 金額	指数	年間賞与	年間賃金	映像・音声・文字情報制作 所定内 金額	指数	年間賞与	年間賃金	鉄道業 所定内 金額	指数	年間賞与	年間賃金	道路貨物運送業 所定内 金額	指数	年間賞与	年間賃金
18																
19																
20																
21																
22	2,167	100.0	5,764	31,771	2,082	100.0	4,993	29,973	2,181	100.0	5,763	31,931	2,163	100.0	6,752	32,712
23	2,259	104.2	6,629	33,734	2,227	107.0	6,102	32,822	2,204	101.1	6,142	32,588	2,213	102.3	7,365	33,923
24	2,348	108.3	7,437	35,612	2,364	113.6	7,116	35,484	2,242	102.8	6,536	33,437	2,261	104.5	7,840	34,967
25	2,435	112.3	8,192	37,408	2,494	119.8	8,041	37,971	2,293	105.2	6,942	34,461	2,306	106.6	8,193	35,864
26	2,519	116.2	8,895	39,126	2,618	125.8	8,883	40,297	2,357	108.1	7,359	35,643	2,350	108.6	8,440	36,636
27	2,602	120.0	9,551	40,770	2,735	131.4	9,651	42,476	2,432	111.5	7,785	36,967	2,392	110.6	8,596	37,303
28	2,682	123.7	10,162	42,343	2,848	136.8	10,349	44,522	2,516	115.4	8,219	38,416	2,434	112.5	8,677	37,886
29	2,760	127.3	10,732	43,850	2,955	142.0	10,985	46,447	2,610	119.7	8,659	39,974	2,476	114.4	8,699	38,406
30	2,836	130.8	11,263	45,293	3,058	146.9	11,566	48,265	2,710	124.3	9,102	41,623	2,517	116.4	8,677	38,883
31	2,910	134.3	11,760	46,678	3,158	151.7	12,098	49,991	2,817	129.2	9,548	43,348	2,559	118.3	8,628	39,340
32	2,982	137.6	12,225	48,007	3,254	156.3	12,588	51,637	2,928	134.3	9,995	45,131	2,602	120.3	8,567	39,796
33	3,052	140.8	12,661	49,286	3,348	160.8	13,043	53,217	3,043	139.5	10,440	46,956	2,647	122.4	8,509	40,272
34	3,120	144.0	13,071	50,516	3,440	165.2	13,469	54,744	3,160	144.9	10,883	48,807	2,693	124.5	8,471	40,790
35	3,187	147.1	13,459	51,703	3,530	169.6	13,872	56,232	3,279	150.3	11,322	50,666	2,742	126.7	8,468	41,369
36	3,252	150.0	13,828	52,851	3,620	173.9	14,260	57,695	3,397	155.8	11,754	52,516	2,793	129.1	8,516	42,032
37	3,315	153.0	14,181	53,962	3,709	178.2	14,640	59,146	3,514	161.1	12,179	54,342	2,847	131.6	8,630	42,798
38	3,377	155.8	14,520	55,041	3,798	182.5	15,017	60,598	3,628	166.4	12,594	56,127	2,905	134.3	8,827	43,689
39	3,437	158.6	14,850	56,092	3,889	186.8	15,399	62,065	3,738	171.4	12,998	57,853	2,967	137.2	9,122	44,726
40	3,495	161.3	15,174	57,118	3,981	191.2	15,793	63,561	3,843	176.2	13,389	59,505	3,033	140.2	9,531	45,929
41	3,552	163.9	15,494	58,124	4,075	195.7	16,204	65,099	3,942	180.8	13,765	61,066	3,104	143.5	10,069	47,319
42	3,608	166.5	15,814	59,112	4,171	200.4	16,640	66,693	4,033	184.9	14,126	62,518	3,180	147.0	10,752	48,918
43	3,663	169.0	16,137	60,088	4,271	205.2	17,107	68,355	4,115	188.7	14,468	63,846	3,262	150.8	11,596	50,745
44	3,716	171.4	16,466	61,055	4,374	210.1	17,612	70,101	4,187	192.0	14,791	65,032	3,350	154.9	12,617	52,823
45	3,768	173.8	16,804	62,016	4,482	215.3	18,162	71,942	4,247	194.8	15,092	66,060	3,445	159.2	13,830	55,171
46	3,818	176.2	17,155	62,975	4,594	220.7	18,763	73,894	4,295	197.0	15,371	66,913	3,547	163.9	15,252	57,810
47	3,868	178.5	17,521	63,937	4,712	226.4	19,422	75,968	4,329	198.5	15,624	67,576	3,655	169.0	16,897	60,762
48	3,917	180.7	17,906	64,905	4,836	232.3	20,145	78,180	4,348	199.4	15,851	68,030	3,772	174.4	18,782	64,047
49	3,964	182.9	18,313	65,884	4,967	238.6	20,940	80,541	4,351	199.5	16,051	68,259	3,897	180.1	20,922	67,687
50	4,011	185.1	18,745	66,875	5,104	245.2	21,813	83,067	4,336	198.8	16,220	68,248	4,031	186.3	23,333	71,701
51	4,057	187.2	19,205	67,885	5,250	252.2	22,771	85,770	4,302	197.3	16,358	67,978	4,173	192.9	26,031	76,111
52	4,102	189.3	19,697	68,916	5,404	259.6	23,820	88,663	4,248	194.8	16,462	67,433	4,326	200.0	29,031	80,938
53	4,146	191.3	20,223	69,972	5,566	267.4	24,967	91,761	4,172	191.3	16,532	66,598	4,488	207.5	32,349	86,203
54	4,189	193.3	20,787	71,058	5,738	275.7	26,218	95,077	4,074	186.8	16,565	65,454	4,660	215.4	36,001	91,926
55	4,232	195.3	21,392	72,176	5,920	284.4	27,581	98,624	3,952	181.2	16,560	63,986	4,844	223.9	40,003	98,128
56	4,274	197.2	22,041	73,331	6,113	293.6	29,062	102,416	3,805	174.5	16,515	62,176	5,038	232.9	44,370	104,831
57	4,316	199.1	22,737	74,527	6,317	303.4	30,668	106,467	3,632	166.5	16,428	60,009	5,245	242.4	49,118	112,054
58	4,357	201.0	23,483	75,767	6,532	313.8	32,405	110,790	3,431	157.3	16,298	57,467	5,463	252.5	54,263	119,820
59	4,398	202.9	24,284	77,056	6,760	324.7	34,280	115,398	3,201	146.8	16,123	54,533	5,694	263.2	59,821	128,148
60	4,438	204.8	25,140	78,396	7,000	336.3	36,300	120,305	2,941	134.9	15,901	51,192	5,938	274.5	65,806	137,060

累計値																
生涯賃金計(万円)				22,252				26,763				21,147				23,595
所定内賃金部分				16,215				19,835				16,180				16,082
賞与部分				6,037				6,927				4,967				7,514

表4-2-(7) 産業別にみた大学卒・女性の個別賃金推計値（規模計）
（航空運輸業，卸売業，各種商品卸売業，各種商品小売業）

(単位：百円)

年齢(歳)	航空運輸業 所定内金額	指数	年間賞与	年間賃金	卸売業 所定内金額	指数	年間賞与	年間賃金	各種商品卸売業 所定内金額	指数	年間賞与	年間賃金	各種商品小売業 所定内金額	指数	年間賞与	年間賃金
18																
19																
20																
21																
22	1,872	100.0	3,079	25,542	2,192	100.0	5,917	32,222	2,912	100.0	11,066	46,015	2,073	100.0	5,263	30,136
23	2,091	111.7	3,060	28,148	2,252	102.7	6,944	33,964	2,889	99.2	12,503	47,176	2,140	103.3	5,680	31,362
24	2,294	122.5	3,007	30,535	2,313	105.5	7,880	35,630	2,898	99.5	14,116	48,890	2,207	106.5	6,080	32,567
25	2,483	132.6	2,925	32,719	2,375	108.3	8,731	37,225	2,935	100.8	15,884	51,108	2,274	109.7	6,464	33,751
26	2,658	142.0	2,819	34,713	2,438	111.2	9,501	38,752	2,999	103.0	17,791	53,783	2,340	112.9	6,831	34,914
27	2,820	150.6	2,694	36,533	2,501	114.1	10,198	40,216	3,087	106.0	19,819	56,865	2,406	116.1	7,182	36,055
28	2,970	158.6	2,556	38,192	2,566	117.1	10,828	41,621	3,197	109.8	21,947	60,306	2,471	119.2	7,518	37,174
29	3,108	166.0	2,410	39,704	2,631	120.0	11,396	42,972	3,325	114.2	24,160	64,058	2,536	122.3	7,838	38,269
30	3,235	172.8	2,261	41,085	2,697	123.0	11,908	44,272	3,470	119.1	26,438	68,072	2,600	125.4	8,143	39,341
31	3,353	179.1	2,114	42,348	2,763	126.0	12,371	45,527	3,628	124.6	28,762	72,299	2,663	128.5	8,434	40,390
32	3,461	184.9	1,975	43,509	2,829	129.1	12,791	46,740	3,798	130.4	31,116	76,692	2,725	131.5	8,710	41,413
33	3,561	190.2	1,849	44,581	2,895	132.1	13,174	47,916	3,977	136.5	33,480	81,202	2,787	134.4	8,973	42,412
34	3,653	195.2	1,742	45,578	2,961	135.1	13,526	49,059	4,162	142.9	35,836	85,780	2,847	137.4	9,221	43,386
35	3,738	199.7	1,658	46,516	3,027	138.1	13,853	50,173	4,351	149.4	38,166	90,378	2,906	140.2	9,457	44,333
36	3,817	203.9	1,603	47,409	3,092	141.0	14,160	51,262	4,541	155.9	40,453	94,947	2,965	143.0	9,679	45,254
37	3,891	207.8	1,582	48,270	3,156	144.0	14,455	52,332	4,730	162.4	42,676	99,439	3,022	145.8	9,888	46,148
38	3,960	211.5	1,600	49,115	3,220	146.9	14,743	53,385	4,915	168.8	44,819	103,805	3,077	148.5	10,086	47,014
39	4,025	215.0	1,663	49,958	3,283	149.8	15,031	54,428	5,094	174.9	46,863	107,997	3,132	151.1	10,271	47,853
40	4,086	218.3	1,776	50,813	3,345	152.6	15,323	55,463	5,265	180.8	48,790	111,967	3,185	153.7	10,444	48,663
41	4,146	221.5	1,944	51,694	3,406	155.4	15,627	56,495	5,424	186.2	50,582	115,665	3,236	156.1	10,606	49,444
42	4,204	224.6	2,173	52,617	3,465	158.1	15,949	57,529	5,569	191.2	52,219	119,044	3,287	158.6	10,757	50,195
43	4,261	227.6	2,468	53,595	3,523	160.7	16,294	58,568	5,698	195.6	53,685	122,056	3,335	160.9	10,897	50,916
44	4,317	230.6	2,834	54,643	3,579	163.3	16,669	59,617	5,807	199.4	54,961	124,650	3,382	163.1	11,027	51,607
45	4,375	233.7	3,276	55,775	3,633	165.7	17,080	60,681	5,896	202.4	56,028	126,780	3,427	165.3	11,146	52,267
46	4,434	236.9	3,799	57,006	3,686	168.1	17,532	61,763	5,961	204.7	56,869	128,396	3,470	167.4	11,256	52,895
47	4,495	240.1	4,410	58,349	3,736	170.4	18,032	62,868	5,999	206.0	57,464	129,451	3,511	169.4	11,356	53,491
48	4,559	243.6	5,113	59,821	3,784	172.6	18,586	64,000	6,008	206.3	57,797	129,895	3,551	171.3	11,447	54,054
49	4,627	247.2	5,913	61,434	3,830	174.7	19,200	65,164	5,986	205.5	57,848	129,680	3,588	173.1	11,530	54,584
50	4,699	251.0	6,816	63,203	3,874	176.7	19,881	66,364	5,930	203.6	57,599	128,758	3,623	174.8	11,603	55,081
51	4,776	255.2	7,827	65,143	3,914	178.6	20,633	67,603	5,837	200.4	57,033	127,080	3,656	176.4	11,669	55,543
52	4,860	259.6	8,951	67,268	3,952	180.3	21,464	68,887	5,706	195.9	56,130	124,598	3,687	177.9	11,727	55,971
53	4,950	264.4	10,194	69,593	3,987	181.9	22,379	70,220	5,533	190.0	54,873	121,263	3,716	179.3	11,777	56,364
54	5,048	269.6	11,561	72,131	4,019	183.3	23,384	71,606	5,315	182.5	53,243	117,027	3,742	180.5	11,820	56,721
55	5,153	275.3	13,057	74,898	4,047	184.6	24,486	73,049	5,052	173.4	51,222	111,841	3,765	181.7	11,856	57,042
56	5,268	281.4	14,687	77,907	4,072	185.8	25,690	74,554	4,739	162.7	48,793	105,658	3,787	182.7	11,886	57,326
57	5,393	288.1	16,457	81,173	4,093	186.7	27,003	76,124	4,374	150.2	45,936	98,427	3,805	183.6	11,909	57,573
58	5,528	295.3	18,372	84,711	4,111	187.5	28,431	77,765	3,956	135.8	42,633	90,101	3,821	184.4	11,927	57,782
59	5,675	303.2	20,437	88,535	4,125	188.2	29,979	79,481	3,481	119.5	38,866	80,632	3,835	185.0	11,939	57,954
60	5,833	311.6	22,658	92,659	4,135	188.6	31,654	81,275	2,946	101.2	34,617	69,971	3,845	185.5	11,945	58,086

累計値
- 航空運輸業：生涯賃金計 21,174(万円)　所定内賃金部分 18,921　賞与部分 2,253
- 卸売業：生涯賃金計 22,068(万円)　所定内賃金部分 15,541　賞与部分 6,527
- 各種商品卸売業：生涯賃金計 37,218(万円)　所定内賃金部分 21,287　賞与部分 15,931
- 各種商品小売業：生涯賃金計 18,553(万円)　所定内賃金部分 14,691　賞与部分 3,862

表4-2-(8) 産業別にみた大学卒・女性の個別賃金推計値（規模計）
（飲食料品小売業，機械器具小売業，銀行業，金融商品・商品先物取引業）

(単位：百円)

年齢(歳)	飲食料品小売業 所定内 金額	指数	年間賞与	年間賃金	機械器具小売業 所定内 金額	指数	年間賞与	年間賃金	銀行業 所定内 金額	指数	年間賞与	年間賃金	金融商品・商品先物取引業 所定内 金額	指数	年間賞与	年間賃金
18																
19																
20																
21																
22	1,896	100.0	3,578	26,333	2,147	100.0	4,900	30,662	2,093	100.0	6,232	31,350	2,538	100.0	6,373	36,827
23	1,989	104.9	4,877	28,745	2,136	99.5	5,710	31,345	2,137	102.1	7,195	32,844	2,636	103.9	8,994	40,623
24	2,070	109.2	5,992	30,837	2,137	99.5	6,427	32,066	2,188	104.5	8,113	34,369	2,733	107.7	11,342	44,141
25	2,141	112.9	6,936	32,632	2,147	100.0	7,057	32,822	2,245	107.2	8,986	35,920	2,830	111.5	13,430	47,393
26	2,203	116.2	7,720	34,154	2,167	100.9	7,608	33,609	2,306	110.2	9,814	37,491	2,927	115.3	15,273	50,392
27	2,256	119.0	8,359	35,426	2,195	102.2	8,085	34,422	2,373	113.4	10,600	39,075	3,022	119.1	16,884	53,151
28	2,301	121.3	8,864	36,470	2,230	103.9	8,494	35,258	2,444	116.7	11,343	40,666	3,117	122.8	18,279	55,684
29	2,338	123.3	9,248	37,309	2,273	105.9	8,842	36,113	2,518	120.3	12,044	42,258	3,211	126.5	19,470	58,004
30	2,370	125.0	9,524	37,967	2,321	108.1	9,135	36,981	2,595	124.0	12,705	43,846	3,304	130.2	20,472	60,123
31	2,397	126.4	9,705	38,466	2,373	110.6	9,379	37,860	2,675	127.8	13,325	45,424	3,396	133.8	21,299	62,054
32	2,419	127.6	9,803	38,829	2,430	113.2	9,581	38,746	2,757	131.7	13,906	46,985	3,487	137.4	21,965	63,812
33	2,437	128.5	9,831	39,079	2,491	116.0	9,746	39,633	2,839	135.7	14,449	48,523	3,577	141.0	22,483	65,408
34	2,453	129.4	9,802	39,240	2,553	118.9	9,882	40,519	2,923	139.7	14,954	50,033	3,666	144.4	22,868	66,856
35	2,467	130.1	9,728	39,334	2,617	121.9	9,993	41,399	3,007	143.7	15,423	51,508	3,753	147.9	23,135	68,170
36	2,480	130.8	9,623	39,384	2,682	124.9	10,088	42,269	3,091	147.7	15,855	52,943	3,839	151.3	23,296	69,361
37	2,493	131.5	9,498	39,413	2,746	127.9	10,171	43,124	3,173	151.6	16,253	54,332	3,923	154.6	23,366	70,444
38	2,506	132.2	9,366	39,444	2,809	130.9	10,249	43,962	3,254	155.5	16,616	55,667	4,006	157.9	23,359	71,430
39	2,522	133.0	9,241	39,501	2,871	133.7	10,329	44,777	3,333	159.2	16,945	56,945	4,087	161.1	23,289	72,335
40	2,539	133.9	9,135	39,605	2,929	136.4	10,416	45,567	3,410	162.9	17,242	58,158	4,167	164.2	23,170	73,169
41	2,560	135.0	9,060	39,781	2,984	139.0	10,518	46,325	3,483	166.4	17,507	59,300	4,244	167.2	23,015	73,947
42	2,585	136.3	9,030	40,050	3,034	141.3	10,639	47,050	3,552	169.7	17,741	60,367	4,320	170.2	22,840	74,682
43	2,615	137.9	9,057	40,437	3,079	143.4	10,787	47,736	3,617	172.8	17,945	61,350	4,394	173.1	22,658	75,386
44	2,651	139.8	9,153	40,963	3,118	145.2	10,967	48,379	3,677	175.7	18,119	62,246	4,466	176.0	22,482	76,074
45	2,693	142.0	9,332	41,653	3,149	146.7	11,187	48,976	3,732	178.3	18,264	63,046	4,536	178.7	22,328	76,756
46	2,744	144.7	9,606	42,528	3,173	147.8	11,452	49,522	3,780	180.6	18,382	63,747	4,603	181.4	22,209	77,448
47	2,802	147.8	9,987	43,612	3,187	148.5	11,768	50,014	3,822	182.6	18,472	64,341	4,669	184.0	22,138	78,162
48	2,870	151.3	10,489	44,928	3,192	148.7	12,142	50,447	3,857	184.3	18,537	64,823	4,732	186.5	22,131	78,911
49	2,948	155.5	11,124	46,499	3,186	148.4	12,580	50,817	3,884	185.6	18,576	65,186	4,792	188.8	22,201	79,708
50	3,037	160.2	11,905	48,348	3,169	147.6	13,089	51,120	3,903	186.5	18,590	65,425	4,850	191.1	22,362	80,567
51	3,138	165.5	12,845	50,497	3,140	146.3	13,674	51,352	3,913	186.9	18,581	65,534	4,906	193.3	22,628	81,500
52	3,251	171.5	13,956	52,970	3,097	144.3	14,342	51,509	3,913	187.0	18,548	65,506	4,959	195.4	23,013	82,520
53	3,378	178.2	15,251	55,790	3,041	141.6	15,099	51,587	3,904	186.5	18,494	65,337	5,009	197.4	23,531	83,640
54	3,520	185.6	16,742	58,980	2,969	138.3	15,951	51,581	3,883	185.5	18,418	65,018	5,057	199.3	24,197	84,875
55	3,677	193.9	18,443	62,562	2,882	134.2	16,905	51,489	3,852	184.0	18,321	64,546	5,101	201.0	25,023	86,236
56	3,850	203.0	20,366	66,560	2,778	129.4	17,967	51,305	3,809	182.0	18,205	63,913	5,143	202.6	26,025	87,736
57	4,039	213.0	22,523	70,996	2,657	123.8	19,143	51,026	3,754	179.3	18,070	63,114	5,181	204.2	27,216	89,390
58	4,247	224.0	24,929	75,894	2,517	117.3	20,440	50,647	3,685	176.1	17,917	62,143	5,217	205.6	28,610	91,209
59	4,474	235.9	27,594	81,277	2,359	109.9	21,863	50,165	3,604	172.2	17,747	60,993	5,249	206.8	30,221	93,208
60	4,720	248.9	30,532	87,167	2,180	101.5	23,419	49,575	3,508	167.6	17,560	59,660	5,278	208.0	32,063	95,398
累計値	生涯賃金計 17,837（万円） 所定内賃金部分 13,209 賞与部分 4,628				生涯賃金計 17,218（万円） 所定内賃金部分 12,617 賞与部分 4,600				生涯賃金計 21,239（万円） 所定内賃金部分 15,179 賞与部分 6,060				生涯賃金計 27,767（万円） 所定内賃金部分 19,311 賞与部分 8,456			

表4－2－(9)　産業別にみた大学卒・女性の個別賃金推計値（規模計）
（保険業，不動産業，広告業，宿泊業）

（単位：百円）

年齢(歳)	保険業				不動産業				広告業				宿泊業			
	所定内 金額	所定内 指数	年間賞与	年間賃金	所定内 金額	所定内 指数	年間賞与	年間賃金	所定内 金額	所定内 指数	年間賞与	年間賃金	所定内 金額	所定内 指数	年間賞与	年間賃金
18																
19																
20																
21																
22	2,096	100.0	7,369	32,527	2,181	100.0	4,710	30,881	2,257	100.0	3,097	30,175	1,998	100.0	2,066	26,047
23	2,175	103.8	7,935	34,038	2,256	103.5	6,218	33,296	2,530	112.1	3,750	34,115	2,044	102.3	2,352	26,877
24	2,253	107.5	8,530	35,570	2,331	106.9	7,570	35,542	2,773	122.9	4,360	37,641	2,089	104.5	2,597	27,663
25	2,331	111.2	9,152	37,123	2,404	110.3	8,776	37,629	2,988	132.4	4,931	40,783	2,134	106.8	2,803	28,408
26	2,408	114.9	9,799	38,695	2,477	113.6	9,844	39,567	3,175	140.7	5,466	43,572	2,178	109.0	2,973	29,115
27	2,485	118.5	10,469	40,286	2,548	116.9	10,783	41,365	3,339	148.0	5,971	46,038	2,223	111.2	3,111	29,788
28	2,561	122.2	11,160	41,895	2,619	120.1	11,604	43,034	3,480	154.2	6,448	48,212	2,268	113.5	3,219	30,430
29	2,638	125.8	11,868	43,522	2,689	123.3	12,315	44,584	3,602	159.6	6,903	50,124	2,312	115.7	3,299	31,043
30	2,715	129.5	12,592	45,167	2,758	126.5	12,925	46,024	3,706	164.2	7,338	51,805	2,356	117.9	3,355	31,632
31	2,791	133.2	13,330	46,827	2,827	129.6	13,443	47,365	3,794	168.1	7,759	53,284	2,401	120.1	3,389	32,200
32	2,869	136.8	14,079	48,503	2,895	132.7	13,878	48,617	3,869	171.4	8,169	54,593	2,445	122.4	3,404	32,749
33	2,946	140.5	14,837	50,194	2,962	135.8	14,241	49,789	3,932	174.3	8,572	55,761	2,490	124.6	3,402	33,284
34	3,025	144.3	15,601	51,899	3,029	138.9	14,539	50,892	3,987	176.7	8,973	56,819	2,535	126.9	3,387	33,807
35	3,104	148.1	16,369	53,618	3,096	142.0	14,782	51,936	4,035	178.8	9,375	57,798	2,580	129.1	3,361	34,323
36	3,184	151.9	17,140	55,350	3,163	145.0	14,979	52,930	4,079	180.8	9,782	58,727	2,625	131.4	3,328	34,833
37	3,265	155.8	17,910	57,095	3,229	148.1	15,139	53,884	4,120	182.6	10,199	59,638	2,671	133.7	3,289	35,341
38	3,348	159.7	18,678	58,850	3,295	151.1	15,271	54,810	4,161	184.4	10,629	60,560	2,717	136.0	3,247	35,852
39	3,431	163.7	19,441	60,617	3,361	154.1	15,385	55,715	4,204	186.3	11,076	61,525	2,763	138.3	3,206	36,367
40	3,517	167.7	20,196	62,394	3,427	157.1	15,490	56,612	4,251	188.4	11,546	62,561	2,810	140.6	3,168	36,891
41	3,603	171.9	20,942	64,181	3,493	160.2	15,595	57,509	4,305	190.8	12,041	63,701	2,857	143.0	3,136	37,426
42	3,692	176.1	21,677	65,977	3,559	163.2	15,708	58,416	4,367	193.5	12,565	64,974	2,905	145.4	3,112	37,976
43	3,782	180.4	22,397	67,781	3,625	166.2	15,840	59,344	4,441	196.8	13,124	66,410	2,954	147.8	3,100	38,544
44	3,874	184.8	23,100	69,593	3,692	169.3	15,998	60,302	4,527	200.6	13,720	68,041	3,003	150.2	3,102	39,133
45	3,969	189.3	23,785	71,411	3,759	172.4	16,194	61,301	4,628	205.1	14,358	69,896	3,052	152.7	3,121	39,747
46	4,066	193.9	24,449	73,236	3,826	175.5	16,434	62,350	4,747	210.4	15,042	72,006	3,103	155.2	3,159	40,389
47	4,165	198.7	25,090	75,066	3,894	178.6	16,730	63,460	4,885	216.5	15,776	74,401	3,154	157.8	3,220	41,062
48	4,266	203.5	25,705	76,902	3,963	181.7	17,089	64,640	5,046	223.6	16,563	77,111	3,205	160.4	3,306	41,770
49	4,371	208.5	26,292	78,741	4,032	184.9	17,521	65,900	5,230	231.8	17,409	80,168	3,258	163.0	3,420	42,516
50	4,478	213.6	26,848	80,585	4,101	188.1	18,035	67,251	5,440	241.1	18,317	83,601	3,312	165.7	3,564	43,303
51	4,588	218.9	27,373	82,431	4,172	191.3	18,641	68,702	5,679	251.7	19,291	87,441	3,366	168.4	3,742	44,134
52	4,701	224.3	27,862	84,279	4,243	194.6	19,347	70,264	5,949	263.6	20,336	91,718	3,421	171.2	3,957	45,013
53	4,818	229.8	28,314	86,129	4,315	197.9	20,163	71,946	6,251	277.0	21,454	96,462	3,478	174.0	4,210	45,943
54	4,938	235.5	28,727	87,980	4,388	201.2	21,097	73,758	6,588	291.9	22,651	101,705	3,535	176.9	4,505	46,927
55	5,061	241.4	29,099	89,832	4,463	204.6	22,159	75,711	6,962	308.5	23,930	107,476	3,594	179.8	4,845	47,968
56	5,188	247.5	29,426	91,683	4,538	208.1	23,358	77,814	7,376	326.9	25,296	113,806	3,653	182.8	5,232	49,071
57	5,319	253.7	29,707	93,532	4,614	211.6	24,704	80,077	7,831	347.0	26,752	120,725	3,714	185.8	5,669	50,237
58	5,453	260.1	29,939	95,380	4,692	215.2	26,205	82,511	8,330	369.2	28,303	128,264	3,776	189.0	6,159	51,471
59	5,592	266.7	30,120	97,226	4,771	218.8	27,870	85,125	8,875	393.3	29,952	136,452	3,839	192.1	6,704	52,776
60	5,735	273.6	30,248	99,068	4,852	222.5	29,708	87,929	9,468	419.6	31,704	145,321	3,904	195.3	7,308	54,155
累計値	生涯賃金計 25,252(万円) 所定内賃金部分 17,376 賞与部分 7,876				生涯賃金計 22,688(万円) 所定内賃金部分 16,385 賞与部分 6,303				生涯賃金計 28,134(万円) 所定内賃金部分 22,705 賞与部分 5,429				生涯賃金計 14,962(万円) 所定内賃金部分 13,527 賞与部分 1,435			

表4-2-(10) 産業別にみた大学卒・女性の個別賃金推計値（規模計）
(飲食店，学校教育，医療業，社会保険・社会福祉・介護事業)

(単位：百円)

年齢(歳)	飲食店 所定内 金額	飲食店 所定内 指数	飲食店 年間賞与	飲食店 年間賃金	学校教育 所定内 金額	学校教育 所定内 指数	学校教育 年間賞与	学校教育 年間賃金	医療業 所定内 金額	医療業 所定内 指数	医療業 年間賞与	医療業 年間賃金	社会保険・社会福祉・介護事業 所定内 金額	社会保険・社会福祉・介護事業 所定内 指数	社会保険・社会福祉・介護事業 年間賞与	社会保険・社会福祉・介護事業 年間賃金
18																
19																
20																
21																
22	2,294	100.0	4,625	32,148	2,233	100.0	6,904	33,701	2,455	100.0	6,258	35,722	2,171	100.0	7,236	33,294
23	2,260	98.5	4,196	31,317	2,300	103.0	7,447	35,044	2,481	101.0	6,877	36,648	2,197	101.2	7,990	34,352
24	2,249	98.0	3,988	30,972	2,368	106.1	7,986	36,408	2,509	102.2	7,437	37,543	2,224	102.4	8,632	35,324
25	2,258	98.4	3,982	31,075	2,439	109.2	8,520	37,791	2,539	103.4	7,942	38,408	2,254	103.8	9,172	36,218
26	2,285	99.6	4,161	31,584	2,512	112.5	9,050	39,194	2,571	104.7	8,397	39,247	2,286	105.3	9,618	37,045
27	2,330	101.6	4,507	32,461	2,587	115.8	9,576	40,614	2,605	106.1	8,805	40,065	2,320	106.8	9,980	37,814
28	2,389	104.2	5,001	33,666	2,663	119.2	10,096	42,050	2,641	107.6	9,171	40,864	2,356	108.5	10,268	38,537
29	2,461	107.3	5,626	35,160	2,741	122.7	10,612	43,502	2,679	109.1	9,498	41,648	2,394	110.3	10,489	39,222
30	2,545	111.0	6,364	36,903	2,820	126.3	11,123	44,967	2,719	110.7	9,790	42,421	2,436	112.2	10,653	39,881
31	2,638	115.0	7,197	38,855	2,901	129.9	11,630	46,444	2,761	112.5	10,052	43,186	2,479	114.2	10,769	40,522
32	2,739	119.4	8,106	40,977	2,983	133.6	12,132	47,934	2,805	114.2	10,287	43,947	2,526	116.3	10,845	41,156
33	2,846	124.1	9,073	43,229	3,067	137.3	12,629	49,433	2,851	116.1	10,499	44,707	2,575	118.6	10,893	41,793
34	2,958	129.0	10,082	45,572	3,152	141.1	13,121	50,941	2,898	118.0	10,692	45,470	2,627	121.0	10,919	42,443
35	3,071	133.9	11,113	47,966	3,237	145.0	13,608	52,457	2,947	120.0	10,871	46,239	2,682	123.5	10,933	43,116
36	3,185	138.9	12,148	50,373	3,324	148.9	14,090	53,979	2,998	122.1	11,039	47,019	2,740	126.2	10,945	43,823
37	3,298	143.8	13,170	52,751	3,412	152.8	14,568	55,507	3,051	124.3	11,201	47,812	2,801	129.0	10,963	44,572
38	3,408	148.6	14,161	55,062	3,500	156.7	15,040	57,039	3,105	126.5	11,360	48,622	2,865	131.9	10,996	45,375
39	3,514	153.2	15,102	57,265	3,589	160.7	15,507	58,573	3,161	128.7	11,520	49,452	2,932	135.0	11,054	46,240
40	3,612	157.5	15,975	59,323	3,678	164.7	15,969	60,109	3,218	131.1	11,685	50,307	3,003	138.3	11,145	47,179
41	3,703	161.4	16,763	61,194	3,768	168.8	16,426	61,646	3,277	133.5	11,860	51,189	3,077	141.7	11,279	48,201
42	3,783	164.9	17,448	62,840	3,859	172.8	16,878	63,182	3,338	135.9	12,048	52,103	3,154	145.3	11,464	49,317
43	3,851	167.9	18,011	64,221	3,949	176.9	17,325	64,716	3,400	138.5	12,253	53,052	3,235	149.0	11,710	50,535
44	3,905	170.3	18,434	65,297	4,040	180.9	17,767	66,246	3,463	141.0	12,480	54,039	3,320	152.9	12,026	51,867
45	3,944	172.0	18,700	66,029	4,131	185.0	18,203	67,772	3,528	143.7	12,732	55,067	3,409	157.0	12,420	53,323
46	3,966	172.9	18,790	66,377	4,222	189.0	18,634	69,292	3,594	146.4	13,013	56,142	3,501	161.2	12,902	54,912
47	3,968	173.0	18,686	66,301	4,312	193.1	19,059	70,806	3,661	149.1	13,328	57,265	3,597	165.6	13,481	56,644
48	3,949	172.2	18,371	65,763	4,403	197.2	19,479	72,311	3,730	151.9	13,679	58,441	3,697	170.3	14,166	58,529
49	3,908	170.4	17,826	64,723	4,493	201.2	19,894	73,807	3,800	154.8	14,072	59,673	3,801	175.0	14,966	60,579
50	3,842	167.5	17,034	63,140	4,582	205.2	20,304	75,292	3,871	157.7	14,511	60,964	3,909	180.0	15,890	62,801
51	3,750	163.5	15,975	60,976	4,672	209.2	20,707	76,766	3,943	160.6	14,998	62,319	4,022	185.2	16,947	65,207
52	3,630	158.3	14,633	58,191	4,760	213.2	21,106	78,227	4,017	163.6	15,539	63,741	4,138	190.6	18,146	67,807
53	3,480	151.7	12,990	54,745	4,848	217.1	21,498	79,673	4,091	166.6	16,137	65,233	4,260	196.2	19,496	70,611
54	3,298	143.8	11,026	50,600	4,935	221.0	21,885	81,104	4,167	169.7	16,796	66,799	4,385	201.9	21,006	73,628
55	3,082	134.4	8,725	45,714	5,021	224.8	22,267	82,518	4,243	172.8	17,521	68,442	4,515	207.9	22,686	76,868
56	2,832	123.5	6,068	40,049	5,106	228.7	22,643	83,914	4,321	176.0	18,315	70,166	4,650	214.1	24,544	80,343
57	2,544	110.9	3,037	33,566	5,190	232.4	23,013	85,292	4,399	179.2	19,182	71,975	4,789	220.6	26,590	84,061
58	2,217	96.7		26,224	5,273	236.1	23,377	86,649	4,479	182.4	20,126	73,871	4,933	227.2	28,831	88,033
59	1,850	80.7		17,984	5,354	239.8	23,735	87,984	4,559	185.7	21,152	75,860	5,083	234.1	31,279	92,269
60	1,440	62.8		8,807	5,434	243.3	24,088	89,297	4,640	189.0	22,263	77,943	5,236	241.2	33,940	96,778
累計値	生涯賃金計 18,294(万円) 所定内賃金部分 14,314 賞与部分 3,980				生涯賃金計 24,022(万円) 所定内賃金部分 17,743 賞与部分 6,279				生涯賃金計 20,736(万円) 所定内賃金部分 15,782 賞与部分 4,954				生涯賃金計 21,102(万円) 所定内賃金部分 15,430 賞与部分 5,673			

個別賃金推計値表⑤　高校卒・男性の年齢別賃金，賞与，年間賃金（通勤手当除く）

表⑤-1　規模別にみた高校卒・男性の個別賃金推計値（産業計）

(単位：百円)

年齢(歳)	規模計 所定内 金額	規模計 所定内 指数	規模計 年間賞与	規模計 年間賃金	1,000人以上規模 所定内 金額	1,000人以上規模 所定内 指数	1,000人以上規模 年間賞与	1,000人以上規模 年間賃金	100～999人規模 所定内 金額	100～999人規模 所定内 指数	100～999人規模 年間賞与	100～999人規模 年間賃金	10～99人規模 所定内 金額	10～99人規模 所定内 指数	10～99人規模 年間賞与	10～99人規模 年間賃金
18	1,803	89.1	4,237	25,878	1,810	87.7	5,295	27,015	1,829	91.7	4,273	26,217	1,743	86.0	2,567	23,478
19	1,854	91.6	4,736	26,980	1,867	90.5	5,861	28,268	1,865	93.5	4,769	27,146	1,814	89.5	3,126	24,895
20	1,907	94.3	5,225	28,112	1,929	93.5	6,418	29,563	1,905	95.5	5,252	28,107	1,885	93.1	3,653	26,276
21	1,964	97.1	5,705	29,272	1,994	96.7	6,966	30,895	1,948	97.7	5,722	29,099	1,956	96.5	4,150	27,620
22	2,023	100.0	6,176	30,457	2,063	100.0	7,506	32,261	1,995	100.0	6,180	30,118	2,026	100.0	4,619	28,929
23	2,086	103.1	6,638	31,664	2,135	103.5	8,036	33,658	2,045	102.5	6,625	31,163	2,095	103.4	5,059	30,201
24	2,150	106.3	7,090	32,892	2,210	107.1	8,558	35,082	2,098	105.2	7,059	32,231	2,164	106.8	5,473	31,439
25	2,217	109.6	7,534	34,136	2,288	110.9	9,070	36,529	2,153	107.9	7,481	33,319	2,232	110.2	5,860	32,642
26	2,286	113.0	7,968	35,395	2,368	114.8	9,574	37,995	2,211	110.8	7,891	34,426	2,299	113.5	6,223	33,810
27	2,356	116.4	8,394	36,665	2,451	118.8	10,067	39,477	2,272	113.9	8,290	35,548	2,365	116.8	6,562	34,945
28	2,428	120.0	8,811	37,945	2,535	122.9	10,551	40,971	2,334	117.0	8,678	36,684	2,431	120.0	6,878	36,045
29	2,501	123.6	9,218	39,232	2,621	127.0	11,026	42,474	2,398	120.2	9,055	37,831	2,495	123.2	7,173	37,113
30	2,575	127.3	9,617	40,522	2,708	131.2	11,491	43,981	2,464	123.5	9,422	38,986	2,558	126.3	7,446	38,148
31	2,651	131.0	10,007	41,814	2,795	135.5	11,945	45,489	2,531	126.9	9,778	40,147	2,621	129.4	7,700	39,150
32	2,726	134.7	10,388	43,104	2,884	139.8	12,390	46,995	2,599	130.3	10,125	41,312	2,682	132.4	7,935	40,120
33	2,803	138.5	10,760	44,391	2,973	144.1	12,824	48,495	2,668	133.8	10,461	42,479	2,742	135.4	8,152	41,059
34	2,879	142.3	11,123	45,670	3,061	148.4	13,249	49,984	2,738	137.3	10,788	43,644	2,801	138.3	8,352	41,966
35	2,955	146.1	11,478	46,941	3,150	152.7	13,662	51,460	2,808	140.8	11,105	44,805	2,859	141.1	8,536	42,843
36	3,031	149.8	11,824	48,200	3,238	156.9	14,066	52,919	2,879	144.3	11,413	45,961	2,915	143.9	8,706	43,688
37	3,107	153.5	12,161	49,444	3,325	161.2	14,458	54,356	2,950	147.9	11,713	47,107	2,970	146.6	8,862	44,504
38	3,182	157.3	12,489	50,671	3,411	165.3	14,840	55,769	3,020	151.4	12,003	48,244	3,024	149.3	9,005	45,291
39	3,256	160.9	12,808	51,878	3,495	169.4	15,210	57,154	3,090	154.9	12,286	49,366	3,076	151.8	9,136	46,047
40	3,329	164.5	13,119	53,063	3,578	173.4	15,570	58,506	3,159	158.4	12,560	50,473	3,127	154.3	9,256	46,775
41	3,400	168.0	13,421	54,223	3,659	177.4	15,919	59,823	3,228	161.8	12,826	51,562	3,176	156.8	9,367	47,475
42	3,470	171.5	13,715	55,355	3,737	181.2	16,256	61,101	3,296	165.2	13,085	52,631	3,223	159.1	9,469	48,146
43	3,538	174.9	14,000	56,456	3,813	184.8	16,581	62,335	3,362	168.5	13,336	53,676	3,269	161.4	9,563	48,790
44	3,604	178.1	14,276	57,525	3,886	188.4	16,896	63,523	3,426	171.8	13,580	54,696	3,313	163.5	9,651	49,406
45	3,668	181.3	14,544	58,558	3,955	191.7	17,198	64,661	3,489	174.9	13,817	55,688	3,355	165.6	9,733	49,996
46	3,729	184.3	14,803	59,553	4,021	194.9	17,489	65,744	3,550	178.0	14,047	56,650	3,396	167.6	9,810	50,558
47	3,788	187.2	15,054	60,506	4,084	197.9	17,767	66,770	3,609	180.9	14,271	57,579	3,434	169.5	9,883	51,095
48	3,843	189.9	15,296	61,417	4,142	200.8	18,034	67,734	3,665	183.7	14,488	58,474	3,471	171.3	9,954	51,606
49	3,896	192.5	15,530	62,281	4,195	203.4	18,288	68,633	3,719	186.4	14,700	59,330	3,506	173.0	10,023	52,092
50	3,945	195.0	15,755	63,096	4,244	205.7	18,530	69,463	3,770	189.0	14,906	60,147	3,538	174.7	10,092	52,552
51	3,991	197.2	15,972	63,860	4,288	207.9	18,760	70,221	3,818	191.4	15,106	60,921	3,569	176.2	10,160	52,988
52	4,032	199.3	16,180	64,569	4,327	209.8	18,977	70,903	3,863	193.6	15,301	61,651	3,597	177.6	10,231	53,400
53	4,070	201.2	16,380	65,222	4,360	211.4	19,181	71,505	3,904	195.7	15,491	62,333	3,624	178.9	10,303	53,788
54	4,104	202.8	16,572	65,816	4,388	212.7	19,372	72,024	3,941	197.6	15,676	62,966	3,648	180.1	10,379	54,153
55	4,133	204.2	16,756	66,347	4,409	213.7	19,551	72,455	3,974	199.2	15,857	63,547	3,670	181.1	10,459	54,495
56	4,157	205.4	16,931	66,814	4,423	214.4	19,716	72,796	4,003	200.7	16,033	64,073	3,689	182.1	10,545	54,814
57	4,176	206.4	17,098	67,214	4,431	214.8	19,868	73,042	4,028	201.9	16,205	64,543	3,706	182.9	10,636	55,110
58	4,191	207.1	17,257	67,543	4,432	214.8	20,007	73,190	4,048	202.9	16,373	64,953	3,721	183.7	10,736	55,385
59	4,199	207.5	17,407	67,800	4,425	214.5	20,132	73,236	4,064	203.7	16,538	65,301	3,733	184.3	10,843	55,639
60	4,203	207.7	17,549	67,982	4,411	213.8	20,244	73,176	4,074	204.2	16,700	65,585	3,743	184.7	10,961	55,872
累計値	生涯賃金計 21,565(万円) 所定内賃金部分 16,345 賞与部分 5,220				生涯賃金計 23,516(万円) 所定内賃金部分 17,342 賞与部分 6,174				生涯賃金計 20,707(万円) 所定内賃金部分 15,695 賞与部分 5,013				生涯賃金計 18,843(万円) 所定内賃金部分 15,271 賞与部分 3,572			

表5－2－(1)　産業別にみた高校卒・男性の個別賃金推計値（規模計）
（建設業，食料品，繊維工業，パルプ・紙・紙加工品）

（単位：百円）

年齢（歳）	建設業				食料品				繊維工業				パルプ・紙・紙加工品			
	所定内		年間	年間	所定内		年間	年間	所定内		年間	年間	所定内		年間	年間
	金額	指数	賞与	賃金	金額	指数	賞与	賃金	金額	指数	賞与	賃金	金額	指数	賞与	賃金
18	1,901	85.2	3,878	26,693	1,717	91.7	3,384	23,990	1,643	87.9	3,783	23,505	1,608	85.3	4,212	23,513
19	1,983	88.9	4,561	28,351	1,752	93.6	3,850	24,870	1,699	90.8	4,084	24,471	1,679	89.0	4,851	24,994
20	2,065	92.5	5,221	29,996	1,789	95.6	4,296	25,765	1,755	93.9	4,403	25,466	1,748	92.7	5,457	26,436
21	2,147	96.3	5,858	31,627	1,829	97.7	4,723	26,672	1,812	96.9	4,736	26,484	1,817	96.4	6,033	27,839
22	2,231	100.0	6,473	33,244	1,872	100.0	5,130	27,591	1,870	100.0	5,081	27,524	1,885	100.0	6,579	29,205
23	2,315	103.8	7,067	34,843	1,917	102.4	5,520	28,519	1,929	103.1	5,437	28,581	1,953	103.6	7,097	30,535
24	2,399	107.5	7,639	36,426	1,964	104.9	5,891	29,456	1,988	106.3	5,802	29,653	2,020	107.1	7,588	31,830
25	2,483	111.3	8,191	37,988	2,013	107.5	6,246	30,398	2,047	109.5	6,172	30,736	2,087	110.7	8,053	33,092
26	2,567	115.1	8,722	39,531	2,063	110.2	6,585	31,345	2,107	112.6	6,546	31,825	2,152	114.2	8,494	34,322
27	2,651	118.9	9,233	41,051	2,116	113.0	6,908	32,296	2,167	115.8	6,921	32,919	2,217	117.6	8,911	35,521
28	2,735	122.6	9,725	42,549	2,169	115.9	7,216	33,248	2,226	119.0	7,296	34,014	2,282	121.0	9,307	36,691
29	2,819	126.3	10,198	44,021	2,224	118.8	7,510	34,200	2,286	122.3	7,668	35,105	2,346	124.4	9,683	37,833
30	2,901	130.1	10,653	45,468	2,280	121.8	7,791	35,150	2,346	125.5	8,035	36,191	2,409	127.8	10,039	38,949
31	2,983	133.7	11,089	46,888	2,337	124.8	8,058	36,096	2,406	128.6	8,395	37,266	2,472	131.1	10,378	40,039
32	3,064	137.4	11,508	48,278	2,394	127.9	8,314	37,038	2,465	131.8	8,745	38,329	2,534	134.4	10,699	41,106
33	3,144	140.9	11,910	49,639	2,451	131.0	8,558	37,973	2,524	135.0	9,084	39,375	2,595	137.6	11,006	42,150
34	3,223	144.5	12,295	50,969	2,509	134.1	8,791	38,900	2,583	138.1	9,409	40,402	2,656	140.9	11,298	43,173
35	3,300	147.9	12,664	52,265	2,567	137.1	9,014	39,817	2,641	141.2	9,718	41,405	2,717	144.1	11,578	44,176
36	3,376	151.3	13,017	53,528	2,625	140.2	9,227	40,722	2,698	144.2	10,008	42,381	2,776	147.2	11,847	45,161
37	3,450	154.7	13,355	54,755	2,682	143.3	9,432	41,615	2,754	147.3	10,278	43,327	2,835	150.4	12,105	46,129
38	3,522	157.9	13,678	55,946	2,739	146.3	9,629	42,493	2,810	150.2	10,526	44,240	2,894	153.5	12,355	47,081
39	3,593	161.0	13,987	57,098	2,795	149.3	9,818	43,354	2,864	153.1	10,748	45,116	2,952	156.6	12,597	48,018
40	3,661	164.1	14,282	58,211	2,850	152.3	10,001	44,198	2,917	156.0	10,944	45,951	3,009	159.6	12,832	48,942
41	3,727	167.0	14,564	59,283	2,904	155.1	10,177	45,022	2,969	158.8	11,110	46,743	3,066	162.6	13,063	49,855
42	3,790	169.9	14,832	60,312	2,956	157.9	10,348	45,824	3,020	161.5	11,244	47,487	3,122	165.6	13,291	50,758
43	3,851	172.6	15,088	61,299	3,008	160.7	10,514	46,605	3,070	164.1	11,345	48,181	3,178	168.5	13,516	51,651
44	3,909	175.2	15,332	62,240	3,057	163.3	10,677	47,360	3,118	166.7	11,410	48,821	3,233	171.5	13,740	52,537
45	3,964	177.7	15,564	63,135	3,105	165.9	10,836	48,090	3,164	169.2	11,437	49,404	3,288	174.4	13,964	53,416
46	4,016	180.0	15,785	63,982	3,150	168.3	10,992	48,792	3,208	171.6	11,424	49,925	3,342	177.2	14,190	54,290
47	4,065	182.2	15,996	64,780	3,193	170.6	11,146	49,464	3,251	173.8	11,368	50,383	3,395	180.1	14,419	55,161
48	4,111	184.3	16,196	65,528	3,234	172.8	11,299	50,106	3,292	176.0	11,268	50,773	3,448	182.9	14,652	56,030
49	4,153	186.2	16,386	66,225	3,272	174.8	11,451	50,716	3,331	178.1	11,120	51,091	3,501	185.7	14,890	56,897
50	4,192	187.9	16,568	66,868	3,307	176.7	11,603	51,291	3,368	180.1	10,923	51,336	3,553	188.4	15,135	57,765
51	4,226	189.5	16,740	67,456	3,339	178.4	11,756	51,830	3,402	181.9	10,676	51,502	3,604	191.1	15,389	58,635
52	4,257	190.8	16,904	67,989	3,368	180.0	11,911	52,332	3,434	183.6	10,374	51,588	3,655	193.8	15,651	59,508
53	4,284	192.0	17,060	68,465	3,394	181.3	12,067	52,796	3,464	185.2	10,017	51,588	3,705	196.5	15,925	60,386
54	4,306	193.0	17,208	68,883	3,416	182.5	12,226	53,218	3,492	186.7	9,602	51,501	3,755	199.1	16,210	61,269
55	4,324	193.8	17,350	69,240	3,434	183.5	12,389	53,599	3,516	188.0	9,126	51,321	3,804	201.8	16,509	62,159
56	4,338	194.4	17,485	69,536	3,448	184.2	12,555	53,935	3,538	189.2	8,589	51,048	3,853	204.4	16,822	63,058
57	4,346	194.8	17,614	69,770	3,458	184.8	12,727	54,226	3,557	190.2	7,987	50,675	3,901	206.9	17,151	63,967
58	4,350	195.0	17,737	69,940	3,464	185.1	12,904	54,470	3,574	191.1	7,318	50,201	3,949	209.5	17,497	64,887
59	4,349	195.0	17,855	70,045	3,465	185.1	13,087	54,666	3,587	191.8	6,580	49,622	3,996	212.0	17,862	65,820
60	4,343	194.7	17,968	70,082	3,461	184.9	13,276	54,811	3,597	192.3	5,771	48,934	4,043	214.4	18,246	66,766
累計値	生涯賃金計 23,244（万円） 所定内賃金部分 17,690 賞与部分 5,554				生涯賃金計 18,049（万円） 所定内賃金部分 14,050 賞与部分 3,998				生涯賃金計 18,064（万円） 所定内賃金部分 14,339 賞与部分 3,725				生涯賃金計 20,216（万円） 所定内賃金部分 15,004 賞与部分 5,211			

表⑤-2-(2) 産業別にみた高校卒・男性の個別賃金推計値（規模計）
（印刷・同関連業，化学工業，プラスチック製品，ゴム製品）

（単位：百円）

年齢(歳)	印刷・同関連業 所定内 金額	指数	年間賞与	年間賃金	化学工業 所定内 金額	指数	年間賞与	年間賃金	プラスチック製品 所定内 金額	指数	年間賞与	年間賃金	ゴム製品 所定内 金額	指数	年間賞与	年間賃金
18	1,846	91.0	3,242	25,393	1,773	86.8	7,109	28,386	1,720	88.5	4,192	24,836	1,759	87.7	5,411	26,516
19	1,886	93.0	3,717	26,351	1,837	89.9	7,666	29,705	1,773	91.2	4,742	26,020	1,817	90.6	5,793	27,597
20	1,930	95.1	4,162	27,326	1,903	93.1	8,202	31,039	1,828	94.1	5,273	27,211	1,878	93.6	6,190	28,723
21	1,978	97.5	4,581	28,317	1,972	96.5	8,720	32,385	1,885	97.0	5,786	28,406	1,941	96.8	6,601	29,890
22	2,029	100.0	4,972	29,320	2,044	100.0	9,220	33,743	1,944	100.0	6,281	29,605	2,006	100.0	7,023	31,092
23	2,083	102.7	5,338	30,333	2,117	103.6	9,703	35,111	2,004	103.1	6,758	30,804	2,072	103.3	7,455	32,325
24	2,140	105.4	5,679	31,353	2,193	107.3	10,170	36,489	2,065	106.3	7,218	32,003	2,141	106.7	7,895	33,583
25	2,198	108.4	5,995	32,377	2,271	111.1	10,623	37,874	2,128	109.5	7,661	33,199	2,210	110.2	8,341	34,862
26	2,259	111.4	6,289	33,403	2,350	115.0	11,063	39,266	2,192	112.8	8,088	34,391	2,281	113.7	8,791	36,157
27	2,322	114.4	6,561	34,427	2,431	119.0	11,490	40,663	2,256	116.1	8,498	35,576	2,352	117.2	9,242	37,462
28	2,386	117.6	6,812	35,448	2,513	123.0	11,906	42,064	2,322	119.5	8,893	36,754	2,423	120.8	9,695	38,773
29	2,452	120.8	7,042	36,462	2,596	127.0	12,312	43,469	2,387	122.8	9,272	37,921	2,495	124.4	10,145	40,085
30	2,518	124.1	7,254	37,466	2,681	131.2	12,708	44,874	2,453	126.2	9,636	39,076	2,567	128.0	10,592	41,393
31	2,584	127.4	7,446	38,458	2,765	135.3	13,097	46,281	2,519	129.6	9,985	40,218	2,638	131.5	11,033	42,692
32	2,651	130.7	7,622	39,436	2,851	139.5	13,480	47,686	2,585	133.0	10,320	41,345	2,709	135.1	11,468	43,977
33	2,718	134.0	7,781	40,395	2,936	143.7	13,856	49,090	2,651	136.4	10,641	42,454	2,779	138.6	11,892	45,243
34	2,784	137.2	7,924	41,335	3,022	147.9	14,228	50,490	2,716	139.8	10,948	43,544	2,848	142.0	12,306	46,485
35	2,850	140.5	8,052	42,251	3,107	152.1	14,597	51,886	2,781	143.1	11,242	44,612	2,916	145.4	12,707	47,698
36	2,915	143.6	8,167	43,142	3,193	156.2	14,963	53,276	2,845	146.4	11,523	45,658	2,982	148.7	13,093	48,878
37	2,978	146.8	8,269	44,004	3,278	160.4	15,328	54,659	2,907	149.6	11,792	46,680	3,046	151.9	13,463	50,018
38	3,040	149.8	8,360	44,834	3,362	164.5	15,692	56,034	2,969	152.7	12,048	47,675	3,109	155.0	13,813	51,115
39	3,099	152.8	8,439	45,631	3,445	168.6	16,058	57,399	3,029	155.8	12,293	48,641	3,168	158.0	14,143	52,164
40	3,157	155.6	8,508	46,391	3,527	172.6	16,425	58,754	3,088	158.9	12,526	49,577	3,226	160.8	14,451	53,158
41	3,212	158.3	8,568	47,111	3,608	176.6	16,796	60,097	3,144	161.8	12,747	50,481	3,280	163.5	14,735	54,095
42	3,264	160.9	8,620	47,790	3,688	180.5	17,171	61,427	3,199	164.6	12,959	51,351	3,331	166.1	14,992	54,967
43	3,313	163.3	8,665	48,423	3,766	184.3	17,552	62,742	3,252	167.3	13,159	52,186	3,379	168.5	15,221	55,772
44	3,359	165.5	8,703	49,009	3,842	188.0	17,938	64,042	3,303	169.9	13,350	52,983	3,424	170.7	15,420	56,502
45	3,401	167.6	8,736	49,544	3,916	191.6	18,333	65,324	3,351	172.4	13,531	53,740	3,464	172.7	15,587	57,155
46	3,438	169.5	8,764	50,026	3,988	195.1	18,736	66,589	3,396	174.7	13,703	54,456	3,500	174.5	15,721	57,724
47	3,472	171.1	8,789	50,452	4,057	198.5	19,148	67,834	3,439	176.9	13,866	55,129	3,532	176.1	15,819	58,205
48	3,501	172.5	8,811	50,819	4,124	201.8	19,572	69,059	3,478	178.9	14,020	55,758	3,559	177.5	15,880	58,593
49	3,524	173.7	8,832	51,126	4,188	204.9	20,008	70,262	3,514	180.8	14,166	56,339	3,582	178.6	15,901	58,883
50	3,543	174.6	8,852	51,368	4,249	207.9	20,456	71,442	3,547	182.5	14,305	56,871	3,599	179.4	15,881	59,069
51	3,556	175.3	8,872	51,543	4,307	210.7	20,919	72,598	3,577	184.0	14,436	57,354	3,611	180.0	15,817	59,148
52	3,563	175.6	8,893	51,648	4,361	213.4	21,397	73,728	3,602	185.3	14,559	57,784	3,617	180.3	15,709	59,113
53	3,564	175.6	8,916	51,682	4,412	215.9	21,892	74,832	3,624	186.4	14,676	58,159	3,617	180.3	15,554	58,961
54	3,558	175.4	8,942	51,640	4,459	218.2	22,404	75,907	3,641	187.3	14,787	58,479	3,611	180.1	15,349	58,686
55	3,546	174.8	8,971	51,521	4,502	220.3	22,934	76,953	3,654	188.0	14,891	58,741	3,599	179.4	15,094	58,283
56	3,526	173.8	9,006	51,321	4,540	222.2	23,484	77,969	3,663	188.4	14,990	58,943	3,580	178.5	14,787	57,747
57	3,499	172.5	9,046	51,038	4,575	223.9	24,055	78,953	3,667	188.6	15,084	59,084	3,554	177.2	14,425	57,073
58	3,465	170.8	9,093	50,669	4,605	225.3	24,648	79,905	3,666	188.6	15,172	59,161	3,521	175.5	14,007	56,257
59	3,422	168.6	9,148	50,211	4,630	226.5	25,264	80,822	3,660	188.3	15,256	59,173	3,480	173.5	13,530	55,293
60	3,371	166.1	9,211	49,661	4,650	227.5	25,904	81,703	3,648	187.7	15,336	59,118	3,432	171.1	12,993	54,176
累計値	生涯賃金計 18,405(万円) 所定内賃金部分 15,108 賞与部分 3,297				生涯賃金計 24,328(万円) 所定内賃金部分 17,356 賞与部分 6,972				生涯賃金計 19,915(万円) 所定内賃金部分 15,009 賞与部分 4,906				生涯賃金計 20,656(万円) 所定内賃金部分 15,316 賞与部分 5,340			

表⑤-2-(3) 産業別にみた高校卒・男性の個別賃金推計値 (規模計)
(窯業・土石製品, 鉄鋼業, 非鉄金属, 金属製品)

(単位：百円)

年齢(歳)	窯業・土石製品 所定内 金額	指数	年間賞与	年間賃金	鉄鋼業 所定内 金額	指数	年間賞与	年間賃金	非鉄金属 所定内 金額	指数	年間賞与	年間賃金	金属製品 所定内 金額	指数	年間賞与	年間賃金
18	1,843	92.5	5,934	28,052	1,915	92.1	4,477	27,461	1,738	88.5	5,389	26,249	1,765	89.9	4,873	26,053
19	1,874	94.0	6,225	28,715	1,948	93.7	4,859	28,239	1,792	91.2	5,937	27,438	1,809	92.1	5,252	26,960
20	1,910	95.8	6,518	29,436	1,987	95.5	5,251	29,097	1,847	94.0	6,461	28,631	1,857	94.6	5,648	27,932
21	1,950	97.8	6,815	30,211	2,031	97.6	5,653	30,028	1,905	97.0	6,963	29,826	1,909	97.2	6,060	28,964
22	1,993	100.0	7,114	31,036	2,080	100.0	6,063	31,027	1,965	100.0	7,442	31,022	1,964	100.0	6,485	30,051
23	2,041	102.4	7,417	31,909	2,134	102.6	6,480	32,088	2,027	103.1	7,900	32,220	2,022	103.0	6,922	31,187
24	2,092	104.9	7,722	32,825	2,192	105.4	6,902	33,205	2,090	106.4	8,338	33,417	2,083	106.1	7,368	32,366
25	2,146	107.6	8,030	33,782	2,254	108.3	7,327	34,372	2,155	109.6	8,758	34,614	2,147	109.3	7,821	33,582
26	2,203	110.5	8,342	34,776	2,319	111.5	7,755	35,583	2,221	113.0	9,160	35,809	2,213	112.7	8,280	34,832
27	2,262	113.5	8,655	35,804	2,388	114.8	8,184	36,834	2,288	116.4	9,546	37,001	2,280	116.1	8,742	36,107
28	2,324	116.6	8,972	36,863	2,459	118.2	8,612	38,116	2,356	119.9	9,916	38,190	2,350	119.7	9,205	37,405
29	2,388	119.8	9,291	37,948	2,532	121.7	9,038	39,426	2,425	123.4	10,273	39,375	2,421	123.3	9,667	38,718
30	2,454	123.1	9,612	39,057	2,608	125.4	9,462	40,757	2,495	127.0	10,615	40,554	2,493	126.9	10,127	40,041
31	2,521	126.5	9,937	40,187	2,685	129.1	9,880	42,103	2,565	130.5	10,946	41,728	2,566	130.6	10,581	41,369
32	2,589	129.9	10,263	41,333	2,764	132.9	10,293	43,458	2,636	134.1	11,265	42,895	2,639	134.4	11,028	42,695
33	2,658	133.4	10,592	42,493	2,843	136.7	10,698	44,816	2,707	137.7	11,575	44,055	2,713	138.1	11,466	44,016
34	2,728	136.9	10,923	43,663	2,923	140.5	11,095	46,172	2,778	141.3	11,875	45,206	2,786	141.9	11,892	45,325
35	2,799	140.4	11,257	44,840	3,003	144.4	11,481	47,520	2,848	144.9	12,168	46,348	2,859	145.6	12,306	46,616
36	2,869	143.9	11,593	46,021	3,083	148.2	11,855	48,854	2,919	148.5	12,454	47,479	2,932	149.3	12,704	47,884
37	2,939	147.4	11,930	47,201	3,163	152.0	12,217	50,167	2,989	152.1	12,734	48,600	3,003	152.9	13,085	49,124
38	3,009	150.9	12,270	48,378	3,241	155.8	12,564	51,455	3,058	155.6	13,010	49,709	3,074	156.5	13,446	50,330
39	3,078	154.4	12,612	49,549	3,318	159.5	12,896	52,711	3,127	159.1	13,282	50,806	3,143	160.0	13,786	51,496
40	3,146	157.8	12,956	50,709	3,393	163.1	13,210	53,930	3,195	162.6	13,552	51,889	3,210	163.4	14,102	52,617
41	3,213	161.2	13,302	51,856	3,467	166.6	13,506	55,105	3,261	166.0	13,821	52,957	3,275	166.7	14,392	53,688
42	3,278	164.4	13,649	52,986	3,537	170.0	13,782	56,230	3,327	169.3	14,089	54,011	3,337	169.9	14,655	54,702
43	3,342	167.6	13,999	54,097	3,605	173.3	14,037	57,301	3,391	172.6	14,358	55,048	3,397	173.0	14,888	55,655
44	3,403	170.7	14,350	55,183	3,670	176.4	14,268	58,311	3,453	175.7	14,629	56,069	3,454	175.9	15,090	56,540
45	3,462	173.7	14,702	56,243	3,731	179.4	14,476	59,253	3,514	178.8	14,903	57,072	3,508	178.6	15,257	57,353
46	3,518	176.5	15,057	57,272	3,789	182.1	14,658	60,123	3,573	181.8	15,181	58,057	3,558	181.2	15,388	58,088
47	3,571	179.1	15,412	58,268	3,842	184.7	14,813	60,915	3,630	184.7	15,465	59,022	3,605	183.6	15,482	58,738
48	3,621	181.7	15,770	59,226	3,890	187.0	14,940	61,622	3,684	187.5	15,754	59,967	3,647	185.7	15,535	59,300
49	3,668	184.0	16,128	60,145	3,933	189.1	15,038	62,239	3,737	190.2	16,051	60,891	3,685	187.6	15,546	59,767
50	3,711	186.2	16,489	61,019	3,971	190.9	15,104	62,760	3,786	192.7	16,357	61,794	3,718	189.3	15,513	60,133
51	3,750	188.1	16,850	61,846	4,003	192.4	15,138	63,178	3,833	195.1	16,672	62,673	3,747	190.8	15,434	60,393
52	3,784	189.8	17,213	62,623	4,029	193.7	15,137	63,489	3,878	197.3	16,997	63,529	3,770	192.0	15,307	60,542
53	3,814	191.3	17,576	63,346	4,049	194.6	15,102	63,687	3,919	199.4	17,335	64,361	3,787	192.8	15,129	60,575
54	3,839	192.6	17,941	64,011	4,061	195.2	15,030	63,764	3,957	201.4	17,685	65,168	3,799	193.4	14,898	60,484
55	3,859	193.6	18,307	64,616	4,066	195.5	14,920	63,717	3,992	203.1	18,049	65,948	3,804	193.7	14,613	60,266
56	3,874	194.3	18,674	65,157	4,064	195.4	14,770	63,538	4,023	204.7	18,427	66,701	3,803	193.7	14,272	59,914
57	3,882	194.8	19,042	65,631	4,054	194.9	14,580	63,222	4,050	206.1	18,822	67,427	3,796	193.3	13,872	59,423
58	3,885	194.9	19,411	66,034	4,035	193.9	14,347	62,763	4,074	207.3	19,234	68,125	3,781	192.5	13,411	58,787
59	3,882	194.7	19,781	66,362	4,007	192.6	14,071	62,155	4,094	208.3	19,665	68,792	3,759	191.4	12,888	58,002
60	3,872	194.2	20,151	66,614	3,970	190.9	13,749	61,392	4,110	209.1	20,114	69,430	3,730	189.9	12,300	57,060

累計値
- 窯業・土石製品: 生涯賃金計 20,973(万円) 所定内賃金部分 15,485 賞与部分 5,488
- 鉄鋼業: 生涯賃金計 21,422(万円) 所定内賃金部分 16,445 賞与部分 4,977
- 非鉄金属: 生涯賃金計 21,401(万円) 所定内賃金部分 15,769 賞与部分 5,632
- 金属製品: 生涯賃金計 20,651(万円) 所定内賃金部分 15,504 賞与部分 5,147

表5-2-(4) 産業別にみた高校卒・男性の個別賃金推計値（規模計）
（生産用機器，電気機器，情報通信機器，輸送用機器）

(単位：百円)

年齢(歳)	生産用機器 所定内 金額	生産用機器 所定内 指数	生産用機器 年間賞与	生産用機器 年間賃金	電気機器 所定内 金額	電気機器 所定内 指数	電気機器 年間賞与	電気機器 年間賃金	情報通信機器 所定内 金額	情報通信機器 所定内 指数	情報通信機器 年間賞与	情報通信機器 年間賃金	輸送用機器 所定内 金額	輸送用機器 所定内 指数	輸送用機器 年間賞与	輸送用機器 年間賃金
18	1,627	83.4	4,960	24,483	1,728	90.8	4,904	25,640	1,337	68.7	4,935	20,981	1,785	88.4	6,199	27,624
19	1,709	87.5	5,332	25,836	1,764	92.7	5,330	26,503	1,516	77.9	5,555	23,750	1,839	91.0	6,670	28,737
20	1,790	91.7	5,714	27,194	1,806	94.9	5,756	27,427	1,677	86.1	6,133	26,254	1,896	93.8	7,140	29,894
21	1,871	95.9	6,104	28,557	1,852	97.3	6,182	28,409	1,820	93.5	6,671	28,510	1,957	96.8	7,609	31,091
22	1,952	100.0	6,500	29,923	1,903	100.0	6,609	29,446	1,947	100.0	7,171	30,534	2,021	100.0	8,076	32,324
23	2,032	104.1	6,903	31,288	1,958	102.9	7,037	30,533	2,059	105.8	7,636	32,345	2,087	103.3	8,541	33,588
24	2,112	108.2	7,311	32,653	2,017	106.0	7,464	31,668	2,157	110.8	8,069	33,957	2,156	106.7	9,002	34,879
25	2,191	112.3	7,722	34,013	2,080	109.3	7,892	32,846	2,243	115.2	8,472	35,390	2,228	110.3	9,459	36,194
26	2,269	116.3	8,136	35,369	2,145	112.7	8,319	34,064	2,317	119.0	8,849	36,659	2,301	113.9	9,912	37,528
27	2,347	120.3	8,552	36,717	2,214	116.4	8,746	35,317	2,382	122.3	9,202	37,780	2,376	117.6	10,360	38,876
28	2,424	124.2	8,968	38,056	2,286	120.1	9,174	36,603	2,437	125.1	9,533	38,772	2,453	121.4	10,801	40,236
29	2,500	128.1	9,384	39,384	2,360	124.0	9,601	37,917	2,484	127.6	9,846	39,651	2,531	125.2	11,236	41,603
30	2,575	131.9	9,798	40,699	2,436	128.0	10,027	39,256	2,524	129.6	10,143	40,434	2,609	129.1	11,663	42,972
31	2,649	135.7	10,210	41,999	2,514	132.1	10,453	40,616	2,559	131.4	10,428	41,137	2,688	133.0	12,082	44,339
32	2,722	139.5	10,618	43,282	2,593	136.3	10,878	41,994	2,590	133.0	10,702	41,777	2,767	137.0	12,493	45,701
33	2,794	143.1	11,021	44,546	2,673	140.5	11,303	43,385	2,617	134.4	10,968	42,372	2,847	140.9	12,894	47,054
34	2,864	146.7	11,419	45,789	2,755	144.8	11,727	44,786	2,642	135.7	11,229	42,939	2,926	144.8	13,284	48,392
35	2,933	150.3	11,809	47,010	2,837	149.1	12,150	46,193	2,667	137.0	11,489	43,493	3,004	148.7	13,664	49,712
36	3,001	153.8	12,192	48,206	2,919	153.4	12,571	47,602	2,692	138.3	11,749	44,052	3,082	152.5	14,032	51,011
37	3,068	157.2	12,566	49,376	3,002	157.7	12,992	49,011	2,718	139.6	12,012	44,634	3,158	156.3	14,387	52,283
38	3,132	160.5	12,930	50,518	3,084	162.0	13,412	50,415	2,748	141.1	12,282	45,254	3,233	160.0	14,730	53,524
39	3,196	163.7	13,282	51,629	3,165	166.3	13,830	51,809	2,781	142.8	12,560	45,929	3,306	163.6	15,059	54,732
40	3,257	166.9	13,623	52,707	3,245	170.5	14,247	53,192	2,819	144.8	12,850	46,677	3,377	167.1	15,373	55,900
41	3,317	169.9	13,950	53,752	3,325	174.7	14,662	54,559	2,863	147.1	13,154	47,514	3,446	170.5	15,672	57,026
42	3,375	172.9	14,263	54,760	3,402	178.8	15,076	55,905	2,915	149.7	13,475	48,458	3,512	173.8	15,956	58,105
43	3,431	175.8	14,560	55,731	3,478	182.8	15,488	57,229	2,976	152.8	13,815	49,524	3,576	177.0	16,223	59,133
44	3,485	178.6	14,841	56,661	3,552	186.7	15,898	58,525	3,046	156.5	14,178	50,730	3,636	180.0	16,472	60,106
45	3,537	181.2	15,105	57,550	3,624	190.4	16,307	59,790	3,127	160.6	14,567	52,093	3,693	182.8	16,704	61,020
46	3,587	183.8	15,349	58,395	3,692	194.0	16,713	61,020	3,221	165.4	14,983	53,630	3,746	185.4	16,917	61,870
47	3,635	186.2	15,575	59,194	3,758	197.5	17,117	62,212	3,327	170.9	15,430	55,358	3,795	187.8	17,110	62,653
48	3,681	188.6	15,779	59,946	3,820	200.7	17,520	63,362	3,448	177.1	15,910	57,292	3,840	190.0	17,284	63,364
49	3,724	190.8	15,962	60,647	3,879	203.8	17,919	64,467	3,585	184.2	16,427	59,451	3,880	192.0	17,437	64,000
50	3,765	192.9	16,122	61,298	3,934	206.7	18,317	65,522	3,739	192.0	16,982	61,851	3,916	193.8	17,568	64,555
51	3,803	194.8	16,258	61,895	3,984	209.4	18,712	66,523	3,911	200.9	17,579	64,509	3,946	195.3	17,677	65,027
52	3,839	196.7	16,369	62,437	4,030	211.8	19,104	67,468	4,102	210.7	18,220	67,442	3,971	196.5	17,764	65,410
53	3,872	198.4	16,454	62,921	4,072	214.0	19,494	68,352	4,313	221.5	18,908	70,667	3,990	197.4	17,827	65,701
54	3,903	200.0	16,512	63,347	4,108	215.8	19,880	69,172	4,546	233.5	19,646	74,200	4,003	198.1	17,865	65,896
55	3,931	201.4	16,542	63,711	4,138	217.5	20,264	69,924	4,802	246.6	20,437	78,058	4,009	198.4	17,879	65,991
56	3,956	202.7	16,543	64,012	4,163	218.8	20,645	70,604	5,081	261.0	21,282	82,259	4,009	198.4	17,867	65,980
57	3,978	203.8	16,513	64,248	4,182	219.8	21,023	71,208	5,386	276.6	22,186	86,819	4,003	198.1	17,828	65,861
58	3,997	204.8	16,452	64,418	4,195	220.4	21,398	71,734	5,717	293.6	23,150	91,755	3,989	197.4	17,763	65,630
59	4,013	205.6	16,359	64,518	4,201	220.7	21,769	72,176	6,076	312.1	24,178	97,085	3,968	196.4	17,669	65,281
60	4,026	206.3	16,232	64,548	4,200	220.7	22,138	72,532	6,463	331.9	25,272	102,823	3,939	194.9	17,547	64,811

累計値
- 生産用機器: 生涯賃金計 21,132（万円）　所定内賃金部分 15,824　賞与部分 5,308
- 電気機器: 生涯賃金計 21,869（万円）　所定内賃金部分 15,969　賞与部分 5,900
- 情報通信機器: 生涯賃金計 22,148（万円）　所定内賃金部分 16,365　賞与部分 5,783
- 輸送用機器: 生涯賃金計 22,256（万円）　所定内賃金部分 16,259　賞与部分 5,997

表⑤-2-(5) 産業別にみた高校卒・男性の個別賃金推計値（規模計）
（電気業，ガス業，鉄道業，道路旅客運送業）

（単位：百円）

年齢(歳)	電気業 所定内 金額	電気業 所定内 指数	電気業 年間賞与	電気業 年間賃金	ガス業 所定内 金額	ガス業 所定内 指数	ガス業 年間賞与	ガス業 年間賃金	鉄道業 所定内 金額	鉄道業 所定内 指数	鉄道業 年間賞与	鉄道業 年間賃金	道路旅客運送業 所定内 金額	道路旅客運送業 所定内 指数	道路旅客運送業 年間賞与	道路旅客運送業 年間賃金
18	1,562	74.3	6,057	24,802	1,323	65.2	3,751	19,628	1,530	77.5	4,777	23,135	1,942	90.3	2,254	25,558
19	1,696	80.6	6,098	26,446	1,510	74.4	5,638	23,760	1,643	83.2	5,315	25,027	2,005	93.2	2,684	26,740
20	1,831	87.0	6,167	28,134	1,690	83.3	7,386	27,666	1,754	88.9	5,839	26,891	2,060	95.8	3,067	27,789
21	1,966	93.5	6,264	29,860	1,863	91.8	9,002	31,355	1,865	94.5	6,348	28,727	2,109	98.0	3,406	28,710
22	2,103	100.0	6,385	31,622	2,029	100.0	10,491	34,833	1,974	100.0	6,845	30,533	2,151	100.0	3,704	29,515
23	2,240	106.5	6,532	33,413	2,188	107.8	11,859	38,111	2,082	105.5	7,327	32,308	2,187	101.7	3,963	30,209
24	2,377	113.0	6,701	35,230	2,340	115.4	13,111	41,195	2,188	110.8	7,796	34,052	2,218	103.1	4,186	30,803
25	2,515	119.6	6,893	37,069	2,487	122.6	14,255	44,094	2,293	116.1	8,253	35,764	2,244	104.3	4,376	31,304
26	2,652	126.1	7,105	38,924	2,627	129.5	15,294	46,817	2,396	121.4	8,696	37,442	2,265	105.3	4,535	31,721
27	2,788	132.6	7,337	40,792	2,761	136.1	16,237	49,371	2,497	126.5	9,126	39,087	2,283	106.1	4,667	32,062
28	2,923	139.0	7,588	42,668	2,890	142.5	17,087	51,765	2,596	131.5	9,544	40,696	2,297	106.8	4,772	32,336
29	3,058	145.4	7,856	44,548	3,013	148.5	17,852	54,008	2,693	136.4	9,949	42,270	2,308	107.3	4,855	32,550
30	3,191	151.7	8,139	46,426	3,131	154.3	18,537	56,107	2,789	141.3	10,342	43,807	2,316	107.7	4,918	32,714
31	3,322	158.0	8,438	48,300	3,244	159.9	19,148	58,070	2,882	146.0	10,723	45,307	2,323	108.0	4,963	32,835
32	3,451	164.1	8,750	50,164	3,351	165.2	19,691	59,907	2,973	150.6	11,091	46,768	2,327	108.2	4,994	32,923
33	3,578	170.2	9,074	52,014	3,455	170.3	20,171	61,625	3,062	155.1	11,448	48,189	2,331	108.4	5,012	32,985
34	3,703	176.1	9,410	53,845	3,553	175.2	20,595	63,233	3,148	159.5	11,794	49,571	2,334	108.5	5,021	33,029
35	3,825	181.9	9,755	55,653	3,647	179.8	20,968	64,738	3,232	163.7	12,128	50,912	2,337	108.7	5,022	33,066
36	3,944	187.5	10,110	57,434	3,738	184.3	21,297	66,149	3,313	167.8	12,450	52,210	2,340	108.8	5,020	33,101
37	4,059	193.0	10,472	59,183	3,824	188.5	21,587	67,475	3,392	171.8	12,761	53,466	2,344	109.0	5,016	33,145
38	4,171	198.4	10,840	60,895	3,907	192.6	21,843	68,723	3,468	175.7	13,062	54,678	2,349	109.2	5,013	33,205
39	4,280	203.5	11,213	62,567	3,986	196.5	22,073	69,902	3,541	179.4	13,352	55,845	2,356	109.6	5,013	33,290
40	4,384	208.4	11,590	64,194	4,062	200.2	22,282	71,020	3,611	182.9	13,631	56,967	2,366	110.0	5,020	33,409
41	4,483	213.2	11,970	65,771	4,134	203.8	22,475	72,086	3,679	186.4	13,899	58,042	2,378	110.5	5,036	33,569
42	4,579	217.7	12,352	67,295	4,204	207.2	22,658	73,107	3,743	189.6	14,157	59,070	2,393	111.3	5,064	33,778
43	4,669	222.0	12,734	68,760	4,271	210.6	22,838	74,092	3,804	192.7	14,406	60,050	2,412	112.1	5,106	34,047
44	4,754	226.1	13,115	70,162	4,336	213.7	23,021	75,050	3,861	195.6	14,644	60,981	2,435	113.2	5,164	34,382
45	4,834	229.8	13,493	71,496	4,398	216.8	23,211	75,988	3,916	198.4	14,872	61,862	2,462	114.5	5,243	34,792
46	4,908	233.4	13,869	72,759	4,458	219.8	23,415	76,914	3,967	201.0	15,091	62,692	2,495	116.0	5,343	35,286
47	4,976	236.6	14,240	73,946	4,516	222.6	23,640	77,837	4,014	203.4	15,300	63,471	2,534	117.8	5,468	35,871
48	5,037	239.5	14,605	75,052	4,573	225.4	23,890	78,766	4,058	205.6	15,500	64,197	2,578	119.9	5,621	36,557
49	5,093	242.2	14,963	76,074	4,628	228.1	24,171	79,708	4,098	207.6	15,691	64,870	2,629	122.2	5,804	37,352
50	5,141	244.5	15,314	77,005	4,682	230.8	24,490	80,672	4,135	209.5	15,873	65,488	2,687	124.9	6,020	38,264
51	5,182	246.4	15,654	77,843	4,734	233.4	24,853	81,666	4,167	211.1	16,046	66,051	2,753	128.0	6,271	39,301
52	5,216	248.1	15,985	78,583	4,786	235.9	25,264	82,698	4,196	212.5	16,211	66,558	2,826	131.4	6,560	40,472
53	5,243	249.3	16,303	79,219	4,837	238.5	25,731	83,777	4,220	213.8	16,367	67,008	2,908	135.2	6,890	41,786
54	5,262	250.2	16,609	79,749	4,888	240.9	26,259	84,911	4,240	214.8	16,515	67,400	2,999	139.4	7,263	43,250
55	5,272	250.7	16,900	80,167	4,938	243.4	26,853	86,108	4,257	215.6	16,655	67,733	3,099	144.1	7,683	44,873
56	5,274	250.8	17,176	80,469	4,988	245.9	27,521	87,376	4,268	216.2	16,787	68,007	3,209	149.2	8,151	46,664
57	5,268	250.5	17,436	80,651	5,038	248.4	28,266	88,723	4,276	216.6	16,911	68,221	3,330	154.8	8,670	48,630
58	5,253	249.8	17,677	80,707	5,089	250.8	29,097	90,159	4,279	216.8	17,027	68,372	3,462	160.9	9,243	50,781
59	5,228	248.6	17,900	80,634	5,139	253.4	30,017	91,691	4,277	216.7	17,137	68,462	3,604	167.6	9,873	53,124
60	5,194	247.0	18,102	80,428	5,191	255.9	31,034	93,327	4,271	216.4	17,238	68,489	3,759	174.8	10,562	55,669

累計値	電気業	ガス業	鉄道業	道路旅客運送業
生涯賃金計	25,410（万円）	28,042（万円）	22,507（万円）	15,415（万円）
所定内賃金部分	20,458	19,254	17,118	13,049
賞与部分	4,952	8,789	5,389	2,365

表⑤-2-(6) 産業別にみた高校卒・男性の個別賃金推計値（規模計）
（道路貨物運送業，各種商品小売業，飲食料品小売業，機械器具小売業）

（単位：百円）

年齢(歳)	道路貨物運送業 所定内 金額	指数	年間賞与	年間賃金	各種商品小売業 所定内 金額	指数	年間賞与	年間賃金	飲食料品小売業 所定内 金額	指数	年間賞与	年間賃金	機械器具小売業 所定内 金額	指数	年間賞与	年間賃金
18	1,869	87.6	3,115	25,538	1,669	88.6	4,042	24,064	1,599	88.5	2,224	21,411	1,747	83.1	4,076	25,041
19	1,933	90.6	3,563	26,761	1,712	90.9	3,994	24,535	1,646	91.1	2,204	21,954	1,842	87.5	4,416	26,514
20	1,999	93.7	3,994	27,982	1,762	93.5	4,016	25,165	1,696	93.9	2,230	22,586	1,932	91.9	4,761	27,949
21	2,066	96.8	4,406	29,198	1,820	96.6	4,105	25,945	1,750	96.9	2,299	23,300	2,020	96.0	5,110	29,346
22	2,134	100.0	4,801	30,408	1,884	100.0	4,255	26,863	1,807	100.0	2,410	24,093	2,104	100.0	5,463	30,706
23	2,203	103.2	5,179	31,610	1,954	103.7	4,463	27,910	1,866	103.3	2,560	24,958	2,184	103.8	5,818	32,030
24	2,272	106.5	5,540	32,800	2,029	107.7	4,724	29,076	1,929	106.7	2,747	25,890	2,262	107.5	6,176	33,319
25	2,341	109.7	5,884	33,977	2,110	112.0	5,035	30,350	1,993	110.3	2,968	26,884	2,337	111.1	6,536	34,574
26	2,410	113.0	6,212	35,138	2,194	116.5	5,390	31,722	2,059	114.0	3,220	27,934	2,408	114.5	6,896	35,797
27	2,480	116.2	6,525	36,282	2,283	121.2	5,785	33,181	2,128	117.8	3,503	29,036	2,478	117.8	7,256	36,988
28	2,549	119.4	6,821	37,405	2,375	126.1	6,217	34,719	2,198	121.6	3,813	30,183	2,544	121.0	7,616	38,148
29	2,617	122.6	7,102	38,505	2,470	131.1	6,681	36,323	2,269	125.6	4,147	31,370	2,609	124.0	7,975	39,278
30	2,684	125.8	7,367	39,580	2,568	136.3	7,172	37,985	2,341	129.5	4,504	32,593	2,671	127.0	8,332	40,380
31	2,751	128.9	7,618	40,628	2,667	141.6	7,686	39,693	2,414	133.6	4,882	33,846	2,731	129.8	8,686	41,454
32	2,816	132.0	7,854	41,647	2,768	146.9	8,220	41,438	2,487	137.6	5,277	35,123	2,789	132.6	9,038	42,501
33	2,880	135.0	8,076	42,634	2,870	152.3	8,768	43,210	2,561	141.7	5,688	36,419	2,845	135.2	9,385	43,523
34	2,942	137.9	8,284	43,586	2,973	157.8	9,326	44,998	2,635	145.8	6,111	37,729	2,899	137.8	9,728	44,520
35	3,002	140.7	8,478	44,502	3,075	163.2	9,891	46,791	2,708	149.9	6,546	39,047	2,952	140.3	10,066	45,494
36	3,060	143.4	8,658	45,379	3,177	168.6	10,457	48,580	2,782	153.9	6,989	40,368	3,004	142.8	10,399	46,445
37	3,116	146.0	8,826	46,215	3,278	174.0	11,021	50,355	2,854	158.0	7,438	41,687	3,054	145.2	10,724	47,374
38	3,169	148.5	8,980	47,008	3,377	179.3	11,578	52,105	2,926	161.9	7,890	42,999	3,103	147.5	11,043	48,283
39	3,219	150.9	9,122	47,755	3,475	184.4	12,124	53,820	2,996	165.8	8,344	44,297	3,152	149.8	11,354	49,172
40	3,267	153.1	9,251	48,454	3,570	189.5	12,655	55,489	3,065	169.6	8,797	45,578	3,199	152.1	11,656	50,043
41	3,311	155.2	9,369	49,102	3,661	194.3	13,166	57,103	3,132	173.4	9,246	46,834	3,246	154.3	11,949	50,896
42	3,352	157.1	9,474	49,698	3,750	199.0	13,653	58,651	3,198	177.0	9,690	48,062	3,292	156.5	12,232	51,733
43	3,389	158.8	9,568	50,239	3,834	203.5	14,112	60,124	3,261	180.5	10,126	49,256	3,337	158.7	12,505	52,555
44	3,423	160.4	9,651	50,723	3,914	207.8	14,538	61,510	3,322	183.8	10,551	50,409	3,383	160.8	12,767	53,362
45	3,452	161.8	9,723	51,147	3,989	211.7	14,928	62,799	3,380	187.0	10,963	51,518	3,428	163.0	13,016	54,155
46	3,477	162.9	9,784	51,509	4,059	215.4	15,276	63,982	3,435	190.1	11,360	52,577	3,474	165.1	13,254	54,937
47	3,498	163.9	9,835	51,807	4,122	218.8	15,579	65,048	3,487	193.0	11,740	53,580	3,519	167.3	13,478	55,707
48	3,514	164.6	9,876	52,038	4,180	221.8	15,833	65,987	3,535	195.7	12,099	54,522	3,565	169.5	13,688	56,466
49	3,524	165.2	9,907	52,201	4,230	224.5	16,032	66,788	3,580	198.1	12,437	55,398	3,611	171.7	13,884	57,217
50	3,530	165.4	9,929	52,292	4,272	226.8	16,173	67,442	3,621	200.4	12,749	56,202	3,658	173.9	14,065	57,959
51	3,531	165.5	9,941	52,310	4,307	228.6	16,252	67,938	3,658	202.4	13,035	56,929	3,705	176.1	14,230	58,694
52	3,526	165.2	9,944	52,252	4,334	230.0	16,263	68,266	3,690	204.2	13,292	57,574	3,754	178.4	14,378	59,422
53	3,515	164.7	9,939	52,116	4,351	230.9	16,204	68,415	3,718	205.8	13,516	58,131	3,803	180.8	14,510	60,146
54	3,498	163.9	9,925	51,900	4,359	231.4	16,069	68,376	3,741	207.0	13,707	58,595	3,854	183.2	14,623	60,865
55	3,475	162.8	9,903	51,601	4,357	231.3	15,854	68,138	3,758	208.0	13,862	58,961	3,905	185.6	14,718	61,581
56	3,445	161.5	9,874	51,217	4,345	230.6	15,555	67,691	3,771	208.7	13,977	59,223	3,958	188.2	14,794	62,295
57	3,409	159.8	9,836	50,746	4,321	229.4	15,168	67,024	3,777	209.0	14,052	59,377	4,013	190.8	14,850	63,008
58	3,366	157.7	9,792	50,185	4,287	227.5	14,688	66,129	3,778	209.1	14,083	59,416	4,070	193.5	14,885	63,721
59	3,316	155.4	9,741	49,532	4,240	225.1	14,112	64,993	3,772	208.8	14,068	59,335	4,128	196.2	14,900	64,435
60	3,259	152.7	9,682	48,785	4,181	221.9	13,434	63,607	3,760	208.1	14,005	59,129	4,188	199.1	14,892	65,150

累計値
- 道路貨物運送業：生涯賃金計 18,944（万円）　所定内賃金部分 15,430　賞与部分 3,514
- 各種商品小売業：生涯賃金計 21,643（万円）　所定内賃金部分 16,938　賞与部分 4,705
- 飲食料品小売業：生涯賃金計 18,443（万円）　所定内賃金部分 14,890　賞与部分 3,553
- 機械器具小売業：生涯賃金計 20,532（万円）　所定内賃金部分 15,931　賞与部分 4,601

表5－2－(7) 産業別にみた高校卒・男性の個別賃金推計値（規模計）
（不動産業，宿泊業，飲食店，社会保険・社会福祉・介護事業）

（単位：百円）

年齢（歳）	不動産業				宿泊業				飲食店				社会保険・社会福祉・介護事業			
	所定内		年間賞与	年間賃金	所定内		年間賞与	年間賃金	所定内		年間賞与	年間賃金	所定内		年間賞与	年間賃金
	金額	指数			金額	指数			金額	指数			金額	指数		
18	1,006	43.8	1,726	13,794	1,666	90.2	1,366	21,363	1,807	88.4	574	22,255	2,012	99.5	1,851	25,997
19	1,368	59.6	2,484	18,900	1,710	92.6	1,392	21,917	1,862	91.1	965	23,306	2,000	98.9	2,472	26,475
20	1,703	74.2	3,218	23,654	1,755	95.0	1,427	22,489	1,920	94.0	1,337	24,374	1,998	98.8	3,070	27,048
21	2,012	87.6	3,930	28,070	1,800	97.5	1,472	23,077	1,980	96.9	1,691	25,454	2,006	99.2	3,644	27,713
22	2,295	100.0	4,620	32,162	1,847	100.0	1,524	23,682	2,043	100.0	2,027	26,545	2,022	100.0	4,198	28,464
23	2,555	111.3	5,289	35,945	1,893	102.5	1,584	24,303	2,108	103.2	2,345	27,641	2,047	101.2	4,731	29,297
24	2,791	121.6	5,939	39,434	1,941	105.1	1,652	24,940	2,175	106.4	2,646	28,741	2,080	102.9	5,246	30,207
25	3,006	131.0	6,570	42,643	1,989	107.7	1,727	25,591	2,242	109.8	2,931	29,841	2,121	104.9	5,743	31,190
26	3,200	139.4	7,183	45,588	2,037	110.3	1,808	26,257	2,311	113.1	3,199	30,936	2,168	107.2	6,223	32,241
27	3,375	147.1	7,779	48,282	2,087	113.0	1,896	26,938	2,381	116.5	3,451	32,025	2,222	109.9	6,689	33,356
28	3,532	153.9	8,359	50,740	2,137	115.7	1,990	27,631	2,451	120.0	3,688	33,103	2,283	112.9	7,140	34,530
29	3,671	159.9	8,925	52,976	2,187	118.5	2,089	28,338	2,521	123.4	3,910	34,168	2,348	116.1	7,578	35,760
30	3,794	165.3	9,476	55,007	2,239	121.2	2,193	29,057	2,591	126.8	4,117	35,215	2,419	119.6	8,005	37,039
31	3,902	170.0	10,015	56,845	2,291	124.0	2,302	29,788	2,661	130.2	4,310	36,241	2,495	123.4	8,422	38,364
32	3,997	174.2	10,541	58,505	2,343	126.9	2,415	30,531	2,730	133.6	4,490	37,244	2,575	127.3	8,829	39,730
33	4,079	177.7	11,057	60,003	2,396	129.8	2,531	31,285	2,797	136.9	4,656	38,220	2,659	131.5	9,229	41,133
34	4,149	180.8	11,562	61,353	2,450	132.7	2,652	32,050	2,863	140.1	4,809	39,165	2,746	135.8	9,621	42,568
35	4,209	183.4	12,058	62,569	2,504	135.6	2,775	32,825	2,927	143.3	4,950	40,076	2,835	140.2	10,008	44,031
36	4,260	185.6	12,546	63,666	2,559	138.6	2,901	33,609	2,989	146.3	5,079	40,949	2,927	144.8	10,391	45,517
37	4,303	187.5	13,027	64,659	2,614	141.6	3,029	34,403	3,049	149.2	5,196	41,782	3,021	149.4	10,771	47,021
38	4,338	189.0	13,502	65,562	2,670	144.6	3,159	35,205	3,106	152.0	5,302	42,571	3,116	154.1	11,149	48,540
39	4,368	190.3	13,971	66,389	2,727	147.7	3,291	36,015	3,160	154.6	5,398	43,312	3,212	158.8	11,526	50,068
40	4,393	191.4	14,436	67,156	2,784	150.8	3,423	36,833	3,210	157.1	5,483	44,002	3,308	163.6	11,903	51,601
41	4,415	192.4	14,898	67,877	2,842	153.9	3,556	37,659	3,257	159.4	5,558	44,639	3,404	168.4	12,283	53,135
42	4,434	193.2	15,357	68,567	2,900	157.1	3,689	38,491	3,299	161.5	5,624	45,217	3,500	173.1	12,665	54,665
43	4,452	194.0	15,815	69,240	2,959	160.2	3,822	39,329	3,338	163.4	5,681	45,735	3,595	177.8	13,052	56,186
44	4,470	194.8	16,272	69,911	3,018	163.5	3,955	40,173	3,372	165.0	5,729	46,189	3,688	182.4	13,444	57,694
45	4,489	195.6	16,730	70,594	3,078	166.7	4,086	41,022	3,400	166.4	5,770	46,574	3,779	186.9	13,842	59,185
46	4,510	196.5	17,189	71,304	3,138	170.0	4,216	41,876	3,424	167.6	5,802	46,889	3,867	191.2	14,248	60,653
47	4,534	197.5	17,651	72,056	3,199	173.3	4,344	42,735	3,442	168.5	5,827	47,130	3,953	195.5	14,664	62,095
48	4,562	198.8	18,116	72,864	3,261	176.6	4,470	43,597	3,454	169.1	5,846	47,293	4,035	199.5	15,089	63,506
49	4,596	200.3	18,585	73,743	3,322	179.9	4,593	44,462	3,460	169.3	5,858	47,374	4,113	203.4	15,526	64,881
50	4,637	202.0	19,060	74,707	3,385	183.3	4,714	45,330	3,459	169.3	5,864	47,371	4,187	207.0	15,976	66,216
51	4,686	204.2	19,541	75,772	3,448	186.7	4,831	46,201	3,451	168.9	5,864	47,281	4,256	210.5	16,439	67,507
52	4,743	206.7	20,029	76,951	3,511	190.1	4,944	47,073	3,437	168.2	5,860	47,099	4,319	213.6	16,917	68,748
53	4,811	209.6	20,525	78,259	3,575	193.6	5,052	47,947	3,414	167.1	5,850	46,823	4,377	216.4	17,412	69,936
54	4,890	213.1	21,031	79,711	3,639	197.1	5,156	48,822	3,384	165.6	5,837	46,448	4,428	219.0	17,924	71,065
55	4,981	217.0	21,547	81,322	3,703	200.6	5,255	49,697	3,346	163.8	5,819	45,973	4,473	221.2	18,455	72,131
56	5,086	221.6	22,073	83,106	3,769	204.1	5,349	50,571	3,299	161.5	5,799	45,392	4,510	223.0	19,006	73,131
57	5,205	226.8	22,612	85,077	3,834	207.6	5,437	51,446	3,244	158.8	5,775	44,704	4,540	224.5	19,578	74,058
58	5,341	232.7	23,164	87,251	3,900	211.2	5,518	52,319	3,180	155.6	5,749	43,905	4,561	225.6	20,172	74,909
59	5,493	239.3	23,730	89,641	3,966	214.8	5,593	53,191	3,106	152.0	5,720	42,990	4,574	226.2	20,790	75,680
60	5,663	246.7	24,311	92,263	4,033	218.4	5,661	54,060	3,022	147.9	5,690	41,958	4,578	226.4	21,433	76,365
累計値	生涯賃金計 26,541（万円） 所定内賃金部分 20,677 賞与部分 5,864				生涯賃金計 15,741（万円） 所定内賃金部分 14,293 賞与部分 1,448				生涯賃金計 16,942（万円） 所定内賃金部分 14,961 賞与部分 1,981				生涯賃金計 21,696（万円） 所定内賃金部分 16,723 賞与部分 4,974			

個別賃金推計値表 6　高校卒・女性の年齢別賃金，賞与，年間賃金（通勤手当除く）

表 6 - 1　規模別にみた高校卒・女性の個別賃金推計値（産業計）

（単位：百円）

年齢(歳)	規模計 所定内 金額	規模計 所定内 指数	規模計 年間賞与	規模計 年間賃金	1,000人以上規模 所定内 金額	1,000人以上規模 所定内 指数	1,000人以上規模 年間賞与	1,000人以上規模 年間賃金	100～999人規模 所定内 金額	100～999人規模 所定内 指数	100～999人規模 年間賞与	100～999人規模 年間賃金	10～99人規模 所定内 金額	10～99人規模 所定内 指数	10～99人規模 年間賞与	10～99人規模 年間賃金
18	1,774	95.1	3,256	24,545	1,795	93.1	3,929	25,471	1,743	94.4	3,328	24,248	1,757	95.0	2,389	23,477
19	1,794	96.2	3,674	25,202	1,825	94.6	4,355	26,260	1,768	95.7	3,843	25,056	1,779	96.1	2,657	24,004
20	1,816	97.3	4,075	25,867	1,858	96.3	4,771	27,066	1,793	97.1	4,325	25,845	1,802	97.4	2,917	24,538
21	1,840	98.6	4,459	26,538	1,892	98.1	5,180	27,888	1,820	98.5	4,777	26,614	1,826	98.7	3,169	25,077
22	1,866	100.0	4,828	27,216	1,929	100.0	5,581	28,725	1,847	100.0	5,199	27,366	1,851	100.0	3,413	25,620
23	1,893	101.5	5,181	27,899	1,967	102.0	5,974	29,576	1,876	101.5	5,593	28,100	1,876	101.4	3,649	26,167
24	1,922	103.0	5,520	28,589	2,007	104.0	6,360	30,440	1,905	103.1	5,961	28,819	1,903	102.8	3,878	26,716
25	1,953	104.7	5,846	29,284	2,048	106.2	6,739	31,315	1,935	104.7	6,304	29,523	1,931	104.3	4,099	27,267
26	1,985	106.4	6,159	29,985	2,091	108.4	7,111	32,202	1,966	106.4	6,623	30,212	1,959	105.8	4,313	27,819
27	2,019	108.2	6,460	30,690	2,135	110.7	7,477	33,099	1,997	108.1	6,920	30,889	1,988	107.4	4,519	28,370
28	2,054	110.1	6,750	31,401	2,181	113.1	7,836	34,004	2,030	109.9	7,197	31,553	2,017	109.0	4,718	28,920
29	2,091	112.1	7,030	32,116	2,227	115.5	8,190	34,917	2,063	111.7	7,454	32,207	2,047	110.6	4,909	29,468
30	2,128	114.1	7,300	32,835	2,275	118.0	8,538	35,836	2,096	113.5	7,693	32,850	2,077	112.2	5,093	30,012
31	2,166	116.1	7,562	33,559	2,323	120.5	8,880	36,762	2,131	115.3	7,917	33,484	2,107	113.8	5,270	30,552
32	2,206	118.2	7,815	34,286	2,373	123.0	9,217	37,692	2,165	117.2	8,125	34,110	2,137	115.5	5,440	31,087
33	2,246	120.4	8,062	35,017	2,423	125.6	9,550	38,625	2,201	119.1	8,320	34,729	2,168	117.1	5,603	31,616
34	2,287	122.6	8,302	35,751	2,474	128.3	9,878	39,561	2,237	121.1	8,504	35,342	2,198	118.8	5,759	32,137
35	2,329	124.9	8,537	36,488	2,525	130.9	10,202	40,498	2,273	123.0	8,676	35,949	2,229	120.4	5,907	32,650
36	2,372	127.1	8,766	37,228	2,576	133.6	10,521	41,436	2,309	125.0	8,840	36,552	2,259	122.1	6,049	33,154
37	2,415	129.4	8,992	37,971	2,628	136.3	10,837	42,374	2,346	127.0	8,996	37,152	2,289	123.7	6,184	33,648
38	2,458	131.8	9,215	38,715	2,680	139.0	11,150	43,309	2,384	129.0	9,147	37,750	2,318	125.3	6,313	34,131
39	2,502	134.1	9,435	39,462	2,732	141.6	11,459	44,242	2,421	131.1	9,292	38,347	2,347	126.8	6,434	34,602
40	2,546	136.5	9,654	40,211	2,784	144.3	11,766	45,171	2,459	133.1	9,435	38,943	2,376	128.4	6,549	35,060
41	2,591	138.9	9,872	40,961	2,835	147.0	12,070	46,096	2,497	135.2	9,576	39,540	2,404	129.9	6,658	35,503
42	2,635	141.2	10,090	41,712	2,887	149.7	12,371	47,014	2,535	137.2	9,716	40,139	2,431	131.4	6,760	35,932
43	2,680	143.6	10,309	42,464	2,938	152.3	12,671	47,926	2,573	139.3	9,858	40,740	2,457	132.8	6,855	36,345
44	2,724	146.0	10,529	43,217	2,988	154.9	12,968	48,829	2,612	141.4	10,002	41,345	2,483	134.2	6,945	36,741
45	2,768	148.4	10,751	43,970	3,038	157.5	13,265	49,724	2,650	143.5	10,151	41,954	2,508	135.5	7,028	37,119
46	2,812	150.7	10,977	44,724	3,087	160.1	13,559	50,609	2,689	145.6	10,305	42,569	2,531	136.8	7,104	37,478
47	2,856	153.1	11,207	45,477	3,136	162.6	13,853	51,483	2,727	147.6	10,466	43,191	2,554	138.0	7,175	37,817
48	2,899	155.4	11,441	46,230	3,183	165.0	14,147	52,344	2,765	149.7	10,636	43,820	2,575	139.1	7,240	38,136
49	2,942	157.7	11,681	46,983	3,229	167.4	14,439	53,193	2,804	151.8	10,816	44,458	2,595	140.2	7,298	38,432
50	2,984	159.9	11,927	47,735	3,275	169.8	14,732	54,027	2,842	153.8	11,007	45,105	2,613	141.2	7,351	38,706
51	3,025	162.2	12,181	48,485	3,318	172.1	15,025	54,847	2,879	155.9	11,211	45,763	2,630	142.1	7,398	38,957
52	3,066	164.3	12,442	49,235	3,361	174.3	15,318	55,649	2,917	157.9	11,429	46,432	2,645	142.9	7,439	39,182
53	3,106	166.5	12,712	49,982	3,402	176.4	15,612	56,435	2,954	159.9	11,663	47,114	2,659	143.7	7,474	39,382
54	3,145	168.6	12,991	50,728	3,441	178.4	15,907	57,202	2,991	161.9	11,915	47,809	2,671	144.3	7,503	39,555
55	3,183	170.6	13,281	51,472	3,479	180.4	16,203	57,950	3,028	163.9	12,185	48,519	2,681	144.9	7,527	39,700
56	3,219	172.6	13,581	52,213	3,515	182.2	16,501	58,678	3,064	165.9	12,475	49,244	2,689	145.3	7,546	39,817
57	3,255	174.5	13,894	52,952	3,549	184.0	16,800	59,383	3,100	167.8	12,787	49,985	2,695	145.7	7,559	39,905
58	3,289	176.3	14,219	53,688	3,580	185.6	17,102	60,067	3,135	169.7	13,122	50,744	2,700	145.9	7,566	39,961
59	3,322	178.1	14,557	54,420	3,610	187.2	17,406	60,727	3,170	171.6	13,482	51,521	2,702	146.0	7,569	39,987
60	3,353	179.7	14,910	55,150	3,637	188.6	17,712	61,362	3,204	173.5	13,867	52,317	2,701	146.0	7,565	39,979

累計値
- 規模計：生涯賃金計 17,027（万円）　所定内賃金部分 13,022　賞与部分 4,004
- 1,000人以上規模：生涯賃金計 18,900（万円）　所定内賃金部分 14,069　賞与部分 4,832
- 100～999人規模：生涯賃金計 16,480（万円）　所定内賃金部分 12,588　賞与部分 3,891
- 10～99人規模：生涯賃金計 14,447（万円）　所定内賃金部分 11,899　賞与部分 2,548

表6-2-(1) 産業別にみた高校卒・女性の個別賃金推計値（規模計）
(建設業，食料品，繊維工業，パルプ・紙・紙加工品)

(単位：百円)

年齢(歳)	建設業 所定内 金額	建設業 所定内 指数	建設業 年間 賞与	建設業 年間 賃金	食料品 所定内 金額	食料品 所定内 指数	食料品 年間 賞与	食料品 年間 賃金	繊維工業 所定内 金額	繊維工業 所定内 指数	繊維工業 年間 賞与	繊維工業 年間 賃金	パルプ・紙・紙加工品 所定内 金額	パルプ・紙・紙加工品 所定内 指数	パルプ・紙・紙加工品 年間 賞与	パルプ・紙・紙加工品 年間 賃金
18	1,662	85.9	3,291	23,236	1,657	93.0	2,933	22,818	1,596	96.4	2,748	21,905	1,746	92.9	3,660	24,615
19	1,737	89.7	3,718	24,560	1,690	94.8	3,191	23,469	1,610	97.2	2,864	22,180	1,779	94.7	3,998	25,345
20	1,807	93.4	4,143	25,830	1,721	96.6	3,438	24,095	1,624	98.1	2,989	22,477	1,812	96.4	4,325	26,068
21	1,874	96.8	4,566	27,048	1,752	98.3	3,672	24,696	1,639	99.0	3,122	22,794	1,845	98.2	4,642	26,786
22	1,936	100.0	4,986	28,215	1,782	100.0	3,893	25,272	1,655	100.0	3,263	23,129	1,879	100.0	4,948	27,497
23	1,994	103.0	5,403	29,335	1,810	101.6	4,103	25,826	1,672	101.0	3,409	23,478	1,913	101.8	5,245	28,201
24	2,049	105.9	5,818	30,409	1,838	103.2	4,302	26,356	1,690	102.1	3,559	23,840	1,947	103.6	5,532	28,896
25	2,101	108.5	6,228	31,439	1,865	104.7	4,489	26,864	1,708	103.2	3,713	24,213	1,981	105.4	5,809	29,583
26	2,149	111.0	6,634	32,427	1,890	106.1	4,666	27,350	1,727	104.3	3,869	24,593	2,015	107.3	6,077	30,261
27	2,195	113.4	7,035	33,376	1,915	107.5	4,832	27,815	1,746	105.5	4,027	24,978	2,049	109.1	6,335	30,929
28	2,238	115.6	7,431	34,288	1,939	108.9	4,987	28,261	1,765	106.6	4,184	25,367	2,083	110.9	6,585	31,586
29	2,279	117.7	7,822	35,165	1,963	110.2	5,133	28,686	1,785	107.8	4,340	25,756	2,117	112.7	6,825	32,232
30	2,317	119.7	8,207	36,009	1,985	111.4	5,268	29,093	1,804	109.0	4,493	26,144	2,151	114.5	7,056	32,866
31	2,353	121.6	8,585	36,822	2,007	112.7	5,394	29,481	1,824	110.2	4,643	26,527	2,184	116.2	7,279	33,489
32	2,388	123.3	8,956	37,607	2,028	113.9	5,511	29,852	1,843	111.3	4,788	26,904	2,217	118.0	7,494	34,098
33	2,420	125.0	9,320	38,365	2,049	115.0	5,619	30,205	1,862	112.5	4,927	27,271	2,249	119.7	7,700	34,693
34	2,452	126.7	9,677	39,099	2,069	116.1	5,718	30,543	1,881	113.6	5,060	27,628	2,281	121.4	7,898	35,274
35	2,482	128.2	10,025	39,811	2,088	117.2	5,809	30,864	1,899	114.7	5,184	27,970	2,313	123.1	8,089	35,841
36	2,512	129.7	10,364	40,502	2,107	118.2	5,892	31,171	1,917	115.8	5,298	28,297	2,343	124.7	8,271	36,392
37	2,540	131.2	10,695	41,176	2,125	119.3	5,966	31,464	1,933	116.8	5,403	28,604	2,373	126.3	8,446	36,926
38	2,568	132.7	11,015	41,834	2,142	120.3	6,034	31,742	1,950	117.8	5,495	28,891	2,403	127.9	8,613	37,444
39	2,596	134.1	11,326	42,478	2,160	121.2	6,094	32,008	1,965	118.7	5,575	29,155	2,431	129.4	8,774	37,945
40	2,624	135.5	11,627	43,111	2,176	122.1	6,147	32,261	1,979	119.6	5,640	29,392	2,458	130.8	8,927	38,428
41	2,652	137.0	11,917	43,735	2,192	123.1	6,193	32,503	1,993	120.4	5,690	29,602	2,485	132.2	9,073	38,892
42	2,680	138.4	12,195	44,352	2,208	124.0	6,233	32,733	2,005	121.1	5,724	29,781	2,510	133.6	9,212	39,336
43	2,708	139.9	12,462	44,963	2,224	124.8	6,267	32,954	2,015	121.7	5,741	29,927	2,535	134.9	9,345	39,761
44	2,738	141.4	12,717	45,572	2,239	125.7	6,295	33,164	2,025	122.3	5,739	30,038	2,558	136.1	9,472	40,166
45	2,768	143.0	12,959	46,180	2,254	126.5	6,317	33,365	2,033	122.8	5,717	30,110	2,580	137.3	9,592	40,549
46	2,800	144.7	13,188	46,789	2,269	127.3	6,334	33,558	2,039	123.2	5,674	30,143	2,600	138.4	9,707	40,911
47	2,833	146.4	13,404	47,403	2,283	128.2	6,346	33,744	2,044	123.4	5,609	30,133	2,620	139.4	9,815	41,250
48	2,868	148.2	13,605	48,021	2,297	128.9	6,354	33,922	2,046	123.6	5,521	30,078	2,637	140.4	9,918	41,566
49	2,905	150.0	13,793	48,648	2,311	129.7	6,356	34,093	2,047	123.7	5,408	29,976	2,654	141.2	10,015	41,859
50	2,943	152.0	13,966	49,285	2,325	130.5	6,355	34,259	2,046	123.6	5,269	29,824	2,668	142.0	10,107	42,127
51	2,984	154.2	14,123	49,934	2,339	131.3	6,350	34,420	2,043	123.4	5,104	29,620	2,681	142.7	10,194	42,371
52	3,028	156.4	14,265	50,598	2,353	132.1	6,341	34,577	2,037	123.1	4,911	29,361	2,693	143.3	10,276	42,589
53	3,074	158.8	14,391	51,277	2,367	132.8	6,329	34,729	2,030	122.6	4,689	29,045	2,702	143.8	10,353	42,781
54	3,123	161.3	14,500	51,976	2,380	133.6	6,313	34,878	2,019	122.0	4,436	28,670	2,710	144.2	10,425	42,946
55	3,175	164.0	14,593	52,695	2,394	134.4	6,295	35,025	2,007	121.2	4,152	28,233	2,716	144.5	10,493	43,084
56	3,231	166.9	14,668	53,438	2,408	135.2	6,275	35,170	1,991	120.3	3,836	27,732	2,720	144.7	10,556	43,193
57	3,290	170.0	14,725	54,205	2,422	135.9	6,252	35,314	1,973	119.2	3,486	27,165	2,722	144.8	10,615	43,275
58	3,353	173.2	14,764	55,000	2,436	136.7	6,227	35,458	1,952	117.9	3,100	26,528	2,721	144.8	10,671	43,327
59	3,420	176.7	14,784	55,824	2,450	137.5	6,201	35,601	1,928	116.5	2,679	25,820	2,719	144.7	10,722	43,349
60	3,491	180.4	14,785	56,679	2,464	138.3	6,173	35,746	1,901	114.9	2,221	25,038	2,714	144.4	10,770	43,340

累計値
- 建設業: 生涯賃金計 17,887(万円)　所定内賃金部分 13,360　賞与部分 4,527
- 食料品: 生涯賃金計 13,354(万円)　所定内賃金部分 10,965　賞与部分 2,389
- 繊維工業: 生涯賃金計 11,683(万円)　所定内賃金部分 9,750　賞与部分 1,933
- パルプ・紙・紙加工品: 生涯賃金計 15,721(万円)　所定内賃金部分 12,182　賞与部分 3,539

表[6]－２－(2) 産業別にみた高校卒・女性の個別賃金推計値（規模計）
（化学工業，プラスチック製品，ゴム製品，窯業・土石製品）

（単位：百円）

年齢（歳）	化学工業				プラスチック製品				ゴム製品				窯業・土石製品			
	所定内		年間賞与	年間賃金	所定内		年間賞与	年間賃金	所定内		年間賞与	年間賃金	所定内		年間賞与	年間賃金
	金額	指数			金額	指数			金額	指数			金額	指数		
18	1,726	91.6	5,553	26,268	1,663	92.8	4,003	23,961	1,806	97.8	4,359	26,036	1,744	95.1	4,353	25,279
19	1,762	93.5	6,022	27,164	1,693	94.5	4,181	24,502	1,809	98.0	4,222	25,932	1,762	96.1	4,440	25,585
20	1,800	95.5	6,478	28,083	1,725	96.3	4,371	25,070	1,817	98.4	4,144	25,949	1,783	97.3	4,544	25,941
21	1,842	97.7	6,921	29,020	1,758	98.1	4,572	25,665	1,830	99.1	4,124	26,080	1,807	98.6	4,665	26,345
22	1,885	100.0	7,351	29,975	1,792	100.0	4,784	26,282	1,847	100.0	4,157	26,319	1,833	100.0	4,801	26,795
23	1,931	102.4	7,769	30,945	1,826	101.9	5,004	26,920	1,868	101.2	4,240	26,657	1,861	101.5	4,954	27,287
24	1,979	105.0	8,175	31,928	1,862	103.9	5,232	27,574	1,893	102.5	4,370	27,089	1,892	103.2	5,121	27,821
25	2,029	107.6	8,569	32,923	1,898	105.9	5,468	28,244	1,922	104.1	4,544	27,606	1,924	105.0	5,304	28,393
26	2,081	110.4	8,951	33,927	1,935	108.0	5,709	28,925	1,954	105.8	4,758	28,203	1,958	106.9	5,501	29,002
27	2,135	113.2	9,321	34,938	1,972	110.1	5,955	29,615	1,989	107.7	5,009	28,873	1,994	108.8	5,713	29,645
28	2,190	116.1	9,680	35,955	2,009	112.1	6,205	30,311	2,026	109.7	5,294	29,608	2,032	110.9	5,939	30,320
29	2,246	119.1	10,028	36,976	2,046	114.2	6,458	31,010	2,066	111.9	5,609	30,401	2,071	113.0	6,178	31,024
30	2,303	122.1	10,365	37,997	2,083	116.3	6,713	31,710	2,108	114.1	5,952	31,245	2,110	115.2	6,431	31,756
31	2,361	125.2	10,691	39,019	2,120	118.3	6,969	32,408	2,151	116.5	6,318	32,134	2,151	117.4	6,696	32,514
32	2,419	128.3	11,006	40,038	2,156	120.4	7,224	33,101	2,196	118.9	6,704	33,060	2,193	119.7	6,974	33,294
33	2,478	131.5	11,311	41,053	2,192	122.4	7,478	33,786	2,242	121.4	7,108	34,017	2,236	122.0	7,265	34,096
34	2,538	134.6	11,606	42,061	2,228	124.3	7,730	34,460	2,289	124.0	7,526	34,997	2,279	124.3	7,567	34,915
35	2,598	137.8	11,890	43,060	2,262	126.3	7,978	35,121	2,337	126.5	7,954	35,994	2,323	126.7	7,881	35,751
36	2,657	140.9	12,165	44,050	2,295	128.1	8,222	35,766	2,384	129.1	8,389	37,001	2,366	129.1	8,206	36,601
37	2,716	144.1	12,430	45,027	2,328	129.9	8,461	36,392	2,432	131.7	8,828	38,010	2,410	131.5	8,542	37,463
38	2,775	147.2	12,686	45,990	2,359	131.7	8,693	36,996	2,479	134.2	9,268	39,014	2,454	133.9	8,888	38,335
39	2,834	150.3	12,932	46,936	2,388	133.3	8,918	37,576	2,525	136.7	9,705	40,008	2,497	136.3	9,245	39,213
40	2,891	153.4	13,169	47,865	2,416	134.9	9,134	38,128	2,571	139.2	10,136	40,983	2,540	138.6	9,611	40,097
41	2,948	156.4	13,398	48,773	2,442	136.3	9,341	38,650	2,615	141.6	10,558	41,933	2,583	140.9	9,987	40,984
42	3,003	159.3	13,617	49,659	2,467	137.7	9,537	39,140	2,657	143.9	10,967	42,851	2,625	143.2	10,372	41,871
43	3,058	162.2	13,828	50,521	2,489	138.9	9,721	39,593	2,697	146.1	11,360	43,729	2,666	145.5	10,765	42,756
44	3,110	165.0	14,031	51,356	2,510	140.1	9,893	40,008	2,736	148.1	11,733	44,562	2,706	147.6	11,167	43,638
45	3,162	167.7	14,226	52,164	2,528	141.1	10,052	40,382	2,771	150.1	12,085	45,341	2,745	149.8	11,577	44,513
46	3,211	170.3	14,412	52,941	2,543	141.9	10,195	40,712	2,804	151.8	12,410	46,060	2,782	151.8	11,995	45,380
47	3,258	172.8	14,591	53,687	2,556	142.7	10,323	40,995	2,834	153.4	12,706	46,713	2,818	153.8	12,420	46,236
48	3,303	175.2	14,763	54,398	2,566	143.2	10,435	41,228	2,860	154.9	12,969	47,291	2,852	155.6	12,852	47,080
49	3,346	177.5	14,927	55,073	2,573	143.6	10,528	41,408	2,883	156.1	13,197	47,788	2,885	157.4	13,291	47,908
50	3,386	179.6	15,084	55,711	2,578	143.9	10,603	41,534	2,901	157.1	13,386	48,197	2,915	159.1	13,736	48,719
51	3,423	181.6	15,234	56,308	2,579	143.9	10,658	41,601	2,915	157.8	13,532	48,512	2,944	160.6	14,187	49,511
52	3,457	183.4	15,377	56,863	2,576	143.8	10,691	41,608	2,924	158.3	13,632	48,724	2,970	162.0	14,643	50,280
53	3,488	185.0	15,514	57,375	2,571	143.5	10,704	41,551	2,929	158.6	13,683	48,828	2,993	163.3	15,105	51,025
54	3,516	186.5	15,644	57,841	2,561	143.0	10,693	41,428	2,928	158.5	13,682	48,816	3,014	164.5	15,572	51,744
55	3,541	187.8	15,768	58,258	2,548	142.2	10,658	41,235	2,921	158.2	13,626	48,681	3,033	165.5	16,043	52,435
56	3,562	188.9	15,886	58,626	2,531	141.3	10,598	40,971	2,909	157.5	13,510	48,417	3,048	166.3	16,518	53,095
57	3,579	189.8	15,998	58,943	2,510	140.1	10,512	40,632	2,890	156.5	13,332	48,015	3,060	167.0	16,998	53,721
58	3,592	190.5	16,105	59,205	2,485	138.7	10,399	40,215	2,865	155.1	13,088	47,470	3,069	167.5	17,480	54,312
59	3,600	191.0	16,206	59,412	2,455	137.0	10,259	39,718	2,833	153.4	12,775	46,775	3,075	167.8	17,966	54,866
60	3,605	191.2	16,302	59,560	2,421	135.1	10,088	39,138	2,794	151.3	12,390	45,922	3,077	167.9	18,455	55,380
累計値	生涯賃金計 19,579(万円) 所定内賃金部分 14,319 賞与部分 5,260				生涯賃金計 15,253(万円) 所定内賃金部分 11,699 賞与部分 3,553				生涯賃金計 16,598(万円) 所定内賃金部分 12,625 賞与部分 3,973				生涯賃金計 17,029(万円) 所定内賃金部分 12,730 賞与部分 4,299			

表6-2-(3) 産業別にみた高校卒・女性の個別賃金推計値（規模計）
（鉄鋼業，金属製品，生産用機器，電気機器）

(単位：百円)

年齢(歳)	鉄鋼業 所定内 金額	鉄鋼業 所定内 指数	鉄鋼業 年間賞与	鉄鋼業 年間賃金	金属製品 所定内 金額	金属製品 所定内 指数	金属製品 年間賞与	金属製品 年間賃金	生産用機器 所定内 金額	生産用機器 所定内 指数	生産用機器 年間賞与	生産用機器 年間賃金	電気機器 所定内 金額	電気機器 所定内 指数	電気機器 年間賞与	電気機器 年間賃金
18	1,908	96.4	4,883	27,780	1,744	97.9	3,608	24,534	1,710	91.2	4,411	24,928	1,800	98.2	4,884	26,481
19	1,922	97.1	5,070	28,131	1,746	98.0	4,391	25,347	1,750	93.3	5,020	26,019	1,801	98.3	5,007	26,618
20	1,938	97.9	5,272	28,532	1,754	98.5	5,125	26,167	1,791	95.5	5,579	27,068	1,807	98.6	5,152	26,835
21	1,958	98.9	5,489	28,981	1,765	99.1	5,811	26,993	1,832	97.7	6,089	28,077	1,817	99.2	5,317	27,126
22	1,980	100.0	5,718	29,474	1,781	100.0	6,451	27,824	1,875	100.0	6,553	29,049	1,832	100.0	5,500	27,487
23	2,004	101.2	5,959	30,009	1,801	101.1	7,047	28,658	1,917	102.3	6,975	29,984	1,851	101.0	5,700	27,914
24	2,031	102.6	6,210	30,581	1,825	102.4	7,600	29,496	1,961	104.6	7,357	30,884	1,874	102.3	5,916	28,401
25	2,060	104.0	6,471	31,188	1,852	104.0	8,113	30,335	2,004	106.9	7,702	31,751	1,900	103.7	6,146	28,946
26	2,091	105.6	6,739	31,827	1,882	105.7	8,587	31,175	2,048	109.2	8,013	32,586	1,930	105.3	6,389	29,543
27	2,123	107.3	7,013	32,495	1,916	107.6	9,024	32,015	2,092	111.6	8,292	33,392	1,962	107.1	6,643	30,188
28	2,158	109.0	7,292	33,188	1,952	109.6	9,426	32,854	2,136	113.9	8,543	34,170	1,997	109.0	6,909	30,877
29	2,194	110.8	7,575	33,903	1,991	111.8	9,795	33,691	2,179	116.3	8,768	34,922	2,035	111.1	7,183	31,606
30	2,231	112.7	7,861	34,637	2,033	114.1	10,133	34,524	2,223	118.6	8,970	35,648	2,075	113.3	7,464	32,369
31	2,270	114.7	8,147	35,387	2,076	116.6	10,441	35,353	2,267	120.9	9,151	36,352	2,118	115.6	7,752	33,162
32	2,310	116.7	8,434	36,150	2,121	119.1	10,722	36,177	2,310	123.2	9,315	37,034	2,161	118.0	8,045	33,982
33	2,350	118.7	8,718	36,923	2,168	121.7	10,976	36,994	2,353	125.5	9,465	37,697	2,207	120.4	8,342	34,824
34	2,392	120.8	9,000	37,703	2,216	124.4	11,207	37,804	2,395	127.8	9,603	38,342	2,254	123.0	8,640	35,683
35	2,434	122.9	9,278	38,485	2,266	127.2	11,416	38,606	2,437	130.0	9,731	38,970	2,301	125.6	8,940	36,555
36	2,477	125.1	9,550	39,268	2,316	130.0	11,605	39,399	2,477	132.2	9,854	39,584	2,350	128.2	9,239	37,435
37	2,519	127.3	9,815	40,048	2,367	132.9	11,775	40,181	2,518	134.3	9,973	40,185	2,399	130.9	9,537	38,320
38	2,562	129.4	10,072	40,822	2,419	135.8	11,928	40,951	2,557	136.4	10,092	40,774	2,448	133.6	9,831	39,204
39	2,606	131.6	10,320	41,587	2,470	138.7	12,067	41,709	2,595	138.4	10,213	41,354	2,497	136.3	10,121	40,084
40	2,649	133.8	10,557	42,339	2,522	141.6	12,193	42,454	2,632	140.4	10,339	41,925	2,546	138.9	10,404	40,955
41	2,691	135.9	10,782	43,076	2,573	144.5	12,308	43,185	2,668	142.3	10,473	42,491	2,594	141.6	10,681	41,813
42	2,733	138.1	10,993	43,794	2,624	147.3	12,413	43,900	2,703	144.2	10,618	43,052	2,642	144.2	10,949	42,653
43	2,775	140.2	11,190	44,490	2,674	150.1	12,512	44,598	2,736	146.0	10,776	43,610	2,689	146.7	11,208	43,470
44	2,816	142.2	11,371	45,162	2,723	152.9	12,605	45,279	2,768	147.7	10,951	44,167	2,734	149.2	11,455	44,261
45	2,856	144.3	11,534	45,805	2,771	155.6	12,694	45,941	2,798	149.3	11,144	44,724	2,778	151.6	11,689	45,022
46	2,895	146.2	11,679	46,417	2,817	158.2	12,781	46,584	2,827	150.8	11,360	45,283	2,820	153.9	11,910	45,747
47	2,933	148.1	11,803	46,995	2,861	160.7	12,869	47,206	2,854	152.2	11,600	45,846	2,860	156.1	12,115	46,432
48	2,969	150.0	11,906	47,535	2,904	163.1	12,958	47,807	2,879	153.6	11,868	46,414	2,897	158.1	12,304	47,073
49	3,004	151.7	11,987	48,035	2,945	165.3	13,051	48,385	2,902	154.8	12,167	46,990	2,933	160.1	12,475	47,666
50	3,037	153.4	12,044	48,490	2,983	167.5	13,149	48,939	2,923	155.9	12,498	47,574	2,965	161.8	12,626	48,206
51	3,069	155.0	12,075	48,899	3,018	169.4	13,255	49,469	2,942	156.9	12,866	48,169	2,994	163.4	12,757	48,689
52	3,098	156.5	12,080	49,257	3,050	171.3	13,370	49,973	2,959	157.8	13,272	48,776	3,020	164.8	12,866	49,110
53	3,125	157.9	12,057	49,563	3,080	172.9	13,496	50,451	2,973	158.6	13,720	49,397	3,043	166.1	12,951	49,465
54	3,151	159.1	12,005	49,811	3,105	174.4	13,636	50,900	2,985	159.2	14,213	50,033	3,061	167.1	13,012	49,750
55	3,173	160.3	11,922	50,001	3,128	175.6	13,789	51,321	2,995	159.7	14,752	50,687	3,076	167.9	13,047	49,960
56	3,193	161.3	11,807	50,127	3,146	176.6	13,960	51,713	3,001	160.1	15,342	51,359	3,086	168.4	13,054	50,091
57	3,211	162.2	11,659	50,188	3,160	177.4	14,149	52,073	3,006	160.3	15,985	52,052	3,092	168.8	13,033	50,138
58	3,225	162.9	11,477	50,179	3,170	178.0	14,358	52,402	3,007	160.4	16,683	52,767	3,093	168.8	12,982	50,097
59	3,237	163.5	11,259	50,099	3,176	178.3	14,590	52,698	3,006	160.3	17,440	53,506	3,089	168.6	12,899	49,964
60	3,245	163.9	11,003	49,943	3,176	178.3	14,845	52,960	3,001	160.1	18,258	54,270	3,079	168.1	12,783	49,734

累計値
- 鉄鋼業：生涯賃金計 17,473(万円)　所定内賃金部分 13,392　賞与部分 4,081
- 金属製品：生涯賃金計 17,490(万円)　所定内賃金部分 12,728　賞与部分 4,762
- 生産用機器：生涯賃金計 17,519(万円)　所定内賃金部分 12,959　賞与部分 4,560
- 電気機器：生涯賃金計 16,939(万円)　所定内賃金部分 12,781　賞与部分 4,159

表 6-2-(4) 産業別にみた高校卒・女性の個別賃金推計値（規模計）
(情報通信機器，輸送用機器，電気業，ガス業)

(単位：百円)

年齢(歳)	情報通信機器 所定内 金額	情報通信機器 所定内 指数	情報通信機器 年間賞与	情報通信機器 年間賃金	輸送用機器 所定内 金額	輸送用機器 所定内 指数	輸送用機器 年間賞与	輸送用機器 年間賃金	電気業 所定内 金額	電気業 所定内 指数	電気業 年間賞与	電気業 年間賃金	ガス業 所定内 金額	ガス業 所定内 指数	ガス業 年間賞与	ガス業 年間賃金
18	1,815	100.6	5,707	27,487	1,828	95.1	5,265	27,197	1,776	84.6	3,706	25,022	2,005	101.7	11,351	35,415
19	1,804	100.0	5,921	27,568	1,847	96.1	5,693	27,857	1,852	88.2	4,386	26,614	1,982	100.5	10,642	34,425
20	1,799	99.7	6,130	27,714	1,869	97.3	6,113	28,542	1,932	92.0	5,006	28,185	1,969	99.8	10,074	33,701
21	1,799	99.7	6,333	27,922	1,894	98.6	6,524	29,251	2,014	95.9	5,568	29,736	1,966	99.7	9,639	33,229
22	1,805	100.0	6,531	28,187	1,921	100.0	6,927	29,980	2,099	100.0	6,077	31,265	1,972	100.0	9,329	32,995
23	1,815	100.6	6,724	28,507	1,951	101.5	7,320	30,728	2,187	104.2	6,533	32,773	1,987	100.8	9,138	32,986
24	1,830	101.4	6,913	28,878	1,982	103.2	7,704	31,492	2,277	108.5	6,941	34,260	2,011	102.0	9,058	33,188
25	1,850	102.5	7,097	29,295	2,016	104.9	8,078	32,270	2,368	112.8	7,303	35,724	2,042	103.6	9,082	33,588
26	1,873	103.8	7,276	29,756	2,051	106.8	8,443	33,059	2,462	117.3	7,622	37,166	2,081	105.5	9,203	34,172
27	1,900	105.3	7,452	30,257	2,088	108.7	8,797	33,858	2,557	121.8	7,901	38,586	2,126	107.8	9,413	34,927
28	1,931	107.0	7,624	30,794	2,127	110.7	9,141	34,663	2,653	126.4	8,142	39,982	2,178	110.4	9,705	35,838
29	1,964	108.8	7,793	31,364	2,167	112.8	9,474	35,472	2,751	131.0	8,348	41,356	2,235	113.3	10,071	36,892
30	2,000	110.8	7,959	31,963	2,207	114.9	9,796	36,284	2,849	135.7	8,523	42,707	2,298	116.5	10,506	38,076
31	2,039	113.0	8,121	32,588	2,249	117.1	10,108	37,095	2,947	140.4	8,668	44,033	2,365	119.9	11,001	39,377
32	2,079	115.2	8,281	33,235	2,291	119.3	10,407	37,903	3,046	145.1	8,788	45,336	2,436	123.5	11,548	40,779
33	2,122	117.6	8,439	33,900	2,334	121.5	10,696	38,707	3,144	149.8	8,884	46,615	2,511	127.3	12,142	42,271
34	2,165	120.0	8,594	34,579	2,378	123.8	10,972	39,503	3,243	154.5	8,960	47,870	2,589	131.3	12,774	43,837
35	2,210	122.5	8,747	35,270	2,421	126.0	11,236	40,289	3,340	159.1	9,017	49,099	2,669	135.3	13,437	45,466
36	2,256	125.0	8,898	35,968	2,465	128.3	11,487	41,063	3,437	163.7	9,060	50,304	2,752	139.5	14,124	47,142
37	2,302	127.6	9,048	36,671	2,508	130.6	11,726	41,823	3,533	168.3	9,091	51,483	2,835	143.8	14,828	48,853
38	2,348	130.1	9,197	37,373	2,551	132.8	11,952	42,566	3,627	172.8	9,113	52,637	2,920	148.1	15,541	50,585
39	2,394	132.7	9,344	38,073	2,594	135.0	12,165	43,290	3,720	177.2	9,128	53,766	3,006	152.4	16,256	52,324
40	2,440	135.2	9,491	38,765	2,636	137.2	12,365	43,992	3,811	181.5	9,140	54,868	3,091	156.7	16,966	54,056
41	2,484	137.7	9,638	39,448	2,677	139.3	12,550	44,671	3,899	185.8	9,151	55,944	3,175	161.0	17,664	55,769
42	2,528	140.1	9,784	40,116	2,717	141.4	12,722	45,323	3,986	189.9	9,164	56,993	3,259	165.2	18,342	57,448
43	2,570	142.4	9,930	40,767	2,756	143.4	12,880	45,947	4,069	193.9	9,182	58,015	3,341	169.4	18,993	59,080
44	2,610	144.6	10,076	41,396	2,793	145.4	13,023	46,540	4,150	197.7	9,207	59,010	3,420	173.4	19,610	60,652
45	2,648	146.7	10,223	42,001	2,829	147.3	13,151	47,099	4,228	201.4	9,243	59,978	3,497	177.3	20,185	62,148
46	2,684	148.7	10,370	42,577	2,863	149.0	13,265	47,623	4,302	205.0	9,293	60,918	3,571	181.0	20,711	63,557
47	2,717	150.5	10,519	43,121	2,895	150.7	13,363	48,109	4,373	208.3	9,359	61,830	3,640	184.6	21,182	64,865
48	2,747	152.2	10,668	43,630	2,926	152.3	13,446	48,555	4,439	211.5	9,443	62,714	3,706	187.9	21,589	66,057
49	2,773	153.7	10,819	44,100	2,954	153.7	13,513	48,958	4,502	214.5	9,550	63,570	3,766	191.0	21,926	67,121
50	2,796	154.9	10,972	44,527	2,979	155.1	13,564	49,315	4,560	217.2	9,681	64,396	3,821	193.8	22,184	68,042
51	2,815	156.0	11,127	44,907	3,002	156.3	13,599	49,626	4,613	219.8	9,840	65,194	3,871	196.3	22,358	68,807
52	2,830	156.8	11,283	45,238	3,022	157.3	13,618	49,887	4,661	222.1	10,029	65,962	3,914	198.4	22,439	69,403
53	2,839	157.3	11,443	45,515	3,040	158.2	13,619	50,095	4,704	224.1	10,251	66,701	3,950	200.3	22,421	69,815
54	2,844	157.6	11,604	45,735	3,054	159.0	13,604	50,250	4,742	225.9	10,509	67,409	3,978	201.7	22,295	70,031
55	2,844	157.6	11,769	45,894	3,065	159.5	13,571	50,347	4,774	227.4	10,806	68,088	3,998	202.7	22,056	70,037
56	2,838	157.2	11,937	45,989	3,072	159.9	13,521	50,385	4,799	228.6	11,144	68,736	4,010	203.3	21,694	69,818
57	2,826	156.6	12,109	46,016	3,076	160.1	13,454	50,362	4,819	229.6	11,527	69,354	4,013	203.5	21,205	69,362
58	2,807	155.6	12,284	45,971	3,076	160.1	13,368	50,275	4,832	230.2	11,957	69,940	4,006	203.1	20,579	68,655
59	2,782	154.2	12,462	45,852	3,071	159.9	13,264	50,122	4,838	230.5	12,437	70,496	3,989	202.3	19,810	67,683
60	2,751	152.4	12,645	45,653	3,063	159.4	13,142	49,900	4,837	230.5	12,970	71,020	3,962	200.9	18,890	66,433

累計値
- 情報通信機器：生涯賃金計 16,146（万円）／所定内賃金部分 12,153／賞与部分 3,993
- 輸送用機器：生涯賃金計 17,903（万円）／所定内賃金部分 13,116／賞与部分 4,786
- 電気業：生涯賃金計 22,257（万円）／所定内賃金部分 18,450／賞与部分 3,806
- ガス業：生涯賃金計 22,289（万円）／所定内賃金部分 15,470／賞与部分 6,820

表6－2－(5) 産業別にみた高校卒・女性の個別賃金推計値（規模計）
（鉄道業，道路旅客運送業，道路貨物運送業，卸売業）

（単位：百円）

年齢(歳)	鉄道業				道路旅客運送業				道路貨物運送業				卸売業			
	所定内 金額	所定内 指数	年間賞与	年間賃金	所定内 金額	所定内 指数	年間賞与	年間賃金	所定内 金額	所定内 指数	年間賞与	年間賃金	所定内 金額	所定内 指数	年間賞与	年間賃金
18	1,838	89.8	5,340	27,394	1,688	99.7	2,721	22,979	1,851	93.9	1,653	23,870	1,856	97.3	3,384	25,658
19	1,891	92.4	5,512	28,200	1,683	99.4	2,469	22,666	1,888	95.8	2,499	25,161	1,865	97.7	4,157	26,541
20	1,943	95.0	5,692	29,008	1,682	99.3	2,266	22,456	1,921	97.4	3,244	26,293	1,877	98.4	4,849	27,376
21	1,995	97.5	5,882	29,820	1,686	99.6	2,109	22,342	1,949	98.8	3,896	27,278	1,892	99.1	5,466	28,166
22	2,046	100.0	6,081	30,637	1,694	100.0	1,995	22,318	1,972	100.0	4,459	28,127	1,909	100.0	6,012	28,915
23	2,098	102.5	6,289	31,460	1,705	100.7	1,922	22,378	1,992	101.0	4,941	28,849	1,928	101.0	6,493	29,628
24	2,149	105.0	6,506	32,292	1,719	101.5	1,886	22,517	2,009	101.9	5,348	29,457	1,950	102.2	6,913	30,308
25	2,200	107.5	6,731	33,134	1,737	102.6	1,884	22,729	2,023	102.6	5,685	29,960	1,974	103.4	7,276	30,961
26	2,252	110.1	6,965	33,988	1,758	103.8	1,913	23,006	2,034	103.1	5,959	30,371	2,000	104.8	7,588	31,590
27	2,304	112.6	7,207	34,855	1,781	105.2	1,971	23,344	2,043	103.6	6,177	30,698	2,029	106.3	7,853	32,200
28	2,357	115.2	7,457	35,737	1,807	106.7	2,055	23,736	2,051	104.0	6,343	30,955	2,060	107.9	8,077	32,795
29	2,410	117.8	7,715	36,636	1,835	108.3	2,160	24,177	2,057	104.3	6,465	31,150	2,093	109.7	8,264	33,378
30	2,464	120.4	7,981	37,552	1,864	110.1	2,286	24,659	2,062	104.6	6,549	31,295	2,128	111.5	8,419	33,955
31	2,520	123.1	8,254	38,489	1,896	112.0	2,427	25,178	2,067	104.8	6,601	31,402	2,165	113.5	8,546	34,529
32	2,576	125.9	8,534	39,446	1,929	113.9	2,583	25,728	2,071	105.0	6,627	31,480	2,205	115.5	8,651	35,106
33	2,634	128.7	8,822	40,427	1,963	115.9	2,749	26,301	2,076	105.2	6,633	31,540	2,246	117.7	8,738	35,688
34	2,693	131.6	9,116	41,432	1,998	118.0	2,922	26,892	2,081	105.5	6,626	31,594	2,289	119.9	8,812	36,280
35	2,754	134.6	9,418	42,464	2,033	120.0	3,100	27,496	2,087	105.8	6,611	31,652	2,334	122.3	8,878	36,887
36	2,816	137.6	9,726	43,523	2,069	122.2	3,280	28,106	2,094	106.2	6,596	31,725	2,381	124.8	8,941	37,513
37	2,881	140.8	10,040	44,612	2,105	124.3	3,459	28,716	2,103	106.6	6,585	31,824	2,430	127.3	9,006	38,161
38	2,948	144.0	10,361	45,732	2,141	126.4	3,633	29,320	2,115	107.2	6,585	31,960	2,480	129.9	9,077	38,837
39	3,016	147.4	10,688	46,884	2,176	128.5	3,800	29,912	2,128	107.9	6,603	32,143	2,532	132.7	9,159	39,544
40	3,088	150.9	11,021	48,071	2,211	130.5	3,957	30,487	2,145	108.8	6,645	32,384	2,586	135.5	9,257	40,287
41	3,161	154.5	11,359	49,294	2,245	132.5	4,101	31,037	2,165	109.8	6,716	32,695	2,641	138.4	9,375	41,069
42	3,238	158.2	11,703	50,554	2,277	134.5	4,229	31,558	2,189	111.0	6,823	33,086	2,698	141.4	9,520	41,896
43	3,317	162.1	12,053	51,853	2,309	136.3	4,338	32,042	2,216	112.4	6,973	33,568	2,756	144.4	9,695	42,771
44	3,399	166.1	12,408	53,193	2,338	138.1	4,424	32,485	2,248	114.0	7,170	34,151	2,816	147.6	9,905	43,699
45	3,484	170.3	12,767	54,576	2,366	139.7	4,486	32,879	2,285	115.9	7,423	34,847	2,877	150.8	10,155	44,684
46	3,572	174.6	13,132	56,002	2,392	141.2	4,520	33,220	2,328	118.0	7,736	35,666	2,940	154.0	10,450	45,729
47	3,664	179.1	13,501	57,474	2,415	142.6	4,522	33,500	2,375	120.4	8,116	36,619	3,004	157.4	10,795	46,840
48	3,760	183.7	13,875	58,993	2,435	143.8	4,491	33,715	2,429	123.2	8,569	37,718	3,069	160.8	11,194	48,021
49	3,859	188.6	14,253	60,561	2,453	144.8	4,423	33,857	2,489	126.2	9,102	38,972	3,135	164.3	11,652	49,275
50	3,962	193.6	14,636	62,179	2,467	145.7	4,315	33,922	2,556	129.6	9,720	40,393	3,203	167.8	12,175	50,607
51	4,069	198.8	15,022	63,850	2,478	146.3	4,165	33,902	2,630	133.4	10,429	41,992	3,271	171.4	12,766	52,022
52	4,180	204.3	15,412	65,574	2,485	146.8	3,968	33,792	2,712	137.5	11,237	43,779	3,341	175.1	13,431	53,523
53	4,296	209.9	15,806	67,353	2,489	146.9	3,723	33,586	2,801	142.0	12,148	45,765	3,412	178.8	14,175	55,115
54	4,416	215.8	16,203	69,189	2,488	146.9	3,426	33,278	2,899	147.0	13,170	47,961	3,483	182.5	15,002	56,802
55	4,540	221.9	16,604	71,084	2,482	146.6	3,075	32,862	3,006	152.4	14,309	50,378	3,556	186.3	15,917	58,588
56	4,669	228.2	17,007	73,039	2,472	146.0	2,665	32,332	3,121	158.3	15,570	53,026	3,629	190.2	16,926	60,477
57	4,803	234.7	17,414	75,056	2,457	145.1	2,196	31,681	3,246	164.6	16,960	55,917	3,704	194.1	18,032	62,474
58	4,943	241.5	17,823	77,135	2,437	143.9	1,662	30,904	3,381	171.4	18,485	59,062	3,779	198.0	19,240	64,583
59	5,087	248.6	18,235	79,280	2,411	142.4	1,062	29,995	3,527	178.8	20,151	62,471	3,854	202.0	20,556	66,809
60	5,237	255.9	18,649	81,492	2,380	140.5	393	28,948	3,683	186.7	21,964	66,154	3,931	206.0	21,984	69,154
累計値	生涯賃金計 21,295(万円) 所定内賃金部分 16,503 賞与部分 4,792				生涯賃金計 12,269(万円) 所定内賃金部分 10,972 賞与部分 1,297				生涯賃金計 15,754(万円) 所定内賃金部分 12,133 賞与部分 3,621				生涯賃金計 18,184(万円) 所定内賃金部分 13,717 賞与部分 4,468			

表6-2-(6) 産業別にみた高校卒・女性の個別賃金推計値（規模計）
（各種商品小売業，飲食料品小売業，機械器具小売業，銀行業）

(単位：百円)

年齢(歳)	各種商品小売業 所定内 金額	指数	年間賞与	年間賃金	飲食料品小売業 所定内 金額	指数	年間賞与	年間賃金	機械器具小売業 所定内 金額	指数	年間賞与	年間賃金	銀行業 所定内 金額	指数	年間賞与	年間賃金
18	1,719	95.1	2,985	23,607	1,746	94.0	4,075	25,030	1,732	89.5	4,278	25,056	1,785	99.5	5,425	26,848
19	1,737	96.2	3,153	23,999	1,775	95.5	3,914	25,209	1,783	92.2	4,965	26,356	1,771	98.7	5,231	26,484
20	1,758	97.3	3,333	24,431	1,802	97.0	3,801	25,430	1,833	94.8	5,595	27,597	1,768	98.5	5,148	26,367
21	1,781	98.6	3,524	24,901	1,830	98.5	3,731	25,692	1,884	97.4	6,170	28,780	1,776	99.0	5,167	26,482
22	1,807	100.0	3,726	25,406	1,857	100.0	3,702	25,992	1,934	100.0	6,694	29,907	1,794	100.0	5,281	26,813
23	1,834	101.5	3,936	25,944	1,885	101.5	3,712	26,327	1,984	102.6	7,169	30,981	1,822	101.5	5,483	27,344
24	1,863	103.1	4,155	26,512	1,912	102.9	3,757	26,696	2,034	105.1	7,597	32,002	1,858	103.5	5,765	28,057
25	1,894	104.8	4,380	27,109	1,938	104.4	3,835	27,095	2,083	107.7	7,983	32,973	1,902	106.0	6,120	28,939
26	1,927	106.7	4,610	27,732	1,965	105.8	3,942	27,522	2,131	110.1	8,327	33,895	1,952	108.8	6,541	29,971
27	1,961	108.6	4,845	28,378	1,991	107.2	4,076	27,974	2,178	112.6	8,634	34,771	2,010	112.0	7,020	31,138
28	1,997	110.5	5,083	29,046	2,018	108.6	4,235	28,450	2,225	115.0	8,905	35,603	2,073	115.5	7,550	32,424
29	2,034	112.6	5,323	29,732	2,044	110.1	4,415	28,946	2,271	117.4	9,145	36,391	2,141	119.3	8,124	33,812
30	2,073	114.7	5,564	30,434	2,071	111.5	4,614	29,460	2,315	119.7	9,354	37,138	2,213	123.3	8,734	35,287
31	2,112	116.9	5,804	31,150	2,097	112.9	4,828	29,990	2,359	122.0	9,537	37,846	2,288	127.5	9,372	36,833
32	2,153	119.2	6,043	31,878	2,123	114.3	5,055	30,533	2,402	124.2	9,696	38,517	2,367	131.9	10,032	38,433
33	2,195	121.5	6,280	32,615	2,149	115.7	5,292	31,086	2,443	126.3	9,834	39,152	2,447	136.4	10,706	40,070
34	2,237	123.8	6,513	33,360	2,176	117.1	5,537	31,648	2,483	128.4	9,954	39,754	2,529	140.9	11,386	41,730
35	2,281	126.2	6,741	34,108	2,202	118.6	5,786	32,215	2,522	130.4	10,057	40,324	2,611	145.5	12,066	43,396
36	2,325	128.7	6,963	34,859	2,229	120.0	6,037	32,786	2,560	132.3	10,148	40,864	2,693	150.1	12,737	45,051
37	2,369	131.1	7,177	35,609	2,256	121.5	6,287	33,357	2,596	134.2	10,229	41,375	2,774	154.6	13,393	46,680
38	2,414	133.6	7,384	36,356	2,283	122.9	6,533	33,927	2,630	135.9	10,303	41,861	2,853	159.0	14,026	48,266
39	2,460	136.2	7,581	37,099	2,310	124.4	6,772	34,492	2,663	137.6	10,372	42,322	2,930	163.3	14,629	49,793
40	2,506	138.7	7,767	37,834	2,337	125.8	7,001	35,050	2,693	139.2	10,439	42,760	3,004	167.4	15,194	51,246
41	2,552	141.2	7,941	38,560	2,365	127.3	7,218	35,600	2,723	140.7	10,507	43,178	3,074	171.3	15,715	52,607
42	2,598	143.8	8,103	39,273	2,393	128.8	7,420	36,137	2,750	142.1	10,579	43,576	3,140	175.0	16,182	53,861
43	2,643	146.3	8,250	39,972	2,421	130.4	7,604	36,660	2,775	143.5	10,658	43,958	3,200	178.3	16,590	54,992
44	2,689	148.9	8,382	40,653	2,450	131.9	7,767	37,167	2,798	144.7	10,746	44,324	3,254	181.4	16,931	55,984
45	2,735	151.4	8,498	41,316	2,479	133.5	7,906	37,654	2,819	145.7	10,846	44,677	3,302	184.0	17,197	56,819
46	2,780	153.9	8,596	41,957	2,508	135.0	8,019	38,120	2,838	146.7	10,961	45,019	3,342	186.2	17,382	57,483
47	2,825	156.4	8,676	42,573	2,538	136.6	8,103	38,561	2,855	147.6	11,094	45,351	3,374	188.0	17,477	57,959
48	2,869	158.8	8,736	43,164	2,568	138.3	8,155	38,976	2,869	148.3	11,247	45,675	3,396	189.3	17,475	58,231
49	2,913	161.2	8,774	43,725	2,599	139.9	8,172	39,361	2,881	148.9	11,423	45,992	3,409	190.0	17,369	58,283
50	2,955	163.6	8,791	44,256	2,630	141.6	8,151	39,715	2,890	149.4	11,626	46,306	3,412	190.2	17,152	58,098
51	2,997	165.9	8,784	44,752	2,662	143.3	8,090	40,035	2,897	149.7	11,857	46,618	3,404	189.7	16,816	57,661
52	3,038	168.2	8,753	45,213	2,694	145.1	7,985	40,319	2,901	150.0	12,120	46,929	3,383	188.6	16,354	56,955
53	3,078	170.4	8,696	45,636	2,727	146.8	7,834	40,563	2,902	150.0	12,417	47,241	3,350	186.7	15,759	55,964
54	3,117	172.5	8,612	46,018	2,761	148.6	7,634	40,766	2,900	149.9	12,751	47,557	3,304	184.1	15,022	54,673
55	3,155	174.6	8,501	46,357	2,795	150.5	7,383	40,924	2,896	149.7	13,125	47,877	3,244	180.8	14,137	53,064
56	3,191	176.6	8,360	46,650	2,830	152.4	7,077	41,036	2,889	149.3	13,542	48,205	3,169	176.6	13,097	51,122
57	3,226	178.5	8,189	46,896	2,865	154.3	6,714	41,099	2,878	148.8	14,004	48,541	3,078	171.5	11,893	48,831
58	3,259	180.4	7,987	47,091	2,902	156.2	6,290	41,111	2,864	148.1	14,515	48,888	2,971	165.6	10,519	46,174
59	3,290	182.1	7,752	47,234	2,939	158.2	5,804	41,069	2,848	147.2	15,076	49,247	2,847	158.7	8,967	43,136
60	3,320	183.8	7,484	47,322	2,977	160.2	5,251	40,970	2,827	146.2	15,691	49,621	2,706	150.8	7,230	39,700
累計値	生涯賃金計 15,707(万円) 所定内賃金部分 12,800 賞与部分 2,907				生涯賃金計 14,608(万円) 所定内賃金部分 12,012 賞与部分 2,595				生涯賃金計 17,450(万円) 所定内賃金部分 13,048 賞与部分 4,402				生涯賃金計 18,931(万円) 所定内賃金部分 13,887 賞与部分 5,044			

表6-2-(7) 産業別にみた高校卒・女性の個別賃金推計値（規模計）
（金融商品・商品先物取引業，保険業，不動産業，物品賃貸業）

(単位：百円)

年齢(歳)	金融商品・商品先物取引業				保険業				不動産業				物品賃貸業			
	所定内		年間賞与	年間賃金	所定内		年間賞与	年間賃金	所定内		年間賞与	年間賃金	所定内		年間賞与	年間賃金
	金額	指数			金額	指数			金額	指数			金額	指数		
18	1,815	96.6	10,339	32,115	2,033	96.2	546	24,941	1,844	97.4	3,939	26,068	1,689	91.2	3,707	23,979
19	1,820	96.9	9,116	30,953	2,037	96.4	992	25,435	1,846	97.5	3,837	25,992	1,728	93.3	4,019	24,754
20	1,832	97.5	8,106	30,095	2,052	97.1	1,459	26,083	1,856	98.0	3,809	26,077	1,768	95.5	4,323	25,538
21	1,852	98.6	7,299	29,526	2,078	98.3	1,943	26,874	1,872	98.8	3,850	26,311	1,809	97.7	4,621	26,331
22	1,879	100.0	6,683	29,228	2,113	100.0	2,445	27,797	1,894	100.0	3,955	26,685	1,852	100.0	4,911	27,130
23	1,912	101.7	6,246	29,185	2,157	102.1	2,961	28,843	1,922	101.5	4,119	27,189	1,895	102.3	5,195	27,934
24	1,950	103.8	5,977	29,380	2,209	104.6	3,490	30,000	1,956	103.3	4,338	27,811	1,939	104.7	5,473	28,743
25	1,994	106.2	5,864	29,797	2,269	107.4	4,031	31,260	1,995	105.3	4,607	28,542	1,984	107.2	5,744	29,556
26	2,044	108.8	5,896	30,419	2,336	110.6	4,581	32,611	2,037	107.6	4,922	29,371	2,030	109.6	6,011	30,370
27	2,097	111.6	6,061	31,230	2,409	114.0	5,140	34,043	2,084	110.0	5,277	30,289	2,076	112.1	6,271	31,185
28	2,155	114.7	6,348	32,213	2,487	117.7	5,705	35,547	2,135	112.7	5,668	31,284	2,123	114.6	6,527	31,999
29	2,217	118.0	6,745	33,351	2,570	121.6	6,275	37,110	2,188	115.5	6,090	32,346	2,169	117.2	6,778	32,811
30	2,282	121.5	7,241	34,628	2,656	125.7	6,849	38,725	2,244	118.5	6,539	33,466	2,216	119.7	7,025	33,621
31	2,350	125.1	7,825	36,027	2,746	130.0	7,423	40,379	2,302	121.5	7,010	34,633	2,263	122.2	7,267	34,426
32	2,421	128.8	8,484	37,532	2,839	134.4	7,997	42,063	2,362	124.7	7,498	35,836	2,310	124.8	7,506	35,225
33	2,493	132.7	9,208	39,127	2,933	138.8	8,570	43,766	2,422	127.9	7,998	37,065	2,356	127.3	7,741	36,018
34	2,567	136.7	9,984	40,794	3,028	143.3	9,139	45,479	2,484	131.1	8,507	38,311	2,402	129.8	7,973	36,803
35	2,643	140.7	10,802	42,516	3,124	147.9	9,702	47,190	2,545	134.4	9,019	39,562	2,448	132.2	8,203	37,579
36	2,719	144.7	11,650	44,279	3,219	152.4	10,259	48,890	2,607	137.6	9,529	40,808	2,493	134.6	8,429	38,344
37	2,796	148.8	12,516	46,064	3,313	156.8	10,807	50,568	2,667	140.8	10,034	42,040	2,537	137.0	8,654	39,097
38	2,872	152.9	13,389	47,855	3,406	161.2	11,344	52,214	2,727	143.9	10,528	43,246	2,580	139.4	8,876	39,838
39	2,948	156.9	14,257	49,637	3,496	165.5	11,870	53,818	2,784	147.0	11,006	44,417	2,622	141.6	9,097	40,564
40	3,023	160.9	15,110	51,391	3,582	169.6	12,382	55,370	2,840	149.9	11,464	45,541	2,663	143.8	9,317	41,275
41	3,097	164.9	15,935	53,102	3,665	173.5	12,878	56,858	2,893	152.7	11,897	46,610	2,703	146.0	9,535	41,970
42	3,169	168.7	16,720	54,753	3,743	177.2	13,358	58,273	2,943	155.4	12,301	47,612	2,741	148.0	9,753	42,646
43	3,239	172.4	17,456	56,327	3,816	180.6	13,818	59,605	2,989	157.8	12,670	48,538	2,778	150.0	9,971	43,303
44	3,307	176.0	18,129	57,808	3,882	183.7	14,259	60,843	3,031	160.0	13,001	49,376	2,813	151.9	10,188	43,940
45	3,371	179.4	18,729	59,180	3,942	186.6	14,677	61,977	3,069	162.0	13,288	50,117	2,846	153.7	10,406	44,555
46	3,432	182.7	19,243	60,425	3,994	189.0	15,071	62,997	3,102	163.8	13,527	50,751	2,877	155.4	10,624	45,148
47	3,489	185.7	19,661	61,527	4,038	191.1	15,440	63,892	3,129	165.2	13,714	51,266	2,906	157.0	10,843	45,716
48	3,542	188.5	19,971	62,470	4,072	192.8	15,782	64,652	3,151	166.3	13,842	51,653	2,933	158.4	11,063	46,260
49	3,590	191.1	20,162	63,237	4,098	194.0	16,095	65,267	3,166	167.1	13,909	51,902	2,958	159.7	11,284	46,776
50	3,632	193.3	20,222	63,812	4,112	194.7	16,378	65,726	3,174	167.6	13,909	52,002	2,980	160.9	11,508	47,265
51	3,670	195.3	20,139	64,177	4,116	194.8	16,628	66,019	3,175	167.6	13,837	51,942	2,999	162.0	11,733	47,725
52	3,701	197.0	19,902	64,316	4,108	194.4	16,845	66,137	3,169	167.3	13,688	51,713	3,016	162.9	11,961	48,154
53	3,726	198.3	19,500	64,213	4,087	193.4	17,025	66,067	3,154	166.5	13,459	51,305	3,030	163.7	12,191	48,552
54	3,744	199.3	18,921	63,852	4,053	191.8	17,169	65,802	3,130	165.3	13,145	50,706	3,041	164.2	12,424	48,917
55	3,755	199.9	18,153	63,215	4,005	189.5	17,274	65,329	3,097	163.5	12,740	49,907	3,049	164.7	12,661	49,249
56	3,758	200.0	17,185	62,286	3,942	186.6	17,338	64,639	3,055	161.3	12,240	48,897	3,054	164.9	12,901	49,545
57	3,753	199.8	16,007	61,048	3,863	182.9	17,360	63,721	3,002	158.5	11,640	47,667	3,055	165.0	13,146	49,804
58	3,740	199.1	14,605	59,485	3,769	178.4	17,338	62,566	2,939	155.2	10,936	46,205	3,053	164.9	13,394	50,026
59	3,718	197.9	12,968	57,580	3,658	173.1	17,271	61,162	2,865	151.2	10,124	44,501	3,047	164.6	13,647	50,209
60	3,686	196.2	11,086	55,318	3,529	167.0	17,156	59,500	2,779	146.7	9,197	42,546	3,037	164.0	13,905	50,352
累計値	生涯賃金計 20,455（万円）所定内賃金部分 14,856 賞与部分 5,598				生涯賃金計 21,400（万円）所定内賃金部分 16,750 賞与部分 4,651				生涯賃金計 17,581（万円）所定内賃金部分 13,515 賞与部分 4,066				生涯賃金計 16,932（万円）所定内賃金部分 13,064 賞与部分 3,868			

表6-2-(8) 産業別にみた高校卒・女性の個別賃金推計値（規模計）
（宿泊業，飲食店，医療業，社会保険・社会福祉・介護事業）

(単位：百円)

年齢(歳)	宿泊業 所定内 金額	宿泊業 所定内 指数	宿泊業 年間賞与	宿泊業 年間賃金	飲食店 所定内 金額	飲食店 所定内 指数	飲食店 年間賞与	飲食店 年間賃金	医療業 所定内 金額	医療業 所定内 指数	医療業 年間賞与	医療業 年間賃金	社会保険・社会福祉・介護事業 所定内 金額	社会保険・社会福祉・介護事業 所定内 指数	社会保険・社会福祉・介護事業 年間賞与	社会保険・社会福祉・介護事業 年間賃金
18	1,692	92.0	1,014	21,320	1,849	102.4	1,366	23,559	1,859	101.9	3,753	26,059	1,828	93.2	4,177	26,117
19	1,731	94.1	1,161	21,930	1,824	101.0	1,273	23,160	1,841	101.0	3,792	25,890	1,860	94.8	4,512	26,827
20	1,768	96.2	1,297	22,515	1,809	100.2	1,209	22,913	1,830	100.3	3,842	25,803	1,892	96.5	4,828	27,535
21	1,804	98.1	1,425	23,075	1,803	99.8	1,174	22,808	1,824	100.0	3,903	25,793	1,926	98.2	5,125	28,241
22	1,839	100.0	1,544	23,611	1,806	100.0	1,164	22,835	1,824	100.0	3,973	25,858	1,962	100.0	5,405	28,944
23	1,872	101.8	1,654	24,122	1,817	100.6	1,179	22,985	1,828	100.3	4,055	25,995	1,998	101.9	5,669	29,646
24	1,905	103.6	1,755	24,610	1,836	101.7	1,217	23,247	1,838	100.8	4,147	26,200	2,036	103.8	5,919	30,345
25	1,936	105.3	1,848	25,076	1,861	103.1	1,276	23,611	1,852	101.5	4,250	26,471	2,074	105.7	6,155	31,044
26	1,965	106.9	1,934	25,519	1,893	104.8	1,354	24,069	1,870	102.5	4,363	26,805	2,114	107.7	6,379	31,742
27	1,994	108.4	2,011	25,942	1,930	106.9	1,450	24,610	1,892	103.8	4,488	27,198	2,154	109.8	6,593	32,439
28	2,022	109.9	2,081	26,343	1,972	109.2	1,562	25,225	1,919	105.2	4,623	27,648	2,195	111.9	6,797	33,135
29	2,048	111.4	2,144	26,724	2,018	111.7	1,687	25,904	1,948	106.8	4,769	28,151	2,237	114.0	6,993	33,832
30	2,074	112.8	2,201	27,086	2,068	114.5	1,825	26,636	1,982	108.7	4,926	28,704	2,279	116.2	7,183	34,529
31	2,098	114.1	2,250	27,428	2,120	117.4	1,974	27,413	2,018	110.6	5,094	29,306	2,321	118.4	7,368	35,226
32	2,122	115.4	2,293	27,753	2,174	120.4	2,132	28,224	2,057	112.8	5,273	29,951	2,365	120.5	7,549	35,924
33	2,144	116.6	2,330	28,059	2,230	123.5	2,297	29,060	2,098	115.0	5,463	30,638	2,408	122.8	7,727	36,624
34	2,166	117.8	2,361	28,348	2,287	126.6	2,468	29,911	2,142	117.4	5,664	31,363	2,452	125.0	7,904	37,325
35	2,186	118.9	2,387	28,621	2,344	129.8	2,642	30,767	2,187	119.9	5,876	32,123	2,495	127.2	8,082	38,027
36	2,206	120.0	2,407	28,878	2,400	132.9	2,819	31,618	2,235	122.5	6,099	32,916	2,539	129.5	8,260	38,732
37	2,225	121.0	2,422	29,120	2,455	135.9	2,996	32,456	2,284	125.2	6,334	33,738	2,583	131.7	8,442	39,439
38	2,243	122.0	2,432	29,347	2,508	138.9	3,171	33,269	2,334	128.0	6,580	34,585	2,627	133.9	8,628	40,148
39	2,260	122.9	2,438	29,560	2,559	141.7	3,343	34,048	2,385	130.8	6,837	35,456	2,670	136.1	8,819	40,861
40	2,277	123.8	2,440	29,759	2,606	144.3	3,511	34,784	2,437	133.6	7,105	36,347	2,713	138.3	9,017	41,577
41	2,292	124.7	2,437	29,946	2,650	146.7	3,672	35,466	2,489	136.5	7,385	37,255	2,756	140.5	9,223	42,296
42	2,307	125.5	2,431	30,121	2,688	148.9	3,825	36,085	2,542	139.4	7,676	38,177	2,798	142.7	9,439	43,019
43	2,322	126.3	2,421	30,283	2,722	150.7	3,967	36,632	2,594	142.3	7,979	39,110	2,840	144.8	9,666	43,746
44	2,336	127.0	2,408	30,435	2,750	152.3	4,098	37,095	2,647	145.1	8,293	40,051	2,881	146.9	9,905	44,478
45	2,349	127.7	2,392	30,577	2,771	153.4	4,216	37,466	2,698	148.0	8,619	40,997	2,921	148.9	10,157	45,215
46	2,361	128.4	2,373	30,708	2,785	154.2	4,318	37,736	2,749	150.7	8,956	41,944	2,961	151.0	10,424	45,956
47	2,373	129.1	2,352	30,831	2,791	154.5	4,403	37,893	2,799	153.5	9,305	42,891	3,000	152.9	10,708	46,703
48	2,385	129.7	2,328	30,945	2,788	154.4	4,470	37,928	2,847	156.1	9,666	43,833	3,037	154.8	11,009	47,456
49	2,396	130.3	2,303	31,050	2,776	153.7	4,517	37,832	2,894	158.7	10,038	44,767	3,074	156.7	11,329	48,214
50	2,406	130.8	2,276	31,149	2,754	152.5	4,541	37,595	2,939	161.2	10,422	45,692	3,109	158.5	11,669	48,979
51	2,416	131.4	2,248	31,241	2,722	150.7	4,542	37,207	2,982	163.5	10,818	46,603	3,143	160.2	12,031	49,751
52	2,426	131.9	2,218	31,327	2,678	148.3	4,517	36,658	3,023	165.7	11,226	47,497	3,176	161.9	12,416	50,529
53	2,435	132.4	2,187	31,407	2,623	145.2	4,464	35,938	3,061	167.8	11,646	48,372	3,207	163.5	12,825	51,314
54	2,444	132.9	2,156	31,483	2,555	141.5	4,383	35,038	3,096	169.7	12,077	49,225	3,237	165.0	13,260	52,107
55	2,452	133.4	2,125	31,554	2,473	136.9	4,271	33,949	3,128	171.5	12,521	50,052	3,266	166.5	13,721	52,907
56	2,461	133.8	2,093	31,621	2,378	131.7	4,127	32,659	3,156	173.1	12,976	50,851	3,292	167.8	14,211	53,716
57	2,469	134.2	2,062	31,686	2,268	125.6	3,949	31,160	3,181	174.4	13,444	51,617	3,317	169.1	14,731	54,533
58	2,476	134.7	2,030	31,748	2,142	118.6	3,735	29,441	3,202	175.6	13,924	52,350	3,340	170.3	15,281	55,359
59	2,484	135.1	2,000	31,808	2,001	110.8	3,483	27,494	3,219	176.5	14,416	53,044	3,361	171.3	15,864	56,193
60	2,491	135.5	1,971	31,867	1,843	102.1	3,191	25,307	3,232	177.2	14,920	53,698	3,380	172.3	16,480	57,037

累計値
- 宿泊業：生涯賃金計 12,265（万円）／所定内賃金部分 11,359／賞与部分 906
- 飲食店：生涯賃金計 13,197（万円）／所定内賃金部分 11,919／賞与部分 1,278
- 医療業：生涯賃金計 15,910（万円）／所定内賃金部分 12,595／賞与部分 3,315
- 社会保険・社会福祉・介護事業：生涯賃金計 17,678（万円）／所定内賃金部分 13,659／賞与部分 4,019

個別賃金推計値表7　組合員の年齢別賃金，賞与，年間賃金（通勤手当除く）

表7-1　規模別にみた大学卒・男性組合員の個別賃金推計値（産業計）

(単位：百円)

年齢(歳)	規模計 所定内 金額	規模計 所定内 指数	規模計 年間賞与	規模計 年間賃金	1,000人以上規模 所定内 金額	1,000人以上規模 所定内 指数	1,000人以上規模 年間賞与	1,000人以上規模 年間賃金	100～999人規模 所定内 金額	100～999人規模 所定内 指数	100～999人規模 年間賞与	100～999人規模 年間賃金	10～99人規模 所定内 金額	10～99人規模 所定内 指数	10～99人規模 年間賞与	10～99人規模 年間賃金
18																
19																
20																
21																
22	2,183	100.0	5,651	31,845	2,238	100.0	6,709	33,565	2,158	100.0	5,018	30,914	2,071	100.0	4,368	29,216
23	2,278	104.4	6,707	34,047	2,346	104.8	7,978	36,135	2,245	104.0	6,082	33,020	2,172	104.9	4,963	31,028
24	2,373	108.7	7,689	36,169	2,455	109.7	9,160	38,624	2,330	108.0	7,054	35,015	2,269	109.6	5,519	32,746
25	2,468	113.1	8,599	38,213	2,564	114.6	10,260	41,032	2,414	111.9	7,937	36,904	2,362	114.1	6,036	34,375
26	2,562	117.4	9,442	40,182	2,673	119.5	11,279	43,359	2,496	115.7	8,736	38,690	2,450	118.3	6,517	35,917
27	2,655	121.6	10,221	42,077	2,782	124.3	12,221	45,606	2,577	119.4	9,457	40,379	2,534	122.4	6,962	37,376
28	2,747	125.8	10,938	43,900	2,890	129.1	13,091	47,772	2,656	123.1	10,103	41,974	2,615	126.3	7,374	38,754
29	2,838	130.0	11,597	45,652	2,997	133.9	13,890	49,858	2,733	126.7	10,679	43,480	2,692	130.0	7,755	40,056
30	2,928	134.1	12,201	47,335	3,103	138.7	14,623	51,864	2,809	130.2	11,190	44,902	2,765	133.5	8,105	41,285
31	3,017	138.2	12,753	48,951	3,208	143.3	15,293	53,790	2,883	133.6	11,641	46,243	2,835	136.9	8,427	42,443
32	3,104	142.2	13,257	50,501	3,311	148.0	15,903	55,637	2,956	137.0	12,036	47,508	2,901	140.1	8,721	43,535
33	3,189	146.1	13,715	51,987	3,412	152.5	16,457	57,404	3,027	140.3	12,380	48,701	2,964	143.2	8,991	44,563
34	3,273	149.9	14,132	53,410	3,511	156.9	16,957	59,093	3,096	143.5	12,678	49,827	3,025	146.1	9,236	45,530
35	3,355	153.7	14,510	54,773	3,608	161.2	17,409	60,703	3,163	146.6	12,934	50,890	3,082	148.8	9,459	46,441
36	3,435	157.4	14,852	56,077	3,702	165.4	17,814	62,234	3,228	149.6	13,153	51,894	3,136	151.5	9,662	47,298
37	3,513	161.0	15,162	57,324	3,793	169.5	18,176	63,687	3,292	152.5	13,340	52,844	3,188	154.0	9,846	48,105
38	3,589	164.4	15,444	58,515	3,880	173.4	18,499	65,062	3,354	155.4	13,499	53,744	3,238	156.4	10,012	48,865
39	3,663	167.8	15,699	59,652	3,964	177.1	18,786	66,360	3,414	158.2	13,635	54,599	3,285	158.6	10,163	49,581
40	3,734	171.0	15,932	60,736	4,045	180.7	19,040	67,579	3,472	160.9	13,753	55,413	3,330	160.8	10,299	50,257
41	3,802	174.2	16,145	61,770	4,121	184.2	19,265	68,722	3,528	163.5	13,857	56,190	3,373	162.9	10,423	50,896
42	3,868	177.2	16,343	62,755	4,194	187.4	19,464	69,787	3,582	166.0	13,953	56,934	3,414	164.9	10,536	51,501
43	3,930	180.1	16,527	63,692	4,261	190.4	19,640	70,775	3,634	168.4	14,044	57,650	3,453	166.8	10,639	52,075
44	3,990	182.8	16,703	64,584	4,324	193.2	19,798	71,687	3,684	170.7	14,135	58,343	3,491	168.6	10,735	52,622
45	4,047	185.4	16,871	65,431	4,382	195.8	19,939	72,522	3,732	172.9	14,232	59,016	3,527	170.3	10,824	53,145
46	4,100	187.8	17,037	66,237	4,434	198.1	20,069	73,281	3,778	175.1	14,338	59,674	3,562	172.0	10,909	53,648
47	4,150	190.1	17,202	67,001	4,481	200.2	20,189	73,964	3,822	177.1	14,459	60,321	3,595	173.6	10,990	54,133
48	4,196	192.2	17,371	67,727	4,522	202.1	20,303	74,572	3,864	179.0	14,599	60,962	3,628	175.2	11,071	54,604
49	4,239	194.2	17,547	68,415	4,557	203.6	20,416	75,104	3,903	180.9	14,763	61,602	3,659	176.7	11,151	55,064
50	4,278	196.0	17,732	69,067	4,586	204.9	20,530	75,560	3,941	182.6	14,955	62,243	3,690	178.2	11,234	55,517
51	4,313	197.6	17,931	69,686	4,608	205.9	20,648	75,942	3,976	184.2	15,180	62,892	3,721	179.7	11,320	55,966
52	4,344	199.0	18,145	70,272	4,623	206.6	20,774	76,249	4,009	185.8	15,443	63,551	3,750	181.1	11,410	56,415
53	4,371	200.2	18,380	70,827	4,631	206.9	20,911	76,482	4,040	187.2	15,749	64,226	3,780	182.5	11,508	56,865
54	4,393	201.3	18,637	71,353	4,631	206.9	21,064	76,640	4,068	188.5	16,102	64,921	3,809	184.0	11,613	57,322
55	4,411	202.1	18,919	71,852	4,624	206.6	21,234	76,724	4,095	189.7	16,506	65,640	3,838	185.4	11,729	57,787
56	4,424	202.7	19,232	72,326	4,609	205.9	21,426	76,735	4,118	190.8	16,967	66,388	3,867	186.8	11,856	58,265
57	4,433	203.1	19,576	72,775	4,586	204.9	21,642	76,671	4,140	191.8	17,490	67,169	3,897	188.2	11,995	58,759
58	4,437	203.3	19,957	73,202	4,554	203.5	21,887	76,535	4,159	192.7	18,078	67,987	3,927	189.6	12,150	59,271
59	4,436	203.2	20,376	73,608	4,513	201.7	22,164	76,325	4,176	193.5	18,737	68,846	3,957	191.1	12,320	59,806
60	4,430	202.9	20,837	73,995	4,464	199.5	22,475	76,043	4,190	194.2	19,471	69,752	3,988	192.6	12,509	60,366

累計値：
- 規模計　生涯賃金計 22,879(万円)　所定内賃金部分 16,980　賞与部分 5,900
- 1,000人以上規模　生涯賃金計 24,897(万円)　所定内賃金部分 18,023　賞与部分 6,874
- 100～999人規模　生涯賃金計 21,113(万円)　所定内賃金部分 15,929　賞与部分 5,184
- 10～99人規模　生涯賃金計 19,014(万円)　所定内賃金部分 15,221　賞与部分 3,793

表7－2　規模別にみた高校卒・男性組合員の個別賃金推計値（産業計）

（単位：百円）

年齢（歳）	規模計				1,000人以上規模				100～999人規模				10～99人規模			
	所定内		年間賞与	年間賃金	所定内		年間賞与	年間賃金	所定内		年間賞与	年間賃金	所定内		年間賞与	年間賃金
	金額	指数			金額	指数			金額	指数			金額	指数		
18	1,770	87.2	3,939	25,185	1,757	85.0	4,975	26,059	1,791	89.4	4,014	25,511	1,735	85.4	2,351	23,177
19	1,834	90.3	4,563	26,572	1,833	88.6	5,659	27,650	1,843	91.9	4,620	26,735	1,813	89.1	3,020	24,772
20	1,899	93.5	5,158	27,944	1,910	92.3	6,317	29,235	1,896	94.6	5,195	27,945	1,888	92.9	3,639	26,295
21	1,965	96.7	5,726	29,300	1,988	96.1	6,951	30,812	1,950	97.3	5,742	29,140	1,962	96.5	4,210	27,749
22	2,031	100.0	6,267	30,640	2,068	100.0	7,561	32,379	2,005	100.0	6,261	30,320	2,033	100.0	4,734	29,134
23	2,098	103.3	6,782	31,963	2,149	103.9	8,147	33,933	2,061	102.8	6,752	31,484	2,103	103.4	5,214	30,454
24	2,166	106.7	7,273	33,267	2,230	107.8	8,709	35,474	2,118	105.6	7,218	32,632	2,172	106.8	5,651	31,709
25	2,234	110.0	7,739	34,552	2,312	111.8	9,249	36,998	2,175	108.5	7,658	33,762	2,238	110.1	6,048	32,902
26	2,303	113.4	8,181	35,818	2,395	115.8	9,766	38,505	2,233	111.4	8,073	34,875	2,302	113.2	6,405	34,035
27	2,372	116.8	8,601	37,062	2,478	119.8	10,261	39,991	2,292	114.3	8,465	35,969	2,365	116.3	6,726	35,109
28	2,440	120.2	8,999	38,284	2,560	123.8	10,735	41,456	2,351	117.2	8,835	37,044	2,426	119.3	7,012	36,126
29	2,509	123.5	9,375	39,483	2,642	127.8	11,187	42,897	2,410	120.2	9,182	38,099	2,485	122.2	7,265	37,089
30	2,577	126.9	9,731	40,659	2,724	131.7	11,620	44,312	2,469	123.1	9,509	39,134	2,543	125.0	7,486	37,998
31	2,645	130.2	10,068	41,809	2,806	135.7	12,032	45,700	2,528	126.1	9,816	40,147	2,598	127.8	7,679	38,856
32	2,712	133.5	10,386	42,934	2,886	139.5	12,425	47,058	2,586	129.0	10,104	41,139	2,652	130.4	7,844	39,665
33	2,779	136.8	10,686	44,033	2,965	143.4	12,799	48,384	2,645	131.9	10,374	42,109	2,704	133.0	7,983	40,426
34	2,845	140.1	10,968	45,104	3,044	147.2	13,154	49,676	2,702	134.8	10,627	43,056	2,754	135.4	8,099	41,142
35	2,909	143.2	11,235	46,147	3,120	150.9	13,491	50,933	2,760	137.6	10,863	43,979	2,802	137.8	8,194	41,814
36	2,973	146.4	11,485	47,160	3,195	154.5	13,810	52,152	2,816	140.5	11,084	44,878	2,848	140.1	8,268	42,444
37	3,035	149.4	11,721	48,143	3,268	158.0	14,113	53,332	2,872	143.2	11,290	45,752	2,892	142.2	8,325	43,034
38	3,096	152.4	11,942	49,095	3,339	161.5	14,399	54,470	2,926	146.0	11,483	46,600	2,935	144.3	8,366	43,586
39	3,155	155.4	12,151	50,014	3,408	164.8	14,668	55,565	2,980	148.6	11,663	47,423	2,976	146.3	8,393	44,102
40	3,213	158.2	12,346	50,901	3,474	168.0	14,923	56,615	3,032	151.2	11,832	48,218	3,015	148.3	8,408	44,584
41	3,269	160.9	12,530	51,754	3,538	171.1	15,161	57,617	3,083	153.8	11,989	48,986	3,052	150.1	8,413	45,032
42	3,322	163.6	12,704	52,572	3,599	174.0	15,386	58,570	3,132	156.2	12,137	49,726	3,087	151.8	8,409	45,451
43	3,374	166.1	12,867	53,354	3,656	176.8	15,596	59,472	3,180	158.6	12,275	50,437	3,120	153.4	8,399	45,840
44	3,423	168.5	13,020	54,099	3,711	179.4	15,792	60,320	3,226	160.9	12,405	51,119	3,151	155.0	8,385	46,202
45	3,470	170.9	13,165	54,807	3,762	181.9	15,975	61,113	3,270	163.1	12,528	51,771	3,181	156.4	8,368	46,539
46	3,514	173.0	13,302	55,476	3,809	184.2	16,145	61,849	3,312	165.2	12,645	52,392	3,209	157.8	8,350	46,853
47	3,556	175.1	13,433	56,105	3,852	186.3	16,303	62,526	3,352	167.2	12,756	52,981	3,234	159.1	8,333	47,146
48	3,595	177.0	13,557	56,694	3,891	188.1	16,449	63,142	3,390	169.1	12,862	53,539	3,258	160.2	8,320	47,419
49	3,631	178.8	13,675	57,242	3,926	189.8	16,584	63,695	3,425	170.8	12,965	54,064	3,280	161.3	8,312	47,675
50	3,663	180.4	13,789	57,748	3,956	191.3	16,708	64,183	3,458	172.5	13,065	54,556	3,300	162.3	8,311	47,914
51	3,693	181.8	13,899	58,210	3,982	192.5	16,822	64,604	3,488	173.9	13,164	55,014	3,318	163.2	8,318	48,140
52	3,718	183.1	14,006	58,628	4,003	193.5	16,926	64,956	3,515	175.3	13,261	55,437	3,335	164.0	8,337	48,354
53	3,741	184.2	14,111	59,001	4,018	194.3	17,020	65,237	3,539	176.5	13,358	55,826	3,349	164.7	8,368	48,557
54	3,760	185.1	14,214	59,328	4,028	194.8	17,106	65,445	3,560	177.6	13,456	56,178	3,362	165.3	8,413	48,752
55	3,774	185.8	14,317	59,609	4,033	195.0	17,183	65,579	3,578	178.5	13,556	56,494	3,372	165.8	8,476	48,941
56	3,785	186.4	14,419	59,841	4,032	195.0	17,252	65,636	3,593	179.2	13,659	56,773	3,381	166.3	8,556	49,125
57	3,792	186.7	14,523	60,025	4,025	194.6	17,313	65,614	3,604	179.8	13,765	57,014	3,387	166.6	8,657	49,306
58	3,794	186.8	14,628	60,159	4,012	194.0	17,368	65,511	3,612	180.1	13,875	57,217	3,392	166.8	8,780	49,487
59	3,792	186.7	14,735	60,242	3,992	193.0	17,416	65,326	3,616	180.3	13,991	57,381	3,395	167.0	8,927	49,668
60	3,786	186.4	14,846	60,274	3,966	191.8	17,459	65,056	3,616	180.4	14,113	57,505	3,396	167.0	9,101	49,852
累計値	生涯賃金計 20,412(万円) 所定内賃金部分 15,602 賞与部分 4,811				生涯賃金計 22,390(万円) 所定内賃金部分 16,601 賞与部分 5,789				生涯賃金計 19,504(万円) 所定内賃金部分 14,879 賞与部分 4,625				生涯賃金計 17,825(万円) 所定内賃金部分 14,616 賞与部分 3,209			

個別賃金推計値表⑧ 職階別にみた年齢別賃金，賞与，年間賃金（通勤手当除く）

表⑧-1 職階別にみた大学卒・男性の個別賃金推計値（産業計・10人以上規模）

(単位：百円)

年齢(歳)	部長級 所定内 金額	部長級 所定内 差額	部長級 年間賞与	部長級 年間賃金	課長級 所定内 金額	課長級 所定内 差額	課長級 年間賞与	課長級 年間賃金	係長級 所定内 金額	係長級 所定内 差額	係長級 年間賞与	係長級 年間賃金	非役職 所定内 金額	非役職 年間賞与	非役職 年間賃金
18															
19															
20															
21															
22													2,218	5,922	32,540
23													2,297	6,919	34,487
24													2,378	7,845	36,379
25													2,459	8,703	38,216
26													2,542	9,497	40,000
27													2,625	10,230	41,732
28													2,709	10,905	43,413
29													2,793	11,526	45,043
30									2,997	120	12,947	48,915	2,877	12,097	46,624
31									3,087	125	13,416	50,455	2,961	12,619	48,156
32									3,173	128	13,847	51,922	3,045	13,098	49,640
33									3,256	128	14,244	53,318	3,128	13,537	51,078
34									3,337	125	14,608	54,646	3,211	13,938	52,470
35					4,207	914	14,451	64,937	3,414	121	14,942	55,908	3,293	14,305	53,817
36					4,264	891	15,635	66,808	3,488	115	15,249	57,104	3,373	14,642	55,121
37					4,324	871	16,756	68,639	3,559	107	15,530	58,238	3,452	14,951	56,381
38					4,385	855	17,814	70,431	3,627	97	15,788	59,311	3,530	15,237	57,599
39					4,448	842	18,810	72,183	3,692	85	16,025	60,325	3,606	15,502	58,777
40	4,926	1,245	18,399	77,506	4,513	832	19,743	73,895	3,753	73	16,244	61,281	3,680	15,751	59,914
41	4,950	1,198	19,535	78,939	4,580	828	20,612	75,568	3,811	59	16,446	62,182	3,752	15,985	61,011
42	4,985	1,164	20,618	80,441	4,649	827	21,419	77,202	3,866	45	16,634	63,030	3,822	16,210	62,071
43	5,031	1,142	21,646	82,013	4,719	831	22,164	78,797	3,918	29	16,811	63,826	3,889	16,427	63,093
44	5,086	1,133	22,621	83,655	4,792	839	22,845	80,352	3,966	13	16,978	64,573	3,953	16,642	64,079
45	5,152	1,138	23,542	85,366	4,867	853	23,463	81,869	4,011	-3	17,139	65,272	4,014	16,856	65,029
46	5,228	1,155	24,409	87,146	4,944	871	24,019	83,347	4,053	-20	17,295	65,926	4,073	17,073	65,945
47	5,314	1,187	25,223	88,995	5,023	895	24,512	84,786	4,091	-37	17,448	66,535	4,127	17,297	66,827
48	5,411	1,232	25,982	90,912	5,104	925	24,941	86,187	4,125	-54	17,601	67,102	4,179	17,531	67,676
49	5,518	1,291	26,688	92,899	5,187	960	25,309	87,549	4,156	-70	17,756	67,630	4,226	17,778	68,494
50	5,634	1,365	27,340	94,953	5,272	1,002	25,613	88,873	4,184	-86	17,916	68,119	4,270	18,042	69,280
51	5,762	1,452	27,938	97,076	5,359	1,050	25,854	90,159	4,207	-102	18,083	68,572	4,309	18,327	70,037
52	5,899	1,554	28,482	99,267	5,448	1,104	26,033	91,407	4,228	-117	18,258	68,990	4,344	18,634	70,765
53	6,046	1,671	28,973	101,526	5,539	1,164	26,148	92,617	4,244	-130	18,446	69,376	4,375	18,969	71,465
54	6,204	1,803	29,410	103,852	5,632	1,232	26,201	93,789	4,257	-143	18,646	69,731	4,400	19,334	72,138
55	6,371	1,950	29,793	106,246	5,728	1,307	26,191	94,923	4,266	-155	18,863	70,058	4,421	19,733	72,785
56	6,549	2,112	30,122	108,707	5,825	1,389	26,118	96,020	4,272	-165	19,099	70,358	4,436	20,169	73,406
57	6,736	2,290	30,397	111,235	5,925	1,478	25,982	97,079	4,273	-173	19,354	70,633	4,447	20,645	74,003
58	6,934	2,483	30,619	113,830	6,026	1,575	25,783	98,101	4,271	-180	19,633	70,884	4,451	21,165	74,577
59	7,142	2,692	30,787	116,491	6,130	1,681	25,522	99,085	4,265	-185	19,937	71,115	4,450	21,732	75,129
60	7,360	2,918	30,901	119,220	6,236	1,794	25,198	100,033	4,255	-188	20,269	71,327	4,442	22,350	75,659

（注）「差額」は，同年齢における「非役職」との賃金差を表す。365頁も同じ。

累計値
生涯賃金計 22,849（万円）
所定内賃金部分 16,867
賞与部分 5,981

表⑧-2　職階別にみた高校卒・男性の個別賃金推計値（産業計・10人以上規模）

(単位：百円)

年齢(歳)	部長級 所定内 金額	部長級 所定内 差額	部長級 年間賞与	部長級 年間賃金	課長級 所定内 金額	課長級 所定内 差額	課長級 年間賞与	課長級 年間賃金	係長級 所定内 金額	係長級 所定内 差額	係長級 年間賞与	係長級 年間賃金	非役職 所定内 金額	非役職 年間賞与	非役職 年間賃金
18													1,794	4,544	26,070
19													1,856	5,067	27,345
20													1,919	5,568	28,601
21													1,983	6,048	29,839
22													2,046	6,508	31,058
23													2,109	6,949	32,257
24													2,172	7,370	33,438
25													2,235	7,773	34,598
26													2,298	8,159	35,738
27													2,361	8,527	36,857
28													2,423	8,878	37,955
29													2,485	9,214	39,032
30									2,597	51	9,839	41,004	2,546	9,535	40,086
31									2,670	63	10,308	42,342	2,607	9,841	41,119
32									2,744	78	10,759	43,689	2,666	10,133	42,129
33									2,821	95	11,192	45,039	2,725	10,411	43,116
34									2,898	115	11,607	46,388	2,784	10,677	44,080
35					3,388	548	9,896	50,557	2,977	137	12,005	47,733	2,841	10,931	45,019
36					3,491	595	10,893	52,790	3,057	160	12,386	49,068	2,897	11,173	45,935
37					3,592	640	11,836	54,936	3,137	185	12,751	50,390	2,952	11,405	46,826
38					3,689	684	12,726	56,999	3,216	211	13,100	51,693	3,006	11,626	47,693
39					3,785	727	13,563	58,977	3,295	237	13,433	52,974	3,058	11,838	48,534
40	4,350	1,241	11,010	63,213	3,877	768	14,346	60,873	3,373	264	13,751	54,229	3,109	12,041	49,349
41	4,387	1,228	12,460	65,104	3,968	809	15,076	62,687	3,450	291	14,054	55,452	3,159	12,235	50,139
42	4,431	1,224	13,796	66,967	4,055	849	15,753	64,419	3,525	318	14,343	56,640	3,207	12,422	50,902
43	4,482	1,229	15,019	68,802	4,141	888	16,377	66,071	3,597	344	14,618	57,787	3,253	12,602	51,638
44	4,540	1,243	16,127	70,611	4,225	927	16,948	67,644	3,668	370	14,878	58,891	3,298	12,775	52,347
45	4,606	1,265	17,122	72,394	4,306	966	17,465	69,138	3,735	394	15,126	59,946	3,341	12,943	53,029
46	4,679	1,298	18,003	74,154	4,385	1,004	17,929	70,553	3,799	417	15,360	60,947	3,381	13,105	53,683
47	4,760	1,339	18,771	75,890	4,463	1,042	18,339	71,892	3,859	439	15,582	61,892	3,420	13,263	54,308
48	4,848	1,391	19,425	77,604	4,538	1,081	18,696	73,155	3,915	458	15,792	62,774	3,457	13,417	54,905
49	4,944	1,452	19,964	79,298	4,612	1,120	19,001	74,342	3,967	475	15,990	63,590	3,492	13,567	55,473
50	5,048	1,524	20,391	80,972	4,684	1,159	19,251	75,455	4,013	489	16,177	64,336	3,525	13,715	56,011
51	5,160	1,606	20,703	82,628	4,754	1,199	19,449	76,493	4,055	500	16,352	65,007	3,555	13,861	56,520
52	5,280	1,698	20,902	84,266	4,822	1,239	19,593	77,459	4,090	507	16,517	65,598	3,583	14,005	56,998
53	5,409	1,800	20,986	85,889	4,889	1,281	19,684	78,353	4,120	511	16,672	66,106	3,608	14,149	57,446
54	5,545	1,914	20,957	87,496	4,955	1,324	19,722	79,176	4,142	512	16,817	66,526	3,631	14,293	57,862
55	5,690	2,039	20,815	89,089	5,019	1,368	19,706	79,928	4,158	507	16,952	66,853	3,651	14,437	58,248
56	5,843	2,174	20,558	90,670	5,081	1,413	19,637	80,611	4,167	499	17,079	67,084	3,668	14,582	58,602
57	6,004	2,321	20,188	92,239	5,142	1,460	19,515	81,224	4,168	485	17,196	67,213	3,683	14,728	58,923
58	6,174	2,480	19,704	93,797	5,203	1,508	19,340	81,770	4,161	466	17,305	67,237	3,695	14,878	59,213
59	6,353	2,650	19,107	95,346	5,262	1,558	19,111	82,249	4,145	442	17,407	67,151	3,703	15,030	59,469
60	6,541	2,832	18,395	96,887	5,319	1,611	18,829	82,661	4,121	412	17,500	66,950	3,709	15,186	59,692

累計値　生涯賃金計 20,021（万円）　所定内賃金部分 15,227　賞与部分 4,794

第2部　関連資料

1. 賃金センサスを自社賃金の検討に活かす

[2] 賃金センサスでみる地域別賃金格差の動向

コム情報センタ　所長　尾上　友章

■地域別賃金差を賃金センサスからみる

賃金センサスでは，性別，年齢階層別に都道府県別賃金が集計されている。368頁から371頁までの**集計表１～４**までの４つの表は，産業計・学歴計・男性の年齢階層別賃金を企業規模ごとに示したものである。各表の左側❶は百円単位の実額，右側❷は全国計を100とした水準指数を表示している。表の上部には，最高値，（単純）平均値，最低値と標準偏差，分散係数も示している。

368頁の規模計の**集計表１**にそって，地域間にどの程度の賃金差があるのかみてみよう。年齢35～39歳に着目すると，最高は40万6,500円，最低は26万900円で，全国計を100とした比較指数では121.1対77.7となり，43.4ポイントもの大きな格差となっている。367頁**図表１**はそれをランキング形式で示したものであるが，最高は東京，最低は青森となっている。全国計より15ポイント以上低い指数85未満の県をみると，愛媛以下11県に及んでいる。地域的には東北，山陰，四国，西南九州地域である。

上位をみると，東京に次ぐのは神奈川と大阪であり，100以上の指数は他に千葉を数えるのみである。例年なら４位は愛知であるが，2022年は指数96.0の10位となっている。東京と２位の神奈川との間には13.8ポイントの差が存在している。東名阪の隣接地域が続いているが，地方中核都市を抱える県としては，広島が13位，福岡が14位である。

図表２は，地域ブロック別の地域差の推移を，1985年から2022年までの37年間についてみたものである。1999年まではほぼ平行線をたどっていた状態が，2000年以降，格差が拡大し始めたことがわかる。東京のみが上昇し，南関東（神奈川，千葉，埼玉），近畿との差が年とともに大きくなっていく。「東京の独歩高」ともいえる状況である。このことから考えると現在の賃金地域差というものは，「大都市部と地方との差」というよりも，「東京とその他の地域との差」と考えたほうがよいのかもしれない。ただし東京の指数は2020年，2021年ともに下落しており，今後の推移が注目される。東海については2006年以降水準を上昇させており，2017年と2018年には近畿を上回るに至ったが，2022年はポジションを下げている。

■地域格差の背景にあるものを考える

このように賃金センサスでみる限り，地域の賃金差は最大40ポイント台の大きなものとなっているが，それを本書が紹介しているモデル賃金の差，つまり「Ａ社とＢ社は同業種であるが，大卒35歳のモデル賃金を比べると10ポイントの差」と，同じような意味合いで受けとめるのは問題がある。

というのはモデル賃金の場合，年齢に加えて学歴や勤続年数を揃えて比較しているのに対し，地域間の比較は学歴別や勤続年数別の集計が行われておらず，学歴計，勤続年数計についての比較とならざるを得ないからである。

つまり東京と東北地域では，学歴別の構成は相当

に異なっていることは容易に想定でき，東京は高学歴者比率が高く，東北ではそれほど高くはない。したがって東京と東北の賃金差のうち，かなりの部分は学歴構成差によるものと考えられる。また標準者と中途採用者の関連では，東京で標準者のウエイトが高く，東北では中途採用者のウエイトが高いこと も想定される。したがって，標準者と中途採用者の賃金差も地域賃金差を反映しているということができる。また東京では大企業比率が高く，高賃金業種や高賃金職種が集積している事情も考慮しなければならない。

図表1　都道府県別所定内賃金のランキング
（産業計・規模計・学歴計，男性35～39歳）

（単位：百円）

順位	都道府県	賃金額	指数	順位	都道府県	賃金額	指数	順位	都道府県	賃金額	指数	順位	都道府県	賃金額	指数
	全国計	3,358	100.0	12	奈良	3,208	95.5	24	富山	2,993	89.1	36	佐賀	2,868	85.4
1	東京	4,065	121.1	13	広島	3,200	95.3	24	香川	2,993	89.1	37	愛媛	2,849	84.8
2	神奈川	3,603	107.3	14	福岡	3,188	94.9	26	福井	2,987	89.0	38	新潟	2,845	84.7
3	大阪	3,565	106.2	15	栃木	3,149	93.8	27	群馬	2,971	88.5	39	鳥取	2,813	83.8
4	千葉	3,461	103.1	16	滋賀	3,139	93.5	28	石川	2,967	88.4	40	山形	2,794	83.2
5	兵庫	3,343	99.6	17	和歌山	3,124	93.0	29	北海道	2,956	88.0	41	宮崎	2,731	81.3
6	京都	3,324	99.0	18	山梨	3,106	92.5	30	福島	2,928	87.2	42	鹿児島	2,725	81.1
7	静岡	3,234	96.3	19	熊本	3,089	92.0	31	宮城	2,927	87.2	43	沖縄	2,703	80.5
8	埼玉	3,233	96.3	20	長野	3,047	90.7	32	長崎	2,914	86.8	44	高知	2,665	79.4
9	三重	3,227	96.1	21	岐阜	3,034	90.4	33	徳島	2,910	86.7	45	岩手	2,662	79.3
10	愛知	3,224	96.0	22	岡山	3,027	90.1	34	山口	2,904	86.5	46	秋田	2,646	78.8
11	茨城	3,223	96.0	23	大分	2,998	89.3	35	島根	2,892	86.1	47	青森	2,609	77.7

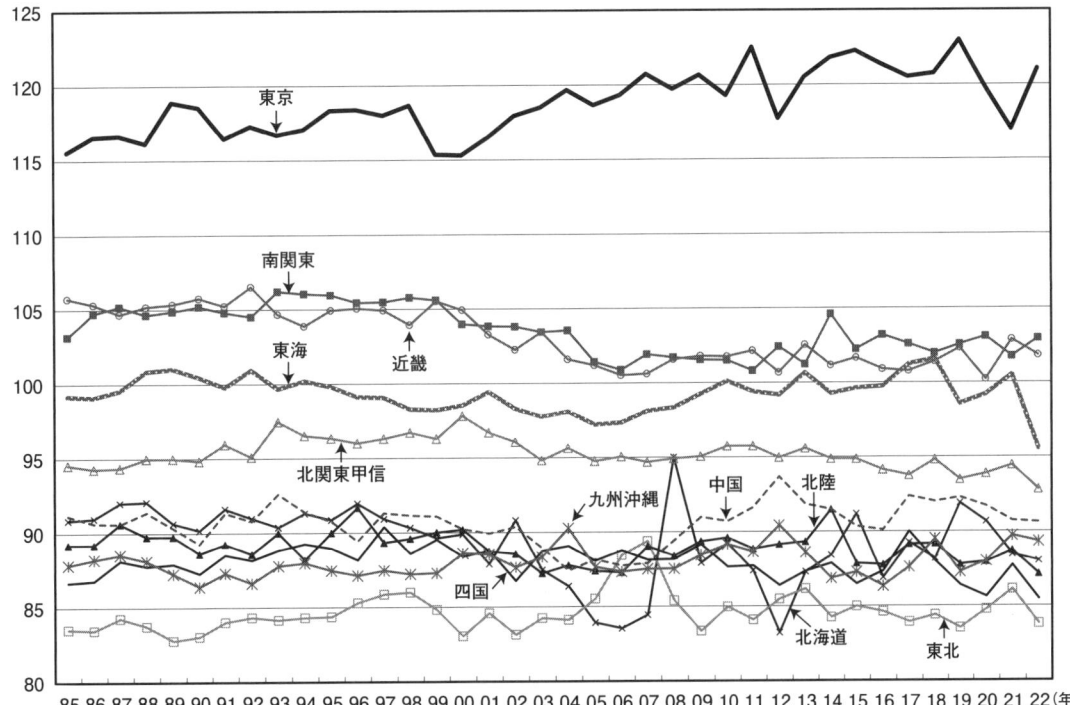

図表2　ブロック別にみた所定内賃金水準の推移
（産業計・規模計・学歴計，男性35～39歳，全国計＝100）

集計表1　都道府県別年齢階層別にみた所定内給与額
（産業計・学歴計・規模計，男性）

	1 所定内賃金額（単位：百円）								2 賃金指数（全国＝100）							
	年齢計	20～24歳	25～29歳	30～34歳	35～39歳	40～44歳	45～49歳	50～54歳	年齢計	20～24歳	25～29歳	30～34歳	35～39歳	40～44歳	45～49歳	50～54歳
最高	4,128	2,461	2,906	3,477	4,065	4,442	4,703	5,044	120.7	111.6	112.1	117.1	121.1	122.2	121.2	122.8
平均	3,123	2,097	2,433	2,746	3,044	3,300	3,541	3,726	91.3	95.1	93.8	92.5	90.6	90.8	91.2	90.7
最低	2,674	1,900	2,155	2,376	2,609	2,812	2,972	3,157	78.2	86.2	83.1	80.0	77.7	77.3	76.6	76.8
標準偏差	267	107	146	206	275	302	320	349	7.8	4.9	5.6	6.9	8.2	8.3	8.2	8.5
分散係数(%)	8.6	5.1	6.0	7.5	9.0	9.1	9.0	9.4	8.6	5.1	6.0	7.5	9.0	9.1	9.0	9.4
全国	**3,420**	**2,205**	**2,593**	**2,970**	**3,358**	**3,636**	**3,881**	**4,109**	100.0	100.0	100.0	100.0	100.0	100.0	100.0	100.0
北海道	2,977	1,982	2,368	2,707	2,956	3,210	3,350	3,526	87.0	89.9	91.3	91.1	88.0	88.3	86.3	85.8
青森	2,674	1,900	2,155	2,376	2,609	2,812	2,972	3,180	78.2	86.2	83.1	80.0	77.7	77.3	76.6	77.4
岩手	2,755	1,932	2,242	2,425	2,662	2,888	3,100	3,169	80.6	87.6	86.5	81.6	79.3	79.4	79.9	77.1
宮城	3,114	2,095	2,425	2,763	2,927	3,231	3,569	3,690	91.1	95.0	93.5	93.0	87.2	88.9	92.0	89.8
秋田	2,883	1,985	2,240	2,433	2,646	3,052	3,764	3,157	84.3	90.0	86.4	81.9	78.8	83.9	97.0	76.8
山形	2,824	1,982	2,237	2,616	2,794	3,024	3,225	3,282	82.6	89.9	86.3	88.1	83.2	83.2	83.1	79.9
福島	2,961	2,040	2,296	2,622	2,928	3,070	3,404	3,537	86.6	92.5	88.5	88.3	87.2	84.4	87.7	86.1
茨城	3,314	2,154	2,587	2,903	3,223	3,445	3,838	4,025	96.9	97.7	99.8	97.7	96.0	94.7	98.9	98.0
栃木	3,267	2,220	2,555	2,876	3,149	3,396	3,662	3,978	95.5	100.7	98.5	96.8	93.8	93.4	94.4	96.8
群馬	3,122	2,129	2,423	2,730	2,971	3,242	3,594	3,600	91.3	96.6	93.4	91.9	88.5	89.2	92.6	87.6
埼玉	3,306	2,261	2,647	2,920	3,233	3,495	3,662	3,744	96.7	102.5	102.1	98.3	96.3	96.1	94.4	91.1
千葉	3,367	2,259	2,677	2,961	3,461	3,608	3,703	3,812	98.5	102.4	103.2	99.7	103.1	99.2	95.4	92.8
東京	4,128	2,461	2,906	3,477	4,065	4,442	4,703	5,044	120.7	111.6	112.1	117.1	121.1	122.2	121.2	122.8
神奈川	3,666	2,274	2,675	3,003	3,603	3,964	4,142	4,394	107.2	103.1	103.2	101.1	107.3	109.0	106.7	106.9
新潟	2,990	2,056	2,351	2,612	2,845	3,123	3,419	3,455	87.4	93.2	90.7	87.9	84.7	85.9	88.1	84.1
富山	3,087	2,069	2,374	2,722	2,993	3,205	3,476	3,504	90.3	93.8	91.6	91.6	89.1	88.1	89.6	85.3
石川	3,123	2,106	2,390	2,782	2,967	3,349	3,455	3,758	91.3	95.5	92.2	93.7	88.4	92.1	89.0	91.5
福井	3,133	2,112	2,453	2,688	2,987	3,380	3,531	3,803	91.6	95.8	94.6	90.5	89.0	93.0	91.0	92.6
山梨	3,163	2,092	2,454	2,843	3,106	3,402	3,557	3,733	92.5	94.9	94.6	95.7	92.5	93.6	91.7	90.8
長野	3,121	2,098	2,426	2,738	3,047	3,422	3,502	3,668	91.3	95.1	93.6	92.2	90.7	94.1	90.2	89.3
岐阜	3,199	2,091	2,427	2,940	3,034	3,391	3,636	3,857	93.5	94.8	93.6	99.0	90.4	93.3	93.7	93.9
静岡	3,234	2,119	2,425	2,820	3,234	3,456	3,661	3,908	94.6	96.1	93.5	94.9	96.3	95.0	94.3	95.1
愛知	3,389	2,217	2,554	2,899	3,224	3,666	3,965	4,104	99.1	100.5	98.5	97.6	96.0	100.8	102.2	99.9
三重	3,242	2,134	2,434	2,856	3,227	3,496	3,780	3,957	94.8	96.8	93.9	96.2	96.1	96.1	97.4	96.3
滋賀	3,318	2,121	2,521	2,790	3,139	3,540	3,823	3,934	97.0	96.2	97.2	93.9	93.5	97.4	98.5	95.7
京都	3,351	2,163	2,570	2,961	3,324	3,395	3,742	3,949	98.0	98.1	99.1	99.7	99.0	93.4	96.4	96.1
大阪	3,630	2,318	2,660	3,148	3,565	3,809	4,144	4,259	106.1	105.1	102.6	106.0	106.2	104.8	106.8	103.7
兵庫	3,442	2,161	2,630	3,005	3,343	3,558	3,929	4,153	100.6	98.0	101.4	101.2	99.6	97.9	101.2	101.1
奈良	3,378	2,135	2,606	2,933	3,208	3,624	3,843	4,007	98.8	96.8	100.5	98.8	95.5	99.7	99.0	97.5
和歌山	3,127	2,072	2,436	2,850	3,124	3,279	3,438	3,753	91.4	94.0	93.9	96.0	93.0	90.2	88.6	91.3
鳥取	2,870	1,998	2,393	2,521	2,813	3,042	3,146	3,460	83.9	90.6	92.3	84.9	83.8	83.7	81.1	84.2
島根	2,878	2,074	2,440	2,603	2,892	3,150	3,221	3,336	84.2	94.1	94.1	87.6	86.1	86.6	83.0	81.2
岡山	3,120	2,094	2,449	2,781	3,027	3,458	3,592	3,705	91.2	95.0	94.4	93.6	90.1	95.1	92.6	90.2
広島	3,223	2,141	2,479	2,762	3,200	3,418	3,571	4,038	94.2	97.1	95.6	93.0	95.3	94.0	92.0	98.3
山口	3,057	2,068	2,425	2,733	2,904	3,182	3,362	3,714	89.4	93.8	93.5	92.0	86.5	87.5	86.6	90.4
徳島	3,019	2,102	2,344	2,588	2,910	3,203	3,314	3,600	88.3	95.3	90.4	87.1	86.7	88.1	85.4	87.6
香川	3,120	2,107	2,414	2,748	2,993	3,139	3,511	3,972	91.2	95.6	93.1	92.5	89.1	86.3	90.5	96.7
愛媛	2,919	2,046	2,279	2,561	2,849	3,073	3,261	3,576	85.4	92.8	87.9	86.2	84.8	84.5	84.0	87.0
高知	2,905	1,980	2,304	2,392	2,665	2,822	3,325	3,387	84.9	89.8	88.9	80.5	79.4	77.6	85.7	82.4
福岡	3,237	2,185	2,487	2,839	3,188	3,356	3,671	3,927	94.6	99.1	95.9	95.6	94.9	92.3	94.6	95.6
佐賀	2,854	1,982	2,265	2,581	2,868	3,039	3,209	3,446	83.5	89.9	87.4	86.9	85.4	83.6	82.7	83.9
長崎	2,945	2,029	2,453	2,689	2,914	3,053	3,453	3,481	86.1	92.0	94.6	90.5	86.8	84.0	89.0	84.7
熊本	3,021	2,003	2,338	2,609	3,089	3,197	3,509	3,823	88.3	90.8	90.2	87.8	92.0	87.9	90.4	93.0
大分	3,001	2,092	2,353	2,701	2,998	3,087	3,328	3,605	87.7	94.9	90.7	90.9	89.3	84.9	85.8	87.7
宮崎	2,763	2,026	2,350	2,545	2,731	2,947	3,053	3,291	80.8	91.9	90.6	85.7	81.3	81.1	78.7	80.1
鹿児島	2,840	1,965	2,273	2,507	2,725	2,989	3,203	3,411	83.0	89.1	87.7	84.4	81.1	82.2	82.5	83.0
沖縄	2,738	1,921	2,184	2,503	2,703	2,973	3,096	3,407	80.1	87.1	84.2	84.3	80.5	81.8	79.8	82.9

集計表2　都道府県別年齢階層別にみた所定内給与額
（産業計・学歴計・1,000人以上規模，男性）

	1 所定内賃金額（単位：百円）								2 賃金指数（全国＝100）							
	年齢計	20〜24歳	25〜29歳	30〜34歳	35〜39歳	40〜44歳	45〜49歳	50〜54歳	年齢計	20〜24歳	25〜29歳	30〜34歳	35〜39歳	40〜44歳	45〜49歳	50〜54歳
最高	4,618	2,468	3,086	3,846	4,656	4,909	5,366	5,619	119.5	108.5	112.3	118.4	122.9	119.2	119.8	116.9
平均	3,518	2,189	2,589	3,004	3,403	3,735	4,052	4,389	91.0	96.3	94.2	92.5	89.9	90.7	90.5	91.3
最低	3,071	1,972	2,238	2,572	2,924	3,136	3,568	3,703	79.4	86.7	81.5	79.2	77.2	76.1	79.7	77.0
標準偏差	270	99	163	225	310	323	337	348	7.0	4.4	5.9	6.9	8.2	7.8	7.5	7.2
分散係数(%)	7.7	4.5	6.3	7.5	9.1	8.7	8.3	7.9	7.7	4.5	6.3	7.5	9.1	8.7	8.3	7.9
全国	**3,866**	**2,274**	**2,747**	**3,248**	**3,787**	**4,119**	**4,478**	**4,806**	**100.0**	**100.0**	**100.0**	**100.0**	**100.0**	**100.0**	**100.0**	**100.0**
北海道	3,162	2,021	2,388	2,738	3,045	3,509	3,632	4,221	81.8	88.9	86.9	84.3	80.4	85.2	81.1	87.8
青森	3,310	2,103	2,363	2,618	3,252	3,321	3,814	4,112	85.6	92.5	86.0	80.6	85.9	80.6	85.2	85.6
岩手	3,334	2,132	2,649	2,925	3,177	3,368	3,677	4,144	86.2	93.8	96.4	90.1	83.9	81.8	82.1	86.2
宮城	3,455	2,208	2,586	3,032	3,219	3,679	4,162	4,324	89.4	97.1	94.1	93.3	85.0	89.3	92.9	90.0
秋田	3,256	2,158	2,622	2,677	3,054	3,442	3,678	3,703	84.2	94.9	95.4	82.4	80.6	83.6	82.1	77.0
山形	3,340	2,211	2,567	3,218	3,235	3,666	3,747	3,972	86.4	97.2	93.4	99.1	85.4	89.0	83.7	82.6
福島	3,375	2,121	2,378	2,926	3,317	3,535	3,837	4,192	87.3	93.3	86.6	90.1	87.6	85.8	85.7	87.2
茨城	3,759	2,178	2,710	3,162	3,547	3,832	4,376	4,684	97.2	95.8	98.7	97.4	93.7	93.0	97.7	97.5
栃木	3,617	2,324	2,760	3,018	3,499	3,796	4,241	4,556	93.6	102.2	100.5	92.9	92.4	92.2	94.7	94.8
群馬	3,485	2,245	2,643	3,030	3,419	3,719	4,074	4,216	90.1	98.7	96.2	93.3	90.3	90.3	91.0	87.7
埼玉	3,555	2,352	2,761	3,077	3,331	3,752	4,024	4,154	92.0	103.4	100.5	94.7	88.0	91.1	89.9	86.4
千葉	3,787	2,237	2,812	3,214	4,038	4,183	4,211	4,423	98.0	98.4	102.4	99.0	106.6	101.6	94.0	92.0
東京	4,618	2,468	3,086	3,846	4,656	4,909	5,366	5,619	119.5	108.5	112.3	118.4	122.9	119.2	119.8	116.9
神奈川	4,023	2,299	2,825	3,163	3,920	4,303	4,559	4,923	104.1	101.1	102.8	97.4	103.5	104.5	101.8	102.4
新潟	3,505	2,127	2,477	2,890	3,141	3,614	4,246	4,307	90.7	93.5	90.2	89.0	82.9	87.7	94.8	89.6
富山	3,389	2,051	2,508	2,966	3,251	3,545	3,881	3,843	87.7	90.2	91.3	91.3	85.8	86.1	86.7	80.0
石川	3,404	2,169	2,579	2,971	3,233	3,607	4,004	4,164	88.0	95.4	93.9	91.5	85.4	87.6	89.4	86.6
福井	3,562	2,236	2,545	2,893	3,158	3,816	3,998	4,578	92.1	98.3	92.6	89.1	83.4	92.6	89.3	95.3
山梨	3,613	2,311	2,771	3,207	3,623	4,080	4,114	4,148	93.5	101.6	100.9	98.7	95.7	99.1	91.9	86.3
長野	3,433	2,078	2,473	3,094	3,339	3,776	3,616	4,532	88.8	91.4	90.0	95.3	88.2	91.7	80.8	94.3
岐阜	3,546	2,065	2,411	3,069	3,366	3,629	4,043	4,539	91.7	90.8	87.8	94.5	88.9	88.1	90.3	94.4
静岡	3,524	2,170	2,469	3,060	3,641	3,633	4,138	4,572	91.2	95.4	89.9	94.2	96.1	88.2	92.4	95.1
愛知	3,684	2,249	2,644	3,025	3,437	4,050	4,413	4,715	95.3	98.9	96.3	93.1	90.8	98.3	98.5	98.1
三重	3,586	2,226	2,507	3,057	3,624	3,977	4,244	4,656	92.8	97.9	91.3	94.1	95.7	96.6	94.8	96.9
滋賀	3,591	2,234	2,669	3,033	3,510	3,795	4,150	4,379	92.9	98.2	97.2	93.4	92.7	92.1	92.7	91.1
京都	3,872	2,256	2,678	3,199	3,804	4,022	4,444	4,627	100.2	99.2	97.5	98.5	100.4	97.6	99.2	96.3
大阪	4,052	2,388	2,852	3,446	3,808	4,392	4,775	4,918	104.8	105.0	103.8	106.1	100.6	106.6	106.6	102.3
兵庫	3,796	2,216	2,757	3,167	3,726	3,891	4,494	4,590	98.2	97.4	100.4	97.5	98.4	94.5	100.4	95.5
奈良	3,668	2,196	2,604	3,203	3,565	3,979	4,047	4,467	94.9	96.6	94.8	98.6	94.1	96.6	90.4	92.9
和歌山	3,613	2,257	2,658	3,239	3,548	3,822	3,744	4,788	93.5	99.3	96.8	99.7	93.7	92.8	83.6	99.6
鳥取	3,254	2,063	2,471	2,819	3,224	3,539	3,671	4,229	84.2	90.7	90.0	86.8	85.1	85.9	82.0	88.0
島根	3,211	2,282	2,753	2,775	3,380	3,471	3,568	4,263	83.1	100.4	100.2	85.4	89.3	84.3	79.7	88.7
岡山	3,518	2,188	2,593	3,080	3,275	3,832	4,101	4,439	91.0	96.2	94.4	94.8	86.5	93.0	91.6	92.4
広島	3,584	2,245	2,621	3,078	3,594	4,075	4,159	4,831	92.7	98.7	95.4	94.8	94.9	98.9	92.9	100.5
山口	3,470	2,138	2,588	3,114	3,253	3,730	3,988	4,214	89.8	94.0	94.2	95.9	85.9	90.6	89.1	87.7
徳島	3,541	2,096	2,486	2,846	3,207	3,638	3,991	4,443	91.6	92.2	90.5	87.6	84.7	88.3	89.1	92.4
香川	3,465	2,266	2,507	2,949	3,321	3,430	3,886	4,648	89.6	99.6	91.3	90.8	87.7	83.3	86.8	96.7
愛媛	3,366	2,138	2,464	2,749	3,192	3,659	3,827	4,123	87.1	94.0	89.7	84.6	84.3	88.8	85.5	85.8
高知	3,208	2,065	2,412	2,572	2,924	3,136	4,150	3,804	83.0	90.8	87.8	79.2	77.2	76.1	92.7	79.2
福岡	3,618	2,255	2,605	3,031	3,529	3,888	4,247	4,704	93.6	99.2	94.8	93.3	93.2	94.4	94.8	97.9
佐賀	3,071	2,098	2,372	2,691	3,072	3,322	3,636	3,707	79.4	92.3	86.3	82.9	81.1	80.7	81.2	77.1
長崎	3,757	2,238	2,843	3,229	3,578	3,986	4,354	4,674	97.2	98.4	103.5	99.4	94.5	96.8	97.2	97.3
熊本	3,221	2,056	2,323	2,697	3,234	3,395	3,900	4,113	83.3	90.4	84.6	83.0	85.4	82.4	87.1	85.6
大分	3,336	2,113	2,477	2,780	3,530	3,434	3,930	4,370	86.3	92.9	90.2	85.6	93.2	83.4	87.8	90.9
宮崎	3,277	2,235	2,670	2,952	3,042	3,170	3,866	4,101	84.8	98.3	97.2	90.9	80.3	77.0	86.3	85.3
鹿児島	3,305	2,171	2,500	2,808	3,193	3,584	3,686	4,216	85.5	95.5	91.0	86.5	84.3	87.0	82.3	87.7
沖縄	3,217	1,972	2,238	2,859	2,933	3,613	3,733	4,329	83.2	86.7	81.5	88.0	77.4	87.7	83.4	90.1

集計表 3　都道府県別年齢階層別にみた所定内給与額
（産業計・学歴計・100～999人規模，男性）

	❶所定内賃金額（単位：百円）								❷賃金指数（全国＝100）							
	年齢計	20～24歳	25～29歳	30～34歳	35～39歳	40～44歳	45～49歳	50～54歳	年齢計	20～24歳	25～29歳	30～34歳	35～39歳	40～44歳	45～49歳	50～54歳
最高	3,934	2,498	2,845	3,325	3,789	4,286	4,672	4,866	118.8	114.1	112.5	115.8	118.8	121.6	124.6	122.6
平均	3,062	2,068	2,380	2,671	2,945	3,221	3,478	3,663	92.4	94.5	94.1	93.0	92.3	91.4	92.8	92.3
最低	2,658	1,862	2,075	2,317	2,537	2,738	2,884	3,080	80.3	85.1	82.0	80.7	79.5	77.7	76.9	77.6
標準偏差	223	114	145	199	226	270	323	300	6.7	5.2	5.7	6.9	7.1	7.7	8.6	7.6
分散係数(%)	7.3	5.5	6.1	7.5	7.7	8.4	9.3	8.2	7.3	5.5	6.1	7.5	7.7	8.4	9.3	8.2
全国	**3,312**	**2,189**	**2,530**	**2,872**	**3,190**	**3,524**	**3,749**	**3,969**	**100.0**	**100.0**	**100.0**	**100.0**	**100.0**	**100.0**	**100.0**	**100.0**
北海道	2,966	2,011	2,347	2,751	2,915	3,241	3,356	3,452	89.6	91.9	92.8	95.8	91.4	92.0	89.5	87.0
青森	2,667	1,894	2,120	2,402	2,575	2,864	2,989	3,202	80.5	86.5	83.8	83.6	80.7	81.3	79.7	80.7
岩手	2,658	1,864	2,075	2,317	2,537	2,738	3,008	3,124	80.3	85.2	82.0	80.7	79.5	77.7	80.2	78.7
宮城	3,057	2,061	2,314	2,678	2,785	3,180	3,502	3,588	92.3	94.2	91.5	93.2	87.3	90.2	93.4	90.4
秋田	3,021	1,945	2,163	2,397	2,672	3,057	4,672	3,080	91.2	88.9	85.5	83.5	83.8	86.7	124.6	77.6
山形	2,797	1,931	2,176	2,419	2,663	2,989	3,351	3,365	84.5	88.2	86.0	84.2	83.5	84.8	89.4	84.8
福島	2,844	2,023	2,260	2,482	2,726	2,936	3,237	3,468	85.9	92.4	89.3	86.4	85.5	83.3	86.3	87.4
茨城	3,106	2,153	2,501	2,745	3,130	3,194	3,550	3,850	93.8	98.4	98.9	95.6	98.1	90.6	94.7	97.0
栃木	3,203	2,104	2,475	2,888	2,992	3,204	3,564	3,991	96.7	96.1	97.8	100.6	93.8	90.9	95.1	100.6
群馬	3,151	2,123	2,363	2,679	2,910	3,228	3,683	3,622	95.1	97.0	93.4	93.3	91.2	91.6	98.2	91.3
埼玉	3,260	2,218	2,557	2,840	3,168	3,452	3,624	3,648	98.4	101.3	101.1	98.9	99.3	98.0	96.7	91.9
千葉	3,157	2,227	2,582	2,675	3,169	3,429	3,485	3,510	95.3	101.7	102.1	93.1	99.3	97.3	93.0	88.4
東京	3,934	2,498	2,845	3,325	3,789	4,286	4,489	4,866	118.8	114.1	112.5	115.8	118.8	121.6	119.7	122.6
神奈川	3,390	2,246	2,521	2,868	3,367	3,668	3,706	3,933	102.4	102.6	99.6	99.9	105.5	104.1	98.9	99.1
新潟	3,020	2,069	2,315	2,588	2,798	3,225	3,411	3,592	91.2	94.5	91.5	90.1	87.7	91.5	91.0	90.5
富山	3,030	2,036	2,324	2,706	2,882	3,194	3,447	3,449	91.5	93.0	91.9	94.2	90.3	90.6	91.9	86.9
石川	3,139	2,107	2,374	2,840	2,954	3,417	3,408	3,876	94.8	96.3	93.8	98.9	92.6	97.0	90.9	97.7
福井	3,110	2,074	2,559	2,689	2,978	3,392	3,543	3,903	93.9	94.7	101.1	93.6	93.4	96.3	94.5	98.3
山梨	3,027	2,049	2,292	2,732	2,949	3,112	3,347	3,786	91.4	93.6	90.6	95.1	92.4	88.3	89.3	95.4
長野	3,115	2,090	2,424	2,740	2,985	3,371	3,594	3,679	94.1	95.5	95.8	95.4	93.6	95.7	95.9	92.7
岐阜	3,149	2,125	2,444	3,055	2,966	3,426	3,577	3,679	95.1	97.1	96.6	106.4	93.0	97.2	95.4	92.7
静岡	3,138	2,100	2,452	2,680	3,061	3,439	3,581	3,722	94.7	95.9	96.9	93.3	96.0	97.6	95.5	93.8
愛知	3,277	2,146	2,491	2,804	3,033	3,511	3,842	3,931	98.9	98.0	98.5	97.6	95.1	99.6	102.5	99.0
三重	3,046	2,049	2,378	2,722	2,966	3,220	3,530	3,656	92.0	93.6	94.0	94.8	93.0	91.4	94.2	92.1
滋賀	3,227	2,065	2,473	2,666	2,971	3,379	3,708	3,787	97.4	94.3	97.7	92.8	93.1	95.9	98.9	95.4
京都	3,161	2,081	2,427	2,799	3,026	3,140	3,643	3,809	95.4	95.1	95.9	97.5	94.9	89.1	97.2	96.0
大阪	3,478	2,275	2,520	3,016	3,369	3,661	3,879	4,080	105.0	103.9	99.6	105.0	105.6	103.9	103.5	102.8
兵庫	3,279	2,158	2,498	2,917	3,160	3,439	3,609	4,072	99.0	98.6	98.7	101.6	99.1	97.6	96.3	102.6
奈良	3,383	2,115	2,719	2,896	3,169	3,660	3,957	3,868	102.1	96.6	107.5	100.8	99.3	103.9	105.5	97.5
和歌山	2,870	2,001	2,259	2,578	2,827	3,155	3,283	3,323	86.7	91.4	89.3	89.8	88.6	89.5	87.6	83.7
鳥取	2,960	2,068	2,388	2,575	2,838	3,146	3,333	3,703	89.4	94.5	94.4	89.7	89.0	89.3	88.9	93.3
島根	2,963	2,032	2,384	2,549	2,744	3,139	3,265	3,477	89.5	92.8	94.2	88.8	86.0	89.1	87.1	87.6
岡山	3,130	2,052	2,468	2,697	3,089	3,399	3,634	3,646	94.5	93.7	97.5	93.9	96.8	96.5	96.9	91.9
広島	3,079	2,095	2,292	2,525	2,998	3,241	3,377	3,612	93.0	95.7	90.6	87.9	94.0	92.0	90.1	91.0
山口	2,998	2,047	2,298	2,558	2,809	2,976	3,169	3,671	90.5	93.5	90.8	89.1	88.1	84.4	84.5	92.5
徳島	2,978	2,185	2,399	2,526	2,981	3,121	3,165	3,427	89.9	99.8	94.8	88.0	93.4	88.6	84.4	86.3
香川	3,009	2,055	2,325	2,623	2,876	3,118	3,410	3,821	90.9	93.9	91.9	91.3	90.2	88.5	91.0	96.3
愛媛	2,779	2,042	2,278	2,548	2,794	2,886	3,153	3,519	83.9	93.3	90.0	88.7	87.6	81.9	84.1	88.7
高知	3,132	1,969	2,363	2,402	2,790	3,008	3,466	3,655	94.6	89.9	93.4	83.6	87.5	85.4	92.5	92.1
福岡	3,118	2,145	2,456	2,765	3,069	3,174	3,438	3,679	94.1	98.0	97.1	96.3	96.2	90.1	91.7	92.7
佐賀	2,916	1,947	2,288	2,671	2,869	3,075	3,252	3,700	88.0	88.9	90.4	93.0	89.9	87.3	86.7	93.2
長崎	2,823	1,941	2,369	2,492	2,831	2,796	3,345	3,421	85.2	88.7	93.6	86.8	88.7	79.3	89.2	86.2
熊本	3,061	1,948	2,292	2,528	3,287	3,180	3,339	4,117	92.4	89.0	90.6	88.0	103.0	90.2	89.1	103.7
大分	2,977	2,061	2,355	2,899	2,847	2,951	3,259	3,427	89.9	94.2	93.1	100.9	89.2	83.7	86.9	86.3
宮崎	2,700	1,979	2,187	2,419	2,655	3,050	2,884	3,151	81.5	90.4	86.4	84.2	83.2	86.5	76.9	79.4
鹿児島	2,865	1,914	2,206	2,493	2,735	2,982	3,291	3,676	86.5	87.4	87.2	86.8	85.7	84.6	87.8	92.6
沖縄	2,753	1,862	2,249	2,366	2,711	2,924	3,113	3,535	83.1	85.1	88.9	82.4	85.0	83.0	83.0	89.1

集計表 4　都道府県別年齢階層別にみた所定内給与額
（産業計・学歴計・10～99人規模，男性）

	1 所定内賃金額（単位：百円）								2 賃金指数（全国＝100）							
	年齢計	20～24歳	25～29歳	30～34歳	35～39歳	40～44歳	45～49歳	50～54歳	年齢計	20～24歳	25～29歳	30～34歳	35～39歳	40～44歳	45～49歳	50～54歳
最高	3,713	2,359	2,728	3,179	3,654	4,021	4,071	4,309	120.5	110.6	110.5	114.7	118.3	123.1	119.3	123.4
平均	2,886	2,045	2,344	2,597	2,849	3,049	3,200	3,270	93.7	95.9	95.0	93.7	92.2	93.3	93.8	93.7
最低	2,447	1,855	2,073	2,250	2,375	2,527	2,632	2,760	79.4	87.0	84.0	81.2	76.9	77.4	77.2	79.1
標準偏差	246	126	155	198	255	279	299	313	8.0	5.9	6.3	7.1	8.3	8.6	8.8	9.0
分散係数(%)	8.5	6.1	6.6	7.6	9.0	9.2	9.4	9.6	8.5	6.1	6.6	7.6	9.0	9.2	9.4	9.6
全国	**3,081**	**2,132**	**2,468**	**2,771**	**3,090**	**3,266**	**3,411**	**3,491**	**100.0**	**100.0**	**100.0**	**100.0**	**100.0**	**100.0**	**100.0**	**100.0**
北海道	2,875	1,896	2,376	2,631	2,937	2,963	3,162	3,271	93.3	88.9	96.3	94.9	95.0	90.7	92.7	93.7
青森	2,447	1,858	2,073	2,250	2,380	2,556	2,632	2,766	79.4	87.1	84.0	81.2	77.0	78.3	77.2	79.2
岩手	2,596	1,901	2,168	2,320	2,557	2,817	2,892	2,783	84.3	89.2	87.8	83.7	82.8	86.3	84.8	79.7
宮城	2,875	1,998	2,408	2,559	2,808	2,922	3,143	3,195	93.3	93.7	97.6	92.3	90.9	89.5	92.1	91.5
秋田	2,572	1,963	2,139	2,323	2,375	2,837	2,808	2,848	83.5	92.1	86.7	83.8	76.9	86.9	82.3	81.6
山形	2,629	1,914	2,121	2,512	2,702	2,782	2,848	2,884	85.3	89.8	85.9	90.7	87.4	85.2	83.5	82.6
福島	2,779	1,982	2,255	2,521	2,862	2,840	3,252	3,098	90.2	93.0	91.4	91.0	92.6	87.0	95.3	88.7
茨城	3,055	2,111	2,570	2,781	2,950	3,270	3,458	3,387	99.2	99.0	104.1	100.4	95.5	100.1	101.4	97.0
栃木	2,991	2,299	2,403	2,670	2,937	3,189	3,165	3,378	97.1	107.8	97.4	96.4	95.0	97.6	92.8	96.8
群馬	2,845	2,009	2,305	2,601	2,765	2,919	3,123	3,141	92.3	94.2	93.4	93.9	89.5	89.4	91.6	90.0
埼玉	3,102	2,194	2,600	2,823	3,190	3,256	3,376	3,377	100.7	102.9	105.3	101.9	103.2	99.7	99.0	96.7
千葉	3,172	2,322	2,612	2,986	3,067	3,288	3,406	3,560	103.0	108.9	105.8	107.8	99.3	100.7	99.9	102.0
東京	3,713	2,359	2,728	3,179	3,654	4,021	4,071	4,309	120.5	110.6	110.5	114.7	118.3	123.1	119.3	123.4
神奈川	3,362	2,269	2,588	2,897	3,289	3,699	3,840	3,928	109.1	106.4	104.9	104.5	106.4	113.3	112.6	112.5
新潟	2,704	1,968	2,319	2,479	2,697	2,780	2,955	2,950	87.8	92.3	94.0	89.5	87.3	85.1	86.6	84.5
富山	2,941	2,145	2,319	2,521	2,960	3,008	3,245	3,286	95.5	100.6	94.0	91.0	95.8	92.1	95.1	94.1
石川	2,872	2,023	2,205	2,512	2,774	3,038	3,142	3,305	93.2	94.9	89.3	90.7	89.8	93.0	92.1	94.7
福井	2,907	2,088	2,273	2,522	2,872	3,144	3,271	3,331	94.4	97.9	92.1	91.0	92.9	96.3	95.9	95.4
山梨	3,048	1,990	2,448	2,734	2,914	3,311	3,504	3,404	98.9	93.3	99.2	98.7	94.3	101.4	102.7	97.5
長野	2,916	2,132	2,373	2,507	2,934	3,113	3,327	3,160	94.6	100.0	96.2	90.5	95.0	95.3	97.5	90.5
岐阜	3,010	2,050	2,418	2,654	2,874	3,181	3,397	3,521	97.7	96.2	98.0	95.8	93.0	97.4	99.6	100.9
静岡	3,001	2,044	2,324	2,687	2,968	3,243	3,279	3,383	97.4	95.9	94.2	97.0	96.1	99.3	96.1	96.9
愛知	3,110	2,248	2,479	2,819	3,184	3,352	3,504	3,427	100.9	105.4	100.4	101.7	103.0	102.6	102.7	98.2
三重	2,980	2,050	2,295	2,674	2,970	3,260	3,435	3,267	96.7	96.2	93.0	96.5	96.1	99.8	100.7	93.6
滋賀	3,069	2,068	2,356	2,717	2,917	3,401	3,510	3,374	99.6	97.0	95.5	98.1	94.4	104.1	102.9	96.6
京都	3,008	2,152	2,588	2,817	3,115	3,083	3,134	3,435	97.6	100.9	104.9	101.7	100.8	94.4	91.9	98.4
大阪	3,307	2,254	2,519	2,926	3,477	3,381	3,600	3,617	107.3	105.7	102.1	105.6	112.5	103.5	105.5	103.6
兵庫	3,155	2,096	2,539	2,886	2,995	3,220	3,567	3,602	102.4	98.3	102.9	104.2	96.9	98.6	104.6	103.2
奈良	3,123	2,110	2,446	2,687	2,958	3,323	3,507	3,723	101.4	99.0	99.1	97.0	95.7	101.7	102.8	106.6
和歌山	2,939	1,968	2,360	2,643	2,883	3,036	3,323	3,382	95.4	92.3	95.6	95.4	93.3	93.0	97.4	96.9
鳥取	2,617	1,855	2,340	2,312	2,566	2,801	2,719	3,066	84.9	87.0	94.8	83.4	83.0	85.8	79.7	87.8
島根	2,610	1,949	2,248	2,497	2,770	2,961	2,940	2,760	84.7	91.4	91.1	90.1	89.6	90.7	86.2	79.1
岡山	2,858	2,045	2,335	2,680	2,837	3,260	3,238	3,247	92.8	95.9	94.6	96.7	91.8	99.8	94.9	93.0
広島	3,013	2,041	2,489	2,628	2,897	2,916	3,344	3,617	97.8	95.7	100.9	94.8	93.8	89.3	98.0	103.6
山口	2,785	1,995	2,386	2,483	2,677	2,941	3,075	3,288	90.4	93.6	96.7	89.6	86.6	90.0	90.1	94.2
徳島	2,686	1,916	2,089	2,447	2,654	2,827	2,936	3,111	87.2	89.9	84.6	88.3	85.9	86.6	86.1	89.1
香川	2,977	2,042	2,445	2,686	2,813	2,950	3,308	3,626	96.6	95.8	99.1	96.9	91.0	90.3	97.0	103.9
愛媛	2,811	1,978	2,151	2,482	2,716	2,992	3,009	3,279	91.2	92.8	87.2	89.6	87.9	91.6	88.2	93.9
高知	2,582	1,956	2,153	2,322	2,418	2,527	2,845	2,975	83.8	91.7	87.2	83.8	78.3	77.4	83.4	85.2
福岡	2,987	2,141	2,335	2,712	3,014	3,093	3,452	3,360	96.9	100.4	94.6	97.9	97.5	94.7	101.2	96.2
佐賀	2,657	1,939	2,190	2,363	2,689	2,862	2,875	2,964	86.2	90.9	88.7	85.3	87.0	87.6	84.3	84.9
長崎	2,584	1,910	2,198	2,368	2,608	2,707	2,947	2,833	83.9	89.6	89.1	85.5	84.4	82.9	86.4	81.2
熊本	2,862	2,003	2,390	2,591	2,870	3,074	3,381	3,393	92.9	93.9	96.8	93.5	92.9	94.1	99.1	97.2
大分	2,824	2,121	2,244	2,477	2,769	2,955	3,002	3,319	91.7	99.5	90.9	89.4	89.6	90.5	88.0	95.1
宮崎	2,587	1,944	2,253	2,432	2,640	2,746	2,764	3,109	84.0	91.2	91.3	87.8	85.4	84.1	81.0	89.1
鹿児島	2,586	1,859	2,232	2,363	2,449	2,719	2,858	2,841	83.9	87.2	90.4	85.3	79.3	83.3	83.8	81.4
沖縄	2,507	1,949	2,105	2,393	2,547	2,720	2,851	2,813	81.4	91.4	85.3	86.4	82.4	83.3	83.6	80.6

2023年度 決定初任給

産労総合研究所「決定初任給調査」／付帯調査「新入社員の夏季賞与調査」

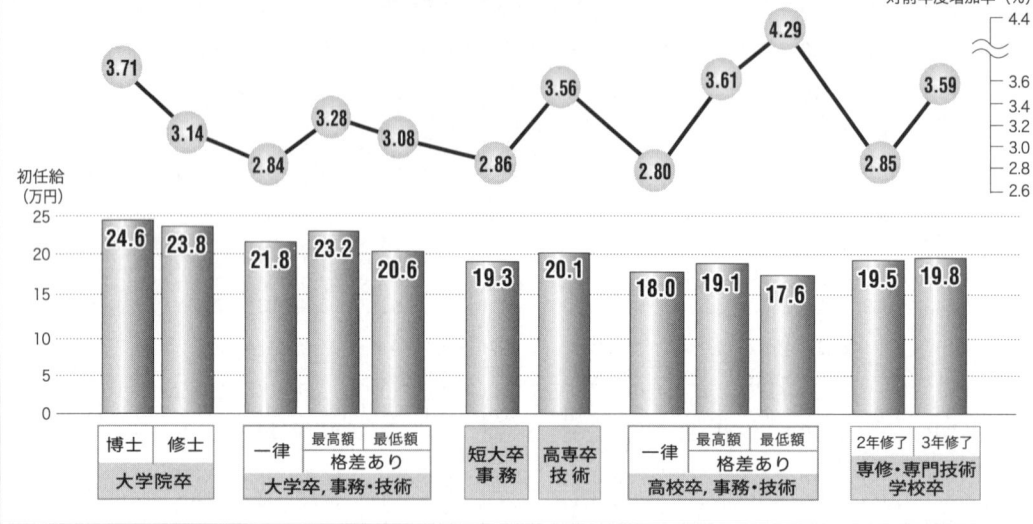

▼2023年度 決定初任給の金額および対前年度増減率

厚生労働，文部科学両省の調査（4月1日時点）によると，2023年春に卒業した大学生の就職率は97.3%だった。コロナ禍が本格化する前の20年卒（98.0%）の水準に回帰しつつある。こうした売り手市場の下，企業間で若手人材をめぐる獲得競争が激化。優秀な学生を呼び込むためや新入社員をつなぎ止める狙いで，初任給の引上げに踏み切った企業が相次いだ。23年度の決定初任給はどの程度上昇したのか。調査結果を紹介する。

調査結果の概要

1　新卒者の採用状況と賃上げの状況

■企業の新卒採用意欲がコロナ禍前の水準に回復

2023年4月入社の新卒者を採用した企業は86.9%だった。新型コロナウイルス感染拡大と重なった前回22年度調査（84.9%），21年度（86.0%）を上回った。コロナ禍が本格化する前の20年度（87.9%）には届かなかったが，企業の新卒採用意欲は回復傾向に転換したといえる。

規模別にみると，「1,000人以上」（大企業）は前回比1.0ポイント減の91.1%，「300～999人」（中堅企業）は同0.3ポイント減の95.7%の一方，「299人以下」（中小企業）は同6.0ポイント増の77.9%。大・中堅企業と中小企業との規模間格差は縮小したが，依然として10ポイント以上の差がある。

また，採用した学歴（複数回答）は，「大学卒」88.8%（前回88.0%），「高校卒」59.1%（同55.2%）など。どの学歴も規模が大きいほど採用率が高くなっている（表1）。

■2023年度に賃上げを実施した企業は8割超え

2023年度に賃上げ（定期昇給を含む）を実施した企業は，前回比6.1ポイント増の85.8%となった。規模別にみると，大企業91.1%，中堅企業86.2%，中小企業82.5%と，いずれも8割を超えた。産業別では，製造業91.4%，非製造業81.8%だった（表2）。

図1 初任給（大学卒・一律）の対前年増減率と賃上げ率の推移

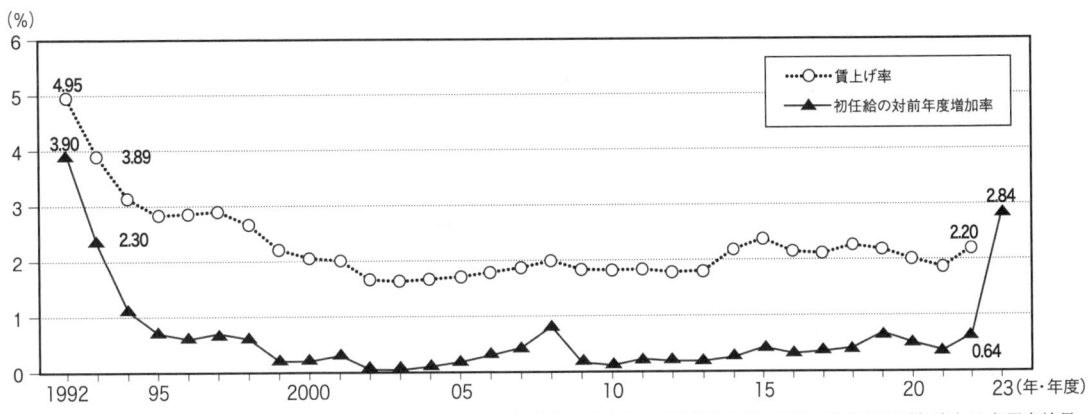

資料出所：「賃上げ率」は厚生労働省「2022年　民間主要企業春季賃上げ要求・妥結状況」，「初任給の対前年度増加率」は本調査結果。

2 初任給の引上げ状況

■初任給を引き上げた企業は68.1％，1998年度以降で最高，25年ぶりの6割超え

2023年4月入社者の初任給を「引き上げた」企業は68.1％で，前回（41.0％）から27.1ポイント増えた。1998年度以降で最も高く，25年ぶりに6割を超えた。

区分別にみると，規模別では大企業82.2％（前回61.8％），中堅企業75.0％（同47.5％），中小企業54.5％（同23.4％），産業別では製造業76.2％（同55.4％），非製造業62.2％（同31.5％）。前回半数を割っていた中堅・中小企業と非製造業を含む全区分で過半数に達した。

初任給を引き上げた対象学歴を尋ねたところ「全学歴」は91.0％（同82.4％），「一部学歴」は4.5％（同12.8％）となっている。なお，21年度は「全学歴」71.4％，「一部学歴」23.5％。初任給の引上げ対象を学歴で区別しない傾向にあることがわかる。

他方，「据え置いた」企業は28.9％（同55.4％）。4年ぶりに「引き上げた」が「据え置いた」を上回った。なお，「引き下げた」企業は前回と同じくなかった（表3）。

■「賃上げあり」企業の4分の3が初任給引上げ

初任給引上げ企業の割合を賃上げの実施状況と合わせてみると，「賃上げあり」は74.8％（前回49.8％）と4分の3を占めた。引上げの対象学歴は，「全学歴」91.3％（同83.5％），「一部学歴」3.9％（同11.6％）。さらに，「賃上げなし」だが初任給は引き上げた企業は，前回なかったが，今回は7.1％あった。

他方，初任給を据え置いた企業は，「賃上げあり」24.3％（同48.1％），「賃上げなし」85.7％（同94.3％）だった（表4）。

調査の概要

- ●調査名　2023年度 決定初任給調査
- ●調査機関　産労総合研究所
- ●調査時期　2023年4月初旬～5月下旬
- ●調査対象　当社の会員企業および上場企業から一定の方法で抽出した3,000社。回答は360社。
- ●用語の説明　決定初任給とは，本採用後に支払われる所定内賃金月額（通勤手当，時間外手当は除く）をいう。産労総合研究所では，1961年以来，この決定初任給調査を行ってきた。

集計企業の内訳
（単位：％，（　）内は社数）

規　模	合　計	製造業	非製造業
規　模　計	100.0(360)	41.9(151)	58.1(209)
1,000人以上	100.0(90)	51.1(46)	48.9(44)
300～999人	100.0(116)	39.7(46)	60.3(70)
299人以下	100.0(154)	38.3(59)	61.7(95)

図２　初任給の引上げ状況の推移

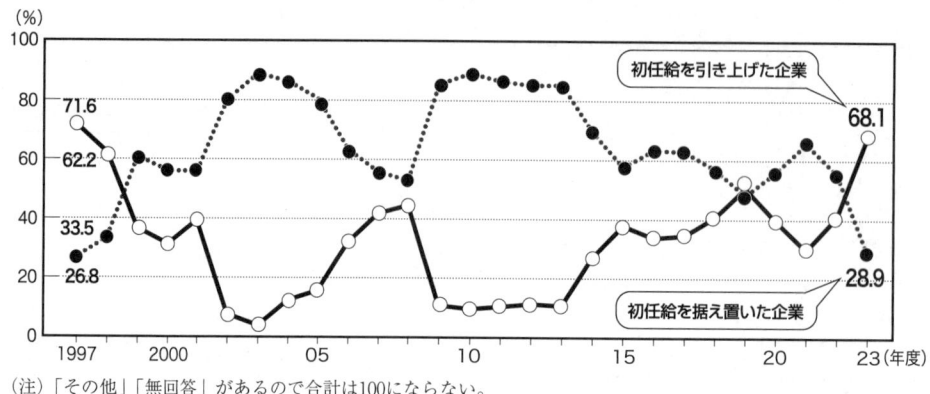

（注）「その他」「無回答」があるので合計は100にならない。

3　初任給引上げ・据置きの理由

■初任給引上げ理由は「人材確保」が最多７割

初任給を引き上げた理由（複数回答）は，「人材を確保するため」が前回比7.0ポイント増の70.2％で最も多かった。次いで「在籍者のベースアップ（ベア）があったため」が同3.4ポイント増の49.0％などとなっている。

産業別に「人材を確保するため」をみると，製造業は前回から13.8ポイント増え76.5％に上った。一方，非製造業は64.6％と前回（63.8％）並みとなった。

規模別では，「人材を確保するため」が大企業81.1％，中堅企業70.1％，中小企業60.7％，「在籍者のベアがあったため」が同様に58.1％，59.8％，29.8％など。

また，「その他」の自由記述欄には，「インフレ対応」に関連する回答（６社）が前回（１社）よりも目立った（表５－１）。

■初任給引上げ企業の過半数が在籍者賃金を「調整した」

初任給を引き上げる際には，在籍者賃金とのバランスが課題となる。初任給引上げ企業で，在職者賃金を「調整した」は前回比13.8ポイント増の51.4％と半数に及んだ。

初任給引上げ企業に上げ幅を尋ねると，最多は「ベアと同額」だったが同3.6ポイント減の39.6％。他方，「ベアを上回った」は同6.2ポイント増の31.8％で，今回３割台に乗った。こうした事情から，在職者賃金と「調整した」割合が大幅に増えたと考えられる。

調整した企業のうち，「若年層の賃金のみ調整した」は50.8％で同8.8ポイント減。一方，「若年層以外の賃金も調整した」は41.3％で同9.4ポイント増だった。急激な初任給の引上げは入社が２～３年早い先輩社員だけでなく，さらに上の年齢層の社員にも影響を与えたことが読み取れる（表５－２，３）。

初任給の水準や決め方の課題を自由記述で尋ねたところ，「すべての賃金テーブルを見直す必要」（大企業，精密機器）があり「その原資を捻出できない」（中堅企業，商業）など，初任給アップに伴う負担や賃金カーブの見直しを挙げる回答が並んだ。

■初任給を据え置いた理由は「現在の水準でも十分採用できる」が前回比12.1ポイント減

初任給を据え置いた企業に理由（複数回答）を尋ねると，「現在の水準でも十分採用できるため」が前回比12.1ポイント減の42.3％だった。産業別にみると，製造業は28.1％と前回（52.0％）から大幅に減少。人手不足の深刻さがうかがえる。非製造業も前回（55.5％）を6.9ポイント下回る48.6％となった（表６）。

4　初任給の水準

■初任給額の増加率は，1993年度以来30年ぶりの２％超え

2023年度決定初任給は，1993年度以来30年ぶりに，すべての学歴で前年度から２％超の増額となった。増え幅はおおむね，前年度比３～４％，

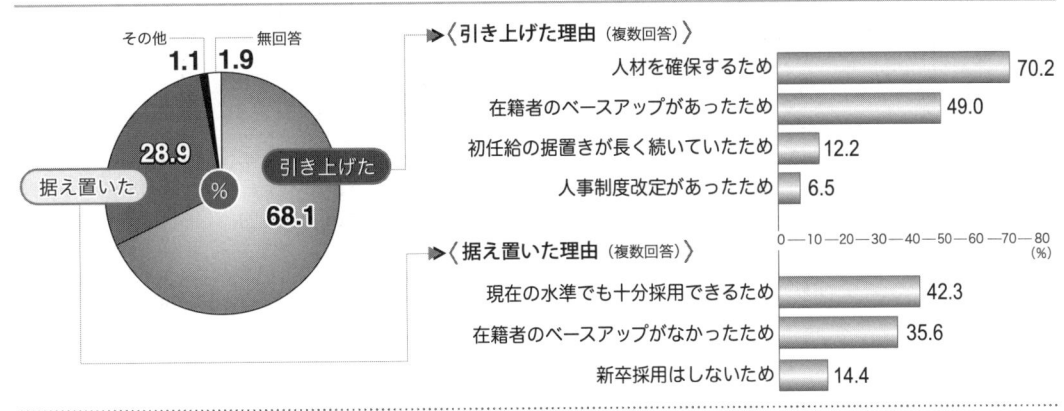

図３　初任給の引上げ状況

5,000～9,000円と大きい。なお，初任給額の比較には「前回2022年度調査」ではなく，今回23年度調査において回答があった22年度の額を指す「前年度」を用いている。回答企業は各年度で異なっているため，前回とは単純比較できない。

職種やコースなどで初任給額を区分していない場合（一律），大学卒は21万8,324円（前年度比2.84％，6,026円増），高校卒は17万9,680円（同2.80％，4,906円増）と大幅に増額した。規模別にみると，大学卒は大企業22万9,586円（同5.47％，１万1,912円増），中堅企業21万7,467円（同2.47％，5,262円増），中小企業21万2,491円（同1.51％，3,147円増），高校卒は大企業18万5,119円（同4.26％，7,555円増），中堅企業17万8,125円（同3.15％，5,458円増），中小企業17万7,320円（同1.50％，2,620円増）。大企業と中堅・中小企業との間に，やや開きがある。

一方，職種やコースなどによって初任給額を区分している場合（格差あり），大学卒は最高額23万1,835円（同3.28％，7,331円増），最低額20万6,268円（同3.08％，6,169円増），高校卒は最高額19万1,462円（同3.61％，6,612円増），最低額17万6,080円（同4.29％，7,189円増）だった（**表７**）。

初任給の決め方に関する自由記述欄には，「世間」「同業」「同一地域」の水準を参考にするといった回答が数多く寄せられた。規模別では，大企業は「採用で負けない水準」（電気機器），「増額による採用へのインパクト」（商業）をはじめ，強気の姿勢を示す企業が多かった。

ところが，中小企業は「報道などで見る今年の初任給アップは難しい」（電気機器）と諦め感が漂う。また，「初任給額の世間水準が上がり，それに追従しないと採用が厳しくなる」（精密機器）と危機感がにじみ出ている。

このほか，「ワークライフバランスの充実などの職場環境」（中小企業，不動産）の改善や「福利厚生制度の充実」（中堅企業，金融・保険）のように，初任給額以外の魅力を高めるという企業もあった。

5　初任給のバラツキ・分布

■大学卒（一律）の７割が初任給額20万～23万円未満

初任給のバラツキをみると，大学卒の四分位係数は支給額が一律の場合は0.06で，格差がある場合は最高額・最低額ともに0.08だった。高校卒は，一律0.07，最高額0.10，最低額0.07。大学院卒・博士は0.12と他に比べやや大きいものの，バラツキは総じて小さい（**表８**）。

次に，初任給額の分布をみる。大学卒（一律）は「21万～22万円未満」が30.6％で最も多かった。続く「20万～21万円未満」（20.2％）と「22万～23万円未満」（19.0％）を合わせた「20万～23万円未満」に約７割が集中した。

他方，高校卒（一律）は「17万～18万円未満」が最多で34.0％，次いで「18万～19万円未満」28.2％，「16万～17万円未満」14.6％，「19万～20万円未満」10.2％など。「16万～19万円未満」が８割を占めた（**表９**）。

表1　2023年4月入社の新卒者の採用状況

(単位：%，( )内は社数)

規模・産業	合計	新卒を採用した	新卒を採用しなかった	無回答	採用した学歴（新卒を採用した＝100）（複数回答）						
					大学院博士課程卒	大学院修士課程卒	大学卒	短大・高専卒	専修・専門学校卒	高校卒	無回答
調査計	100.0(360)	86.9	11.1	1.9	4.5	40.3	88.8	27.2	25.9	59.1	—
2022年度調査	100.0(305)	84.9	14.1	1.0	3.9	44.0	88.0	31.3	25.9	55.2	1.5
1,000人以上	100.0(90)	91.1	4.4	4.4	12.2	75.6	98.8	56.1	42.7	73.2	—
300〜999人	100.0(116)	95.7	3.4	0.9	2.7	42.3	91.9	24.3	23.4	65.8	—
299人以下	100.0(154)	77.9	20.8	1.3	0.8	14.2	79.2	10.0	16.7	43.3	—
製造業	100.0(151)	87.4	9.9	2.6	8.3	57.6	83.3	32.6	23.5	82.6	—
非製造業	100.0(209)	86.6	12.0	1.4	1.7	27.6	92.8	23.2	27.6	42.0	—

表2　2023年度の賃上げの実施状況

(単位：%，( )内は社数)

規模・産業	合計	賃上げあり（定昇および予定も含む）	賃上げなし（据置き）	その他	無回答
調査計	100.0(360)	85.8	7.8	2.5	3.9
2022年度調査	100.0(305)	79.7	11.5	5.6	3.3
1,000人以上	100.0(90)	91.1	3.3	2.2	3.3
300〜999人	100.0(116)	86.2	6.9	3.4	3.4
299人以下	100.0(154)	82.5	11.0	1.9	4.5
製造業	100.0(151)	91.4	2.6	1.3	4.6
非製造業	100.0(209)	81.8	11.5	3.3	3.3

(注)　「その他」の内訳：未定（3社）／団体交渉中（2社）／検討中（2社）／団体交渉未実施

表3　2023年度初任給額の改定状況

(単位：%，( )内は社数)

規模・産業	合計	初任給を引き上げた	(引き上げた企業＝100)		初任給を据え置いた	その他	無回答
			全学歴	一部学歴			
調査計	100.0(360)	68.1	91.0	4.5	28.9	1.1	1.9
2022年度調査	100.0(305)	41.0	82.4	12.8	55.4	1.0	2.6
1,000人以上	100.0(90)	82.2	93.2	4.1	16.7	1.1	—
300〜999人	100.0(116)	75.0	93.1	3.4	23.3	1.7	—
299人以下	100.0(154)	54.5	86.9	6.0	40.3	0.6	4.5
製造業	100.0(151)	76.2	90.4	4.3	21.2	0.7	2.0
非製造業	100.0(209)	62.2	91.5	4.6	34.4	1.4	1.9

(注)　1.　「一部学歴」の内訳：大学院卒，大学卒（総合職のみ）／大学院修士卒，大学卒／大学院修士卒，大学卒，高校卒，高専卒／高校卒，短大卒，専門卒（2社）／高校卒，専門卒／高校卒／高校卒，中学卒
　　　2.　「その他」の内訳：検討中（2社）／春闘交渉が4〜6月のため未決／コロナ禍以降，採用実績なし
　　　3.　「引き下げた」企業はなかった。

表4　賃上げの有無別にみた初任給額の引上げ状況

(単位：%，( )内は社数)

区分	合計	初任給を引き上げた	(引き上げた企業＝100)		初任給を据え置いた	その他	無回答
			全学歴	一部学歴			
調査計	100.0(360)	68.1	91.0	4.5	28.9	1.1	1.9
賃上げあり	100.0(309)	74.8	91.3	3.9	24.3	0.3	0.6
賃上げなし	100.0(28)	7.1	—	—	85.7	—	7.1
その他	100.0(9)	22.2	100.0	—	33.3	33.3	11.1
無回答	100.0(14)	71.4	90.0	10.0	14.3	—	14.3
2022年度調査							
調査計	100.0(305)	41.0	82.4	12.8	55.4	1.0	2.6
賃上げあり	100.0(243)	49.8	83.5	11.6	48.1	—	2.1
賃上げなし	100.0(35)	—	—	—	94.3	5.7	—
その他	100.0(17)	11.8	50.0	50.0	82.4	5.9	—
無回答	100.0(10)	20.0	50.0	50.0	50.0	—	30.0

表５―１　初任給を引き上げた理由（複数回答）

（単位：％，（　）内は社数）

規模・産業	合　計	人材を確保するため	在籍者のベースアップがあったため	初任給の据置きが長く続いていたため	人事制度改定があったため	その他	無回答
調　査　計	100.0(245)	70.2	49.0	12.2	6.5	9.0	4.9
2022年度	100.0 (125)	63.2	45.6	9.6	―	9.0	4.9
1,000人以上	100.0(74)	81.1	58.1	8.1	6.8	6.8	4.1
300～999人	100.0(87)	70.1	59.8	11.5	6.9	8.0	3.4
299人以下	100.0(84)	60.7	29.8	16.7	6.0	11.9	7.1
製　造　業	100.0(115)	76.5	44.3	10.4	6.1	6.1	3.5
非製造業	100.0(130)	64.6	53.1	13.8	6.9	11.5	6.2

（注）1．初任給を「引き上げた」企業を100としている。表５―３も同じ。
2．「人事制度改定があったため」は今回から選択肢に加えた。
3．「その他」の内訳：インフレ対応（６社）／世間相場（４社）／最低賃金の引上げに対応（３社）／人事院勧告に準拠（３社）／給与相場や人材確保などを総合して判断／競争力確保／チャレンジや貢献による高評価者への重点配分／賞与原資を移行したため／住宅手当の引上げ

表５―２　初任給の在籍者賃金との調整状況

（単位：％，（　）内は社数）

規模・産業	合　計	調整した	（調整した企業＝100）		調整の必要はなかった	その他	無回答
			若年層の賃金のみ調整した	若年層以外の賃金も調整			
調　査　計	100.0(245)	51.4	50.8	41.3	33.5	1.2	13.9
2022年度	100.0 (125)	37.6	59.6	31.9	44.0	1.6	16.8
1,000人以上	100.0(74)	59.5	61.4	31.8	27.0	1.4	12.2
300～999人	100.0(87)	47.1	41.5	48.8	41.4	1.1	10.3
299人以下	100.0(84)	48.8	48.8	43.9	31.0	1.2	19.0
製　造　業	100.0(115)	49.6	66.7	28.1	33.9	0.9	15.7
非製造業	100.0(130)	53.1	37.7	52.2	33.1	1.5	12.3

（注）1．「若年層以外の賃金も調整」の内訳：個別対応／総合職社員／職階を限定してベースアップ／管理職層以外／中間層，管理職／一般職の中間層以上／移行措置として一部社員を調整／若手～中堅を引上げ，その他は引下げ／該当資格の賃金カーブを調整／23～39歳に追加昇給（1,000～7,000円）／20万円未満の社員を20万円に引上げ
2．「その他」の内訳：検討中／人事院勧告に準拠

表５―３　初任給の引上げ幅

（単位：％，（　）内は社数）

規模・産業	合　計	ベアと同額	ベアを上回った	ベアを下回った	無回答
調　査　計	100.0(245)	39.6	31.8	6.9	21.6
2022年度	100.0 (125)	43.2	25.6	8.8	22.4
1,000人以上	100.0(74)	39.2	36.5	5.4	18.9
300～999人	100.0(87)	43.7	31.0	5.7	19.5
299人以下	100.0(84)	35.7	28.6	9.5	26.2
製　造　業	100.0(115)	36.5	36.5	8.7	18.3
非製造業	100.0(130)	42.3	27.7	5.4	24.6

表６　初任給を据え置いた理由（初任給を据え置いた企業＝100，複数回答）

（単位：％，（　）内は社数）

規模・産業	合　計	現在の水準でも十分採用できるため	在籍者のベースアップがなかったため	新卒採用はしないため	その他	無回答
調　査　計	100.0(104)	42.3	35.6	14.4	10.6	6.7
2022年度	100.0 (169)	54.4	30.2	11.2	11.8	5.3
1,000人以上	100.0(15)	40.0	26.7	6.7	13.3	13.3
300～999人	100.0(27)	40.7	37.0	11.1	14.8	―
299人以下	100.0(62)	43.5	37.1	17.7	8.1	8.1
製　造　業	100.0(32)	28.1	28.1	18.8	15.6	12.5
非製造業	100.0(72)	48.6	38.9	12.5	8.3	4.2

（注）「その他」の内訳：来年度に引上げ予定（３社）／一昨年に引き上げたため（２社）／昨年度引き上げたため／昨年度までの３カ年で改定したため／検討中／既存従業員への影響が大きいため

表7―1　規模別，産業別にみた2023年度決定初任給

（単位：円，（　）内は社数）

規模・産業	大学院卒 博士	大学院卒 修士	大学卒，事務・技術 一律	大学卒，事務・技術 職種等で異なる場合 最高額	大学卒，事務・技術 職種等で異なる場合 最低額	短大卒 事務	高専卒 技術	高校卒，事務・技術 一律	高校卒，事務・技術 職種等で異なる場合 最高額	高校卒，事務・技術 職種等で異なる場合 最低額	専修・専門技術学校卒 2年修了	専修・専門技術学校卒 3年修了
調査計	246,052 (106)	238,203 (170)	218,324 (248)	231,835 (88)	206,268 (84)	193,274 (146)	200,953 (135)	179,680 (206)	191,462 (49)	176,080 (40)	195,038 (112)	197,500 (52)
1,000人以上	271,736	250,157	229,586	242,581	213,946	202,030	208,276	185,119	193,448	178,312	204,303	215,957
300～999人	238,710	233,419	217,467	227,197	202,419	191,264	199,030	178,125	196,518	172,411	195,195	193,321
299人以下	228,218	228,394	212,491	225,672	202,076	187,925	193,697	177,320	187,489	176,957	186,769	190,734
製造業計	249,587 (51)	239,069 (96)	218,553 (106)	232,984 (29)	205,775 (28)	189,367 (68)	196,999 (82)	177,651 (115)	188,045 (17)	174,394 (14)	189,130 (45)	190,131 (23)
1,000人以上	275,236	250,665	228,644	239,995	208,648	195,285	203,944	181,722	186,739	181,226	193,592	190,470
300～999人	238,126	233,555	217,160	229,282	209,374	188,267	193,168	176,429	204,400	175,173	190,042	190,469
299人以下	225,952	223,726	211,664	224,722	194,150	184,808	190,558	175,513	182,341	168,310	184,914	189,761
食品	221,350	214,040	204,850	246,279	204,217	181,650	188,075	175,287	258,700	187,700	181,650	183,750
繊維	—	220,500	225,500	195,000	180,000	170,000	—	168,250	—	—	170,000	—
紙・パルプ	—	—	202,850	—	—	—	—	172,600	—	—	—	—
印刷・製本	263,300	255,000	228,900	217,000	170,000	197,600	209,000	185,500	202,000	160,000	—	—
化学	274,268	249,562	221,779	259,628	230,816	194,416	199,924	181,269	198,383	190,900	195,160	—
石油・石炭	252,600	252,600	240,600	—	—	—	196,700	176,800	—	—	—	—
ゴム・タイヤ	229,314	230,757	221,250	—	—	177,414	177,414	175,750	—	—	177,414	180,614
窯業・土石	229,325	237,983	208,825	225,650	198,450	184,017	193,683	172,638	165,500	163,500	184,000	173,000
鉄鋼	253,725	243,600	223,190	228,000	192,700	191,017	206,283	176,115	178,150	—	—	189,250
非鉄金属	257,705	237,503	224,970	—	—	186,000	195,000	181,700	—	—	184,075	188,075
金属製品	213,500	222,028	214,472	220,100	198,700	187,306	193,033	173,720	—	—	188,360	—
機械製品	255,376	240,321	216,911	229,720	200,256	192,227	198,353	178,519	181,000	173,667	191,183	193,900
電気機器	244,398	241,895	220,652	221,750	211,360	189,419	200,168	176,265	181,500	169,660	189,170	193,240
輸送用機器	244,666	241,833	221,418	218,930	198,480	192,180	192,711	181,513	—	—	198,190	189,350
精密機器	238,157	233,616	209,517	228,047	208,050	187,048	188,622	174,450	182,040	171,313	183,650	184,690
その他製造	249,980	241,331	216,925	236,978	210,450	186,447	199,797	178,116	182,688	174,250	201,850	226,460
非製造業計	242,773 (55)	237,080 (74)	218,152 (142)	231,270 (59)	206,515 (56)	196,679 (78)	207,070 (53)	182,243 (91)	193,277 (32)	176,987 (26)	199,006 (67)	203,344 (29)
1,000人以上	266,488	249,064	230,702	244,559	218,251	208,776	217,481	190,619	198,667	175,883	210,357	228,700
300～999人	239,100	233,258	217,660	225,856	197,948	194,022	207,669	180,079	193,563	171,375	199,060	195,395
299人以下	230,031	232,024	213,033	225,909	203,905	190,237	197,184	179,420	189,891	181,281	188,083	191,804
漁業・水産業	—	257,000	—	249,000	219,000	—	—	—	—	—	—	—
建設業	253,726	244,241	224,526	238,601	215,632	199,582	214,147	191,567	203,267	185,675	206,600	211,738
商業	239,604	240,417	216,586	232,741	209,241	196,941	202,192	181,235	186,738	182,657	194,397	197,620
デパート	—	—	191,000	—	—	—	—	—	—	—	—	—
チェーン・スーパー	250,133	250,133	219,267	—	—	200,071	215,000	185,000	—	—	195,750	196,000
一般小売	232,833	232,768	214,048	239,614	212,450	200,543	213,500	182,633	176,667	175,750	194,880	207,667
一般卸売	234,777	237,650	216,827	229,124	208,987	193,800	197,000	178,294	192,780	185,420	192,547	192,240
その他	260,515	260,515	240,668	242,500	193,800	—	—	—	—	—	—	—
金融・保険	224,400	217,250	211,409	221,333	200,733	191,163	195,000	168,486	—	—	215,000	192,000
銀行・信用金庫	205,333	205,333	208,571	215,000	200,000	178,600	195,000	160,600	—	—	189,000	192,000
その他	253,000	253,000	216,375	224,500	201,100	212,100	—	188,200	—	—	241,000	—
不動産	—	240,000	218,900	230,000	186,000	210,000	210,000	—	190,000	172,000	210,000	—
運輸・倉庫	223,183	216,804	211,741	213,115	189,593	182,785	186,444	179,614	185,643	172,977	185,257	184,815
貨物運輸	226,750	216,166	214,180	214,753	186,936	184,176	188,452	180,900	193,624	176,810	184,991	186,460
私鉄・バス	212,100	206,100	—	211,440	198,690	178,540	183,540	179,300	178,300	164,050	189,795	180,550
海運・空運	—	227,500	206,455	—	—	177,300	177,300	165,400	165,050	164,000	182,500	182,500
倉庫	220,000	220,000	—	205,000	190,000	180,000	—	180,000	—	—	180,000	—
電力・ガス	—	—	212,100	218,000	205,000	—	—	178,000	—	—	—	—
マスコミ関連	280,600	246,220	243,995	—	—	231,100	215,450	191,450	217,100	—	199,980	—
サービス業	248,897	237,019	218,605	242,333	212,522	204,402	216,207	181,268	204,440	169,650	201,530	231,500
専門サービス	244,667	241,604	221,349	242,100	214,333	206,367	216,207	189,165	200,500	170,000	200,874	209,333
その他サービス	261,586	226,016	215,053	242,450	211,617	201,877	—	173,370	207,067	169,533	202,187	298,000

（注）「サービス業」の「専門サービス」とはソフトウェア，情報処理，建物設計，シンクタンクなど，「その他サービス」はサービス業のうち専門サービスに含まれないもの。

表７－２　規模別，産業別にみた2023年度決定初任給（初任給を引き上げた企業のみ）

（単位：円，（　）内は社数）

規模・産業	大学院卒		大学卒，事務・技術			短大卒	高専卒	高校卒，事務・技術			専修・専門技術学校卒	
	博　士	修　士	一　律	職種等で異なる場合		事　務	技　術	一　律	職種等で異なる場合		2年修了	3年修了
				最高額	最低額				最高額	最低額		
調査計	251,971 (64)	241,862 (107)	222,790 (147)	233,009 (56)	209,333 (52)	196,463 (80)	203,985 (80)	181,585 (111)	191,470 (33)	176,992 (26)	199,689 (62)	203,626 (28)
1,000人以上	270,232	249,972	232,150	238,141	211,679	203,246	208,218	184,169	191,772	178,622	208,167	222,550
300～999人	244,529	233,963	219,999	226,631	204,229	192,408	200,126	179,755	189,014	174,600	197,602	194,500
299人以下	233,235	237,539	216,542	232,101	210,283	191,925	200,673	181,230	192,440	176,766	187,914	198,391
製造業計	254,854 (30)	243,088 (66)	222,785 (71)	229,429 (19)	203,808 (17)	191,171 (41)	200,167 (53)	180,147 (68)	185,041 (11)	173,523 (7)	191,741 (27)	193,434 (11)
1,000人以上	271,587	249,994	229,545	231,433	202,649	193,098	203,433	181,634	186,313	184,100	192,907	197,500
300～999人	248,000	235,922	219,842	226,731	210,000	191,884	196,939	178,043	189,000	—	194,828	189,788
299人以下	234,155	235,134	216,895	228,964	196,967	186,896	197,142	182,073	182,977	165,590	187,487	195,187
食品	272,700	225,050	215,267	227,594	199,500	194,500	202,650	186,800	—	—	194,500	197,500
繊維	—	226,000	219,000	—	—	—	—	176,500	—	—	—	—
紙・パルプ	—	—	203,100	—	—	—	—	—	—	—	—	—
印刷・製本	263,300	255,000	228,900	217,000	170,000	197,600	209,000	185,500	202,000	160,000	—	—
化学	270,889	251,851	228,502	241,213	226,166	203,360	207,928	182,358	209,265	199,300	195,160	—
石油・石炭	252,600	252,600	240,600	—	—	—	196,700	176,800	—	—	—	—
ゴム・タイヤ	229,314	230,757	221,250	—	—	177,414	177,414	175,750	—	—	177,414	180,614
窯業・土石	248,650	251,975	217,650	—	—	188,650	188,650	184,650	—	—	—	—
鉄鋼	271,600	242,800	224,450	228,000	192,700	189,100	206,283	174,917	178,150	—	—	—
非鉄金属	257,705	237,503	224,970	—	—	186,000	195,000	181,700	—	—	184,075	188,075
金属製品	—	227,713	217,187	220,100	198,700	183,425	188,225	176,192	—	—	192,700	—
機械製品	253,920	239,513	217,244	232,100	202,320	190,130	199,627	178,327	181,000	173,667	192,913	194,600
電気機器	249,167	250,554	225,358	230,000	—	193,318	204,172	177,247	189,000	—	192,072	194,930
輸送用機器	248,693	243,237	225,678	218,930	198,480	188,340	193,675	184,463	—	—	194,600	188,700
精密機器	215,050	232,750	212,525	224,900	—	180,990	194,563	181,500	170,510	160,110	163,460	185,190
その他製造	249,980	255,552	230,593	236,978	210,450	191,375	211,400	185,193	182,688	174,250	201,850	226,460
非製造業計	249,427 (34)	239,890 (41)	222,795 (76)	234,847 (37)	212,017 (35)	202,027 (39)	211,478 (27)	183,860 (43)	194,685 (22)	178,270 (19)	205,820 (35)	210,221 (17)
1,000人以上	268,652	249,922	235,851	242,785	218,452	215,569	219,527	188,654	195,671	175,883	216,246	226,129
300～999人	242,793	230,901	220,127	226,564	200,623	193,076	205,224	183,179	189,017	174,600	199,683	196,856
299人以下	232,201	239,223	216,288	232,937	212,947	195,518	207,145	180,387	197,697	182,354	188,554	208,000
漁業・水産業	—	257,000	—	249,000	219,000	—	—	—	—	—	—	—
建設業	259,714	250,633	235,750	241,729	220,350	206,700	214,975	191,800	209,550	193,350	212,990	214,129
商業	239,361	242,692	219,125	232,033	214,294	202,312	216,014	183,042	191,700	182,657	198,056	207,000
デパート	—	—	—	—	—	—	—	—	—	—	—	—
チェーン・スーパー	250,133	250,133	219,486	—	—	201,000	215,000	185,500	—	—	194,800	196,000
一般小売	239,250	232,768	222,715	226,000	204,675	214,167	220,250	185,206	189,000	175,750	207,725	211,500
一般卸売	235,794	244,430	217,920	234,226	218,141	199,089	214,150	179,576	192,780	185,420	192,458	220,000
その他	—	—	—	—	—	—	—	—	—	—	—	—
金融・保険	253,000	—	218,667	232,000	213,100	241,000	—	191,700	—	—	241,000	—
銀行・信用金庫	—	—	220,000	215,000	200,000	—	—	170,000	—	—	—	—
その他	253,000	—	216,000	249,000	226,200	241,000	—	213,400	—	—	241,000	—
不動産	—	—	220,000	230,000	186,000	—	—	—	190,000	172,000	—	—
運輸・倉庫	233,550	213,810	213,904	217,542	192,265	181,714	188,753	180,630	187,746	173,033	179,833	180,275
貨物運輸	255,000	217,665	213,993	220,593	189,053	182,349	190,490	180,896	194,074	176,626	181,125	180,000
私鉄・バス	212,100	206,100	—	211,440	198,690	178,540	183,540	179,300	178,300	164,050	178,540	180,550
海運・空運	—	—	213,500	—	—	—	—	—	175,000	—	—	—
倉庫	—	—	—	—	—	—	—	—	—	—	—	—
電力・ガス	—	—	—	—	—	—	—	—	—	—	—	—
マスコミ関連	355,925	—	355,925	—	—	—	—	—	—	—	—	—
サービス業	248,384	232,325	222,042	253,700	222,720	207,696	215,775	175,294	205,500	169,300	210,934	226,433
専門サービス	248,571	237,088	223,727	240,800	216,500	209,533	215,775	169,000	171,000	—	207,150	190,650
その他サービス	247,730	219,626	219,420	256,925	224,275	206,593	—	176,552	240,000	169,300	213,961	298,000

（注）2023年度の調査で初任給を「引き上げた」企業で，2022，2023年度の両方に金額の記入があった企業についてみたものである。

表８　産業別にみた初任給のバラツキ

（単位：円，（　）内は社数）

区分	大学院卒 博士	大学院卒 修士	大学卒，事務・技術 一律	大学卒，事務・技術 職種等で異なる場合 最高額	大学卒，事務・技術 職種等で異なる場合 最低額	短大卒 事務	高専卒 技術	高校卒，事務・技術 一律	高校卒，事務・技術 職種等で異なる場合 最高額	高校卒，事務・技術 職種等で異なる場合 最低額	専修・専門技術学校卒 2年修了	専修・専門技術学校卒 3年修了
全産業												
平均額	**246,052**	**238,203**	**218,324**	**231,835**	**206,268**	**193,274**	**200,953**	**179,680**	**191,462**	**176,080**	**195,038**	**197,500**
	(106)	**(170)**	**(248)**	**(88)**	**(84)**	**(146)**	**(135)**	**(206)**	**(49)**	**(40)**	**(112)**	**(52)**
第１十分位	212,620	215,000	200,000	205,020	184,296	174,640	179,840	162,850	165,600	160,000	173,000	174,232
第１四分位	222,625	222,590	206,900	214,625	192,650	181,031	189,625	170,995	177,000	165,750	181,925	181,766
中位数	241,850	238,050	216,000	228,800	204,000	189,625	199,000	177,850	186,100	174,125	193,750	194,300
第３四分位	268,800	251,870	225,813	242,125	215,375	199,900	213,055	186,777	204,500	185,625	204,723	205,000
第９十分位	284,300	263,200	240,000	254,800	227,900	219,000	225,000	197,920	219,710	194,000	220,200	220,200
最高	361,200	332,500	355,925	350,200	278,000	298,000	250,000	232,900	258,700	201,000	298,000	298,000
最低	170,000	170,000	169,600	191,000	170,000	159,200	159,200	140,800	152,000	153,600	159,200	159,200
四分位分散係数	0.12	0.08	0.06	0.08	0.08	0.07	0.08	0.07	0.10	0.07	0.08	0.08
製造業												
平均額	**249,587**	**239,069**	**218,553**	**232,984**	**205,775**	**189,367**	**196,999**	**177,651**	**188,045**	**174,394**	**189,130**	**190,131**
	(51)	**(96)**	**(106)**	**(29)**	**(28)**	**(68)**	**(82)**	**(115)**	**(17)**	**(14)**	**(45)**	**(23)**
第１十分位	215,045	215,400	201,376	206,322	180,912	175,200	179,227	163,375	163,435	159,700	170,940	172,664
第１四分位	223,830	224,875	210,000	217,000	192,650	181,450	186,515	171,164	176,300	163,875	180,000	180,307
中位数	249,000	239,750	218,225	228,000	201,900	188,550	196,800	177,000	182,000	174,125	186,400	189,000
第３四分位	274,050	251,000	226,827	242,000	213,688	194,928	205,000	183,950	189,000	181,625	195,160	197,250
第９十分位	281,300	258,900	235,000	262,532	230,400	202,000	214,000	190,070	211,922	190,452	208,600	201,532
最高	361,200	332,500	274,000	332,500	273,584	227,000	237,700	215,900	258,700	199,300	226,260	226,460
最低	170,000	170,000	170,000	195,000	170,000	167,600	170,000	140,800	162,550	159,250	163,460	170,000
四分位分散係数	0.12	0.07	0.06	0.08	0.08	0.05	0.07	0.06	0.07	0.06	0.06	0.07
非製造業												
平均額	**242,773**	**237,080**	**218,152**	**231,270**	**206,515**	**196,679**	**207,070**	**182,243**	**193,277**	**176,987**	**199,006**	**203,344**
	(55)	**(74)**	**(142)**	**(59)**	**(56)**	**(78)**	**(53)**	**(91)**	**(32)**	**(26)**	**(67)**	**(29)**
第１十分位	207,700	212,840	199,272	202,372	182,880	172,348	183,862	162,900	170,100	158,800	175,162	164,334
第１四分位	220,200	217,512	205,633	210,500	193,100	180,581	194,000	170,962	180,375	168,905	184,750	184,000
中位数	237,000	232,955	215,000	230,000	205,000	193,950	208,900	180,000	193,000	174,050	196,000	201,300
第３四分位	254,400	252,000	225,000	242,250	217,290	206,500	222,000	192,400	206,750	185,875	208,880	214,800
第９十分位	284,500	265,000	244,200	254,900	228,100	224,600	231,272	205,000	217,680	193,200	224,700	234,200
最高	355,925	319,500	355,925	350,200	278,000	298,000	250,000	232,900	240,000	201,000	298,000	298,000
最低	180,400	180,400	169,600	191,000	171,000	159,200	159,200	145,600	152,000	153,600	159,200	159,200
四分位分散係数	0.10	0.08	0.06	0.09	0.08	0.09	0.09	0.08	0.09	0.08	0.09	0.13

（注）１．「第１十分位」「第９十分位」とは，学歴区分ごとに賃金の低いほうから高いほうへ順に並べたときに，低いほうから10分の１，10分の９の位置の賃金額。「第１四分位」「第３四分位」とは，同様に低いほうから４分の１，４分の３の位置の賃金額。「中位数」とは，賃金の低いほうからも高いほうからも同じ順位にある中位の賃金額。

２．四分位分散係数＝（第３四分位―第１四分位）／（中位数×２）。数値が大きいほど，バラツキが大きいことを示す。

表９　初任給の分布

（単位：％，（　）内は社数）

区分	大学院卒 博士	大学院卒 修士	大学卒，事務・技術 一律	大学卒，事務・技術 職種等で異なる場合 最高額	大学卒，事務・技術 職種等で異なる場合 最低額	短大卒 事務	高専卒 技術	高校卒，事務・技術 一律	高校卒，事務・技術 職種等で異なる場合 最高額	高校卒，事務・技術 職種等で異なる場合 最低額	専修・専門技術学校卒 2年修了	専修・専門技術学校卒 3年修了
調査計	100.0	100.0	100.0	100.0	100.0	100.0	100.0	100.0	100.0	100.0	100.0	100.0
	(106)	(170)	(248)	(88)	(84)	(146)	(135)	(206)	(49)	(40)	(112)	(52)
最高額（円）	361,200	332,500	355,925	350,200	278,000	298,000	250,000	232,900	258,700	201,000	298,000	298,000
最低額（円）	170,000	170,000	169,600	191,000	170,000	159,200	159,200	140,800	152,000	153,600	159,200	159,200
28万円以上	13.2	1.8	1.6	4.5	—	0.7	—	—	—	—	0.9	1.9
27～28万円未満	11.3	3.5	0.8	2.3	2.4	—	—	—	—	—	—	—
26～27万円未満	4.7	7.1	0.4	1.1	—	—	—	—	—	—	—	—
25～26万円未満	13.2	19.4	1.6	8.0	1.2	0.7	0.7	—	2.0	—	—	—
24～25万円未満	9.4	16.5	6.5	15.9	1.2	1.4	1.5	—	2.0	—	1.8	1.9
23～24万円未満	12.3	17.6	10.5	17.0	4.8	1.4	4.4	1.0	4.1	—	-	1.9
22～23万円未満	17.9	14.7	19.0	18.2	9.5	4.8	8.1	—	2.0	—	8.9	9.6
21～22万円未満	12.3	14.7	30.6	18.2	20.2	4.1	14.1	3.4	6.1	—	6.3	5.8
20～21万円未満	3.8	2.9	20.2	11.4	20.2	12.3	18.5	4.4	16.3	2.5	15.2	21.2
19～20万円未満	—	0.6	6.5	3.4	22.6	22.6	25.9	10.2	10.2	15.0	24.1	17.3
18～19万円未満	0.9	0.6	1.2	—	13.1	32.9	17.0	28.2	28.6	22.5	25.9	28.8
17～18万円未満	0.9	0.6	0.8	—	4.8	15.8	8.1	34.0	18.4	27.5	11.6	7.7
16～17万円未満	—	—	0.4	—	—	2.7	0.7	14.6	6.1	25.0	4.5	1.9
15～16万円未満	—	—	—	—	—	0.7	0.7	3.4	4.1	7.5	0.9	1.9
15万円未満	—	—	—	—	—	—	—	1.0	—	—	—	—

（注）□は，最頻値を含む階級の割合。

表10　2023年度決定初任給の対前年増減額および増減率

（（　）内は社数）

規模・産業	大学院卒		大学卒，事務・技術			短大卒	高専卒	高校卒，事務・技術			専修・専門技術学校卒	
	博士	修士	一律	職種等で異なる場合		事務	技術	一律	職種等で異なる場合		2年修了	3年修了
				最高額	最低額				最高額	最低額		
対前年増減額（円）												
調査計	**8,837**	**7,273**	**6,026**	**7,331**	**6,169**	**5,390**	**6,949**	**4,906**	**6,612**	**7,189**	**5,419**	**6,893**
	(90)	(152)	(227)	(83)	(79)	(128)	(114)	(172)	(43)	(33)	(98)	(44)
1,000人以上	16,443	10,750	11,912	9,525	6,713	8,329	9,366	7,555	5,533	7,110	9,353	8,500
300～999人	6,588	6,597	5,262	5,780	4,834	4,948	6,792	5,458	7,233	4,767	5,654	5,597
299人以下	3,479	3,479	3,147	6,484	6,600	3,644	3,813	2,620	7,168	8,804	1,931	7,415
製造業計	6,772	7,645	6,479	8,417	5,190	5,550	6,946	5,518	5,993	4,241	5,191	8,553
非製造業計	10,416	6,836	5,699	6,863	6,596	5,261	6,953	4,185	6,910	8,664	5,563	5,744
対前年増減率（％）												
調査計	**3.71**	**3.14**	**2.84**	**3.28**	**3.08**	**2.86**	**3.56**	**2.80**	**3.61**	**4.29**	**2.85**	**3.59**
	(90)	(152)	(227)	(83)	(79)	(128)	(114)	(172)	(43)	(33)	(98)	(44)
1,000人以上	6.43	4.49	5.47	4.09	3.24	4.29	4.71	4.26	2.97	4.19	4.77	4.06
300～999人	2.82	2.91	2.47	2.64	2.45	2.65	3.53	3.15	3.94	2.86	2.96	2.98
299人以下	1.54	1.54	1.51	2.96	3.37	1.97	1.98	1.50	3.99	5.28	1.04	3.95
製造業計	2.77	3.29	3.06	3.79	2.59	3.03	3.65	3.20	3.42	2.55	2.82	4.70
非製造業計	4.45	2.96	2.68	3.06	3.29	2.73	3.43	2.35	3.70	5.15	2.86	2.88
【うち初任給を引き上げた企業】												
対前年増減額（円）												
調査計	**12,426**	**10,331**	**9,305**	**10,866**	**9,372**	**8,624**	**9,902**	**7,602**	**8,615**	**9,125**	**8,726**	**10,833**
	(64)	(107)	(147)	(56)	(52)	(80)	(80)	(111)	(33)	(26)	(62)	(28)
1,000人以上	18,973	12,506	14,243	12,122	8,630	9,673	11,138	9,234	6,917	7,900	11,152	9,563
300～999人	9,411	8,367	7,349	8,092	7,808	8,313	9,926	7,521	9,300	8,580	8,078	8,396
299人以下	6,139	8,799	6,661	11,603	11,367	7,592	7,176	5,765	9,729	10,271	5,430	15,758
製造業計	8,803	9,499	8,669	11,075	7,328	7,716	9,043	7,546	7,627	6,664	7,306	13,996
非製造業計	15,623	11,671	9,898	10,759	10,365	9,577	11,588	7,690	9,109	10,032	9,821	8,785
対前年増減率（％）												
調査計	**5.19**	**4.46**	**4.36**	**4.89**	**4.69**	**4.59**	**5.10**	**4.37**	**4.71**	**5.44**	**4.57**	**5.62**
	(64)	(107)	(147)	(56)	(52)	(80)	(80)	(111)	(33)	(26)	(62)	(28)
1,000人以上	7.55	5.27	6.54	5.36	4.25	5.00	5.65	5.28	3.74	4.63	5.66	4.49
300～999人	4.00	3.71	3.46	3.70	3.98	4.52	5.22	4.37	5.17	5.17	4.26	4.51
299人以下	2.70	3.85	3.17	5.26	5.71	4.12	3.71	3.29	5.32	6.17	2.98	8.63
製造業計	3.58	4.07	4.05	5.07	3.73	4.21	4.73	4.37	4.30	3.99	3.96	7.80
非製造業計	6.68	5.11	4.65	4.80	5.14	4.98	5.80	4.36	4.91	5.96	5.01	4.36

（注）「対前年増減額」および「対前年増減率」は，2023年度回答企業における2022年度と2023年度の初任給額を比較したものである。

表11　初任給の内訳（初任給を基本賃金と諸手当に区分できる企業）

（（　）内は社数）

区分	大学院卒		大学卒，事務・技術			短大卒	高専卒	高校卒，事務・技術			専修・専門技術学校卒	
	博士	修士	一律	職種等で異なる場合		事務	技術	一律	職種等で異なる場合		2年修了	3年修了
				最高額	最低額				最高額	最低額		
構成割合（％）												
初任給	100.0	100.0	100.0	100.0	100.0	100.0	100.0	100.0	100.0	100.0	100.0	100.0
	(41)	(57)	(82)	(39)	(29)	(41)	(42)	(60)	(18)	(11)	(44)	(20)
基本賃金	92.2	92.4	90.6	88.2	92.7	93.1	93.1	91.6	88.8	96.3	91.6	91.9
諸手当	7.8	7.6	9.4	11.8	7.3	6.9	6.9	8.4	11.2	3.7	8.4	8.1
住宅手当	2.4	1.8	3.0	2.4	2.4	3.3	1.9	3.3	2.3	2.7	3.2	2.7
その他手当	5.4	5.7	6.6	9.4	4.9	3.6	5.0	5.4	8.9	1.0	5.5	6.2
内訳金額（円）												
初任給	248,669	237,400	221,213	234,766	210,353	196,605	204,012	183,466	199,926	181,535	197,376	199,261
基本賃金	229,170	219,410	200,348	206,963	195,067	182,967	189,865	168,088	177,559	174,908	180,752	183,030
諸手当	19,499	17,990	20,865	27,803	15,287	13,639	14,147	15,377	22,367	6,627	16,624	16,231
住宅手当	5,988	4,377	6,673	5,628	5,069	6,509	3,933	5,989	4,639	4,818	6,398	5,460
その他手当	13,511	13,602	14,559	22,175	10,218	7,130	10,214	9,888	17,728	1,809	10,909	12,271

（注）「諸手当」の内訳としての「住宅手当」「その他手当」のそれぞれの数値は，初任給を基本賃金と諸手当に区分できる企業=100として算出している。

表12　住宅手当の平均額と分布

（（　）内は社数）

区分	大学院卒		大学卒，事務・技術			短大卒 事務	高専卒 技術	高校卒，事務・技術			専修・専門 技術学校卒	
	博士	修士	一律	職種等で異なる場合 最高額	職種等で異なる場合 最低額			一律	職種等で異なる場合 最高額	職種等で異なる場合 最低額	2年修了	3年修了
平均(円)	10,229 (24)	9,596 (26)	11,399 (48)	13,719 (16)	11,308 (13)	10,263 (26)	7,509 (22)	8,984 (40)	8,350 (10)	6,625 (8)	11,729 (24)	9,100 (12)
分布(%)												
3万円以上	4.2	3.8	6.3	6.3	7.7	3.8	—	2.5	—	—	4.2	—
2.5〜3万円未満	4.2	—	4.2	—	—	3.8	—	2.5	—	—	8.3	—
2〜2.5万円未満	8.3	7.7	8.3	6.3	—	7.7	4.5	7.5	—	—	12.5	16.7
1.5〜2万円未満	8.3	11.5	10.4	43.8	23.1	7.7	4.5	7.5	30.0	12.5	8.3	—
1〜1.5万円未満	20.8	23.1	18.8	18.8	15.4	26.9	27.3	15.0	20.0	12.5	20.8	25.0
0.8〜1万円未満	—	—	4.2	—	15.4	7.7	4.5	7.5	10.0	25.0	4.2	8.3
0.6〜0.8万円未満	16.7	23.1	14.6	6.3	7.7	7.7	13.6	15.0	—	—	8.3	8.3
0.4〜0.6万円未満	12.5	7.7	20.8	—	7.7	11.5	9.1	17.5	—	12.5	12.5	16.7
0.4万円未満	25.0	23.1	12.5	18.8	23.1	23.1	36.4	25.0	40.0	37.5	20.8	25.0

（注）　初任給額の内訳として「住宅手当」を支給している企業を集計したもの。

表13　初任給の産業間格差（調査計=100）

産業	大学院卒		大学卒，事務・技術			短大卒 事務	高専卒 技術	高校卒，事務・技術			専修・専門 技術学校卒	
	博士	修士	一律	職種等で異なる場合 最高額	職種等で異なる場合 最低額			一律	職種等で異なる場合 最高額	職種等で異なる場合 最低額	2年修了	3年修了
調査計	**100.0**	**100.0**	**100.0**	**100.0**	**100.0**	**100.0**	**100.0**	**100.0**	**100.0**	**100.0**	**100.0**	**100.0**
製造業計	**101.4**	**100.4**	**100.1**	**100.5**	**99.8**	**98.0**	**98.0**	**98.9**	**98.2**	**99.0**	**97.0**	**96.3**
食品	90.0	89.9	93.8	106.2	99.0	94.0	93.6	97.6	135.1	106.6	93.1	93.0
繊維	—	92.6	103.3	84.1	87.3	88.0	—	93.6	—	—	87.2	—
木材・木製品	—	—	—	—	—	—	—	—	—	—	—	—
紙・パルプ	—	—	92.9	—	—	—	—	96.1	—	—	—	—
印刷・製本	107.0	107.1	104.8	93.6	82.4	102.2	104.0	103.2	105.5	90.9	—	—
化学	111.5	104.8	101.6	112.0	111.9	100.6	99.5	100.9	103.6	108.4	100.1	—
石油・石炭	102.7	106.0	110.2	—	—	—	97.9	98.4	—	—	—	—
ゴム・タイヤ	93.2	96.9	101.3	—	—	91.8	88.3	97.8	—	—	91.0	91.5
窯業・土石	93.2	99.9	95.6	97.3	96.2	95.2	96.4	96.1	86.4	92.9	94.3	87.6
鉄鋼	103.1	102.3	102.2	98.3	93.4	98.8	102.7	98.0	93.0	—	—	95.8
非鉄金属	104.7	99.7	103.0	—	—	96.2	97.0	101.1	—	—	94.4	95.2
金属製品	86.8	93.2	98.2	94.9	96.3	96.9	96.1	96.7	—	—	96.6	—
機械製品	103.8	100.9	99.4	99.1	97.1	99.5	98.7	99.4	94.5	98.6	98.0	98.2
電気機器	99.3	101.6	101.1	95.6	102.5	98.0	99.6	98.1	94.8	96.4	97.0	97.8
輸送用機器	99.4	101.5	101.4	94.4	96.2	99.4	95.9	101.0	-	-	101.6	95.9
精密機器	96.8	98.1	96.0	98.4	100.9	96.8	93.9	97.1	95.1	97.3	94.2	93.5
その他製造	101.6	101.3	99.4	102.2	102.0	96.5	99.4	99.1	95.4	99.0	103.5	114.7
非製造業計	**98.7**	**99.5**	**99.9**	**99.8**	**100.1**	**101.8**	**103.0**	**101.4**	**100.9**	**100.5**	**102.0**	**103.0**
漁業・水産業	—	107.9	—	107.4	106.2	—	—	—	—	—	—	—
建設業	103.1	102.5	102.8	102.9	104.5	103.3	106.6	106.6	106.2	105.4	105.9	107.2
商業	97.4	100.9	99.2	100.4	101.4	101.9	100.6	100.9	97.5	103.7	99.7	100.1
金融・保険	91.2	91.2	96.8	95.5	97.3	98.9	97.0	93.8	—	—	110.2	97.2
不動産	—	100.8	100.3	99.2	90.2	108.7	104.5	-	99.2	97.7	107.7	—
運輸・倉庫	90.7	91.0	97.0	91.9	91.9	94.6	92.8	100.0	97.0	98.2	95.0	93.6
通信	—	—	—	—	—	—	—	—	—	—	—	—
電力・ガス	—	—	97.1	94.0	99.4	—	—	99.1	—	—	—	—
マスコミ関連	114.0	103.4	111.8	—	—	119.6	107.2	106.6	113.4	—	102.5	—
サービス業	101.2	99.5	100.1	104.5	103.0	105.8	107.6	100.9	106.8	96.3	103.3	117.2

表14　初任給の地域間格差（全国=100）

地域	大学院卒		大学卒，事務・技術			短大卒 事務	高専卒 技術	高校卒，事務・技術			専修・専門 技術学校卒	
	博士	修士	一律	職種等で異なる場合 最高額	職種等で異なる場合 最低額			一律	職種等で異なる場合 最高額	職種等で異なる場合 最低額	2年修了	3年修了
全国	100.0	100.0	100.0	100.0	100.0	100.0	100.0	100.0	100.0	100.0	100.0	100.0
北海道	92.4	100.5	91.6	95.6	93.8	94.3	98.2	92.5	97.7	95.3	96.2	105.3
東北	85.3	100.0	92.5	92.8	93.6	93.8	95.3	93.9	85.9	89.2	93.5	99.7
北関東	95.5	89.3	94.2	90.9	94.1	92.1	94.6	94.3	86.4	92.9	91.8	94.4
南関東	100.4	99.9	100.0	101.9	100.6	99.0	99.4	100.8	99.8	97.2	99.9	97.7
東海	91.0	94.1	96.1	92.3	93.5	94.5	94.1	96.2	89.8	93.3	97.6	96.8
北陸	90.0	90.3	93.3	83.4	88.3	92.8	90.8	91.8	88.1	92.0	88.0	88.8
近畿	97.0	97.7	98.4	97.1	98.5	101.6	97.0	98.1	98.8	97.9	99.9	103.9
中国	96.6	93.9	95.9	93.0	94.8	98.9	98.5	93.3	91.1	94.0	99.7	91.5
四国	94.5	93.3	91.1	91.0	91.0	93.0	95.2	92.2	—	—	88.7	90.9
九州	91.0	92.2	91.8	91.4	93.6	97.0	94.3	94.3	97.7	85.2	95.5	97.2

表15　地域別にみた初任給額と対前年増減額および増減率

地域	大学院卒		大学卒，事務・技術			短大卒 事務	高専卒 技術	高校卒，事務・技術			専修・専門 技術学校卒	
	博士	修士	一律	職種等で異なる場合				一律	職種等で異なる場合		2年修了	3年修了
				最高額	最低額				最高額	最低額		
北海道												
集計社数(社)	(2)	(5)	(9)	(4)	(3)	(9)	(7)	(5)	(7)	(3)	(4)	(2)
平均額(円)	237,300	242,500	206,171	230,755	206,403	189,506	198,500	178,036	189,567	179,610	189,550	192,100
対前年増減額(円)	10,000	3,200	6,272	9,163	12,933	7,333	6,983	11,806	2,471	11,866.67	2,000	13,000
対前年増減率(%)	4.40	1.34	3.14	4.13	6.68	4.03	3.54	7.10	1.32	7.07	1.07	6.25
最高額(円)	237,600	259,100	245,100	272,000	212,000	231,100	231,100	212,000	240,000	185,000	221,000	221,000
最低額(円)	237,000	232,400	169,600	197,370	196,310	163,200	163,200	155,000	152,000	173,100	163,200	163,200
東北												
集計社数(社)	(1)	(4)	(8)	(2)	(2)	(7)	(4)	(8)	(1)	(1)	(3)	(2)
平均額(円)	215,000	238,150	211,538	219,750	197,600	186,657	194,950	174,650	173,500	166,000	186,667	191,000
対前年増減額(円)	5,000	7,500	5,429	4,500	4,500	5,429	8,333	4,471	9,000	9,000	4,333	5,000
対前年増減率(%)	2.38	3.15	2.69	2.09	2.33	3.00	4.35	2.65	5.47	5.73	2.38	2.54
最高額(円)	215,000	246,600	240,000	230,000	198,000	202,000	213,800	188,600	173,500	166,000	202,000	202,000
最低額(円)	215,000	215,000	191,000	209,500	197,200	178,000	180,000	158,000	173,500	166,000	178,000	180,000
北関東												
集計社数(社)	(5)	(5)	(10)	(3)	(2)	(8)	(7)	(9)	(1)	(1)	(7)	(4)
平均額(円)	227,606	221,295	207,969	210,700	194,000	184,270	192,146	172,291	165,500	163,500	183,518	187,688
対前年増減額(円)	0	7,727	1,574	0	0	4,248	3,600	3,878	0	0	4,230	0
対前年増減率(%)	0	3.63	0.77	0	0	2.39	1.89	2.29	0	0	2.36	0
最高額(円)	250,000	234,000	225,850	221,000	198,000	200,000	225,850	200,000	165,500	163,500	200,000	200,000
最低額(円)	211,000	211,000	189,770	205,100	190,000	173,000	175,000	161,596	165,500	163,500	173,000	173,000
南関東												
集計社数(社)	(48)	(70)	(111)	(28)	(26)	(51)	(50)	(78)	(10)	(8)	(46)	(18)
平均額(円)	258,889	246,018	224,868	243,717	215,416	198,328	207,460	185,703	203,076	184,835	201,896	204,743
対前年増減額(円)	11,575	7,837	6,905	7,279	7,189	6,687	7,340	5,490	10,833	10,917	6,881	11,353
対前年増減率(%)	4.69	3.29	3.16	3.08	3.46	3.50	3.68	3.03	5.67	6.38	3.53	5.88
最高額(円)	361,200	332,500	355,925	350,200	273,584	250,000	250,000	230,000	230,000	196,700	241,000	235,000
最低額(円)	205,275	210,000	171,500	205,000	183,900	167,600	173,000	158,000	175,000	164,000	167,600	180,000
東海												
集計社数(社)	(11)	(25)	(32)	(11)	(11)	(20)	(16)	(28)	(4)	(3)	(11)	(7)
平均額(円)	230,983	230,889	213,866	225,318	198,125	187,665	197,520	176,475	177,325	168,000	195,134	195,873
対前年増減額(円)	7,090	6,880	4,590	9,741	5,763	4,586	9,166	4,345	5,325	3,667	4,815	4,643
対前年増減率(%)	3.17	3.07	2.19	4.55	2.99	2.51	4.85	2.51	3.10	2.23	2.53	2.43
最高額(円)	271,600	265,300	250,000	247,500	227,500	223,560	220,000	215,280	182,000	171,000	223,560	220,000
最低額(円)	200,000	200,000	200,000	210,000	185,000	170,000	177,414	150,000	174,000	165,000	177,414	180,000
北陸												
集計社数(社)	(9)	(7)	(10)	(4)	(4)	(8)	(8)	(7)	(4)	(4)	(6)	(2)
平均額(円)	224,860	218,799	207,971	209,248	190,543	181,175	187,604	166,231	177,753	166,303	179,933	182,870
対前年増減額(円)	5,880	2,758	4,306	12,270	8,937	2,867	3,617	400	6,767	5,016.67	4,073	7,405
対前年増減率(%)	2.66	1.28	2.11	6.34	4.91	1.60	1.98	0.24	4.01	3.10	2.37	4.22
最高額(円)	280,000	230,000	217,000	219,910	200,000	189,670	194,800	172,000	184,400	171,100	194,800	185,190
最低額(円)	210,000	206,100	200,000	200,000	176,000	174,400	180,000	160,000	170,510	160,110	163,460	180,550
近畿												
集計社数(社)	(14)	(30)	(31)	(24)	(24)	(21)	(23)	(35)	(15)	(14)	(14)	(6)
平均額(円)	247,224	242,702	223,265	233,791	208,818	201,523	202,437	182,428	199,385	179,708	197,043	209,023
対前年増減額(円)	4,509	8,971	7,626	6,439	5,483	4,663	7,180	6,248	7,109	6,760	4,691	3,883
対前年増減率(%)	1.89	3.86	3.55	2.86	2.70	2.38	3.68	3.55	3.76	3.92	2.41	1.89
最高額(円)	298,800	319,500	274,000	313,000	278,000	298,000	245,800	215,900	258,700	201,000	298,000	298,000
最低額(円)	205,400	203,900	201,850	200,900	174,140	172,540	172,700	169,800	179,275	153,600	172,540	174,540
中国												
集計社数(社)	(6)	(10)	(14)	(6)	(6)	(10)	(8)	(13)	(6)	(5)	(9)	(5)
平均額(円)	246,086	229,725	213,592	219,918	199,536	195,202	199,915	176,385	178,636	170,210	193,626	195,436
対前年増減額(円)	8,417	5,955	4,904	4,327	4,058	5,089	5,300	3,739	4,283	4,700	2,857	5,566.67
対前年増減率(%)	3.54	2.66	2.34	2.01	2.08	2.66	2.68	2.23	2.46	2.84	1.47	3.08
最高額(円)	278,317	260,500	251,300	250,800	238,857	242,100	242,100	232,900	209,265	199,300	242,100	246,700
最低額(円)	213,400	197,500	191,500	195,000	180,000	170,000	177,000	157,000	162,550	157,000	170,000	171,880
四国												
集計社数(社)	(6)	(7)	(6)	(3)	(3)	(4)	(6)	(9)	—	—	(4)	(3)
平均額(円)	232,650	223,786	202,600	225,367	192,933	177,830	194,053	168,538	—	—	170,350	173,800
対前年増減額(円)	10,540	8,783	3,633	14,300	5,300	4,333	9,700	2,789	—	—	1,000	1,500
対前年増減率(%)	4.53	3.95	1.83	6.78	2.82	2.41	5.07	1.68	—	—	0.58	0.84
最高額(円)	285,300	269,900	240,600	253,100	213,800	195,920	237,700	186,140	—	—	192,200	192,200
最低額(円)	170,000	170,000	170,000	191,000	171,000	159,200	159,200	145,600	—	—	159,200	159,200
九州												
集計社数(社)	(4)	(7)	(17)	(3)	(3)	(8)	(6)	(14)	(1)	(1)	(8)	(3)
平均額(円)	232,268	221,859	206,226	220,233	198,033	189,856	193,418	170,816	202,000	160,000	193,188	192,700
対前年増減額(円)	667	2,262	5,479	8,300	4,933	1,769	3,907	2,206	15,000	10,000	7,000	667
対前年増減率(%)	0.30	1.03	2.73	3.92	2.55	0.94	2.06	1.30	8.02	6.67	3.76	0.35
最高額(円)	255,070	237,870	223,000	232,700	222,100	208,200	203,560	195,000	202,000	160,000	208,200	203,100
最低額(円)	217,500	212,000	190,000	211,000	170,000	169,000	184,000	140,800	202,000	160,000	180,000	180,000

（注）　地域区分は次の通り。東北（青森，岩手，宮城，秋田，山形，福島），北関東（茨城，栃木，群馬，山梨，長野），南関東（埼玉，千葉，東京，神奈川），東海（静岡，岐阜，愛知，三重），北陸（新潟，富山，石川，福井），近畿（滋賀，京都，奈良，和歌山，大阪，兵庫），中国（鳥取，島根，岡山，広島，山口），四国（徳島，香川，愛媛，高知），九州（福岡，佐賀，長崎，大分，熊本，宮崎，鹿児島，沖縄）。

付帯調査結果の概要
新入社員の夏季賞与

■「何らかの夏季賞与を支給する」企業は86.1%

新入社員に「何らかの夏季賞与を支給する」企業は86.1%,「夏季賞与は支給しない」企業は8.9%だった。「何らかの夏季賞与を支給する」を規模別にみると，大企業87.8%，中堅企業90.5%，中小企業81.8%となっている。中堅企業と中小企業の差は約10ポイント開いた（表16）。

■支給方法は「一定額（寸志等)」が64.5%

「何らかの夏季賞与を支給する」企業に支給方法を尋ねると，「一定額（寸志等）を支給」（64.5%）に集中した。以降「在籍期間の日割計算で支給」（18.7%），「日割以外の一定割合で支給」（12.3%）などが続く。規模別にみると，中堅企業は「一定額（寸志等）を支給」が，大・中小企業は「在籍期間の日割計算で支給」が，全体平均より若干多い（表16）。

■平均支給額は大学卒９万6,732円，高校卒７万9,909円

夏季賞与の平均支給額は，大学卒が前回比7,398円増の９万6,732円，高校卒が同6,061円増の７万9,909円だった（表17）。

表16　新卒入社者の夏季賞与・一時金の支給状況

（単位：%，（　）内は社数）

規模・産業	合　計	何らかの夏季賞与を支給する	支給方法（支給する=100）						夏季賞与は支給しない	その他	無回答
			一定額（寸志等）を支給	在籍期間の日割計算で支給	日割以外の一定割合で支給	日割＋一定割合または一定額	その他	無回答			
調　査　計	100.0(360)	86.1	64.5	18.7	12.3	1.0	1.0	2.6	8.9	0.6	4.4
2022年度調査	100.0 (305)	83.3	63.1	19.7	11.3	2.2	1.8	2.2	9.1	2.1	5.5
1,000人以上	100.0(90)	87.8	57.0	19.0	20.3	—	2.5	1.3	6.7	2.2	3.3
300～999人	100.0(116)	90.5	71.4	14.3	10.5	1.9	—	1.9	8.6	—	0.9
299人以下	100.0(154)	81.8	63.5	22.2	8.7	0.8	0.8	4.0	10.4	—	7.8
製　造　業	100.0(151)	88.1	66.2	18.0	12.0	2.3	—	1.5	6.0	—	6.0
非 製 造 業	100.0(209)	84.7	63.3	19.2	12.4	—	1.7	3.4	11.0	1.0	3.3

（注）【支給方法】の「その他」の内訳：評価（２社）

表17　夏季賞与・一時金の平均支給金額（新卒入社者に夏季賞与・一時金を支給する企業）

（単位：円，（　）内は社数）

学歴・規模・産業	平　均	支給基準別支給金額				
		一定額（寸志等）を支給	在籍期間の日割計算で支給	日割以外の一定割合で支給	日割＋一定割合または一定額	その他
大　学　卒						
調　査　計	96,732(202)	81,181	122,066	155,277	—	440,000
2022年度調査	89,334 (170)	76,052	106,663	127,088	143,025	254,600
1,000人以上	101,168(51)	81,538	136,664	132,040	—	—
300～999人	102,592(75)	92,056	120,193	168,770	—	—
299人以下	87,972(76)	70,112	112,523	189,755	—	440,000
製　造　業	87,458(81)	73,524	106,383	201,397	—	—
非 製 造 業	102,940(121)	86,879	131,146	136,829	—	440,000
高　校　卒						
調　査　計	79,909(150)	67,647	96,633	132,005	—	370,000
2022年度調査	73,848 (116)	65,300	88,077	93,594	90,000	225,050
1,000人以上	81,936(40)	70,429	113,929	105,111	—	—
300～999人	85,390(59)	77,521	103,778	51,072	—	—
299人以下	73,150(51)	52,593	83,575	182,667	—	370,000
製　造　業	72,694(78)	62,368	85,709	93,151	—	—
非 製 造 業	88,934(72)	74,327	104,436	116,145	—	370,000

2023年 新規学卒者初任給

厚生労働省「新規学卒者初任給情報(2023年春季卒業者)」

厚生労働省職業安定局は，ハローワークシステムを通じて，雇用保険被保険者の資格を取得した者の採用時賃金を集計しており，新規学卒者の初任給についても下欄の方法により集計し，年１回，「新規学卒者初任給情報」として公表している（集計対象数およびその内訳等は公表されていない）。

集計は，学歴・性別・地域（都道府県）別に，それぞれ職業別，産業別，規模別の初任給額および比率が発表されている。ここでは，2023年春季卒業者の初任給情報について，概要を紹介する。

表１　規模・学歴別にみた新規学卒者の規模間格差（規模計＝100）

規模	大学卒						短大卒					
	男性			女性			男性			女性		
	賃金（千円）	規模間格差	前年同期比（%）	賃金（千円）	規模間格差	前年同期比（%）	賃金（千円）	規模間格差	前年同期比（%）	賃金（千円）	規模間格差	前年同期比（%）
規模計	228	100.0	102.2	226	100.0	102.3	202	100.0	102.0	201	100.0	102.6
1,000人以上	230	100.9	101.8	230	101.8	102.2	205	101.5	102.0	206	102.5	102.0
500～999人	230	100.9	102.2	230	101.8	102.7	203	100.5	103.0	208	103.5	103.0
300～499人	228	100.0	102.2	227	100.4	102.3	201	99.5	102.6	205	102.0	102.5
100～299人	227	99.6	101.8	225	99.6	102.3	202	100.0	102.0	202	100.5	102.5
30～99人	225	98.7	101.8	222	98.2	101.8	204	101.0	102.5	200	99.5	102.0
5～29人	220	96.5	101.9	215	95.1	101.4	199	98.5	102.1	195	97.0	102.1
4人以下	212	93.0	101.4	206	91.2	103.0	194	96.0	104.3	182	90.5	102.8

規模	高校卒						中学卒					
	男性			女性			男性			女性		
	賃金（千円）	規模間格差	前年同期比（%）	賃金（千円）	規模間格差	前年同期比（%）	賃金（千円）	規模間格差	前年同期比（%）	賃金（千円）	規模間格差	前年同期比（%）
規模計	186	100.0	102.2	182	100.0	102.2	172	100.0	106.8	163	100.0	105.8
1,000人以上	185	99.5	102.2	186	102.2	101.1	160	93.0	106.0	＊160	98.2	103.2
500～999人	185	99.5	102.8	183	100.5	102.8	—	0.0	0.0	＊167	102.5	107.1
300～499人	185	99.5	102.2	182	100.0	102.8	＊180	104.7	124.1	＊160	98.2	101.3
100～299人	185	99.5	102.2	182	100.0	102.2	＊172	100.0	106.2	＊190	116.6	102.7
30～99人	186	100.0	102.2	181	99.5	102.8	176	102.3	101.7	155	95.1	96.9
5～29人	189	101.6	102.2	178	97.8	102.9	173	100.6	102.4	158	96.9	112.9
4人以下	189	101.6	103.3	173	95.1	102.4	171	99.4	102.4	＊162	99.4	93.1

（注）「＊」は対象者が10人未満，「—」は対象者がいないことを示している。以下同じ。

調査の概要

■ 情報の作成方法

⑴　集計の対象

この情報は，2023年３月１日から５月31日までの３カ月に，ハローワークシステムにおいて処理を行った雇用保険被保険者資格取得データのうち，被保険者となった年月日が2023年３月１日から４月30日の間，被保険者となったことの原因が「新規学校卒業者」であり，雇用形態が「その他」の者を抽出し，さらに４月１日現在の年齢が15歳の者を中学校卒，18歳の者を高等学校卒，20歳の者を短期学校（高等専門学校を含む）卒，22歳の者を大学卒とし，これらの年齢に該当する者を対象として作成されている。

⑵　集計方法

初任給額については，雇用保険被保険者資格取得届の賃金月額欄（毎月決まって支払われる給与，各種手当および現物給与は含むが，超過勤務手当，賞与およびその他の臨時の給与は含まない，税込み）に記入された賃金額を基礎として算術平均値を算出し，百円の位を四捨五入して千円単位で表示している。

職業は主要な11種類に分類し，産業は主要18種類に分類し，事業所規模については７区分に分類。

表2　地域別・学歴別にみた新規学卒者の初任給と地域格差（男女別・全国＝100）

（単位：千円，（　）内は％）

地域	合計		大卒		短大卒		高校卒	
	男性	女性	男性	女性	男性	女性	男性	女性
全国	**211(100.0)**	**212(100.0)**	**228(100.0)**	**226(100.0)**	**202(100.0)**	**201(100.0)**	**186(100.0)**	**182(100.0)**
北海道	203(96.2)	200(94.3)	218(95.6)	220(97.3)	195(96.5)	193(96.0)	183(98.4)	176(96.7)
青森	184(87.2)	186(87.7)	204(89.5)	208(92.0)	178(88.1)	185(92.0)	173(93.0)	167(91.8)
岩手	185(87.7)	183(86.3)	208(91.2)	209(92.5)	181(89.6)	179(89.1)	173(93.0)	167(91.8)
宮城	202(95.7)	199(93.9)	220(96.5)	216(95.6)	194(96.0)	190(94.5)	184(98.9)	182(100.0)
秋田	185(87.7)	183(86.3)	210(92.1)	213(94.2)	181(89.6)	174(86.6)	174(93.5)	167(91.8)
山形	184(87.2)	181(85.4)	206(90.4)	203(89.8)	183(90.6)	179(89.1)	173(93.0)	167(91.8)
福島	190(90.0)	186(87.7)	215(94.3)	209(92.5)	188(93.1)	182(90.5)	179(96.2)	172(94.5)
茨城	202(95.7)	201(94.8)	220(96.5)	220(97.3)	198(98.0)	195(97.0)	188(101.1)	182(100.0)
栃木	203(96.2)	200(94.3)	222(97.4)	218(96.5)	198(98.0)	193(96.0)	185(99.5)	181(99.5)
群馬	206(97.6)	203(95.8)	225(98.7)	221(97.8)	200(99.0)	191(95.0)	187(100.5)	183(100.5)
埼玉	214(101.4)	216(101.9)	228(100.0)	230(101.8)	207(102.5)	208(103.5)	193(103.8)	189(103.8)
千葉	213(100.9)	219(103.3)	227(99.6)	232(102.7)	207(102.5)	213(106.0)	193(103.8)	188(103.3)
東京	231(109.5)	229(108.0)	239(104.8)	236(104.4)	214(105.9)	214(106.5)	197(105.9)	198(108.8)
神奈川	221(104.7)	225(106.1)	233(102.2)	234(103.5)	211(104.5)	213(106.0)	195(104.8)	199(109.3)
新潟	198(93.8)	196(92.5)	217(95.2)	215(95.1)	191(94.6)	185(92.0)	183(98.4)	178(97.8)
富山	201(95.3)	198(93.4)	218(95.6)	216(95.6)	195(96.5)	187(93.0)	185(99.5)	178(97.8)
石川	205(97.2)	202(95.3)	218(95.6)	215(95.1)	198(98.0)	190(94.5)	186(100.0)	182(100.0)
福井	204(96.7)	198(93.4)	219(96.1)	213(94.2)	192(95.0)	189(94.0)	184(98.9)	177(97.3)
山梨	201(95.3)	199(93.9)	217(95.2)	216(95.6)	198(98.0)	192(95.5)	188(101.1)	180(98.9)
長野	200(94.8)	202(95.3)	220(96.5)	221(97.8)	194(96.0)	191(95.0)	181(97.3)	178(97.8)
岐阜	201(95.3)	199(93.9)	218(95.6)	217(96.0)	195(96.5)	193(96.0)	185(99.5)	180(98.9)
静岡	206(97.6)	205(96.7)	222(97.4)	223(98.7)	200(99.0)	194(96.5)	187(100.5)	183(100.5)
愛知	209(99.1)	212(100.0)	226(99.1)	225(99.6)	205(101.5)	203(101.0)	185(99.5)	186(102.2)
三重	200(94.8)	198(93.4)	222(97.4)	217(96.0)	197(97.5)	191(95.0)	185(99.5)	182(100.0)
滋賀	204(96.7)	203(95.8)	221(96.9)	218(96.5)	203(100.5)	197(98.0)	185(99.5)	184(101.1)
京都	216(102.4)	217(102.4)	228(100.0)	225(99.6)	206(102.0)	204(101.5)	188(101.1)	188(103.3)
大阪	220(104.3)	219(103.3)	232(101.8)	229(101.3)	209(103.5)	207(103.0)	191(102.7)	191(104.9)
兵庫	208(98.6)	212(100.0)	224(98.2)	221(97.8)	201(99.5)	206(102.5)	189(101.6)	186(102.2)
奈良	209(99.1)	214(100.9)	225(98.7)	224(99.1)	200(99.0)	209(104.0)	186(100.0)	184(101.1)
和歌山	198(93.8)	200(94.3)	219(96.1)	217(96.0)	195(96.5)	193(96.0)	179(96.2)	172(94.5)
鳥取	189(89.6)	189(89.2)	206(90.4)	208(92.0)	190(94.1)	186(92.5)	176(94.6)	170(93.4)
島根	193(91.5)	190(89.6)	213(93.4)	212(93.8)	191(94.6)	181(90.0)	180(96.8)	170(93.4)
岡山	200(94.8)	204(96.2)	215(94.3)	217(96.0)	197(97.5)	197(98.0)	185(99.5)	178(97.8)
広島	204(96.7)	203(95.8)	218(95.6)	213(94.2)	194(96.0)	194(96.5)	184(98.9)	181(99.5)
山口	197(93.4)	197(92.9)	224(98.2)	221(97.8)	197(97.5)	194(96.5)	184(98.9)	174(95.6)
徳島	193(91.5)	193(91.0)	213(93.4)	208(92.0)	192(95.0)	185(92.0)	179(96.2)	173(95.1)
香川	199(94.3)	197(92.9)	215(94.3)	212(93.8)	192(95.0)	187(93.0)	185(99.5)	178(97.8)
愛媛	199(94.3)	192(90.6)	215(94.3)	208(92.0)	189(93.6)	185(92.0)	182(97.8)	169(92.9)
高知	195(92.4)	199(93.9)	214(93.9)	210(92.9)	189(93.6)	194(96.5)	176(94.6)	175(96.2)
福岡	203(96.2)	206(97.2)	219(96.1)	217(96.0)	197(97.5)	199(99.0)	185(99.5)	181(99.5)
佐賀	187(88.6)	184(86.8)	205(89.9)	203(89.8)	184(91.1)	184(91.5)	178(95.7)	169(92.9)
長崎	189(89.6)	187(88.2)	212(93.0)	209(92.5)	185(91.6)	187(93.0)	177(95.2)	168(92.3)
熊本	193(91.5)	195(92.0)	211(92.5)	209(92.5)	192(95.0)	192(95.5)	177(95.2)	173(95.1)
大分	190(90.0)	189(89.2)	207(90.8)	206(91.2)	190(94.1)	188(93.5)	178(95.7)	171(94.0)
宮崎	186(88.2)	182(85.8)	207(90.8)	201(88.9)	185(91.6)	186(92.5)	176(94.6)	166(91.2)
鹿児島	192(91.0)	190(89.6)	213(93.4)	215(95.1)	190(94.1)	189(94.0)	178(95.7)	172(94.5)
沖縄	185(87.7)	188(88.7)	200(87.7)	200(88.5)	179(88.6)	180(89.6)	171(91.9)	172(94.5)

（注）（　）内の全国計を100とした値は編集部で試算したもの。

表3　職業別・学歴別にみた全国の新規学卒者初任給（大学卒，男女別）

（単位：千円）

地域	管理的職業		専門的・技術的職業		事務的職業		販売の職業		サービスの職業		保安の職業		農林漁業の職業		生産工程の職業		輸送・機械運転の職業		建設・採掘の職業		運搬・清掃・包装等の職業	
	男性	女性	男性	女性	男性	女性	男性	女性	男性	女性	男性	女性	男性	女性	男性	女性	男性	女性	男性	女性	男性	女性
全国	**234**	**231**	**230**	**233**	**227**	**222**	**229**	**225**	**226**	**222**	**219**	**210**	**209**	**215**	**217**	**216**	**219**	**214**	**231**	**233**	**226**	**221**
北海道	224	213	222	226	214	211	214	213	225	223	*210	*210	207	213	212	212	207	*194	217	*218	220	*215
青森	*205	*205	212	219	204	197	204	211	189	193	*207	*200	*196	*216	206	215	*177	*192	215	*223	—	—
岩手	*234	*210	220	223	204	198	204	201	203	199	*167	*169	200	*214	203	199	*201	—	222	*218	*171	—
宮城	227	219	222	226	216	211	232	217	207	203	203	*207	*207	—	214	200	210	200	214	214	201	*198
秋田	*236	*241	220	223	205	208	208	205	189	190	—	—	*214	*231	213	*201	*181	—	*216	*220	—	—
山形	*216	*211	219	209	199	201	203	201	204	193	*180	—	*195	*245	205	194	*180	*170	207	*200	*150	—
福島	235	223	218	215	213	201	204	200	219	212	*189	—	*202	*208	211	209	*203	*160	224	*223	*246	*246
茨城	221	217	226	227	216	209	218	221	217	214	*190	—	216	*219	217	217	207	*198	228	*236	231	223
栃木	*228	*218	230	228	215	208	230	226	214	207	201	198	*219	—	211	213	222	*212	218	*211	*223	*193
群馬	224	*223	225	225	209	205	236	237	227	217	237	*215	210	*191	221	219	218	*240	221	*218	*223	*224
埼玉	233	220	231	236	222	217	231	231	228	224	215	*216	*208	*218	225	227	233	233	234	225	235	228
千葉	242	240	236	245	214	214	225	220	225	220	*234	*212	214	*201	221	219	225	235	234	*243	230	223
東京	246	238	238	241	240	236	242	234	235	231	227	217	*222	*218	226	221	223	214	243	248	245	238
神奈川	237	238	234	241	233	227	236	227	234	231	222	*208	*247	*233	221	224	223	228	233	229	217	208
新潟	219	*211	219	222	209	207	225	223	215	206	*205	*200	200	*207	219	211	197	*171	214	211	*221	*215
富山	236	214	222	226	217	211	214	215	215	203	227	*220	*202	*205	218	218	*206	—	216	215	*198	*207
石川	235	*210	216	217	215	206	220	219	219	216	*220	—	*206	*195	216	210	*215	*180	221	*226	*222	*186
福井	222	221	221	220	215	208	221	219	208	202	—	*220	*204	*163	214	206	*179	*179	220	*240	*211	*205
山梨	*194	*160	225	222	205	200	214	208	215	227	*186	—	*218	*231	223	220	*249	—	221	*242	*216	—
長野	227	218	220	223	219	211	218	218	223	230	*205	*190	*192	*208	221	218	198	*200	223	*218	*198	—
岐阜	216	216	223	227	214	208	221	219	209	210	*214	*205	*234	*236	214	213	224	214	231	231	*232	*213
静岡	222	217	228	234	218	213	224	221	220	219	—	—	*220	*232	218	219	226	*213	231	211	*217	219
愛知	233	230	228	234	223	218	230	224	226	219	217	216	201	*218	216	216	219	215	233	238	224	220
三重	228	*190	230	223	219	211	225	215	214	210	235	—	*197	*220	211	209	*216	202	229	*234	*210	—
滋賀	*239	*220	225	226	219	212	215	217	222	213	*185	*200	*202	*201	218	215	228	*217	230	*253	*239	*203
京都	224	222	228	229	238	226	230	227	221	219	205	*221	225	226	213	214	218	*223	227	*208	246	254
大阪	234	233	233	236	233	226	234	226	230	223	218	217	*223	*223	218	219	209	212	243	242	232	213
兵庫	233	232	227	229	222	214	227	223	220	214	*249	—	220	*212	217	221	210	*201	233	234	212	*208
奈良	*191	*178	235	238	218	207	221	216	226	218	—	—	*175	—	218	211	247	—	*215	*200	*190	*193
和歌山	*220	*229	232	238	213	201	221	215	203	202	—	—	*186	*189	212	200	*175	*175	*273	—	*219	*213
鳥取	*200	*200	218	218	197	194	205	205	205	208	*204	—	*198	*205	*184	*203	*205	—	*227	—	*200	—
島根	*201	*206	217	226	213	203	207	202	204	197	*238	*180	*213	*184	215	*203	*205	*225	224	—	—	—
岡山	244	*213	220	224	210	205	211	220	218	212	*218	*181	*220	*214	209	211	227	*210	223	*221	230	211
広島	225	223	222	221	213	205	219	214	210	207	242	*197	217	*209	214	212	212	*209	224	213	217	*207
山口	*221	*229	220	220	211	201	259	260	202	205	*184	*179	*197	—	232	205	*213	—	221	*238	*189	—
徳島	*228	—	222	217	210	205	210	206	197	194	—	—	*207	*209	215	201	*192	—	*201	*204	*188	*180
香川	227	*204	220	218	212	207	210	214	219	205	*230	*207	200	*200	211	214	*200	—	226	212	*222	—
愛媛	*216	*213	221	215	215	204	217	212	199	201	232	*224	*206	*216	209	202	*197	*190	207	*210	*195	*240
高知	*220	—	223	221	212	210	209	204	203	198	*175	—	*211	*221	*212	*240	*246	*243	215	*210	*180	*170
福岡	223	215	219	227	219	212	218	210	216	212	201	197	*213	*229	217	214	220	*237	234	228	212	204
佐賀	212	*203	218	213	201	195	188	190	207	195	*186	—	*260	*280	214	209	*190	—	*225	*220	*201	—
長崎	*215	*199	222	218	202	201	212	214	209	203	*211	—	*201	*186	217	*196	*198	—	203	*200	—	*219
熊本	*190	*191	219	217	205	200	213	205	207	198	*206	*201	191	*233	204	200	*184	—	208	*207	*188	—
大分	*228	*222	217	215	201	195	203	192	205	200	—	—	*191	*191	204	*200	193	—	209	*212	*204	—
宮崎	*202	*220	209	206	204	198	207	201	200	193	—	—	*195	*194	236	199	*218	*250	202	—	*219	—
鹿児島	*190	*210	226	226	205	202	209	211	199	207	*228	—	201	*195	214	*194	*230	—	223	*220	*175	—
沖縄	199	*191	205	212	203	194	194	195	195	193	*237	—	*197	*190	195	*173	*192	*170	*209	*200	*165	*174

（注）　＊は対象者が10人未満，―は対象者がいないことを示している。他も同じ。

表4　職業別・学歴別にみた全国の新規学卒者初任給（短大卒，男女別）

（単位：千円）

地域	管理的職業		専門的・技術的職業		事務的職業		販売の職業		サービスの職業		保安の職業		農林漁業の職業		生産工程の職業		輸送・機械運転の職業		建設・採掘の職業		運搬・清掃・包装等の職業	
	男性	女性	男性	女性	男性	女性	男性	女性	男性	女性	男性	女性	男性	女性	男性	女性	男性	女性	男性	女性	男性	女性
全国	208	197	203	205	202	191	206	202	202	200	209	200	194	192	195	190	200	197	207	205	203	197
北海道	181	186	194	197	191	185	197	191	195	193	*182	*183	208	201	188	189	200	—	200	*220	*191	*206
青森	*160	*182	181	191	172	171	180	181	179	180	—	*186	*181	*176	171	*175	—	—	183	—	*142	—
岩手	*250	*150	183	187	185	167	179	185	174	175	*161	—	179	*191	183	175	*183	—	178	*182	*189	—
宮城	*229	*185	197	191	194	187	209	199	188	189	195	*189	*179	*163	182	179	174	—	193	*199	*186	*187
秋田	*189	—	180	174	190	170	*178	181	176	175	—	—	190	*182	177	172	*168	—	183	*175	*160	—
山形	*202	*180	186	184	186	177	180	178	174	176	*174	—	*174	*191	185	173	*175	*160	187	*154	*160	*164
福島	*190	*193	186	185	188	177	184	183	183	179	*180	—	*182	*206	191	183	*192	—	201	*193	*188	—
茨城	*191	*216	198	201	201	182	200	197	196	188	*186	—	201	*187	196	196	202	*200	202	*160	*204	*200
栃木	*196	*183	199	193	202	187	205	200	190	195	*171	*182	*187	*192	187	182	215	*195	215	*203	*197	*228
群馬	*194	*181	205	191	186	187	203	196	194	192	*209	—	*203	194	198	194	*194	—	210	*217	*205	*212
埼玉	208	195	208	213	203	196	210	207	208	206	*217	—	*200	*194	200	200	*219	*226	219	*204	201	*209
千葉	215	206	209	222	201	195	202	198	209	211	*228	—	191	208	206	190	196	*212	213	*190	200	*197
東京	221	213	215	219	214	212	221	214	212	211	220	205	*207	*197	207	207	209	199	221	230	220	205
神奈川	201	207	210	216	215	206	224	208	215	216	214	*210	*213	*195	200	194	207	*196	225	*230	*200	193
新潟	*164	*180	190	189	191	181	197	190	184	182	217	*215	188	179	189	181	*202	—	199	*185	*199	*176
富山	*183	*198	195	195	199	183	195	192	189	184	*209	*200	*177	—	198	182	*187	—	201	*190	*187	—
石川	*209	*187	197	189	203	182	196	193	202	194	—	—	*220	*216	193	185	*214	—	*192	—	—	*194
福井	*195	*199	194	196	187	182	196	192	184	190	—	*202	*179	*161	197	177	*167	—	*218	—	—	—
山梨	*180	*183	195	190	191	185	201	187	202	198	—	—	*210	*185	197	198	*197	—	*236	—	—	—
長野	210	*185	194	196	198	185	195	191	189	194	*190	*182	190	*201	192	182	*184	*179	206	*208	*200	*206
岐阜	—	*219	196	197	190	184	202	196	186	193	*200	—	195	*209	193	192	*192	*195	223	*217	*208	—
静岡	203	*199	202	197	201	188	207	198	200	193	*190	—	188	206	197	190	*195	*177	204	202	*180	—
愛知	202	208	206	208	200	194	214	206	206	202	189	*195	215	*196	199	197	201	200	219	*214	203	*202
三重	*197	*178	204	195	207	187	205	195	191	188	—	—	*190	*177	189	182	*186	*180	205	*218	*184	*185
滋賀	*183	*210	199	200	206	182	209	208	207	197	*201	—	*188	—	201	195	*220	*240	218	*210	—	—
京都	213	197	209	211	221	194	205	208	200	201	*183	*177	203	*191	203	203	*192	*175	207	*197	*234	*216
大阪	227	204	208	213	207	201	220	207	207	202	218	203	*204	*181	201	200	217	198	217	*228	223	199
兵庫	*229	204	205	215	203	193	200	202	196	198	*205	*204	187	*189	199	205	199	*204	217	*207	*214	*187
奈良	—	*160	206	218	*191	200	*191	179	202	202	*206	—	*194	*193	198	*187	—	—	*190	—	—	*190
和歌山	—	*202	196	203	*185	188	*185	*187	193	186	—	—	*185	*186	200	*187	*173	—	*215	—	—	*171
鳥取	—	*193	202	190	184	173	193	*188	189	190	—	—	*180	*190	177	*177	—	*167	*182	—	*203	—
島根	*176	*197	188	185	196	170	*179	180	182	177	—	—	197	*178	190	*181	*176	—	209	*201	—	—
岡山	*196	*195	198	202	191	184	200	204	198	189	*198	—	*205	*250	190	181	*198	*240	200	*214	*170	*197
広島	212	193	190	201	196	187	210	191	190	192	*218	—	184	184	189	186	*196	*215	218	*208	*234	—
山口	*180	*194	196	199	206	179	*200	215	191	192	*190	—	*185	*185	191	*181	*208	*191	208	—	*220	—
徳島	—	*165	194	191	*172	176	*187	194	199	185	—	—	*167	—	191	*175	—	—	*212	—	—	*156
香川	—	*169	194	195	192	177	194	189	196	182	*207	—	*175	*200	188	176	*167	*146	193	—	*170	*199
愛媛	*203	*178	188	191	196	182	191	167	187	181	—	*243	*174	*194	189	180	—	—	196	*188	*180	*151
高知	—	*189	189	201	186	177	192	196	182	188	*186	—	*199	—	181	*170	*225	*226	*204	—	—	—
福岡	*220	201	196	207	196	187	199	196	196	191	*202	195	192	*219	196	191	192	*200	217	*204	198	*181
佐賀	*201	—	190	190	188	177	159	163	178	178	—	—	*220	*190	193	174	—	—	*187	*232	*181	—
長崎	*208	*247	188	192	188	167	195	182	173	184	—	*173	*173	*181	184	*168	*153	—	186	*176	—	—
熊本	*190	—	195	198	197	179	189	196	183	183	*162	*169	199	*196	187	179	*173	—	202	*207	*190	—
大分	*181	*175	197	198	194	172	184	168	180	181	—	—	*194	*190	187	180	*185	*148	188	*174	—	*175
宮崎	*200	*175	185	197	181	170	*189	170	189	178	*192	—	*198	*169	182	*181	*190	—	181	*200	*200	—
鹿児島	*226	*192	191	198	178	174	190	185	192	183	—	*240	195	*184	187	181	*189	*156	193	*189	*208	—
沖縄	*189	*187	180	189	173	172	175	182	179	181	*167	—	*180	*183	*159	*171	*178	*150	198	*164	*167	—

表５　職業別・学歴別にみた全国の新規学卒者初任給（高校卒，男女別）

（単位：千円）

地　域	管理的職業		専門的・技術的職業		事務的職業		販売の職業		サービスの職業		保安の職業		農林漁業の職業		生産工程の職業		輸送・機械運転の職業		建設・採掘の職業		運搬・清掃・包装等の職業	
	男性	女性	男性	女性	男性	女性	男性	女性	男性	女性	男性	女性	男性	女性	男性	女性	男性	女性	男性	女性	男性	女性
全　国	**195**	**183**	**185**	**183**	**182**	**178**	**190**	**186**	**189**	**186**	**198**	**191**	**183**	**180**	**183**	**180**	**190**	**187**	**195**	**190**	**188**	**182**
北海道	173	*177	184	178	170	170	180	176	185	182	194	181	187	181	177	178	182	168	194	189	182	176
青　森	*160	—	175	168	168	162	172	174	174	167	187	—	*172	*154	169	166	*169	—	182	168	159	*152
岩　手	*164	*161	172	171	168	162	163	166	165	166	*162	—	175	*177	175	170	*172	*160	177	178	173	*162
宮　城	201	—	185	180	181	178	182	177	176	177	177	*173	163	*153	187	194	178	*195	185	168	186	174
秋　田	*168	—	170	165	162	161	174	168	161	168	*169	*155	166	*176	178	172	181	*163	179	*162	*166	*154
山　形	*180	*165	174	169	188	169	172	159	168	167	*164	*160	*172	*163	172	167	164	162	178	*168	*153	*161
福　島	*170	*181	180	173	180	175	170	168	177	170	168	—	173	*167	178	173	184	*175	188	180	166	*169
茨　城	171	*180	187	182	182	180	197	191	184	183	*209	*195	194	*260	188	180	202	*186	205	*193	194	*182
栃　木	*220	*193	188	181	182	176	192	187	183	183	*191	*167	184	194	182	178	180	*200	198	*191	*192	*180
群　馬	*185	*180	188	179	186	177	187	194	179	176	*191	—	*178	*178	186	182	198	189	205	210	182	187
埼　玉	192	*197	194	192	187	187	195	191	194	189	*199	*185	*188	*189	188	188	204	191	205	202	195	192
千　葉	194	*182	189	192	186	184	187	185	194	191	222	*229	188	*192	190	186	207	192	212	*206	192	189
東　京	206	199	192	197	191	193	199	199	206	203	208	202	196	*216	190	188	205	201	202	202	198	196
神奈川	177	*185	188	196	197	191	232	220	202	209	*202	*200	*215	—	188	191	199	200	217	*209	187	185
新　潟	190	*193	183	175	177	173	202	195	185	177	*201	*158	182	*173	181	179	174	171	187	*193	182	180
富　山	*190	*183	187	193	185	178	179	181	183	176	*177	*190	184	*178	182	174	213	*198	188	189	*205	*174
石　川	*175	*208	182	182	191	181	191	183	191	187	*220	—	200	*210	180	175	192	*180	195	194	*176	*165
福　井	*169	*170	183	179	179	174	*180	181	181	179	*188	*198	—	—	184	174	*176	*150	190	*200	*188	*180
山　梨	*200	*174	185	180	177	179	191	176	188	178	*200	—	*178	—	186	183	*193	*191	210	*194	*174	*163
長　野	*209	*150	181	178	184	176	174	181	180	181	*179	*165	181	*160	179	177	188	174	190	188	*185	*172
岐　阜	*192	167	187	183	181	176	184	188	186	182	*162	—	*163	*189	184	180	180	*172	194	*186	*174	*167
静　岡	194	*196	186	181	185	182	195	185	189	186	*192	*169	188	*191	185	182	187	178	206	191	177	180
愛　知	196	181	181	187	179	184	200	188	197	193	190	186	194	*178	182	183	191	188	203	203	193	185
三　重	*179	*183	183	182	189	176	183	183	182	188	*216	—	191	*192	184	179	198	189	194	186	178	*185
滋　賀	*171	—	191	181	185	180	180	187	188	191	*191	—	*170	*185	183	182	*200	*206	199	*177	195	185
京　都	*213	*196	193	193	185	183	195	196	196	192	*183	*180	*170	—	184	184	183	203	187	*177	190	181
大　阪	197	187	189	194	177	184	199	189	202	200	220	*206	*167	*191	191	187	187	190	205	197	204	194
兵　庫	230	192	186	188	186	181	197	191	187	190	213	*220	185	*175	185	183	190	181	202	*189	190	173
奈　良	*198	—	193	189	175	180	186	*177	198	192	—	—	*146	*165	180	179	182	*200	201	*209	—	*193
和歌山	*181	*160	185	168	175	168	186	187	173	171	*155	*150	*174	—	178	171	179	*163	191	—	172	*157
鳥　取	*200	—	178	*169	179	167	168	179	186	173	—	—	*175	—	175	164	*173	*168	183	*176	166	*166
島　根	*179	*199	180	172	186	168	169	158	180	169	*205	*186	*183	*182	175	172	171	*220	185	*189	*178	—
岡　山	189	*188	189	189	180	175	188	184	186	175	*186	—	*190	*170	181	175	186	*189	194	*202	172	*179
広　島	193	*181	181	182	178	176	195	189	187	186	202	175	187	*180	183	177	184	189	192	*180	184	177
山　口	—	*149	181	178	190	169	182	176	176	178	182	*180	*191	*160	181	174	187	*185	188	181	186	*171
徳　島	*167	—	177	176	*178	166	*162	178	183	169	*176	—	*178	*180	181	177	182	—	174	*203	*166	*154
香　川	*179	*174	186	176	177	175	180	184	189	183	—	*207	*178	*155	187	174	188	*160	190	*164	173	*180
愛　媛	*194	*174	186	169	182	170	169	161	178	168	*203	—	193	*165	180	170	179	*169	190	*184	178	*157
高　知	*162	—	177	*169	170	166	173	169	170	175	*174	*190	*198	*150	176	189	192	*192	179	*196	*162	*163
福　岡	176	*182	180	184	181	179	192	185	188	179	185	188	*181	*197	184	181	184	180	197	191	195	189
佐　賀	*190	*166	178	171	168	164	159	159	167	169	*190	—	200	*215	179	173	*171	*175	184	*180	*178	*205
長　崎	*180	*164	180	176	165	165	173	166	174	169	*175	*177	182	—	175	164	166	*168	182	182	*186	*165
熊　本	175	*176	179	176	173	170	174	173	176	173	*166	162	176	*186	176	174	182	*170	185	*175	163	*180
大　分	*206	*163	178	179	173	168	164	171	176	172	*187	*187	187	*170	177	168	167	*163	186	*180	*175	*175
宮　崎	*184	—	181	171	169	162	172	166	173	168	*170	*170	175	*178	170	166	182	*178	183	*191	*194	*160
鹿児島	*168	—	181	174	173	166	175	170	178	175	*208	*200	180	*182	176	172	180	—	186	184	189	*159
沖　縄	*182	*175	170	179	170	172	172	177	168	173	*158	*153	*160	—	169	164	164	—	185	*150	161	*160

表6　産業別・学歴別にみた全国の新規学卒者初任給（大学卒，男性）

（単位：千円）

地域	農林漁業	鉱業，採石，砂利	建設業	製造業	電気・ガス・熱	情報通信	運輸，郵便	卸売，小売	金融，保険	不動産，物品賃貸	学術，専門・技術	宿泊，飲食	生活関連，娯楽	教育，学習	医療，福祉	複合サービス	サービス	公務
全国	**208**	**239**	**234**	**225**	**218**	**235**	**220**	**226**	**220**	**242**	**234**	**224**	**227**	**228**	**228**	**201**	**225**	**228**
北海道	208	—	224	218	211	219	210	220	213	218	226	217	227	211	221	202	214	*187
青森	*190	*243	206	212	231	213	189	203	205	*179	200	*239	*177	192	205	185	192	—
岩手	*217	—	221	211	*240	218	200	199	214	*239	218	*201	*198	218	212	180	199	—
宮城	*210	—	223	233	239	219	198	218	215	227	217	196	219	206	220	193	216	*239
秋田	*212	—	*205	214	*245	220	*190	204	208	*208	219	*167	*226	—	215	189	190	*232
山形	*186	—	210	214	*243	229	*169	192	202	236	205	*179	*244	203	212	174	193	—
福島	*197	—	229	218	221	217	205	209	207	220	210	*192	214	211	217	200	210	—
茨城	218	—	228	223	*213	222	215	215	210	229	221	*215	223	214	229	205	214	*205
栃木	*235	—	230	222	*215	230	235	224	205	213	216	*209	*223	213	233	200	211	*210
群馬	*226	—	227	223	*218	213	207	226	208	283	222	219	248	209	228	194	210	—
埼玉	*212	*224	236	226	200	227	234	224	217	237	225	247	205	235	232	219	226	*216
千葉	207	*223	237	226	222	226	227	222	202	242	225	222	222	225	242	207	224	*215
東京	*213	244	242	232	215	242	227	235	238	254	243	238	234	242	239	220	233	242
神奈川	*241	*282	238	232	219	235	229	237	219	240	235	229	236	243	236	219	222	*213
新潟	195	—	219	224	221	222	200	216	209	213	215	203	215	*184	216	189	205	—
富山	*192	—	219	222	216	226	212	212	205	193	211	*206	*231	*204	225	191	214	—
石川	*204	—	221	219	*215	217	201	218	221	215	227	223	*212	218	213	196	212	—
福井	*204	—	226	218	220	236	*200	220	216	*180	220	*219	*190	*189	209	201	202	—
山梨	*224	—	223	227	*220	223	*225	207	191	*190	*219	210	208	*202	225	198	217	—
長野	*195	—	220	225	*205	217	198	219	208	236	212	240	213	215	214	194	227	—
岐阜	225	—	232	221	*208	218	221	216	209	*199	212	*193	206	224	225	207	215	*190
静岡	*234	*220	219	223	218	229	222	222	212	237	222	213	233	215	231	203	216	*205
愛知	213	—	236	221	216	231	223	229	220	225	224	223	231	226	229	217	221	*224
三重	*202	*215	228	226	*208	224	228	223	214	232	216	216	232	215	225	199	214	*200
滋賀	*207	—	234	225	*220	215	219	215	210	*206	220	225	*190	222	223	197	218	*200
京都	*197	—	232	230	*220	233	237	228	228	231	239	214	222	233	224	212	218	*256
大阪	—	—	247	232	233	233	211	229	226	250	237	219	243	237	233	213	222	216
兵庫	224	—	227	225	*218	228	222	224	217	236	220	207	213	221	231	207	222	—
奈良	*160	—	231	224	272	*249	253	217	207	*224	242	*205	*204	208	235	202	237	*175
和歌山	*185	—	244	217	*220	*218	*208	221	211	207	*208	*199	*224	*225	230	199	*187	—
鳥取	*220	—	214	209	*202	201	*197	203	204	—	*206	*167	*150	*197	217	*178	*193	—
島根	*210	—	221	230	*225	218	—	208	200	—	222	*202	*262	*210	206	*182	*199	—
岡山	*226	*244	224	213	*217	223	222	211	211	207	224	236	225	218	217	192	212	—
広島	*203	—	222	217	217	217	206	217	211	221	223	196	214	218	224	210	218	*200
山口	*195	—	221	231	191	216	203	257	210	*219	212	*202	*212	*212	214	*179	201	—
徳島	*217	—	221	218	*201	*207	*191	209	211	*195	218	*149	*190	*185	228	183	188	—
香川	*175	—	231	215	213	215	197	211	209	227	220	*188	*228	197	217	208	210	—
愛媛	*206	—	216	225	191	214	216	207	221	212	197	*178	186	197	215	187	220	—
高知	*209	*244	223	216	—	225	*200	207	225	*198	210	*215	—	*205	216	*199	*198	—
福岡	*196	—	224	219	206	218	218	217	223	230	214	205	219	223	218	188	217	*225
佐賀	—	—	212	218	*182	213	*179	188	201	237	*209	*197	*197	*204	213	*196	208	—
長崎	*199	—	221	225	*203	209	193	211	203	*209	211	*189	*214	*199	222	187	*193	—
熊本	192	—	214	216	*195	220	*198	209	212	205	195	*191	*217	193	217	196	205	*213
大分	*191	*208	213	207	*191	216	196	196	209	224	207	202	*224	*208	213	*194	202	*192
宮崎	*193	—	202	220	*207	204	*249	202	210	*203	210	*203	*205	192	210	182	210	*189
鹿児島	*208	*220	210	212	*196	224	207	209	207	216	248	*193	*186	204	221	197	207	—
沖縄	*187	—	199	195	213	202	176	195	215	186	196	192	189	230	212	176	202	*250

表7　産業別・学歴別にみた全国の新規学卒者初任給（高校卒，男性）

（単位：千円）

地域	農林漁業	鉱業，採石，砂利	建設業	製造業	電気・ガ・熱	情報通信	運輸，郵便	卸売，小売	金融，保険	不動産，物品賃貸	学術，専門・技術	宿泊，飲食	生活関連，娯楽	教育，学習	医療，福祉	複合サービス	サービス	公務
全国	**183**	**187**	**192**	**183**	**176**	**191**	**188**	**188**	**174**	**192**	**188**	**193**	**183**	**176**	**180**	**169**	**186**	**192**
北海道	187	*182	193	178	186	175	185	178	163	179	189	190	173	*187	179	164	178	—
青森	*170	—	180	170	198	*165	164	169	*168	*165	169	180	181	*185	177	*164	167	—
岩手	174	*160	177	173	182	*175	180	167	*157	*177	179	171	*174	*157	158	157	168	—
宮城	164	*165	186	187	190	173	181	183	*162	*179	186	173	174	*156	172	157	181	—
秋田	162	*193	178	176	192	*168	176	167	*160	*189	*176	*166	*165	—	158	155	163	—
山形	*172	—	176	174	189	*184	161	167	*178	185	*170	168	*143	*159	175	*145	170	—
福島	173	—	185	179	177	*166	172	176	175	*174	174	173	166	*190	186	171	171	—
茨城	*214	—	199	188	172	170	193	184	*181	*187	187	206	184	*148	174	*166	189	*192
栃木	*182	*206	199	183	169	193	199	184	*159	*183	187	183	*183	—	176	*180	190	—
群馬	*182	—	204	187	166	*165	184	187	*174	*177	183	176	*176	—	173	*168	186	*190
埼玉	*194	—	204	188	184	*186	204	193	—	211	189	199	187	*189	188	180	191	*208
千葉	187	*197	205	189	179	206	198	191	*187	180	198	199	187	*176	194	170	203	*174
東京	*187	—	199	191	177	206	199	198	200	208	194	210	198	*177	198	*190	194	198
神奈川	197	*200	212	190	160	202	195	226	—	195	205	213	194	*255	196	*182	179	—
新潟	180	188	187	181	180	—	174	192	*170	—	186	180	*182	*163	189	*168	184	—
富山	187	—	190	183	171	*184	205	185	—	*176	173	*180	*181	—	*177	*171	187	—
石川	195	—	195	182	*181	*180	180	183	*170	*200	*187	202	*178	*157	183	177	184	—
福井	—	—	193	185	171	*176	170	181	*178	—	*176	*206	*184	—	158	*185	179	*144
山梨	—	—	207	185	168	*184	*197	199	*151	*174	*185	190	*176	—	*169	—	191	—
長野	*181	—	191	179	165	*198	190	177	—	*160	*193	186	191	—	171	167	179	—
岐阜	*188	*180	195	184	*180	*178	186	181	*170	*194	183	187	192	*175	176	*168	189	—
静岡	193	*208	198	185	*172	199	186	192	166	*186	193	190	184	*180	181	175	186	—
愛知	180	*205	197	182	175	188	191	191	*187	198	180	206	192	*170	200	182	182	*177
三重	*201	*186	195	183	—	*204	189	190	*165	*184	194	186	184	—	178	169	187	—
滋賀	*174	—	197	185	—	*198	196	183	—	*179	*200	206	*193	—	178	*166	*169	—
京都	*171	—	195	185	—	*168	189	188	*208	*220	*197	202	177	*196	167	*180	193	—
大阪	*150	—	193	190	195	186	182	192	*232	213	200	206	182	*190	196	*169	192	—
兵庫	187	*182	198	186	*184	*200	194	195	182	199	184	184	189	—	185	*172	198	*163
奈良	*140	—	198	181	—	—	*205	193	—	*220	*179	*203	*195	*200	185	*162	182	—
和歌山	*177	—	196	178	*186	*185	178	183	—	*175	*198	186	164	—	165	*161	174	—
鳥取	*180	—	185	175	*170	*170	167	169	—	*165	*172	189	*206	*160	*188	*167	171	—
島根	*194	—	182	180	—	*183	*177	183	*150	*169	*184	*174	*166	—	*180	*174	181	—
岡山	*193	*179	193	183	*169	*190	182	187	*164	*182	192	193	186	*180	173	169	183	—
広島	*187	—	187	184	172	179	179	188	*165	*177	189	188	176	*180	176	190	185	—
山口	*181	—	189	184	175	*215	172	184	*157	*176	183	172	*185	*170	179	*166	174	—
徳島	*181	—	177	179	*188	—	174	181	*181	*140	*188	*200	*164	*173	*174	*168	*160	—
香川	*181	*190	188	187	171	*177	172	180	—	*195	180	190	*169	—	198	*171	199	—
愛媛	195	—	191	182	*183	—	177	176	—	*163	188	171	*171	*155	180	164	185	—
高知	*197	—	181	176	*171	*150	*178	174	*164	*171	*166	*160	*198	*156	*158	*167	*155	—
福岡	*186	*180	189	184	166	183	187	191	177	192	176	186	184	*155	178	173	188	—
佐賀	*175	—	181	181	—	*189	172	176	—	168	*175	171	*165	—	146	169	173	—
長崎	181	—	181	176	*178	181	174	177	—	—	179	169	169	*160	170	167	177	—
熊本	179	—	185	177	*156	*197	174	175	*182	193	175	183	169	*160	162	167	169	—
大分	191	*183	187	178	*178	*175	170	170	*151	*175	165	176	164	—	174	*168	178	—
宮崎	174	*190	177	177	*168	169	*201	175	*158	*176	170	180	171	—	164	164	171	*167
鹿児島	186	*181	183	176	—	*188	179	178	*166	193	188	172	*186	*172	175	176	185	—
沖縄	*157	—	178	173	*173	172	168	169	*161	*161	175	175	156	—	*171	*157	165	—

2024年版 モデル賃金実態資料

2023年12月25日　第１版　第１刷発行

編　者　産労総合研究所

発行者　平　　盛　之

発行所　㈱産労総合研究所
出版部　経営書院

〒100-0014　東京都千代田区永田町1-11-1　三宅坂ビル

電話　03（5860）9799　https://www.e-sanro.net

印刷・製本　中和印刷株式会社

落丁・乱丁本はお取り替えいたします。
本書の一部または全部を著作権法で定める範囲を超えて、無断で複写、複製、転載すること、および磁気媒体等に入力することを禁じます。

ISBN978-4-86326-370-3　C2034